D0299855

CHARLES DARWIN

Le roman de nos origines

Irving Stone

CHARLES DARWIN

Le roman de nos origines

Traduit de l'américain
par Marc Albert

BALLAND

Titre original :

The Origin, a biographical novel
of Charles Darwin

Publié pour la première fois
chez Doubleday — New York.

PREMIÈRE PARTIE

« Les romans, œuvres d'imagination d'un genre peut-être galvaudé me sont depuis des années d'un grand secours et je bénis souvent les romanciers. On m'en a lu un nombre surprenant à haute-voix et je les aime tous, dès qu'ils ne finissent pas de façon tragique — ce qui devrait être interdit par la loi. Un roman, à mon goût, n'est de première qualité que si l'on y trouve quelqu'un d'aimable, de bout en bout, et si c'est une jolie femme, tant mieux ! »

Charles Darwin
Autobiographie, 1876.

LIVRE UN

1.

Il remua son blaireau dans le bol de faïence blanche à fleurs bleues posé sur la planchette ronde d'acajou, versa l'eau chaude d'un pichet de cuivre, couvrit de savon son visage pâle et ouvrit son rasoir effilé.

A vingt-deux ans, Charles Darwin n'avait guère de mal à se raser puisque ses longs favoris châtains-roux lui descendaient jusqu'à la mâchoire. Il n'avait plus qu'à dégager ses joues bien rouges et son menton bien rond. Ses lèvres fines contrastaient légèrement avec la remarquable profondeur de ses yeux marron, qui observaient et enregistraient tout.

Puis il saisit deux brosses aux manches d'argent, ramena sur la droite une longue mèche rousse qui lui recouvrit presque l'oreille, et brossa bien à plat ses cheveux fournis aux reflets orange qui vinrent former une boucle gracieuse au-dessus de son oreille gauche. Il sortit d'une commode en noyer une chemise blanche fraîchement repassée, en boutonna le haut col amidonné autour duquel il noua une cravate sombre. D'ordinaire, il se rasait le matin, au lever, mais il avait voulu passer la journée sur la rivière, à pêcher dans la barque de la famille et à collectionner les pierres des bords de la Severn. Il avait repoussé l'heure de la toilette jusqu'à la visite du professeur Adam Sedgwick.

Une délicieuse odeur d'oie en croûte montait par le vaste escalier. C'était une spécialité de Shrewsbury, un plat qu'Annie servait lorsqu'ils avaient des invités de marque. Enfant, Charles l'avait souvent vue préparer ce régal à la cuisine : désosser l'oie énorme, puis un gros poulet dont elle farcissait l'oie, glisser de la langue marinée au vinaigre dans le poulet et placer le tout dans une croûte en pièce montée qu'elle arrosait pour finir d'une demi-livre de beurre fondu, battu avec du poivre et de la muscade.

Marianne, la sœur aînée de Charles, s'était mariée à vingt-six ans, avec un médecin. A la mort de sa mère, elle n'avait pas voulu assumer le fardeau des tâches ménagères bien qu'à dix-neuf ans, elle en fût capable. Elle avait préféré le laisser reposer sur les épaules courageuses de sa cadette Caroline, qui avait dix-sept ans. Et c'est bien rarement, lorsqu'elle fut partie vivre avec son mari à Overton, qu'on revit Marianne au Mont. Caroline avait souvent exigé qu'Annie ferme la porte de sa cuisine. Mais Annie, robuste fille d'un fermier du Shropshire, protestait.

« La famille a tout de même bien le droit de savoir ce qu'il y a à dîner. J' me demande bien c' que vous feriez sans la cuisine, au Mont. »

Le docteur Robert Darwin disait pour apaiser sa fille : « Voilà ce qui fait d'Annie une cuisinière hors pair. Elle adore absolument tout ce qu'elle met sous sa pâte à tarte. A ces fumets délicieux, avant même de partir en tournée, je peux dire si c'est du canard ou du pigeon, des abattis ou du hareng pommes de terre qu'elle nous met en croûte. Cela me met en appétit tout le long du chemin, entre deux malades. »

Et au chapitre de la nourriture, il en fallait beaucoup pour rassasier le docteur Darwin. C'était un homme d'une corpulence prodigieuse qui pesait trois cent vingt livres. Vingt livres de moins pourtant que son Gargantua de père, le docteur Erasmus Darwin, célèbre dans toute l'Angleterre autant pour les poèmes et les ouvrages scientifiques qu'il avait publiés que pour avoir été contraint de faire découper un demi-cercle dans son coin de table afin d'y loger sa bedaine.

Une fois habillé, Charles attacha sa montre en or à une fine chaîne qu'il portait autour du cou, la glissa dans son gousset et se considéra dans le haut miroir avec une certaine satisfaction. Il avait dépassé ce 1,80 m qu'il avait tant désiré. Son nez était peut-être un peu long. Mais au total il n'était guère plus imbu de lui-même que tout jeune homme mince et bien proportionné qui a terminé ses études de théologie quatre mois plus tôt et vient juste d'obtenir son diplôme de Bachelor of Arts au Christ's College de Cambridge, classe de 1831. Il avait fini dixième sans mention, et serait ordonné à la cathédrale de Herford, non loin de la maison des Darwin et de celle de la famille de sa mère, les Wedgwood.

Mais rien ne pressait. Ni son père ni l'Eglise anglicane, ne lui imposaient de date limite, après la remise du diplôme, pour l'ordination. Il faudrait de toute façon un an ou deux avant qu'un poste de diacre ou une cure soit disponible. Il serait tout en bas de la hiérarchie ecclésiastique : assistant d'un vicaire ou, dans une paroisse plus riche, prêtre adjoint à un recteur. C'est l'évêque de son diocèse qui procéderait à la nomination. Et si les tâches d'une cure étaient modestes, la paye l'était également. Mais cela convenait parfaitement à Charles. Cela lui laisserait du temps pour ses collections et ses recherches d'histoire naturelle, sans oublier la chasse, qu'il adorait.

« On dirait que j'ai rendez-vous avec la belle Fanny Owen », pensa Charles en jetant un dernier coup d'œil au miroir. Parler de beauté à son sujet eût été excessif, mais il avait du charme et de l'aisance et de grands yeux expressifs ; c'était un jeune homme d'une élégance naturelle, plaisant et bien élevé. Il appréciait la compagnie des autres et le leur montrait. Il était donc aimé de tout le monde : sa famille, ses condisciples et ses professeurs à Cambridge. Et tout particulièrement des hommes d'un certain âge car il avait cette rare qualité de ne pas leur faire sentir la différence de génération. Le préféré de Josiah Wedgwood, le frère de sa mère, chez qui depuis l'enfance, tous les ans, en septembre, il tirait les perdrix ou passait des vacances, il était toujours bien reçu par William Owen, à Woodhouse, où dès les premières gelées on attendait sa visite pour le voir « occire quelques-uns des faisans d'Owen » ; et il était le protégé de John Steven Henslow, son mentor et son guide à travers les merveilles de la nature. Henslow, autrefois professeur de minéralogie à l'université de Cambridge, occupait depuis quatre ans la chaire de botanique et la délicieuse cure de Little Saint Mary's, tout près de Trumpington street, à quelques pas de la rivière Cam. C'est le professeur Henslow qui avait persuadé son ami Adam Sedgwick d'emmener Charles avec lui dans une de ses expéditions d'exploration géologique au nord-ouest des montagnes du pays de Galles. Voilà pourquoi Charles s'était mis sur son trente et un. Sedgwick, bâti comme un chêne et toujours célibataire à l'âge de quarante-six ans, arborait une longue redingote de dandy et un haut chapeau blanc, même au cours de ses fameuses expéditions dans les Alpes ou en pays de Galles. Ce qui faisait dire à ses élèves de Cambridge :

« Il porte ce haut chapeau blanc pour que les chasseurs ne le prennent pas pour un chamois et ne lui tirent pas une balle entre les deux yeux. »

Prêt à recevoir son invité, Charles prit un volume de Walter Scott sur les rayonnages de cette pièce dans laquelle il était né et s'installa dans un fauteuil capitonné près de la fenêtre. Les tentures de velours étaient tirées. A travers la dentelle des rideaux, on apercevait nettement la vaste pelouse des Darwin avec ses vieux chênes, ses pins, ses sycomores, et plus loin, le Mont, (comme on appelait cette haute colline aux abords de Shrewsbury qui avait donné son nom à leur maison), les prairies et les ruines d'un château fort construit par les premiers Bretons.

Les trois années de Charles à Cambridge s'étaient très bien passées. Il avait énormément lu ; les deux familles, celle des Darwin comme celle des Wedgwood, avaient de bonnes bibliothèques et on y lisait beaucoup, mais pour le plaisir plutôt que par goût de l'érudition. Son repaire favori, lorsqu'il faisait beau, était à l'ombre d'un mûrier, dans ce jardin des élèves, à Christ's College, où John Milton s'était promené et avait dévoré des livres près de deux siècles avant lui. Il savait écouter avec attention, retenant ce qu'il fallait des ouvrages qu'ils avaient obligatoirement à régurgiter, (la *Théologie naturelle* de Paley et les *Eléments de géométrie* d'Euclide) pour réussir l'examen préparatoire après deux années à Cambridge. Et il apprenait avec facilité les sujets qui l'intéressaient. Il avait eu également son content de plein air et de bonne camaraderie.

Le professeur Henslow emmenait souvent ses élèves dans le Cambridgeshire. Charles ne manquait jamais une occasion de se joindre à eux, parfois pour des expéditions d'un week-end qui les menaient à travers bois et marais. Au cours d'une excursion à Gamlingay il attrapa à lui seul plus de crapauds que tous les autres. « Darwin, vous avez l'œil vif, lui dit le professeur Henslow. Mais qu'allez-vous donc faire de tout ça ? Un pâté de grenouille ? — Je suis bien trop mauvais cuisinier pour cela », répondit-il sans se démonter.

Henslow était un collectionneur invétéré en entomologie, cette science qui propose le classement des myriades d'insectes existantes et notamment les scarabées, dont Charles et son petit groupe étaient des amateurs acharnés. Charles affirmait qu'il n'aimait rien tant à l'université que collectionner les scarabées. Un jour, arrachant une vieille écorce, il vit deux scarabées rares et en saisit un dans chaque main. Tout à coup, il en vit un troisième, d'une espèce nouvelle qu'il ne pouvait se résigner à laisser aller. Il mit donc dans sa bouche celui qu'il avait dans la main droite.

« Malheureusement, dit-il au professeur Henslow ce soir-là, il émit un liquide extrêmement acide qui me brûla la langue. J'ai dû le recracher et le perdre. Et du coup, j'ai manqué le troisième ! — Cela vous apprendra à être moins avide, lui répondit Henslow en riant. Il faut savoir se contrôler, mon garçon, que l'on veuille amasser de l'argent ou bien des scarabées. »

Lorsque John Steven Henslow était arrivé à Cambridge, treize ans avant Charles Darwin, on y considérait la science comme antireligieuse. Un tel sujet ne pouvait être au programme d'une université fondée au XIIe siècle pour former des théologiens, aucun cours n'y était donc donné qui conduise à un diplôme universitaire. Le jardin botanique, au centre de la ville, restait en friche, jamais fréquenté.

Avec les professeurs Henslow et Sedgwick, tout cela changea. Ensemble, en 1819, ils formèrent la Société Philosophique de Cambridge, où professeurs intéressés et élèves de dernière année se rencontraient fréquemment pour lire des communications et discuter des problèmes que posaient ces études, marginales mais florissantes, en histoire naturelle. Aucun cours de botanique ou de géologie ne pouvait faire formellement partie d'une bonne éducation. Le professeur Henslow invitait le vendredi soir « dans ses foyers » pendant l'année scolaire ses plus brillants élèves de terminale ainsi que les répétiteurs et professeurs intéressés par les perspectives ouvertes par la science. Après dîner, ils faisaient de longues promenades dans la campagne, et souvent pendant les week-ends allaient dans les Fens fertiles, collectionner des herbes, de la rue sauvage, du persil lacté, des iris, des roseaux épais, sans oublier sauterelles, vers luisants, bécassines, araignées et phalènes. On désigna bientôt Charles comme « celui qui se promène avec Henslow ».

Charles s'imprégnait de la science d'Henslow, qui dépassait de beaucoup la simple érudition. C'était un peu comme son rapport avec son frère Erasmus, pendant ses années à la « Royal Free Grammar School » de Shrewsbury. Ras, comme on l'appelait, était de cinq ans son aîné. Passionné de chimie, il avait installé un laboratoire dans une cabane à outils, dans le jardin du Mont. Faisant de Charles son assistant, Erasmus lui avait appris à diluer de l'acide sulfurique dans cinq fois son volume d'eau, à verser le mélange sur de la limaille de fer et à recueillir le gaz dans un flacon. L'expérience qui fit des deux garçons des *persona non grata* dans le voisinage, consistait à dissoudre un volume de mercure dans deux volumes d'acide sulfurique, qui s'évaporait en bouillonnant au fond d'un flacon. Une odeur suffocante se répandait dans la colline. Le docteur Darwin, qui n'approuvait guère, fit remarquer sèchement :

« Ne pourriez-vous pas pratiquer une forme de chimie moins malodorante, les garçons ? »

Erasmus, moins soucieux de l'approbation de son père que Charles, répondit :

« Père, comment pourrions-nous savoir quelle sorte de puanteur nos mélanges vont produire avant de les avoir réalisés ? Vous ne voudriez tout de même pas écraser dans l'œuf notre sens de la recherche ! »

Le docteur Darwin savait reconnaître une allusion à sa taille quand on en faisait une. Il se retourna vers ses maigrichons de fils et répondit d'une voix qui semblait venir du fin fond du puits de Shrewsbury :

« Grands Dieux non ! J'ai passé le plus clair de mon âge adulte à essayer de ne jamais rien écraser sur mon passage ! » Pourquoi, pensait Charles avec une pointe de compassion pour son père, pourquoi tous ses enfants avaient-ils hérité de la minceur des Wedgwood, et pas un seul de son étonnante carrure ?

Bien que Charles n'eût alors que quatorze ans, Ras et lui travaillaient souvent tard dans la nuit. L'odeur de sulfure en ébullition qui s'échappait parfois du Mont conduisit les élèves de la classe de Charles à le surnommer « Gaz ». Et cela lui valut également une remontrance publique de la part du docteur Samuel Butler, proviseur de la Royal Free Grammar School, (école malgré son nom fort coûteuse) fondée par Edouard VI en 1552, et considérablement agrandie par la reine Elizabeth. « Darwin, plutôt que de gaspiller ainsi votre temps, vous feriez mieux de vous concentrer sur la grammaire grecque et la littérature latine. Ce sont là les matières véritablement utiles à un gentleman anglais digne de ce nom. »

Le gravier crissa au tournant de l'allée qui conduisait au Mont. Charles posa son livre près d'un vase de fleurs, se leva et écarta le rideau. Dans le cabriolet qu'il avait conduit depuis Cambridge par les routes tortueuses à travers les mines de Wolverhampton et le fin conglomérat d'Alberbury qu'on brûlait pour faire de la chaux, se tenait le redoutable professeur Adam Sedgwick, une main tenant les rênes, et l'autre maintenant en place son haut chapeau blanc.

Charles descendit l'escalier quatre à quatre et rejoignit Adam Sedgwick devant la haute porte de chêne et les quatre piliers de marbre du portique. Il contemplait le tout avec un sourire admiratif.

« Voilà comme j'aime voir une maison construite. Il faudrait le Vésuve ou l'Etna pour la faire trembler sur ses bases.

— C'est bien ainsi que la voulait mon père lorsqu'il a acheté six hectares sur cette colline, le Mont dont la maison a pris le nom. Mon père aussi, entre parenthèses. »

Charles appela un garçon d'écurie pour qu'on s'occupe de l'équipage de Sedgwick. Edward, leur valet depuis toujours, avait déjà pris ses bagages et les avait déposés au premier étage dans une chambre d'amis qui donnait sur la Severn. Charles demanda qu'on porte à Sedgwick un broc d'eau pour qu'il puisse se rafraîchir après un voyage de recherches géologiques dont les méandres lui avaient fait parcourir deux cent quatre-vingts kilomètres depuis Cambridge.

« Vous avez passé un bon été ? demanda Sedgwick.

— J'ai travaillé la géologie en juillet comme un tigre. Le professeur Henslow m'a suggéré de tracer une carte topographique du Shropshire comme exercice préparatoire. Ce ne fut pas aussi facile que je l'escomptais. J'ai fait des croquis en couleur de plusieurs sections que je crois exacts mais je suis moins sûr de mes sondages et prélèvements.

— J'y jetterai un coup d'œil après ma toilette. Si vous savez manier le marteau et ne vous lassez pas de récolter des roches en montagne, vous pouvez devenir un géologue tout à fait honnête en deux ans. »

Charles jeta un coup d'œil en coin vers le visage osseux de cet homme du Yorkshire, aux cheveux noirs et bouclés. C'était un conférencier brillant à Cambridge, débordant d'énergie malgré des rhumatismes dont il se plaignait continuellement. Comme son ami et associé John Henslow, Sedgwick avait été ordonné prêtre et exerçait les fonctions de diacre en même temps que celles de professeur à Cambridge. Il prêchait fréquemment à Dent, dans la région dont il était originaire. C'était un homme profondément moral et religieux. A la connaissance de Charles, il n'avait jamais connu l'amour, ni même une femme. Ses préjugés contre le mariage étaient bien connus de ses élèves.

« Le mariage est peut-être très bien pour un homme qui ne tient plus sur ses jambes, mais on peut être certain qu'épouser une femme c'est épouser bien des ennuis. »

Malgré cette philosophie chagrine, il passait pour « un célibataire bon à marier qu'on invite à dîner tous les soirs ». Charles n'avait jamais assisté à aucune des célèbres conférences de Sedgwick sur la géologie. L'école médicale de l'Université d'Edimbourg, qu'il avait fréquentée de seize à dix-sept ans, avait inhibé chez lui tout intérêt pour ce sujet, tant les conférences du professeur Robert Jameson étaient ennuyeuses. Le professeur Sedgwick, trop vaniteux pour être mesquin, n'en tenait pas rigueur à Charles.

Adam Sedgwick appelait son marteau « ce vieux Thor », du nom du dieu nordique du tonnerre, et le maniait avec amour. Comme disait Henslow : « Si Sedgwick trouvait une jeune fille qui lui plaise autant, il l'épouserait tout de suite.

— Il faudrait une femme tout à fait remarquable pour rivaliser avec les Alpes », avait répondu Charles.

Le docteur Darwin n'était pas encore rentré de sa tournée ; les trois sœurs de Charles s'habillaient pour le dîner.

« Cela me permettra de vous faire visiter notre jardin, dit Charles lorsque Sedgwick redescendit. Nous en sommes très fiers.

— Les fleurs sont pour les Anglais comme le gras de baleine pour les Esquimaux, déclara Sedgwick d'un ton sentencieux. Leur beauté nous réchauffe le cœur tout l'hiver. »

Ils se promenèrent dans les jardins que le docteur Darwin et sa femme Susannah avaient conçus trente ans plus tôt. On trouvait des plates-bandes herbeuses, dans lesquelles poussaient surtout des pensées. La vigne vierge grimpait sur les murs, rouille sombre, jaune et cramoisie, dans les senteurs de l'été ; les lobélies bleues succédaient aux gueules-de-loup, et aux œillets de toutes les couleurs. Plus loin, au-dessus des pieds-d'alouette bleus de dix centimètres, les roses trémières montaient la garde, raides comme des sentinelles.

Le verger était protégé par un muret de brique contre lequel s'appuyaient pêchers, poiriers et pruniers en espaliers. Les deux hommes traversèrent des rangs de pommes de terre, de carottes, de haricots verts, de poireaux ; des carrés de fraises recouverts de paille et d'un filet destiné à garder les oiseaux à distance. Plus loin, des choux, généralement consommables vers Noël qui, comme les petites pommes de terre nouvelles, ne donnaient qu'une courte récolte au printemps. Ils admirèrent les parterres de menthe, de persil et de rhubarbe. « Nous faisons des conserves de fruits pour l'hiver, avec les reines-claudes également, et toutes sortes de confitures.

— Des douceurs bien appréciables dans nos vies de célibataires à Cambridge », fit Sedgwick avec un soupir.

Charles le ramena vers la maison. « Mes sœurs seront bientôt prêtes et mon père ne devrait plus tarder. »

Ils traversèrent les deux grandes salles de la bibliothèque. Sedgwick laissa courir un doigt sur les rayonnages qui contenaient ses auteurs favoris, les classiques grecs et latins. Devant une autre niche, il prononça à haute voix les noms qu'il lisait sur les dos : Chaucer, Milton, Pope, Dryden, Goldsmith, Walter Scott, Shakespeare.

« C'est là que nous rangeons les romans modernes », dit Charles en montrant les rayons juste à côté de la serre.

Sedgwick sortit un exemplaire des *Mystères d'Udolphe,* extrêmement en vogue pendant des années.

« Vous trouvez cela intéressant, les romans ? demanda-t-il en fronçant les sourcils. Je n'ai jamais été capable d'en terminer un.

— Il y en a de toutes sortes, d'excellents, de médiocres et de franchement mauvais. Quand un membre de la famille va à Londres, nous lui demandons toujours de nous rapporter des livres. Ce sont parfois les plus mauvais qui sont les plus drôles. Nous les lisons à haute voix, à tour de rôle. C'est une distraction de choix dans le Shropshire au coin d'un bon feu pendant les mois d'hiver. Nous les lisons parfois " sautibus ", en sautant les passages les plus ennuyeux. »

Ils pénétrèrent dans la serre par l'arche qui ouvrait sur toute cette verdure et l'odeur chaude et humide de la mousse ; le soleil illuminait la verrière. Les sœurs de Charles s'étaient faites belles pour dîner en compagnie du célèbre professeur Adam Sedgwick, et s'étaient frisé les cheveux près de l'âtre d'une cheminée, au premier étage.

Les hommes avancèrent vers l'extrémité de la serre, où Caroline, trente et un ans, présidait à la table où ils prendraient le thé, au milieu des fougères, des lis calla, des géraniums roses et rouges, des plantes en pot sur des étagères de bois, des chrysanthèmes dans des vases de terre cuite, des dahlias et des violettes blanches dans des caisses de bois.

Sedgwick prit la main de chacune de ces dames, et s'inclina bien bas en murmurant les compliments d'usage.

Susan, à vingt-huit ans, était grande, toujours de bonne humeur ; c'était la beauté de la famille, et son père, assez distant avec les autres enfants, l'adorait. La règle d'or chez les Darwin voulait que les filles se marient vers la trentaine, et les hommes beaucoup plus tard. Mais personne ne pensait que Susan puisse passer vingt ans sans être mariée. Une bonne moitié des jeunes gens du Shropshire étaient amoureux d'elle ; elle n'en décourageait aucun. C'était également la préférée de Charles, même s'il disait :

« Tout ce qui porte culotte est bon pour Susan, de huit à quatre-vingts ans. »

Elle apporta un verre de madère à Sedgwick en lui décochant un sourire enjôleur.

Katty observa Susan avec amusement. Katty avait vingt ans et ressemblait beaucoup à Charles. Quand Leonard Jenyns, le beau-frère du professeur Henslow, en visite au Mont, avait vu Katty pour la première fois, il s'était exclamé : « On dirait Darwin en jupons ! »

Elle avait un visage mutin, portait des robes blanches aux manches bouffantes et des bas blancs, ramenait ses cheveux en frange légèrement au-dessus des sourcils. Elle était aimable et affectueuse mais réservée, et un peu perdue entre l'exubérante vitalité de Caroline et la beauté conquérante de Susan.

Caroline avait la haute taille des Wedgwood, mais n'était pas très belle, malgré son teint remarquable, ses yeux brillants et ses cheveux d'un noir éclatant. Comme disait l'un des cousins Wedgwood : « Elle a l'air d'une duchesse. »

Tout le monde l'aimait... sauf Charles. En remplaçant leur mère, qui était morte lorsqu'il avait huit ans, Caroline s'était montrée d'une intraitable sévérité. Et encore maintenant, à l'âge de vingt-deux ans, quand elle entrait dans la pièce, Charles se demandait : « Mon Dieu, que va-t-elle encore me reprocher ? »

Il admirait sa nature énergique bien que coléreuse. Elle avait fondé une garderie du dimanche pour les enfants de moins de quatre ans à Frankland, le quartier pauvre de Shrewsbury, en bas du Mont. On leur y enseignait les tables de multiplication et la prière à Notre-Seigneur. Les enfants étaient pâles, chétifs, insuffisamment vêtus. Caroline passait l'essentiel de son temps libre à essayer de collecter des fonds pour leur procurer des livres et du matériel scolaire, et surtout de la nourriture, des médicaments et des vêtements chauds. Personne en dehors de la famille Darwin ne la soutenait mais elle persévérait.

Le professeur Sedgwick leva son verre à la santé des jeunes femmes puis se tourna vers Charles.

« A nos quelques semaines de chasse aux roches. Etes-vous bien sûr de ne pas vouloir faire avec moi un plus long voyage ?

— Ni la géologie ni aucune autre science ne pourraient me faire manquer l'ouverture de la chasse à Maer Hall », répondit Charles en souriant.

Sedgwick hocha la tête : « J'étais moi-même un sportif acharné avant de devenir géologue. Mais dès que j'ai occupé la chaire woodwardienne au Trinity College, j'ai abandonné mes chiens et mon fusil.

— Dites-moi, professeur, demanda Susan d'un ton enjoué, qu'y a-t-il donc de si passionnant dans la géologie, qu'elle captive ainsi des hommes de votre talent ? »

Adam Sedgwick considéra ses boucles dorées, ses yeux brillants vert océan, son teint aussi délicatement blanc et rose que les porcelaines apportées en dot au docteur Darwin par Susannah Wedgwood. Il répondit d'une voix grave et, comme lui, sans passion. Charles savait, pour l'avoir remarqué au cours de certaines soirées chez les Henslow, que le professeur Sedgwick cherchait à produire ainsi la plus profonde impression.

« Mademoiselle Susan, mon bon ami, le poète Wordworth, n'aimait guère les hommes de science car ils regardaient la nature avec des yeux différents des siens. Il a pourtant fait une exception pour moi et écrit un poème en l'honneur de la géologie. »

Adam Sedgwick faisait des citations au moins dans une demi-douzaine de langues :

« *Celui qui avec son maillet, frappe la saillie*
De la roche ingrate ou de la pierre noble,
Défigurée par les intempéries ou malmenée par la nature... »

Le bruit de la porte d'entrée vint rompre un silence respectueux.

« Voilà le raz de marée », fit remarquer Caroline légèrement sarcastique.

Charles se leva vivement pour aller à la rencontre de son père. Ni l'un ni l'autre n'étaient prodigues de grandes démonstrations d'affection. Ils s'appréciaient mutuellement sans trop savoir comment se le manifester. Le docteur Robert Darwin, qui avait eu soixante-dix ans le 30 mai précédent, avait toujours été très bon avec Charles, même s'il était parfois bourru après une journée de douze heures passées sur les routes boueuses et accidentées du Shropshire entre les visites à ses malades. Charles ne se souvenait que d'une scène pénible avec son père, lorsqu'on l'avait retiré, à seize ans, de l'école de Shrewsbury, un an avant la fin de sa scolarité. Il avait été extrêmement vexé lorsque son père avait déclaré : « Tu ne t'intéresses qu'aux fusils, aux chiens et à la chasse aux mulots. Tu ne sauras jamais rien faire, sinon honte à ta famille ! »

Charles avait trouvé la réprimande injuste. Il avait mémorisé ses quarante ou cinquante vers de Virgile ou d'Homère tous les matins à la chapelle ; avait consciencieusement étudié ses classiques et ne s'était jamais servi de traductions. Il avait beaucoup apprécié Horace et ses odes. Il ne se sentait pas l'âme d'un rat de bibliothèque voilà tout.

On ne reparla plus jamais de l'incident. Le docteur Darwin annonça simplement que Charles irait retrouver son frère Erasmus pour étudier la médecine à l'Université d'Edimbourg. Les deux garçons deviendraient médecins, comme lui-même avait repris la profession de son père, le célèbre docteur Erasmus Darwin.

« Tu feras un bon médecin, Charles. L'essentiel chez un praticien c'est d'inspirer confiance. Tu y as très bien réussi avec mes malades de Shrewsbury, surtout auprès des femmes et des enfants... »

Charles avait noté en détail par écrit les différents symptômes d'une douzaine de cas que son père l'avait envoyé examiner, avec une précision qui l'avait surpris, lorsqu'il lui en avait fait la lecture à haute voix, dans la soirée.

Les encouragements de son père étaient réconfortants. Le docteur Darwin le poussait à faire des études médicales, l'avenir lui donnerait peut-être raison.

Tel n'avait pas été le cas. Il s'était inscrit à l'automne, en octobre 1825, partageant une chambre avec son frère Erasmus, perdu parmi neuf cents autres étudiants qui suivaient les classes de *materia medica,* chimie et anatomie ; mais très vite, sa nature s'était rebellée. En chirurgie, dans la salle d'opération de l'hôpital, assistant à deux opérations sans anesthésie, dont l'une sur un enfant, il prit deux fois la fuite avant la fin. Rien n'aurait pu le décider à y retourner.

Il n'eut guère plus de chance avec les conférences. Les cours du docteur Duncan sur les *materia medica* avaient lieu à huit heures du matin, dans un froid et une obscurité hivernaux dont le seul souvenir lui était pénible. Et les conférences du docteur Monro sur l'anatomie étaient d'une monotonie exemplaire.

« A l'image du professeur lui-même, déclara-t-il à Erasmus. Je trouve le sujet tout simplement mortel.

— Alors, deviens un " docteur qui écoute ", comme Père. Il ne se soucie guère plus d'anatomie que toi et moi. Il laisse ses malades égrener le chapelet de leurs petits malheurs. Les femmes versent une larme sur la vie qui est bien amère, avalent les placebos de Père et tout le monde se sent infiniment mieux. Sauf ceux qui meurent, évidemment. »

Charles regarda le visage de son frère. Les fortes narines qu'il tenait de leur mère, et cette longue mèche qu'il ramenait de droite à gauche pour couvrir son crâne presque entièrement chauve. Son menton volontaire comme celui de leur père que contredisait l'expression rêveuse des yeux. « La médecine n'a pas l'air de te passionner beaucoup non plus, Ras. »

Bien avant la fin de la deuxième année, Charles savait déjà qu'il ne pratiquerait jamais la médecine. C'était sans doute une noble profession, mais il ne se sentait aucun goût pour elle, même si son père et son grand-père l'avaient exercée brillamment pendant soixante-dix ans. Dans ses lettres, il avait fait part de son désintérêt à ses sœurs et s'attendait à une confrontation peu agréable avec son père lorsqu'il lui apprendrait son intention de ne pas retourner à Edimbourg en troisième année.

Son père le reçut avec froideur lorsqu'il revint au Mont, à la fin du printemps 1827. Ils se retrouvèrent en fin d'après-midi à la bibliothèque.

« Tu veux abandonner tes études de médecine. Pourquoi ?

— Elles ne m'ont jamais vraiment intéressé, Père. Je ne les ai entreprises que parce que vous me l'aviez demandé.

— Et je te le demande toujours. » La voix du docteur Darwin exprimait une lourde déception. « Les traditions familiales n'ont-elles donc plus la moindre importance pour toi ? Et que comptes-tu faire, s'il est possible de te le demander ? ajouta-t-il sur le ton de la colère.

— Je veux aller au Christ College, à Cambridge, où est Ras.

— Pour l'imiter ou parce que c'est le collège le plus amusant de Cambridge ?

— Non, Père. J'ai plus de dix-huit ans et je me passe très bien de Ras. J'ai rencontré plusieurs personnes de Christ College et ce qu'on m'en a dit m'intéresse. J'aimerais y préparer mon diplôme de Bachelor of Arts.

— Et à quoi cela te servira-t-il ? »

Charles accusa le coup. Son visage pâle s'assombrit. Le docteur Darwin cherchait à guérir l'éducation déficiente de son fils.

« A devenir clergyman.

— ... L'Eglise d'Angleterre ? Nous ne sommes pas très religieux dans la famille. Il n'y a guère de prêtres chez les Darwin ou les Wedgwood, sauf John Allen Wedgwood qui vient juste d'être nommé vicaire à Maer. Mais c'est du moins une profession tout à fait respectable. »

Susannah Wedgwood avait rejoint les Unitariens, bien plus modérés dans leur ferveur que les Anglicans. Robert Darwin ne conduisait ses enfants à l'église qu'à Noël et à Pâques. On ne disait pas de prières au Mont, ou très brièvement, avant le repas, quand un ecclésiastique était invité à dîner. Personne ne contestait ou ne critiquait la religion dans la maison. Cela faisait partie du paysage et allait de soi.

« Je crois que c'est une vocation que je saurai honorer, articula Charles. Je m'entends avec les gens de tous les âges. Je serai peut-être utile à une congrégation. Mais le diplôme de bachelor conduit à d'autres professions : le droit, la diplomatie, l'administration, l'enseignement...

— Non, Charles. Le clergé est encore ce qu'il y a de mieux. »

Charles se redressa de toute sa hauteur ; mais même ainsi ses yeux étaient toujours deux pouces au-dessous de ceux de son père.

« Si telle est votre préférence, ce sera le clergé. Vous avez ma parole d'honneur, cette fois, je n'abandonnerai pas. »

Un sourire vint réchauffer le visage du docteur Darwin. Il se leva et serra son fils dans ses bras.

« Allons, je regrette que tu ne prennes pas ma suite, mais j'aime l'idée d'avoir un clergyman dans la famille. »

2.

Erasmus était très injuste à l'égard de son père en le traitant de « docteur qui écoute ». Il avait un grand talent de diagnostic et interprétait correctement des symptômes qui échappaient à tous les autres praticiens. Le docteur Darwin avait deux fois la taille de la plupart des hommes qu'il soignait, et trois fois celle des femmes. Sa carrure impériale inspirait confiance. Comment un homme aussi robuste, très rarement malade lui-même, n'aurait-il pas compris les problèmes de ses malades ?

Pour sa famille, il était le docteur qui parle. Lorsqu'il rentrait à la maison, le soir, il faisait sa toilette, s'installait sur le large canapé, s'assurait que tous ses enfants et invités — il y avait toujours des invités, généralement de la famille — étaient là, et entamait un monologue de deux heures. Il n'avait guère l'occasion de parler au cours de ses visites. La politique, la nature humaine, la complexité des affaires et sa philosophie maison constituaient pour lui une valve de sécurité. Ce n'était en rien une divagation décousue de deux heures. Le docteur préparait ses thèmes avec soin dans le long cabriolet jaune qui le ramenait à la maison. Tout ce qu'il disait était pertinent et venait étayer ses thèmes principaux.

Enfants et invités s'étaient accoutumés à cette épreuve, bien que la cousine favorite de Charles, Emma Wedgwood, eût un jour fait remarquer avec humeur : « Cela devient lassant, un discours de deux heures du docteur avant chaque repas. » Ils avaient souvent du mal à tenir en place, mais personne n'osait l'interrompre. Ses enfants savaient bien que le docteur avait besoin de ce morceau de bravoure pour se détendre, savourer pleinement son repas et s'endormir d'un sommeil profond.

Sa femme était morte quatorze ans plus tôt. Et le docteur Darwin n'avait jamais manifesté d'intérêt pour une autre femme. Il semblait clair qu'à la différence de son père il n'aimerait ou ne se remarierait plus jamais. Onze ans après la mort de sa première femme, la mère du docteur Robert, le docteur Erasmus Darwin, après plusieurs liaisons, s'était mis à faire la cour à la plus ravissante veuve du Derbyshire, courtisée par bon nombre d'hommes plus jeunes et plus séduisants. Mais c'est le docteur Erasmus Darwin qui l'avait emporté. Il lui avait fait sept enfants et avait vécu joyeusement avec sa seconde femme jusqu'à sa mort, pendant vingt et un ans. Charles se demandait parfois ce qui se serait passé si une belle-mère avait pris la tête du Mont. Caroline aurait peut-être été soulagée des lourdes tâches qui pesaient sur elle mais quant à lui, il était content que son père ne se soit pas remarié.

Ce n'était pourtant pas par loyauté envers sa mère, car il ne conservait d'elle que l'image persistante de sa robe de velours noir, sur son lit de mort, de l'étrange structure de sa table de travail et le souvenir d'une ou deux promenades qu'il avait faites en sa compagnie. Ce vide avait quelque chose d'étrange, de dérangeant. Un fils aime penser à sa mère, surtout lorsqu'elle a cette douceur que l'on prêtait à Susannah Wedgwood. Bien que sa mère soit restée alitée fort longtemps, ils avaient dû, des années plus tôt, être beaucoup ensemble. Il ne se souvenait de rien, si ce n'est d'une remarque :

« Quand je te demande de faire quelque chose, c'est uniquement pour ton bien. »

Le jour de la mort de sa mère, il avait huit ans et demi. Il ne se souvenait que d'avoir été amené dans sa chambre, où son père pleurait. Un gigantesque coup d'éponge semblait avoir effacé tous les autres détails. Ses sœurs ne parlaient jamais de leur mère, pas plus que son père. C'était comme si Susannah Wedgwood, qui avait été mariée à Robert Darwin pendant vingt et un ans et lui avait donné six enfants, n'avait jamais existé.

Le professeur Sedgwick se leva. Le docteur Darwin traversa la serre, sombra dans son fauteuil et étendit ses jambes. Il souhaita la bienvenue au professeur Sedgwick et par respect pour ce professeur de Cambridge, écourta d'une heure son exposé de la journée.

Sedgwick trouva le docteur Darwin, cette montagne d'homme, extrêmement raffiné. Il portait ses trois cent vingt livres d'un pas étonnamment léger. Ses enfants regrettaient seulement que sa voix n'ait pas la même légèreté. Son énorme tête n'avait plus que deux touffes de cheveux au-dessus des oreilles. Ses sourcils bien dessinés, autrefois très foncés, n'étaient plus que des arches blanchies sur des paupières lourdes et des yeux petits mais espacés. C'était un visage puissant, large comme un cadran d'horloge au-dessus de la mêlée, égrenant les perles de cette heure où il exerçait son droit à se faire écouter de sa famille.

Non qu'il fût un tyran, mais comme Katty l'avait remarqué un jour : « Il occupe tant d'espace dans la pièce que j'ai peur que les murs ne s'effondrent sur moi. »

« Est-ce là ce qui s'est passé avec ma mère ? », se demandait parfois Charles. On la disait fine et fragile. Personne ne savait de quoi elle était morte. D'une lente maladie évolutive ? Ou bien à l'âge de cinquante-deux ans, s'était-elle délibérément alitée pour se retirer du monde ?

Le Mont était monumental, mais à la mesure des larges revenus du docteur Robert Darwin, de ses capitaux investis, de sa fortune personnelle et de celle de sa femme. Josiah Wedgwood, son beau-père, dont le génie avait su changer la poterie rustique anglaise en un art dont la qualité était mondialement reconnue, avait donné en dot vingt-cinq mille livres à Susannah plus d'autres valeurs. Josiah, un ami de toujours de cet autre génie hors du commun, le docteur Erasmus Darwin, avait été ravi de voir le jeune Darwin courtiser sa fille. Robert Darwin s'était montré un homme d'affaires averti, investissant l'argent de sa femme dans des rentes sans risque à dix pour cent. Il tenait un relevé minutieux des plus petites dépenses ou recettes de la famille. A la mort de Susannah, cela représentait une fortune considérable.

Les Darwin, avec leur premier enfant Marianne, avaient quitté le « Crescent » à Shrewsbury pour venir habiter le Mont au début de l'année 1800. Charles était né neuf ans plus tard. En créant le Mont, le docteur Robert Darwin avait découpé dans le paysage une silhouette à la Falstaff, à sa taille.

Edward, leur valet de toujours, apparut à l'entrée de la serre et fit à Charles un imperceptible clin d'œil qui indiquait que le dîner était prêt.

Les hautes et larges fenêtres de la salle à manger, réparties sur douze panneaux, ouvraient sur les bois des Darwin, et les prairies verdoyantes en bordure de la rivière Severn. Charles aimait cette pièce spacieuse, depuis que Katty et lui, quittant la nursery, y avaient été admis en compagnie des adultes. Il y flottait une odeur de cire d'abeille qui servait à faire briller la longue table d'acajou et ses pattes massives et griffues. Ce passage de l'enfance à la maturité s'était produit dès que les pieds de Charles avaient pu toucher le parquet recouvert d'un tapis turc dont les couleurs s'étaient adoucies avec l'âge.

Le docteur Darwin présidait la table dans un énorme fauteuil tapissé de damas. Caroline plaça le professeur Sedgwick à la droite du docteur Darwin, Susan à côté de lui et Katty en face. Elle et Charles s'installèrent côte à côte dans les chaises de Chippendale à dos canné. Très exceptionnellement, il n'y avait pas d'autres invités : famille, amis, voisins qui parcouraient vingt ou trente miles pour leur rendre une visite de deux semaines ou d'un mois.

« Cette table paraît légèrement dépeuplée, murmura Charles.

— Mais pas la pièce elle-même, répondit Caroline. J'ai toujours pensé que nous avions trop de meubles. Père est sans doute du même avis que le docteur Johnson qui affirme que “ la nature a horreur du vide ”. »

Les longs buffets étaient également en acajou, renflés sur le devant et s'adossant à des miroirs. Des carafes de vin rouge et blanc attendaient d'être servies. Les fines porcelaines de Wedgwood étaient disposées sur les étagères d'un vaisselier gallois. Plateaux et soupières d'argent reposaient de chaque côté sur des dessertes. Sur une nappe de lin blanc, les serviettes formaient de savants éventails sur les assiettes d'un service imposant.

Adam Sedgwick aimait payer son repas de quelques anecdotes. « Je suis entré un jour dans la fermette d'un paysan qui m'aidait parfois à faire des fouilles. Il avait plusieurs roches sur le chambranle de sa cheminée. “ Vous croyez qu'elles ont de la valeur ? lui ai-je demandé. — Sûrement pas. Je veux seulement montrer de quoi un professeur de Cambridge remplit ses sacoches ! ”

— Mon père me destinait à la médecine, dit le docteur Robert Darwin. Qu'est-ce qui vous a poussé vers la géologie ?

— Moi seul. En fait, j'aurais aimé faire du droit mais j'avais un père et deux jeunes frères à ma charge. Je réussis à obtenir une bourse en mathématiques à Trinity. Je n'avais pas le moindre don pour les mathématiques et mes élèves me trouvaient ennuyeux comme la pluie ; personne ne voulait venir à mes cours. J'en suis tombé malade. J'ai compris que je n'étais pas fait pour un travail sédentaire ; j'ai cherché une profession qui me permette de passer plusieurs mois par an en plein air. Et j'ai entrepris des études de géologie. Je n'ai pas eu à m'en plaindre depuis, ajouta Sedgwick avec des yeux étincelants. Vous n'imaginez pas la joie qu'on a à trouver un poisson entièrement fossilisé, comme le Paleothrissum macrocephalum, pris dans un sol d'ardoise. Ou à examiner des formations rocheuses et découvrir, en ordre décroissant, de l'ardoise rouge et du gypse, de la pierre ponce, de fines couches calcaires, et plus bas, à nouveau de l'ardoise rouge et du gypse, du magnésium jaune et de la chaux... Comment chaque couche est-elle arrivée là ? Quel âge a chacune des strates ? Quelles combinaisons chimiques Dieu a-t-il employées pour créer cette variété de minéraux ? Celui qui étudie la géologie est plongé dans un émerveillement perpétuel. »

Charles aperçut Nancy, sa vieille gouvernante, qui surveillait depuis l'office les deux jeunes servantes en élégantes coiffes blanches et tabliers amidonnés qui prenaient des mains d'Annie dans la cuisine les assiettes creuses abondamment remplies de velouté de champignon, le confit d'oie en croûte à l'odeur exquise suivi de divers légumes frais et de trois sortes de pommes de terre, au four, bouillies et frites. Sans parler des cornichons, des fruits cuits et des entremets non sucrés. A la table du docteur Darwin, on ne prenait pas la nourriture à la légère.

« Parlez-moi un peu, Darwin, de ce que vous avez trouvé dans vos explorations géologiques à Shrewsbury », demanda Sedgwick.

Charles lui montra du doigt un coquillage posé sur un buffet.

« J'étudiais une vieille carrière de gravier près d'ici quand un travailleur m'a apporté ce coquillage tropical usé qu'il venait d'y trouver. Lorsque j'ai voulu le lui acheter, il a refusé, ce qui m'a convaincu qu'il l'avait bien trouvé là. Professeur Sedgwick, qu'est-ce qu'un coquillage tropical en spirale peut bien venir faire dans nos carrières ?

— Quelqu'un l'aura jeté là », répondit Sedgwick sans s'émouvoir.

Charles était stupéfait. « Comment, vous n'êtes pas plus surpris par la présence quasi miraculeuse d'un coquillage tropical si près de la surface au cœur même de l'Angleterre ? »

Sedgwick fronça les sourcils.

« Si ce coquillage provenait réellement de la carrière, ce serait un désastre pour la géologie. Cela contredirait tout ce que nous savons des dépôts en surface dans les comtés des Midlands. La science, mon cher Darwin, consiste à grouper les faits de façon à en tirer des lois vérifiables et à tirer les conclusions qui en découlent. »

Charles contredisait rarement ses aînés, mais il était légèrement vexé d'être ainsi rembarré devant toute sa famille.

« Vous avez sans doute raison, professeur. Pourtant, je suis certain d'avoir vu de semblables coquillages sur des dessus de cheminée en guise de décoration chez des malades de mon père. Qui aurait bien pu les jeter devant la porte de leurs fermes ? Et même en admettant, ce qui n'est guère probable, qu'ils aient été amenés des tropiques par bateau, ces paysans n'auraient jamais gaspillé un sou pour les acheter. »

Sedgwick eut un sourire triste.

« Ne perdez pas votre sens de l'humour. Tous les étudiants font des erreurs, un jour ou l'autre ! Moi le premier. Tout au long de ma vie professionnelle, j'ai eu la faiblesse de croire en un déluge unique, celui de Noé, et d'y voir la cause des changements que nous observons sur la surface du globe. J'ai même publié un article, en 1825, avançant l'existence d'une seule grande catastrophe diluvienne à une époque relativement récente dans l'histoire naturelle de la terre... »

Le père de Charles et ses sœurs approuvèrent de la tête. Ne lisait-on pas dans la Bible, Genèse 6 : « *Et Dieu vit que la méchanceté de l'homme était grande sur la terre... Et Dieu dit :* " *Je détruirai l'homme que j'ai créé du limon de la Terre ; à la fois l'homme et les bêtes, ce qui rampe et ce qui se meut dans les airs ; car je regrette de les avoir créés.* " »

Seul Charles se garda bien d'approuver, car le professeur Henslow lui avait parlé de la récente communication, presque révolutionnaire, qu'Adam Sedgwick avait faite devant un certain nombre de ses collègues.

« En février dernier, continua Sedgwick, lorsque j'ai abandonné la présidence de la Société de Géologie, j'ai publiquement reconnu l'erreur de mes vues. J'avais fondé mes conclusions non sur les restes organiques que j'avais découverts mais sur un ensemble d'idées toutes faites empruntées à la Bible. Je reconnais maintenant qu'il n'y a pas eu un déluge unique, mais toute une série de catastrophes, de changements à la surface de la Terre auxquels nous devons les présentes stratifications rocheuses et leur structure chimique. »

Susan demanda : « Mais quelles forces ont causé ces changements catastrophiques, professeur Sedgwick ? »

Ayant ouvertement reconnu qu'il était susceptible de se tromper, Sedgwick n'hésita pas à admettre :

« Je n'en sais rien, Mademoiselle Susan. »

On servit le dessert d'Annie : de petits cakes fins faits avec des œufs, de la crème, de l'eau de rose et du pain de sucre râpé, le tout rapidement cuit au four. Adam Sedgwick en engloutit sans peine une douzaine.

« Nous n'aurons guère l'occasion de nous régaler de mets aussi raffinés pendant trois semaines, Darwin. »

Le lendemain matin, les hommes se levèrent à l'aube. Le père de Charles voulait faire son heure de marche quotidienne : il descendrait à travers bois la pente raide de la colline jusqu'à la Severn et longerait la rivière pendant un mile ou deux. Charles et le professeur Sedgwick chargèrent le cabriolet et se préparèrent au départ. Au retour du docteur Darwin, tous trois partagèrent un magnifique petit déjeuner, car personne ne mangerait plus jusqu'au soir. En disant au revoir à son fils, le docteur Darwin ajouta :

« Pour l'amour du ciel, Charles, ne sois pas imprudent. Tu m'as dit que Sedgwick escaladait les montagnes de l'aube au couchant comme une chèvre. Ne fais pas d'efforts physiques qui puissent nuire à ta santé. »

Charles fut d'autant plus surpris de la sollicitude de son père que depuis l'enfance il était coutumier des longues promenades solitaires. « Pour moi escalader et collectionner est aussi naturel que de respirer, Père », répondit-il.

3.

C'était loin d'être le premier voyage de Charles au nord du pays de Galles tout proche. Sa famille passait souvent les vacances dans cette région. A quatre ans, il avait vécu trois semaines au bord de la mer près d'Abergele. Il se souvenait encore de la peur que lui avait faite l'écume blanche lorsque leur attelage avait traversé un large fjord. A dix ans, il était retourné trois semaines à Towyn, au sud de Barmouth. En traversant la campagne dans le cabriolet de Sedgwick, il se souvenait d'une soirée venteuse où, se promenant seul sur la plage, il avait contemplé la course irrégulière des mouettes et des cormorans. L'année suivante, on les avait conduits, Erasmus et lui, à Pistyll Rhaiadr, les chutes les plus remarquables du pays de Galles. Grande avait été sa surprise de voir que les poissons pouvaient sauter la cascade. A dix-sept ans, il avait fait avec deux amis une randonnée à pied dans la région et malgré leurs sacs à dos lourdement chargés, les jeunes gens avaient parcouru leurs trente miles par jour.

Le soleil d'été se leva sur les champs d'un vert intense séparés par des haies de buissons enchevêtrés. La route était bordée de clôtures de bois couvertes d'aubépines. Les arbres poussaient librement au milieu des prairies ; ils procuraient de l'ombre aux bœufs Hereford, avec leur grand masque blanc sur le museau. Il n'y avait que quatre à cinq pouces de terre sur une base rocheuse mais cela suffisait pour fournir le marché en carottes, choux et petits pois. Les maisons étaient construites dans la brique locale, marquée des taches de rouille dont la composition chimique de la terre de la région les agrémentait. Les allées principales étaient bordées de rhododendrons et de fleurs du même rose. Lorsque toute l'herbe était broutée, on emmenait le bétail paître ailleurs. Partout s'étalait une herbe généreuse, jamais replantée, qui poussait où bon lui semblait.

Charles contempla ce gracieux panorama des collines anglaises. « Le vert est sans aucun doute la plus paisible des couleurs. Combien de nuances de cette même teinte parvenez-vous à distinguer ?

— J'en ai trouvé un jour jusqu'à cent, répondit Sedgwick et je me suis fatigué de compter. » Puis, sans transition, il ajouta : « Je passe le plus clair de mon temps à me hisser au sommet des montagnes, partout dans le monde. Pourriez-vous imaginer une femme escaladant les pics de granit avec moi ? »

La jument gris pommelé de Sedgwick aimait l'air du matin. Elle trotta ses vingt miles sans effort. Passées les limites du pays de Galles, le pays devenait plus accidenté, l'herbe et la verdure se faisaient plus rares, les maisons plus petites, cachant leur isolement dans une solitude pierreuse. Sedgwick localisa un premier affleurement qui l'intéressait. Il sauta du cabriolet, attacha le cheval à un tronc d'arbre et jeta sa lourde sacoche de cuir sur son épaule.

« Prenez votre sac aussi, Darwin. Il est relativement simple de traverser un terrain donné, en identifiant les rochers. Notre tâche consiste à reconnaître toute la région, en escaladant les montagnes et en poursuivant chaque strate aussi loin que nos yeux seront capables de les suivre. La capacité de comprendre les traits d'ensemble d'un site géologique, voilà ce qu'on attend d'un observateur géologue averti. »

Il débordait d'enthousiasme.

« Sortez votre carnet. Nous avons besoin d'observations précises et de croquis. N'oubliez jamais de noter le type de végétation qui recouvre les rochers ; elle vous révélera la nature des strates sur lesquelles elle pousse. Numérotez toujours vos spécimens et faites-y référence dans vos notes. Donnez-vous des points de repère précis qui vous permettent de rédiger ce soir une relation détaillée de vos trouvailles et de dessiner des cartes exactes. Ne vous fiez jamais à votre seule mémoire. »

Ils étaient encore à sept miles de Llangollen, leur première halte au nord du pays de Galles, mais les couches géologiques étaient si fascinantes qu'ils remplirent leurs sacoches d'échantillons de roches jusqu'à la tombée de la nuit. Ils se servaient tous deux de la pointe aiguë de leur marteau pour briser les échantillons.

Charles jubilait comme un enfant. « Je découvre qu'un marteau peut devenir le meilleur ami de l'homme. C'est comme un prolongement naturel du bras ! »

Les collines galloises ondulaient comme les vagues de la mer. Le climat y était souvent rude et explosif ; on pouvait le même jour y subir la grêle et la neige, se faire fouetter par des vents glacials puis soudain se faire réchauffer par un soleil doré. On y trouvait des champs aplanis, du foin en abondance, solidement tassé en longues meules qu'on empilait sous un toit pour les protéger des pluies constantes. Dans l'après-midi, ils avancèrent sous le dôme sombre d'un ciel menaçant. A la tombée de la nuit, ils arrivèrent à l'auberge. On les installa sous un porche d'où ils voyaient les montagnes à l'horizon. La femme de l'aubergiste leur servit un steack et une tarte aux rognons, des légumes de la région, un pudding de riz au raisin, le tout arrosé d'ale servie dans des pichets d'étain.

Charles était fasciné par le talent avec lequel Sedgwick mangeait et parlait en même temps, sans perdre une bouchée de bœuf ni écorcher une syllabe. Il était habitué au rythme de son père à table. Il aimait les repas épicés par le rire et la bonne humeur ; c'était meilleur pour la digestion. Le mouton servi au réfectoire de Christ College, après avoir chanté le *Nunc dimittis* à la chapelle pesait plus lourd sur l'estomac.

Au café, Robert Dawson vint les rejoindre. C'était le dessinateur du cadastre de la région, qui leur fournit des cartes topographiques et des informations sur les escarpements et carrières du voisinage et sur ce qu'on appelait dans la région « les roches sauvages ». Ils se retirèrent tôt. En grimpant les marches d'un vieil escalier grinçant, Sedgwick lui donna son dernier conseil : « Rédigez vos notes de la journée avant d'aller dormir. »

A l'aube, ils prirent un copieux petit déjeuner à la bougie et la jument fut amenée, reniflant l'air frais comme si elle anticipait l'aventure. Ils avaient à peine atteint la route qu'ils furent pris dans un orage. « Les collines sont si totalement cachées par les nuages qu'il ne nous reste plus qu'à traverser la vallée de Clwyd, en espérant au moins pouvoir travailler un peu sur les secondaires », dit Sedgwick d'un ton morne. En plusieurs endroits de la route, sans s'arrêter, ils reconnurent des lits de diluvium. Quand les strates rocheuses changeaient de couleur ou d'organisation, ils descendaient de voiture et avec marteau et sacoche de cuir, escaladaient le flanc des collines parfois jusqu'au sommet.

Tout en ne s'étant guère, jusqu'à présent, intéressé à la géologie, Charles se retrouvait en compagnie d'un maître, l'un des géologues les plus savants et réputés d'Angleterre, avec Charles Lyell dont les *Principes de Géologie* venaient tout juste d'être publiés.

« Vos échantillons doivent être de la largeur du poing. Attaquez toujours l'affleurement lui-même, ne vous contentez pas de ramasser les roches ; vous ne savez jamais comment elles sont venues là. Elles peuvent être érodées et leurs minéraux altérés. »

Charles apprit que deux éléments étaient indispensables au géologue : la direction dans laquelle une formation rocheuse se développait, et l'inclinaison, l'angle selon lequel elle s'enfonce dans le sol. Ces deux données primordiales permettaient d'établir une carte qui indiquerait l'étendue des formations rocheuses en surface et leurs altérations visibles. Et de dessiner également en coupe la nature des roches sur lesquelles elles reposaient.

Au sommet de chaque colline, Sedgwick apprenait à Charles comment dessiner les roches qui se perdaient à l'infini et à utiliser le compas pour noter leur position par rapport aux masses rocheuses ou plissements montagneux voisins.

« En analysant nos échantillons, le géologue peut déterminer quels minéraux composent la pierre : grès dur cimenté par la silice ; calcaire tendre, cristaux serrés qui ressemblent aux dents d'une mâchoire supérieure. Nous sommes confrontés à une évidence ahurissante : les énormes formations montagneuses n'ont pas une structure unique mais sont parfois composées de centaines de fines strates de nature et d'épaisseur variées, posées à plat, l'une sur l'autre, au cours des millénaires. La cause ? Peut-être une inondation ou un tremblement de terre, peut-être une éruption volcanique, une catastrophe par laquelle Dieu a voulu, de façon éclatante et délibérée, altérer la croûte terrestre.

Si Dieu fut capable de créer le monde au commencement, Il peut le recréer sous la forme qui Lui plaît au moment où Il le veut. Notre tâche consiste à descendre jusqu'aux roches primaires les plus anciennes, celles que Dieu a créées en tout premier lieu ; d'étudier leur composition chimique et leur structure. Et les roches primaires avec lesquelles il nous faut nous battre, au nord du pays de Galles, ne manquent pas. Je m'écorche les genoux et les chevilles à le faire chaque jour. Mais à ce combat-là, c'est toujours la montagne qui gagne ! Nous pouvons fouler ses hauteurs et proclamer que nous l'avons conquise. Nous pouvons en ramener de petits morceaux dans nos laboratoires et nous servir d'une pipette et d'une lampe à alcool pour en déterminer la composition. Mais comment Dieu est-il parvenu à créer une chaîne de montagnes, cela nous ne le saurons jamais. Il nous faut nous contenter de décrocher avec nos marteaux ces petits simulacres de connaissance, ou tout au plus d'information. »

En allant vers Ruthin, ils essuyèrent encore quelques averses. Ils passèrent non loin des ruines de l'abbaye de Valle Crucis et s'y arrêtèrent un instant pour creuser car c'était un lieu connu pour son ancienneté. Puis ils repartirent. Charles traversa la rivière pour mesurer direction et inclinaison. Passant devant de nouveaux lits de diluvium, il fit remarquer : « Ils ressemblent à ceux du Shropshire mais on n'y trouve pas de sable.

— Ils sont mêlés à des blocs probablement d'origine volcanique. »

Au-delà du grand escarpement calcaire, ils découvrirent des pentes douces d'une ardoise bien plus tendre. Le quartz sombre était couvert d'ajoncs foncés, de bruyères et de fougères ; le calcaire était ou bien nu ou recouvert de plantes d'un vert beaucoup plus vif. Au bas de la route, ils s'arrêtèrent dans une carrière d'argile où ils trouvèrent des restes organiques, des coquilles Saint-Jacques et des spécimens intéressants. Passé Dafarn Dywyrch, ils tombèrent sur du calcaire noir et bitumineux, découvrirent d'autres restes organiques et du quartz veiné.

« Ce sont les résidus organiques qui rendent ces roches si sombres, fit remarquer Sedgwick. Le calcaire est d'ordinaire d'une couleur légèrement crémeuse. »

Ce soir-là, à l'auberge Cross Keys de Ruthin, Charles demanda à quitter la table sitôt le dîner fini. Il monta dans sa chambre, s'assit à sa petite table et écrivit :

« *Samedi 6, Valle of Crucis. Le sol face à l'abbaye consiste en feuilles d'argile qui s'interrompent à intervalles réguliers, orientation N.O. par N., inclinaison 25° vers le N.E. par N. En différents points, sur la route, observé lits de diluvium. A la différence du Shropshire, pas de sable...* »

Le dimanche matin, ils se rendirent ensemble à l'église. Sedgwick, qui était profondément religieux, pria et chanta les hymnes avec ferveur.

Ils firent une excursion en cabriolet jusqu'à Denbigh, à douze miles de Ruthin, et traversèrent une nouvelle région de grès rouge. Voyant que Sedgwick ne prenait pas de notes, Charles le taquina : « Et le septième jour Dieu se reposa. Dieu bénit le septième jour et le sanctifia. »

Sedgwick se mit à rire. « Et Dieu est bon pour mes rhumatismes ; mes articulations n'enflent jamais pendant le sabbat. »

Au quatrième jour de leur voyage, ils trouvèrent deux cavernes, dont la plus haute avait été creusée sur près de trente yards. Ils y découvrirent quelques os et une dent en parfait état.

« De rhinocéros, selon moi, fit Sedgwick.

— Mais que vient faire une dent de rhinocéros si au nord, monsieur ?

— Je pourrais dire que quelqu'un l'a laissée tomber ici, comme pour votre coquillage de Shrewsbury, mais je préfère la rapporter à Cambridge et laisser les spécialistes des fossiles se débrouiller. »

Charles était enchanté de son marteau de géologue. Il avait l'impression d'en jouer avec la même virtuosité que sa cousine Emma Wedgwood lorsqu'elle interprétait au piano *Resta O Cara,* de Mozart.

Plus tard dans la journée, le professeur Sedgwick surprit Charles en l'envoyant seul assez loin, sur un parcours parallèle.

« Rapportez des échantillons et relevez les stratifications sur la carte.

— M'en croyez-vous vraiment capable, professeur ? » Sedgwick ignora la question. « Avancez à angle droit de l'inclinaison et traversez les affleurements. Escaladez sur toute la largeur, jusqu'au sommet et redescendez sur l'autre versant en étudiant ce que vous verrez. Les formations rocheuses sont tridimensionnelles ; nous pouvons déterminer les plus anciennes et comment elles se sont déformées ou ont été brisées dans le processus de formation des montagnes. »

Une telle confiance eût grisé Charles, s'il n'avait soupçonné Sedgwick de vouloir rester seul un moment.

Ils se séparèrent à Saint-Asaph. Sedgwick partit directement vers Conway, et Charles emprunta un petit chemin de traverse qui passait par Bettws-yn-Rhos, Colwin Bay, Little Ormes Head. Il dormit dans une auberge sur la route et ils se retrouvèrent le lendemain au Bull and Harp de Conway, sur la baie. Et après dîner, Sedgwick lut les notes de Charles.

Il avait fait des croquis de tout ce qu'il avait vu : Saint-Asaph où les strates rocheuses avaient été bousculées par des forces naturelles ; la couleur rouge d'un escarpement qu'il attribua dans son carnet à des couches d'argile ferrugineuse prises dans la roche elle-même. Il regrettait de ne pas avoir appris à faire des dessins véritablement scientifiques.

Ils traversèrent la rivière Conway et montèrent jusqu'à Llansantf-fraid, un nom que Charles avait du mal à prononcer, tout comme Penmaenmawr et Llanerchymedd.

La sacoche de Charles devenait chaque jour un peu plus lourde, mais leur étude des roches ne les rendait pas aveugles à la spectaculaire beauté des paysages. Pas de vastes étendues cultivées où l'on aurait pu ressentir sa solitude, mais au contraire une multitude de petits champs clôturés, délimités, donnant un sentiment de sécurité, de familiarité. Les routes étaient plus tortueuses qu'en Angleterre et les Gallois plus hospitaliers. S'il leur arrivait de s'arrêter pour demander de l'eau fraîche, ou un lit et un repas, parce qu'aucune auberge n'était en vue, on les acceptait volontiers.

La température se réchauffa lorsqu'ils approchèrent de la mer. Ils séjournèrent au Bull Hotel dans un village du littoral. Des bovins aux robes tachetées noires et blanches broutaient dans un pré sous un beau soleil d'après-midi. La fumée qui s'échappait des cheminées rappelait, bien qu'on ne vît pas grand monde sur la route, que la région était habitée et que les familles, à l'abri de leurs murs de pierre, faisaient bouillir l'eau pour le thé. C'était une campagne prospère, aux laiteries de pierre fraîchement badigeonnées de blanc ; les moutons gallois tous marqués en rouge du signe de leur propriétaire. Au bord d'un ruisseau d'eau claire, ils burent tout leur soûl et se rafraîchirent le visage. Tout près, les champs où s'achevait la récolte des pommes de terre, aussi importantes que le pain pour les Gallois. Mais le beau temps ne dura guère et la pluie les recouvrit vite de son dôme gris.

Le 12 août, le professeur Sedgwick prit le cabriolet pour aller à Anglesey consulter certaines cartes géologiques établies par John Henslow en 1821. Charles, livré à lui-même, était enchanté. Il marchait vingt, trente miles par jour en montagne, admirant le paysage et remplissant sa sacoche d'échantillons. Le soir, il couchait dans des auberges qui s'appelaient « Le Vilain Manoir », « Le Cygne Blanc » ou « Le Lion Noir ». Et il ne rédigeait plus ces notes dont Sedgwick lui avait demandé de remplir ses carnets avant de s'endormir.

Huit jours plus tard, le professeur Sedgwick le rejoignit à Caernarvon. Il était d'excellente humeur. Toutes les cartes de son grand ami Henslow s'étaient révélées exactes. Charles se plongea dans la lecture du récit détaillé, heure par heure, que Sedgwick avait fait de ses trouvailles. Puis au terme d'un agréable repas dans une petite auberge, il déclara :

« Avec votre permission, professeur, j'aimerais descendre vers Barmouth. Des amis de Cambridge y étudient. Nous nous sommes promis de passer quelques jours ensemble. »

Adam Sedgwick eut un sourire conciliant.

« Vous avez été un agréable compagnon de route, extrêmement patient. J'espère vous avoir inculqué quelques notions de géologie pratique et théorique. Elles vous seront peut-être utiles, lorsque vous en aurez assez de collectionner des scarabées... ou de prêcher des sermons. »

Le lendemain matin il partit à pied vers Capel Curig, coupant au plus court par la montagne en s'aidant d'une carte et d'une boussole.

La première nuit, il dormit à Meantwrog et, après un copieux petit déjeuner à l'aube, traversa pendant plusieurs miles le Harlech Dome et ses stupéfiantes carrières d'ardoise, accrochées au flanc des collines comme de mauvaises herbes gris sombre.

Ses amis logeaient dans un hôtel modeste de Barmouth qui donnait sur la mer. Il se joignit à eux pour quelques jours de joyeuse camaraderie, nageant dans l'eau chaude de la baie de Cardigan, participant à des séances de ce « Club des Gloutons » qu'ils avaient formé pour échapper à la nourriture du réfectoire.

Robert Lowe, le jeune frère d'un de ses amis de Cambridge, était fasciné par l'enthousiasme que Darwin apportait à collectionner les roches et par son marteau de géologue. Le jour de son départ pour le Mont, il voulut l'accompagner un petit bout de chemin.

Ils partirent en direction de Shrewsbury peu avant l'aube et en s'arrêtant à une auberge de village pour manger quelque chose, découvrirent avec stupéfaction que leurs longues jambes robustes et les questions simples mais pertinentes de Robert leur avaient déjà fait parcourir vingt-deux miles.

« On dirait bien que je t'ai suivi pendant vingt-deux miles comme un petit chien, s'exclama-t-il devant une chope d'ale.

— Mais ne continue pas plus loin, lui conseilla Charles. Je ne pourrai pas arriver à Shrewsbury avant la nuit, il faudra donc que je dorme en route. Il me restera quand même deux jours pour voir mon père et mes sœurs et rendre visite à une... amie très spéciale. Je veux être à Maer Hall à l'aube du 1er septembre, et être le premier à ramener une perdrix. »

4.

Il contourna la pointe sud de Shrewsbury à la tombée de la nuit et entra par la porte est, en passant devant l'école où il avait été pensionnaire. C'était un ensemble de bâtiments imposants de pierre de taille grise, avec une haute tour-horloge et une fine chapelle, belle lorsque le soleil en inondait les vitraux mais sinistre, humide et froide en hiver. Il n'était pas contre la présence obligatoire à la chapelle, tôt le matin et dans la soirée car c'était là qu'il faisait ses devoirs : étudier Cicéron et Virgile le lundi, Pindare et Théocrite le mardi, Tacite et Démosthène le mercredi...

Il posa un instant son sac à dos sur la pelouse devant les doubles portes hautes et sévères et les souvenirs l'assaillirent, avec la soudaineté d'une averse dans les montagnes galloises. Il revoyait avec une totale clarté l'emploi du temps implacable fixé au tableau du couloir principal. Jeudi : chapelle. Réviser Horace. Présenter vers latins. Homère. Cours d'algèbre. Vendredi : chapelle. Réviser Homère. Juvénal ou Horace, Satires et Epitres. Tacite. Plaute. Samedi : chapelle. Réviser Juvénal ou Horace. Cours sur Euclide...

Il laissa échapper un soupir en repensant aux sept années qu'il avait passées là, sans rien de bien passionnant pour l'esprit d'un jeune garçon, si ce n'est quelques bribes de géographie ancienne et d'histoire. En contemplant les treillis décoratifs du toit, il comprenait encore mal le rapport entre la mémorisation de cinquante vers d'Homère ou de Virgile à la chapelle, qu'il débiterait à l'un des maîtres assistants une ou deux heures plus tard, et l'éducation, ou même la formation de ces bonnes manières qui doivent devenir la seconde nature d'un gentleman.

Et bien que la pension fût coûteuse, la nourriture était parfois immangeable ; on ne pouvait s'y laver qu'à l'eau froide ; Erasmus et lui devaient dormir avec trente autres garçons dans un dortoir qui n'avait qu'une seule fenêtre. Toute forme de protestation contre ces conditions barbares était rudement matée par le surveillant général, le docteur Samuel Butler. Lorsque Charles était sorti d'une scarlatine en décembre, Erasmus avait créé une petite révolution en se plaignant à leur père. Celui-ci avait écrit au docteur Butler en lui demandant si Charles, en convalescence, pourrait avoir droit à une couverture supplémentaire. Le docteur Butler nia que le lit de Charles soit humide. Il souligna que les plaintes émanaient toujours de garçons qui rentraient à l'école après avoir été « gâtés » à la maison et qu'il ne pouvait leur accorder un régime de faveur. Toutefois, si le docteur Darwin, médecin réputé, pensait que Charles avait besoin d'une autre couverture, il était prêt à faire l'achat d'une couverture supplémentaire pour chacun des garçons de l'école.

Charles reprit son sac à dos, et remonta l'allée centrale qui longeait les dortoirs et la maison du surveillant général. Puis il coupa par les terrains de sport et marcha à travers champs jusqu'à la rivière, la Severn, qu'il remonta jusqu'au pont tout proche.

Il avait souvent couru sur cette même route quand il était pensionnaire, entre l'appel et l'extinction des feux. C'était une distance d'un mile et cela ne lui prenait que dix minutes car il courait vite. En bas du Mont, il rentrait par le fond du jardin des Darwin avec ses longues rangées de roses et d'azalées. Il aimait beaucoup sa famille et la séparation lui était pénible. Il ne pouvait passer que quarante minutes avec son père et ses sœurs, mais il avait besoin de leur affection et de leur intérêt, et de jouer avec ses deux chiens, Nina et Pincher, ou de donner un peu de sucre aux chevaux dans le creux de sa main avant de reprendre sa course en sens inverse. Sa jeune sœur Katty, qui lui ressemblait tant, lui demandait :

« Comment te débrouilles-tu pour ne pas te faire prendre ?

— Quand j'arrive à la rivière, si j'ai l'impression d'être en retard, je prie sincèrement Dieu de m'aider.

— Apparemment, Dieu te préfère à M. Butler. »

Il faisait nuit lorsqu'il ouvrit le grand portail du Mont. Il trouva ses sœurs à la bibliothèque, qui lisaient. Ils s'embrassèrent sur la joue ; Caroline lui offrit du thé et Susan lui dit : « Il y a une lettre plutôt volumineuse qui est arrivée de Londres pour toi samedi. Je vais aller te la chercher. »

Il ne connaissait pas l'écriture, sur l'enveloppe. Il l'ouvrit avec le doigt. A l'intérieur, il trouva deux lettres, l'une du professeur Henslow de Cambridge et l'autre de George Peacock, un condisciple à Trinity Collège, futur professeur d'astronomie qu'il avait rencontré au cours d'une des soirées du vendredi chez Henslow. Sa main tremblait un peu en lisant la lettre d'Henslow :

« *Cambridge, 24 août 1831*

Mon cher Darwin,

J'espère vous voir sous peu, et compte bien que vous saisirez au vol la proposition que l'on va peut-être vous faire d'effectuer un voyage jusqu'en Terre de Feu et retour en passant par les Indes Orientales. Peacock, qui lira et vous fera parvenir ceci de Londres, m'a demandé de lui recommander un naturaliste capable d'accompagner le capitaine FitzRoy qui fait pour le gouvernement des relevés de la pointe sud des Amériques. J'ai affirmé que vous étiez à ma connaissance la personne la mieux qualifiée pour une telle entreprise. Non tant que je vous prenne pour un naturaliste accompli, mais parce que vous êtes également capable de collectionner, d'observer et de noter tous les éléments nouveaux qui le méritent dans le domaine de l'histoire naturelle. Le soin de pourvoir ce poste incombe à Peacock... Le capitaine FitzRoy, comme je crois le comprendre, recherche plus un compagnon qu'un simple collectionneur et n'accepterait personne, si bon naturaliste soit-il, qui ne fût également un gentleman. Le voyage doit durer deux ans et si vous emportez suffisamment de livres avec vous, vous pourrez consacrer ce temps au projet de votre choix. En bref, il me paraît qu'il ne pourrait y avoir de meilleure opportunité pour un homme de zèle et d'esprit. Ne craignez pas, par modestie, d'être insuffisamment qualifié pour la tâche car je vous affirme que, selon moi, vous êtes exactement l'homme qu'il leur faut. Votre cordial ami,

J. S. Henslow.

P.S. L'expédition doit quitter le port le 25 septembre (au plus tôt), il n'y a donc pas de temps à perdre. »

Lorsqu'il eut terminé sa lecture, il était pâle comme un linge. « Qu'y a-t-il, Charley ? lui demanda Susan, te voilà tout tremblant ! »

Il répondit, d'une voix d'outre-tombe : « ... Une proposition... tout à fait impossible... qui me tombe du ciel... tiens, lis la lettre de Henslow pendant que je lis celle de Peacock. »

« *Cher Monsieur,*

J'ai reçu la lettre de M. Henslow trop tard hier soir pour vous la faire suivre par la malle de poste, ce que je ne regrette pas puisque cela m'a permis de voir le capitaine Beaufort à l'Amirauté et de lui parler de l'offre que j'ai à vous faire : il l'approuve pleinement et vous pouvez considérer que cette situation vous est totalement ouverte et ne dépend plus que de votre acceptation. J'ai bon espoir que vous l'accepterez car je suis très intéressé par le profit que nos collections d'histoire naturelle pourraient tirer de vos travaux.

Le capitaine FitzRoy (un neveu du duc de Grafton) fait voile fin septembre sur un navire dont l'objectif principal est de dresser des cartes de la côte sud de la Terre de Feu, de visiter ensuite les îles des mers du Sud et de rentrer en Angleterre en passant par l'archipel indien. Le but du voyage est exclusivement scientifique et le bateau s'arrêtera tout le temps nécessaire à vos recherches en histoire naturelle ou autres. Le capitaine FitzRoy est un officier dont le dévouement à l'intérêt public est tout à fait remarquable. Il est d'une éducation parfaite, et très apprécié par les officiers de sa promotion. Il engage à ses propres frais, pour 200 livres par an, un artiste qui l'accompagnera. Vous pouvez donc être assuré de trouver en lui un compagnon très agréable, auquel vous n'aurez aucun mal à faire partager vos vues.

Faites connaître votre accord au capitaine Beaufort à l'Amirauté sans délais.

L'Amirauté n'est pas disposée à donner un salaire, bien qu'elle soit prête à vous conférer officiellement le titre et vous faciliter la tâche autant que possible. Si un salaire était exigé, toutefois, j'ai de bonnes raisons de croire qu'il serait accordé.

Croyez-moi
Cher Monsieur
bien sincèrement vôtre

Geo. Peacock »

Charles était stupéfait. Sans qu'il ait fait la moindre démarche en ce sens, on lui proposait... un voyage autour du monde en tant que naturaliste ! Quelle incroyable proposition ! Au lieu d'attendre une paroisse dans l'oisiveté pendant des années, il pourrait voir l'Amérique du Sud, les Andes, qu'Humboldt avait décrites de manière si exaltante, la Terre de Feu, aux confins du globe ; l'océan Indien... Le choc et la surprise lui coupaient le souffle.

Lorsque ses sœurs eurent pris connaissance du contenu des lettres, Caroline déclara, n'écoutant que son cœur :

« Tu ne peux pas accepter. Deux ans ! La Terre de Feu ! Les dangers de la navigation... !

— Et pourquoi pas ? répondit Charles, plus surpris que vexé. C'est une chance comme il ne s'en présente qu'une dans la vie. Comment aurai-je jamais autrement l'occasion de faire le tour du monde ?

— Mais te crois-tu capable de mener à bien une tâche pareille, Charles ? demanda Katty.

— C'est en tout cas l'avis d'Henslow et Peacock est d'accord avec lui. Je suis un naturaliste « pas encore accompli », ajouta-t-il en riant. D'ailleurs, poursuivit-il en sombrant dans un fauteuil et d'une voix un peu tremblante, qu'est-ce au juste qu'un naturaliste ? Quelqu'un qui observe, étudie, collectionne, décrit et catalogue tous les êtres vivants, les plantes aussi bien que les animaux.

— Alors, un géologue comme le professeur Sedgwick n'est pas un naturaliste ? demanda Katty. Les roches ne sont pas vivantes, n'est-ce pas ?

— ... Non... pas de la même manière qu'un arbre, un poisson, un reptile ou un scarabée. Mais les forces naturelles leur font subir des changements : le vent, les tempêtes, les inondations, les éruptions... Je saurai mieux te répondre lorsque je rentrerai de ce voyage. »

Il se leva, les yeux brillants.

« Depuis l'école primaire et la classe du Révérend Case, à neuf ans, j'ai toujours aimé l'histoire naturelle. J'essayais de prononcer le nom des plantes et je collectionnais toutes sortes de choses, des coquillages, des piécettes, des pierres...

— Et un tas de petites créatures visqueuses que tu ramenais dans ma chambre, ajouta Katty avec une grimace.

— Et je suis bien le seul d'entre nous à avoir cette rage de collectionneur. Ras ne l'a pas plus que vous, les filles.

— Nous pensions qu'il suffisait d'un demeuré dans la famille, le taquina Susan.

— Exactement ! Puis il y a eu mes deux années à l'Université d'Edimbourg. J'admets ne m'être guère surpassé en chirurgie ou pendant mes cours. C'est en dehors de l'école que j'ai fait le meilleur travail mais mes professeurs se moquaient bien de mes activités extra-curriculaires. J'ai fait de nouvelles rencontres, des jeunes gens et des hommes âgés avec un intérêt commun pour l'histoire naturelle. Il ne fallait que quelques minutes à pied pour aller de l'Université au Musée... Ah quel musée d'Histoire naturelle ! Il a été fondé par le professeur Robert Jameson et ses collections d'oiseaux sont réputées... »

Il s'agitait au milieu des fauteuils, incapable de contrôler son excitation.

« C'était le Musée mon université, poursuivit-il avec passion. Les autorités m'ont permis d'apprendre en les aidant à établir leurs catalogues, et en faisant des dissections. Le docteur Grant m'a souvent offert de l'accompagner pour recueillir des animaux dans les étangs. Un jour, nous avons même trouvé un esturgeon sur les roches noires de Leith.

“ Comment peut-il se trouver là ? lui ai-je demandé.

— Il a dû venir dans ces roches pour pondre et n'a pas pu en sortir à la marée basse, répondit le docteur Grant.

— Si l'esturgeon ne pondait en abondance, la race serait sans doute éteinte maintenant ”, avait souligné Grant. Et après avoir ouvert le poisson avec son couteau, Charles avait noté sur un de ses cahiers : “ *Ses ovaires contenaient une masse importante d'œufs de couleur rose. Ce poisson ne semble pas malade et n'a pas de vers intestinaux.* ”

— Avec Macgillivray, reprit-il, j'ai fait de longues excursions et j'ai appris à fréquenter les docks des poissonniers de Newhaven. Ils me permettaient parfois de les accompagner quand ils allaient relever leurs casiers. Avec les huîtres, ils ramenaient toutes sortes d'organismes qui vivent dans la mer, que je collectionnais et décrivais dans mes cahiers. »

Chaque jour il trouvait des spécimens dont les pêcheurs d'huîtres n'avaient que faire : un petit æolide vert, une sorte de mollusque tout en longueur ; un *Purpura Lapillus,* sorte d'escargot de mer dont il avait dessiné la forme hors de sa coquille.

On l'avait invité aux réunions de la Société Wernérienne d'Histoire Naturelle, où il avait entendu John James Audubon lire ses communications sur les nouveaux oiseaux qu'il avait découverts. Il avait fait la connaissance d'élèves et de professeurs de la Plinian Society, qui assistaient tous les mardis soir à une conférence sur les dernières découvertes en sciences naturelles. Il avait lui-même écrit deux articles, qu'il avait lus devant les vingt-cinq membres : le premier sur sa découverte d'une capacité motrice autonome chez les œufs ou ova de la *Flustra,* un animal marin qui ressemblait à de la mousse ; et le second dans lequel il démontrait que de petits corps globulaires qu'on avait pris pour un premier stade de *Fucus loreus,* une algue brune, étaient des casiers pour les œufs de la *Pontobdella muricata,* en forme de vers.

Les membres de la Plinian Society le tenaient en si haute estime qu'ils l'avaient fait membre du Comité directeur de la société. Et il avait pris des cours de taxidermie avec John, un ancien esclave qui avait accompagné dans ses voyages Charles Waterton, dont les *Vagabondages en Amérique du Sud* avaient passionné Charles, à l'époque où il recopiait une centaine d'oiseaux d'espèces différentes dans l'*Ornithologie* de Brisson.

« Puis il y a eu mes années à Cambridge, le professeur Henslow, et des centaines d'excursions aux Fens et d'innombrables collections. » Et il ajouta d'une voix légèrement inquiète : « Je regrette de ne pas encore avoir réussi à vous convaincre, parce qu'il faudra très certainement convaincre Père... »

Le bruit de la porte d'entrée se fit entendre. Caroline se leva d'un bond.

« Il vaut mieux que j'aille voir de quelle humeur est Père. S'il est fatigué, comme c'est souvent le cas ces jours-ci, je suggère que tu gardes tes lettres et ton talent de persuasion jusqu'à demain matin. Lorsqu'il rentrera de sa promenade, il sera plus ouvert à ce qui, tu dois bien l'admettre mon cher Charles, n'en est pas moins un fait nouveau pour le moins stupéfiant. »

Le docteur Darwin alla se coucher immédiatement après le dessert. Dans sa chambre, Charles essaya de lire sans y parvenir. Il sortit, siffla Nina et Pincher et alla les promener sur la route sombre et déserte. Il avait déjà marché toute la journée mais il lui fallut encore une heure avant que ses jambes refusent enfin de le porter. Il rentra épuisé. Mais il ne pouvait toujours pas dormir. Il se retournait dans tous les sens, chiffonnait sa fine couverture d'été. Il se leva et s'aspergea le visage d'eau fraîche. Devant ses yeux rougis défilaient une procession interminable de paysages exotiques et tropicaux, certaines images tirées de son livre d'enfant *Les merveilles de la nature,* d'autres de récits de voyage qu'il avait lus, ceux de Humboldt, du capitaine Cook, la *Narration d'un voyage dans le Pacifique et le détroit de Bering* par l'amiral Beechey, les *Voyages dans l'intérieur en Amérique du Sud* de William J. Burchell.

L'énormité de cette chance le confondait. Ce n'était pas la première fois qu'un naturaliste participerait à une expédition d'exploration : le plus souvent, c'étaient les chirurgiens du bord qui constituaient des collections. Mais qu'à un jeune homme frais émoulu de l'université, on propose une position aussi prestigieuse pour un voyage de deux ans lui semblait incroyable. Et pourquoi était-ce à lui qu'une telle bonne fortune devait échoir ? C'est seulement au comble de l'épuisement, au beau milieu de la nuit, qu'il réalisa pleinement ce que représentait la perspective de passer deux ans loin de chez lui, de sa famille et de ses amis, de la jolie Fanny Owen et de tous ses passe-temps favoris.

Il s'habilla et fit avec son père la « promenade du docteur » dans les bois sous la maison et le long de la rivière, à vive allure. Le petit déjeuner était servi à la minute même où le docteur passait la porte de la salle à manger.

Charles attendit patiemment que son père ait fini son haddock cuit à la vapeur, quatre œufs à la coque qu'il guillotinait avec son couteau, des rognons d'agneau et du bacon, une collection de toasts coupés en triangle, et le café et le lait chauds versés simultanément par Edward en livrée du matin. Il ne pouvait y avoir meilleur moment pour lui annoncer la nouvelle.

« Père, on m'a fait une proposition des plus extraordinaires.

— Oh ! Et quoi donc ?

— Faire le tour du monde pendant deux ans comme naturaliste.

— Naturaliste ? Et depuis quand es-tu naturaliste ? »

Charles eut la modestie de rougir.

« Eh bien, pas un naturaliste complètement formé. Mais avec quelques notions de base dans ce domaine et la possibilité de me perfectionner.

— Et d'où émane cette proposition ?

— De notre Marine royale ».

Le docteur Darwin regarda son fils avec étonnement.

« On t'a offert un poste dans la Marine royale ?

— ... Non. Je voyagerais en tant que civil, mais participerais à un voyage de reconnaissance par bateau. »

Le docteur Darwin ouvrit de grands yeux.

« Charles, voudrais-tu être assez gentil pour commencer par le commencement ? Quand t'a-t-on fait cette proposition extravagante ?

— J'en ai pris connaissance hier soir, à mon retour du pays de Galles. » Il sortit les deux lettres de la poche de son manteau et les tendit par-dessus la table d'acajou.

« Vous pouvez lire la lettre du professeur Henslow en premier. La seconde est de George Peacock, un assistant au Trinity College. C'est un ami de toujours du capitaine Beaufort, du Bureau Hydrographique de l'Amirauté »

Le docteur Darwin lut avec lenteur. Loin de découvrir sur le visage de son père la moindre fierté devant les compliments qu'on décernait à son fils, Charles vit au contraire son visage s'empourprer de colère. Lorsqu'il eut fini, il jeta les lettres sur la table et déclara d'une voix sèche :

« Voilà un projet bien insensé !

— Insensé ? Mais en quoi ? Une expédition officielle de la Marine royale ?

— Cela compromettrait ta réputation de prêtre de façon irréparable. Jamais plus tu ne mènerais une vie régulière par la suite. D'ailleurs toute cette précipitation signifie sans doute que la place a été offerte à d'autres avant toi et que l'expédition ou le vaisseau présentent de sérieux inconvénients. »

Charles fit de la main un geste de dénégation.

Le docteur Darwin regarda son fils bien en face et lui dit :

« Je considérerais cela comme le choix d'une nouvelle profession. »

Charles se frotta les deux yeux à la fois, comme s'il attendait de ce geste qu'il lui clarifie les idées.

« Je me suis engagé à devenir clergyman. Je n'ai aucune autre intention que d'entrer dans la prêtrise. Mais vous-même disiez qu'il faudrait au moins deux ans pour trouver une paroisse. Vous avez approuvé mes plans de voyage à Tenerife, l'été prochain. J'ai même été avec votre permission jusqu'à solliciter une recommandation pour un bateau marchand à Londres et j'ai obtenu une date de départ en juin prochain ! »

Le visage du docteur Darwin avait perdu toute couleur. Il se laissa tomber dans son grand fauteuil.

« Tout cela ne servira à rien. »

Effondré, Charles dit d'une voix blanche :

« Père, je ne partirai pas si l'idée vous déplaît. Cela me retirerait toute énergie alors que j'en aurai le plus grand besoin.

— Je ne refuse pas catégoriquement. Je te dis simplement que je suis fortement contre. »

Le docteur Darwin se leva. Cette contrariété semblait l'avoir épuisé.

« Charles, je ne veux pas être brutal. Trouve un seul homme de bon sens qui te conseille de partir et je te donnerai mon consentement.

— Je répondrai au professeur Henslow et à George Peacock ce matin même pour refuser leur offre », déclara Charles amèrement déçu.

Il monta dans sa chambre et écrivit à Henslow, en reprenant les objections de son père.

« *S'il n'avait tenu qu'à moi, j'aurais, je crois, certainement accepté avec reconnaissance l'offre que vous m'avez si obligeamment faite. Mais mon père, sans me l'interdire catégoriquement, me conseille si vivement de ne pas le faire qu'il serait très inconfortable pour moi d'aller contre son avis.* »

5.

Il jeta ses fusils bien huilés et nettoyés en travers de sa selle, monta Dobbin, et partit à cheval jusqu'à l'English Bridge, passa près de l'abbaye de Foregate et l'animation de son marché aux bestiaux, puis se dirigea vers le nord-est et Maer Hall. Il y avait des cerisiers et des ormes le long de la route et seulement une ferme de temps en temps, dans cette riche région agricole qui conduit à Newcastle-under-Lyme. Les Frisonnes broutaient dans les champs fertiles derrière des clôtures en bois. Et sur les collines en pente douce s'étageaient des pinèdes fournies et des ajoncs dorés.

Charles aurait pu faire ces vingt miles les yeux fermés, car il les connaissait depuis la plus tendre enfance. Sa mère était une Wedgwood et son frère, Josiah, que Charles appelait affectueusement Oncle Jos, était resté très proche de Susannah jusqu'à sa mort. Robert Darwin était un de ses meilleurs amis. Maer Hall avait toujours été pour Charles une seconde maison qu'il affectionnait.

Les enfants de Josiah, comme ses nièces et ses neveux, s'étaient toujours étonnés de voir l'animation avec laquelle Josiah parlait à ce neveu, comme si leur différence de quarante ans n'existait pas.

L'oncle Jos représentait pour Charles la seule chance de trouver « un homme de bon sens qui lui conseille de partir ». Mais pourquoi Josiah prendrait-il le risque d'un désaccord avec le docteur Darwin ? Pourquoi Oncle Jos s'avancerait-il à conseiller à Charles un voyage de plusieurs années qui en cas de naufrage pouvait lui coûter la vie ?

En parcourant cette région tranquille, Charles était très agité : à la peur de quitter pour des années ce qui lui était familier se mêlait celle de perdre une chance irremplaçable ; sa peur de compromettre irrémédiablement son avenir rencontrait sa peur de n'en avoir aucun. A quoi venait s'ajouter enfin la peur que Josiah en ces circonstances refuse de dire quoi que ce soit.

« Oncle Jos est un homme d'une absolue droiture, pensait-il. J'accepterai sa décision quelle qu'elle soit. »

Sur la route du marché de Drayton, le long d'une rivière qui ressemblait à un canal, il y avait de nombreux petits bateaux de plaisance. Il gagna le Staffordshire. Les bois devenaient plus denses au pied des collines. Il descendit dans la vallée fertile et se trouva bientôt à la grille de Maer Hall, avec ses pelouses bien peignées, ses hauts buissons de rhododendrons à double rangée de fleurs roses et plus loin les gracieux noisetiers d'Espagne aux branches innombrables, les tilleuls, les ormes, les chênes, les hêtres cuivrés. Le dessin du jardin, autour de la route privée qui conduisait à la maison, avait été conçu par l'un des architectes-paysagistes, les plus célèbres d'Angleterre : « Capability » Brown.

Charles arrivait maintenant en vue du lac alimenté par des sources d'eau vive, qui se terminait par ce que les enfants Wedgwood appelaient « la queue de poisson » derrière les pelouses en pente douce, les serres, la grande balustrade de pierre et ses colonnes surmontées de grosses boules sculptées. Sur le lac, il y avait des canards sauvages, des oiseaux plongeurs et une grèbe huppée.

Charles abandonna son cheval au garçon d'écurie, prit son sac de voyage, ses bottes de chasse, ses fusils et se dirigea vers le portique principal de Maer Hall. Il y avait un manoir sur cette terre depuis

1282. Josiah Wedgwood l'avait acheté en 1805, et l'avait considérablement rénové pour en faire une demeure élégante à trois étages avec des vitraux aux fenêtres, une double porte en forme d'arche et un perron de pierre en demi-cercle devant le lac. Du salon aux murs recouverts de boiseries, parvenait le son du piano d'Emma Wedgwood. Sa sœur Fanny, de deux ans sa cadette, chantait pour l'accompagner. Les deux filles étaient d'un caractère si charmant que la famille les appelait « douces colombes ».

C'était depuis toujours pour Charles un lieu de délices. Le Mont prenait solidement appui sur le roc. Maer Hall était enfoui au creux d'une nature verdoyante. Le Mont était protégé par une route étroite, la rivière et des arbres touffus. Maer était en plein ciel, près de collines nonchalantes et d'un lac limpide. Le Mont était une résidence faite pour le travail. Maer était un caprice. Le Mont, c'était le devoir et Maer la joie. Le Mont était prose et Maer poésie. Le Mont, respect filial et Maer amour. Le Mont exigeait, Maer donnait. Le Mont représentait la sécurité et Maer le bonheur.

Il ouvrit la porte d'entrée, posa ses bagages dans le corridor et se dirigea vers le salon. Il pouvait voir et entendre ses cousines mais elles ne l'avaient pas encore aperçu. Fanny était petite et sans artifices, comme une poupée française de chiffon. Sa mère la surnommait « Miss Pedigree » à cause de sa tendance à tout noter : le montant des factures domestiques, les températures, l'inventaire des outils de jardinage et le recensement des animaux sur leur ferme de deux cents arpents. Tout pour elle était mesurable et devait se traduire en chiffres.

Emma était bien différente. Plus âgée que lui de quelques mois, elle avait toujours été sa cousine préférée. Elle avait de grands yeux bruns lumineux qui observaient sans juger. Elle faisait une raie au milieu de ses cheveux fins et ramenait ses bouclettes sur les joues. Son nez n'avait rien d'agressif, et sa bouche, ce qu'elle avait de plus beau, était grande, la lèvre inférieure pleine et rouge. Elle n'était pas ce qu'on appelle une beauté mais tout le monde s'accordait à lui trouver un visage ouvert... « qu'il n'est pas difficile d'aimer », pensa Charles.

Depuis l'enfance ils s'étaient toujours confiés l'un à l'autre, abordant librement les sujets les plus délicats et s'étaient soutenus mutuellement si l'un ou l'autre encourait les rigueurs de la discipline parentale. Emma et Fanny avaient passé des vacances de plusieurs mois au Mont. Et à Maer, Emma l'accompagnait parfois chasser, pêcher ou faire de la barque sur le lac. Ils aimaient être ensemble et avaient de nombreux intérêts communs.

Charles aimait surtout sa voix, toujours calme, ni peureuse ni exaltée. Et sa silhouette un peu ronde, avec pourtant une taille et des jambes fines. Peu soigneuse de sa personne, elle préférait suspendre ses vêtements à des dossiers de chaise, les jeter sur le lit ou même par terre que les ranger dans son armoire. Pour cette particularité, sa mère l'avait surnommée « la petite souillon ».

Elle finit sa sonate, puis, sentant sa présence, se tourna vers la porte et courut l'embrasser affectueusement sur la joue. Ils ne s'étaient pas vus depuis plusieurs mois. Remarquant quelque chose d'inhabituel dans son attitude, elle recula et dit :

« Il a dû se passer quelque chose.

— Est-ce que ton père est là ? Je vous l'expliquerai à tous les deux ensemble.

— Il est à la bibliothèque. Va le rejoindre. Je vais demander qu'on nous y serve le thé. »

Charles traversa le salon pour aller à la bibliothèque. C'était une vaste pièce lambrissée de chêne, avec une grande cheminée et des fenêtres hautes. Près de l'une d'elles, dans un fauteuil de cuir, Josiah Wedgwood lisait les *Odes* de Pindare. Il adorait l'art et la littérature et s'intéressa toute sa vie aux inventions mécaniques et au progrès scientifique. S'il passait plusieurs jours de la semaine dans ses poteries d'Etrurie, il s'intéressait surtout à la coloration des céramiques et à la qualité des objets d'art Wedgwood. Les poteries qu'avait créées son père s'étaient développées, sauf pendant la période des guerres napoléoniennes où la demande de vaisselle Wedgwood, en Angleterre et en Europe, était tombée si bas que Josiah avait dû fermer Maer Hall pendant plusieurs années et se réinstaller dans une maison plus modeste qu'il possédait en Etrurie.

Josiah Wedgwood n'était pas seulement grand amateur de chasse. Il était aussi fondateur de la Société Royale d'Horticulture dont les jardins se trouvaient près de Kew. Il était membre de la Bath and West England Society pour l'essor de l'agriculture, des arts, de l'industrie et du commerce. C'était un ardent libéral en politique, et il avait milité en faveur du *Reform Bill* qui aurait élargi le suffrage et fait un pas vers l'abolition de l'esclavage, la traite elle-même ayant pris fin en 1807. Ce printemps-là, il n'avait pas réussi à se faire élire député de Newcastle au Parlement ; mais sans se laisser abattre, il se présenta aux élections à Stoke-on-Trent et participa à la première réunion du

Parlement Réformé en 1832. Maer Hall était le lieu de rencontre des intellectuels et des libéraux du Staffordshire.

Mais la grande passion de Josiah Wedgwood, c'étaient les livres. Il en avait tant qu'ils s'empilaient sur deux rangées dans ses rayons, ce qui aurait conduit à la confusion tout autre lecteur moins bien organisé ; oncle Jos avait mis au point un système de cartes qui lui permettait de déterminer très précisément derrière quel volume de Platon il trouverait l'*Ivanhoe* de Walter Scott.

Charles et Josiah se firent fête, ravis de partir à la chasse dès l'aube. Un fait qui les rapprochait encore (car n'est-il pas courant que les garçons s'entendent mieux avec leur oncle qu'avec leur père ?) était le goût qu'avait Josiah pour l'histoire naturelle et les collections de botanique, d'entomologie et d'ornithologie ; un goût qu'il avait hérité lui-même de son père, qui lui avait par testament légué « *tous mes livres, gravures, casiers d'expérimentations, et fossiles d'histoire naturelle* ».

Charles entendit sonner la cloche pour le thé. Les autres enfants Wedgwood entrèrent : Elisabeth, l'aînée des neuf, avait trente-huit ans, quinze ans de plus qu'Emma, vingt-trois ans, la plus jeune. Elle était née avec une scoliose pour laquelle on ne connaissait d'autre remède que de lui fouetter le dos avec des orties. Elle ne laissait jamais paraître les douleurs constantes que cela lui occasionnait, et comme Caroline Darwin à Frankland, soignait les enfants pauvres du voisinage et avait créé pour eux à Maer Hall une école où elle enseignait elle-même une heure ou deux tous les matins. C'est également elle qui s'occupait du jardin et en rapportait d'énormes bouquets pour la maison.

Tout en reconnaissant ses qualités, Charles ne se sentait guère proche d'elle ni du plus jeune, Josiah, qu'on appelait Joe et qui portait avec une certaine raideur la lourde responsabilité d'être à la tête des célèbres entreprises Wedgwood. Chacun savait que Joe et Caroline Darwin étaient amoureux l'un de l'autre et se marieraient un jour. Charles avait plus d'affinités avec Charlotte, trente-quatre ans, qui avait son propre atelier à Maer Hall, où elle prenait des leçons de peinture avec Copley Fielding et faisait de l'aquarelle.

Il y avait encore trois frères Wedgwood : Harry, avocat, diplômé de Cambridge, qui écrivait des poèmes et avait épousé sa cousine Jessie Wedgwood ; Frank, trente et un ans, qui travaillait également aux poteries et qui devait se marier l'année suivante. Et Hensleigh, vingt-huit ans, qui descendit de sa chambre pour venir prendre le thé.

Il avait reçu son Master of Arts à Christ College l'année où Charles y était entré et attendait maintenant un poste de magistrat dans la police. Il commençait à se faire connaître comme philologue, voulait écrire des livres sur la science du langage et était fiancé à sa cousine Fanny Mackintosh.

Il y avait un autre visiteur à Maer Hall, le docteur Henry Holland, quarante-deux ans, que Charles admirait beaucoup. Non content d'être l'auteur de récits de voyages connus — il avait participé à l'élaboration des *Voyages en Islande* et plus tard publié sous son nom *Voyages dans les Iles Ioniennes, en Albanie, Thessalie, Macédoine* — il était déjà conseiller médical de la princesse de Galles et membre de la Royal Society.

Charles demanda la permission d'aller saluer sa tante Bessy : il monta l'escalier quatre à quatre, frappa doucement à la porte de sa chambre et entendit un paisible : « Entrez. » Elle était profondément enfoncée dans les coussins de sa chaise longue, à lire le *Prométhée délivré* de Shelley. Bessy Allen Wedgwood avait alors soixante-sept ans et avait épousé Josiah Wedgwood à vingt-huit ans, quand Josiah n'en avait encore que vingt-trois, mariage inhabituel mais mariage d'amour. Bessy avait été d'une très grande beauté, comme Charles pouvait le voir dans son portrait par Romney, un cadeau de mariage qu'elle conservait dans sa chambre. Un an et demi plus tôt, elle avait eu une attaque, dont on n'avait pas découvert la nature. Le docteur Darwin pensait qu'elle était peut-être due à un excès de ce sirop de pavot qu'elle prenait pour se calmer les nerfs.

« Vous semblez reposée, Tante Bessy.

— C'est mon nouveau chapeau. Je le mets toujours quand je veux faire bonne impression. »

Charles était sensible à son charme et à l'extrême douceur de sa voix.

« Je suis heureuse de te voir Charles, j'attendais le 1er septembre avec impatience. Vous arrivez toujours ensemble. Comment va ta sœur Caroline ?

— Très bien, comme toujours. Elle attend patiemment le jour où Joe l'épousera.

— Ah ! je ne sais pas ce que fabrique ce fils que j'ai là. Qu'attendent-ils pour se marier et me donner des petits-enfants ?

— Joe est amoureux de ses poteries.

— Au diable les poteries. Joe pourrait bien faire des terres cuites et des enfants en même temps ! Ah mais ce petit Charles, je le fais rougir, on dirait ! »

De retour à la bibliothèque, il rejoignit la famille assise autour de la longue table recouverte de cuir sur laquelle s'empilaient revues et monographies. Il alla s'asseoir près de son oncle.

Emma découpa le gâteau au cumin en portions généreuses et, le thé servi, tout le monde attaqua les fins sandwiches délicatement posés sur les assiettes de Wedgwood.

Tout le monde sauf Charles, qui engloutit plusieurs tasses de thé au lait sucré pour tromper son angoisse. Il se sentait des fourmis dans les bras et dans les jambes. Il ne pouvait exposer son problème au cours d'un goûter aussi détendu, dans la chaleur des rires. Il aurait voulu connaître une prière à marmonner, mais il les avait toutes oubliées. Si son silence surprit par son intensité, chacun était trop occupé à boire ses trois tasses de thé rituelles pour le faire remarquer. Et pour ajouter à son malaise, le docteur Holland, chauve sur le haut du crâne, les yeux pas très à niveau et la lèvre inférieure avancée, racontait les péripéties de son récent voyage en Europe.

Charles regarda son oncle. A soixante-deux ans, ses cheveux bien que plus rares restaient noirs et bouclés. Il avait de grands yeux sombres et perspicaces, un nez romain fortement dessiné, un menton volontaire. Il portait un élégant foulard blanc autour du cou et un pardessus à revers de velours.

Emma, qui avait lu l'impatience dans son regard, reposa sa tasse et lui dit :

« Charles, maintenant que la faim ne nous tiraille plus, peux-tu nous dire ce qu'il y a de nouveau ? »

Il sortit les deux lettres de sa poche et les tendit à Josiah.

« Oncle Jos, cela ne vous ennuie pas de les lire à voix haute ? Tout le monde saura ainsi de quoi il s'agit. »

Josiah passa les feuilles manuscrites à sa plus jeune fille, Emma. Sa voix était claire et mélodieuse et lorsque le propos de la lettre devint clair, un profond silence régna dans la pièce jusqu'au dernier mot de la lettre de Peacock.

Puis ce fut le brouhaha. Emma se jeta au cou de Charles. Hensleigh se leva pour lui serrer la main. Elisabeth et Charlotte le félicitèrent. Josiah garda les doigts fermement croisés sur sa poitrine. Le premier à exprimer son opinion fut le docteur Holland :

« A votre place, je réfléchirais bien, Charles. On ne vous donne pas de détails. Vous serez à la merci des moindres déplacements du bateau. Un naturaliste doit être totalement indépendant dans ses voyages, comme je l'ai toujours été.

— Ils m'accordent au contraire toutes les facilités possibles, protesta Charles… y compris de me laisser dans un port pendant qu'ils exploreront la côte… »

Il se tourna vers son oncle :

« Oncle Jos, mon père m'a demandé de vous remettre cette note. »

Josiah prit le message et lui dit : « Veux-tu venir dans mon bureau ? Nous y serons mieux pour discuter de tout cela. »

6.

Ce que Josiah appelait parfois son bureau était une petite pièce nue. Rien qu'une table de travail, de quoi écrire et trois chaises à dos droit. Il s'assit à sa table et leva les yeux vers Charles.

« Je devine que ton père s'oppose à ce voyage. Assieds-toi là et énumère-moi ses objections dans l'ordre. »

Charles se concentra devant une feuille de papier à lettres de l'oncle Jos, trempa un porte-plume dans l'encre et se mit à écrire très vite. Puis il tendit la feuille à Josiah qui en lut attentivement le contenu et finit par lui dire, en détachant bien ses mots :

« Je suis conscient de la responsabilité que me donne ton père en me demandant mon avis sur cette offre. Tu as écrit ce que tu crois être les objections de ton père. Le plus simple est sans doute pour moi de te dire ce que je pense de chacune d'elles.

Je ne pense pas que ce voyage puisse contredire en quoi que ce soit ton appartenance future au clergé, bien au contraire. Les recherches d'histoire naturelle, même si elles ne font pas partie de ses fonctions, n'ont rien de déshonorant pour un pasteur.

— C'est ce que j'ai essayé de dire à Père.

— " Un projet insensé ? " Je ne sais trop comment répondre à cela. Tu travaillerais sur des sujets précis. Cela te permettrait d'acquérir et de développer des qualités de persévérance… Que la place ait été offerte à d'autres ? Je n'en vois aucune indication. Que le vaisseau ou l'expédition présentent de sérieux dangers ? Je ne peux imaginer que l'Amirauté désigne un navire défectueux pour une expédition de cette nature. »

Charles se leva et débita d'un ton lugubre une sorte d'examen de conscience bien inhabituel chez lui :

« Il est vrai que jusqu'à présent j'ai vécu sans soucis ; nous étions un groupe d'excellents amis à Christ College, toujours prêts à chasser, monter à cheval et rester tard la nuit à boire, à rire et à nous bousculer. Mais j'ai beaucoup lu...

— Je t'ai rarement vu sans un livre à la main, fit observer Josiah ; et si l'on n'est pas gai dans sa jeunesse, je me demande quand on le sera. Si tu étais en ce moment plongé dans des études professionnelles, je ne te conseillerais pas de les interrompre. Mais ce n'est pas, et ne sera sans doute jamais le cas pour toi. Ce que tu cherches à apprendre actuellement n'est guère différent de ce que tu devras étudier au cours de cette expédition.

— Précisément ! fit Charles qui ne pouvait contenir son excitation. L'histoire naturelle. Cela me passionne depuis l'enfance. Grand Dieu, si cela pouvait être une profession qui me permette de gagner ma vie ! »

Oncle Jos eut un sourire indulgent ; il avait toujours eu confiance en son grand dadais de neveu.

« Examinons cette dernière objection de ton père, que tout cela ne te servira à rien dans l'exercice d'une profession. Connaissant l'étendue de tes curiosités, je gage que tu sauras profiter de cette chance bien exceptionnelle de voir les hommes et les choses. »

Toujours pratique, Emma, qui n'avait pas tardé à les rejoindre, demanda :

« Alors, que pouvons-nous faire maintenant Papa ?

— Je vais écrire une lettre au docteur Darwin dans le sens de ce que je viens de dire ici. Pourquoi n'allez-vous pas faire un tour dans le jardin ? Le soleil ne se couchera pas avant une bonne heure. »

Charles et Emma descendirent vers le lac par l'allée centrale, main dans la main. Leurs yeux à tous deux brillaient.

« Nous sommes déjà à bord du bateau qui nous fait faire le tour du monde, fit Charles.

— Mais c'est toi qui voyages, Charles. Moi, je dois rester ici. Ecriras-tu ?

— A chaque port. Je tiendrai un journal. Oh ! ton père est extraordinaire. Il m'est venu en aide comme à un fils préféré.

— Tu es le sosie de son jeune frère Tom. Père l'adorait. Il était brillant. Il fut le tout premier inventeur de la photographie. Mais il était gravement malade. Père lui fit parcourir la moitié du globe dans l'espoir qu'il retrouve la santé, mais en pure perte. Il mourut avant d'avoir pu découvrir un procédé qui permette de fixer les images.

Daguerre vint après lui et c'est à lui qu'on attribue l'invention de la photographie. Tu n'as jamais remarqué le portrait de Tom dans le salon ? Voilà pourquoi tu es le préféré de Père. » Et son expression sans malice semblait ajouter : « Et le mien. »

Avant de s'endormir, ce soir-là, il plaça ses bottes près du lit pour pouvoir y glisser ses longues jambes sans perdre un instant au réveil.

Il fut debout aux premières lueurs du jour, but une tasse de café bien chaud et partit en direction d'un point assez éloigné du domaine où le docteur Holland et plusieurs des voisins de Josiah le rejoindraient plus tard. Avec le garde-chasse, ils passeraient toute la journée dans la lande épaisse et les tendres pousses de fougères d'Ecosse.

Il n'était pas dans les champs depuis longtemps quand un jeune valet vint le chercher en courant :

« Monsieur Darwin, on vous demande à la maison. »

Charles revint au plus vite. Entrant en trombe par la porte qui donnait sur le lac, il trouva Josiah Wedgwood en costume de voyage, dans la salle à manger.

« Charles, j'ai décidé pendant la nuit de ne pas poster ma lettre à ton père. Je veux la lui porter moi-même. Et je pense que tu devrais venir aussi, au cas où ton père élèverait d'autres objections. Peux-tu attacher Dobbin à l'arrière de ma voiture ? »

Le docteur Robert Darwin se laissa convaincre sans résistance. Il lut la lettre de Josiah ; il écouta son beau-frère lorsqu'il lui décrivit les avantages d'une telle expédition. Il le remercia d'avoir entrepris un aussi long voyage pour le bien de son fils, puis se tourna vers Charles :

« Je te disais hier que si tu trouvais un homme de bon sens qui te conseille de partir, je donnerais mon autorisation. Je ne respecte personne autant que ton oncle Jos. Tu as ma permission. »

Charles voulut serrer son père dans ses bras, mais il était trop gros pour qu'il puisse en faire le tour. Le docteur Darwin secoua la main de son fils avec chaleur. Comme c'était bien son intention, oncle Jos avait gagné la bataille.

LIVRE DEUX

1.

Il s'habilla à la hâte à la lueur de la bougie et se trouva devant l'hôtel de ville de Shrewsbury à trois heures du matin pour attraper la diligence de Londres. Les passagers venus des auberges voisines s'étaient déjà emparés des meilleurs sièges à l'intérieur, il se retrouva donc assis sur le toit au milieu des sacs de courrier. Ils s'arrêtèrent pour le petit déjeuner à Birmingham pendant qu'on changeait les chevaux, puis continuèrent vers le sud-est en traversant Coventry. A Brickhill, il quitta la diligence, loua un cheval et une carriole à deux places qu'il conduisit pendant les quarante miles qui restaient, sur des routes accidentées de campagne, jusqu'à Cambridge. Il arriva à l'Auberge du Lion Rouge, en bas de la rue du Christ College, tard dans la soirée, les os moulus. Avant de se jeter sur le matelas défoncé, il écrivit une note au professeur Henslow :

« *A quelle heure demain matin puis-je venir vous voir ?* » et la remit à l'un des valets de l'auberge pour qu'il la lui porte.

Son sommeil fut court mais profond. Lorsqu'il ouvrit les yeux, il faisait jour et il vit une enveloppe sous sa porte. Henslow, qui se levait avec les poules, l'avait déposée là lui-même.

« Venez dès que vous serez réveillé. Nous vous garderons un petit déjeuner. »

En marchant de l'auberge à la maison d'Henslow, Charles ne put se défendre d'une certaine nostalgie. Il n'y avait que quatre mois qu'il était parti d'ici, son diplôme sagement roulé dans ses bagages. Après Shrewsbury, Cambridge était sa ville préférée. Il y avait passé les trois années les plus heureuses de sa vie. Une ville universitaire ne ressemble à aucune autre ; on y trouve quelque chose de spécial dans l'air : des étudiants qui courent d'un collège à l'autre, en robes et chapeaux noirs pour assister à des conférences ou retrouver des amis, les bras chargés de livres. L'excitation de jeunes esprits prêts à faire feu de tout bois. Le fait de savoir que certains des plus grands esprits d'Angleterre avaient étudié ici avant de s'engager dans le monde de l'action et dans la société : Milton, Newton, Dryden, Francis Bacon, Wordsworth, des centaines d'autres qui donnaient à la ville son importance historique.

Cambridge était une merveille médiévale avec dix-sept collèges distincts construits en pierre de taille ; des chapelles aux vitraux imposants, des pelouses, des arbres antiques, les jardins magnifiques, les maisons des maîtres et des assistants. Les pittoresques ponts de pierre enjambant la rivière Cam sur laquelle les étudiants adoraient faire de la barque, ou dans laquelle ils nageaient nus à la hauteur de Sheep's Green, forçant les dames qui empruntaient cet étroit passage à ouvrir leurs ombrelles et à enfouir leurs visages rougissants au plus profond de ces abris de soie. Le long bâtiment de pierre blanche, aux innombrables fenêtres, du Sénat où ses camarades de Christ College et lui, comme les élèves de tous les autres collèges, avaient été appelés, l'un après l'autre, lors de la remise de leurs diplômes, était d'une beauté sereine et classique. Encore quelques pas dans Petty Cury avant la grande entrée de Christ College, et il pénétra dans un couloir de pierre froid avec la loge du concierge à sa gauche, contourna la cour carrée au sud du premier terrain, et s'arrêta pour lever les yeux vers son ancienne chambre au deuxième étage. En première année, on l'avait logé au-dessus du bureau de tabac, Sidney street. Et s'il n'y avait pas acquis grand-chose d'un point de vue académique, Christ College l'avait du moins guéri de son manque de goût pour les études.

Il revint sur ses pas et prit Saint Andrew's street, puis Regent street, avec ses maisons en enfilade, leurs jardinets et le sentier étroit qui menait à leurs portes peintes de couleurs vives, leurs toits d'ardoise bordés de gouttières qui rendaient l'eau de pluie aux jardins.

La maison du professeur Henslow, un peu plus importante que les autres, étaient une demeure à trois étages de brique foncée, avec des fenêtres en ogive et entourée d'un mur de pierre de taille. Elle était confortable, bien que modeste pour un professeur titulaire du prestigieux college Saint John, que fréquentaient la plupart des étudiants mais dont Erasmus et Charles avaient redouté la discipline trop rigide. A la différence de la plupart de ses collègues, le professeur Henslow n'avait pas de fortune personnelle, dure réalité de la vie qu'il avait en commun avec Adam Sedgwick. En plus de sa double fonction de professeur de botanique à l'université et de vicaire de l'Eglise d'Angleterre, il lui fallait donner des leçons particulières, parfois jusqu'à six heures par jour, pour subvenir aux besoins de sa femme, de ses trois enfants, s'adonner à sa passion des beaux livres et des plantes rares pour le jardin botanique ; et tenir maison ouverte, aux professeurs comme aux étudiants auxquels sa femme ne manquait jamais d'offrir une bouteille de madère et une assiette de *parkins,* des biscuits d'avoine au gingembre.

Charles donna au heurtoir de la porte de bronze les sept coups qui permettaient à la famille Henslow de le reconnaître : cinq rapides et deux plus lents. Le professeur Henslow vint lui ouvrir avec un grand sourire et une cordiale poignée de main. C'était, de l'avis de Charles, l'homme le plus avenant de tout Cambridge. Un front très haut, des traits marqués mais adoucis par la modestie, des yeux bienveillants mais intenses et la peau bronzée d'un homme de plein air. Il aimait le travail et ignorait la fatigue. Il avait de belles mains aux doigts effilés, qui lui servaient en botanique. Au total, l'expression d'un homme qui a beaucoup à donner et ne demande aux autres que de comprendre la nature du monde qui les entoure.

John Henslow était devenu le personnage central dans la vie de Charles. C'était un de ces professeurs méthodiques qui sont en même temps extrêmement patients, qui n'enseignent pas seulement des connaissances mais l'attitude de la recherche, un amour de l'étude, des techniques et des méthodes qui facilitent l'approche de tous les domaines de l'activité humaine. Il n'était jamais ennuyeux, didactique ou autoritaire ; il enseignait avec esprit, en s'impliquant. Et cinq ans d'université, à Edimbourg et Cambridge, avaient appris à Charles que de tels professeurs étaient rares.

Harriet Jenyns Henslow descendit l'escalier, portant dans les bras son fils de deux mois tout emmitouflé. « Contente de vous revoir ici, Charles, lui dit-elle doucement. Regardez, vous avez un filleul.

— C'est ce que je vois. Mes félicitations ! Et à vous aussi mon cher Henslow, vous avez maintenant un héritier mâle qui portera votre nom. » Harriet avait fait avec Henslow neuf ans plus tôt un mariage d'amour. Et puisque son mari, pour lequel elle avait toujours la même dévotion, considérait le jeune Darwin comme un intime, elle le recevait comme un membre de la famille. Elle lui avait pourtant dit un jour : « Il est très gentil, ce petit Darwin. Mais pourquoi ce traitement de faveur ? Ce n'est pas le plus brillant de tes élèves.

— Peut-être pas, en tout cas, pas encore ; mais il y a une cervelle sous ce grand crâne, qui ne se contente pas d'absorber les connaissances comme du papier buvard mais sait s'intéresser à la théorie spéculative. Il passe tout naturellement du particulier à l'universel. Il fera son chemin. Je ne sais ni quand ni comment, et lui non plus, mais le potentiel est là. Et c'est tout ce que les professeurs peuvent cultiver. Ce que la vie fera de ce potentiel, nous ne pouvons ni le prédire ni le contrôler.

— Bien, professeur, fit-elle d'un air faussement respectueux, je rangerai cette perle dans le coffret des vérités premières. »

Charles et Henslow s'installèrent dans le salon-bibliothèque où se tenaient les réunions du vendredi soir. C'est la dot d'Harriet qui avait servi à acheter les meubles et ils commençaient à se charger des nouveaux signes de la réussite d'Henslow : plantes, livres et nouvelles collections de scarabées. Sur les murs, des gravures de Rembrandt qu'on leur avait offertes en cadeau de mariage et d'autres qu'ils avaient acquises au cours des ans.

Sans perdre une minute, Charles lui raconta l'intervention de Josiah Wedgwood et lui apprit qu'il avait maintenant l'autorisation de son père.

« Magnifique ! déclara Henslow avec enthousiasme. J'étais aussi déçu après votre première lettre que lorsque j'ai dû refuser cette proposition moi-même. »

Charles regarda son mentor avec stupéfaction : « On vous avait fait la même proposition ? Mais vous ne me l'aviez pas dit.

— C'était inutile. De fait, j'avais accepté. Harriet avait donné son consentement sans même que je le lui demande. Mais elle semblait si malheureuse que j'ai immédiatement réglé la question. Il faut que nous écrivions à Peacock dès maintenant.

— Mon père n'avait donc pas tout à fait tort en supposant qu'on avait déjà offert à d'autres cette mission. Elle ne convient sans doute qu'à quelqu'un comme moi, sans famille ni responsabilités.

— Précisément. Vous êtes exactement l'homme qu'il leur faut. »

Le petit déjeuner fini, Charles et Henslow allèrent au jardin, rougeoyant des chrysanthèmes précoces de septembre.

Henslow exultait :

« Voilà six ans que j'essaye de faire quelque chose de ce jardin botanique de cinq arpents à l'abandon au centre de la ville. Les recteurs de l'université me refusaient les fonds pour le rénover. La semaine dernière, ils ont acheté trente arpents aux portes de la ville. La terre y est en friche et fertile. Cela peut devenir un jardin magnifique. On m'a promis assez d'argent pour en faire des Kew Gardens en miniature. Nous aurons assez de place pour les arbres et les arbustes qu'on ne cesse d'introduire en Angleterre depuis un demi-siècle. »

Il passa la main dans sa chevelure épaisse et bouclée. « Marchons jusque là-bas. »

Ils quittaient les fauteuils de rotin délavés sous un cornouiller géant, quand Harriet les rejoignit avec un visiteur, un certain M. Wood, neveu de Lord Londonderry. Charles l'avait rencontré au cours d'une soirée du vendredi. Il ignorait tout de lui, et surtout ce qu'il venait faire à ces soirées « scientifiques » puisqu'il ne parlait constamment que de politique, de suffrages, d'esclavage et du « Reform Bill » qui n'était selon lui que de l'idéalisme mal placé, totalement inefficace en pratique.

Il était petit et trapu et affectait la contenance de celui qui se sait issu de la noblesse. Il manifesta bruyamment sa joie de revoir Charles.

« Mon cher Charles, quelle agréable surprise ! Je vous croyais déjà enterré dans quelque paroisse du Shropshire à collectionner les âmes le dimanche et les scarabées en semaine.

— Pas encore, Wood. Il semble que j'aie un sursis de deux ans.

— Splendide. Mais dites-moi comment ? »

Charles avait à peine commencé que Wood l'interrompit. « Comme c'est extraordinaire ! Le capitaine FitzRoy et moi sommes parents, cousins en quelque sorte par Lord Londonderry, qui est le demi-frère de la mère de FitzRoy. Le bruit court que c'est Lord Londonderry qui lui a obtenu le commandement du navire de S.M. *Beagle.* »

— Le *Beagle,* répéta Charles doucement, c'est la première fois que j'entends le nom de ce bateau.

— Le capitaine FitzRoy est un grand ami à moi ! s'exclama Wood. Je veux rentrer immédiatement et lui écrire une lettre de recommandation pour vous. Croyez-vous au destin, Darwin ? Moi, j'y crois. Le simple fait que nous nous rencontrions aujourd'hui samedi alors que vous devez aller lundi à Londres pour y faire les dernières démarches !

— C'est très aimable à vous, Wood.

— Ce n'est rien, ce n'est rien ! » Il se tourna vers Henslow. « J'étais venu vous dire bonjour mais je vous demanderai de m'excuser. Je veux que cette lettre parte par la malle de poste d'une heure et que FitzRoy l'ait entre les mains ce soir. »

Charles et Henslow descendirent à grands pas Trumpington street, dépassant les portails et les cours de quatre ou cinq collèges de Cambridge aux façades sculptées ; ils traversèrent également Saint-Mary lane, qui conduisait à la petite mais charmante église Sainte-Mary où le Révérend Henslow prononçait un sermon devant sa congrégation tous les dimanches matin. A la hauteur de l'ancien petit cimetière qui se trouvait derrière l'église, Henslow se tourna vers Charles en lui demandant :

« Voulez-vous réellement devenir pasteur, Charles ? Vous croyez-vous à la hauteur de la tâche ? »

Charles fut pris de court. Personne n'avait encore jamais pris la peine de lui poser cette question.

« Je le crois. Je n'étais pas mauvais en théologie et je connais bien le livre de Paley. Je serai bien capable de faire un sermon pas trop ennuyeux...

— Mais vous n'êtes pas...

— Passionné par l'Eglise ? Non. Personne dans ma famille ne l'a jamais été. Mais nous avons la foi. »

Ils marchèrent quelques minutes en silence, puis Charles demanda :

« Mon cher Henslow, pourriez-vous me donner un cours accéléré sur la façon de préserver des spécimens ? Mes amis d'Edimbourg m'ont enseigné quelques rudiments de biologie marine et vous m'avez appris à conserver fleurs séchées et scarabées. Voilà toute l'étendue de ma science. Et pendant les longues traversées entre deux ports, il me faudra préserver tout ce que j'aurai ramassé à terre. »

Henslow se mit à rire.

« Commençons par les spécimens géologiques et les fossiles. Enveloppez-les dans du papier d'abord puis dans des fibres de chanvre non peignées qu'on appelle étoupe. On en trouve en abondance à bon marché dans tous les ports. Marquez chaque trouvaille à l'encre indélébile sur le spécimen lui-même, et cela vaut pour les coquillages et les os...

Allez également à la librairie de William Yarell à Londres et achetez les *Principes de Géologie* de Charles Lyell. C'est un livre de la plus grande utilité mais n'adoptez jamais les vues qu'il défend. On y trouve quelques théories totalement extravagantes...

En ce qui concerne les invertébrés au corps mou, les amphibies, reptiles et poissons, ils doivent tous être conservés dans l'esprit de vin ou l'alcool de grain. Procurez-vous la sorte violette qu'on utilise à la maison, c'est la moins chère. Votre solution doit avoir 70 % d'alcool et 30 % d'eau. Neuf spécimens sur dix qui se gâtent le doivent à une solution trop faible en alcool ! Pour des spécimens de plus grande taille, il est nécessaire d'ouvrir le ventre et de préserver les organes séparément. N'abandonnez rien à votre mémoire. Tenez une liste avec le nom et la date de départ des bateaux sur lesquels vous envoyez les spécimens en Angleterre. Et assurez-vous que le destinataire note également les dates d'arrivée. »

Charles leva les yeux vers son ami.

« Mais qui cela pourrait-il être ? Si je reste en voyage pendant deux ans, cela constituera, je l'espère, un grand nombre de caisses et des milliers de spécimens.

— Il faut les envoyer à quelqu'un qui puisse examiner l'état dans lequel ils se trouvent et comparer avec votre catalogue pour vérifier que tout concorde.

— Pardonnez-moi, Henslow, mais je ne connais que vous au monde capable ou désireux d'entreprendre une pareille tâche. »

Henslow eut un sourire à la fois touché et résigné.

« Faites d'abord appel aux sociétés londoniennes. Elles vous aideront peut-être...

Utilisez des bocaux de verre chaque fois que vous le pourrez. Les pots de terre et les coffrets de bois ont tendance à fuir ou permettent l'évaporation. Fermez vos bocaux avec un couvercle deux fois enveloppé de membrane, de feuille d'aluminium ordinaire et de membrane à nouveau. Gardez trois ou quatre bocaux ouverts en même temps : dans l'un mettez les crustacés, dans l'autre les animaux à disséquer, et dans le dernier les spécimens minuscules... Conservez toujours les poissons dans l'alcool le plus concentré. Utilisez le savon d'arsenic pour toutes les peaux mais ne négligez pas de brosser les pattes et les becs avec une solution de sublimé corrosif. Placez tous les insectes, à l'exception des papillons, entre des tissus, dans des boîtes à pilules. Mettez un peu de camphre au fond des boîtes. »

Ils avaient marché plusieurs miles jusqu'au terrain qu'on venait de mettre à la disposition d'Henslow. Il sortit de la poche de son manteau une carte pliée du site, s'accroupit à l'ombre d'un vieil arbre et la déplia sur le sol. Il avait déjà prévu, dans les moindres détails, l'utilisation de ses trente arpents.

« Là je veux quelques monticules en pente douce, des cascades et des poissons et un jardin de roches. Nous aurons des verrières et des serres pour les plantes tropicales ; cela sera un parc public tout autant qu'un jardin botanique ; les parents pourront y amener leurs enfants pour leur apprendre le nom des arbres et des plantes...

Qui sait, Darwin, peut-être parviendrons-nous à faire de la botanique, de l'entomologie et de la biologie marine des sciences aussi importantes que les mathématiques, le grec, le latin et la littérature classique. Le défaut de nos universités anglaises c'est que nos éducateurs ne voient dans les sciences naturelles qu'une branche inutile de la connaissance. C'est à nous de changer tout cela de notre vivant. »

2.

Dimanche matin, Charles et la famille Henslow s'habillèrent pour aller à l'église. L'exquise petite église Saint-Mary avait une voûte en berceau, des poutres apparentes équarries et un chœur excellent. Le Révérend Henslow, dans son imposante robe noire, choisit son sermon de onze heures (Luc 8 : 16-17) tout spécialement à l'intention de Charles. « *Et il leur dit : Nul homme, quand il a allumé une chandelle, ne la couvre d'un éteignoir, ou ne la met sous un lit ; mais la pose sur un chandelier pour que ceux qui entrent puissent voir la lumière. Car rien n'est secret qui ne sera rendu manifeste ; rien n'est caché qui ne sera connu et colporté de par le monde.* »

De retour à la maison ils trouvèrent M. Wood qui faisait les cent pas, pâle comme un linge.

« M. Wood, que s'est-il passé ? Vous avez l'air troublé ?

— Je... je..., marmonna-t-il d'une voix presque inaudible... la réponse à ma lettre au capitaine FitzRoy... » Il fit un effort pour regarder Charles en face. « Désolé... je suis tout à fait désolé, Darwin, d'avoir ruiné vos chances. Le capitaine FitzRoy ne veut pas que vous partiez.

— Mais qu'avez-vous donc fait ? »

Wood serra les dents « Je n'ai rien dit que de très élogieux... mais il était de mon devoir... mon parent... vous êtes un Whig... un libéral... Vous êtes en faveur du Reform Bill et pour l'extension du droit de vote...

— C'est exact, s'entendit répondre Charles.

Cette loi donnerait le droit de vote aux petits propriétaires, gagnant dix livres par an ou plus. »

Wood laissa échapper un grognement.

« Nous Tories voyons dans le " Reform Bill " le retour au chaos.

— Alors que nous, Whigs, dit Henslow avec calme, nous y voyons l'aube d'un nouvel âge. Mais qu'a donc la politique à voir avec l'histoire naturelle ?

— ... Rien. Mais le navire de Sa Majesté *Beagle* est un petit bateau. Le capitaine FitzRoy veut que le naturaliste soit également un ami... Une personne agréable avec qui partager ses repas... Lui seul est autorisé à pénétrer dans sa cabine ou à prendre ses repas en sa compagnie. »

La vague de découragement qui avait submergé Charles lors du refus de son père l'assaillit à nouveau. La chance l'abandonnait une fois de plus.

« Vous ai-je jamais imposé mes opinions politiques, Wood ?

— Bien sûr que non ! Vous êtes parfaitement bien élevé et je n'ai écrit à FitzRoy que pour lui dire quel agréable compagnon vous étiez... mais si vous vous querelliez avec lui au sujet du Reform Bill, il ne me le pardonnerait jamais. Et la vie sur le *Beagle* deviendrait intenable. Le capitaine FitzRoy a confié cette mission à un ami de longue date, un certain M. Chester qui occupe un poste au gouvernement, je crois... »

Wood une fois parti, Charles fit le tour de la pièce sans rien voir. « Après tout le mal que s'est donné pour moi Oncle Jos... Je suis accablé. »

Rien n'était plus étranger au caractère d'Henslow que la colère, mais l'émotion lui avait mis le rouge aux joues.

« Peacock a bien mal agi en décrivant la situation de façon aussi inexacte. Il m'a affirmé que la nomination d'un naturaliste dépendait de lui et de lui seul. »

Charles renifla bruyamment — ce qui était contraire à ses habitudes — et dit d'un ton amer :

« Qui pourrait forcer un capitaine à partager trois repas par jour avec un Whig libéral ? Il courrait à terre à la première escale. Quand on pense que le Reform Bill, s'il passe jamais, ne donnera le droit de vote qu'à 17 % des Anglais tout au plus... »

Les yeux d'Henslow étaient éteints.

« Les gens se font la guerre pour la politique et pour la religion. Ils se font la guerre pour des querelles de frontières. Il est bien rare que le cerveau humain laisse passer une occasion pour l'espèce de s'entre-déchirer... »

Les deux hommes se turent. A une heure Harriet vint annoncer que le déjeuner était servi. Ils mangèrent sans grand appétit. Au dessert, Charles reposa calmement ses couverts.

Henslow leva vers lui un sourcil interrogateur.

« Vous avez pris une décision ? N'est-ce pas encore trop tôt ?

— Pas du tout. Je prendrai la diligence à l'aube pour Londres. Ce poste de naturaliste m'a été officiellement proposé. S'il me le refuse, le capitaine FitzRoy devra me dire en face pourquoi. »

La Star le déposa, avec ses bagages, à Londres, à midi, devant l'auberge Old Bell sur Holborn. Il avait visité la ville à plusieurs reprises avec sa famille ou des amis mais la grande métropole bruyante et poussiéreuse lui paraissait brouillonne et hostile. Il descendit Fleet street jusqu'au Strand, en face de Somerset House. Il dépassa l'Adelphi Theatre et arriva à ce qu'on appelait depuis peu Trafalgar Square, un grand espace qu'on avait dégagé en détruisant les écuries royales et les masures adjacentes au bas de Saint Martin's lane. La nouvelle National Gallery, en construction, s'élevait au-dessus de l'espace encore inutilisé du square.

Par chance, il trouva à se loger au 17, Spring Gardens, à deux rues des bâtiments de l'Amirauté, dans une chambre spacieuse en angle, où il se lava et changea de linge. En s'approchant d'une fenêtre qui donnait sur l'Amirauté, une idée le saisit.

« Et si le capitaine FitzRoy n'était pas à Londres ? A quoi servirait cette folle randonnée ? »

Mais lorsqu'il eut passé les redoutables griffons gardant l'entrée de l'arche de l'Amirauté, sur Whitehall, et après avoir décliné son identité à un huissier, la réponse ne se fit pas attendre :

« Le Capitaine FitzRoy vous présente ses respects, Monsieur, et vous demande de me suivre immédiatement dans son bureau. »

En entrant dans la pièce, il fut frappé par son austérité. Quand les officiers de marine revenaient de leurs longs voyages, ils obtenaient des congés pour rentrer chez eux et ne passaient que quelques jours à l'Amirauté pour compléter et déposer le rapport de leur mission.

Il n'y avait pourtant rien d'austère dans la personne même du capitaine Robert FitzRoy. Lorsqu'il se leva, Charles vit qu'il était grand et mince, patricien de la racine de ses cheveux bouclés jusqu'à la pointe des pieds élégamment chaussés. Il arborait une moustache distinguée. Il avait un beau visage et des traits réguliers, à l'exception du nez tombant. Il était habillé non en dandy mais en homme d'expérience et d'autorité.

Robert FitzRoy était un descendant illégitime du roi Charles II et de la duchesse de Cleveland, Barbara Villiers. Mais à cette illégitimité aucun déshonneur n'était attaché car Charles II n'avait pas eu de descendant légitime. Le capitaine FitzRoy lui-même était le petit-fils du duc de Grafton et le fils de Lord Charles FitzRoy. S'il y avait chez lui un rien d'arrogance et d'autoritarisme, il en avait gagné le droit, même si sa fortune personnelle, considérable, était en grande partie héritée. Il était entré au Royal Naval College de Portsmouth à douze ans, en était sorti à dix-neuf avec la médaille de Premier. On lui prêtait une connaissance approfondie des mathématiques, de la météorologie et du maniement d'un bateau dans les pires conditions atmosphériques.

En octobre 1828, à l'âge de vingt-trois ans, à Rio de Janeiro, où une base de la flotte royale était ancrée, on lui avait demandé de prendre le commandement du navire de Sa Majesté *Beagle,* après le suicide du capitaine. Pendant quatorze ou quinze mois, il avait dirigé le bateau de reconnaissance d'une manière qui lui avait valu les éloges de l'Amirauté avant de rentrer en Angleterre avec « les cartes les plus parfaites ». La Grande-Bretagne, qui voulait grâce à sa flotte dominer le monde, devait dresser la carte des divers continents pour y trouver les meilleurs ports d'attache.

Lorsqu'il vit Charles, les yeux sombres de FitzRoy s'illuminèrent.

« On ne saurait arriver plus à propos, M. Darwin !

— Comment cela, capitaine ?

— Si vous étiez venu dix minutes plus tôt, j'aurais eu de mauvaises nouvelles à vous annoncer.

— Et maintenant ?

— D'excellentes. Cette note vient de me parvenir. Mon ami Chester regrette de ne pouvoir embarquer avec moi, il ne peut abandonner le poste qu'il occupe. Si j'avais pu emmener mon ami, il n'y aurait pas eu de place pour vous sur notre petit bateau surchargé. »

Charles n'osait croire à un tel renversement de la situation.

« Alors, je suis accepté ?

— Je suis ravi que vous soyez venu à Londres sans perdre un

instant. J'ai peut-être répondu un peu trop hâtivement à la lettre de M. Wood. A bien y réfléchir, je vois mal comment deux hommes jeunes trouveraient le moyen de se quereller pour des questions de politique anglaise en établissant des cartes des côtes de l'Amérique du Sud, à des milliers de miles de chez eux.

— Je ne suis pas d'une nature querelleuse, Monsieur.

— Tant mieux ! Il vous faudra boire de l'eau, et vous contenter de la nourriture la plus sobre ; je ne bois ni vin ni rhum quand je commande un bateau. Vous pourrez également utiliser mon divan aux heures calmes, pour la lecture ou le repos. Accepterez-vous que je vous redemande la cabine lorsque je voudrai l'avoir pour moi seul ?

— Le besoin de solitude est parfois aussi essentiel que celui de nourriture ou de sommeil.

— J'espère donc que nous serons compatibles. Sinon, il est probable que nous nous enverrons mutuellement au diable. Asseyez-vous, nous pourrons parler, devant ce coin de table. Malgré mon désir de mettre à votre disposition tout le confort possible, cela se réduit à peu de chose. Je crois qu'il est de mon devoir de vous présenter l'expédition sous l'angle le moins favorable. Rien ne serait plus effroyable que de voyager avec vous si vous vous sentiez mal à l'aise. Le *Beagle* est un petit bateau et nous devons nous accommoder les uns des autres.

— Puis-je demander où se trouvera ma couchette ?

— Dans la cabine de poupe. Nous accrocherons votre hamac en angle. C'est là où nous mettrons notre bibliothèque. Elle est un peu plus grande que ma cabine, avec une lucarne de la même taille. Vous pourrez vous servir de la table des cartes dans votre travail. John Lort Stokes aura son hamac dans l'angle opposé. Il a dix-neuf ans et remplit les fonctions d'aide géomètre. L'équipage est très jeune, M. Darwin, même si la plupart des hommes ont déjà servi sous mes ordres. Je pense que vous n'aurez aucun mal à vous y intégrer. Toutefois, s'il vous déplaisait de rester avec nous, vous pourriez à tout moment rentrer en Angleterre. Nombreux sont les navires qui rentrent dans cette direction.

— Je vous remercie. Ma seule crainte est le mal de mer.

— La mer n'est pas aussi dangereuse qu'on le dit. Par mauvais temps, deux mois par an tout au plus, nous pourrons vous laisser sur la terre ferme. Lorsque nous jetons l'ancre, nous passons une quinzaine de jours à terre pour conduire nos reconnaissances et tracer nos cartes. »

Le visage de Charles brillait d'excitation à l'idée de séjours exotiques dans des ports tropicaux.

« Mais il faut que vous voyiez le *Beagle* avant de vous décider. Je prends le vapeur pour Plymouth dimanche prochain. Pourquoi ne viendriez-vous pas avec moi ?

— Avec grand plaisir.

— Eh bien, c'est entendu. Vous aimeriez sans doute rencontrer le capitaine Beaufort, maintenant, pour discuter des conditions ? Mais si vous n'êtes déjà invité, ayez la gentillesse de dîner avec moi ce soir à mon club. Certains vous diront peut-être qu'un capitaine au long cours est une brute épaisse. En ce qui me concerne, je ne peux que vous demander de remettre votre verdict à plus tard. Nous quitterons Plymouth le 10 octobre. »

Le capitaine Francis Beaufort n'avait été nommé hydrographe de la Marine royale que vingt-sept mois avant que Charles pénètre dans son domaine, sept pièces qu'il occupait à un étage de l'Amirauté. Les murs et les tables du bureau d'hydrographie étaient couverts de cartes, de plans, de dessins et de globes jaunis du Vieux Monde. L'homme qui se trouvait derrière l'énorme bureau d'acajou, Francis Beaufort, était né en Irlande, fils d'un devin irlandais qui avait appris seul la cartographie et dressé la première carte exacte d'Irlande. Son fils, qui l'adorait malgré la vie d'errance qu'il menait, passa le plus clair de son âge adulte à essayer de payer ses dettes. Dès l'enfance il ne désirait rien tant que prendre la mer et le fit à quinze ans, s'engageant sur un bateau de la Compagnie des Indes Orientales. Il entra dans la Royal Navy en 1790, faisant les premiers relevés de la côte sud de Turquie, toujours considérés comme les plus fiables. Il traça ensuite d'excellentes cartes de la côte de Syrie. Et à la différence de son père, il était ambitieux, voulant prendre part aux guerres anglaises pour capturer des navires ennemis, gagner de l'argent et des promotions.

Il ne fit rien de tout cela. Il n'y gagna qu'une blessure et, aigri, prit sa retraite en 1801 avec une demi-solde. Il réintégra la Royal Navy en 1805 lorsqu'on lui confia le commandement d'un navire pour l'Inde. Bien qu'il n'ait reçu que cinq mois de formation académique au Dunsik Observatory, il offrit gracieusement une série de cent soixante-dix cartes à la « Société de Diffusion des Connaissances Utiles », qui lui valurent un grand renom.

Lorsqu'il prit la tête de l'Institut Hydrographique en 1829, le poste n'était ni prestigieux ni enviable. Ce service était constamment négligé, sans budget, ignoré par le Premier Secrétaire de l'Amirauté Croker et maltraité par le grand explorateur de l'Arctique Edward Parry, qui le dirigeait en titre mais passait tout son temps en explorations personnelles. Le bureau avait peut-être mille cartes à sa disposition. Ils utilisaient les cartes que leur rapportaient tous les explorateurs : Français, Allemands, Italiens, Espagnols, certaines si inexactes qu'elles en devenaient dangereuses.

Vingt ans plus tard, lorsque Charles pénétra dans le bureau de Francis Beaufort, il avait sous ses ordres deux jeunes lieutenants de la Royal Navy qui lui servaient d'archivistes et de documentalistes, et employait quatre dessinateurs spécialisés, un secrétaire pour rédiger les spécifications de route, et les meilleurs graveurs, lithographes et relieurs de Londres. Au moment même où l'on armait le *Beagle* il avait onze autres navires en mer ou qu'on préparait à des tâches de reconnaissance. Des carnets de bord et des mémoires venus des sept mers s'empilaient sur son bureau, qui permettraient à la Marine Royale anglaise, maîtresse des océans, d'être en sécurité partout où elle s'aventurerait pour la conquête ou le profit.

Francis Beaufort avait souffert pendant des années de ce qu'il appelait ses « démons », les sentiments de frustration et d'infériorité à voir des hommes de moindre qualification infiniment plus haut placés. En prenant la tête de son propre service dans la Royal Navy à l'âge de cinquante-cinq ans, il connaissait enfin la paix, même si son visage battu par les intempéries semblait parfois marqué par les épreuves qu'il avait subies.

« M. Darwin, j'ai eu le plaisir de rencontrer votre père en 1803, avant votre naissance. Ma sœur Louisa et moi avions traversé la mer d'Irlande avec notre mère qui souffrait de dermatose et le connaissait de réputation. D'emblée, votre père s'intéressa plus à sa santé, qui était mauvaise, qu'à sa maladie de peau. Il l'ausculta à plusieurs reprises, puis nous renvoya chez nous. Et sa santé s'améliora beaucoup, à défaut de ses problèmes de peau. Elle vécut jusqu'à quatre-vingt-quatorze ans.

— J'espère pouvoir faire honneur à la bonne réputation de ma famille. »

Beaufort esquissa l'ombre d'un sourire.

« Si vous partez, Darwin, soyez sûr que vous ferez le tour du monde. Vous vous arrêterez une semaine dans l'île de Madère, et dans les Canaries également...

— Magnifique ! s'exclama Charles. Nous verrons Tenerife et cet arbre-dragon dont parle Humboldt. »

Beaufort décida de ne pas s'offusquer de l'impétuosité de ce jeune homme qui avait l'air de croire que la croisière du *Beagle* n'était qu'une excursion de naturaliste.

« Je suis en ce moment même en train d'établir votre itinéraire dans les mers du Sud. Il est probable que vous rentrerez par l'archipel indien. Cela vous prendra trois ans au minimum. »

Charles frémit. Trois ans au lieu des deux qu'on lui avait annoncés ; ce n'était pas tant qu'il en craigne les rigueurs pour lui-même car il était prêt à s'adapter à tout ce que sa nouvelle vie exigerait de lui. Mais son père et ses sœurs, comment réagiraient-ils ? Il envisagea un bref instant de ne pas le leur dire.

Il avala sa salive avec difficulté.

« Plus le voyage sera long, plus grandes seront mon expérience et mes connaissances.

— Joliment dit. Je vous inscrirai sur les rôles et il ne vous en coûtera que trente livres par an pour les vivres, comme aux autres officiers. L'Amirauté ne prévoit pas de salaire, mais si c'était nécessaire, on vous en accorderait probablement un.

— J'aimerais consulter mon père sur ce point, capitaine Beaufort. Il a généreusement pourvu à mes besoins à Cambridge et j'imagine qu'il voudra bien continuer à le faire. »

Beaufort ne put s'empêcher de repenser aux années qu'il avait dû passer lui-même à rembourser les dettes de son père. Charles sentit son changement d'humeur et dit avec gêne :

« Il n'était fait mention d'aucun salaire. Il m'est d'ailleurs impossible de savoir si je serai d'une réelle utilité à bord du *Beagle*. J'ai, évidemment, l'intention de constituer des collections dans tous les domaines de l'histoire naturelle... »

Beaufort comprit qu'il avait mis le jeune homme sur la défensive et lui dit, plus gentiment :

« Cela ne devrait poser aucun problème au cours de votre voyage. Envoyez-les chez vous dès que vous en aurez une caisse pleine. Voici une liste des fournitures dont vous aurez besoin. Rayez-les de la liste l'une après l'autre lorsqu'elles seront montées à bord du *Beagle*. »

Charles parcourut la liste. Il fut surpris de sa précision et exprima sa gratitude.

« A vrai dire, j'avais établi ceci avant que vous soyez nommé. J'espérais que le docteur McCormick, le médecin du navire, saurait en faire bon usage. Il a constitué quelques collections peu au cours des précédents voyages.

— Ne sera-t-il pas trop déçu de me voir prendre sa place ?

— Il n'a aucune raison de l'être. C'est un chirurgien de la marine et sa première tâche consiste à veiller sur la santé de l'équipage, qui compte plus de soixante-dix hommes. Et dans les pays tropicaux, c'est un travail à plein temps. Tout au contraire chacun sera ravi d'avoir à bord quelqu'un qui ne fasse pas partie de la marine et à qui se plaindre. Soyez prêt à partir le 10 octobre. »

Charles se leva et remercia le capitaine de son amabilité. Beaufort garda les yeux fixés sur les cartes qu'il avait sous le nez, qu'il étudiait avec la plus grande intensité.

Après ces deux entrevues, Charles retrouva les rues de Londres, la tête en feu. Il longea Whitehall jusqu'au Ministère des Finances, prit un raccourci par les quais, marcha au bord de la Tamise en passant devant les majestueux bâtiments du Parlement, revint vers le pont de Westminster et s'arrêta pour contempler l'eau verte de la rivière qui bouillonnait sous lui pour aller se jeter dans la Manche anglaise. Ses mains s'étaient couvertes de rougeurs, ce qui lui était arrivé une fois ou deux, dans un état de grande nervosité.

« Shakespeare avait raison. Les affaires humaines sont aussi fluctuantes que les marées. A une heure aujourd'hui, je croyais le voyage impossible. A deux heures et demie, non seulement le poste m'est officiellement offert mais peut-être même un salaire, pour faire bonne mesure ! »

Il retourna à son hôtel pour se préparer à un dîner amical en compagnie du capitaine FitzRoy, à son club.

3.

Lorsqu'il entra chez Yarell et Jones, la librairie à l'angle de Bury street et de Little Ryder, le lendemain matin, la plus délicieuse de toutes les odeurs qu'on puisse respirer dans une boutique, celle de l'encre fraîche en train de sécher sur un bon papier vint lui chatouiller les narines. William Yarell le reçut, ne jetant qu'un bref coup d'œil à la lettre de recommandation de Henslow. C'était un homme dans la cinquantaine, dont le visage, marqué par ses nombreuses expéditions, frappait surtout par ses sourcils noirs très fournis.

Charles avait entendu parler de lui. Il savait que c'était le seul naturaliste d'Angleterre qui gagnât sa vie en vendant livres et journaux. Il écrivait dans le *Zoological Journal* depuis 1825, avait en préparation deux livres sur les oiseaux et les poissons anglais. Il avait déjà publié dix-huit articles sur la géologie.

« Oui, oui, je suis déjà au courant de votre nomination. Les nouvelles vont vite dans notre petite fraternité.

— Je ne suis pas très au courant des prix qu'on pratique à Londres et j'ai besoin d'un certain nombre d'instruments : un télescope de bonne taille, une boussole, des outils de dissection...

— Je suis votre homme, s'écria Yarell. Laissez-moi prévenir mon cousin et je vous accompagne. »

Yarell l'aida à faire ses achats au meilleur prix. En quittant une boutique Charles lui demanda : « Est-ce que je me trompe ? Je crois bien que vous intimidez ces marchands !

— A Londres, cela s'appelle marchander. C'est un art qu'il vous faudra apprendre si vous voulez vivre ici. »

Non content de l'aider à se procurer des scalpels et des couteaux de dissection, Yarell lui donna une journée de leçons sur les préparations requises avant d'envoyer oiseaux et poissons. Ce qui l'impressionna le plus chez Yarell fut la générosité intellectuelle, ce qu'il appelait « notre petite fraternité de la philosophie naturelle ».

« Puisque personne ne respecte notre travail, expliqua Yarell, nous nous encourageons mutuellement. Et en accumulant les connaissances, nous finirons par investir les derniers bastions des préjugés. »

Pour la première fois, Charles trouva Londres agréable. Cette fois, il se sentait vivre au même rythme, dans la hâte et la précipitation.

A cinq heures du matin, le bruit du canon tiré à Saint James Park, non loin de là, lui rappela que c'était le jour du couronnement du roi William IV, soixante-six ans et de la reine Adélaïde. Quittant sa chambre à six heures, il vit des hommes qui répandaient du gravier sur la route qui conduisait à l'abbaye de Westminster. Des estrades avaient été montées devant la plupart des maisons en bordure du parcours. Il se sentit assez gamin pour payer une guinée un siège d'où il pourrait voir la procession.

Vingt mille spectateurs se pressaient jusqu'à Charing Cross où trois mille autres s'entassaient sur des échafaudages. Les Scotch Greys et le 7e Régiment de Dragons Légers étaient postés dans le parc, les Life Guards et les Royal Horse Guards, en uniforme bleu, formaient un cordon le long des rues. L'abbaye était entourée de gardes à pied, à l'intérieur et à l'extérieur. Le temps était plutôt maussade, mais à dix heures, le soleil se montra.

Lorsque le carrosse rouge et or du roi et de la reine partit de Saint James Palace, des acclamations s'élevèrent dans la foule qui bordait la route ; les orchestres attaquèrent le *God Save the King.* Chapeaux, mouchoirs et drapeaux s'agitaient dans les airs. Charles fut heureux d'entendre les cris de « Réforme, Réforme » se mêler aux cris d'enthousiasme.

Le vendredi matin, il revint chez Yarell pour acheter un livre d'astronomie.

« Je serai la risée des marins, si je ne suis pas même capable de déterminer la latitude et la longitude. »

Il étudia ses textes jusqu'à ce que le capitaine FitzRoy vienne le chercher en voiture pour aller acheter ses armes personnelles.

« Je suis pour toutes les économies, dit FitzRoy, excepté dans un domaine : les armes à feu. Je vous recommande vivement de vous procurer une boîte de pistolets comme les miens, et de ne jamais aller à terre sans les avoir chargés.

— Est-ce coûteux ?

— Autour de soixante livres. »

Charles émit un sifflement.

« Je vous aiderai à trouver une paire moins chère, proposa FitzRoy. Je marchanderai pour vous. Il vous faut un bon fusil également ; vous apprécierez le luxe d'une viande fraîche au cours d'un long voyage. »

Le capitaine FitzRoy tint parole et accompagna Charles de boutique en boutique jusqu'à ce qu'il trouve un coffret de bons revolvers et un fusil de modèle récent pour cinquante livres.

Plus tard dans l'après-midi, de retour chez lui au 17, Spring Gardens, dressant la liste de ce qu'il lui fallait, puis en éliminant la moitié, il eut la certitude qu'en dépit des difficultés, cette expédition lui plairait. Il attendait avec impatience de voir le bateau.

4.

Le 11 septembre, il embarqua avec le capitaine FitzRoy pour un voyage de trois jours sur un vapeur qui remontait la Tamise, dépassait Ramsgate et Douvres sur la Manche anglaise, et l'île de Wight avant d'arriver à Plymouth. A la dernière minute, le capitaine FitzRoy avait demandé :

« Etes-vous bien sûr de vouloir voyager par eau ? La diligence *Defiance* vous conduit à Plymouth en vingt-six heures. Si la Manche est mauvaise, j'ai peur que cela vous dissuade d'embarquer sur le *Beagle.*

— Rien ne saurait m'en empêcher.

— Etes-vous déjà monté sur un bateau ?

— Une fois seulement, il y a quatre ans, lorsque mon oncle Josiah Wedgwood m'a invité à aller chercher avec lui ses filles à Genève. Je ne me suis pas senti très bien, mais j'ai quand même dîné de bon appétit. »

La famille du jeune Charles Musters, qui s'était engagé comme novice, avait demandé au capitaine FitzRoy de prendre le garçon sous son aile puisque ce serait son premier voyage hors de sa famille. Charles s'occupa de lui également.

Ils entrèrent dans le détroit de Plymouth par un beau jour ensoleillé de la mi-septembre. Le ciel et la mer étaient d'un bleu turquoise limpide. A l'abri du môle impressionnant, le paquebot se fraya un chemin par l'étroite passe jusqu'à Sutton Pool, où on l'amarra à un ponton du Barbican Quay. Sutton Pool était bordé d'entrepôts à trois étages, avec des poulies suspendues au toit pour hisser les chargements. Lorsque Charles descendit la passerelle, le capitaine FitzRoy lui indiqua un attroupement.

« C'est à Sutton Pool que la Plymouth Corporation a son " plongeoir ", expliqua-t-il. Ils sont en train de faire faire le plongeon à quelque femme de mauvaise vie. Et plus loin, ces marches de l'autre côté sont celles que les Pèlerins ont descendues pour embarquer à bord du *Mayflower* en 1620, à leur départ pour l'Amérique du Nord. »

FitzRoy prit une voiture de louage. On installa le jeune Musters et ses bagages sur le toit. Le capitaine demanda au cocher de les conduire au sommet du Hoe, une esplanade verdoyante d'où l'on découvrait la presque totalité du détroit de Plymouth. Des douzaines de vaisseaux à voiles étaient au mouillage dans une anse du Mount Batten tout proche et dans les eaux abritées de Catwater. A leur droite se trouvait l'imprenable citadelle, surmontée de gigantesques canons de cuivre pour repousser tout agresseur assez imprudent pour vouloir envahir l'Angleterre par bateau. De l'autre côté, Mill Bay où les bateaux de la Baltique déposaient le bois scandinave. A l'extrémité se trouvaient les docks de l'intendance royale et droit devant eux, l'île minuscule sur laquelle Sir Francis Drake avait planté son compas en 1582, deux ans après avoir fait le tour du globe.

« C'est à couper le souffle ! » s'exclama Charles.

Arrivé à Devonport, FitzRoy guida le cocher dans un périple compliqué à travers les ruelles qui les amena un peu au-dessus des docks de la Marine Royale.

« Voilà le navire ! fit-il. N'est-il pas magnifique ? » Le sang de Charles se glaça ; car le *Beagle,* sans voiles ni mâture, ne ressemblait qu'à un squelette hérissé de madriers.

« Il a plutôt l'air d'une épave », laissa-t-il échapper.

Cela n'incommoda pas le capitaine FitzRoy. « C'est parce que vous ne pouvez imaginer son allure lorsqu'il sera entièrement rénové. Nous sommes le 13 septembre. Et le *Beagle* n'a été choisi pour cette seconde expédition que le 4 juillet. Il avait besoin d'un nouveau pont et de travaux importants dans la superstructure et j'ai obtenu la permission de faire surélever le pont supérieur. Cela améliorera considérablement sa tenue en mer et nous donnera à bord, huit pouces de plus en largeur et douze en longueur pour manger, dormir et travailler. »

Charles pensa aux plafonds de dix-huit pieds de hauteur du Mont.

FitzRoy poursuivait : « Sa cale était pourrie. Nous y mettons un parquet de sapin de deux pouces d'épaisseur. Les planches seront recouvertes de feutre et par-dessus le tout, du cuivre neuf.

— Mais cela ne sera jamais terminé le 10 octobre !

— Nous avons repoussé la date du départ au 20. »

Charles ne put réprimer un soupir de soulagement. Il lui faudrait un certain temps pour s'habituer à la taille de ce squelette qu'il apercevait en contrebas.

La nuit était rapidement tombée, couvrant docks et bateau d'un fin manteau d'encre.

FitzRoy tourna la tête : « Je suggère que nous logions au Royal Hotel, Fore street n'est pas loin. On y sert un excellent petit déjeuner très tôt. Je vous emmènerai immédiatement sur le *Beagle,* pour vous présenter à nos officiers et vous montrer où vous vivrez. Vous êtes un terrien, mais le *Beagle* changera tout cela. Un navire entièrement gréé toutes voiles au vent, il n'y a pas de plus beau spectacle au monde. »

Le soleil se leva, rose et jaune dans un ciel encombré de nuages floconneux. Sur les docks, ils trouvèrent les ouvriers, outils et matériaux en main, parcourant la coque du *Beagle* comme une armée de fourmis au travail. Le capitaine FitzRoy fit monter Charles à bord, en lui donnant un cours sur la navigation dont il ne comprit qu'une infime partie.

« Son nouveau revêtement ajoutera près de quinze tonnes à son déplacement et près de sept à sa capacité présente. On est en train d'ajuster notre nouveau gouvernail. Dans la cale, nous installons de véritable fourneaux, au lieu d'une cheminée ordinaire. Des paratonnerres inventés par " Tonnerre-et-Eclairs " Harris (il sera là pour nous aider à les mettre en place) seront fixés dans les mâts, le beaupré et même dans le bout-dehors du foc. Nos cabines seront recouvertes d'acajou. Six barques de premier ordre sont construites spécialement pour nous. Deux sont ma propriété privée ; selon moi, il nous en faut deux de plus que n'en prévoit l'Amirauté. Et tout sera si bien rangé que nous pourrons les conserver par le pire des temps... » La tête de Charles lui tournait : on l'entraînait de l'avant à l'arrière par des écoutilles, on le faisait entrer et sortir de cabines inachevées, l'armurerie, les quartiers des aspirants, l'infirmerie, on lui montrait les voiles et le trou à charbon.

« C'était absurde de ma part, monsieur, de dire hier que le *Beagle* avait l'air d'une épave.

— Croyez-moi, Darwin, aucune mission d'exploration n'aura jamais quitté l'Angleterre mieux équipée pour faire le tour du monde et en dresser la carte ! J'aimerais maintenant que vous rencontriez mes officiers. »

Charles était d'un naturel sociable mais redoutait un peu de rencontrer ces hommes avec lesquels il lui faudrait vivre pendant trois ans dans un espace restreint. A sa connaissance, aucun naturaliste n'avait jamais passé aussi longtemps sur un bateau. Le prendrait-on, comme son père l'avait tout d'abord suggéré, pour un inoffensif chasseur de scarabées ? Il n'avait jamais connu de peur pareille. Il savait pourtant qu'il ne ferait rien, à bord du *Beagle,* pour plaire ou pour flatter, ou pour se faire passer pour plus aimable qu'il n'était. La réponse viendrait, instantanée, comme une douche froide ou un rayon de soleil.

Les officiers du *Beagle* étaient en uniforme de manœuvre, avec un lien de dentelle dorée à l'épaule en guise d'épaulette et des pantalons blancs d'été. Le capitaine FitzRoy fit les présentations :

« John Wickham, premier lieutenant, est l'officier chargé des voiles. Master Edward Chaffers contrôle la navigation. Chacun doit faire un rapport à son supérieur. C'est moi qui dirige la partie scientifique de l'exploration, qui décide de notre prochaine destination et de la durée de notre séjour en un lieu donné jusqu'à la fin de nos investigations. »

Charles étudia ses futurs compagnons de navigation. John Wickham était de taille moyenne, long et souple, brûlé par le soleil. Il n'avait pas à exercer son autorité, il inspirait naturellement le respect. Il avait fait peu d'études mais ayant appris seul l'espagnol, il servait d'interprète au capitaine FitzRoy auprès des officiels des pays d'Amérique du Sud. Le capitaine était Dieu le père, vers lequel nul n'avait l'audace de lever les yeux. Wickham venait en second. Ses ordres étaient exécutés avec rapidité et efficacité car il en savait plus que quiconque sur le bateau et l'art de le conduire.

« M. Wickham, je vous présente Charles Darwin. Il nous accompagnera en tant que naturaliste.

— Bienvenue à bord, monsieur Darwin. Nous essaierons de vous faire faire une traversée aussi douce que possible.

— Merci, M. Wickham. La Terre de Feu est-elle aussi terrible qu'on le dit ?

— Pire. Mais nous vous en ramènerons entier. »

FitzRoy le présenta ensuite à Bartolomew James Sulivan, un second lieutenant de deux ans plus jeune que Charles, qui était sorti avec les meilleures notes du Royal Naval College. Il avait servi à bord du *Beagle* lors de son premier voyage et FitzRoy avait insisté pour l'avoir comme second cette fois-ci.

Sulivan était un bon garçon, ouvert, qui aimait sa vie dans la marine et avait fermement l'intention de devenir amiral. Tout le monde s'accordait à reconnaître que Sulivan méritait la palme de la conversation. En plus de ses remarquables qualités de marin, il avait de don de susciter et de rendre l'amitié. Il accueillit Charles avec une exubérante cordialité.

« Je n'aurais jamais pensé rencontrer un jour le petit-fils du docteur Erasmus Darwin. Homme remarquable et grand auteur médical. J'ai lu deux fois le *Botanic Garden !* Mon père avait coutume de me lire les bouts rimés de votre grand-père quand j'étais petit.

Ô toi, mortel, qui mange du pain
Pourquoi ce nez rouge et vilain ?
L'ale de Burton, qu'est forte et aigre
nous préserve des nez pâles et maigres.

Mais les vers de lui que je préfère sont ceux où il décrit le feu et la Terre et " *l'immensité concave du ciel extérieur* ". »

C'est à l'infirmerie qu'il rencontra celui qui deviendrait son ami le plus fidèle au cours du voyage : Benjamin Bynoe. Il avait obtenu son diplôme en 1825 et avait eu la chance d'être affecté sur le *Beagle* en qualité d'aide-chirurgien. Lorsque, en 1828, le capitaine FitzRoy prit le commandement, les deux hommes devinrent amis. Il avait passé ses derniers examens juste à temps pour le second voyage et espérait bien le faire en qualité de chirurgien. D'une nature douce et réservée, il changeait pourtant du tout au tout lorsqu'il soignait un malade. Il était célèbre pour avoir dit un jour à un marin malade :

« Tu veux mourir, espèce d'idiot, mais je ne te laisserai pas faire. Cela ferait trop mauvaise impression sur mon rapport. Je te maintiendrai en vie, bon Dieu, que ça te plaise ou pas ! »

Pour une raison incompréhensible, c'est le docteur Robert J. McCormick que l'Amirauté nomma chirurgien pour ce voyage. Benjamin Bynoe devint son assistant. Il prit la chose avec philosophie.

« Ce n'est qu'une question de temps, fit-il observer. Je respecte McCormick. Il connaît son affaire tant qu'il soigne les membres de l'équipage. Le seul malade pour lequel il ne peut rien, c'est lui-même. Il déteste les tropiques et la chaleur. Ils le rendent malade, physiquement ou mentalement, je l'ignore. Pourquoi l'Amirauté le condamne-t-elle ainsi à une situation pour lui aussi éprouvante ? »

Le capitaine FitzRoy conduisit ensuite Charles sur le pont supérieur où les yoles seraient fixées, ainsi que deux baleinières de vingt-huit pieds, sur des rails, en poupe. Puis il l'emmena vers la cabine de poupe, derrière la barre au-dessus de laquelle on pouvait lire « L'ANGLETERRE ATTEND DE CHAQUE HOMME QU'IL FASSE SON DEVOIR ».

« L'avantage de la cabine de poupe, pour vous, expliqua FitzRoy, est que vous pouvez y entrer directement du pont supérieur et que vous avez trois grandes lucarnes pour la lumière, tout comme moi, à ceci près que je suis sur le pont inférieur et sur la ligne de flottaison. Le seul désavantage de vos quartiers, c'est que vous vous trouvez en poupe et sentirez plus le mouvement. Vous vous y habituerez.

— Tous les marins s'y habituent ?

— Pour être franc, non. Même notre Wickham souffre du mal de mer dans des bateaux plus petits. »

Lorsque Charles pénétra dans la cabine de poupe, il s'en étrangla presque de surprise, puis marcha de long en large. Elle faisait à peine plus de onze pieds de largeur, en partie occupés par des rayonnages pour l'instant vides, des étagères pour les instruments et des tiroirs superposés. Au centre, des repères indiquaient l'endroit où se tiendrait la table à dessin.

« Vous pouvez compter sur deux pieds d'espace autour de la table de travail, fit remarquer FitzRoy. En attachant vos deux hamacs en angle, Stokes et vous dormirez au-dessus de la table mais avec deux bons pieds entre votre tête et le pont. Un aspirant du nom de Philip King aura également le droit de se servir de la table. Je suppose que la cabine de poupe paraît petite à un terrien ? »

Charles parvint à murmurer :

« Je l'utiliserai au mieux.

— J'en étais sûr. On m'a offert un plus grand bateau mais j'ai préféré celui-ci pour la souplesse de manœuvre dont il fait preuve dans les tempêtes les plus dangereuses. La sécurité d'un navire dépend avant tout de la solidité de sa structure et de la qualité de son équipage. Vous êtes toujours désireux de signer ?

— Oui, capitaine. Le désir de participer à ce voyage m'entraîne comme une marée ; mais une marée faite des mille petites vagues de ces doutes et de ces espoirs qui ne cessent de se heurter dans mon esprit, si vous me pardonnez une formule aussi ampoulée. »

Le capitaine FitzRoy sourit. « Allons donc retrouver les autres officiers. Ils seraient déplacés à la cour de Saint James, mais c'est un groupe de qualité... »

5.

Quatre jours plus tard, le 17 septembre, une lettre du professeur Henslow l'invitait à passer par Cambridge à son retour de Londres. Charles répondit :

« *J'arriverai dans le milieu de la nuit par le Mail et au bout d'un jour ou deux, repartirai très tôt vers Birmingham. C'est pourquoi, tout en vous remerciant vivement de votre invitation à dormir chez vous, je vous serais reconnaissant de bien vouloir retenir pour moi une chambre à l'auberge...* »

Les deux hommes parcoururent la ville à la recherche d'une bonne jauge de pluie pour Charles. Lorsqu'il leur fut impossible de trouver dans les boutiques un bon filet d'acier pour les coquillages, Henslow proposa d'en commander un et de l'envoyer à Plymouth. Il dessina également les formes et les dimensions des bocaux dont Charles aurait besoin pour ses poissons et organismes marins, et qu'il pourrait trouver à Londres.

Charles lui rapporta que le capitaine Beaufort avait suggéré d'envoyer sa collection à l'Amirauté.

« Envoyez-les à Falmouth, conseilla Henslow. La plupart de nos navires qui rentrent de longs voyages y font escale. Je demanderai à mes collègues scientifiques de Londres s'ils acceptent de stocker les caisses de matériaux. »

Le lendemain, Henslow l'accompagna à l'écurie de l'hôtel où il logeait. Charles avait loué un attelage qu'il conduirait jusqu'à Saint Albans, où il passerait la nuit, en route vers Shrewsbury.

« Mon cher Darwin, lui dit Henslow, je vais vous mettre en selle avec ce dernier avis d'un ancien. Je vous conseille, en toute sincérité et en toute affection, de ne jamais vous offenser de la rudesse ou des façons vulgaires auxquelles vous soumettront inévitablement vos camarades. Et n'oubliez jamais, comme dit Saint James de tenir votre langue. »

Lorsque vint le moment des adieux, Charles se pencha du siège de la carriole, et serra fortement la main du professeur dans la sienne.

« Je ne peux vous dire au revoir sans vous exprimer une dernière fois toute ma gratitude pour la gentillesse que vous m'avez montrée pendant toutes mes études à Cambridge. C'est à vous que je dois tout ce qu'elles m'ont apporté d'utile et d'agréable. »

Le lendemain matin, il prit la diligence *Wonder* pour Shrewsbury, passa le Welsh Bridge, et rentra au Mont par le jardin du fond. Ses sœurs l'attendaient. Pendant toute leur enfance elles avaient monté des pièces de théâtre amateur non seulement pour la famille et les amis, mais qu'elles jouaient parfois à Shrewsbury pendant les vacances.

Elles entamèrent une comédie légère intitulée « *Personne ne s'en va* ».

Sa vieille nounou Nancy lui avait cousu une douzaine de chemises blanches. « Que puis-je faire d'autre pour vous, Monsieur Charles ? demanda-t-elle.

— Tu pourrais broder le nom de Darwin sur les manches pour qu'elles ne se perdent pas au lavage. »

Lorsqu'il rentra de sa tournée, le docteur Darwin serra son fils dans ses bras, et se privant de monologue, voulut des nouvelles du capitaine FitzRoy et du bateau.

« Je suis heureux d'apprendre tout cela, Charles. Si l'on t'en croit, les officiers ont l'air de faire une bonne équipe. »

Il leur apprit alors que le voyage du *Beagle* durerait trois ans au lieu de deux. Le docteur Darwin pâlit. Craignait-il, à soixante-cinq ans, de ne plus vivre assez longtemps pour revoir son fils ? Comme lui, ses filles accueillirent la nouvelle en silence.

Après dîner, on vint lui apporter une lettre du professeur Sedgwick. Charles lui avait écrit pour lui demander quels livres emporter.

Sedgwick répondait :

« *Je souhaite que cette nomination soit pour vous source de satisfaction et de succès. Quant aux livres, l'ouvrage de base est à mes yeux la* Description de Volcans éteints et en activité, *de Daumeny. Je ne pense pas que l'*Introduction à la Géologie *de Blackwell soit mauvaise pour un débutant. Que faire pour les coquillages fossiles ? Allez à Londres à la Société de Géologie et présentez-vous à W. Lonsdale comme mon ami et compagnon de voyage, il vous conseillera utilement, du moins pour les débuts. Etudiez les collections de la Société de Géologie aussi attentivement que possible et manifestez-leur votre gratitude en leur envoyant des spécimens. J'ai l'intention de présenter votre candidature quand les réunions reprendront...* »

Le docteur Darwin regarda son fils d'un œil sévère et demanda :

« Quel âge ont donc les membres de la Société de Géologie ?

— Dans les quarante ans, j'imagine.

— Et le docteur Sedgwick te propose d'en faire partie à vingt-deux ans ? »

Plus tard dans la soirée, il demanda à son fils de le suivre dans la bibliothèque. Des lampes à pétrole brûlaient sous leurs abat-jour verts. Le docteur Darwin se carra dans l'un des fauteuils qu'il avait fait faire à ses dimensions. Charles approcha un tabouret près de lui.

« Charles, j'espère que tu ne m'en veux pas de ma réaction première. Je suis inquiet pour Erasmus, bien plus que pour toi.

— Ras ? Qu'a-t-il à voir dans tout ça ?

— Il a terminé ses études à Christ voilà bientôt trois ans. Il n'a rigoureusement rien fait depuis, et surtout pas dans la pratique de la médecine à laquelle ses études le préparaient. Je l'ai autorisé à faire son grand tour d'Europe avant de s'installer mais il ne rentre plus et n'écrit pas. La pensée qu'il ne fera jamais rien de bon de sa vie m'exaspère. Et quand j'ai cru que toi aussi t'en allais à la dérive vers les tropiques... »

Charles fut ému par la détresse de son père.

« Ne vous inquiétez pas pour moi, père. Je ne serai jamais un paresseux. Je sais que j'ai été un peu panier percé à Cambridge mais il me faudrait une ingéniosité peu commune pour dépenser plus que ma pension à bord d'un bateau.

— On me dit au contraire que tu es diablement économe », fit le docteur Darwin avec un large sourire. Puis, voyant le désarroi de son plus jeune fils, il ajouta : « Il faut que je parle sérieusement argent avec toi. Je suis sûr, Charles, que tu sais déjà, par certaines allusions que j'ai faites, que je te laisserai une fortune suffisante pour vivre confortablement. Mais je veux que tu saches que ton héritage ne te viendra pas que de moi. La moitié provient des propriétés de ta mère.

— Comment cela, Père ?

— Josiah Wedgwood a légué à sa fille 25 000 livres de dot, en une vingtaine d'actions du Canal de Monmouthshire qu'il a fait construire pour amener les péniches chargées d'argile et expédier ses faïences et porcelaines. J'ai investi l'argent de ta mère avec soin. En trente-cinq ans, sa dot à presque triplé. »

Charles ne savait trop que répondre.

« Tant que je ne serai pas capable de m'assurer moi-même un revenu, je réduirai mes dépenses au strict minimum. Je voudrais vous remercier...

— Non... non. Si tu veux exprimer ta gratitude, va prier à l'église pour l'âme immortelle de ta chère mère. »

Il se leva tôt et demanda au garçon d'écurie de seller son cheval pour une randonnée de vingt miles, jusqu'à Woodhouse, la propriété de la famille Owen, l'une des familles d'éleveurs les plus fortunées et les plus anciennes du Shropshire. Leur domaine consistait en neuf fermes distinctes achetées en un siècle avec une fortune due à la vente de la laine au marché de Shrewsbury, et un vaste domaine de collines boisées, l'une des meilleures chasses du Shropshire. Les Darwin et les Owen étaient amis depuis toujours, d'aussi loin que Charles se souvienne. Il était bien rare que William Owen omette de rendre visite avec quelques-uns de ses neuf enfants à ce qu'ils appelaient l'Hôtel Darwin pendant la semaine de chasse. Le docteur Darwin soignait les Owen, et les enfants Darwin faisaient à Woodhouse des séjours parfois de plusieurs semaines.

Deux raisons attiraient Charles à Woodhouse. L'une était la chasse chaque automne dans « la forêt », comme les enfants appelaient le domaine. L'autre, non moins irrésistible, était l'adorable Fanny Owen, dont Charles était amoureux. Fanny chassait avec lui et quand il abattait du gibier elle s'écriait :

« Indubitablement, Charles, vous êtes devenu un fusil de premier ordre. »

Charles tenait un compte exact de tous les oiseaux qu'il tirait au cours d'une saison. Ses compagnons trouvaient cette méticulosité bizarre et amusante. Deux ans plus tôt, au cours d'une chasse à laquelle plusieurs Owen prenaient part avec leur cousin, à chaque fois qu'il tuait un oiseau, l'un du groupe s'écriait :

« Cet oiseau-là ne compte pas, je l'ai tiré en même temps. » Le jeu avait duré plusieurs heures mais lorsqu'il l'avait découvert Charles n'en avait pas ri. Il n'avait pu les ajouter au compte qu'il tenait en faisant un nœud à une ficelle attachée à la boutonnière de sa jaquette.

De Cambridge il avait écrit à Fanny plusieurs fois, voulant rester bien vivant dans son esprit. C'était une correspondante négligente. Mais elle implorait toujours son pardon, prétextant qu'elle n'avait pas eu l'audace d'écrire la première phrase après avoir laissé sa dernière « effusion » si longtemps sans réponse.

En traversant à cheval l'un des plus riches paysages d'Angleterre, il pensait :

« Fanny n'est pas seulement charmante. Elle adore s'amuser, c'est toujours la plus belle du bal. Elle vit comme les enfants se barbouillent la frimousse de confiture de fraise. »

Il était clair que Fanny l'aimait bien. Lorsqu'il avait omis de rendre visite à Woodhouse à Noël 1829, elle s'en était plainte en demandant pourquoi il n'était pas venu. Elle confessa qu'elle s'attendait à le voir, puis se moqua de lui en imaginant que quelques « chers petits scarabées » l'avaient retenu à Cambridge.

Tous les ans, à la saison des fraises, il allait passer une semaine à Woodhouse. Fanny et lui s'allongeaient dans les fraisiers, et passaient des heures à échanger des baisers avec des bouches tachées de rouge.

Elle était sportive et montait bien, chassant le renard à travers la campagne avec une ardeur sauvage. L'année précédente, elle avait voulu changer de fusil avec lui. Lorsqu'elle avait tiré, avec le recul, la crosse lui avait heurté l'épaule. Elle voulut en rire mais dans la soirée, au bal — car on dansait tous les soirs à Woodhouse — entre deux valses, son fichu de mousseline glissa et découvrit un énorme bleu.

Charles aimait sa discrétion. Au bas de chacune de ses lettres elle écrivait : « brûle tout cela ». Lorsque Charles protestait en disant que des amis pouvaient bien correspondre, et qu'il n'y avait rien d'intime dans leurs lettres, elle répondait qu'elle ne souhaitait pas que leurs messages parviennent à d'autres oreilles.

De loin, il voyait Woodhouse, majestueusement posée sur une butte, à la façon d'un château français, une demeure de briques ocre à deux étages, et les hauts piliers gothiques de l'imposant vestibule devant l'entrée ; des rangées de hautes fenêtres, et des arbres en espalier recouvrant la brique d'une tapisserie vert sombre. Personne n'avait jamais compté le nombre de pièces à Woodhouse ; mais avec neuf enfants et une parenté nombreuse, il y avait rarement un lit vide. Avec le Mont et Maer Hall, c'était la troisième maison de Charles.

Un garçon d'écurie prit son cheval, un maître d'hôtel l'introduisit dans le salon Régence somptueusement meublé, aux papiers peints à rayures de différentes nuances de vert ; des tentures de satin doré aux fenêtres, retenues par des cordons de velours vert à pompons ; le chandelier de cristal, la table ronde d'acajou, le secrétaire, la desserte en bois de rose et les portraits sur les murs.

Fanny Owen était allongée sur un sofa, et lisait un roman emprunté au Club de lecture de Shrewsbury. Charles la regarda d'un œil admiratif. Elle avait les cheveux couleur de miel que le soleil pénétrant par l'une des fenêtres en ogive changeait en or pur ; elle les portait longs et libres, contrairement à la mode qui voulait à l'époque qu'on se pose une pièce montée de boucles sur la tête. Elle avait des épaules merveilleusement rondes, un ventre plat, des hanches modestes et de longues jambes fines que soulignait sa robe de popeline, bouton-d'or, pour aller avec ses cheveux, et bordée de bleu pour aller avec ses yeux.

Fanny leva les yeux et courut vers Charles pour l'embrasser.

« Mon cher Postillon. Bienvenue dans la Forêt. La vie est un tel exil ici, avec rien d'autre à faire que de lire des romans ! Je suis confuse de vous causer tant de tracas, mais on abuse toujours des bonnes natures. M'avez-vous apporté ma bouteille d'asphaltum ? Je ne peux pas finir ma peinture de la laitière sans cette couleur. Père ne cesse de me faire travailler à cet horrible tableau. Et je suis si heureuse que vous soyez venu, malgré tout ce que la sororité à dû dire ou faire pour vous en empêcher. Demain soir, nous donnerons une soirée en votre honneur. »

Charles se tortilla, mais il n'avait guère de place avec les deux bras de Fanny serrés autour de lui. Il n'aimait pas que l'on critique ses sœurs, si peu que ce soit.

« Oui, chère femme au foyer, j'ai la couleur à l'huile. Et aussi la demi-douzaine de pinceaux que vous m'avez demandée.

Et avez-vous réussi à dérober pour moi un livre excitant ?

— Rien d'aussi passionnant que vous le désiriez. Un exemplaire de l'*Antiquary* de Walter Scott, pris parmi les livres de ma chambre.

— Maintenant, rapportez-moi quelque potin de Shrewsbury », demanda-t-elle d'un petit ton autoritaire.

Les nouvelles qu'apportait Charles se résumaient à peu de chose : il partait pour un voyage de trois ans autour du monde ! Il était venu pour faire ses adieux. Mais il s'aperçut qu'il lui était impossible de le leur dire encore. Il en parlerait demain après le dîner.

William Owen entra dans la pièce. Il passait pour « un monsieur acerbe et despotique de la vieille école ». Il portait des lunettes de métal gris dont la couleur s'accordait à celle de ses cheveux bouclés. Bien qu'il eût lui-même cinq fils, il était aussi bien disposé à l'égard de Charles que Josiah : c'était un jeune « neveu » brillant, aimable qui ne lui apportait que des satisfactions et pas de soucis.

« La chasse est commencée, Charles. Et les premières heures sont les meilleures.

— Est-ce que je peux venir aussi, Gouverneur ? demanda Fanny.

— Non. Je veux une matinée entre hommes, pour changer. Avec vous autres, les cinq filles, j'ai parfois l'impression de vivre dans un couvent. »

Fanny dit à Charles :

« Le gouverneur s'est presque cassé le cou hier soir. Voilà pourquoi il est de si mauvaise humeur. Puis-je raconter ce qui vous est arrivé, Papa ? »

Elle avait conservé une façon un peu enfantine de mal prononcer certains mots par dérision : peu-tit, pour petit, hagitation pour agitation, horriibleu, pour horrible. Comment elle avait trouvé leurs deux surnoms, Postillon pour lui et Femme au foyer pour elle qui l'était si peu, il ne l'avait jamais su.

« Papa croit entendre des gens rôder autour de la maison la nuit. Il a décidé de les piéger en empilant des casseroles en haut des marches. En entendant un bruit, tard dans la nuit, il a voulu attraper le coupable. Mais il avait oublié son piège et il a dégringolé au bas des marches avec toute la quincaillerie. »

Charles se mit à rire. C'était une histoire bien dans le style turbulent des Owen.

« Il y a une nouvelle carriole à l'étable, Charles, et une paire de grays attelés. Emmène Fanny faire une promenade. »

Fanny s'assit et glissa son bras sous le sien pendant qu'il attachait les rênes aux chevaux.

« Comment cela se passe-t-il avec vos innombrables soupirants, Fanny ?

— Epouvantable ! La plupart ne savent pas danser. Et de plus, ils boivent trop, et deviennent bruyants. C'est sans doute ma faute. Je ne peux jamais voir un verre vide sans le remplir. A la soirée de demain, il faudra que je sois un peu-tit peu sérieuse car j'ai quelque happréhension. Pas à votre sujet, mon cher Postillon. Vous nous donnez des « effusions » plus joyeuses en restant sobre que ces autres pistolets quand ils sont ivres. »

Elle se serra plus près de lui.

« C'est une charade, organiser un dîner pour vingt-neuf. Mais je vous veux près de moi. Même si je dois tricher un peu-tit peu lorsqu'on tirera les places dans un panier. »

Il se pencha et l'embrassa sur une joue, qui lui parut bien douce, toute parfumée d'eau de Cologne.

Le lendemain matin, il descendit dans la salle à manger. Sa place à table était brillamment indiquée par un vase de dahlias rouges et jaunes. La famille Owen s'y trouvait au grand complet. Il les rejoignit près du buffet chargé de porridge, de haddok cuit au lait, d'œufs à la coque et de quantité de toasts dorés. Pendant que les domestiques versaient le café, il entreprit de raconter son voyage à Plymouth, ses entrevues avec le capitaine FitzRoy et conclut en leur annonçant qu'il serait absent pendant trois ans.

Il y eut un silence, puis les hommes applaudirent. Fanny le regarda d'un air consterné.

6.

Il n'était rentré chez lui que depuis deux jours lorsqu'il se sentit mal à l'aise et anxieux. C'était dû en partie à l'idée de quitter sa famille et ses amis, mais il y avait plus... Fanny Owen.

« Je ne voulais pas l'admettre jusqu'à présent, mais ce que je ressens pour Fanny est de l'amour. Je suis persuadé qu'elle éprouve le même sentiment à mon égard... Mais pourquoi me leurrer ? Fanny ne se contentera jamais d'une petite vie tranquille dans une paroisse campagnarde. Sans sorties... ni haute société à fréquenter elle se sentira misérable. »

Il s'était merveilleusement amusé à la soirée des Owen ; Fanny et lui ne s'étaient pas quittés de toute la soirée. Mais lorsqu'il était parti dans la matinée, il n'avait pas eu le courage de lui proposer des fiançailles, ou de lui demander la moindre assurance qu'elle l'attendrait.

« Maintenant, je ne suis plus nulle part, se murmura-t-il à lui-même, dans les airs en ballon, à la dérive en pleine mer. Et pour un temps sacrément long ! »

Il fallait absolument qu'il retourne à Woodhouse, ne serait-ce que pour une heure ou deux. Son père venait tout juste d'acheter un cheval excellent. Charles obtint la permission de le monter jusqu'à Woodhouse.

Il chevaucha à vive allure dans la tranquillité d'un dimanche matin. Il trouva William Owen dans son bureau. Il regarda par-dessus la monture métallique de ses lunettes et lorsqu'il reconnut Charles, bondit.

« Comme c'est gentil de nous rendre une dernière visite avant de partir ! Sarah a de bonnes nouvelles. Cette interminable valse-hésitation avec Edward Williams a pris fin. Il s'est enfin décidé à lui demander de l'épouser et elle a accepté.

— Et où est donc notre bouillonnante Fanny ?

— Partie en voyage avec des amis pour quelques semaines. On le lui a proposé de façon très soudaine et je n'ai pas voulu le lui refuser. »

Charles était accablé. Il espérait tant la voir. Quel idiot il avait été de ne pas lui parler quand elle était là.

Le vieil homme alla vers lui et lui posa son bras sur l'épaule. « Vous nous écrirez. Je sais qu'elle vous préfère à tous les autres. Si vous le désirez, laissez-moi un mot pour elle. »

Sarah Owen entra dans la pièce. Charles la serra dans ses bras et la félicita. Sarah, aussi franche d'allure que de langage, avait toujours été son amie.

« Père, puis-je vous emprunter Charles pour une promenade ?

— Revenez à temps pour le cherry. J'ai un service à lui demander. »

Le soleil leur réchauffait le visage. Plusieurs bœufs belliqueux les chargèrent, n'appréciant pas leur intrusion de l'autre côté de la palissade.

« Parle-moi de tes fiançailles, Sarah.

— Je savais depuis longtemps qu'Edward était amoureux de moi. De quoi avait-il donc peur ?

— Du mariage. Comme la plupart des hommes. Comment Fanny a-t-elle pris cela ?

— Elle est ravie de me voir partir. Tu connais la tradition, les jeunes sœurs ne doivent pas se marier avant leurs aînées. »

Il fut piqué.

« Fanny est-elle donc si pressée ? »

Sarah s'arrêta dans la fraîcheur du bois.

« Ne t'inquiète pas, Charles. Fanny t'adore. Elle disait qu'elle aimerait faire des coussins pour ta cabine, qu'ils pourraient t'être utiles.

— Et elle les a faits ?

— Tu connais Fanny. L'occasion de ce voyage s'est présentée. Que pourrais-je bien te donner qui te permette de ne pas oublier Woodhouse ?

— Une boucle de tes cheveux, fit-il en souriant.

— Tu es sérieux ?

— Toujours.

— As-tu un couteau dans ta poche ?

— Toujours.

— Alors, coupe-la tout de suite. Je demanderai à l'horloger de la mettre dans un médaillon. Et que Dieu nous accorde le succès dans nos carrières respectives.

— Ma chère Sarah, on dirait un discours d'enterrement. Sais-tu ce que ton père veut me demander ?

— Oui. Il voudrait que tu recommandes mon frère Francis pour qu'on le prenne à bord du *Beagle* comme aspirant.

— Je vais écrire immédiatement au capitaine FitzRoy. »

Sur le chemin du retour, Charles se disait :

« Avec Francis à bord, il y aura du courrier de Woodhouse. Le garçon, en décrivant son voyage, parlera de moi. » Ainsi, son contact avec Fanny ne serait pas rompu.

Il reçut une réponse cordiale mais décevante du capitaine FitzRoy.

Devonport
23 septembre 1831

Cher Darwin,

... J'ai le regret d'avoir à vous dire qu'il ne m'est pas possible de prendre le jeune Owen à bord ; tous les postes d'aspirants sur le navire sont pourvus. S'il y avait eu la moindre défection, j'aurais été heureux de vous obliger.

J'ai le Voyage *de Beechey mais pas* Rapides randonnées à travers les pampas et les andes. *Vous pouvez naturellement emporter votre Humboldt avec vous, ainsi que tous les autres livres que vous désirez, nous ne manquerons pas d'espace pour les livres.* »

Les travaux sur les docks progressaient si lentement que Charles pouvait passer au Mont encore une semaine s'il le désirait. Comme il n'était autorisé à emporter à bord qu'une seule malle d'effets personnels, Caroline la fit et la refit une bonne douzaine de fois pour y loger le plus de vêtements possible : son meilleur costume, ses cravates et sa redingote, pour être élégant en société, et les bottes vernies qui allaient avec ; des chaussettes épaisses et un chapeau de laine qu'elle lui avait tricoté pour le froid, et des sous-vêtements de laine qui le couvriraient du cou jusqu'aux chevilles ; plusieurs paires de pantalons amples en kerseymere et nankin pour les eaux tropicales. Des pantalons de coutil blanc et de coutil bleu, vingt-quatre mouchoirs, la douzaine de chemises de Nancy avec « Darwin » brodé sur les manches, vingt-quatre serviettes de toilette, quatre taies d'oreiller, des affaires de toilette. Cela tenait du miracle, mais elle parvint.

Katty l'aida à essayer les formules d'Henslow pour préserver plantes, fleurs et insectes. Plus que du nombre de vêtements accumulés dans son sac de voyage elle se préoccupait de lui donner confiance pour un voyage de trois ans autour du monde.

« Père est plus fier de toi qu'il ne veut bien l'admettre.

— Je n'ai encore rien fait. »

Elle avait exactement le sourire de Charles.

« Mais si, Charley. Tu as su gagner l'estime des professeurs Henslow, Sedgwick, Peacock ; et d'hommes comme FitzRoy et Beaufort, tous plus âgés que toi. »

Il ne lui restait plus qu'à faire ses adieux au Maer.

Il trouva Josiah dans la bibliothèque en train de frotter délicatement la reliure de cuir d'un de ses livres précieux.

« Oncle Jos, vous représentez pour moi l'autorité suprême de l'Amirauté.

— J'ai toujours voulu participer moi-même à une expédition navale en tant que naturaliste. J'aurais aimé partir avec le capitaine Philip King en 1817 lorsqu'il fit le tour des côtes d'Australie. Ce n'est donc pas par pure philanthropie que j'ai demandé à ton père de te laisser partir. »

Emma entendit la voix de Charles et entra dans la bibliothèque. Elle l'embrassa puis l'accompagna à l'étage dans la chambre de sa mère.

« Peux-tu faire faire un portrait de toi en marin ? demanda tante Bessy.

— Le capitaine FitzRoy a engagé un peintre qui a l'habitude des voyages, Augustus Earle, neveu d'un artiste célèbre. Il acceptera peut-être de faire un croquis de moi.

— Avec une épée ou un poignard ?

— Vous avez lu trop de romans d'aventures, Tante Bessy. Ma seule arme sera un scalpel. »

Avant dîner, les « douces colombes », Emma et Fanny, jouèrent et chantèrent *Veilchen* de Goethe, que les Wedgwood considéraient comme le chef-d'œuvre de Mozart. Après dîner, plusieurs Wedgwood, garçons et filles, se rassemblèrent pour lui dire au revoir. Charlotte l'emmena dans son atelier pour lui montrer des aquarelles de Maer qu'elle avait faites.

« Elles sont excellentes, Charlotte. J'aimerais tellement savoir dessiner, cela me serait bien utile pendant le voyage.

— Je te remercie de tes compliments, Charles. Je t'écrirai souvent et te donnerai des nouvelles de Maer Hall. »

Dans le salon, Emma avait sorti le jeu de jacquet. Ils y avaient joué avec passion pendant des années. Elle conservait un petit livre où elle notait leurs gains et pertes. Une demi-douzaine de parties plus tard, il se tenaient sur les marches du perron.

« N'oublie pas d'écrire aussi souvent que possible, Charles, que nous puissions te suivre dans tes voyages.

— J'aurai une lettre pour chaque paquebot qui rentrera en Angleterre. »

Les deux premiers jours d'octobre furent ses deux derniers jours au Mont. Son père et ses sœurs essayaient de masquer leur émotion, mais au fur et à mesure que l'heure de départ approchait, ils y parvenaient de plus en plus mal. Il avait fait une promenade de deux heures le long de la Severn, avec une pointe de tristesse, comme pour s'assurer que tout serait bien là quand il rentrerait.

« Personne n'a l'air très gai », fit remarquer Katty. Charles hocha la tête. « C'est comme si j'avais le cœur accroché au balancier de l'horloge de grand-père ; je me répète sans cesse que c'est une occasion inouïe, une chance inespérée : des paysages magnifiques, un travail passionnant, le privilège d'une excellente compagnie. Puis je pense à tout ce qu'il me faut apprendre ; la navigation, la météorologie, m'accoutumer au mouvement de la mer. J'ai des moments de dépression suivis d'exaltation, quand je pense aux palmiers et aux fougères, à tout ce qui m'attend d'extraordinaire et de nouveau.

— Tout ne peut pas être grandiose, mon cher Tacite, lui dit Caroline, qui avait le sens pratique, en lui redonnant un ancien sobriquet, il y aura sûrement quelques durs moments à passer.

— Naturellement, admit-il. Et je déteste l'idée de quitter pour si longtemps tous ceux que j'aime. »

Le moment le plus dur fut celui du départ, avant l'aube. Le cocher de son père avait préparé le tilbury jaune et y avait déjà placé ses bagages. La famille était encore en robe de chambre. Il embrassa ses trois sœurs. Son père le prit dans ses bras. Ils essayaient de sourire, mais la tristesse de la séparation pouvait se lire sur leurs visages. Le tilbury descendit l'allée circulaire, et dévala la colline en direction du Welsh Bridge et de l'Hôtel de Ville où Charles prendrait la diligence pour Londres.

7.

Lorsque les Romains envahirent l'Angleterre (une première fois sous César en 54 avant J.-C., puis en 43 sous le règne de Claudius pour conquérir les tribus celtes, ils prirent la décision judicieuse de créer leur capitale et de bâtir leurs retranchements sur ce coude de la Tamise. Certaines de leurs fortifications en brique et de leurs tours de guet étaient toujours debout. Yarell lui prêta un exemplaire d'un *Dictionnaire Topographique de Londres* qui venait juste de paraître. Ce livre, ainsi qu'une carte récente de la ville permirent à Charles de circuler efficacement dans le dédale de rues encombrées, d'impasses et de squares, de faire les courses et les visites qui s'imposaient.

Il retourna directement au 17, Spring Gardens, où il avait déjà séjourné. C'était pratique et bien situé pour lui. Il avait emporté une édition bon marché de Boswell. En prenant le petit déjeuner, le premier jour, il ouvrit le *Journal* et lut tout seul à voix haute : « *Je me suis souvent amusé de constater à quel point Londres peut sembler différente à différentes gens... Un politicien n'y voit que le siège des diverses branches du gouvernement ; pour un éleveur, c'est un vaste marché à bestiaux ; pour un homme d'affaires, le lieu où peuvent se réaliser les plus grands profits en Bourse ; pour un amateur de théâtre, la plus grande scène et la plus variée ; pour un fêtard, une collection de tavernes, et le plus somptueux étalage de dames de petite vertu. Mais un intellectuel est frappé d'y découvrir la vie humaine dans toute sa diversité et ne se lasse pas de la contempler.* »

Pour faire bonne mesure, il relut une observation de William Cobbett, faite seulement dix ans plus tôt : pour lui, Londres n'était « *qu'un grand mal purulent, une verrue infernale, une verrue enfumée et puante* ».

Il lui restait vingt jours pour terminer ses achats et préparatifs avant de partir pour Plymouth, le 23 octobre. En se servant de son plan, il alla à la Galerie des Apothicaires sur Water Lane. Chez un détaillant, il acheta le talc que FitzRoy lui avait demandé, un pot de pâte dentifrice orientale Jewsbury and Brown, un peu de pommade à l'arsenic pour les lèvres et les doigts en cas d'ampoules ; des pilules de Kayes Wordsdell, qui proclamaient pouvoir guérir l'indigestion, le mal de tête, la dyspepsie, la constipation, la nervosité et les aigreurs d'estomac. L'un des matelots lui avait demandé un onguent pour les cheveux. Charles acheta donc de l'huile de Macassar de chez Rowland.

Il ne cherchait pas les raccourcis, appréciant le tumulte de la plus grande ville du monde occidental et cet inextricable fouillis de diligences, d'omnibus, de belles dames dans leur équipage, ou de chariots couverts apportant leurs produits, le tout dans une procession bruyante et ininterrompue.

Les jeunes gens affectaient le dandysme. Ils marchaient sur des œufs, portaient des bas retenus par des épingles-bijoux, des cols de velours, des gants de fil et des cannes. Leurs cheveux longs, recouvrant leurs oreilles et les revers de leurs manteaux, brillaient au soleil.

Les faubourgs regorgeaient de marchands ambulants, les « crieurs » de Londres, proposant de menus articles qu'il était au-dessous de la dignité des boutiquiers de vendre : des lacets, des corsets, des aiguilles, du fil, des épingles, de la lavande, de l'eau fraîche, des cerises, des pantoufles, des allumettes, du sel. Et d'artisans : rempailleurs de chaise, affûteurs de couteaux, menuisiers.

Se mêlant au chœur des crieurs, on rencontrait des chanteurs de ballades et des musiciens, des orgues grinçants, des pipeaux, des vocalistes chantant des arias d'opéra pour un sou, puisque les théâtres et les cabarets n'appréciaient pas leurs talents.

Il lui manquait encore deux choses : une paire de bottes solides pour la marche, que le bottier Howell lui fabriqua sur mesures ; et un chaud manteau d'hiver qu'Hamilton et Kimpton, tailleurs sur le Strand, coupèrent très précisément à sa taille dans un tissu bleu marine.

Se promenant en ville, il se sentait partagé entre la réaction de Boswell et celle de Cobbett. Il adorait le théâtre. Au Royal, à Haymarket, il assista à deux excellentes représentations : le mercredi *Macbeth* et le vendredi, assis presque à la même place, il écouta *Le Barbier de Séville.* Ce qui le gênait le plus, c'était les cortèges de funérailles dans les rues ; les cimetières où squelettes, crânes et os, déterrés par les pluies abondantes, restaient incrustés dans la boue.

Il rendit visite à un parent éloigné, médecin réputé de la haute société, Henry Holland, à Brook street, près de Grosvenor square. Holland lui demanda ce qui lui était arrivé depuis leur dernière conversation devant un thé à Maer Hall, puis sans attendre sa réponse, préféra parler de lui.

« Avez-vous compris, lorsque vous m'avez vu à Maer Hall, à quel point j'étais amoureux de Charlotte Wedgwood ? Lorsque je lui ai déclaré que mes intentions étaient sérieuses, elle m'a répondu : “ Je vous estime et vous m'êtes sympathique, docteur Holland, et je pense que vous feriez un mari affectueux. Mais je ne veux pas de vous. ” C'est affreux n'est-ce pas ? »

Un jour, en fin d'après-midi, on frappa à la porte de sa chambre.

« M. Charles Darwin ?

— Moi-même.

— J'ai un message pour vous de la part du capitaine FitzRoy. Le départ du *Beagle* est à nouveau reporté jusqu'au 4 novembre. »

Charles eut une exclamation déçue.

« Moi non plus, je n'aime guère cette attente. Au fait, je m'appelle

Augustus Earle. Le capitaine FitzRoy m'a engagé pour peindre notre tour du monde.

— Je m'en doutais. Vous avez bien l'allure d'un peintre. Entrez. Ma propriétaire est justement sur le point de servir le thé.

— J'accepte avec plaisir. Et pour faire connaissance, je vous ai apporté les épreuves de mon nouveau livre. »

Charles en lut le titre, *Récit d'un séjour de neuf mois en Nouvelle-Zélande,* et parcourut quelques pages. Earle écrivait bien. Par-dessus le livre, il étudia rapidement le visage du peintre. A trente-huit ans, il avait une peau de tout jeune homme, rasé de près, une expression presque naïve et des sourcils épais noirs et fournis.

Le père d'Earle et son frère étaient tous deux peintres professionnels. Augustus était littéralement né dans un atelier. Sa première œuvre avait été exposée à l'âge de treize ans. Les guerres napoléoniennes finies, il était devenu peintre itinérant, faisant voile vers des pays aussi lointains que l'Australie, Carthage, le Chili, l'Inde, les Etats barbaresques. Il ne se bornait pas à peindre des paysages exotiques mais la vie, l'économie et les préparatifs de guerre des peuples primitifs qui acceptaient sa présence, trouvant amusant de voir un homme adulte barbouiller ainsi des couleurs sur un morceau de toile.

Il racontait des anecdotes avec l'exubérance d'un enfant, tout particulièrement ses conflits avec les missionnaires anglais chez les Maoris. Vivant et peignant parmi eux, il avait choqué les missionnaires à tel point qu'ils lui reprochèrent de cultiver l'immoralité chez les indigènes et formèrent le plan de le chasser.

« Ils m'accusèrent d'être irreligieux. Pur mensonge ! Pendant tout le temps où j'ai vécu à Tristan da Cunha, j'ai lu le service de l'Eglise d'Angleterre à cette petite communauté tous les dimanches matin. Je crois aux œuvres divines. Pas vous ?

— Si, j'y crois. Il a fallu l'intervention divine pour que me parvienne cette offre de voyage sur le *Beagle.* »

Peu après le départ d'Earle, un coursier de la librairie Rodwell apporta un paquet. En l'ouvrant, Charles eut la joie d'y trouver un exemplaire des *Principes de Géologie* de Charles Lyell, un cadeau du capitaine FitzRoy.

Henslow lui avait écrit des lettres de recommandation pour Robert Brown, le botaniste ; pour William Burchell, auteur de récits de voyages ; pour les présidents des sociétés de Géologie et de Zoologie ainsi que pour le directeur du British Museum ; mais il avait omis d'inclure une lettre pour Lyell. Sans doute parce que tout en reconnaissant l'excellence des descriptions de Lyell, il le croyait totalement dans l'erreur dans son analyse des causes.

Charles désirait par-dessus tout rencontrer Lyell, qui, à l'âge de trente-trois ans, après des années passées à compiler des faits nouveaux sur toute la surface du globe, avait publié ce que quelques scientifiques, s'élevant au-dessus de la polémique soulevée par ses conclusions appelaient « *le texte qui fait autorité en géologie* ». En 1795 déjà, un géologue écossais, James Hutton, avait publié une *Théorie de la Terre* dans laquelle il écrivait : « *Il ne faut pas prendre les Ecritures pour un manuel de géologie ou de quelque autre science que ce soit.* » Mais l'ouvrage de Hutton était obscur et illisible. Charles Lyell, lui, écrivait magnifiquement bien.

Charles lut avec voracité jusque bien après minuit. Il n'était pas difficile de comprendre pourquoi Henslow rejetait le livre. Henslow mesurait le temps géologique en milliers d'années comme le faisait la Bible. L'école d'Henslow croyait qu'après avoir créé le monde et l'avoir peuplé, comme le décrivait si magnifiquement la Genèse, Dieu s'était irrité contre Ses créatures et avait provoqué une catastrophe pour détruire la Terre et tout recommencer. Charles Lyell attribuait les phénomènes et les processus géologiques à des forces opérant continûment et uniformément pendant des millions d'années.

C'était un concept révolutionnaire. Si Adam Sedgwick voulait bien admettre une succession d'incontrôlables catastrophes, il ne pouvait concevoir un processus lent obéissant aux forces naturelles plutôt qu'à la main de Dieu.

Il était plus d'une heure du matin quand il souffla la lampe et resta allongé sans bouger dans l'obscurité. Il se releva tout à coup. Pourquoi le capitaine FitzRoy lui avait-il envoyé ce livre en particulier ? C'était d'autant plus étonnant qu'il avait la réputation, à Londres, d'être très religieux et ardent prosélyte. Que Charles soit destiné à une carrière ecclésiastique était ce qui avait emporté sa décision de l'emmener comme naturaliste. Il alla vers la fenêtre qui donnait sur l'Amirauté et tira les rideaux. Le capitaine FitzRoy devait connaître les thèses du livre de Lyell, elles avaient créé suffisamment de polémiques dans la presse. Peut-être les rumeurs sur son compte étaient-elles fausses ? Il ne connaissait FitzRoy que depuis peu, mais il ne l'avait jamais entendu mentionner ni la religion ni l'Eglise d'Angleterre !

« Si je pars sur le *Beagle* pendant trois ans, ce n'est sûrement pas pour prouver la justesse ou l'inexactitude des Saintes Ecritures. Je pars pour observer et collectionner. La mer, la terre, les montagnes me révéleront leur vraie nature. Le capitaine FitzRoy et moi ne nous querellerons jamais pour des questions de théologie. »

8.

Quelle ne fut pas sa joie lorsque, rentrant dans sa chambre après avoir été acheter une trousse médicale, du tissu de chanvre cardé et des encres indélébiles, il trouva une lettre de Fanny Owen ! Ses doigts tremblaient en l'ouvrant.

« *Exeter*
6 octobre 1831

Mon cher Charles,

Nos lettres ont dû se croiser...

Je ne peux supporter l'idée, mon cher Charles, que nous ne nous verrons plus pendant si longtemps. Trois ans, dis-tu... Mais je suis bien certaine que tu sauras en tirer profit. Te rappeler la longueur de ton absence est absurde et égoïste. Je ne peux résister à l'envie de t'écrire un dernier au revoir... »

Elle poursuivait en disant qu'il la retrouverait sans doute au statu quo « dans la Forêt » lorsqu'il rentrerait et qu'elle n'oublierait jamais les « nombreuses heures de bonheur » qu'ils avaient connues ensemble. »

Il plia la lettre et la glissa entre les pages du livre de Lyell.

Ses principaux achats terminés, il alla présenter ses lettres de recommandation aux plus grands noms de la philosophie des sciences naturelles. Robert Brown, le fameux botaniste anglais, alors âgé de cinquante-huit ans, participant en 1801 comme naturaliste à une expédition sous les ordres du capitaine Matthews Flinders, avait étudié les côtes d'Australie. Il était rentré en Angleterre avec près de quatre mille espèces de plantes, et fut immédiatement nommé bibliothécaire de la Linnean Society. Il commença à publier des livres sur la classification des plantes dont la précision lui valut la célébrité en Angleterre.

C'était un homme corpulent, à la voix et aux manières rudes. Il avait changé le fond de sa maison, à la Linnean Society, Soho square, en un laboratoire, abattant deux murs pour faire de la place à ses longues tables et ses milliers de spécimens, son microscope et un équipement technique qui n'avait rien à envier au laboratoire de l'Université de Londres, nouvellement ouvert Gower street, près du British Museum.

Brown conduisit Charles près d'une de ses tables couvertes d'instruments et lui dit :

« Regardez dans ce microscope et dites-moi ce que vous voyez. »

Charles regarda attentivement.

« C'est très beau à voir, M. Brown, mais il m'est difficile de donner un nom aux éléments que j'aperçois.

— Essayez.

— Je dirais, un demi-fluide visqueux contenu dans une cellule végétale.

— Pas mal deviné.

— Dites-moi ce que je viens de voir, je vous en prie.

— C'est mon secret.

— Comment cela, M. Brown ! Je ne suis guère qu'un débutant, et je m'apprête à quitter l'Angleterre pour trois ans. Avez-vous peur que je vous vole votre découverte ?

— Jeune Darwin, n'avez-vous jamais entendu dire que j'étais avare ? Eh bien, il se trouve que c'est vrai.

— Vous n'aimez pas dépenser votre argent ?

— L'argent ne m'intéresse guère. Ce sont les plantes. Tout particulièrement mes plantes séchées et mes découvertes. Je n'ai pas l'intention de toutes les utiliser, mais je ne veux pas non plus les gaspiller. »

Mais Brown parla quand même à Charles pendant des heures, faisant étalage de ses étonnantes connaissances en botanique. Au cours d'une autre visite, Charles lui demanda :

« Pourquoi n'avez-vous rien publié, M. Brown, depuis votre ouvrage en latin sur la flore d'Australie en 1810 ?

— Parce que je vis avec la terreur de commettre une erreur. Si je me trompe aujourd'hui en vous parlant, je peux me corriger demain ou dans une semaine. Mais une fois imprimé, je suis condamné à vivre avec mon erreur. L'imprimerie est une galère ; ne vous laissez jamais happer par elle ou vous le regretterez toute votre vie.

— Mais ne devons-nous pas publier nos observations et nos découvertes pour que d'autres puissent en bénéficier ? Et ne peut-on pas corriger ses erreurs au fur et à mesure ? La compréhension totale n'est pas donnée à un seul individu. Chacun de nous a la possibilité de découvrir une petite partie de l'univers, et l'esprit humain raccommodera peut-être un jour les morceaux.

— Absurdité romantique. Je mourrai avec toutes mes connaissances bien rangées dans ma tête. Elles y sont très bien. »

Charles retourna à la librairie de William Yarell. Sa boutique était toujours pleine, à cette heure matinale, car bien que ne distribuant pas les quatre-vingts journaux publiés à Londres, on y trouvait des piles à hauteur d'homme de *Times, Morning Herald, Morning Advertiser, Morning Chronicle, Sun, Standard ;* et quelques pas plus avant dans la boutique, de formidables piles d'hebdomadaires et de mensuels : *Edinburgh,* le *Quarterly,* le *Westminster, Fraser,* le *Literary,* l'*Atheneum* et des douzaines d'autres. Les hommes en route vers leur travail se pressaient dans la boutique, achetant plusieurs journaux à sept sous chacun, ce qui était cher. L'Angleterre avait la folie des journaux, maintenant qu'ils étaient mieux imprimés, et en achetait vingt-cinq millions par an.

Yarell vint à sa rencontre avec un grand sourire.

« Bonjour, Monsieur, lui dit Charles. J'aurais besoin de livres pour le *Beagle.* Tout d'abord, la *Description de volcans éteints et en activité,* de Charles Daubeny, *Eléments d'une histoire naturelle des insectes,* par William Kirby, en quatre volumes. *Voyages au Chili et La Plata,* par Myers, en deux volumes... »

L'un après l'autre, les livres qu'il voulait furent placés dans ses mains.

« Aurez-vous besoin d'autre chose ?

— Oui. D'un baromètre assez léger pour pouvoir le transporter à terre avec moi.

— Allons jusqu'à Covent Garden. Nous trouverons ce que nous cherchons dans Garrick ou Newgate street. Je connais une boutique qui vend des baromètres assez fiables pour être emportés dans les Andes. Car vous irez là-bas, n'est-ce pas ? »

Sur le conseil du professeur Sedgwick, il rendit visite à William Lonsdale, conservateur et bibliothécaire de la Société de Géologie, Somerset House.

« Si nous pouvons accueillir votre collection géologique ? répéta Lonsdale, mais comment pourrions-nous le savoir, jeune homme, quand nous n'avons pas la moindre idée de ce que vous enverrez? Revenez nous voir à votre retour. »

Au British Museum, Great Russel street, sur Bloomsbury, Charles Konig, le conservateur du Musée d'Histoire naturelle, lui fit visiter l'ancien Montague House, un vieux palais reconverti.

« Vous pouvez voir dans quel chantier nous nous trouvons, Darwin. Il faudra encore au moins dix ans pour finir les travaux de rénovation, sans parler du temps que nous devrons passer à trier les collections que nous possédons déjà. »

Le marquis de Landsowne, président de la Société Zoologique au 33 Bruton street, près de Grosvenor Square, s'excusa également. Pourtant, lorsque William Yarell, qui avait participé à la fondation cinq ans plus tôt, proposa Charles comme membre correspondant, il fut accepté.

Le capitaine Beaufort lui-même ne savait comment l'aider.

Après cette dernière démarche à l'Amirauté, il traversa la rue, monta dans sa chambre et écrivit :

« *17 Spring Gardens*
mardi 18 octobre 1831

Mon cher Henslow,

Pour ce qui est d'entreposer mes collections, j'ai parlé à tout le monde : vous êtes mon dernier recours. Si vous vouliez bien vous en charger, vous me feriez la plus grande des faveurs...

Les plantes et les peaux d'oiseaux sont, j'imagine, les seules difficultés : mais je sais que vous ferez le nécessaire. Donnez-moi des instructions aussi précises sur l'adresse à laquelle les envoyer, que vous le feriez pour un sauvage Otaheite. Quant au prix du port, le mieux sera, je pense, à l'arrivée d'une ou deux caisses, d'écrire à mon père et il placera la somme sur votre compte dans la banque de Cambridge de votre choix. Je lui écrirai à cet effet...

Croyez-moi, mon cher Henslow
sincèrement votre obligé à jamais
Chas. Darwin. »

Après quoi, il n'eut plus rien à faire à Londres. Il pouvait désormais partir pour Plymouth où il embarquerait pour son voyage autour du monde.

LIVRE TROIS

1.

Lorsqu'il se retrouva sur le promontoire d'où le capitaine FitzRoy lui avait pour la première fois montré le *Beagle,* il fut stupéfait. En trente-huit jours le vilain petit canard s'était changé en un cygne majestueux. Les structures étaient terminées. Il observa la coque solidement planchéiée, le pont supérieur surélevé, les bastingages et les mâts imposants, la salle des cartes en surplomb à l'arrière. Le navire était plus petit que d'autres bateaux à quai, mais il avait l'élégance de la symétrie. Il arborait en proue une petite figure de chien beagle. Trois baies vitrées avec deux ou trois lucarnes chacune : l'une au-dessus de la salle des cartes, l'autre au-dessus de la cabine du capitaine et la troisième au-dessus du poste des aspirants, plus vaste, où les officiers prenaient leurs repas.

A bord, il trouva les menuisiers en train d'ajuster des tiroirs dans la cabine de poupe et de recouvrir d'un beau bois d'acajou les cabines et le mess des officiers.

« Comment trouvez-vous notre épave, maintenant ? »

Le capitaine FitzRoy se tenait derrière lui et s'amusait de son étonnement. Charles rougit.

« Même un terrien comme moi ne peut s'empêcher de l'admirer.

— Nous avons ajouté une troisième voile pour le rendre plus maniable. C'est le plus beau navire jamais sorti de ces chantiers. Sa structure est solide, mon cher Darwin. Elle doit l'être si nous voulons que ces magnifiques panneaux d'acajou revoient un jour l'Angleterre. »

Lors de son précédent séjour, Charles avait visité Clarence Baths, sur Richmond Walk, près des quais, baptisés du nom de son altesse royale le duc de Clarence qui avait officiellement inauguré cet établissement luxueux l'année précédente. Charles élut domicile dans l'une des six maisons magnifiquement meublées, juste au-dessus des deux grandes piscines, des douches chaudes et froides, des bains de vapeur, des bassins privés pour la natation et la toilette. Des tuyauteries de fonte allaient pomper dans l'Atlantique l'eau de mer fraîche. La publicité qui décrivait dans les journaux la maison de Charles comme « du dernier confort » n'était pas mensongère : une vaste chambre à coucher d'une propreté immaculée, un salon et une salle à manger donnant sur un bras de l'Hamoaze, et au loin, la riche verdure du mont Edgcumbe. Il pourrait y attendre confortablement le jour du départ. Les tavernes n'étaient pas loin, « La Course », « La Chasse », « La Régate », ainsi que la taverne de la Fontaine et l'Hôtel Thomas, très fréquentés par les officiers de marine.

Quelques jours plus tard, il fut invité à se joindre aux officiers du mess dans leur baraque sur les docks : les lieutenants Wickham et Sulivan. Chaffers, le maître d'équipage ; le docteur McCormick ; l'assistant-chirurgien Benjamin Bynoe ; George Rowlett, l'intendant. Augustus Earle avait également été invité. Ils s'amusèrent à faire à Charles une description terrifiante du sort que lui réservait Neptune lorsqu'il passerait l'équateur pour la première fois. Cela l'inquiéta moins que l'argot de marin dont ils truffaient leurs phrases, aussi incompréhensibles pour Charles que de l'hébreu.

Le temps passait agréablement, malgré les sautes de température : averses par intermittences, nappes de brouillard, puis le soleil à nouveau. Il était presque chaque jour à bord du *Beagle ;* son travail consistait surtout à ne pas gêner l'équipage qui, sous la direction du maître-voilier, cousait aux voiles ces draps solides dans lesquelles elles seraient remontées, tenues bien en place et rapidement redescendues sur le pont en cas de crise. Il errait sur le bateau, se familiarisant avec les ponts et les entreponts. Sur le gaillard d'avant se trouvait une caronade de six livres. Près du bastingage de chaque côté de l'embelle se trouvaient les bouts-dehors. A l'arrière, quatre fusils de cuivre, deux neuf livres et deux six livres. Quatre baleinières étaient suspendues aux daviers du *Beagle ;* deux autres, plus longues sur le pont de quart, étaient fixés à des glissières. L'embarcation la plus large, la yole, était fixée au milieu du navire, avec son canot niché à l'intérieur pour tenir moins de place. En poupe, il y avait un dinghy.

Ses soirées aussi étaient occupées, car Plymouth, fière de la beauté et de la force des défenses de son port, était également devenue l'un des centres culturels les plus importants d'Angleterre. A sept heures, il allait écouter les conférences scientifiques données à l'Atheneum, dont le portique aux colonnes doriques surplombait le détroit de Plymouth ; ou il se rendait à la bibliothèque, excellente. Il emprunta des livres récemment parus dans ce temple grec imposant connu sous le nom de Proprietary Library, assista à l'office dans les riches boiseries de l'église Sainte-Catherine, et fit de longues promenades dans la ville. Plymouth était une ville en pleine expansion : ses pêcheries étaient prospères, son trafic naval important, sans parler de ses fonderies, de ses manufactures de savon, de ciment, de toile à voile et de corde.

Charles était content de son compagnon de cabine, dans la salle des cartes : le jeune John Lort Stokes, dix-neuf ans, originaire du sud-ouest du pays de Galles. Le garçon n'avait encore que treize ans lorsqu'il avait été affecté sur l'*Adventure-Beagle* lors de l'expédition de 1825, sous les ordres du capitaine Philip King.

Ils décidèrent d'emblée de devenir amis, ce qui était de toute façon préférable puisqu'ils devraient partager la cabine de poupe pendant plusieurs années.

« Vous vous entendrez, avait prédit le capitaine FitzRoy. Stokes est mon plus solide allié à bord du *Beagle.* Lorsqu'on nous a désignés pour ce second voyage, je l'ai promu matelot. J'ai écrit à l'Amirauté que son travail me paraissait mériter la promotion au poste d'aide-cartographe, d'autant que cela ne représentait aucune augmentation de salaire. Et, avait continué FitzRoy en haussant les épaules, ils ont refusé. Trop jeune. J'en ai quand même fait officieusement mon assistant. Il a du talent, vous verrez. Et l'Amirauté aussi, en temps voulu. »

John Stokes avait un visage ouvert et bon caractère. Il était presque imberbe avec des yeux gris clair et des cheveux noirs dans lesquels il traçait une raie si précise qu'on aurait pu la croire faite avec un outil de géomètre. Il était de taille moyenne mais n'avait pas fini de grandir ; il parlait sans hâte, avec un léger accent de Pembroke. Quand Charles lui demanda s'il n'avait pas été trop déçu par le refus de sa promotion, il lui répondit : « J'ai tout mon temps. Je passerai toute ma vie dans la Marine et j'ai bien l'intention d'être un jour capitaine du *Beagle.* »

Charles avait ri : « Avec une attitude pareille, Stokes, vous finirez amiral !

— Probablement. Voulez-vous que nous fassions une promenade en bateau ? Je peux en emprunter un. »

Charles Musters, treize ans, commençait à montrer quelques regrets d'avoir quitté sa famille, ils décidèrent donc de l'emmener avec eux.

Ils accostèrent à Millbrook, attachèrent leur bateau et descendirent le versant ouest du mont Edgcumbe, avec ses fermes et ses granges de pierre qu'on aurait pu croire bâties au temps des croisades. Le village se nichait au creux de hautes collines, que dominait fièrement le mont Edgcumbe. Il y avait une route étroite, tout juste suffisante pour un âne et une voiture, le long de laquelle se serraient des maisons de pierre ancienne avec guère plus d'un jardin ou deux entre les villageois et la montagne.

« Ah ! comme j'aime marcher, s'exclama Charles, c'est quand j'escalade les montagnes que je me sens vraiment vivre ! »

Stokes sourit.

« Il n'y a pas de montagnes à escalader en mer. Mais attends donc que le *Beagle* grimpe sur les vagues, par tempête ! »

Ils entrèrent dans une auberge pour y boire un verre d'ale. « Tu as tort Johnny Stokes, lui dit Charles. Derrière chacun des ports où le *Beagle* fera escale, il y a des montagnes et j'ai bien l'intention de toutes les escalader. »

Le lendemain Stokes l'invita à l'accompagner dans les jardins de l'Atheneum.

« Je dois équiper notre poste d'observation astronomique à bord du *Beagle* pour les relevés de la boussole d'inclinaison.

— La boussole d'inclinaison ?

— C'est une autre sorte de boussole, très importante pour la navigation. On sait depuis l'époque de Gilbert, 1600 environ, que la Terre agit comme un grand aimant bipôle dont la force a deux composantes ; l'une horizontale, que la boussole ordinaire détecte, l'autre verticale, qu'enregistre la boussole d'inclinaison. A l'équateur magnétique, l'aiguille de la boussole d'inclinaison est horizontale, aux pôles, verticale. C'est la façon dont l'aiguille penche vers l'est ou l'ouest qui donne la déclinaison du navigateur. Autrefois, le capitaine d'un navire n'avait que sa boussole et les étoiles pour se diriger ; maintenant, la boussole d'inclinaison lui donne sa longitude et sa latitude.

On considère généralement Plymouth comme le centre mondial de la navigation, ajouta Stokes. Une fois déterminé ici le temps central, tous les navires en mer, en relevant leur position, peuvent établir, à peu de chose près, l'heure locale, et l'heure qu'il est dans les jardins de l'Atheneum. »

Chaque jour apportait sa moisson de nouvelles connaissances. Au cours des fréquents festins avec les officiers, en compagnie du capitaine FitzRoy, Charles avait rencontré le capitaine Philip Parker King dont l'ouvrage en deux volumes, *Récit d'une exploration des côtes intertropicale et occidentales de l'Australie,* lui avait été recommandé par Josiah Wedgwood à Maer Hall. Le capitaine King l'avait pris à part pour lui dire :

« Mon fils Philip, qui a quatorze ans, sera aspirant sur le *Beagle.* Ce n'est pas son premier voyage. Il était à bord de l'*Adventure,* volontaire pendant cinq ans. Il n'avait que neuf ans au départ, mais j'étais là pour m'occuper de lui. Je ne peux demander à aucun officier ce qui pourrait passer pour un traitement de faveur. Mais puisque vous ne faites pas partie de la marine, j'aimerais vous demander ce service. Je serais plus tranquille s'il avait un ami à bord.

— Je ferai volontiers tout ce qui sera en mon pouvoir, lui assura Charles. On m'a déjà confié la garde du jeune Musters. Je les emmenerai avec moi dans mes voyages de naturaliste. »

Le visage rude du capitaine King s'éclaircit d'un sourire de gratitude paternelle.

« Merci, mon cher Darwin. A mon tour, pendant que le *Beagle* est à quai, laissez-moi vous enseigner certains principes que j'ai eu bien du mal à établir en météorologie : la façon d'utiliser les instruments pour prévoir lames de fond ou tornades, cyclones ou raz de marée ; d'enregistrer la pression barométrique, le point de rosée, la force du vent, la nature des précipitations... »

Jusqu'alors, les hommes remarquables qu'il avait rencontrés étaient des savants, comme les professeurs Henslow ou Sedgwick... qui par leurs contributions faisaient de la botanique ou de la géologie des sciences exactes. Il découvrait maintenant une autre sorte d'homme : l'inventeur, l'ingénieur dans le domaine pratique. Le premier fut « Tonnerre-et-Eclairs » Harris, un natif de Plymouth de quarante ans qui avait abandonné la médecine à l'âge de trente-trois ans pour se consacrer à l'étude de l'électricité et ses nombreuses propriétés utiles à l'homme. Il avait déjà publié plusieurs articles sur l'électricité dans des revues scientifiques. Charles l'avait rencontré au cours d'un dîner à la Taverne et avait été immédiatement séduit par son enthousiasme.

« M. Harris, auriez-vous l'extrême gentillesse de bien vouloir m'expliquer comment on peut contrôler la foudre ? lui avait demandé Charles.

— Nous ne la contrôlons pas, lui avait répondu Harris avec un large sourire. Nous la relions à la terre, plus exactement.

— Mais comment est-ce possible en pleine mer ?

— De la même manière que sur la terre ferme. Je vais en faire la démonstration à l'Atheneum le 21 novembre, en me servant d'une machine électrique en guise de nuage porteur de foudre, d'une baignoire pour la mer, et de jouets simulant une flotte de guerre. Mon procédé consiste à superposer des feuilles de cuivre qui courent le long des mâts jusqu'au fond des cales reliées à l'eau en dessous. Tout l'avantage vient d'un principe qui veut que le fluide électrique s'affaiblisse lorsqu'il est diffusé sur une large surface, si bien que nul effet n'est plus perçu lorsque la foudre heurte le mât. Le *Beagle* sera équipé de conducteurs de cette nature. Je suis certain qu'en trois ans vous entendrez souvent le tonnerre et pourrez être aveuglés par la foudre mais vous ne perdrez jamais ni un mât, ni un matelot. »

Il rencontra un second homme d'action à l'Atheneum, au cours d'une conférence. Sir John Rennie était un ingénieur de trente-sept ans qui venait juste de terminer la construction du pont de Londres selon les plans établis par son père. Il était en train de reconstruire une gigantesque jetée qui devait s'avancer à l'entrée du détroit de Plymouth, en brisant la force des lames tumultueuses que charriaient la Manche anglaise et l'Atlantique nord. Son père avait commencé à couler des masses d'argile en 1812 et avait amené la digue au-dessus de la surface en un an. Mais la tempête de 1817 et l'ouragan de 1824 en avaient si gravement endommagé la structure qu'il fallait la reconstruire.

« J'y travaille demain, dit-il aimablement à Charles. Si vous trouvez un moyen de vous y rendre, venez et je vous montrerai quels changements de structure nous opérons. »

Le capitaine FitzRoy y allait à bord du yacht du commissaire et invita Charles à « les suivre ».

Lorsque FitzRoy rentra sur le bateau du commissaire, après avoir mesuré les angles de la digue, Charles resta derrière avec Rennie, à regarder les ouvriers immerger d'énormes blocs calcaires des carrières d'Oreston.

« Nous avions d'abord commis l'erreur de construire une digue perpendiculaire à la mer. Lorsqu'elle est en furie, elle joue avec des rocs d'une tonne comme avec des galets. La nouvelle digue que nous construisons sera inclinée, comme la pente d'un toit. »

Charles contempla cette mer violente et les deux bras de calcaire qui l'enserraient.

« Vous êtes comme « Tonnerre-et-Eclairs » Harris, fit-il. Vous voulez tous deux prouver que le cerveau de l'homme peut être plus ingénieux que les forces de la nature.

— Croyez-moi, M. Darwin, cela n'est pas vrai. Il reste malheureusement une force de la nature que l'esprit peut ni éviter ni contrôler.

— Laquelle, Sir John ?

— Le cerveau humain ! »

2.

Le 4 novembre, date de départ annoncée par Earle lorsqu'il était venu voir Charles à Londres, était maintenant passé. Malgré son impatience, Charles trouvait qu'officiers et équipage formaient un groupe sympathique. Ils s'entendaient tous fort bien, beaucoup ayant déjà voyagé ensemble sur le *Beagle*. La seule exception paraissait être le docteur McCormick, toujours mal embouché, sauf avec ses malades à l'infirmerie, auxquels il prodiguait bonne médecine et bonne humeur. Il ignora totalement la présence de Charles Darwin.

« Ne t'inquiète pas, lui dit Sulivan, le docteur bougonne tout le temps. Il n'a que rarement le droit de quitter le bord et jamais plus de quelques heures à la fois. N'ayant rien d'autre à faire, tu pourras accomplir un travail de collection et d'exploration bien plus important. »

Quelques jours plus tard, le docteur McCormick invita Charles à faire avec lui une promenade sur le mont Edgcumbe. Les commentaires du docteur sur la flore et la faune, pendant leur escalade au milieu des champs moissonnés, prouvaient qu'il avait de bonnes connaissances en philosophie naturelle. Mais il était clair aussi que quelque chose le dérangeait.

« Croyez-vous important que ma cabine soit peinte en gris perle ou en blanc mat ? finit-il par bougonner. Je suis sans doute le seul à dire à voix haute que nous avons perdu des mois à préparer un petit bateau de dix canons à la mer.

— Ne dites surtout pas cela au capitaine FitzRoy ou au lieutenant Wickham, fit Charles inquiet.

— La vérité n'a jamais fait de mal à personne, interrompit McCormick. Il n'y a que la congestion des organes internes qui soit douloureuse. Et je sais comment guérir cela : un verre d'eau de quinine, une quantité égale d'acide citrique dans une bouteille de porto ou de sherry. Notre capitaine n'approuve pas l'usage du vin en mer. Il a bien tort !... »

Charles changea de sujet. « On m'a dit que vous aviez commencé dès l'enfance à collectionner des nids et des œufs d'oiseaux dans les pairies de Yarmouth... »

Quelques jours plus tard, Charles rencontra le capitaine FitzRoy rouge de colère.

« Ce docteur est impossible ! Je ne voulais pas de lui en tout premier lieu. »

Charles fit la grimace ; il se doutait bien de ce que McCormick avait fait.

« Il m'a critiqué en public à l'Atheneum, me reprochant d'avoir perdu des mois à rénover le navire. Que vais-je donc faire de cet âne bâté ? »

Ce n'était évidemment pas à Charles de répondre.

Il arrive parfois qu'au tout premier regard, deux hommes sachent qu'ils seront amis. Dès leur première rencontre Charles et Benjamin Bynoe se sentirent de connivence. Bynoe était un jeune homme aimable, tout aussi intéressé par la chasse, les collections et la « philosophie naturelle » que Charles. Il avait six ans de plus que lui mais les paraissait à peine. Charles ne tarda pas à comprendre pourquoi : rien n'était plus loin de sa nature que l'envie, le dépit ou l'agressivité.

Bynoe lui décocha un sourire éclatant.

« Aimez-vous parier, Charles ?

— Nous avons joué au van John pendant toutes nos classes à Christ College.

— Au vingt-et-un ? Eh bien, je vous parie cinq bouteilles de madère contre trois que je serai chirurgien-chef de cet estimable rafiot avant six mois. »

Un soir de la mi-novembre, le capitaine FitzRoy demanda à Charles s'il voulait bien l'accompagner aux docks de Barbican, pour y retrouver trois Fuégiens qu'il avait ramenés en Angleterre lors du précédent voyage, et M. Matthews, le missionnaire qui les accompagnerait et s'installerait en Terre de Feu pour y créer une mission chrétienne.

« Trois Fuégiens ! s'exclama Charles, comment vous les êtes-vous procurés?

FitzRoy leva les bras d'un geste qui signifiait : « Je ne décide pas des événements, ce sont les événements qui décident pour moi. »

En mars 1830, il avait envoyé un petit groupe d'hommes dans une baleinière pour explorer une crique, près du cap de Désolation. Ils laissèrent leur bateau sans garde et il fut volé. FitzRoy, furieux, avait débarqué avec un important groupe armé pour exiger qu'on leur retourne la baleinière. Une violente bataille s'ensuivit au cours de laquelle un Fuégien trouva la mort, et un groupe de Fuégiens, qui avaient en leur possession quelques pièces détachées du bateau, furent faits prisonniers. Parmi eux, trois enfants que leurs mères avaient abandonnés.

Le lendemain, lorsqu'ils revinrent à terre pour chercher la baleinière, tous les hommes s'échappèrent à la nage, abandonnant les enfants. FitzRoy les renvoya dans leur tribu, à l'exception d'une petite fille potelée de neuf ans qui manifesta clairement son désir de rester. Elle était jolie et souriante et on la garda comme otage pour le bateau volé. FitzRoy ne tarda pas à lui apprendre l'anglais. Il la baptisa Fuegia Basket (Panier Fuégien), du nom du semblant de bateau que les hommes bloqués sur la rive avaient fabriqué, recouvrant du rotin tressé de toile et d'argile, ce qui leur avait permis de regagner le navire.

Avant de quitter le cap de la Désolation, ils prirent un otage, un homme trapu et maussade dont ils avaient besoin comme interprète et comme guide. Ils l'appelèrent York Minster, du nom du promontoire où ils le capturèrent. Trouvant des traces de la baleinière dans quelques-uns des wigwams de Christmas Sound, FitzRoy prit un autre jeune homme Boat Memory, (Souvenir du bateau) de vingt ans à peu près ; et quelques jours plus tard, en explorant la Passe du Beagle, FitzRoy persuada la tribu résidente d'amener à bord un garçon solide qu'ils appelèrent Jemmy Button, parce qu'ils l'avaient payé en boutons, perles et autres objets de pacotille.

Lorsque l'expédition fut prête à quitter la côte fuégienne, les quatre indigènes semblaient si contents de leur vie à bord que le capitaine FitzRoy pensa que c'était peut-être une bonne idée de les emmener vivre en Angleterre pendant un certain temps. L'un des quatre, Boat Memory, mourut à la suite d'une série de vaccinations au Royal Hospital de Plymouth. Les trois autres furent placés dans une école affiliée à la Société Missionnaire de l'Eglise de Walthamstow, au nord de Londres. On avait pris soin de leur éducation et ils étaient célèbres. La reine avait demandé que le capitaine FitzRoy conduise la fille, Fuegia Basket, à la cour de Saint James. On avait fait à Fuegia une bonne coupe de cheveux et on lui avait mis une robe taillée à l'anglaise. La reine lui donna l'un de ses propres chapeaux, prit même une des bagues qu'elle portait pour la lui passer au doigt, et lui offrit de plus une somme d'argent pour acheter des vêtements lorsqu'elle quitterait l'Angleterre pour retourner dans son pays.

On les renvoyait maintenant en Terre de Feu pour y construire une ferme et fonder une mission. La Société Missionnaire de l'Eglise espérait que les tribus fuégiennes, l'une après l'autre, seraient converties au christianisme.

Lorsque les trois Fuégiens descendirent la passerelle Charles sourit en voyant les hommes habillés comme des gentlemen anglais, avec redingotes et cols blancs amidonnés leur remontant sous le menton. La fille, au nez et aux lèvres un peu épais, avait de grands yeux expressifs. La femme du pasteur, à l'Ecole, lui avait fait porter une simple robe de laine boutonnée sur le devant. Jemmy et elle étaient attirants, avec une peau d'une belle couleur de cuivre. York était redoutable. Il était volontaire et décidé en même temps que méfiant et réservé. Tous trois avaient naturellement un timbre de voix trois fois plus puissant que le volume d'une conversation anglaise. Il avait fallu des mois d'apprentissage patient pour le faire descendre de plusieurs tons, jusqu'à n'être plus qu'un murmure poli.

L'intendant du paquebot qui les avait amenés à Plymouth les suivait.

« Capitaine FitzRoy, nous avons des douzaines de caisses pleines de tout un bazar pour les Fuégiens et pour M. Matthews. Assez à mon avis pour meubler plusieurs maisons.

— Cela prouve la générosité des membres de la Société Missionnaire, répondit FitzRoy. Ils veulent être représentés en Terre de Feu et aider à civiliser les sauvages. J'enverrai chercher tout cela demain matin. »

Où faire dormir les Fuégiens était un sérieux problème. Le capitaine FitzRoy ordonna qu'on débarrasse la cambuse, à côté de la cabine de Benjamin Bynoe, pour Fuegia Basket. Aux deux hommes, on donna des habits de marin et des hamacs à suspendre dans le mess des matelots, tout à fait à l'avant du bateau.

Le capitaine FitzRoy avait demandé qu'on installe ses vingt-deux chronomètres dans une petite pièce immédiatement en face de sa cabine. Il fallut des jours pour préparer la pièce car chaque chronomètre devait être suspendu dans une boîte de bois qui devait toujours rester à niveau, et chaque boîte placée dans de la sciure et dans son propre casier sur de larges étagères. Chacun d'eux était marqué d'une lettre de l'alphabet et l'on relevait chaque jour leurs données. Ne manquaient que I, J, Q et U.

« Nous les avons mis à l'entrepont, expliqua FitzRoy, ce qui n'est pas précisément au centre du navire. Toutefois, placés là, ni l'activité des hommes sur le pont, ni le tir des canons, ni le fait de dévider des chaînes, ne leur occasionnera la moindre variation. »

Sur les vingt-deux chronomètres, six étaient la propriété de FitzRoy, onze lui avaient été procurés par la Marine, quatre fournis par leurs fabricants, Arnold et Dent, Molyneux et Murray, à des fins d'expérimentation ; et Lord Ashburnham en avait prêté un. George Stebbing, l'homme qui les installait, lui-même fils d'un fabricant d'instruments mathématiques de précision de Portsmouth, avait été engagé par le capitaine FitzRoy, qui payait ses gages lui-même, pour superviser tous les instruments de contrôle à bord, tâche exclusive pour laquelle la marine ne voulait pas verser de salaire.

« Comment savoir s'ils vibrent ou non ? répondit Stebbing à Charles qui lui posait la question. Nous répandons de la poudre sur le verre chaque jour et l'observons à la loupe lorsque le vaisseau subit un choc quelconque. » Les chronomètres servaient à déterminer la longitude en mer. Personne, sauf Stebbing, le capitaine et Stokes n'était autorisé à pénétrer dans la cabine des chronomètres, et seulement pour les remonter, comparer les temps et vérifier les vibrations.

Ayant observé la mise en place méticuleuse des instruments dans leurs niches de sciure, Charles, qui se sentait totalement inutile, demanda au capitaine FitzRoy :

« Ne pourriez-vous me confier quelque travail régulier ? La peinture n'est pas sèche dans la cabine de poupe et il m'est impossible d'organiser notre bibliothèque.

— Si vous voulez. Chaque matin, vous pourrez relever les chronomètres et noter dans le journal de bord les différences de pression atmosphérique.

— Merci, capitaine. Vous me faites faire les premiers gestes qui changent un terrien en marin. »

Le 15 novembre, un long mémorandum officiel très détaillé fut adressé au capitaine FitzRoy par l'Amirauté. C'était l'ordre officiel de mission : le *Beagle* pourrait prendre la mer dès que ses derniers équipements seraient installés et testés.

Le capitaine FitzRoy exultait.

« *Vous êtes par la présente requis de prendre la mer, sur le vaisseau placé sous vos ordres, dès que seront terminés tous vos préparatifs, et de vous rendre avec ledit vaisseau, et tout l'équipage nécessaire, successivement à Madère ou à Tenerife ; aux îles du Cap Vert ; Fernando Noronha ; et à notre base d'Amérique du Sud ; pour exécuter les opérations de reconnaissance détaillées dans le mémorandum ci-joint...* »

Il parcourut le mémorandum du capitaine Beaufort.

« *Une différence considérable subsiste entre la longitude de Rio de Janeiro, telle que l'ont établie les capitaines King, Beechey et Foster d'une part, et le capitaine W. F. Owen, le baron Roussin et les astronomes portugais de l'autre ; et puisque toutes nos distances méridiennes en Amérique du Sud sont mesurées à partir d'elle, la question est d'importance...* »

FitzRoy jeta un bref coup d'œil aux régions à parcourir :

« *Au sud, jusqu'au détroit de Magellan et la côte nord-est de la Terre de Feu...* »

Suivaient des instructions pour dresser la carte de la côte ouest de l'Amérique du Sud et la permission de traverser le Pacifique.

« *Si vous atteigniez Guayaquil, il serait désirable d'aller jusqu'aux Galapagos... ainsi que divers lieux qui se sont glissés dans les cartes sur des allégations douteuses...* »

Il devait également dresser une carte des mers, relever la hauteur perpendiculaire de toutes les collines et promontoires, et avoir quelques vues des paysages pour accompagner cartes et plans ; constamment vérifier les marées, la distance à laquelle elles charrient l'eau salée dans les rivières et des centaines d'autres données spécifiques.

« Nous pouvons maintenant librement naviguer autour du monde, déclara FitzRoy. Lorsque nous aurons traversé le Pacifique jusqu'à Tahiti, rien ne nous empêchera d'étudier les autres îles du Sud, puis de gagner la Nouvelle-Zélande et l'Australie, en rentrant chez nous par le cap de Bonne-Espérance, à la pointe de l'Afrique. Ces papiers que je n'ai pas besoin de lire, j'en connais la teneur, rendent la chose officielle. » Il les reposa sur son bureau.

« Mais pour accomplir la tâche que requiert de nous le capitaine Beaufort, il nous faudra à mon avis quatre ans. »

Charles sentit son cœur s'arrêter. Quatre ans ! Dieu du ciel ! Ce qui s'était d'abord présenté comme une excursion de deux ans, avait maintenant doublé. Que pourrait-il bien faire pendant quatre interminables années ? Y aurait-il assez de travail pour occuper à mi-temps un naturaliste, pour l'intéresser et le faire contribuer à des découvertes même modestes ? Sa gorge se serra. Quatre ans loin de sa famille, de ses parents, de ses amis, quatre ans en mer !

3.

Les chariots des entrepôts de l'intendance royale livrèrent les derniers vivres nécessaires au *Beagle.* C'était un grand jour, un rituel presque religieux pour l'équipage, tout le monde mettant la main à la pâte pour que chaque caisse trouve sa place dans la cale.

Charles aida George Rowlett, l'intendant, à vérifier divers produits au fur et à mesure qu'on les déchargeait et les passait aux matelots qui faisaient la chaîne. Tout était entreposé sous la ligne de flottaison. Sous la cabine du capitaine étaient empilés les sacs de biscuits épais. Sous l'écoutille principale et le magasin aux poudres, les fûts métalliques d'eau fraîche hermétiquement scellés. Le rhum et les alcools étaient placés dans des tonnelets sous les couchettes des aspirants. Il y avait des caisses d'antiscorbutiques : cornichons, pommes séchées et jus de citron. A ce propos, le capitaine FitzRoy déclara : « Le scorbut est une malédiction qui a frappé tous les navires jusqu'au capitaine Cook. Voilà pourquoi nous emportons autant de ces substances que nous le pouvons. »

Il y avait encore cinq à six mille boîtes de viande en conserve Kilner et Moorson, des boîtes de légumes et de soupes, toutes passées de main en main avec amour jusqu'à la cale. Des barils de porc et de bœuf salé étaient également rangés sous le mess de l'équipage. Il était courant d'emporter des provisions pour huit mois.

Le département de la Santé, sur ordre du capitaine Beaufort, livra au *Beagle* des médicaments, des antiseptiques ainsi que les produits nécessaires à la préservation des spécimens d'histoire naturelle. Le calomel, la morphine, le phénol, l'iode, l'émétique tartare furent empilés dans la pharmacie, une cambuse spéciale près de la cabine du docteur McCormick, avec les bandages, les attelles, les onguents, les baumes et les liniments.

Charles demanda à FitzRoy où ses produits pour préserver les spécimens pourraient être déposés. « La plupart devront sans doute aller à l'infirmerie, répondit-il. Il faudra que je dise au docteur McCormick que tous les produits de naturaliste seront sous votre responsabilité et que personne ne pourra y toucher sans votre permission. »

Au bout de quelques heures, Charles fit remarquer au lieutenant Wickham :

« Pas un pouce d'espace de perdu n'est-ce pas ?

— Lorsque nous aurons terminé, il n'y aura plus dans la cale assez de place pour un lézard. Toutes ces victuailles, en plus de la viande fraîche et du poisson que nous chasserons ou pêcherons sur place devraient nous maintenir en bonne santé. »

Les caisses et coffres envoyés avec M. Matthews aux Fuégiens furent ouverts. Les hommes éclatèrent bruyamment de rire en retirant, l'un après l'autre, verres à vin, soupières, serviettes de lin fin, chapeaux de castor, quantité de vêtements, outils, livres, une complète batterie de cuisine sans oublier des pots de chambre peints. L'un des marins s'écria :

« Vous voyez d'ici une armée de ces sauvages nus assis à la queue leu leu au milieu d'un ouragan pour chier dans ces petits pots !

— Grands Dieux ! s'exclama le capitaine qui assistait à tout cela, près de Charles et de Bynoe. A quoi ces braves gens peuvent-ils bien penser ? Des outils dont ils ne savent pas se servir, des livres qu'ils ne peuvent pas lire, et des coiffeuses d'acajou qui serviront de petit bois pour le feu ! »

Cet après-midi-là, le dernier magasin plein à craquer soigneusement fermé, le capitaine FitzRoy fit donner assez de voile pour les conduire à un mile de là par l'étroit goulet de l'Hamoaze jusqu'à la crique du mont Edgcumbe. Le *Beagle* pénétra dans Barnpool, une baie pittoresque et sûre bordée par une côte riche en anses et en promontoires. On aurait dit un vaste lac, un tableau auquel venait donner vie le va-et-vient des bateaux.

Charles fut captivé par ce premier voyage, le coup de sifflet du barreur, le maniement des vergues, les matelots larguant les amarres au son d'un fifre, les hommes de hune grimpant à des échelles de corde avec une grâce et une rapidité d'oiseaux.

Le jour vint enfin où la peinture de la cabine de poupe fut sèche. Charles et Stokes apportèrent les livres de la terre ferme. Les rayons permettraient de ranger quatre cent cinquante volumes, une bibliothèque très remarquable pour un si petit navire. Les principaux ouvrages de référence étaient le *Dictionnaire classique d'Histoire naturelle* et le *Dictionnaire des Sciences naturelles.* De nombreux titres comportaient plusieurs volumes, comme les onze tomes d'Euclide, qui appartenaient à Charles, ou plusieurs ouvrages de von Humboldt. Il avait emporté ses livres espagnols, l'un sur la taxidermie et les *Merveilles de la Nature* qu'il possédait depuis l'enfance, des livres d'algèbre, de trigonométrie, une *Nomenclature des couleurs* et un dictionnaire français. Ils placèrent les livres de voyage sur l'étagère supérieure, immédiatement dessous, les livres de mathématiques, d'astronomie et d'électricité. En bas, les livres d'histoire naturelle, qui pour la plupart appartenaient au capitaine FitzRoy.

Ces livres étaient à la disposition de tous les officiers, y compris les aspirants, mais ils devaient en faire la demande à Stebbing, qui apporterait le volume dans leur cabine. Au bout d'un nombre de jours convenu Stebbing reprendrait le livre et délivrerait un reçu. Chaque livre devait être temporairement recouvert par l'officier qui s'en servait. Aucun livre ne devait quitter le navire.

La répartition des volumes prit à Charles et Stokes près de deux jours. Lorsque ce fut fini, tous deux établirent un catalogue du contenu de la bibliothèque.

Il fallait maintenant que Charles trouve un endroit pour ses vêtements et effets personnels et suspende son hamac. Jusqu'à présent, il avait réussi à ne pas penser à l'exiguïté de l'espace. Avec rayonnages et tiroirs, la cabine de poupe laissait un peu moins de dix pieds d'espace disponible, dont la table des cartes, vissée au pont occupait quatre pieds et demi de longueur et six pieds et demi de largeur. Le capitaine FitzRoy ne s'était pas trompé en affirmant à Charles qu'il lui resterait deux pieds d'espace libre autour de la table et pas un pouce de plus ! Il avait tout juste la place de bouger bras et jambes en s'habillant et se déshabillant. Et il y aurait quelques pouces entre ses cheveux rouge sable peignés bien à plat et le plafond de bois.

Essayer de placer tous ses vêtements dans les tiroirs en angle de sa cabine semblait une tâche impossible. Il allait s'avouer vaincu lorsque John Stokes le rassura : « Les tiroirs contiennent plus qu'ils n'en ont l'air. C'est affaire de technique. Laisse-moi te montrer. Mets tes chaussettes à plat dans tes sous-vêtements. Plie tes vêtements comme le font les tailleurs. »

Mais le moment le plus éprouvant fut lorsque Stokes suspendit le hamac de Charles entre ses crochets au mur. Il faisait à peine plus de cinq pieds.

« Que vais-je faire, Johnny ? Avoir les pieds qui dépassent du hamac ?

— Tu t'y habitueras. Tu dormiras en boule, comme dans un cocon. »

Entendant le rire sonore de Stokes, le capitaine FitzRoy glissa la tête dans la cabine.

« Quel est le problème, Darwin ?

— Le hamac est trop petit.

— Ce n'est pas le hamac, c'est l'espace », répondit-il en étudiant l'angle. Puis se tournant vers Stokes : « Allez chercher le charpentier. Et dites-lui d'apporter quelques crochets. »

FitzRoy retira le tiroir supérieur de la commode de Charles et lorsque le menuisier fut là, lui dit : « Fixez le hamac au dos de la commode. De cette façon nous pourrons légèrement le réorienter. »

Fixé à un angle différent, le hamac regagna les quelques centimètres manquant et le tiroir supérieur, avec les articles de toilette, fut posé sur la table des cartes. L'heure était venue pour Charles d'essayer de se glisser dedans. Il s'assit au centre, y mettant tout son poids. Le hamac se déroba vivement de sous lui, et il tomba sur le pont. Sulivan s'était joint aux autres et les trois témoins se tenaient les côtes. La main sur son coccyx douloureux Charles ne vit pas ce que cela avait de si drôle. Personne ne dit mot mais lorsque après une deuxième tentative, plus prudente celle-ci, le hamac le désarçonna à nouveau, comme un poulain sauvage :

« Allez chercher le voilier », dit FitzRoy à Sulivan qui s'abandonnait bruyamment à son hilarité.

Ce dernier, un rouquin de Devenport, retailla la toile et fit de nouveaux trous pour les cordes. Cela fait, le trio s'écria :

« Un nouvel essai maintenant.

— Tu essayes de rentrer tes pieds trop tôt, dit Sulivan. De cette façon, puisque le hamac est suspendu, tu ne pourras que l'écarter.

— Que dois-je mettre en premier ? Ma tête ? Elle est assez vide en ce moment et ne pèsera pas lourd.

— Non, fit Stokes en riant. La méthode correcte consiste à

s'asseoir très précisément au centre du hamac. » Il fit une démonstration.

Il fallut à Charles plusieurs essais, mais il finit par y réussir. Et le matelot dut retailler la toile à deux reprises avant qu'elle s'adapte à sa charpente dégingandée.

Puisque personne ne dormait encore à bord, il conserva le confort de son lit à Clarence Baths, ne dînant au mess des officiers que s'il était expressément invité. Autrement, il allait à La Chasse ou La Régate et y mangeait seul. De temps en temps, lorsque les eaux du détroit de Plymouth n'étaient pas trop turbulentes, il allait à bord et dormait dans son hamac, voulant s'y habituer avant d'être en mer. Il se balançait sans cesse au-dessus de la table des cartes, ce qui l'empêchait de dormir et lui donnait mal au cœur.

Comme la Marine Royale était de la meilleure société, chacun voulait recevoir les officiers d'un navire sur le point d'entreprendre un long voyage. Charles se rendit à quantité de déjeuners, dîners et soirées dansantes. Bien qu'il fût souvent le seul homme présent qui n'appartînt pas à la Marine, il était reçu avec cordialité par le commandant en chef, l'amiral Sir Manley Dixon, dans sa résidence officielle au bout de Mount Wise Parade ; par les officiers du navire de Sa Majesté *Caledonia,* un gros vaisseau de guerre portant cent vingt canons, sur lequel le conduisit le yacht du commissaire ; chez le capitaine Alexander Vidal, qui avait passé huit ans à explorer les côtes d'Afrique ; ou encore à un petit déjeuner tardif chez le colonel Hamilton Smith, qui écrivait un livre avec Cuvier, le fameux naturaliste français, sur l'immense variété des poissons de mer.

Il découvrit avec surprise, car il n'en avait jamais jusqu'alors pris conscience, qu'on l'acceptait aussi parce qu'il portait un nom célèbre. Son grand-père était un écrivain connu et la réputation médicale de son père s'étendait jusqu'en Irlande.

« Que pourrai-je bien faire, se demandait-il, dans les années à venir pour justifier mon nom ? Devenir un homme d'Eglise célèbre ? Un conférencier illustre comme Sydney Smith ? »

Pour rendre la politesse à tous ceux qui l'avaient invité, le capitaine FitzRoy offrit un déjeuner d'adieu sur le *Beagle,* décoré pour la circonstance. Charles se joignit à lui et aux lieutenants Wickham et Sulivan pour accueillir les officiers de marine, leurs femmes et leurs filles. Ce fut un repas de sept plats, offert par le commissaire des docks. Les festivités se poursuivirent par une soirée dansante dans la salle de bal d'un hôtel relativement nouveau, le Royal Hotel, George street. Les officiers portaient beau, avec leurs manteaux bleus à col cramoisi, de larges revers et leurs rangées de boutons dorés. Charles était maintenant capable de distinguer le rang des officiers à l'épaisseur de la tresse dorée ou au nombre d'étoiles sur l'épaulette. Il était impressionné, même si selon les critères de Cambridge, c'était un peu tape-à-l'œil. Il en vint à se demander si l'uniforme grandissait ceux qui le portaient. Ou si, comme une cotte de mailles, il protégeait de petits hommes qui se cachaient derrière leurs rangées de boutons dorés. Au bout d'un voyage de quatre ans, il aurait sûrement la réponse à cette question.

Charles trouvait également les femmes attirantes, dans leurs élégantes robes du soir de mousseline de soie, de tulle, d'organdi blanc, jaune, bleu ou rose pâle, gonflées par d'innombrables jupons superposés, ornées de larges rubans et de décorations florales au-dessus de l'ourlet. Il pensa avec un brin de nostalgie à ses sœurs, aux filles Wedgwood, et pour un bref instant à la belle Fanny Owen. Il remarqua que le capitaine FitzRoy avait les yeux brillants en dansant avec Mary O'Brien, une cousine, fille d'un gentilhomme campagnard et major général. Il l'escortait aussi souvent que possible au buffet pour lui offrir du champagne. Le lieutenant Sulivan ne s'ennuyait pas non plus avec la charmante fille de l'amiral Young.

« Pauvres garçons que nous sommes ! pensa Charles, nous ne reverrons pas nos belles pendant quatre ans. Combien d'entre elles nous attendront ? »

Lorsqu'il revint à bord du *Beagle,* il trouva Sulivan écumant de rage. Tout le monde riait de l'histoire, sauf lui. Debout depuis l'aube, il avait voulu se reposer dans sa cabine et demandé à être réveillé à l'heure du thé. Il était apparu en chemise et bonnet de nuit, avait bu son thé comme un somnambule et était retourné se coucher, manquant ainsi le bal et son rendez-vous avec Miss Young.

« Elle ne connaîtra même plus nos escales !

— Son père les connaîtra et elle le lui demandera certainement », lui dit Charles pour le consoler.

Un peu d'humour était bien nécessaire. Les baromètres indiquaient le mauvais temps.

4.

Les baromètres ne se trompaient pas. En une heure, le soleil disparut et un violent vent du sud-ouest souffla de l'Atlantique, clouant le navire à son port d'ancrage, vite suivi de lourdes pluies. La température baissa et la pluie se changea en grêle. Le *Beagle* dansait comme un bouchon sur un baril d'eau de pluie. Charles n'avait jamais connu un froid si pénétrant. La tempête dura plusieurs jours. Il était alternativement en proie au mal de mer, au désir de rentrer chez lui et à la peur de ne jamais sortir du port.

Le 2 décembre, en fin d'après-midi, il était affalé dans le grand fauteuil de son appartement de Clarence Baths, où il s'était réfugié pour échapper un instant au mouvement du navire. Il lisait l'*Essai sur la Théorie de la Terre,* de Cuvier, quand il entendit frapper à sa porte. Il ouvrit et trouva son frère Erasmus, un sac de voyage à la main.

« Hello, Charley. Susan m'a écrit pour me dire que tu étais ici et je suis venu te voir. »

Les yeux de Charles s'agrandirent de surprise. Il débarrassa son frère et demanda du thé. Erasmus semblait en pleine forme, habillé avec recherche, bronzé. Il avait terminé ses études à Christ College trois ans plus tôt. Après une brève visite au Mont, il était parti pour Londres puis pour un long tour de France et d'Autriche. Il s'avoua fatigué des voyages, et de l'inconfort des hôtels. Charles lui demanda pourquoi il ne rentrait pas, pour connaître un peu de tranquillité.

« C'est très exactement ce que je vais faire, répondit-il. Mes années d'errance sont terminées. Je vais m'installer à Londres et regarder couler les années.

— Pas de pratique de la médecine ?

— Tout ce que je dois avaler me suffit. D'ailleurs, c'est moins ma santé qui est mauvaise que mon esprit vital. La moitié du temps, je n'ai rien envie de faire. »

Charles était choqué. Rejeter la respectable profession pour laquelle on l'avait si remarquablement formé ! Quel autre métier pourrait-il bien exercer ?

« Aucun, mon cher Gaz. On dirait bien que ces années à Edimbourg et à Christ m'ont épuisé. Mon ambition du moins. »

Charles comprit alors la colère de son père lorsqu'il lui avait montré la lettre de Henslow. Le docteur Darwin aurait très mal pris d'avoir élevé deux dilettantes, se contentant de vivre du fruit de deux décades de dur labeur accumulé par les familles Darwin et Wedgwood, des « parasites » en quelque sorte, lui qui avait consacré quarante-deux ans de généreux efforts au service de l'humanité.

« Mais ce n'est pas parce que je n'ai pas de métier que j'ai l'intention de rester oisif.

— Tu dois avoir un projet, alors, Ras. J'aime mieux ça !

— Tout le monde à Londres est si occupé que personne n'a une seconde à consacrer à l'amitié. J'ai l'intention, moi, de prendre ce temps, dans la mesure où ma faible santé me le permettra. »

Charles ignorait que son frère eût une santé fragile. Il lui avait toujours paru fort et sain.

« Et comment veux-tu manifester cette amitié ? »

Il ne devait pas être facile pour Ras d'avoir à se justifier ainsi devant son frère cadet.

« J'y ai beaucoup pensé. J'aimerais créer à Londres une maison modeste mais confortable où l'on trouverait à manger, à boire, ainsi qu'une compagnie et une conversation stimulantes. J'ai rencontré un certain nombre d'écrivains. Ce sont les êtres les plus solitaires que je connaisse et parmi les plus désemparés, pour la plupart ; sans racines. J'aimerais qu'ils sachent qu'ils ont des amis qu'ils peuvent aller voir, à qui confier leurs problèmes. Ne serait-ce pas une bonne façon d'échapper à l'oisiveté ?

— Certainement, Ras, dit Charles, heureux de retrouver toute son estime pour son frère. Et tu pourrais bien guérir plus de maux de cette façon qu'en prescrivant des saignées et des orviétans.

— Vois-tu, poursuivit son frère, j'ai vingt-sept ans et je suis las de tout. Nous mettons toute notre énergie à nous préparer à l'âge adulte. Maintenant que j'y suis, j'ai l'impression que cela ne valait pas tant d'efforts. La vie n'est qu'un rêve ? Laissons-le passer. »

Charles obtint la permission de faire visiter les docks de la Marine Royale à Erasmus. C'était probablement les plus actifs et les plus pittoresques du monde, soixante et onze arpents entourés d'un mur de pierre et d'ardoise s'élevant en certains endroits jusqu'à trente pieds. Ils pénétrèrent dans les chantiers par la porte de Fore street, dépassèrent une petite chapelle proprette, treize maisons d'officiers et le bassin pour les petites embarcations des docks. Puis les ateliers de gréage, un quai où l'on soulevait les petits navires pour en nettoyer le fond ; les forges où se martelaient les ancres que des grues remettaient au feu, les chaînes qu'on forgeait dans des fournaises immenses qui dispensaient fumée et reflets jaunâtres au-dessus des hauts hangars.

Ils passèrent près des chaudières, où les planches que l'on voulait courber étaient plongées dans l'eau bouillante. Ils virent l'endroit où se fabriquaient mâts et vergues, et non loin de là, l'étang dans lequel ils flottaient en grand nombre, pour ne pas craquer au soleil. Les maisons des cordiers, les granges à chanvre, les plomberies, les armureries, les magasins où s'entassaient mousquets, pistolets et grappins...

Erasmus ouvrait de grands yeux.

« Je comprends que tu sois fasciné, Charles. Aimerais-tu t'engager dans la Marine royale à ton retour ? Comme naturaliste de carrière peut-être ? Tu n'aurais sans doute aucun mal à te faire nommer.

— Non, Ras. Je deviendrai pasteur. Je l'ai promis à Père. Il a payé mes études ; je m'y suis engagé. »

Erasmus détourna les yeux d'un air gêné.

Charles lui demanda de l'accompagner sur le *Beagle* tous les jours ; Erasmus suivait, aidait quand il pouvait le faire. Il s'enthousiasmait pour le voyage et se réjouit avec Charles lorsque le 5 décembre fut annoncé comme la prochaine date de départ.

Charles pensait : « C'est peut-être bien ce pauvre Ras qui est seul et manque d'amitié. Voilà sans doute d'où lui vient son idée de salon. » Il lui demanda un jour :

« Et le mariage, Ras, tu n'y penses pas ?

— Non. Je refuse ce type de responsabilité.

— Même si tu tombais amoureux ?

— C'est toi le romantique de la famille, Gaz, à courir à la chasse aux paysages avec la belle Fanny Owen. A dire vrai, je n'ai jamais connu l'amour. Ce n'est pas dans ma nature.

— Il n'y a pas si longtemps, tout le monde dans la famille te croyait amoureux de cousine Emma Wedgwood. »

Un bon sourire éclaira le visage d'Erasmus. « Ah ! Emma, notre délicieuse petite Miss Souillon ! Nous ne nous sommes même jamais tenu la main. Si on parlait de nous marier, c'est seulement parce qu'il est de tradition, chez les Darwin et les Wedgwood, de se marier entre cousins.

— Moi, j'ai toujours pensé que c'était cousine Charlotte ta préférée. Elle a du charme et un talent d'aquarelliste.

— Charles, le rôle de marieur ne te va pas. »

Le départ d'Erasmus fut la seule note triste de son séjour à Plymouth.

Le lundi 5 décembre au matin, le ciel était dégagé. Les contrôles effectués, le capitaine FitzRoy ordonna :

« Qu'on se prépare à appareiller ! »

L'équipage était soulagé. Charles exultait... jusqu'à ce qu'une forte bourrasque apparaisse, verrouillant une fois de plus le *Beagle* au port. Il marmonna à l'intention de Stokes, de l'autre côté de la table des cartes :

« Je retourne à Clarence Baths. Je veux m'offrir un bon lit solide et plat.

— N'y reste pas trop longtemps, l'avertit Stokes. Si le vent tourne et vient du nord, nous quitterons Plymouth avant que tu aies pu enfiler ta chemise de nuit. »

Mais il fallut cinq longs jours d'attente avant que le vent ne tourne. A neuf heures, ils levèrent l'ancre. Ils avaient tout juste dépassé la jetée que la mer devint haute. Une fois de plus les baromètres l'indiquèrent. Ils se trouvaient pris dans un fort vent du sud-ouest. Le navire piqua du nez. Charles, en proie au mal de mer, passa la nuit la plus effroyable de sa vie. Le hurlement du vent, le rugissement de la mer, les cris rauques des officiers et les appels des matelots faisaient un concert qu'il n'était pas près d'oublier. Au matin, le capitaine FitzRoy ordonna le retour à Plymouth dans l'attente d'un vent plus favorable.

Charles retourna à Clarence Baths.

Les deux semaines qui suivirent furent horribles, d'un froid mordant, avec de la neige et de la glace. Charles faisait quotidiennement son relevé des baromètres, mangeait peu et dormait encore moins. Il perdit du poids et devint sombre. Peter Stewart, un matelot de l'âge de Charles qui était entré dans la marine à l'âge de quatorze ans et que Charles accompagnait dans son quart de nuit, lui dit :

« Y a quelqu'un au port qui garde un chat noir sous un baquet. C'est pour ça qu'on peut pas sortir du port. Vite une petite brise du nord ! Dieu, j'ai ben hâte d'être aux tropiques. »

Quand les vents diminuaient un peu, il chaussait des bottes de pluie, mettait son lourd ciré, et traversait le mont Edgcombe, marchant pendant des heures dans le froid. Il tenait tête au vent et à la pluie, puis baissant les yeux vers la mer en furie pensait : « Est-ce là que je vais passer des années de ma vie ? Comment est-ce possible ? »

Le dimanche, il alla à la chapelle en compagnie du jeune Musters. Il plut à torrents toute la soirée.

Il commença à avoir des palpitations, accompagnées d'une douleur au cœur. Pensant d'abord que c'était son imagination, il ne voulut en parler à personne. Il était quand même assez versé en médecine pour reconnaître un pouls irrégulier. Mais que pouvait-il faire ? Malgré toutes les difficultés qui s'annonçaient, il avait moins peur de mourir que de manquer le voyage. Ni le docteur McCormick ni Benjamin Bynoe ne plaisantaient avec les questions de santé. Ils le renverraient immédiatement à Londres. Si son cœur lâchait, puisque les palpitations semblaient un peu plus graves chaque jour, eh bien, ils jetteraient son corps à la mer.

Mais cette décision prise, ses douleurs s'accrurent. Il resta à bord du *Beagle* en proie à la dépression, pendant que pluie torrentielle et éclairs se déchaînaient autour de lui. Son cœur venait cogner contre sa cage thoracique comme les vagues déchaînées contre des rochers.

Mais lorsque la pluie cessa et que le temps parut vouloir rester au beau, il se mit à la recherche d'un tue-mouche et d'un crayon à mine d'argent ; fit des promenades avec Sulivan et le jeune King près de Ramshead ; un autre jour, il alla dîner au poste des aspirants, un joyeux groupe de jeunes gens de quatorze à vingt-trois ans qui l'écoutaient avec respect parce qu'il avait reçu une éducation universitaire à laquelle ils n'auraient jamais accès. Ses palpitations cessèrent.

Au cours d'une promenade venteuse dans Whitson Bay, il murmura à ses amis Bynoe et Stokes qui l'accompagnaient : « Il y a dans la mer quelque chose de divin, quelque chose qui fait penser à Dieu. » Et se reprenant aussitôt : « Dieu du ciel ! Me voilà en train de prêcher mon premier sermon ! »

C'est à la mi-décembre que Charles dîna pour la première fois dans la cabine du capitaine FitzRoy. Elle avait été meublée de façon recherchée pour ressembler à une pièce de sa maison. Les boiseries d'acajou s'harmonisaient avec le bureau français et deux chaises confortables qu'il avait apportées avec lui ; un petit coffre sculpté à la main contenait certains de ses livres favoris et il avait posé dessus certains de ses objets de prix : des médailles et des coupes gagnées dans la marine, et, pour le plus grand plaisir de Charles, un vase de Wedgwood, petit mais exquis. Au-dessus, était accroché un portrait de la mère de Fitzroy.

La table ronde sur laquelle on dînait avait été dressée par son steward Fuller, dont il payait le salaire. Sur une nappe de lin amidonnée, les verres et l'argenterie étincelaient. Le cuisinier du bateau avait trouvé le matin même au marché de Plymouth de la viande fraîche, des légumes et des fruits, non sans avoir au préalable acheté un plein panier de poissons pris directement aux barques de pêche alors qu'on les tirait encore sur le sable. Fuller fit le service en silence.

Le capitaine FitzRoy était d'humeur sociable, dînant en manteau de ville et en jabot de dentelle.

« Si ce retard me gêne ? répondit-il à Charles. Sans doute, mais moins que beaucoup d'autres. L'essentiel à mes yeux est que le *Beagle* soit parfaitement prêt. Sur la façon dont un bateau est construit, j'ai un certain contrôle, mais pas sur l'orientation des vents. Dieu seul contrôle les forces de la nature. Aujourd'hui nous allons boire un verre de vin à quatre années heureuses et constructives. J'ai également choisi une bonne bouteille de rouge pour notre rosbif. Buvez, mon cher Darwin, car dès que le vent du nord nous entraînera hors de Plymouth, cette cabine sera aussi sèche qu'un biscuit rassis.

— De toutes les gentillesses que vous avez pour moi, monsieur, aucune ne me touche plus que de prendre mes repas avec vous.

— Ah oui, le vacarme du poste des aspirants. Ce n'est pas de tout repos là-bas. Les officiers font tout ce qu'ils peuvent pour s'amuser. » Il redevint sérieux. « Je dois vous instruire des autres règles de nos repas. Ils sont servis rapidement : petit déjeuner à huit heures, déjeuner à une heure, thé à cinq, dîner à huit. Nous devons essayer d'être à l'heure. Mais si l'un de nous était retardé, le premier arrivé doit se mettre à manger immédiatement. Le premier à avoir terminé retourne au travail.

— Je comprends.

— Une chose encore. Vous avez été bien reçu en société, ici, à Devonport et à Plymouth. Mais en mer, surtout si le temps est mauvais, je ne parle de rien d'autre que des tâches à accomplir ; et personne n'est autorisé à me parler. Il nous arrivera donc de manger dans le silence complet et cela peut-être plusieurs jours de suite. Il faut que vous compreniez bien qu'il n'y a rien là de personnel, mais je n'ai pas le temps de bavarder en mer.

— Capitaine, je vous ai déjà promis de ne jamais pénétrer dans cette charmante cabine lorsque vous souhaiterez être seul. Je m'engage bien volontiers à rester silencieux aussi longtemps que vous le désirerez. »

Un sourire malicieux éclaira les yeux généralement graves de FitzRoy.

« Savez-vous, Darwin, que j'étais bien tenté de vous refuser, la première fois que vous êtes entré dans mon bureau à l'Amirauté ? Je suis un ardent disciple de Lavater, le physiognomoniste allemand. Je suis persuadé qu'on peut juger du caractère d'un homme d'après ses traits. Un bref instant, lorsque vous vous êtes assis en face de mon bureau, je me suis demandé si une personne dotée d'un aussi long nez que le vôtre aurait assez d'énergie et de détermination pour le voyage. »

Charles fut incapable de garder son sérieux.

« Voyons, mon cher capitaine, vous savez sûrement que Lavater était un poète et un mystique. Il n'a jamais cherché à étayer sa théorie par la plus petite preuve scientifique. »

Le capitaine FitzRoy ne s'en offusqua pas.

« J'ai demandé à M. John Wilson, l'ancien chirurgien du *Beagle,* de faire une étude du caractère des Fuégiens : leur volonté, honnêteté, habileté, passions, mémoire... Puis nous avons fait une étude phrénologique de leur crâne. Tout cela est consigné dans mon livre de bord. »

Charles leva les sourcils, étonné :

« Vous avez étudié les bosses de leur crâne pour déterminer leurs qualités mentales ?

— Oui. C'est tout à fait fascinant. »

Charles contempla le bout de ses doigts un instant sans rien dire. En rentrant vers ses quartiers, il se demandait : « Lui prouver qu'il a tort, est-ce un luxe que je peux me permettre ? »

5.

Lorsque le navire ne tanguait pas trop, au mouillage de Barnpool, Charles passait son temps libre à disposer et redisposer ce qu'il appelait ses bibelots, les souvenirs ramenés du Mont. Et à lire les *Fragments d'expéditions et de voyages* de Basil Hall. Sur ses tiroirs, il posa le médaillon d'argent qui contenait une mèche des cheveux de Sarah Owen, qui évoquait invariablement l'image de sa sœur Fanny. Elle remplaçait les coussins qu'elle ne s'était finalement pas décidée à faire.

Le temps continua à faire des siennes. Après quatre jours d'orage, le soleil se mit à briller à travers les nuages. Le capitaine FitzRoy commanda les préparatifs de départ. Ils partirent à onze heures du matin, par un léger vent nord-ouest. Ils contournaient Drake Island, lorsque une erreur du barreur les mena vers un roc à la pointe de l'île. Sans vent ni courant, le navire resta en panne pendant une demi-heure. Sans blâmer la vigie descendue des hauteurs, le capitaine FitzRoy prit le commandement, essaya un certain nombre de manœuvres qui échouèrent, puis choisit une autre procédure.

« Je veux que chaque homme à bord se mette à bouger. Courez, aussi vite que vous le pouvez, de bâbord à tribord, de la proue à la poupe et recommencez. Nous avons besoin d'un fort mouvement de balancier. »

Cela réussit. Le *Beagle* se dégagea des rochers. Lorsqu'on l'inspecta, il s'avéra que le cuivre de la coque n'avait pas souffert. Ils n'eurent pas plus tôt dépassé la digue que Charles se sentit mal à l'aise. A quatre heures, il se rendit dans la cabine du capitaine et s'endormit sur le divan, en face du lit de FitzRoy. A huit heures, il se réveilla, passa par l'écoutille arrière et se réfugia dans son hamac.

Dès les premières lueurs du jour, Stokes et lui se réveillèrent. Stokes secouait la tête, perplexe.

« Quelque chose ne va pas. Nous revenons en arrière. Fais-moi voir ta boussole de poche. »

Au même moment, la tête de M. Wickham apparut à la porte.

« Nous devrions être de retour dans la baie de Plymouth dans une heure. Le vent a commencé à tourner au milieu de la nuit. Nous avions parcouru onze miles quand un coup de vent s'est déclaré. Le capitaine a viré de bord et nous rentrons à une vitesse de onze nœuds. »

Le lendemain, au moment de jeter l'ancre, elle s'emmêla dans les chaînes. Il fallut huit bonnes heures à l'équipage et aux officiers pour la démêler. Charles resta à bord, sans gêner quiconque. Mais il se demandait comment un excellent bateau et un équipage aussi expérimenté pouvaient connaître de tels ennuis, deux fois en deux jours.

Le capitaine FitzRoy ordonna double ration de rhum pour réconforter les hommes fatigués.

« Une consolation, fit-il à l'heure du thé. Plusieurs vaisseaux partis en même temps que nous ont également dû rentrer au port. » Et il ajouta d'un ton plus joyeux : « Dans deux jours, nous célébrerons Noël ici à Plymouth, et si le temps est bon le lendemain, nous partirons pour Tenerife. »

Charles se leva tôt le matin de Noël et marcha jusqu'à la belle chapelle au pied de Fore street, avec ses deux ailes et son clocher, ses vitraux et ses balcons de bois sculpté. Il eut la surprise de voir que le pasteur était William Hoare, qu'il connaissait de Cambridge. Hoare était un érudit, versé en hébreu. Il fit un sermon savant sur l'histoire de l'Eglise que Charles trouva intéressant, mais pas particulièrement approprié. Lorsque la congrégation fut partie réveillonner, Charles et Hoare échangèrent quelques mots amicaux sur le parvis.

« Heureux de vous revoir, Charles. J'ai appris que vous vous embarquiez comme naturaliste. Vous ne prêcherez donc pas pendant plusieurs années.

— Mais au retour, il faudra quand même que je trouve une paroisse. Et vous, William, êtes-vous attaché à une congrégation ?

— Oh ! non, non. Je veux retourner à Saint John pour passer ma maîtrise. J'aimerais faire partie du collège, enseigner, écrire des livres... »

Lorsqu'il revint, le bateau était presque désert. Le capitaine FitzRoy s'était enfermé dans sa cabine. Il alla au mess pour partager le dîner de Noël avec les officiers. Leurs visages congestionnés et leurs yeux gonflés indiquaient qu'ils buvaient depuis un moment. Wickham et Sulivan se poussèrent pour lui faire de la place.

« Où est passé l'équipage ? demanda Charles.

— A terre, pour la plupart, répondit Sulivan, à se soûler comme des bourriques. C'est Noël.

— Vous ne vous débrouillez pas mal non plus par ici, fit remarquer Charles.

— Ah ! fit Wickham, mais il y a une différence. Nous buvons comme des gentlemen, dans nos quartiers, sans déranger personne. La moitié de l'équipage sera en prison à Plymouth demain matin.

— Ne restez pas ainsi à nous juger, Révérend Darwin, dit en riant Bynoe. Joignez-vous à nous. Voilà un verre. Levez le coude. Il n'y a pas de meilleur exercice à Noël. »

Il le fit.

Mais ce fut moins drôle à la tombée de la nuit. Les matelots titubaient sur la passerelle, souillant de vomi les ponts impeccables du lieutenant Wickham. Et la situation, comme put l'observer Charles après avoir cuvé son vin en dormant dans son hamac, ne fit qu'empirer. Les hommes arrivaient à leur poste en retard, en se querellant. Le capitaine FitzRoy apparut, en grand uniforme, et les officiers qui s'étaient ressaisis essayèrent de rétablir l'ordre. Mais certains matelots trop soûls échappaient à toute tentative de les raisonner ou de les aider. La dernière sentinelle sur la passerelle s'écroula en disant qu'il n'était plus capable de rester à son poste. Dans la nuit, les membres de l'équipage se traînèrent à bord, aveugles et tâtonnants. Ils vociféraient, ne reconnaissant plus personne. Le capitaine FitzRoy ordonna qu'on mette les plus incorrigibles aux fers dans la cale. C'était pour Charles extrêmement choquant ; il n'avait jamais vu ivresse aussi chaotique et échevelée.

L'aube du lendemain de Noël apparut, claire et ensoleillée, avec ce vent nord-ouest idéal qu'ils attendaient depuis des semaines. Mais maintenant, l'ivresse ou l'absence prolongée d'une bonne partie de l'équipage les empêchaient de partir. Les officiers étaient sobres et sombres ; le capitaine FitzRoy était furieux. Il garda toute la journée un visage lugubre et des lèvres serrées.

Dans la soirée, tous les membres de l'équipage étaient rentrés. On en mit encore quelques-uns aux fers. C'était une peine sévère que de porter de lourdes chaînes pendant huit ou neuf heures. Ils hurlaient des jurons, maudissant tous et tout à bord.

Le *Beagle* leva l'ancre le 27 décembre à onze heures, sous les ordres du lieutenant Wickham. Le navire quitta le port sans difficulté. Une brise légère gonflait toutes les voiles. Ils s'éloignèrent à une vitesse de sept à huit nœuds. La mer était calme. Charles alla se coucher tôt, se sentant bien. Mais le jour suivant, le bateau dansait...

Au milieu de l'après-midi, il entendit l'ordre :

« Tout le monde sur le pont arrière pour assister aux punitions. » Sur un rang, en grand uniforme, les officiers se tenaient sur le pont de quart. Le lieutenant Wickham fit signe à Charles de se joindre à eux. Plus bas, l'équipage au complet était rassemblé, attentif. Le capitaine FitzRoy cria :

« Qu'on amène les premiers prisonniers. »

Cinq hommes furent amenés. Le premier fut William Bruce, vingt-trois ans, un marin de deuxième classe, originaire de Devonport. Il était petit et livide et fut dégradé d'un rang. Thomas Henderson, un second maître d'équipage, fut également rétrogradé. Tout comme Stephen Chamberlaine et John Wasterham, tous deux deuxième classe ; et enfin James Lester, tonnelier du *Beagle*. Les cinq hommes punis furent placés à l'écart. Le capitaine FitzRoy cria :

« Qu'on amène le reste des prisonniers. »

On amena John Bruce, un seconde classe de Devonport et on lui ordonna de se mettre torse nu. Puis on plaça un tablier de cuir pour lui protéger les reins. On l'attacha ensuite par les poignets et les genoux avec des cordes à la balustrade. Le chat à neuf queues, dans la main droite du contremaître, avait un pouce d'épaisseur et deux pieds de long. Le capitaine FitzRoy ordonna :

« Vingt-cinq coups de fouet pour ivresse, désordre et insolence. »

Bruce se courba, hurlant avec chaque coup qui ensanglantait son dos.

« David Russel, menuisier, trente-quatre coups pour abandon de son poste et désobéissance aux ordres. » Russel perdit conscience avant la fin de sa punition.

« James Philip, quartier maître, quarante-quatre coups pour abandon de poste, ivresse et insolence. »

Les sentences furent exécutées.

« Elias Davis, cuisinier, trente et un coups pour négligences répétées... »

Charles, qui n'avait jamais assisté à des scènes d'une telle violence, en avait la nausée. Il redoutait d'avoir à faire face à FitzRoy après ces flagellations mais pensa qu'il lui fallait apparaître à l'heure du thé sous peine de l'offenser. Toutefois, lorsqu'il se fut assis en face de lui, il fut incapable de le regarder. « Vous désapprouvez, Charles ? demanda FitzRoy d'un ton calme.

— Je ne m'attendais pas à... une telle brutalité..., parvint-il à articuler.

— Tous les officiers de marine connaissent la nécessité absolue de ce que des gens sans expérience considèrent peut-être comme une coercition abusive, surtout lorsqu'un bateau vient tout juste d'être chargé de mission. Tout en détestant les punitions corporelles, mon cher Darwin, je suis néanmoins conscient que beaucoup de natures indisciplinées ne peuvent être matées autrement. J'ai la conviction absolue que ne pas y avoir recours nuirait grandement à la discipline et par conséquent à l'efficacité. Le bon déroulement des gestes à bord repose sur des décisions rapides, qui requièrent une obéissance immédiate et tacite. »

Le dos du capitaine FitzRoy était raide comme un piquet ; il regardait Charles bien dans les yeux en lui parlant. Dans le silence qui suivit, Charles sut qu'il lui faudrait accepter le défi. Il passerait quatre ans en mer sous les ordres d'un tel homme... soumis au règlement de la marine royale.

« C'est la punition du cuisinier qui m'inquiète un peu, monsieur, fit-il remarquer doucement. Ne pourrait-il pas vouloir se venger des officiers ? » Un léger sourire jouait sur ses lèvres.

« Comment cela ?

— En mettant trop de sel dans la soupe. »

FitzRoy lui rendit un bien faible sourire. Mais ses épaules se détendirent et Charles sentit sa gorge se dénouer.

« Et maintenant, la mer est tranquille, un bon vent souffle dans nos voiles. En route vers Tenerife et l'Amérique du Sud, dit FitzRoy sans hâte. Votre travail de naturaliste va bientôt commencer.

— Avec quelle impatience j'attends ce moment ! Ce sera pour moi le début d'une nouvelle vie ! »

LIVRE QUATRE

1.

Ils étaient à peu près à quatre cents miles de Plymouth, dans la baie de Biscaye, sur une mer passablement houleuse. Le vent, de plus en plus fort, les poussait vers l'Atlantique aussi vite que pouvait avancer un vaisseau d'aussi petite taille avec de l'eau jusqu'aux dalots. Le maître d'équipage maintint la barre au sud aussi longtemps qu'il put profiter des vents d'est sans danger. Ils avançaient à sept nœuds mais quand Charles se réveilla le matin par un vent de huit nœuds, il eut le mal de mer. Il ne put avaler que quelques raisins secs et biscuits, un régime que son père lui avait recommandé. Comme les W.-C. étaient exactement en face de la cabine de poupe, il y arriva tout juste à temps en tenant fermement une serviette devant sa bouche. Il réussit à s'allonger dans son hamac et à lire pendant quelques minutes avant d'avoir à nouveau à courir frénétiquement vers les W.-C.

La tête de M. Bynoe apparut à la porte de sa cabine.

« A ce régime, tu vas perdre des forces. Je vais demander à Ash, le steward des officiers, de mettre du sagou dans du vin, avec des épices, très chaud. C'est très bon, tu verras.

— J'en doute. »

Bynoe revint avec une pleine assiette à soupe du breuvage, plaça un oreiller sous la tête de Charles et le nourrit à la petite cuillère.

« Quel goût a le sagou ?

— Un sale goût ! Mais le vin est délicieux. »

Le capitaine FitzRoy avait affecté Syms Covington, un garçon de dix-huit ans, le violoneux du bateau, mousse de deuxième classe, au service de la cabine de poupe. Autrefois cordonnier à Devonport,

Syms, avec des yeux très bleus et des cheveux noirs, avait un visage ovale qui n'était pas déplaisant, mais un long nez qui avait quelque chose d'un peu prétentieux, à moins que ce ne vint de sa légère surdité. Ni Charles ni Stokes ne l'aimaient beaucoup mais il maintenait la cabine en bon ordre. Le lendemain, il eut besoin de l'aide de Covington pour s'habiller. Mais à l'heure du thé, il fut capable de se rendre dans la cabine du capitaine, puis d'aller sur le pont pour admirer un banc de tortues qui évoluaient gracieusement devant la proue du *Beagle.* Le navire arborait un oriflamme, au haut du mât principal, qui portait la croix de Saint-Georges et une traîne de rouge, blanc et bleu longue de près de trente pieds. Il murmura à Sulivan : « Première vie que j'observe en mer.

— Première vie que j'observe en vous. Bienvenue à bord », répondit en riant Sulivan.

C'était à l'heure où l'équipage faisait relâche sur le pont, fumant, jouant aux cartes : quelques matelots dansaient au son du violon de Covington, d'autres entonnaient des rengaines de marin ou se racontaient des histoires grivoises et se vantaient de leurs aventures dans des ports exotiques. L'équipage recevait sa ration de rhum quotidienne, deux quarts par jour, moitié rhum moitié eau. La plupart économisaient leur ration de midi pour la boire avec leur ration du soir, après le travail. C'était la première fois que Charles voyait l'équipage de bonne humeur.

La mer, il le découvrit, était une maîtresse capricieuse. Un jour elle vous prenait dans ses bras aimants ; le lendemain, elle vous crachait des éclaboussures au visage et Charles ne pouvait plus se lever, même pas pour voir Madère alors qu'ils n'en étaient plus qu'à douze miles.

Puis le temps revint au beau fixe, l'air devint doux et chaud. C'était comme une journée de printemps en Angleterre. Charles se déplaçait sur le bateau sans encombres. Il avait perdu du poids mais retrouvé sa force. A une heure, il alla déjeuner dans la cabine du capitaine, et encouragé par FitzRoy, avala de bon cœur une soupe, du bœuf en conserve avec des cornichons, des légumes frais, des pommes séchées et un pudding sucré.

« A la bonne heure, nous n'aurons pas à jeter votre cadavre à la mer, fit remarquer FitzRoy.

— Vous n'aurez pas non plus à m'enterrer. Les Darwin ont toujours été coriaces comme des buses. »

Après dix jours en mer, ils approchèrent de Santa Cruz inondée de soleil sur l'île de Tenerife, avec son pic élevé que FitzRoy appelait « le monarque de l'Atlantique ». Dans le calme de la baie bien abritée, Charles examinait la ville et la montagne à la jumelle. Près de lui, se trouvait le docteur McCormick, qui vouait une haine farouche à toutes les villes tropicales.

« C'est une ville laide et sans intérêt.

— Je suis surpris du contraire, docteur McCormick. Ces maisons aux couleurs vives, blanches, jaunes ou rouges ; ces églises d'allure orientale, ces batteries basses coiffées d'un drapeau espagnol flamboyant, tout cela est très pittoresque. »

Puis on entendit : « Rentrez les amarres ! » Au même moment, une petite barque apparut avec quatre hommes aux rames. A l'avant se trouvait un homme, la vareuse couverte de galons brillants, mais qui portait un chapeau de paille bon marché et un pantalon fatigué. Derrière lui se tenait un officier espagnol.

« C'est le consul de Grande-Bretagne, dit Wickham. D'ordinaire, nous nous mettons en rapport avec lui lorsque nous sommes à quai.

— Déclinez le nom du navire, le nom du capitaine et le nom du port de débarquement, cria le consul.

— Sloop de reconnaissance *Beagle,* de Sa Majesté Britannique, sous les ordres du capitaine FitzRoy, requiert l'autorisation pour son équipage de débarquer. »

L'officier derrière le consul secoua vigoureusement la tête : « Non ! » Le consul cria, les mains en porte-voix :

« Permission de débarquer, à tous les membres d'équipage comme à tout officier, refusée. »

Le lieutenant Sulivan, dont la voix portait plus loin que celle de Wickham, cria vers le petit bateau qui dansait plus bas :

« Pourquoi ? Que se passe-t-il ?

— Il y a le choléra en Angleterre. De Newcastle on Tyne jusqu'à Londres. Ils ont peur que l'île soit contaminée !

— Nous n'avons pas de choléra à bord », cria le docteur McCormick.

L'officier de santé leur dit, peu rassuré :

« Vous devrez observer une quarantaine très stricte de douze jours. »

Le capitaine FitzRoy, qui parlait couramment l'espagnol, répondit :

« Invitez-les à monter à bord, à inspecter le carnet de notre médecin et à examiner notre équipage. Ils ne trouveront pas trace de choléra. »

L'officier refusa avec véhémence. Il ne mettrait pas les pieds sur un vaisseau anglais.

Un morne abattement s'empara de l'équipage. Ce n'était pas tant l'arbre-dragon de Humboldt, comme Charles, qu'ils brûlaient de voir, mais les filles de Tenerife.

Les rameurs de l'île retournèrent à terre. FitzRoy tint conseil sur le pont. Charles ne pouvait maîtriser sa déception. Sa première île et il ne pouvait débarquer !

« Il y a des centaines d'autres îles et de pics rocheux que vous pourrez escalader dans les quatre années qui viennent. Hissez le foc ! Faisons voile vers les îles du Cap-Vert, prochaine escale à St Jago. »

A dix heures du soir, ce jour-là, il n'y avait toujours pas le moindre vent. Charles monta sur le pont en bras de chemise pour parler avec l'homme de quart.

La chaleur de la nuit était encore ce qui les consolait le mieux de leur déception, et le bruit des vaguelettes clapotant contre la coque ou des voiles détendues qui butaient mollement contre les mâts. Tout le monde à bord, l'équipage comme les officiers, souriait en s'activant. Certains pêchaient. Personne ne résistait à la douceur du temps.

« Moi aussi, se dit Charles, je vais me mettre au travail. »

Il alla dans la cabine de poupe, récupéra de sous la table des cartes le morceau d'étamine de laine qu'il avait acheté à Plymouth ainsi que l'anneau de bois en demi-cercle qu'il avait fait courber à la vapeur à Devonport. Puis il se mit à la recherche de Harper, le voilier, et lui demanda s'il pourrait couper et fixer le fin tissu autour de l'arceau.

« L' plaisir s'ra pour moi, M'sieur Darwin. M' donn'ra qué' qu'chose à faire pendant l'accalmie. »

Il alla trouver ensuite M. May, le menuisier, et lui demanda de tailler un couvercle en demi-cercle pour son épuisette. Il obtint ainsi un sac de quatre pieds de profondeur, largement ouvert. Il alla trouver Borsworthick, le cordier.

« Pourriez-vous me confectionner trois lignes de vingt-cinq pieds, une pour être attachée à l'arrière, les deux autres à l'armature de bois de ce sac ?

— Rien de plus facile. »

Le menuisier, le voilier et le cordier restèrent près de lui à l'arrière quand Charles opéra son premier jeté. Les deux cordes maintinrent le sac droit, son ouverture à quelques pieds sous la surface, tout en le halant, à une vitesse de huit nœuds, dans l'océan Atlantique. Il fit trois essais, déposant ses prises sur un vieux morceau de toile pour protéger la propreté du pont de quart de Wickham. Il trouva quelques menus brins de végétation qu'il ôta soigneusement puis emporta ce qu'il avait ramassé de vie marine dans la cabine de poupe. Sans cartes encore, il avait la table à son entière disposition. Wickham et Sulivan vinrent voir le spectacle, ainsi que Bynoe et les deux jeunes, Musters et King.

Charles divisa son butin. Les animaux marins en plus grand nombre étaient des méduses, d'un groupe d'invertébrés connus sous le nom de *Radiata*. Il avait également attrapé quelques petites créatures bleu sombre, des crustacés minuscules, de la famille des crevettes et des crabes. Il tria le plancton de mer ordinaire ; puis une autre variété de méduses. Un éclat de rire accueillit sa première rencontre avec le poisson-gicleur, qui ressemblait à un petit sac avec deux trous, qui l'éclaboussa en plein dans les yeux.

Il n'avait guère besoin de son scalpel pour tout cela. Il plaça chaque catégorie, y compris les *Atlanta,* petits mollusques transparents et les *Vellela,* autre espèce voisine, dans de petits bocaux de verre, remplis d'alcool, comme le lui avaient conseillé Henslow et Yarell. Il marqua chacun d'eux avec une étiquette d'étain, spécifia qu'il les avait trouvés à 22° nord, puis nota le nombre, le contenu et la date de chaque bocal dans son « Catalogue des animaux dans l'esprit de vin ».

Il leva les yeux vers le cercle de visages fascinés autour de la table des cartes. Essuyant ses mains sur le tablier qu'il s'était noué autour des reins, il s'exclama :

« J'emporte le sac pour un autre ramassage. »

Le bateau commençait à bouger mais son mal au cœur disparut tant il était absorbé dans la tâche de récolter de nouveaux sacs d'animaux de mer, de les décrire avec précision, de les conserver et de les mentionner dans son catalogue. Il avait ramassé des copepodes, avec une coquille extérieure et des antennes plumeuses ; des brianchiopodes, qui ressemblaient à une petite crevette jaune qui nageait à l'envers avec de nombreuses pattes. Il utilisa quand même son plus fin scalpel pour disséquer les dernières méduses récoltées. Il découvrit qu'elles étaient trop petites pour être découpées. Il sortit son cahier de biologie marine et écrivit :

« *Leur corps est en forme d'ombrelle et bordé de tentacules. Autour de la bouche, quatre organes de préhension. Il comporte également quatre poches contenant les gonades ou organes de reproduction.* »

« De quoi pensez-vous que ces bestioles vivent ? demanda Stokes.

— D'invertébrés plus petits, je suppose. Mais je sais qui les mange : les poissons plus gros. Ce sont elles qui permettent aux poissons de grosse taille de vivre aussi loin des côtes. Ces créatures si bas dans l'échelle naturelle ont pourtant des formes et des couleurs exquises. »

Pendant les dix jours qu'ils firent voiles plein sud vers St Jago, il ne cessa de travailler sur ce qu'il ramenait dans son filet. Il était maintenant si occupé qu'il trouvait la vie en mer tout à fait agréable.

Ses rapports avec le capitaine FitzRoy prirent un tour amical. Ils partageaient un copieux petit déjeuner à huit heures. Le déjeuner, à une heure, comportait du riz, des pois chiches, du fromage, un pain bien cuit, des fruits. Ils ne buvaient que de l'eau. Le thé était servi à cinq heures, après quoi l'équipage prenait son heure de relâche sur le pont, jouant de la flûte et du sifflet. Ils prenaient un dîner léger dans la soirée. De la viande de leurs réserves, et des antiscorbutiques comme les cornichons et les oranges. Tous les hommes prenaient le même repas dans des portions identiques. Les aspirants mangeaient une heure plus tôt, et le mess, une heure plus tard. En mer, le premier arrivé se mettait à manger. Et le premier à avoir fini retournait au travail.

Le capitaine FitzRoy semblait apprécier la compagnie de Charles et Charles aimait lire sur le divan de sa cabine. Mais il avait bien soin de ne s'y installer ni trop longtemps ni trop souvent. FitzRoy appréciait son tact. Le lieutenant Wickham, qui admirait l'éducation classique que Charles avait reçue, l'avait déjà surnommé « Philosophe ». Lorsque l'équipage le vit, d'un mouvement de filet précis, attraper un gros criquet gris qui se reposait d'un vol de près de quatre cents miles depuis l'Afrique, on s'empressa de le surnommer « tue-mouches ». Mais un nom qui lui resta et qui lui valut le respect de l'équipage fut « celui qui mange avec le capitaine ».

« Pense un peu à ce que cela représente, fit Sulivan qui aimait plaisanter. Pour l'équipage le capitaine est un dieu. Partager son pain avec Dieu ! Cela fait de toi un apôtre... »

2.

C'est à trois heures de l'après-midi, un jour de la mi-janvier, que le *Beagle* jeta l'ancre dans la baie de Porto Praya, près de la côte occidentale de St Jago. C'était un spectacle de désolation. Le feu des volcans par le passé et les brûlures d'un soleil tropical avaient en maints endroits rendu le sol stérile. Entre les strates massives de lave noire, Charles remarqua une bande horizontale blanche, face aux falaises, sans en trouver l'explication.

Lorsqu'il se rendit à terre, avec FitzRoy et Wickham, pour rendre visite au gouverneur portugais et au consul américain qui servait également de consul aux Anglais, il exultait. C'était bien vrai, il posait les pieds sur le sol des tropiques ! Il parcourut la ville, se gavant d'impressions comme un homme assoiffé boit à une rivière.

Porto Praya semblait bien misérable, avec une place centrale et une rue principale. Au milieu des rues, des enfants bruns et noirs, souvent sans chemise, jouaient parmi les chèvres et les cochons. Ils étaient surveillés par des soldats noirs armés de badines.

Rowlett, l'économe, était descendu à terre pour acheter tous les vivres frais qu'il pourrait trouver. Charles se régala d'oranges qui coûtèrent à Rowlett un shilling les cent.

« Excellent pour les hommes en mer. Pourquoi ne m'accompagnez-vous pas ? Je dois rencontrer l'homme le plus influent de l'endroit, un Américain marié à une Espagnole. »

L'Américain leur offrit du café sous une vaste véranda. Rowlett, qui tenait des registres de tout, sortit des papiers de la poche de son manteau.

« Chaque jour que nous passerons au port, nous aurons besoin de soixante-quatorze livres de bœuf frais, de trente-sept livres de légumes et de cent cinquante oranges.

— Livrées à votre bateau ?

— A quai, tous les midi. »

Charles retrouva Stokes qui se promenait sur la place. « Tu veux venir avec moi, Johnny ? Du pont, j'ai cru apercevoir une vallée. »

Devant eux, le pays s'élevait en une succession de plateaux interrompus ici et là par des tronçons de collines coniques. L'horizon était barré par une chaîne irrégulière de hauts sommets. Lorsqu'ils atteignirent la vallée, Charles découvrit pour la première fois la végétation tropicale.

« Regarde, des tamariniers, des bananiers et des palmiers à nos pieds. Quelle richesse de couleurs ! Et là, des cocotiers. Quelle joie de trouver si près de la mer ces tropiques que décrivait Humboldt. »

Ils revinrent vers le rivage, Charles foulant un sol volcanique pour la première fois, écoutant le chant d'oiseaux inconnus et voyant des insectes nouveaux butiner des fleurs encore plus mystérieuses.

Avant de rentrer au bateau, il voulut étudier la bande blanche horizontale à une hauteur de quarante-cinq pieds, qui se poursuivait pendant des miles le long de la côte. Elle consistait en une matière calcaire, dans laquelle de nombreux coquillages étaient incrustés, et reposait sur une ancienne pierre volcanique. Elle était recouverte d'une traînée de basalte qui avait dû entrer dans la mer au moment où le lit blanc plein de coquillages s'était soulevé sous la poussée d'une action volcanique venue du fond de l'océan. Il prit son marteau de géologue dans sa sacoche. A plusieurs pouces de profondeur, il découvrit que la matière blanche se changeait en calcaire pur. Il sortit son cahier, son crayon à mine d'argent, et nota ce qu'il avait vu. En marchant vers le quai, où l'une des embarcations du *Beagle,* remplie d'instruments de mesure, était amarrée, il fit remarquer à Stokes :

« Quelle belle journée ! Je me sens comme un aveugle qui retrouverait la vue. Si seulement tout cela pouvait durer !

— Avec toi, cela durera sûrement, Charley ! Tu es tellement doué pour t'émerveiller de tout. »

Après le petit déjeuner, le lendemain matin, il accompagna le capitaine FitzRoy et le lieutenant Sulivan à Quail Island, un lieu désolé de moins d'un mile de diamètre. Ils y établirent un observatoire et y plantèrent des tentes qui serviraient de quartier général pour les instruments d'exploration. Charles brisa quelques morceaux de roche volcanique, étudiant cette matière noire et poreuse qu'avaient vomie les entrailles de la terre. Il revint à la cabane d'observation et montra à Sulivan la structure curieusement hexagonale de cette lave depuis si longtemps endormie.

« Le premier contact avec une roche volcanique, s'exclama-t-il, un moment mémorable pour le géologue, guère moins important que pour le naturaliste la vue de coraux vivants. »

Il ramassa de nombreux animaux marins sur la plage, dont beaucoup lui étaient inconnus.

Le *Beagle* resta à St Jago pendant trois semaines. Les journées étaient chaudes. Charles rentrait au bateau au coucher du soleil, assoiffé et couvert de poussière, mais il ne se sentait pas fatigué. Il revenait avec ce qu'il appelait « une riche moisson » de spécimens et passait le reste de la soirée à examiner roches, plantes et animaux marins. Il invitait, aussi souvent qu'ils étaient libres, ses deux plus jeunes amis, Musters et King, à se joindre à lui. Bynoe et McCormick auraient tous deux aimé se rendre tous les jours à terre, mais l'un des deux médecins devait rester à bord. Il n'y avait que le lieutenant

Wickham qui ne quittait jamais le navire. Il ne se sentait pas à l'aise sur la terre ferme.

« Vous autres, terriens, adorez ça. Moi, je suis né dans une trombe aqueuse et je mourrai dans une tombe aqueuse. Que cela me serve d'épitaphe. »

Un jour, en remontant le lit d'un ancien cours d'eau qui servait de route aux paysans, Charles et le docteur McCormick arrivèrent à un baobab que la rumeur disait vieux de six mille ans. Charles ne regrettait plus d'avoir manqué Tenerife. Ils mesurèrent sa hauteur et sa circonférence. Charles était le seul homme à bord avec lequel le docteur McCormick condescendît à être aimable, mais il ne put s'empêcher de dire :

« Vous savez sans doute, Darwin, que votre rôle à bord est d'amuser le capitaine.

— Je suis sûr qu'il en aurait bien besoin, répondit Charles sans se vexer. Mais c'est en tant que naturaliste que le capitaine Beaufort m'a engagé. »

La vie, tant qu'on était à l'ancre dans la baie, était plaisante. A dîner, il y avait du poisson frais que le cuisinier appelait « barrow cooter » et des patates douces achetées aux indigènes. Un jour, en traversant Red Hill, une colline faite de roches volcaniques récentes, Rowlett, Bynoe et lui rencontrèrent deux Noirs auxquels ils achetèrent tout le lait de chèvre qu'ils pouvaient boire pour un penny. Un cercle d'enfants noirs aux yeux brillants se forma autour d'eux, piaillant, tirant des vastes poches de Charles son crayon à mine d'argent, son revolver, sa boussole et son baromètre de montagne, chaque trouvaille déchaînant des cris d'étonnement et des rires. Lorsque Charles attrapa un ichneumon, les enfants, en criant et en se pinçant, lui firent comprendre que l'insecte pouvait le piquer.

Il se promenait avec Musters le long de la côte.

« Quelle beauté dans ces paysages sauvages et désertiques.

— Pour moi je trouve cette île sinistre, M. Darwin. J'aimerais être chez moi dans notre serre avec l'odeur de la mousse et les fleurs pendues dans des paniers. »

Charles le prit affectueusement par l'épaule.

« Musters, tu marches en ce moment précis sur l'une des histoires les plus explosives que ce monde ait jamais connues. Sais-tu ce qui se passe dans les entrailles de la terre ? C'est une masse en constante fusion ! En explorant des paysages inconnus, peut-être apprendrons-nous pourquoi. »

Chaque jour, il faisait une nouvelle découverte.

A bord, il passait un certain temps à préserver et à sceller dans leurs bocaux ses organismes marins. Il dit à Bynoe :

« As-tu remarqué comme tout ce qui vit se pare de couleurs plus vives quand on approche des climats plus chauds ? »

Augustus Earle parcourait l'île, la scrutant d'un œil perçant et faisant des esquisses d'un poignet sûr.

John Stokes avait commencé à tracer ses cartes de St Jago et de Quail Island. Il tolérait son compagnon de cabine qui chaque jour vidait sur sa moitié de table une pleine sacoche de roches, d'oiseaux, de poissons, d'insectes et de coquillages.

« Ça ne t'ennuie pas de mettre rapidement ces créatures de la mer dans tes bocaux à triple couvercle ? Autrement cette cabine ne sera plus qu'une puanteur !

— Sans perdre une seconde. Mais à vrai dire, c'est la géologie qui me passionne. Regarde cette lave. On dirait du verre filé. C'est la certitude qu'elle est de formation relativement récente qui est si satisfaisante.

— Relativement récente ?

— Peut-être dix millions d'années... »

Un dimanche par mois, ils célébraient l'office à bord. Tout le navire avait été briqué le samedi soir. La plupart des marins étaient pratiquants, parce que la mer, sur laquelle ils vivaient, n'était pas leur élément naturel. Dieu pouvait précipiter le navire dans les profondeurs à la minute où Il le voulait. Il était logique de vouloir être dans Ses bonnes grâces. Même lorsqu'ils ne savaient pas lire grand-chose d'autre, la plupart des marins avait appris à lire des passages de la Bible et à en mémoriser d'autres. C'était une heure solennelle. L'équipage mettait des habits propres et les officiers leur grand uniforme. Ils se rassemblaient, selon leur rang, des deux côtés d'une table sur laquelle était posée la Bible que FitzRoy et Sulivan lisaient à tour de rôle. Wickham s'asseyait loin derrière, mettant la plus grande distance possible entre lui et les plus fervents. Charles soupçonnait le premier lieutenant de croire que tant qu'il maintiendrait le *Beagle* en parfait état, Dieu commanderait aux vents de traiter le navire comme un tendre agneau. Augustus Earle installa son chevalet et sa toile derrière le mess et exécuta une peinture à l'huile de l'assemblée, avec un portrait ressemblant de chaque homme, et le détail des uniformes, comme il l'avait déjà fait sur un autre navire.

Dans la matinée de son dernier jour à St Jago, Charles revint sous la falaise de lave où il avait découvert l'origine de la traînée blanche. C'est alors que lui vint l'idée d'écrire un livre de géologie, qui apporterait peut-être de nouvelles confirmations aux théories de Lyell. C'était une perspective nouvelle et passionnante mais son sens de l'humour reprit bien vite le dessus.

« Ecrire un livre, moi, à six semaines à peine de Plymouth ? Cela ferait un livre de géologie... assurément plein d'imagination ! »

Bien que le temps fût magnifique, le seul fait de se retrouver en mer le mit mal à l'aise. Il s'absorba dans la rédaction de son catalogue, comme antidote. Sur le pont, l'équipage maniait les voiles avec tant d'adresse que le *Beagle* rattrapa le paquebot *Lyre,* à destination de Rio de Janeiro. Lorsque Charles et Stokes entendirent les hourras de triomphe, ils coururent sur le pont pour voir le *Beagle* combler l'écart. M. Chaffers, le maître d'équipage, rayonnait de fierté.

« Faire des signaux à un autre vaisseau sur l'étendue bleue redonne à tous les marins la certitude que le globe est habité », fit remarquer Stokes.

Le rituel qui suivait invariablement la journée au port ne fut guère agréable. Charles fut à nouveau convoqué sur le pont de quart pour assister aux punitions. John Bruce, que Charles avait déjà vu fouetter au départ de Plymouth, reçut à nouveau treize coups pour des excès dus à l'ivresse, à St Jago.

« Il désertera à Rio, murmura Sulivan à l'oreille de Charles. Au fur et à mesure que l'expédition avance, nous sommes débarrassés des ivrognes. Ils désertent ou on les renvoie. »

Le capitaine FitzRoy maintenait une discipline sévère. C'était un perfectionniste. Son inspection au petit matin s'attachait aux plus petits détails sur le pont ou les mâts. Vérifier le gréement était un rituel, même s'il ne critiquait jamais les officiers en présence des hommes. Il avait choisi lui-même Wickham, Sulivan, Chaffers. Les aspirants subissaient sa colère si le plus petit recoin du pont n'avait pas été poncé à en briller, si le métal conservait la plus petite trace de rouille.

Pourtant, quand Charles le rejoignait dans sa cabine pour le petit déjeuner, FitzRoy avait retrouvé sa bonne humeur habituelle. Et Charles comprit pourquoi : il ne quittait le pont que lorsque le calfatage, briquage, la peinture, les réparations de la voile, des cordes ou du mât étaient terminés.

Il apprit également à quel point un bateau ressemblait à un être vivant. C'était un ensemble complexe, contradictoire, tout en nuances subtiles ; en bref un microcosme, un monde flottant. Il s'entendait avec les officiers, comme il l'avait fait avec ses camarades de collège à Cambridge. Et parmi les marins, il connaissait surtout les artisans qui l'aidaient dans son travail.

Il lui fallut beaucoup plus longtemps pour faire connaissance avec l'équipage. Les matelots, pour la plupart blonds aux yeux bleus, parlaient une bonne demi-douzaine de langues. Bien qu'ils portent tous le même uniforme en tissu grossier et soient tous tannés, il y avait généralement un détail personnel qui permettait de les reconnaître. John Macurdy, d'Aberdeen, avait un lourd accent écossais. John Davis, d'Irlande, gardait une pointe d'irlandais dans la voix. George Phillips, comme le garçon de cabine de Charles, Covington, était cordonnier. Il avait des mains noueuses pleines de cicatrices. Josuah Smith, de Phymouth, avait le visage marqué par la variole. Ben Chadwick, de Londres, avait l'accent cockney. James Tanner, de Bristol, avait les jambes aussi arquées qu'un cow-boy américain.

Charles aimait écouter leur argot et commençait à le comprendre : une belle frégate était une jolie fille, un phoque, un baril de goudron puant, une sérieuse bourrasque, un « oublie-tes-projets-marin » et mille autres termes concernant plus spécifiquement le mouvement des cordes et des voiles avec lequel il n'était toujours pas familiarisé. Il avait bien assez à faire en tant que naturaliste.

Il dînait souvent au mess avec les officiers. Là, on s'habillait avec moins de décorum, on était plus à l'aise, dans la tenue à table comme dans la conversation. Les officiers avaient droit au vin, d'assez bons vins d'ailleurs, mais pas le droit d'être soûls. Ce privilège était l'apanage de l'équipage au port. Charles appréciait le vin et la bonne humeur qui l'accompagnait parfois. Mais il sentait entre eux un manque d'intimité qui tenait peut-être à la nécessité pour chacun de tenir son rang.

Il interrogea un jour le lieutenant Wickham à ce sujet. « C'est à cause de ce travail, Philosophe, que nous devons effectuer ensemble, semaine après semaine, mois après mois, dans un si petit espace. Et parce que les ordres vont de haut en bas et que si l'amitié s'en mêle, ils ne seront pas exécutés correctement. »

Il écrivit chez lui le 10 février :

A deux jours de voile S.O. de St Jago lat. 11 N.

Mon cher Père,

Notre voyage a été des plus agréables et des plus rapides. Au début — en fait jusqu'aux îles Canaries, j'ai horriblement souffert du mal de mer, et encore maintenant j'ai des nausées lorsque cela bouge un peu trop.

Il ne reste qu'un énorme point noir ; tout le temps qui doit s'écouler avant mon retour en Angleterre. Je redoute d'y penser à l'avance. Jusqu'à présent tout répond magnifiquement à mes espérances. Je m'entends bien avec tout le monde sur le bateau et suis même très lié avec certains. Le capitaine est aussi aimable qu'il peut l'être. Wickham est un type formidable. Et ce qui pourra vous sembler tout à fait paradoxal, c'est que je trouve un bateau (quand je ne suis pas malade) presque aussi confortable qu'une maison...

Votre fils, très affectueusement

Charles Darwin »

Restaient pourtant encore deux difficultés : se raser et s'habiller dans un espace aussi restreint. Avec le mouvement du bateau, Charles n'était plus maître du rasoir et il émergeait avec des coupures aux lèvres et au menton. Le soleil tropical avait éclairci ses cheveux roux de plusieurs tons ; et il laissait ses favoris descendre presque jusqu'au menton pour avoir moins de peau à raser.

S'habiller était compliqué, voire dangereux. Il pouvait enfiler son large pantalon de marin, ses chaussettes et ses bottes en s'asseyant. Mais lorsqu'il devait se lever pour mettre son sous-vêtement qui descendait jusqu'à la cheville, il lui fallait la souplesse d'un contorsionniste. Quand il avait le mal de mer, il ne prenait plus la peine de s'habiller ou de se déshabiller ; et même quand tout allait bien, il lui fallut plus d'un mois pour apprendre à enfiler ses vêtements les plus simples sans se cogner aux meubles. S'habiller pour aller déjeuner avec le capitaine était un travail d'Hercule.

Il eut vingt-trois ans le 12 février. Les officiers, au mess, célébrèrent bruyamment son anniversaire.

3.

Ils étaient à une semaine de voile de St Paul's Rocks, leur prochaine escale. Pendant plusieurs jours, une mer agitée rendit Charles malade. Il ne pouvait même pas lire. Le lendemain, il fut réveillé par des coups de marteau sur le pont au-dessus de sa tête. Il grogna. « C'est un vrai pandémonium que ce bateau !

— Il faut le réparer, chaque jour, tant qu'il est en mer », fit remarquer Stokes, conciliant.

Un vent fort les poussait. Charles admira le *Beagle* qui, toutes voiles gonflées, allait de l'avant, comme un groupe de femmes enceintes dans leurs tabliers blancs. Il se tenait près du capitaine sur le pont de quart, au-dessus de la barre quand FitzRoy aperçut St Paul's Rocks dans sa jumelle.

« Ces rochers semblent tout petits. Si je ne les avais pas cherchés, ils n'auraient sans doute jamais attiré notre attention. Rien n'indique qu'un être humain y ait jamais accosté. »

Deux des baleinières, avec une demi-douzaine de rameurs, furent descendues à trois miles de la montagne sous-marine ; dans l'une, Stokes et un assistant pour faire des relevés, dans l'autre avec FitzRoy, Wickham et Charles pour étudier les roches et chasser.

L'île présentait environ quarante pieds au-dessus de l'eau et avait un demi-mile de circonférence. La mer se brisait avec violence sur la côte rocheuse. Ils trouvèrent une crique relativement abritée et entreprirent de débarquer dans le ressac, pantalons relevés et chaussures attachées autour du cou. Arrivés sur la plage, la vue qui s'offrit à eux les stupéfia : des dizaines d'oiseaux en rangs serrés, se trémoussant et hochant du bec, qui ne s'écartèrent pas sur leur passage. Ils n'avaient jamais vu d'humains et ne les savaient pas dangereux.

FitzRoy et Wickham trouvèrent des bâtons et assommèrent plusieurs oiseaux, faisant à peu de frais provision de viande fraîche. Les oiseaux impassibles ne firent toujours pas mine de s'écarter. C'était un spectacle incroyable, sans oublier les falaises, blanchies par les excréments d'oiseaux. Wickham cria :

« Darwin, prêtez-moi votre marteau de géologue.

— Non, vous allez en briser le manche. »

Mais gagné par la fureur de ses deux amis, lui aussi se mit à frapper pour se frayer un passage.

Il y avait également tout un remue-ménage, là où les membres d'équipage avaient jeté des lignes par-dessus le bastingage. Lorsque Charles revint à leur lieu de débarquement avec son quota d'oiseaux, il vit que les marins avaient attrapé quantité de beaux poissons qui mordaient avidement à tous les hameçons. Mais dès qu'ils étaient pris, des requins voraces se précipitaient pour partager le butin. Les hommes avaient beau battre l'eau avec leurs rames, rien n'y faisait et au moins la moitié des prises revenait aux requins.

Avant de quitter St Paul's Rocks, Charles ramassa encore un spécimen de la fiente blanche de cette multitude d'oiseaux de mer, et quelques morceaux de la roche au-dessous, qu'il décrivit, classa et data avant de les envoyer en Angleterre pour qu'on en fasse l'analyse chimique.

Puis le *Beagle* passa l'équateur. Le capitaine FitzRoy reçut Neptune et sa femme Amphitrite à bord. Charles et les trente autres qu'on allait initier furent rassemblés à neuf heures du matin sur le pont inférieur. Il faisait chaud et sombre. Il était suffisamment prévenu pour s'attendre à toutes les extravagances.

D'abord, quatre soldats de Neptune vinrent le chercher, lui bandèrent les yeux et le firent avancer sur le pont. Il avançait à tâtons quand des baquets d'eau furent déversés sur lui de toutes parts. On le fit marcher sur une planche. On lui badigeonna le visage de goudron et de peinture. Puis deux marins le rasèrent en se servant de fer feuillard. Cette toilette finie, il fut précipité dans une voile remplie d'eau de mer. On lui retira son bandeau.

En rouvrant les yeux sur le pont, il se crut au beau milieu d'une assemblée de fous. L'un des maîtres de quart, habillé en Neptune, avec une longue barbe, était assis sur un trône. Le capitaine FitzRoy était entouré par un groupe d'êtres démoniaques aux visages tatoués, torse nu, les bras et les jambes maculés de couleur, de larges cercles de rouge et de noir autour des yeux. Il les vit se livrer à une danse de démons marins, exultant devant l'infortune de leurs victimes au-dessous d'eux.

Il vit les autres novices subir le même traitement. Puis, comme par accident, FitzRoy et lui furent douchés par un baquet d'eau que portaient des gardes de Neptune qui firent la cabriole.

A dîner, ce soir-là, lavé et dans un nouvel uniforme blanc, FitzRoy était de bonne humeur.

« C'est la seule occasion, pour l'équipage, durant tout le voyage, de se venger de nous », dit-il.

Il faudrait encore deux jours de navigation vers l'ouest avant d'arriver à la petite île de Fernando de Noronha. Charles se rendit à terre pour explorer les bois et revint avec de délicates fleurs de laurier et de magnolia, des cristaux de feldspath brillants et quelques aiguilles de hornblende.

Ils reprirent la mer à la nuit mais tombèrent dans un calme plat, la proue du navire étant dans le mauvais sens. Le temps restait humide. Il avait l'impression de dormir dans un bain chaud. Il s'étendit sur la table des cartes, préférant sa raideur à la mollesse du hamac. A minuit, il monta sur le pont pour contempler le ciel pailleté d'étoiles : la Croix du Sud, le Nuage de Magellan. Dans la matinée, Sulivan harponna une tortue longue de cinq pieds. Les matelots entreprirent aussitôt de la découper au couteau.

Bahia, la première ville de quelque importance sur la boucle orientale du Brésil, était le premier port où ils pourraient renouveler leurs provisions d'eau fraîche et de vivres de première nécessité. Un fort alisé les amena à deux cent trente miles des côtes de l'Amérique du Sud.

Un peu après onze heures du matin, à la fin de février, ils pénétrèrent dans la baie de tous les Saints, Bahia de los Santos, longeant la côte nord abrupte mais recouverte d'une forêt luxuriante. Rien ne bougeait, dans la baie tranquille, parmi les voiles colorées des navires à l'ancre, que quelques petites embarcations. La ville, nichée au creux d'une riche végétation, s'élevait comme un amphithéâtre au-dessus de l'eau. Et les demeures, au sommet des collines, sous le soleil, étaient d'un blanc éclatant.

Il fit seul sa première excursion en forêt brésilienne. A chaque pas, une nouvelle découverte le transportait et son excitation l'aurait rendu incapable d'écouter ou de répondre à quiconque. Il avança dans la jungle, écartant les orchidées multicolores qui poussaient aussi denses et drues que des mauvaises herbes sur les arbres et les buissons entrelacés ; l'élégance des herbes, la nouveauté des plantes parasites, l'éclat de la verdure, tout l'étonnait. Il ne savait que regarder, papillons ou fruits et arbres étranges, un insecte ou la fleur sur laquelle il se posait.

Soudain, pris dans une averse tropicale, il voulut se réfugier sous un arbre épais. Mais en quelques secondes, des trombes d'eau se déversèrent le long du tronc et il se retrouva trempé jusqu'aux os.

Covington lui prépara des vêtements secs. Il faisait nuit lorsqu'il rejoignit le lieutenant Wickham sur le pont. Il perçut un son étrange et puissant qui venait des bois.

« Qu'est-ce que cela peut être ? Je vous jure, Wickham, que l'immobilité la plus totale règne dans les profondeurs de cette forêt.

— De jour, peut-être, répondit Wickham. Mais de nuit, chaque insecte participe à la symphonie. Ils n'ont plus rien à craindre dans le noir.

— Je veux un exemplaire de chacun des insectes de cette cacophonie », fit Charles.

Le lendemain, King et Musters se joignirent à lui. Et Augustus Earle, qui ne pouvait cacher sa joie à l'idée de peindre la jungle à nouveau. Tous quatre portaient des sacoches pour y mettre les fleurs aux couleurs brillantes qui feraient les délices du professeur Henslow à Cambridge.

Ils marchèrent pendant plusieurs miles vers l'intérieur, découvrant des collines et des vallées toutes plus belles les unes que les autres. Au sommet d'une colline Charles s'écria :

« Les paysages brésiliens ont l'air sortis tout droit d'un conte des Mille et Une Nuits. On a du mal à croire qu'ils sont bien réels. »

Ils ne chômèrent pas. Ils trouvèrent des chauves-souris, des lézards, des fourmis ailées, des punaises, dont l'une enfonça profondément son aiguillon dans le doigt de Charles ; des grenouilles et toutes sortes d'herbes et de parasites étranges. Et de retour sur la plage, des oursins, des crustacés et des gastéropodes. Lorsqu'ils déversèrent leur collection sur la table des cartes, Stokes cria : « Retirez ces insectes et ces poissons visqueux de mon coin de table. »

Une fois de plus, Rowlett se rendit en ville pour acheter des provisions : sucre, farine, raisins secs, cacao, thé, tabac, rhum. La ville était belle mais sentait mauvais, parce qu'on jetait les détritus par la fenêtre dans les rues, y compris les pots de chambre et les eaux usées. Tous les travaux de force étaient exécutés par des Noirs qui se massaient en grand nombre près des entrepôts des marchands. Sous leurs lourds fardeaux, ils rythmaient leur marche par des chants.

« Ce sont des esclaves, expliqua Rowlett. Quand on n'a plus besoin d'eux sur les plantations, ils viennent en ville pour gagner quelques piécettes.

— C'est la première fois que je vois des esclaves. Cela me tord le ventre. Comment peuvent-ils le supporter ?

— Ils n'ont pas le choix.

— Mais comment les Brésiliens peuvent-ils accepter de vivre du travail des esclaves ?

— Tout à fait bien. Cela leur donne le temps de se consacrer à des choses plus importantes, comme gagner de l'argent... ou faire l'amour. »

Le lendemain, il réussit à persuader Wickham, qui détestait les villes, de faire avec Sulivan et lui une promenade dans Bahia. Ils n'étaient aucunement intimidés par le fait que ce soit le jour du carnaval. Mais à la minute où ils pénétrèrent dans la foule de la ville en fête, ils furent impitoyablement bombardés de boules de cire pleines d'eau et suffoquèrent sous les trombes qu'on déversait sur eux à pleins baquets. Il leur fallut une heure pour retrouver la tranquillité de la campagne. Ils décidèrent d'attendre la nuit avant de traverser à nouveau la foule du carnaval. Pour mettre un comble à ce que Charles appela leurs « risibles misères », une lourde averse s'abattit qui les trempa à nouveau jusqu'aux os.

Charles écrivit dans son carnet :

« *L'une des grandes supériorités des paysages tropicaux sur la campagne européenne, c'est que tout y est en friche, même les terrains cultivés. Cocotiers, bananiers, plantains, oranges et papayes, tout est comme " naturellement " mélangé et entre les arbres fruitiers on trouve des carrés de plantes herbacées comme le maïs indien, le yam et la cassade.* »

Avant l'aube, il fut réveillé par une violente douleur au genou. Il s'était écorché à un buisson épineux en attrapant un grand lézard ; maintenant son genou était enflé. Il attendit l'aube puis demanda à Stokes d'aller chercher M. Bynoe. Il arriva de suite, en chemise de nuit, parvint à extraire la partie enfouie de l'épine, appliqua des compresses d'eau chaude et un cataplasme sur l'inflammation.

« Le problème n'est pas l'épine, dit-il, mais la zone est fiévreuse. C'est peut-être un buisson empoisonné. Il vous faudra rester dans votre hamac jusqu'à ce que l'enflure diminue, ou sur le pont où il fait plus frais. J'irai à Bahia dès que les boutiques ouvriront, et me procurerai le remède local qui existe sûrement ici. »

Il fut incapable de marcher pendant six jours. Ses amis vinrent le voir, officiers, matelots et artisans.

Du pont, il pouvait voir les hommes faire leur lessive, faire sécher les voiles, ramener des barils d'eau potable, repeindre le bateau, recevoir leur courrier et porter les rapports du capitaine à l'Amirauté sur le *Robert Quail,* un brick marchand qui rentrait à Liverpool.

Par les soirées chaudes, au son du violon de Covington, les marins chantaient :

« *Vie de marin, vie sans chagrin*
Une femme dans chaque port
Qui peut rêver d'un meilleur sort ? »

Et malgré les jours perdus pour ses collections, il n'était pas trop malheureux. Il se sentait accepté.

Il s'habilla pour un dîner offert sur le pont au capitaine Charles Henry Paget, du navire de Sa Majesté le *Samarang,* ancré dans le port de Bahia. La conversation des officiers à table prit un tour sérieux lorsqu'ils discutèrent des conditions révoltantes de l'esclavage au Brésil, rapportant des récits de traitements infligés aux Noirs d'une horreur à vous serrer la gorge.

« Rien n'est plus faux, proclama le capitaine Paget, que de prétendre que même les mieux traités des esclaves ne souhaitent pas retrouver leurs familles ou rentrer dans leur pays.

— Pour moi, je leur trouve l'air heureux, dit le capitaine FitzRoy. Pour la plupart d'entre eux, c'est le moindre des maux. Les esclaves ont un sort infiniment préférable sous les ordres d'un maître raisonnable que dans les jungles sauvages d'Afrique. On s'occupe d'eux, on les loge, on les nourrit, on les soigne si besoin est. Comment prétendre que ces sauvages ne sont pas mieux lorsqu'ils bénéficient de la civilisation de l'homme blanc ? »

On entendit voler les mouches sur le pont.

M. Wood l'avait bien dit à Charles à Cambridge : le capitaine FitzRoy était conservateur. Il voulut tenir sa langue. Mais il se souvint de son père qui avait toute sa vie lutté contre l'esclavage, des pamphlets virulents dans lesquels l'oncle Jos attaquait l'esclavage et il dit d'une voix posée :

« Si aux dons octroyés par la nature au Brésil l'homme avait su conjuguer des efforts judicieux, de quel merveilleux pays ses habitants pourraient se vanter ! Mais lorsque presque partout règne l'esclavage, lorsqu'au plus grand nombre on refuse l'éducation, ce moteur de l'action des hommes, comment s'étonner que sur les éléments sains l'emportent les éléments pourris ? »

Après le départ de Paget, Charles resta pendant une heure dans sa cabine de poupe, à regretter l'altercation. Le steward du capitaine vint le convoquer. FitzRoy était planté devant son bureau, le visage très pâle.

« Darwin, vous êtes aveuglé par vos préjugés. Pendant que vous étiez malade, j'ai rendu visite à un important propriétaire d'esclaves. Il a appelé plusieurs des siens et leur a demandé s'ils étaient malheureux et voulaient être libres. Ils ont tous répondu “ non ”.

— Pensez-vous qu'une telle réponse, en présence de leur maître, soit sincère ? »

Il n'avait pas voulu prendre un ton critique mais sa voix l'avait trahi. FitzRoy était furieux. Son visage vira au rouge brique et son dos se raidit.

« Puisque vous doutez de mes paroles, il nous sera désormais impossible de prendre nos repas ensemble ! »

Charles retourna dans sa cabine, effondré.

Il était devant sa bibliothèque, se maudissant lui-même lorsque Sullivan, Bynoe et Rowlett apparurent, parlant tous à la fois.

« Nous connaissons la nouvelle... Maintenant, tu manges avec nous... La nourriture est aussi bonne... et la compagnie meilleure ! »

Charles était touché. « Messieurs, je vous remercie. Mais c'est impossible. Le capitaine vous en voudrait.

— Viens donc ! » fit Bynoe.

Les officiers, au mess, jubilaient en silence. Sur un navire de la marine royale, personne n'avait l'audace de répondre au capitaine. Mais Charles était de plus en plus inquiet. Quel serait son statut à bord désormais ?

A ce moment, le lieutenant Wickham entra dans la salle, un sourire narquois au coin des lèvres. Voyant Charles il s'écria :

« Bon sang, Philosophe, j'aimerais bien que tu cesses de te disputer avec le patron. Il m'a gardé dans sa cabine pendant des heures à me dire du mal de toi. »

Le steward du capitaine ne fut pas long à le suivre.

« M. Darwin, le capitaine vous demande de vous rendre dans sa cabine. »

Le silence se fit dans la salle. Une nouvelle entrevue avec le capitaine était ce que Charles redoutait le plus. Il semblait collé à son siège.

« Obéissez, immédiatement, ordonna Wickham. Personne ne désobéit aux ordres du capitaine. »

Charles trouva le capitaine aimable et détendu. « Je n'aurais pas dû vous parler comme je l'ai fait. C'est, comme toujours, mon mauvais caractère. Naturellement, vous continuerez à partager ma cabine. »

Ce fut pour Charles comme si le chirurgien du navire lui avait retiré une pierre du cœur.

« Je vous prie, Monsieur, d'excuser mon ton, bien incorrect.

— N'en parlons plus. La traite des esclaves a déjà fait payer aux

Brésiliens un lourd tribut en les rendant d'une extrême indolence. » FitzRoy était fier de se montrer si magnanime.

« Dans la matinée nous ferons voile pour effectuer des sondages sur la côte. Le temps promet d'être maussade et il n'y a aucune raison pour vous d'être malade si vous pouvez l'éviter. Pourquoi ne dormiriez-vous pas à terre pour une nuit ou deux ? Vous trouverez l'hôtel Univers confortable.

— Merci. Un lit plat dans une chambre immobile n'est pas sans charme pour moi. »

A l'hôtel Univers, il découvrit qu'il pouvait se faire parfaitement comprendre de l'hôtelier en utilisant les trois mots qu'il avait appris : *comer,* manger ; *cama,* un lit ; et *pagar,* payer. Le lit plat était un tel délice qu'il aurait voulu rester réveillé pour pouvoir le savourer, mais il dormait déjà avant que le bout de son nez ne touche l'oreiller.

Le lendemain matin, il rencontra un garçon irlandais qui lui servit d'interprète. Il ramassa un grand nombre de roches, de plantes et d'insectes. Il attrapa un diodon, un poisson-hérisson qui nageait près de la rive. Il était long d'un pouce environ, brun foncé avec des taches jaunes en dessous. Il découvrit quatre protubérances molles sur sa tête. En l'étudiant de près, il vit qu'il avait plusieurs moyens de défense : il pouvait mordre fort, cracher de l'eau par la bouche et en même temps faire un bruit curieux avec ses mâchoires. Il nota tout cela dans son cahier d'ichtyologie.

Ayant chaud et soif, ils entrèrent dans une « venda » et burent de la sangria.

La côte brésilienne était de formation granitique. Les géologues pensaient que cette région immense, longue de près de deux mille miles, avait été cristallisée par l'action de la chaleur sous pression. Il se demandait : « Cet effet s'est-il produit sous les profondeurs d'un immense océan ? Ou une strate qui le couvrait a-t-elle été depuis détruite ? Voilà une passionnante question pour mon livre de géologie. »

4.

Peu d'hommes avaient les qualifications nécessaires pour manier les instruments de mesure du *Beagle,* pour relever et noter des résultats qu'il fallait sans cesse vérifier pour être absolument sûr d'avoir obtenu des données totalement exactes : les contours de la côte, la position des rochers, des bancs de sables, des détroits, les ancrages et les profondeurs. Les officiers qui participaient aux opérations de sondage et de relevé n'avaient pas à participer aux tâches de routine à bord ; pas plus qu'on n'attendait des matelots ou des artisans qu'ils se servent des chronomètres ou des boussoles.

Le capitaine FitzRoy possédait un sextant excellent qui avait été fait spécialement pour lui par Worthington et Allan à Londres. Il s'utilisait manuellement et pouvait servir à bord ; malgré le mouvement du navire, on pouvait grâce à lui déterminer avec exactitude la distance angulaire entre les objets. FitzRoy avait appris au jeune Stokes à s'en servir, à le tenir verticalement pour regarder, à travers le télescope incorporé, le Soleil, la Lune ou une étoile. Sa marge d'erreur était constante et négligeable. Chaque jour, Stokes attendait avec impatience de relever l'altitude méridienne du Soleil, le sextant à la hauteur de l'œil.

Sulivan et Stebbin essayèrent d'apprendre à Charles à mesurer des angles, des lignes de base, à déterminer précisément latitude et longitude pour savoir où il se trouvait ; mais invariablement, il était trop captivé par la flore et la faune des côtes qu'il apercevait par le télescope pour essayer d'apprendre avec Stokes — qui dans la salle des cartes utilisait ces instruments — à se servir d'un compas pour tracer des arcs de cercle ou d'une équerre en T pour tracer parallèles et perpendiculaires.

Il apprit quand même à se servir d'un télescope pour observer le passage d'un corps céleste au méridien ; et à se servir d'un excellent compas Gilbert placé en poupe sur des épontilles. Quand le temps était beau, il observait les officiers et les aspirants sur le pont, qui effectuaient toutes les mesures nécessaires pour tracer une carte exacte des côtes. A terre, il en vit parfois jusqu'à six, accroupis sur le sol, chacun avec son instrument, relevant les altitudes circumméridiennes du soleil ou observant les étoiles la nuit. Ils relevaient la latitude, l'heure, l'orientation, les marées et le magnétisme. Et ils n'étaient pas plus oisifs aux ports ; un plan détaillé devait en être fait, environs et triangulation, sondage des profondeurs, description des hauteurs visibles et principales caractéristiques.

Le 18 mars 1832, à dîner, le capitaine FitzRoy déclara à Charles : « Nous allons maintenant croiser dans le port jusqu'à ce que nos cartes soient terminées, puis nous dessinerons les rochers et les bas-fonds dangereux au sud du port. Tous les bateaux arrivant sur Bahia comme nous l'avons fait doivent s'en méfier. »

En allant vers les îles Abrolhos, ils atteignirent le parallèle des îles et dépassant à l'est tous les sondages relevés jusqu'alors, FitzRoy ordonna qu'on dévide trois cents brasses de fil. Ils ne touchèrent pas le fond. Chaffers ordonna à l'homme de barre de virer vers l'ouest ; il jetait des plombs de sonde toutes les deux heures.

A deux heures de l'après-midi, il n'avait toujours pas trouvé le fond. Une heure plus tard, le plomb le toucha à trente brasses.

« Comment est-ce possible, demanda FitzRoy, sans le plus petit changement de couleur ou de température ? »

Ils se halèrent dans le vent, avançant vers l'est pour déterminer les limites précises du banc. Lorsqu'ils perdirent le fond aussi soudainement qu'ils l'avaient trouvé Wickham laissa échapper un juron.

« Je crois que nous devrions lancer un grappin, suggéra-t-il.

— Mettez-le au bout de deux cents brasses de fil, ajouta le capitaine et nous virerons vers l'ouest jusqu'à ce que nous touchions. »

Charles qui assistait, fasciné, aux opérations de sondage, vit la ligne se tendre brusquement. Le grappin, une ancre à trois griffes de fer, fut remonté. Ses crochets étaient aplatis.

Stokes se pencha sur son papier à dessin.

Ils firent demi-tour et se dirigèrent vers Rio, qui serait pour quelque temps leur base. Charles passait de longues heures à décrire ses collections dans des cahiers séparés. Il ne savait s'il en écrivait trop ou trop peu. Si rares étaient les ouvrages publiés sur ces sujets qu'il ignorait si ce qu'il découvrait était connu ou inconnu, accessoire ou de la plus haute importance.

On le trouvait souvent à neuf heures du matin en train de lire les baromètres ou d'enregistrer les différences atmosphériques, dans la cambuse, près de la cabine du capitaine. Cela lui donnait l'impression d'être utile à bord.

L'océan était pour lui une source d'émerveillement perpétuel : toujours en mouvement, vivant, habité. Il vit sa première tornade. D'un banc de nuages sombres, un petit cylindre noir, en forme de queue de vache, rejoignait une masse en entonnoir comme posée sur la mer. Les canonniers tirèrent sur elle leur plus gros boulets pour la briser et la tornade disparut dans une tempête de pluie. Les marins harponnèrent un gros requin et tout le monde s'efforça avec excitation de le hisser à bord. Il s'échappa. Un jour, pêchant tout seul et se servant comme appât d'un morceau de porc salé gros comme le poing, Charles attrapa un jeune requin et devint le héros du jour. La viande s'en révéla coriace et détestable.

Les averses étaient fréquentes. Quantité de poulets « de la Mère

Carey », un oiseau de mer de la famille du pétrel, tournaient au-dessus de la poupe.

Le 1er avril, une folie mystificatrice s'empara du navire. A minuit, ceux qui n'étaient pas de quart furent réveillés aux cris tragiques de « Menuisiers, une fuite ! » « Maître de quart, un mât brisé ! »

« Aspirants, rentrez le beaupré ! »

Les hommes sortaient en courant, en chemise de nuit. Charles s'était juré de ne pas s'y laisser prendre mais lorsque Sulivan entra dans sa cabine en disant : « Darwin, est-ce que vous avez déjà vu une orque qui souffle et crache de l'eau ? » il courut sur le pont pour y trouver la bordée de quart qui se tordait de rire.

Il faisait peu à peu connaissance avec les trois Fuégiens à bord. FitzRoy n'exigeait pas des deux hommes qu'ils travaillent. Ils le faisaient pour gagner le respect de l'équipage avec lequel ils prenaient leurs repas, et ils dormaient dans des hamacs au mess des matelots.

Charles allait voir Jemmy Button, âgé de seize ans, aussi souvent que possible, mais était limité par le fait qu' « il est bien difficile de communiquer avec une personne ne possédant que quelques mots d'anglais, tout en ayant oublié sa langue maternelle ». Bien que Jemmy fût le plus aimable des deux, il n'aimait pas que les officiers lui donnent des ordres et avait des accès de colère. Il aimait le rôle de vigie, haut perché dans le nid de pie. Quand il se mettait en colère, il disait : « Quand moi voir bateau, moi pas dire. »

Un jour, il vint trouver Charles.

« Avoir rêve dans tête moi. Grosse bête attaquer moi. Manger moi. Manger poisson pas bon. Moi mourir. Moi dans tempête de neige, moi gelé. Vous comprendre ?

— On dirait que tu n'as guère envie de retourner en Terre de Feu, non ?

— Moi pas savoir. Tout oublié. Vouloir rentrer en Angleterre avec *Beagle.* »

Ce n'était certes pas le cas de York Minster, vingt-huit ans, qui ne se souciait de personne. Pour lui, le *Beagle* était une prison.

Il était clair que York bousculait Jemmy mais protégeait Fuegia Basket, la petite fille de onze ans. Il ne laissait aucun homme s'approcher d'elle. La minuscule cabine de Fuegia était gardée par M. Bynoe. Un menuisier avait fixé au mur de la cabine une table que le steward du capitaine pouvait abaisser quand il apportait ses repas à Fuegia. Quand il faisait beau, elle passait la journée sur le pont à coudre ses propres vêtements comme on le lui avait appris à l'institut, ou à faire du crochet, comme Charles avait si souvent vu ses sœurs le faire. Elle disait à quiconque s'arrêtait : « Ne restez pas là les mains dans les poches. »

Charles lui demanda un jour : « Es-tu contente, Fuegia, de rentrer chez toi, dans ta famille ?

— Ce n'est pas moi qui décide. Le capitaine m'emmène en Angleterre, je vais en Angleterre. Le capitaine me ramène chez moi, je rentre chez moi. » Elle sourit timidement et haussa les épaules « C'est ma vie. »

En mer, les tentations étaient peu nombreuses d'échapper à son travail académique. Il y avait des fougères et des feuilles à fixer sur du papier d'herbier, des spécimens à disséquer et à décrire, à préserver ou recouvrir. Enfin, il complétait ses notes en écrivant longuement chaque jour dans son journal, décrivant non seulement les paysages tropicaux, mais les conditions de vie et les mœurs des indigènes.

« Tu dois aimer écrire Darwin, fit remarquer Stokes, de son perchoir d'oiseau-chat à sa droite.

— Tu l'as dit, Johnny. »

Le *Beagle* bourdonnait d'activité.

Les hommes de quart « pointaient », attachant de petits morceaux de corde plate tressée à intervalles réguliers aux haussières, les fortes cordes utilisées pour haler et amarrer. Les voiles étaient sorties et aérées ; les câbles et les chaînes nettoyés ; le pont inférieur lavé, le grand mât actionné, les gréements examinés et réparés.

« Personne ne doit jamais rester à ne rien faire, disait Wickham. Ni faire semblant de travailler. Les plus petits éléments de notre équipement doivent être en parfait état. En mer, c'est cette petite différence qui peut décider d'un naufrage ou d'une bonne traversée. »

Mais il y avait d'autres dangers, invisibles.

Le *Beagle* avançait vers le sud, non loin du littoral, en direction du Cape Frio, site du tragique naufrage de la *Thétis,* sur laquelle le capitaine FitzRoy avait servi. Chacun avait secrètement peur que le navire connaisse le sort de la *Thétis,* coulée corps et biens après avoir heurté une pointe rocheuse.

La *Thétis* avait quitté Rio de Janeiro le 4 décembre 1830 contre un fort vent du sud et par temps très brumeux. De quatre heures à six heures, elle avança, selon le carnet de bord, de vingt et un miles. Après six heures, le temps devint pluvieux. A huit heures, il faisait si sombre qu'on ne distinguait rien à une demi-longueur du bateau.

« J'ai crié " Terre à l'avant ", racontait William Robinson, un vétéran du *Beagle* qui n'avait alors que vingt ans. Notre beaupré s'est écrasé contre les rochers et nos trois mâts se sont brisés avec un bruit de tonnerre. » Vingt-cinq hommes avaient trouvé la mort. Le reste avait survécu au désastre, au prix d'efforts acharnés.

La *Thétis* était devenue le symbole de la destruction brutale qu'on craignait dans chaque tempête.

A la tombée de la nuit, au début avril, ils entrèrent dans le port de Rio de Janeiro, avec cette vue étonnante, même pour le non-géologue, du Pain de Sucre se découpant en silhouette dans le ciel clair de la nuit. Comme il était trop tard pour trouver un point d'ancrage sûr, ils croisèrent au milieu d'un grand nombre de bateaux, une flottille de la marine royale anglaise, et des escadrons plus nombreux encore de marsouins, de requins et de tortues. Rio de Janeiro était la base de la marine anglaise en Amérique du Sud. Charles rejoignit tard son hamac et dormit mal jusqu'à l'aube. Il avait quitté Plymouth depuis quatre mois. Il devait y avoir des lettres de chez lui ; un signe qu'on l'attendait toujours en Angleterre.

A cause d'un vent léger, c'est seulement en fin d'après-midi que le capitaine FitzRoy, en grand uniforme, alla en barque faire son rapport à son officier supérieur, l'amiral Thomas Baker, sur le vaisseau amiral *Warspite*. Le *Beagle* était paré de tous les drapeaux de couleur de sa panoplie. Les lieutenants Wickham et Chaffers tirèrent de gracieuses bordées dans le port, en rentrant jusqu'au dernier pouce de toile avant d'en redonner à nouveau, jusqu'à ce qu'un message du vaisseau amiral leur parvienne, les félicitant pour leur belle discipline et ajoutant qu'on n'avait encore jamais vu un bateau de sondage exécuter des manœuvres aussi parfaites.

En attendant la distribution du courrier, Charles essayait de chasser sa nostalgie de l'Angleterre en admirant le paysage qui s'offrait à lui : des montagnes aussi escarpées que celles du pays de Galles, recouvertes de verdure, couronnées de palmiers. Au pied des collines les plus proches, dominant une vaste baie pleine de vaisseaux de guerre portant drapeaux de toutes les nations, se trouvait la brillante capitale de l'Amérique du Sud, la ville de Rio de Janeiro avec son môle, son palais, sa cathédrale et ses tours. Le *Beagle* y resterait un mois, le temps de faire sondages et relevés tout le long de la côte. Charles pourrait vivre à terre pendant tout ce temps. Augustus Earle, qui connaissait bien la ville, suggéra qu'ils louent ensemble une maison devant la baie de Botafogo, à quatre miles du centre de la ville, un véritable paradis pour le naturaliste.

Le courrier arriva enfin. Au mépris de toute discipline, les hommes d'équipage se précipitèrent pour savoir s'ils avaient des lettres. Le lieutenant Wickham tonna :

« Amenez le courrier en bas ! Ces idiots quittent leur poste et négligent leur devoir. »

Hellyer, le secrétaire du capitaine, rassembla les lourdes enveloppes et descendit à contrecœur les distribuer à tous ceux qui n'étaient pas de quart. Il fallut plus d'une heure avant qu'on apporte à Charles ses lettres dans sa cabine. Il y en avait deux de ses sœurs : une de Caroline et l'autre de Kathy ; une troisième de Charlotte Wedgwood, de Maer Hall ; et une lettre de Henslow qu'on avait fait suivre de Plymouth. Il dévora ces lettres avec avidité, pour les nouvelles autant que pour les marques d'affection qu'on lui prodiguait.

Caroline écrivait :

« *J'espère que tout ce que tu vois t'intéresse et justifiera pleinement, à ton retour, le regret égoïste que nous avons de ne pas te voir pendant si longtemps... Ras prédit que tu rentreras au bout de deux ans, et quelle joie serait la nôtre s'il pouvait avoir raison.*

Papa va très bien... Les journées se passent comme à l'ordinaire. Nous jouons aux cartes dans la soirée et lorsque Papa est parti se coucher, Ras, Charlotte et moi nous racontons autour du feu des histoires dans lesquelles ton nom revient souvent... »

Charlotte avait commencé sa lettre vers la mi-janvier. En la terminant deux semaines plus tard, elle lui annonçait ses fiançailles avec M. Charles Langton, un jeune pasteur sans chaire, qu'elle épouserait bientôt. C'était comme si le départ de Charles avait déclenché une avalanche de mariages. Son cousin Hensleigh Wedgwood avait épousé sa cousine Fanny McIntosh.

Il poursuivit rapidement la lettre pour y trouver le nom de Fanny Owen et buta sur un paragraphe consternant : Fanny Owen annonçait ses fiançailles avec Robert Biddulph de Chirk Castle, un homme dont la réputation n'était pas excellente. Elle devait se marier en mars...

C'était le 4 avril. Grands Dieux, elle était déjà mariée !

« Et moi qui croyais qu'elle m'aimait ! » Des larmes lui vinrent aux yeux. « J'ai été un idiot, ruminait-il dans son hamac. Aveugle. M. Owen voulait de moi comme gendre, mais c'est tout. Fanny était la coqueluche de tous les hommes. Elle avait surtout besoin d'attentions, d'être admirée. Il était aussi absurde de croire qu'elle m'attendrait trois ans que d'imaginer qu'un marsouin puisse attendre trois ans en haut d'un mât avant de plonger dans la mer. »

Il s'assit à l'angle de la table des cartes et écrivit à sa sœur.

« *Si Fanny n'était pas déjà à l'heure qu'il est M*[me] *Biddulph, je répéterais jusqu'à m'endormir* “ *pauvre Fanny chérie* ”. *Je ne sais plus que penser ou dire ; mon cœur fond de tendresse pour elle et je pleure, ô ma douce Fanny.* »

Puis un phénomène étrange se produisit. L'image de Woodhouse et de la Forêt qu'il aimait disparut de son esprit. Et à sa place s'y superposa, bien distincte, celle du jardin ensoleillé de Maer Hall. Et d'oncle Jos et d'Emma unissant leurs efforts pour lui permettre de faire le tour du monde.

Il se leva, alla vers sa commode et ses souvenirs, ferma le médaillon qui contenait la mèche de Sarah Owen, monta sur le pont et la jeta à la mer.

5.

Il retrouva Earle devant les marches du Palais et ils se promenèrent dans les rues animées. Les maisons de couleurs vives, avec leurs balcons ouvragés, les innombrables églises et couvents, la foule qui se pressait, tout donnait à la ville un air de fiesta permanente.

Earle était un excellent guide.

« Pour un peintre, cette ville a de quoi rendre fou ! Cette lumière, cette verdure... Je l'ai déjà peinte et je la peindrai encore, mais il faut rivaliser avec Dieu qui a peint son chef-d'œuvre, ici, au Brésil.

— Je veux aussi connaître l'intérieur qui est encore bien peu exploré », dit Charles.

Comme l'avait suggéré le capitaine, ils emmenèrent Philip King avec eux. Ce fut une promenade exquise de quatre miles sur une route non pavée le long de la côte, avec les montagnes derrière eux, jusqu'à Botafogo. La baie était un amphithéâtre naturel, la plage et la mer étaient éclatantes. Ils trouvèrent une agréable maison de planches peintes en gris perle, avec des porches abrités sur trois côtés ; un salon de petite taille et trois chambres à coucher, chacune avec un petit lit, une table et une chaise rustiques. La véranda, juste derrière la cuisine, leur permettait de manger face aux montagnes. Le jardin et la maison étaient couverts de fleurs et se trouvaient à proximité d'un lac.

De retour en ville, Earle présenta Charles à ses amis, au fur et à mesure qu'ils apparaissaient à la table d'hôte qui servait les verres de rhum les plus copieux et les plus frais : des hommes d'affaires anglais ou américains, les consuls de plusieurs pays, des officiers de marine, qui par profession sont voyageurs. Ils s'étaient à peine installés à la table « parlant anglais », qu'un Irlandais rouquin du nom de Patrick Lennon vint saluer Earle.

« A deux jours près, je t'aurais manqué. Je remonte vers le Rio Macae. J'ai acheté, il y a huit ans, un bout de forêt là-bas et j'y ai envoyé un agent anglais pour l'exploiter. Je n'ai jamais reçu un sou depuis. Je vais voir ce qui s'y passe.

— Combien de temps prend le voyage ? demanda Charles, dont l'oeil s'était allumé. Quel genre de pays traverse-t-on ? J'aimerais tant me joindre à vous, si c'était possible.

— A peu près une semaine aller, autant pour le retour, répondit Lennon. Un compagnon — et un fusil de plus — seraient les bienvenus. Je n'ai personne à qui parler, que mon jeune neveu et un Ecossais du nom de Laurie. Z'avez le bas du dos assez solide pour rester en selle douze heures d'affilée ?

— Je sais monter et je sais tirer. Quand partons-nous ?

— Dans trois jours. Soyez à Praia Grande, un village de l'autre côté de la baie, à neuf heures du matin. Apportez une couverture. Nous trouverons à manger en chemin. Je louerai un cheval pour vous. »

Il fallut à Charles une journée entière pour obtenir son passeport pour l'intérieur ; les officiels brésiliens ne voyaient pas pourquoi un jeune étranger pressé viendrait interrompre le farniente d'une chaude journée d'avril.

Au jour dit, il arriva par ferry au village de Praia Grande. Lennon l'attendait. La petite troupe comprenait encore un ami de l'Ecossais du nom de Gozling et un guide brésilien pour l'intérieur ; un boy noir comme factotum. Charles avait son filet à la main.

Ils s'enfoncèrent dans les bois d'un calme profond où abondaient les papillons aux couleurs vives et aux formes compliquées ; quelques champs cultivés, puis à nouveau la jungle, et sa végétation enchevêtrée que le soleil en ricochant parvenait à trouer, les arbres couverts de parasites et d'orchidées. A midi, ils dépassèrent, sans descendre de cheval, le village d'Ithacaia, de solides maisons brésiliennes ceinturées par les cases des esclaves. Cette nuit-là, ils dormirent dans une *venda* qui ne leur fournit que des paillasses. Ils se levèrent avant le soleil, traversant une plaine étroite et sableuse entre la mer et les lagons salés de l'intérieur. Charles était au supplice, tant il voyait d'oiseaux pêcheurs dans les airs, d'aigrettes et de grues. La réverbération de la lumière sur le sable blanc mettait ses yeux à la torture. Son thermomètre indiquait 96 degrés. Mais la vue en valait la peine, les collines boisées se reflétaient dans les lagons.

« Je déteste ce décor, dit Laurie. Je voudrais le chasser de mes yeux comme on chasse une mouche. »

La nuit, ils trouvèrent une *venda* plus grande, faite de forts poteaux de bois et de branches tressées, avec un toit de chaume et un sol en terre battue. On désella leurs chevaux et on leur donna du maïs. Puis on conduisit les voyageurs vers une grande véranda avec des tables et des bancs. Lennon s'inclina devant l'hôte.

« Pourriez-vous être assez aimable pour nous servir quelque chose à manger ?

— Tout ce qui vous plaira, Monsieur.

— Du poisson ?

— Oh non, monsieur.

— De la viande séchée ?

— Oh non, monsieur.

— Du pain ?

— Oh non, monsieur. »

Deux heures plus tard, il n'y avait toujours rien à manger sur la table. Lorsque le repas arriva enfin, il consistait en un peu de volaille dans un bol avec du riz et de la farine.

« Nous avons de la chance, dit le guide. Souvent l'hôte est obligé de tuer ses propres volailles. »

Charles chercha en vain une fourchette ou un couteau. Lennon lui montra ses doigts.

Ils dormirent sur une plate-forme de bois recouverte d'un fin matelas dans une pièce d'une propreté douteuse.

Mais le lendemain soir ils dînèrent somptueusement dans une *venda* propre et agréable : des biscuits, du vin, de l'alcool, du poisson frais au petit déjeuner et le tout pour un peu plus de deux shillings par personne.

« En voyage comme en voyage, fit remarquer Lennon. Il faut tout avaler, le bon comme le moins bon. »

Dans les deux jours qui suivirent, Charles ramassa des plantes, des insectes, des coquillages sur les rives de lacs d'eau salée ou pure qu'ils croisaient. Ils retrouvèrent une forêt et ses arbres géants. Il écrivit :

« *Incroyable beauté des fleurs-parasites !* »

Ils tombèrent sur des fourmilières coniques de douze pieds de hauteur. Charles en découpa un morceau pour que l'analyse chimique en soit faite à Londres. Après dix heures de selle, ils arrivèrent à Ingetado. Ils chevauchaient, mangeaient et dormaient ensemble mais ils se parlaient peu.

Un matin, Charles se réveilla malade. Il était pris de frissons. Il n'en dit rien à personne. Il traversa Barra de St Joao en canot, son cheval nageant près de lui. Lorsque le groupe s'arrêta pour manger, il ne put rien avaler. Ils chevauchèrent tard dans la nuit, et il eut bien du mal à se tenir en selle.

Ils s'arrêtèrent à la *venda* de Matto pour dormir ; il sombra dans un sommeil plein de cauchemars ; il était malade dans un pays dont il ne comprenait pas la langue, sans docteur ni médicaments. Il se réveilla en fièvre et en sueur, mais raisonna quand même sa terreur.

« J'ai dû m'empoisonner en mangeant ou en buvant quelque chose. J'en viendrai à bout. »

Il y parvint, pendant toute la journée de voyage qui les mena à Socego, la confortable demeure du Señor Manuel Figuireda. De loin, ils entendirent des cloches et un coup de canon.

« C'est en notre honneur ! » s'écria Laurie.

La maison, construite comme une ferme anglaise, était entourée d'orangers et de bananiers, en haut d'une colline au pied de laquelle coulait un ruisseau. Dans les champs voisins, bovins, chèvres, moutons et chevaux trouvaient leur pâturage. Un grand appentis pour la cuisine et une vaste grange s'y appuyaient, ainsi que des étables et des ateliers pour les Noirs. Le sol était carrelé, le toit de chaume, les fenêtres protégées par des volets. Dans le salon, des fauteuils dorés se détachaient sur les murs blancs.

Charles pensait avoir fait honneur à la première demi-douzaine de plats lorsque sortirent de la cuisine une dinde et un porc rôtis. Le señor Figuireda était un patriarche intelligent et industrieux qui construisait des routes dans les villes avoisinantes pour y acheminer ses marchandises. Ses cent dix esclaves noirs étaient bien traités, à peu près bien habillés et nourris ; on leur avait appris un métier. A voir les enfants faire sans cesse irruption dans la salle à manger et la façon dont on les en chassait, on comprenait clairement qu'ils étaient loin de vivre dans la peur.

Il récupéra si totalement qu'il sortit avec le señor Figuireda pour visiter la *fazenda,* un grand espace défriché récupéré sur la forêt presque illimitée. Il prit des notes sur la récolte du café, du manioc ou cassave, dont les racines séchées, réduites en poudre, donnaient une farine très comestible.

Le lendemain, ils traversèrent une forêt dans laquelle Charles aperçut des toucans et des mangeurs d'abeilles. Ils furent cordialement reçus par M. Cowper, l'agent de M. Lennon, mais il était clair que la *fazenda* était mal gérée. Les esclaves étaient accablés de travail et affamés. Lennon et son agent eurent une violente dispute. Lennon se mit tellement en colère, qu'il menaça de vendre aux enchères un enfant mulâtre illégitime auquel Cowper était si attaché qu'il passait pour le sien.

De retour à Socego, c'est finalement le señor Figuireda qui arbitra le différend ; aucun esclave ne serait vendu ; Lennon commencerait à percevoir des versements sur ce qui lui était dû.

Après plusieurs jours agréables à Socego, à collectionner des reptiles, des fleurs, des fougères et des plantes que Charles croyait toutes inconnues en Angleterre, ils reprirent la route de Rio de Janeiro. Le temps devint froid ; des trombes de pluie se mirent à tomber, les routes se changèrent en marécages ; plusieurs ponts de bois avaient été arrachés, les forçant à des détours ; les *vendas* étaient si pauvres qu'ils en étaient réduits à aller dormir sur un plat de maïs indien. Ayant perdu leurs passeports en route, ils furent arrêtés par les gardes à Rio de Janeiro et gardés jusqu'à ce qu'ils puissent prouver que les chevaux qu'ils montaient n'étaient pas volés.

Charles était ravi de ses aventures dans l'intérieur brésilien et de ses deux sacoches de selle pleines de spécimens.

De retour à bord du *Beagle,* il fut stupéfait de tous les changements qui avaient eu lieu en deux semaines d'absence. Trois des marins de deuxième classe qui avaient été fouettés avaient déserté. Deux autres étaient renvoyés chez eux pour raisons de santé. Sept hommes d'équipage étaient renvoyés ou mutés sur le navire de Sa Majesté *Lightning,* deux sur le *Warspite.* Ils furent remplacés par d'autres hommes de la marine royale.

« Nous sommes habitués à ce genre de choses, dit Wickham, dès que nous arrivons à notre première base de la marine anglaise. Nous en éliminons quelques-uns, les autres s'éliminent d'eux-mêmes. Remarquez bien que les officiers n'ont pas changé. Au fait, passez donc dire bonjour au capitaine. »

Le docteur McCormick n'était pas mécontent d'être renvoyé dans ses foyers pour raisons de santé.

Le capitaine FitzRoy, dans sa cabine, était en train de comparer ses cartes de Bahia avec celles qu'avait publiées l'expédition française conduite par le baron Roussin. Lorsque Charles entra, il leva les yeux vers lui et, tout à ce qui le préoccupait, lui dit :

« Je ramène le *Beagle* à Bahia dans quelques semaines pour y tracer quelques cartes de plus. Nos résultats concordent parfaitement avec les données excellentes récemment rapportées par le capitaine Beechey. Malheureusement, il y a une différence de plus de quatre miles de longitude entre ses cartes et celles du baron Roussin. Je suis décidé à retourner à Bahia pour établir si les mesures du *Beagle* sont correctes... Cela vous donne à vous autres terriens deux mois de plus à terre. Cela vous fait plaisir, Philos ? »

Charles fut flatté de cette abréviation de son sobriquet.

« J'en suis tout simplement ravi, Monsieur.

— Fuegia Basket est en mauvaise santé, sans que M. Bynoe puisse en déterminer la cause. Pourriez-vous la loger dans votre maison de Botafogo ?

— Je suis sûr que la propriétaire la prendra volontiers sous son aile. »

Il déménagea quelques objets personnels à Botafogo le lendemain matin. Deux marins mirent à l'eau un canot et y empilèrent ses livres, ses papiers, ses caisses et son matériel de préservation. Charles leur indiqua la plage de sable blanc de Botafogo. Au moment même où ils accostaient deux vagues balayèrent la barque. Charles, trempé, voyant ses livres et ses matériaux flotter à la dérive, s'écria : « Grands Dieux, mes livres ! Tout ce que j'ai de plus précieux !

— Sauf votre respect, M. Darwin, il faut faire vite. Pas le temps de rester là à claquer ses dents. »

Il fit aussi vite que possible, les deux hommes maintenant le bateau et l'aidant à tout faire sécher. A eux trois, ils transportèrent les objets à pleines brassées jusqu'à la maison toute proche. Il les étala sous le porche, à l'abri du soleil trop fort. Son matériel d'écriture était dans un sac étanche, mais les livres et les caisses étaient maculés d'eau de mer. Il fallut toute la journée et le lendemain pour réparer les dégâts.

Jusqu'au 5 juillet, date à laquelle le *Beagle* devait faire voile pour Montevideo, il avait devant lui presque dix semaines à consacrer à ses collections. Il étudia les myriades d'animaux marins qu'on trouvait dans le plus petit fossé. Une heure de ramassage suffisait à l'occuper — à préserver et à boucher — pour le reste de la journée. Il écrivit son journal du voyage de deux cents miles jusqu'à Rio Macae, et dit à Earle, qui était malade et incapable de peindre :

« Ce n'est pas comme en Angleterre, où un naturaliste peut s'estimer heureux s'il découvre de temps en temps quelque chose qui mérite attention. Ici il ne peut pas faire cent toises sans être littéralement cloué sur place par quelque nouvelle créature extraordinaire... un singe hurleur, un élatéridé, ou un champignon vénéneux.

— Méfie-toi de cette jungle, dit Earle avec un faible sourire. Le climat tempéré de la douce Angleterre risque de te paraître ensuite bien fade. »

Au début de mai, Stokes apporta à Charles deux lettres qu'on avait remises au *Beagle.* L'une était de sa sœur Susan, l'autre était de Fanny Owen, datée du 1er mars 1832.

La lettre de Susan, du 12 février, lui souhaitait un bon anniversaire. Chacune des sœurs avait choisi un mois pour lui écrire. Non pas à la hâte, quelques minutes avant le départ du courrier mais un journal suivi, jour après jour, pour l'informer de ce qui se passait.

« *Harry et Jessie Wedgwood sont venus passer une semaine ici... Je viens de terminer* Les mutinés du Bounty. *C'est une vieille histoire mais très intéressante surtout lorsque Beechey décrit le bien-être des mutins lorsqu'il les retrouva sur l'île Pitcairn. Ton ami le professeur Adam Sedgwick nous a rendu visite, en route vers le nord du pays de Galles. Il m'a fait rougir. J'ai fait beaucoup de musique en pensant à toi.* »

La lettre de Fanny Owen lui annonçait ses fiançailles avec Biddulph et son prochain mariage. La blessure avait eu le temps de cicatriser. La lettre lui sembla légère, superficielle. En la relisant, il conclut que Fanny n'avait sans doute jamais vu en lui qu'un compagnon de jeu amusant, et que tout compte fait, les choses étaient mieux ainsi, même s'il ressentait toujours un secret besoin d'amour.

Il écrivait une lettre ininterrompue qu'il envoyait au Mont dès qu'ils croisaient un vaisseau en partance pour l'Angleterre, l'adressant tantôt à l'une, tantôt à l'autre de ses sœurs. Mais elle était surtout destinée à son père de soixante-six ans, à l'informer des progrès du *Beagle* et à le rassurer. Et, connaissant sa peur secrète de voir son plus jeune fils se changer en vagabond, il y glissa :

« *Bien que j'apprécie toutes ces tribulations, je me sais destiné à la vie d'une paroisse tranquille, et ne la perds pas de vue, même au milieu des cocotiers.* »

Après avoir été lues plusieurs fois à haute voix, sans rien omettre, par sa famille au Mont, ses lettres étaient envoyées aux Wedgwood, à Maer Hall.

6.

Les jours s'écoulaient paisiblement. Il y eut des jours de pluie torrentielle, où, avec chapeau et cape cirés, il ne put sortir qu'une heure ou deux entre les averses. Mme Bolga, la propriétaire, administrait ses propres remèdes herbacés à Fuegia Basket et Augustus Earle. En reconduisant le jeune King à bord du *Beagle* qui repartait pour Bahia, Charles apprit que trois des hommes qui avaient participé à une excursion au Rio Macacu (à laquelle il n'avait pu participer, trop occupé à faire sécher son matériel) étaient atteints d'une fièvre sérieuse.

« Pourquoi ces trois-là seulement ?

— Parce qu'ils ont désobéi. On leur avait interdit de se baigner dans le Rio Macacu. Toutes les rivières de cette région sont pestilentielles.

— S'en remettront-ils ?

— Je ne sais pas. J'ai fait venir deux des meilleurs docteurs de Rio de Janeiro. Ils ont jugé préférable qu'ils restent à bord où je peux les surveiller. »

Parmi les plantes qu'il avait récoltées on trouvait une grande variété d'orchidées, de plantes grimpantes, de lianes semblables à des cordes, des mimosae, des herbes tropicales et des arbustes épineux de la famille des légumineuses papilionacées (haricots) ; du camphre, des fruits à pain, jaca, hymenophyllum ; des agaves, avec leurs fleurs en grappe ; de la mousse espagnole ; des spécimens de caféier, de cannelle, de chou-palmiste.

Les insectes proliféraient sur terre et dans les airs : des punaises d'eau douce se nourrissant de détritus ; des lucioles ; des cicadae, sortes de locustes ; chauves-souris vampires ; élatéridés brillants, fourmis coupe-feuilles, papillons à queue d'hirondelle ; hyménoptères rapaces, guêpes, phasmidés, mantes religieuses, cafards, charençons palmistes, scarabées à bec... dont pour la plupart, il n'avait jamais entendu parler. C'était une tâche gigantesque que de les décrire, les classifier, les cataloguer, les disséquer, les épingler et les préserver tous. Il aimait toutes les phases de son travail, les deux faces de cette aventure exaltante : dehors, récolter ; à l'intérieur, préserver. Ses caisses et bocaux s'étalaient jusque sous la véranda où il conservait dans l'alcool poissons et organismes marins.

Mais au cœur de cette pléthore d'éléments naturels vivants, il ne négligeait pas sa préoccupation première, la géologie. Il avait établi que la région était formée presque entièrement de gneiss, qui se composait, comme le granit, de quartz, de feldspath et de mica, mais selon une structure en feuilles dont la composition avait été altérée par la chaleur et la pression. On trouvait quantité de grenats dans le gneiss. Il observa des blocs de néphrite ; sur l'îlot de Villegagnon, deux longues digues, masses longues, étroites et croisées de roche ignée ; et à la base du Corcovado, du quartz qui contenait du fer.

Le 18 mai, il écrivit au professeur Henslow, lui rapportant les voyages qu'il avait faits, ce qu'il avait jusqu'à présent découvert, décrivant la géologie de St Jago, l'expédition au Rio Macae...

« *Maintenant, je collectionne les animaux d'eau douce et de terre ; je suis* « *emballé* » *par les araignées. Elles sont passionnantes et si je ne me trompe, j'en ai déjà découvert quelques nouvelles espèces...* »

Il avait décidé de ne pas envoyer de caisse avant leur arrivée à Montevideo, demandait à Henslow « *s'il vous plaît, dites au professeur Sedgwick à quel point je lui suis redevable pour l'expédition en pays de Galles* », qui avait éveillé chez lui un intérêt pour la géologie que rien ne saurait éteindre.

Il escalada le Corcovado d'une altitude de près de deux mille pieds, en compagnie d'Augustus Earle. Ils suivirent l'aqueduc, grimpèrent la pente escarpée jusqu'au sommet que recouvrait une forêt dense. En haut du pic, il contempla la vue, l'une des plus surprenantes du monde.

Il passait des soirées agréables à la maison avec Fuegia Basket et Earle, lisant les récits de voyage d'Anson. Il découvrait, en même temps, qu'un jeune célibataire anglais était une compagnie hautement recherchée par les anglophones de la ville. M. Aston, le pasteur anglais, l'invita à dîner chez lui. Le capitaine FitzRoy avait dû le décrire à son commandant en chef en termes élogieux car il fut invité à plusieurs reprises à dîner par l'amiral Thomas Baker à bord du *Warspite*. L'attaché anglais l'invita à venir entendre un pianiste célèbre. Earle le taquinait :

« Tue-mouche, tu es le jeune homme le plus célèbre de tout Rio. Je suis sûr que quelqu'un va t'offrir un travail magnifique et une fille ravissante à épouser. »

Il trouva le jeune Philip King dans sa maison de Botafogo le soir même du retour du *Beagle.* A l'expression du jeune homme, il comprit que quelque chose n'allait pas.

« Que s'est-il passé, Philip ? Nos cartes n'étaient pas exactes ?

— Pas du tout. Le patron était ravi de voir que nos nouveaux calculs confirmaient, au millième près, ceux que nous avions établis auparavant. Ce sont nos cartes qui feront autorité désormais.

— Bravo ! »

King resta un instant silencieux puis annonça :

« John Morgan est mort de la fièvre. Nous avons immergé son corps. Cinq jours plus tard, c'est John Jones qui est mort... et Charles Musters. Nous les avons enterrés tous deux au cimetière anglais de Bahia. »

Charles dut s'asseoir. Le jeune King se mit à pleurer. « Pauvre petit jeune homme, se lamenta Charles. A quatorze ans ! Il n'avait même pas commencé à vivre ! »

Pendant que le *Beagle* s'approvisionnait en vivres frais, il passa les jours qui lui restaient à travailler sur ses coraux, et à se familiariser avec la jungle brésilienne. Au-dessus de lui, il aperçut un énorme singe barbu suspendu, raide mort, par sa queue préhensile. Un garçonnet mulâtre qui accompagnait un jeune Brésilien avait une hache avec lui. Ils commencèrent à couper le gros arbre.

« Vous allez couper tout un arbre pour un singe mort ? demanda Charles en ouvrant des yeux ronds.

— Pourquoi pas ? Trop d'arbres, trop de forêt. »

L'arbre tomba dans un bruit terrible, en entraînant d'autres dans sa chute.

Ce soir-là, la calme ville de Botafogo célébrait la veille de la San Juan. De grands feux furent allumés, et fusées, feux d'artifice et coups de fusils se succédèrent toute la nuit. Vers l'aube, se promenant toujours, incapable de dormir, Charles rencontra Earle, qui avait l'air épuisé.

« N'est-ce pas une curieuse façon d'honorer un saint ? demanda-t-il à Charles. Pour moi, ils essaieraient plutôt de le faire descendre du paradis à coups de canon. »

Le 1er juillet, Charles assista à l'office à bord du navire de S.M. *Warspite.* Il trouva la cérémonie impressionnante, surtout lorsque six cent cinquante hommes enlevèrent ensemble leur chapeau à l'écoute du *God save the King.*

En fin de journée, il ramena ses effets sur le *Beagle.*Comme il semblait étrange de se retrouver à nouveau confiné dans son recoin de la cabine de poupe ! Onze semaines s'étaient écoulées délicieusement. En quittant Botafogo, il n'avait que regrets et gratitude.

Lorsque le *Beagle* arriva à la hauteur du *Warspite* et du *Samarang,* l'équipage des deux vaisseaux de guerre serra ses voiles et leur cria bon voyage à trois reprises. L'orchestre du *Warspite* attaqua le « *Vers la Gloire vous avez mis la barre.* »

« Il y a bel et bien une fraternité des gens de mer ! s'exclama Charles.

— D'autant plus forte que chaque bateau navigue en solitaire la plupart du temps », répondit FitzRoy.

Pendant les trois premiers jours de traversée vers le sud, Montevideo et Buenos Aires, Charles trouva le temps éprouvant ; des brises légères variables et une mer houleuse. Il n'avait pas le mal de mer, mais était malheureux. Le quatrième jour, un vent fort se leva ; pour lui, c'était une tempête. Pour M. Chaffers aussi car il abaissa la voile de perroquet et les mâts. Le *Beagle* se mit alors à glisser sur les vagues, « comme abandonné à lui-même » fit remarquer Charles à Stokes, pour éviter les chocs trop durs.

Le *Beagle* était un être vivant, avec ses humeurs et son caractère : fort, puissant, résistant. Il ne pouvait plus penser à lui comme à un assemblage de planches, de toile, de clous et de cuivre. C'était l'être le plus important à bord, plus important que le capitaine même, puisque de son comportement dépendait le sort de tout l'équipage. Y compris de son naturaliste en herbe.

Vers la mi-juillet, il découvrit au réveil un ciel clair et une eau calme. Dans la mer, des baleines, et dans les airs, des pétrels et des pigeons du Cap. Une atmosphère nouvelle régnait à bord. Au mess, les officiers parlaient avec enthousiasme d'explorer la côte jamais encore décrite de Patagonie.

« Maintenant que nous allons vers les terres sauvages de Patagonie, pourquoi ne nous laisserions-nous pas pousser une barbe pour avoir nous aussi l'air de sauvages ? »

Ils le firent. Au début, celle de Charles le démangeait, mais il arbora vite une barbe rousse ébouriffée, heureux de ne plus avoir à s'écorcher avec le rasoir. Il montait sur le pont après le petit déjeuner et respirait l'air frais à pleins poumons pendant que le bateau avançait gracieusement à une vitesse de neuf nœuds.

Le moment était venu de demander aux menuisiers de construire les premières caisses dans lesquelles ses spécimens seraient envoyés en Angleterre.

Charles étala d'abord ses spécimens géologiques, deux cent cinquante-quatre sortes distinctes, ramassés de St Jago à Rio de Janeiro. Vint ensuite sa collection de plantes, correctement séchées et attachées, entre deux feuilles de papier, leurs étiquettes placées entre les feuilles. Une fois à Cambridge, Henslow les monterait sur un papier d'herbier plus fort. Il avait quatre gros bocaux d'animaux dans l'alcool, une énorme collection d'araignées, bon nombre de petits scarabées dans des boîtes à pilules, deux espèces de *Planariae* élégamment coloriées qui n'avaient qu'une fausse ressemblance avec des escargots ; une infinie variété d'organismes marins également dans une forte solution d'alcool ; les oiseaux qu'il avait préparés comme un taxidermiste ; les poissons dans la solution la plus concentrée ; un certain nombre d'invertébrés pour la plupart disséqués ; puis le récipient des lézards et des serpents ; les papillons épinglés et toutes les sortes possibles d'insectes...

Le chef menuisier May, qui avait insisté pour l'aider, tira sur sa barbiche :

« Donnez-moi deux ou trois jours, m'sieur Darwin, et j' vous bâtirai un vrai fort : les rocs en bas et les papillons su' l' dessus. »

Ils avaient parcouru la distance record de cent soixante miles en vingt-quatre heures et croyaient déjà qu'ils seraient bientôt à terre. Mais dans la soirée, une bourrasque vint droit sur eux. Une fois de plus les perroquets furent descendus ; ils affrontèrent la mer mauvaise avec une grand-voile serrée près du mât et les voiles de misaine, petit cacatois et petit hunier. Charles s'allongea sur le divan du capitaine pour lire les deux volumes du capitaine Philip King sur son exploration de l'Australie.

Le lendemain matin, la mer offrait un spectacle intéressant. Il étudia les troupeaux d'épaulards et les baleines qui suivaient le bateau, estimant qu'elles mesuraient environ quinze pieds de long. Ils se soulevaient ensemble, montrant ou leurs museaux arrondis, ou leur haute nageoire dorsale, éclaboussant et coupant l'eau avec une grande violence. Plus loin, les baleines noires se rapprochaient d'un banc de marsouins, suivies de poissons volants, de pingouins, de morses, et d'un oiseau qui ressemblait à un marteau jaune. La température était celle d'un jour d'automne en Angleterre.

« Cela ne durera pas, l'avertit Sulivan. Nous ne sommes qu'à six miles de l'embouchure de la Plata. Nous n'échapperons pas au brouillard épais. »

Dans la soirée, le vent fraîchit. Pendant le quart de nuit, entre minuit et quatre heures du matin, Chaffers, qui commandait, réveilla le lieutenant Wickham.

« M. Wickham, j'ai l'impression d'entendre du bétail beugler sur la rive.

— Sur la rive ? Nous serions loin d'où nous croyons être. C'est ce qui est arrivé à la *Thétis.* Montons sur le pont ! »

Wickham vérifia les instruments puis alla à l'arrière. Le brouillard ne lui permettait de rien voir mais il écouta attentivement et se retourna vers Chaffers avec un sourire :

« Les pingouins et les morses ! Ils font un vacarme incroyable ! Gardez le même cap ! »

Après vingt et un jours de voyage, ils atteignirent l'embouchure du Rio de la Plata. Si boueuse que soit l'eau de la rivière, elle flottait au-dessus de l'eau de mer et toutes deux se mélangeaient. Charles, qui observait le phénomène avec Bynoe en approchant du port de Montevideo, s'écria :

« Cela me dépasse, Ben. La boue de la rivière n'est-elle pas assez lourde pour tomber au fond ?

— Non, l'eau de mer a une densité spécifique plus grande. »

Ils jetèrent l'ancre non loin du navire de S.M. *Druid.* Le capitaine Hamilton informa le capitaine FitzRoy qu'il y avait eu un coup d'Etat militaire et que le nouveau gouvernement n'autorisait aucun marin anglais à se rendre à terre.

« Nous avons besoin de vivres. Permettront-ils à mon économe de débarquer ?

— Avec de l'argent à dépenser ? J'en parierais mon dernier shilling ! »

Tandis que Rowlett se rendait à terre en canot, avec de l'argent plein sa sacoche pour acheter viande et légumes frais, Charles et FitzRoy furent conduits à la rame à Rat Island, une petite île toute proche. Le capitaine fit des relevés. Charles partit chasser et découvrit des animaux étranges. Il en montra un, particulièrement curieux, à FitzRoy.

« A première vue on le prendrait pour un serpent, mais ces deux petites pattes arrière, ou plutôt ces nageoires, pourraient bien indiquer comment la nature parvient à relier la famille des lézards à celle des serpents. »

FitzRoy eut l'air interloqué. « On croirait entendre votre grand-père dans *Zoonomia.* Il avançait l'idée d'une transition d'une espèce à une autre. Je me souviens qu'il mentionnait des changements notoires survenant chez les animaux après la naissance.

— Je ne l'ai pas cru lorsque j'ai lu *Zoonomia* à quinze ans. Il n'avait pas amassé suffisamment de preuves pour étayer sa thèse.

— Il se trompait. Et vous aussi. Les lézards et les serpents sont exactement comme ils ont été formés au moment de la Création. »

Le lendemain matin, le capitaine FitzRoy leur distribua des vêtements chauds pour les protéger du froid mordant. Charles reçut en partage un manteau en tissu lourd et mal coupé qui l'enveloppa comme une couverture de laine. Il alla à terre avec King et quelques aspirants pour chasser en montagne, loin de la ville en émoi, qui avait donné son nom à Montevideo. Il tira une paire de perdrix, quelques canards sauvages et attrapa diverses sortes de lézards dont l'une, un iguane, avait trois pieds de long. A leur retour, le cuisinier était content.

« Le *guano,* à cette époque de l'année, est censé être bon à manger. »

Au dîner, FitzRoy annonça : « J'ai appris qu'il y avait d'anciennes cartes de Patagonie à Buenos Aires. C'est seulement à cent miles en remontant la rivière. J'ai décidé d'aller les consulter.

— Je ne veux pas quitter Montevideo sans avoir jeté un coup d'œil à la ville, dit Charles. Si nous portons nos vêtements de ville, nous n'aurons pas l'air trop dangereux.

— Rien que deux gentlemen anglais sortis faire une promenade ! »

Ils allèrent seuls en ville, la capitale de la république nouvellement constituée d'Uruguay. Rien n'indiquait la révolution ou la guerre civile, mais la ville n'avait pas grand-chose à offrir. Les rues étaient sales, l'architecture un indescriptible fouillis de bâtiments sans style ; les routes conduisant hors de la ville étaient dans un état lamentable. Mais même ainsi, l'œil exercé de Charles ne fut pas long à découvrir que c'était un lieu intéressant du point de vue de l'histoire naturelle.

En entrant dans la rade du port de Buenos Aires, le *Beagle* dépassa un vaisseau garde-côte qui leur tira dessus. Un instant plus tard, un autre coup fut tiré. Lorsqu'ils arrivèrent à leur mouillage, à trois miles du lieu de débarquement, FitzRoy ordonna qu'on mette deux canots à la mer. Ils furent arrêtés par un bateau de quarantaine. Une fois encore, on leur refusa l'entrée, à cause du choléra en Angleterre, et on leur ordonna de réintégrer leur vaisseau immédiatement.

Il y avait un fort courant dû à la marée et ils devaient remonter contre le vent. Les marins juraient en ramant.

Le *Beagle* retourna à Montevideo, où le capitaine de police et le commandant du port vinrent dans de petites embarcations leur demander de les aider à maintenir l'ordre face à une mutinerie qui se développait en ville.

« Nous n'en avons pas l'autorité, répondit le capitaine FitzRoy.

— Nous vous conférons cette autorité. »

A terre, le consul général anglais déclara :

« Capitaine, vous devez assurer aux citoyens anglais vivant ici toute la protection dont vous êtes capable. »

Cinquante-deux hommes bien armés quittèrent le *Beagle.* Parmi eux, Charles muni de ses pistolets et de son coutelas. Ils placèrent une garnison dans le fort principal, contenant les mutins jusqu'à l'arrivée des troupes gouvernementales. Les yeux de Sulivan brillaient d'excitation à l'idée de livrer bataille. « Si je m'attendais à participer à une guerre !

— Si tu fusilles des mutins, envoie-les chez nous comme spécimens, railla Sulivan : « Homo sapiens. »

Mais il n'eut pas à tirer. Personne d'autre non plus d'ailleurs. Dans l'après-midi, les hommes s'amusèrent à se faire cuire des steaks dans la cour. Au coucher du soleil, Charles rentra au bateau pour y trouver le reste de l'équipage qui s'affairait à tripler les filets d'abordage, à charger et à pointer des fusils vers la rive, débarrassant le pont pour l'action. Lorsque l'obscurité fut venue, Chaffers déclara :

« Nous sommes parfaitement prêts à nous défendre, si on attaque le *Beagle.*

— Pourquoi s'attaquerait-on à notre bateau ?

— Pour se procurer des munitions. »

Charles passa la nuit sur le pont avec les hommes de quart. Les renforts envoyés par le gouvernement arrivèrent à l'aube. Le soulèvement était terminé. FitzRoy annonça :

« Nous pouvons maintenant entreprendre notre relevé méthodique de la côte. »

Charles enrichit ses collections de scorpions trouvés sous des pierres, de sangsues, de crabes, de toutes sortes de diptères : cousins, moustiques, puces, mouches ; de coquillages de ruisseau ; d'oiseaux qu'il n'avait jamais vus : un spécimen de Fringilla, un courlis à la robe de pinson, une sorte d'alouette ; et une grande variété de lézards, de serpents et de scarabées... qui tous finirent sur un tiers de la table des cartes, avec à l'autre bout Stokes et Philip King qui dessinaient avec application des cartes du Rio de la Plata.

Le lendemain, quelques hommes sortirent chasser, espérant rencontrer un troupeau d'autruches. Charles fut si surpris de leur apparence, lorsque finalement il en vit un, qu'il en oublia de tirer.

La fois suivante, il partit seul ; tombant sur un gros cabiai, qui ressemblait à un énorme cobaye, il le poursuivit et lui tira une balle dans la tête. Lorsqu'il essaya de le soulever il découvrit qu'il ne pesait pas moins de cent livres. Il lui faudrait un cheval pour ramener son gibier à bord !

Son survol des espèces vivantes achevé, Charles s'intéressa à la géologie de Montevideo. La région était d'une complexité fascinante. Les roches étaient principalement du gneiss, avec du feldspath souvent jaunâtre, granuleux et imparfaitement cristallisé, en alternance avec des lits d'ardoise vert sombre à grains gros ou fins. Jonathan May avait terminé la caisse pour ses spécimens, un système habilement conçu de petits compartiments et de casiers plus larges maintenus solidement à distance du bois extérieur par une série de supports cloués à l'intérieur.

« Devrait arriver intact en Angleterre », décréta May.

Le 19 avril 1832, Charles, avec l'aide d'amis, descendit la lourde caisse dans la baleinière et la déposa sur le paquebot *Emulous* à destination de Falmouth. Il demanda combien de temps cela prendrait pour emmener sa caisse à Cambridge.

« Difficile à dire, Monsieur. Devons nous arrêter une ou deux fois sur la côte. Vers Noël, je suppose. Cadeau de Noël pour quelqu'un à l'université ? »

Charles rit en pensant au professeur Henslow lorsqu'il recevrait la caisse. « J'espère sincèrement qu'il le prendra comme cela ! »

7.

Le prochain travail du *Beagle* consistait à faire un relevé de la côte de Patagonie, vers le sud. Ils levèrent l'ancre et firent voile sous trois ris de hunier, en sondant continuellement. Une brise fraîche soufflait du nord-ouest et commença à faire baisser la rivière. Dans la soirée, ils avaient dix-huit pieds à l'arrière, au matin, seulement treize. Le bateau perdit son ancre. Et au moment où celle-ci se décrocha le vent poussa le navire à quelques toises d'une bouée qui marquait le lieu d'un ancien naufrage. Une fausse corde et ils auraient touché. Mais l'équipage aguerri de M. Chaffers hissa la voile et ils s'éloignèrent.

« Nous l'avons échappé belle. J'aimerais que cela ne se reproduise pas », déclara-t-il.

Mais son vœu ne fut pas entendu. Le capitaine annonça son intention de vérifier les points marquants de la côte. Pendant des miles, la rive était une ligne ininterrompue de dunes de sable et l'intérieur était inhabité.

« C'est l'endroit le plus désolé que j'aie jamais vu », bougonna Charles à Stokes. Il se sentait soudain pris de nostalgie pour les jardins odorants et colorés du Mont, pour les roses et les carrés de lobelias bleus, les bouquets d'arbres le long de la Severn.

« Aucun bateau n'a jamais visité cette côte. Mais nous avons pourtant besoin de cartes point par point à l'Office Hydrographique de Londres. »

Ils connurent quelques beaux jours sous un ciel sans nuage, puis vinrent des torrents de pluie, et une atmosphère si lourde qu'elle rendait impossible les opérations de repérage. Aussitôt, les marins jetèrent des lignes par-dessus bord. Tout le monde attrapa quelque chose avec de grands cris. Les prises étaient suffisantes pour qu'il y ait du poisson à dîner.

Seul, le capitaine FitzRoy montrait des signes d'inquiétude.

« Je le sens dans mes os, les baromètres vont s'élever et le vent va tourner. Et la tempête suivra. Comme toujours, qu'on vienne me chercher lorsque les baromètres monteront. »

A une heure du matin, Charles entendit qu'on sifflait tous les hommes sur le pont. Pendant que Stokes et lui s'habillaient à la hâte, il dit : « Les os du capitaine ont quelques heures d'avance sur les baromètres.

— Tous les bons capitaines ont un instinct qui leur fait prévoir le temps en mer. »

Dès le début, tout alla mal. L'ancre se prit dans de l'argile molle qui durcit sur les griffes de fer. Elles cassèrent. En hissant ce qui en restait, ils perdirent leurs bouées et cordes de sauvetage. Au matin, ils étaient au large mais la mer était mauvaise ; le chariot supportant l'obusier de quatre livres se brisa, le canon tomba par-dessus bord. Ces deux pertes mirent FitzRoy dans une rage froide.

La tempête rendit Charles malade pendant deux jours. Mais un phénomène curieux se produisit. Physiquement, il était toujours aussi mal en point, mais émotionnellement, il ne redoutait plus rien.

Ils mouillèrent quelque temps devant la Blanca Bay. Il était impossible d'accoster tant le ressac était violent. Une fois de plus les lignes de pêche volèrent par-dessus le bastingage. Charles ne voulait pas qu'on découpe un poisson avant qu'il l'ait décrit dans son cahier d'ichthyologie. L'équipage lui passa ce caprice.

Le capitaine FitzRoy était vexé ; les cartes qu'ils avaient de la région ne leur étaient d'aucune utilité. Et pour comble de désagrément, il avait fallu qu'ils jettent l'ancre à l'entrée d'une crique qui bloquait totalement la navigation. Un petit schooner battant pavillon buenosairien s'approcha d'eux. FitzRoy ordonna qu'une baleinière sous les ordres du lieutenant Wickham aille à sa rencontre et obtienne des renseignements. A midi, la baleinière revint avec un Anglais à bord :

« James Harris, pour vous servir, Monsieur. Je suis le propriétaire du schooner, je navigue sur le Rio Negro et fais du commerce le long de la côte.

— Nous pourrions utiliser les services d'un pilote. Nous aimerions rentrer sans encombre dans le port de Belgrano.

— Alors, il vous faudra lever l'ancre et rester bien au milieu du grand banc nord, dans à peine plus que votre tirant d'eau jusqu'à l'entrée du chenal qui est assez profond pour permettre le passage des plus gros bateaux. »

A la tombée de la nuit, avec Harris à la barre, le *Beagle* pénétra rapidement dans le port, excellent mais peu connu, de Belgrano, et jeta l'ancre près des viviers, sous Anchorstock Hill. Ils se trouvaient à quelque six cents miles de Montevideo.

« Il y a toute une série de petites criques semblables, qui creusent cette côte à demi inondée, fit remarquer Harris.

— Il est absolument nécessaire que nous les examinions, répondit FitzRoy. Pourriez-vous conduire un petit groupe des nôtres à notre base de Buenos Aires ? »

Charles courut à sa cabine, décrocha sa sacoche et sortit son marteau du tiroir. Ils empruntèrent la yole rapide du capitaine et quatre marins prirent les rames. Harris suivit la première crique qu'il rencontra. Au bout de quelques miles, elle devint si étroite que les rames touchaient des deux côtés. Charles ne voyait plus rien que de la boue. Après avoir attendu pendant deux heures la marée, il leur fut possible de ramer par-dessus les bancs de boue parmi les joncs. Quelques heures plus tard, ils atteignirent un poste garde-côte, à quatre miles de leur campement. En levant les yeux, Charles découvrit un groupe d'hommes qui les observaient.

C'étaient des gauchos vêtus de ponchos. Ils s'attachaient autour de la taille des châles de couleurs vives, par-dessus des pantalons à franges. Leurs bottes étaient faites de la peau du jarret des pattes arrière d'un cheval, un tube avec un coude. Ils les enfilaient encore fraîches, elles séchaient sur leurs jambes, ils ne les retiraient jamais. Les éperons étaient énormes. Ils montaient des chevaux puissants et portaient des sabres et de courts mousquets. Mais les hommes eux-mêmes étaient encore plus remarquables que leur costume : la plupart étaient mi-indiens, mi-espagnols ; quelques-uns étaient de sang pur et quelques autres Noirs.

James Harris leur expliqua qui étaient les hommes du *Beagle,* et obtint d'eux qu'ils les prennent en selle jusqu'au fort, un polygone aux murs de boue entouré d'un étroit fossé. Le capitaine FitzRoy et son groupe furent reçus sans cordialité ; le commandant du fort semblait mal à l'aise. Il montra du doigt Charles en costume civil et demanda :

« Qui est-ce ?

— Un Anglais, M. Charles Darwin.

— Qu'est-ce qu'il fait ?

— Il est *naturalista.*

— Un *naturalista,* c'est quoi ?

— Un homme qui connaît tout. »

Cela fit peur au major. Il demanda à Charles, en faisant traduire par Harris :

« Tout ce que vous connaissez, c'est quoi ?

— Les roches, les poissons, les insectes, les oiseaux, les plantes, les coquillages. »

L'homme se tourna vers FitzRoy.

« Etes-vous envoyés en reconnaissance avant une attaque ?

— Major, notre mission est d'exécuter des relevés topographiques.

— Vous aimez notre port pour les bateaux ?

— Il est magnifique. Toute la flotte britannique pourrait y tenir ! »

Le major hurla de colère.

« Alors c'est bien vrai ! Vous allez amener la flotte anglaise pour nous conquérir ! Mais je serai plus fort que vous ! Quittez la région ! Et emmenez ce *naturalista* avec vous. C'est un sorcier. »

Harris intervint :

« J'ai un ami espagnol qui n'habite pas loin. Il nous recevra chez lui. »

La maison de l'ami n'avait qu'une pièce, mais confortable. Les hommes prirent un repas léger, n'ayant rien mangé depuis douze heures, et s'endormirent sur le sol. Charles était coincé entre Rowlett et Harris. Dans la matinée, les officiers de Buenos Aires surveillèrent de très près leurs moindres mouvements. On avança tous les prétextes pour leur faire quitter la base. Finalement, on leur fournit une escorte. Lorsqu'ils retrouvèrent le *Beagle* à midi, ils virent une troupe de soldats qui bivouaquaient sur une colline pour observer les mouvements du bateau.

Après le déjeuner, FitzRoy convoqua Stokes, Wickham et Sulivan dans sa cabine. Il avait le rouge aux joues, ses yeux sombres étincelaient. Charles écouta ce qu'il disait.

« Messieurs, je suis arrivé à la conclusion suivante. Après ce que nous avons vu hier des eaux et des berges avoisinantes, je suis convaincu que le *Beagle* seul ne peut pas les explorer de façon véritablement utile, à moins de passer beaucoup plus de temps à nos relevés qu'il ne nous est possible. Harris et son associé sont propriétaires de deux petits bateaux à un pont, gréés en schooners. Le plus grand fait quinze tonnes, le plus petit, neuf. Harris a consenti à nous les louer et à servir de pilote sur le plus grand tandis que son ami Roberts pilotera l'autre. Les deux hommes sont familiarisés avec la complexité des bancs, des mouillages et des marées. Ils semblent pouvoir faire l'affaire, encadrés naturellement par de bons officiers.

« Qui ? demandèrent Wickham et Sulivan en même temps.

— Wickham, j'aimerais que vous commandiez le plus grand des bateaux. Stokes, prenez le petit. Cela présente pour nous ce grand avantage que pendant que vous tracerez des relevés de cette région, le *Beagle* pourra remonter au nord de Montevideo, puis plein sud vers la Terre de Feu pour y déposer nos trois Fuégiens et M. Matthews.

— Evidemment, deux bateaux de plus seraient une aide considérable, fit Wickham, un peu pâle. Puis-je demander ce qu'en dira l'Amirauté ?

— Au sujet du coût ? C'est une sérieuse difficulté. Je ne suis pas autorisé à louer de nouveaux services ou faire des achats supplémentaires. Mais cela ne m'arrêtera pas car je suis optimiste quant au résultat. J'ai passé un accord sous ma propre responsabilité pour tous les paiements qui seront convenables. Salaires, locations des bateaux, nourriture pour les deux propriétaires. Les bateaux auront besoin de quelques aménagements mais nous avons tous les matériaux et les artisans nécessaires à bord. »

En grimpant par l'écoutille arrière sur le pont découvert, Sulivan murmura à Charles :

« Je suis content que le capitaine n'ait pas pensé à moi. Les petits bateaux me rendent malade. Wickham aussi d'ailleurs. »

Le service divin eut lieu en ce dimanche matin, après quoi Charles accompagna un groupe d'officiers à terre pour étudier la succession de dunes sablonneuses entièrement recouvertes d'herbages denses et drus ; derrière venaient les pampas, qui s'étendaient sur des miles à la ronde. Lundi matin, c'est l'équipage qui débarqua, un contingent allant ramasser du bois pendant que l'autre creusait des puits et remplissait les barils d'eau. Le capitaine FitzRoy dicta un contrat à Hellyer, son secrétaire : les propriétaires s'engageaient à prêter leur concours et bateaux pendant huit mois lunaires. En retour, FitzRoy acceptait de payer cent quarante-huit livres sterling par mois lunaire. FitzRoy pourrait résilier le contrat à la fin de chaque mois comme il le voudrait à partir de décembre 1832.

Harris partit chercher les deux bateaux. Rowlett l'accompagna pour localiser les produits dont ils manquaient. Charles et Wickham allèrent à la chasse. Charles tira un chevreuil de bonne taille et une daine, mais Wickham fit mieux encore en abattant trois daines.

« Je regretterai de vous voir partir, lui dit Charles.

— Moi aussi, Tue-mouches, tu vas me manquer. Pour une fois qu'il y avait à bord un ami à qui il ne fallait ni obéir ni donner des ordres. »

Ils s'éloignèrent pendant moins d'une heure — pour demander qu'on les aide à transporter leur gibier. A leur retour les vautours et les éperviers avaient totalement nettoyé une carcasse.

« Cela m'apprendra, dit Charles en levant les yeux vers les oiseaux tournoyant, il y a toujours dans les parages quelque chose de plus affamé que nous. »

Le capitaine FitzRoy déplaça le *Beagle* de quelques miles au-dessus du port, pour se rapprocher d'un bon point d'eau potable.

« Nous resterons ici pendant plusieurs semaines, expliqua-t-il jusqu'à ce que les nouveaux bateaux soit prêts. Nous partirons tous ensemble. »

L'équipage avait appris à jeter les filets au bon moment de la marée et ils ramenaient chaque jour une tonne de poisson. Earle peignait la mer pendant que Charles triait les nouvelles espèces et les décrivait dans son cahier d'ichtyologie. C'était la mi-septembre, un an après son arrivée à Plymouth. Le dix-huit, trois jours après l'équinoxe, ce serait le printemps. Les plaines étaient couvertes de fleurs roses d'oseille des bois, de pois sauvages ; les oiseaux commençaient à pondre leurs œufs.

Chaque jour était jour de moisson pour Charles. Parmi les plantes, il avait ramassé du trèfle, une fleur odorante trouvée près de la mer mais qu'il ne parvenait pas à identifier, des plantes grasses à feuilles charnues. Parmi les reptiles, des têtards, un serpent non venimeux du genre *Coluber,* un serpent avec des larges mâchoires et une tête triangulaire. Lorsqu'il jeta le serpent sur la table des cartes, Stokes s'écria :

« Au moins, sur le schooner, je ne verrai plus ces horribles serpents venir ramper sur mes belles cartes », mais son ton geignard démentait ses paroles.

Charles partit chasser avec les gauchos que Rowlett avait engagés pour fournir le *Beagle* en viande fraîche, vêtu d'un grossier pantalon de marin et d'une veste. A sa grande surprise ils lui proposèrent un cheval pour l'une de leurs excursions. Les gauchos dormaient à même le sol, tuaient leur nourriture où ils allaient, puma, lion ou autruche, et recherchaient les œufs d'autruche. Charles était le seul à avoir un fusil. On l'avait prévenu : « Ne tirez pas. » Les gauchos attrapaient tout avec *la bola,* deux ou trois boules de fer attachées à des lanières de cuir.

Un gaucho se détachait, essayant de rabattre l'animal vers les autres ; les gauchos le poursuivaient sans relâche, en faisant tournoyer les boules par-dessus leur tête. Le plus avancé les lançait. Immédiatement, l'animal basculait, les jambes liées par les lanières. Charles admirait la façon dont ils montaient, leur rapidité et leur précision.

Ils trouvèrent soixante-quatre œufs d'autruche. Ils attrapèrent également bon nombre d'armadillos. A la mi-journée, firent rôtir les œufs et les armadillos dans leur carapace. Charles savoura le mets. Assis autour du feu, il remarqua pour la première fois que l'un des gauchos était une femme. Elle prétendait être effrayée par son fusil.

« *No es cargado ?* »

Il mentit galamment. « Non, il n'est pas chargé. »

Entre autres animaux Charles prit un agouti, le lièvre des pampas, trois sortes d'armadillos, et un *zorillo,* cochon d'inde d'Amérique du Sud. Dans l'estomac d'une autruche, il trouva un ver intestinal.

Sa collection d'œufs et d'oiseaux s'agrandissait rapidement. Il trouva un œuf de *Struthio Rhea,* l'autruche sud-américaine, un pluvier des falaises, un sterne, hirondelle des marais salants, des perroquets, une bécassine au bec court. Il travaillait la nuit, cataloguant, décrivant et conservant encore à la lueur de la bougie.

Il croisa dans la baie avec le capitaine FitzRoy et Sulivan. Lorsqu'ils arrivèrent à Punta Alta à environ dix miles du bateau, son attention fut attirée par des falaises basses d'environ un mile de longueur. En attaquant avec son marteau de géologue le lit le plus bas, il découvrit du gravier stratifié.

« Capitaine, regardez ce que j'aperçois ! Des os, des fossiles, les premiers que j'ai jamais découverts *in situ.* Aidez-moi à les déterrer. »

Le conglomérat se brisa facilement. Charles avait dans les mains les os de gigantesques mammifères anciens. Il en tremblait tant que Sulivan dut l'aider à les transporter sur le bateau.

« J'ai une mâchoire inférieure, s'écria-t-il. Tarse et métatarse en parfait état.

— De quoi ?

— Le professeur Sedgwick m'a recommandé de ne rien essayer de deviner en matière de fossiles et d'attendre qu'on les étudie à Cambridge. »

Son sommeil fut agité. Il se réveilla à l'aube, fit lever Syms Covington, lui demanda de se procurer une pioche, prit une tasse de thé sur le fourneau du cuisinier et partit dans une baleinière. En remontant les falaises de Punta Alta, Covington et lui attaquèrent la troisième strate par le bas et trouvèrent des coquillages. Là où le gravier et la boue rouge se rejoignaient, il trouva de nouveaux os et la tête, en parfait état de conservation, d'un énorme animal depuis longtemps éteint. Il leur fallut trois heures pour arriver à la dégager.

« Qu'avons-nous trouvé ? demanda Covington, que ce travail avait mis en sueur.

— A première vue, cela me fait penser à la famille des rhinocéros. »

De retour à bord, Charles vida le contenu de son sac de toile sur le pont. Le lieutenant Wickham, que leur longue attente dans la baie rendait irritable cria : « Bon sang, Darwin, retirez-moi ces monstres du diable de mon pont propre ! Regardez-moi ce travail ! A la place du patron, j'aurais depuis longtemps jeté toute cette pagaille par-dessus bord et vous avec ! »

Mais après dîner, il vint le trouver dans la cabine de poupe avec un sourire confus.

« Excusez-moi, Tue-mouches. J'aurais dû être plus aimable avec vous. »

Les deux schooners arrivèrent le lendemain matin. Wickham se rendit à terre en emmenant un nombre suffisant de membres d'équipage, et parmi eux, voilier, tonnelier, armurier, charpentier. Ils montèrent une tente et établirent leur camp dans une petite crique. Les schooners accostèrent pour qu'on puisse les aménager. Le *Paz,* même pour un œil non averti, était laid et mal construit. Il était sale et sentait l'aigre. Le *Liebre* paraissait encore pire. Les deux bateaux avaient transporté de l'huile de phoque et de l'huile d'éléphant de mer.

La cabine, sur le bateau de Stokes, faisait sept pieds de long, sept de large et trois hommes devraient y suspendre leur hamac. Dans le petit espace devant, cinq hommes de plus devraient vivre. Le plus gros des bateaux transporterait les instruments, sextant, transit, théodolite, ligne de plomb. La cabine y était de la même taille mais avait quatre pieds de haut et comportait une table et des chaises.

« Wickham, de la marine royale, fit Charles en riant, je savais bien que vous finiriez amiral.

— Donnez-nous trois semaines pour les nettoyer, retaper les cabines, et mettre là-dessus un peu de peinture fraîche, de changer mâts, voiles, gouvernail, et barre... et ce seront des merveilles. »

Punta Alta était une mine de vieux ossements. Il trouva une mâchoire inférieure d'animal avec la plupart de ses dents ; les os de deux ou trois rongeurs, les os de quelques grands quadrupèdes mégathérioïdes.

« Comment ces animaux se sont-ils trouvés pris dans cette falaise ? demanda Covington.

— Ce n'est pas ainsi que les choses se sont passées, répondit Charles. Du fait que nous trouvons des berniques attachées à certains os, et par la présence de coquillages, nous pouvons être certains que ces os ont séjourné au fond d'une mer peu profonde.

— Et quelque chose a poussé le fond des mers dans les airs pour en faire des falaises ?

— Oui. Pas un volcan, puisqu'on ne trouve pas de lave par ici. Probablement pas un tremblement de terre non plus, car ils auraient été happés et auraient disparu. Quoi, alors ? Je n'en sais rien. Quelque mystérieuse force bouillonnante. J'aimerais avoir le professeur Sedgwick ou Charles Lyell près de moi pour qu'ils me l'expliquent. »

Lorsqu'il déversa précautionneusement ses prises sur le pont du *Beagle,* Sulivan, officier responsable, jeta les yeux sur la pile d'os, se mit à rire, et, imitant Wickham, cria :

« Ah ! Darwin, encore vos maudites cochonneries ! Retirez-les de mon pont bien astiqué avant que je jette tout ça et vous avec par-dessus bord ! »

Bynoe voulait connaître l'âge des os, de la tête et de la cage thoracique.

« Tes suppositions valent les miennes, Bynoe. Mais je dirais, sûrement antédiluviens.

— A quelle date a eu lieu le déluge ?

— Qui connaît la réponse ?

— L'Eglise d'Angleterre, répondit Bynoe. Elle nous donne la date de la création du monde, 4004 avant J.-C. Il a sûrement fallu à Dieu au moins mille ans pour devenir à ce point furieux contre l'homme et toutes les créatures qu'Il décide de les balayer du globe.

— Tu suggères que ces animaux sont morts dans la boue de notre mer peu profonde il y a environ cinq mille ans ? Laisse-moi te lire un passage que j'ai trouvé dans les *Principes de Géologie* de Lyell, la nuit dernière. »

Le livre était encore marqué à la bonne page. Bynoe s'assit en face de lui, de l'autre côté de la table.

« Lyell pense que les géologues chiffrent leurs estimations en milliers d'années alors que le langage de la nature parle en millions... Un monde antérieur à la Création. Je sais que c'est un concept choquant, Ben. Le professeur Henslow m'a mis en garde contre les conclusions de Lyell. Pourtant, d'après ce que j'ai vu au cours de ce voyage, Henslow pourrait bien avoir tort et Lyell raison. »

Le capitaine FitzRoy voulut ériger un repère pour les navires qui viendraient ensuite dans la région. Ils jetèrent l'ancre au-dessous du mont Hermoso. Pendant que le capitaine, avec quatre baleinières lourdement chargées d'outils et de bois de charpente, partait avec ses hommes à la recherche du site idéal, Charles et King examinèrent des roches. En début d'après-midi, lorsqu'ils revinrent vers la plage, deux des baleinières avaient été tirées au sec. Le vent avait tourné et une écume blanche entourait les brisants. Les autres avaient rejoint le *Beagle* deux heures plus tôt.

« Nous allons devoir passer la nuit ici, fit Stokes. C'est une perspective peu agréable que de dormir par terre dans de fins vêtements. » Ils essayèrent de se protéger du vent en s'abritant derrière une voile et parvinrent presque à dormir jusqu'à ce qu'il se mette à pleuvoir. A l'aube, la bourrasque faisait encore rage et sur la mer, le *Beagle* dansait dangereusement. Ils dînèrent ce soir-là de poisson que la mer rejetait sur la plage et de ce qui leur restait de la veille. Dans la soirée, le vent faiblit. Le capitaine FitzRoy réussit à s'approcher à cent toises d'eux et jeta d'un canot une caisse de vivres.

« Deux volontaires bons nageurs pour aller chercher la caisse », dit Stokes.

Lorsque deux jeunes gens eurent ramené le baril à la nage en le poussant, ils eurent de quoi manger et du rhum en abondance qui leur réchauffa le sang. Mais le vent ensuite leur parut encore plus glacial.

On vint les délivrer dans l'après-midi du troisième jour. En retrouvant son hamac, Charles déclara à Stokes : « Une aventure pareille me permet d'apprécier pleinement le luxe du *Beagle.* »

La mer se calma. Charles passa de longues heures à terre. En creusant plus profond dans la falaise de Punta Alta, il trouva une mâchoire avec une dent et des morceaux d'une couche osseuse protectrice qui le persuadèrent que ce fossile était les restes de quelque grand animal antédiluvien, le Megathérium. Il avait appris à Cambridge que les seuls fragments connus de cet animal se trouvaient dans la collection du roi à Madrid.

« Se pourrait-il que j'aie en ma possession le seul Megathérium qu'on puisse voir et étudier en Angleterre ? » s'écria-t-il sans cacher son exaltation.

8.

Le *Beagle,* le *Paz* et le *Liebre* firent voile vers le sud le 17 octobre. Ces deux derniers brillaient de leur revêtement de peinture et de leurs nouvelles voiles. Tous trois s'arrêtèrent à l'embouchure de Bahia Blanca, et le lendemain, les deux schooners poursuivirent au sud. Les hommes du *Beagle* les encouragèrent à prendre de la vitesse avec trois puissants hourras, puis virèrent au nord vers Montevideo et Buenos Aires, pour remplacer les ancres perdues et amasser les provisions nécessaires au voyage jusqu'en Terre de Feu. Ils mangeaient du porc et du bœuf salé.

En entrant dans la cabine de poupe, Charles réalisa qu'il aurait désormais la table pour lui tout seul. En étalant devant lui ses trouvailles, il sut qu'aucune collection en Angleterre, pas même celles du British Museum, n'était comparable à la sienne.

En route vers Montevideo, il demanda au chef menuisier May de commencer à construire les caisses solides dont il aurait besoin pour envoyer ses secondes collections. Il sépara à nouveau organismes marins et poissons, épingla ses insectes, écorcha ses oiseaux, laissant les os des ailes, des pattes et les crânes, mais retirant toutes les parties charnues à l'exception de la cervelle. Puis il les bourra de fibre, et les traita avec du poison pour écarter les insectes. Il sécha ses plantes, remplit de paille ses coquillages, étiqueta ses fossiles. Il pensa avec gratitude aux leçons du docteur Grant à Edimbourg ; et à celles de John, ce Noir qui avait accompagné Charles Waterton dans son expédition en Amérique du Sud.

Epuisé par une journée de travail de seize heures, Charles monta sur le pont pour admirer le ciel pailleté d'étoiles. De retour dans sa cabine, il se déshabilla et prit sa plume. Dans son journal intime, le poète qui sommeillait en lui s'épanchait librement.

« *La nuit était d'un noir intense, par une fraîche brise. La mer offrait, par sa luminosité, la plus merveilleuse apparence ; tout ce qui de jour paraît écume irradiait une lumière pâle. Le vaisseau poussait devant lui deux trombes de liquide phosphorescent et laissait dans son sillage une traînée laiteuse. Aussi loin que se portât le regard, la crête de chaque vague étincelait ; et par la réflexion de la lumière, le ciel juste au-dessus de l'horizon n'était pas aussi sombre que le reste des cieux.* »

Le grand moment de leur arrivée à Montevideo fut la distribution du courrier pour presque tous les hommes. Il y en avait pour Charles : le journal de sa sœur Susan, qu'elle avait arrêté et posté le 12 mai et celui de Caroline qui se terminait le 28 juin. Les nouvelles de Susan étaient vieilles de plus de cinq mois, celles de Caroline, de quatre. Il ferma la porte de la cabine de poupe avant de se plonger dans plusieurs pages couvertes de l'écriture sage de Susan.

Son père se réjouissait de ce que le remède de biscuit et de raisins secs prescrit en cas de mal de mer se fut révélé efficace. Il ne comparait plus le bateau à une prison puisque Charles lui apprenait qu'il était confortable. Ses sœurs, après avoir lu ses lettres à haute voix, même aux domestiques, en avaient fait des copies qu'elles faisaient lire à toute la famille, envoyant l'original à Erasmus à Londres, pour qu'il les fasse circuler parmi leurs amis.

Un paragraphe lui plut tout particulièrement :

« *Le professeur Sedgwick nous a rendu visite la semaine dernière, en chemin vers le pays de Galles. Il a beaucoup parlé de toi et t'envoie son meilleur souvenir. Il insiste pour que nous te disions d'examiner les bancs de gravier des petites rivières pour y chercher des restes d'animaux.* »

Un autre était inquiétant. Robert Biddulph avait retardé son mariage avec Fanny Owen pendant des mois pour une question de dot. Il se croyait prêt pour la nouvelle du mariage de Fanny mais son cœur se serra, lorsqu'il en lut la description, comme aux jours d'angoisse qui avaient précédé son départ de Plymouth.

Mais dans tous ces potins romantiques, il n'y avait pas un mot sur Emma Wedgwood. Emma, qui avait maintenant vingt-quatre ans, était une jeune femme attirante, délicieusement calme, intelligente et douée. Il revit son visage, les yeux bruns lumineux, la bouche pleine et sensible. Et il se prit soudain à regretter Maer Hall, son lac en queue de poisson, et la verdure de ses douces collines...

Pour adoucir le soudain accès de nostalgie qu'éveillaient toutes ces « effusions », il se tourna vers les journaux et lut pendant plusieurs heures.

Le 30 octobre, ils remontèrent la rivière vers Buenos Aires poussés par une bonne brise toute la journée. Le capitaine FitzRoy avait informé le gouvernement de Buenos Aires de son intention de se servir de chronomètres pour mesurer la distance méridienne entre Montevideo et Buenos Aires et les gardes-côtes les laissèrent passer.

Avec ses caisses prêtes à être expédiées en Angleterre, Charles connut à Buenos Aires ses premières vacances depuis Plymouth. Il fit du cheval le long de la plage ; Sulivan et Ben Bynoe l'accompagnèrent quand il se rendit dans les boutiques anglaises. Ils y achetèrent de nouveaux vêtements, des articles de toilette, divers instruments scientifiques et quantité de récipients pour les spécimens de Charles. Ils visitèrent les églises, admirèrent l'éclat des décorations dont le style flamboyant avait rendu la ville célèbre, apprécièrent le musée, firent six lieues à cheval jusqu'à une *estancia* dont les saules et les peupliers en bordure des fossés rappelèrent à Charles le Cambridgeshire ; il alla au théâtre sans comprendre un mot ; dîna avec M. Gore, attaché d'affaires anglais. De son côté, Rowlett achetait tout ce qu'il pouvait : des ascorbiques, du vinaigre, des cornichons et des citrons ; du bœuf, des légumes et des fruits frais ; du tabac, du rhum, du savon, du cacao, du thé, du café, des pommes de terre ; des centaines de produits de première nécessité, du fer et du charbon pour la forge. Ils se promenaient en ville, d'excellente humeur ; ils n'avaient pas respiré l'air d'une métropole depuis des mois.

« Pas étonnant que les étrangers prennent tous les marins anglais pour des fous ! » s'exclama Sulivan.

Charles admirait les dames espagnoles, leurs cheveux élégamment retenus par un énorme peigne, leurs épaules enveloppées de larges châles de soie, leur démarche gracieuse. Pendant un moment, il crut voir Fanny Owen dans le visage de chaque fille espagnole qui passait.

Charles avait entendu parler du général Rosas, commandant en chef de l'Etat de Buenos Aires, qui exterminait les tribus indiennes indigènes et les chassait des pampas pour la sécurité des ranches d'éleveurs, et il savait qu'il avait besoin d'un passeport pour tout voyage vers l'intérieur. En s'adressant aux officiers locaux il obtint une lettre d'introduction pour le commandant de Patagones et des passeports qui le déclaraient « Naturaliste du Vaisseau de sa Majesté *Beagle* ».

Ils rentrèrent à Montevideo mi-novembre, ayant affronté un vent « aussi mauvais que possible ». Quelques jours plus tard, le paquebot *Duke of York* arriva au port. Charles supervisa le transfert délicat dans la cale du navire, de ses quatre caisses qui seraient débarquées à Falmouth.

Il reçut deux nouvelles lettres, dont l'une d'Erasmus. Son père souffrait d'un lumbago et ses sœurs essayaient de le persuader d'interrompre ses tournées, de ne recevoir ses malades qu'au Mont. La famille espérait que Charles ne se laisserait arrêter par aucune fausse honte, s'il désirait rentrer. Susan écrivait :

« *Je suis heureuse de voir qu'à tes yeux la tranquille petite paroisse n'a rien perdu de son charme... Et, malgré tous les mariages de cette année, je suis sûre que tu trouveras une charmante petite femme qui n'attend que toi.* »

Le ton de la lettre d'Erasmus était bien différent :

« *Je t'ai fait un récit détaillé des événements politiques,* disait-il, *bien que si loin de l'Angleterre j'imagine que la politique n'a guère d'intérêt pour toi.* »

« Il se trompe », s'écria Charles en lisant que le « Reform Bill » était enfin passé ; mais que par négligence ou par ignorance, un grand nombre d'électeurs omettaient de se faire inscrire sur les listes pour voter. Dans la même veine, Erasmus concluait :

« *Je regrette de lire dans ta dernière lettre que tu rêves toujours d'une affreuse petite paroisse dans le désert. Je commençais à espérer que tu viendrais loger près du British Museum ou quelque autre société savante. Il ne me reste plus qu'à espérer l'abolition de l'Eglise d'Angleterre !* »

Presque aussi précieux que les lettres de sa famille était le second volume des *Principes de Géologie* de Lyell dans lequel il s'intéressait aux changements progressifs chez les créatures animées. Allongé dans son hamac, dans le calme de la cabine de poupe, il lut la question féconde que posait Lyell :

« *... s'il pourrait exister des preuves de l'extermination successive des espèces dans le cours ordinaire de la nature, ou la moindre raison d'avancer l'hypothèse que de nouveaux animaux et de nouvelles plantes sont créés à des époques données, pour les remplacer ?* »

Il pensait au jour où il pourrait montrer à Charles Lyell les os fossiles qu'il avait découverts à Punta Alta. Puis, dans un soudain accès d'énergie, il écrivit à son frère et le chargea d'une multitude de tâches comme de lui trouver un bon ensemble de miroirs, de la gaze, des épingles et des aiguilles, des boîtes à pilules, *Les Mollusques,* de Cuvier, les *Fragments* de von Humboldt, un livre de botanique de Linné, les *Régions Arctiques* de Scoresby...

Il pourrait s'écouler neuf mois avant qu'il reçoive une nouvelle lettre.

Le *Beagle,* rénové et réapprovisionné, quitta Montevideo le 27 novembre à destination de la Terre de Feu, ces deux cent cinquante miles à l'extrême pointe de l'Amérique du Sud, au-dessous du détroit de Magellan. Le cap Horn se trouvait au milieu de cette pointe où les redoutables forces de l'Atlantique et du Pacifique viennent se fouetter mutuellement. Magellan lui avait donné son nom de Terre de Feu, il aurait pu la baptiser aussi Terre des Tempêtes. Les Espagnols avaient essayé de s'approprier la région en y envoyant un détachement de plus de 200 hommes en 1585, mais la plupart y étaient morts le premier hiver. Aucune nation n'en voulait plus maintenant. Pas même les insatiables Anglais. Ceux qui connaissaient les terrifiantes rigueurs de la région la disaient « *al diablo* », faite par et pour le diable.

Les trois Fuégiens savaient qu'ils faisaient voile vers chez eux et que rien, sauf une catastrophe, n'empêcherait leur retour. Jemmy était nerveux. Il agissait comme quelqu'un qui voit approcher sa condamnation. Il ne pouvait pas regarder Charles en face.

« Moi pas vouloir rentrer.

— Mais c'est ce qui était convenu avec le capitaine. Il vous emmènerait en Angleterre pendant un an ou deux pour y être éduqué puis il vous ramènerait.

— C'est capitaine qui décidé. Moi pas décidé. Quelle manière c'est ça ? »

Tout au contraire, l'orgueil de York semblait grandir de jour en jour. Son attitude méprisante à l'égard des marins semblait vouloir dire : vous avez voulu faire de moi un Anglais, mais je n'ai pas changé !

« Moi revenir riche, disait-il, beaucoup cadeaux. Moi être chef Alikhoolip.

— Mais d'où vient cette richesse, York ?

— Du capitaine. Moi prendre pour salaire. Moi fait capitaine célèbre. Nom lui dans journaux. Fuégiens emmené lui la Cour. Lui voir Reine. »

Charles rit de bon cœur.

« Je crois que tu deviendras chef, York. Tu as l'esprit d'un politicien. »

Quant à Fuegia Basket, avec tant de souvenirs de sa petite enfance estompés par le confort et les largesses de l'Institut, elle ne savait à quoi s'attendre. Elle était légèrement inquiète ; son futur ne lui appartenait plus. Elle avait cessé de faire du crochet et de se coudre des robes.

Vers quatre heures de l'après-midi, le bateau fut entouré d'une multitude d'ailes blanches. Les marins s'écrièrent : « Il neige des papillons ! »

C'était un spectacle incroyable.

« D'où viennent-ils ? demanda Charles.

— Ils sont poussés par une rafale du nord-ouest, expliqua FitzRoy.

— Je vais chercher mon épuisette pour en ramasser. » Le temps qu'il coure à la cabine de poupe et la brise gonfla deux ris de hunier. Il revint hors d'haleine.

« Ils tombent en rangs serrés comme des flocons de neige, fit Bynoe. Et ils n'occupent pas moins de deux cents toises de hauteur, sur un mile de largeur et un mile de long. »

Charles leva la tête, laissant les papillons tomber délicatement sur ses cheveux, son front, son nez, sa bouche et son menton. Il murmura : « Maintenant je sais ce que les Israélites ont ressenti lorsque Dieu leur envoya la manne du ciel !

— Il y a pourtant une différence de taille, répondit Sulivan en riant comme un gamin ; n'avale pas les papillons, ils ne sont pas comestibles. »

Il ne leur fallut qu'une semaine de traversée excellente pour atteindre San Blas. Un peu après le lever du jour, le 3 décembre, ils aperçurent quelques îles basses et se dirigèrent droit vers le rivage. Tout à coup, ils se trouvèrent dans une large bande d'eau décolorée ; la profondeur diminua de dix à trois brasses. Ils remontèrent vers le sud avec la marée montante. Jemmy, du haut du grand mât, fut le premier à les apercevoir :

« Des bateaux, des bateaux ! »

Les deux schooners qu'ils avaient quittés sept semaines plus tôt vinrent bientôt se ranger le long de leur coque. Wickham fut le premier à bord. Le soleil lui avait tellement craquelé la peau qu'il avait du mal à remuer les lèvres. Stokes et King montèrent à leur tour. Eux aussi étaient brûlés par le soleil. Tout le monde les entoura pour leur faire fête et rire de l'apparence que leur avaient donnée le soleil brûlant et le vent constamment rafraîchi par les embruns. Leurs cartes et leurs sondages étaient si parfaits que le capitaine FitzRoy les persuada de faire un relevé de la côte à partir de Port-Désir. Charles regrettait d'avoir à les quitter à nouveau au bout de deux jours. Ils ne se retrouveraient plus jusqu'à Rio Negro, à plus de cinq cents miles au sud de Montevideo, presque à mi-chemin de la Patagonie, en mars prochain, trois mois plus tard.

Il passa les jours suivants à collectionner des crustacés dans son filet placé à l'arrière du navire : des crabes, des huîtres, des crevettes ; il étudiait les mécanismes par lesquels ils changeaient de coquille. Puis, le 11 décembre, un an exactement depuis que le *Beagle* avait quitté la baie de Plymouth, une forte brise vint du sud-ouest. Charles savait qu'il serait malade et se préparait au régime du biscuit et des raisins secs.

« Je connais un bon moyen de tenir tête à la tempête, lui dit Sulivan. Essaie de la capturer dans ta prose et c'est toi qui la domineras.

— Bonne idée, Sulivan. Je vais prendre un crayon et m'y mettre aussitôt. »

Et il nota :

« *Il est toujours intéressant d'observer la progression d'un grain. La courbe ascendante d'un nuage noir poussé par le vent ; puis la ligne de brisants blancs qui approche rapidement jusqu'à ce que le navire donne de la bande et que s'entende le sifflement de la bourrasque dans les gréements.* »

9.

Vers la mi-décembre, ils aperçurent à travers le brouillard une terre au sud du détroit de Magellan, ce passage intérieur compliqué qui relie l'océan Atlantique au Pacifique, que le grand navigateur portugais avait audacieusement franchi en 1520.

Ils mirent le cap sur la Terre de Feu le lendemain. FitzRoy modifia leur itinéraire pour naviguer le long de la côte. Très vite ils aperçurent un signal de fumée. A la jumelle, Charles put voir un groupe d'Indiens qui observaient le bateau. La brise était fraîche et le *Beagle* descendit cinquante miles en bordure d'une côte de falaises abruptes.

Le bateau bougeait tellement la nuit, dans des mouillages non protégés, que Charles ne pouvait ni se reposer ni dormir. Il se levait au point du jour, vers trois heures du matin environ, et voyait le *Beagle* repartir. Un peu après midi, ils pénétrèrent dans le détroit de Lemaire, avec un vent fort en poupe.

Ils jetèrent l'ancre cet après-midi-là dans la baie de Good Success, à un peu plus de cent miles au nord de la pointe de l'Amérique du Sud et du cap Horn. Là le capitaine FitzRoy annonça son intention de faire des relevés pendant quelques jours. Un groupe de Fuégiens s'était perché sur un pic qui surplombait la mer. Ils agitaient leurs manteaux de peau et criaient en direction des hommes massés sur le pont et suivirent le bateau lorsqu'il entra au port. A la nuit tombante, on vit un feu devant le wigwam qu'ils s'étaient improvisé pour la nuit.

Le port de Good Success était une vaste étendue d'eau cernée de toutes parts par des montagnes d'ardoise basses. Le lieu était célèbre pour avoir été le premier point d'ancrage du capitaine Cook sur cette côte, en janvier de 1769. Cette nuit-là, le vent et la pluie se déchaînèrent. De violentes bourrasques descendaient des montagnes. Ç'aurait été une mauvaise nuit en mer, mais dans le port, le *Beagle* bougea à peine. Dans la matinée, FitzRoy envoya dans une baleinière Charles, Jemmy et un groupe d'officiers sous les ordres du lieutenant Sulivan, à la recherche d'un point d'eau. Lorsque le bateau s'approcha de la rive, Charles examina les Fuégiens. Leur peau était d'un gris cuivré. Un large trait de peinture rouge leur partait de la lèvre supérieure jusqu'à l'oreille. Au-dessus, une ligne blanche parallèle couvrait complètement les sourcils et les paupières. Leurs cheveux étaient noirs, luisants, et leur tombaient jusqu'aux épaules. Charles se demanda quelle signification symbolique ces marques peintes pouvaient bien avoir, depuis des éternités qu'elles se transmettaient de génération en génération.

Quatre Fuégiens coururent à leur rencontre en vociférant. Leur chef était un vieil homme qui portait une coiffe de plumes blanches et une peau de *guanaco* effilochée sur l'épaule. Les autres mesuraient plus d'un mètre quatre-vingts, et semblaient jeunes et forts. Le visage d'un des hommes était peint en noir avec un bandeau blanc sur les yeux.

C'était un spectacle comme il n'en avait jamais vu. Lorsqu'ils sautèrent de leur baleinière sur la plage, Sulivan murmura :

« Remarquez qu'il n'y a ni femmes ni enfants en vue, tant qu'ils ne savent pas si nous sommes amis ou ennemis. »

Charles s'exclama : « Jamais je n'aurais cru si grandes les différences entre l'homme sauvage et l'homme civilisé ! Comment pourrons-nous en faire des amis ?

— En leur offrant des cadeaux. C'est le meilleur moyen de communication connu. »

On donna à chacun des Fuégiens un morceau de tissu rouge qu'ils se nouèrent immédiatement autour du cou en dansant avec des cris de joie. Ils étaient amis maintenant. Le vieil homme s'approcha de Charles, lui donna trois grandes claques sur la poitrine et parla dans une langue qui ressemblait curieusement au bruit que font les gens en donnant du grain aux poulets, puis écarta sa peau de *guanaco* en montrant son torse.

« C'est leur façon à eux de serrer la main », expliqua Benjamin Bynoe.

Les Fuégiens crièrent : « *Cucillas,* donnez-nous couteaux », en mimant l'opération de couper, à la hauteur de leur bouche.

« Ils sont assez dangereux comme ça sans couteaux, marmonna Sulivan. Jemmy, demande-leur à quelle distance se trouve l'endroit où tu vis. »

Jemmy ne connaissait pas grand-chose de sa langue maternelle, mais même ce peu-là, les Fuégiens ne le comprirent pas. Cinq d'entre eux se mirent à crier ensemble dans sa direction.

« Moi pas comprendre, fit Jemmy d'un ton plaintif. Quelle manière ça ? »

Les Fuégiens savaient que Jemmy était différent des autres hommes du *Beagle.* Ils examinèrent ses cheveux bien coupés et sa peau et l'obligèrent à retirer sa chemise. Ils inspectèrent aussi deux des officiers, plus blancs et plus petits que les autres en s'étonnant de leurs barbes.

« *Squaw !* s'exclama Jemmy. Moi connais mot. Eux penser vous femmes ! »

Si un officier toussait ou bâillait, les Fuégiens toussaient et bâillaient ; Hamond fit des grimaces de singe ; un des jeunes Fuégiens l'imita. Les marins chantèrent des chansons et dansèrent ; un Fuégien insista pour valser avec Hamond. Ils semblaient forts et en bonne santé, et pourtant leurs conditions de vie semblaient bien précaires ; leur wigwam consistait en quelques buissons appuyés sur un rocher qui ne pouvaient les protéger ni du froid ni de la pluie. Ils se nourrissaient de morses, d'oiseaux, de moules, de tout ce que la mer rejetait sur la plage et, à l'occasion, de *guanaco.* Ils étaient vêtus de peaux de bêtes et de haillons, sans rien qui leur appartienne que leurs arcs, flèches et lances.

En retournant vers la baleinière Charles fit remarquer : « Je ne crois pas qu'on puisse trouver où que ce soit sur terre des hommes plus dénués de tout.

— Exact, Charley, dit M. Bynoe, mais cela tient uniquement aux circonstances et à la géographie. Regarde quels incroyables progrès notre capitaine a obtenus avec les trois nôtres. Ils n'étaient pas moins primitifs et pourtant, ils se sont adaptés à la vie anglaise, et ont prouvé qu'il y avait des cervelles perfectibles dans ces têtes oblongues. »

Charles avait bien l'intention de pénétrer les terres, d'une façon ou d'une autre. Le capitaine FitzRoy insista pour que Covington l'accompagne armé.

« Je ne vous ai pas souvent donné d'ordres, Darwin, mais celui-ci est impératif. Dans ces contrées sauvages, il ne faut jamais aller à terre seul et sans armes. Les indigènes sont tout autant à craindre que la nature elle-même. »

Il n'y avait pas d'espace ouvert. Les bois étaient denses, les branches d'arbre si proches du sol qu'ils ne s'y frayaient qu'à grand-peine un chemin. Il découvrit le cours d'un torrent de montagne ; bien qu'il fût encombré de troncs d'arbre morts, il parvint à ramper en bordure du torrent, suivi de Covington. Puis il quitta l'obscurité inquiétante de la ravine et émergea sur la crête d'une colline. Le paysage était grandiose, mais partout on découvrait des traces de la violence universelle : masses rocheuses irrégulières et arbres déracinés. Il se trouvait au-dessus d'une forêt composée de hêtres antarctiques. L'idée qu'aucun homme blanc ne l'avait traversée avant lui l'exaltait.

Le *Beagle* reprit son avance vers le sud à quatre heures du matin le troisième jour, par vent léger. Dans une région où le vent et la mer ne cessent de se quereller, le navire doubla le cap de Good Success par une mer calme. Dans la matinée du lendemain, la brise fraîchit et se changea en un bon vent d'est qui leur fit dépasser le cap Deceit. Charles exultait de se sentir si bien.

« Traverser ces parages par un temps pareil est aussi rare que de gagner à la loterie », s'exclama FitzRoy.

Ils devaient doubler le dangereux cap Horn et effectuer une longue traversée, presque jusqu'aux eaux du Pacifique, pour réinstaller Fuegia Basket et York Minster dans leur tribu ; puis ils reviendraient par le Beagle Channel, découvert par le capitaine FitzRoy au cours de la première traversée du *Beagle,* pour ramener Jemmy Button à Tekeneeka, à la pointe de l'île Navarin. A trois heures de l'après-midi, ils se trouvèrent à l'extrême pointe du pôle sud, le *Beagle* n'étant plus séparé de l'antarctique que par le passage de Drake. La soirée était calme et brillante ; la nuit, ils furent pris dans une bourrasque.

« C'est le cap Horn qui demande son tribut », grogna FitzRoy. Repoussant son dîner, il monta sur le pont où l'équipage raccourcissait les voiles pour empêcher que le navire ne soit déporté hors des vents.

Au matin, ils avaient le cap Horn en proue et pouvaient apercevoir ce que les marins appellent le « célèbre point » à travers la brume, clairement signalé par une trombe de vent et d'eau. Des nuages noirs traversaient le ciel pendant qu'éclataient des averses de grêle et de pluie d'une grande violence.

« Cap sur Wigwam Cove », ordonna le capitaine FitzRoy. Le calme de cette baie tranquille fut le bienvenu. Le lendemain, c'était Noël, un an depuis qu'ils avaient réussi à quitter Plymouth. Charles pensa avec satisfaction aux deux envois qu'il avait faits en Angleterre ; se demanda si le professeur Henslow était en ce moment en train de recevoir le premier ; tous les travaux furent suspendus pour participer au service divin et à un jour de gala avec démonstrations de force, chants et danses au son du violon de Covington. Charles, Sulivan et Hamond décidèrent d'escalader le pic Kater, une montagne conique escarpée surplombant la baie recouverte de bouleaux antarctiques. Reprenant son souffle au sommet, à 1 700 pieds, Hamond demanda :

« Darwin, que dites-vous de la géologie de cette série d'îles ?

— Elles paraissent être la terminaison de la chaîne des Andes. Les sommets montagneux s'élèvent très peu au-dessus de la mer. Et je doute que l'homme y vive.

— Oh ! mais elles sont habitées, affirma Sulivan avec sérieux. J'ai senti que les Fuégiens nous suivaient jusqu'en haut. »

Ils repérèrent des wigwams fuégiens, ronds et d'une hauteur de quatre pieds, hâtivement confectionnés avec des branches, des joncs et de l'herbe, construits en à peu près une heure et faits pour ne durer que le temps d'épuiser leurs provisions de coquillages. Entre les tas de détritus devant les wigwams, Charles récolta du céleri sauvage et de la mauvaise herbe.

Au milieu de la nuit, ils furent réveillés par un ordre : « Tout le monde sur le pont ! » Ce fut le début d'une longue et pénible période de mauvais temps. C'était le milieu de l'été en Terre de Feu, mais la température tomba jusqu'à 38° F. Charles, qui avait mieux supporté la chaleur tropicale que beaucoup d'hommes d'équipage, souffrit du froid. Aucune superposition de vêtements, ni son chapeau de laine ni la cape faite à Londres ne pouvaient venir à bout des picotements qu'il ressentait jusqu'au bout des nerfs. Il fallut sa surprise devant les oiseaux étranges qui vivaient sur la mer pour le ramener à son journal :

« *La mer, ici, a pour locataires beaucoup d'oiseaux étranges dont l'un des plus curieux est le steamer ; c'est une sorte de grosse oie, incapable de voler, mais qui se sert de ses ailes pour se propulser dans l'eau... On trouve aussi quantité de pingouins, dont les habitudes se rapprochent de celles des poissons tant ils passent de temps sous l'eau... Tant et si bien que trois sortes d'oiseaux se servent de leurs ailes à d'autres fins que de voler : le steamer comme de pagaies, le pingouin comme de nageoires et l'autruche comme d'un empennage ou d'une voile dans le vent.* »

Dans les premiers jours de janvier 1833, il en vint à la conclusion que personne ne s'habitue jamais au mal de mer. Et il comprit le sens du proverbe qui dit : « *Ceux qui vont à la mer pour le plaisir iraient en enfer pour passer le temps.* » Il fallait parfois plusieurs mois à certains navires pour passer le cap Horn ; d'autres étaient sans cesse repoussés et ne parvenaient jamais jusqu'à l'océan Pacifique.

« Sulivan, demanda-t-il avec angoisse, combien de temps cela peut-il durer ? Je doute que mon moral et mon estomac puissent y résister encore longtemps.

— Jusqu'au jour du jugement dernier, répondit l'officier. Mais vous tiendrez le coup. Que pourriez-vous faire d'autre ? sauter par-dessus bord et passer le cap Horn à la nage ? »

Au bout de quatre jours d'efforts pour contourner le Cap par l'ouest en bravant la tempête et une mer démontée, le *Beagle* avait progressé de moins de trois miles !

En carguant les voiles, ils parvinrent à un mile de Christmas Sound, le pays de York Minster. Leur visibilité était très restreinte et Charles avait en tête l'image de la *Thétis* se fracassant contre les rochers du cap Frio. C'était la première fois qu'il voyait la mort en face.

Vers midi le lendemain, la tempête atteignit son point culminant. Le pont était balayé par l'eau de mer. Le bruit était assourdissant, les giclures furieuses. Le taquet du bateau de quart lâcha. Le capitaine FitzRoy demanda une hache pour détacher la baleinière. Elle fut avalée en un instant et disparut complètement. Le *Beagle* ayant été frappé par trois énormes vagues successives, les marins travaillaient avec de l'eau jusqu'à la taille. Le capitaine FitzRoy, debout sur le pont de quart, cria : « Ouvrez les sabords. »

Quand les sabords, dégagés par les charpentiers, s'ouvrirent brutalement, l'eau s'écoula du pont avant que la lame suivante puisse toucher. Le navire se redressa. Les écoutilles avaient été sérieusement endommagées ; très peu d'eau s'était infiltré sous le pont... sauf dans les collections de Charles, et comme une horrible puanteur le leur fit découvrir plus tard, dans certaines boîtes de viande en conserve.

Quand Benjamin Bynoe entra dans la cabine de poupe, il vit son expression désolée.

« Je sais que nous devrions nous estimer heureux d'être encore en vie. Mais regardez ! Mes papiers d'herbier et mes plantes trempés d'eau salée. C'est une perte irréparable. »

Bynoe lui répondit, en guise de consolation :

« Rien n'est irréparable, Charles, sauf la mort. »

La tempête se calma. Le capitaine FitzRoy triomphait :

« C'est la pire tempête que j'aie jamais affrontée. Je n'avais jamais vu de lame de fond aussi creuse que celle qui nous a soulevés et pourtant nos pertes ont été minimes : une baleinière et quelques filets. Mais nous n'avons fait que vingt miles en vingt-quatre jours !

— Et qu'allons-nous faire maintenant ? demanda Charles d'un ton plaintif.

— Revenir vers Gore Sound où nous pourrons ancrer le bateau à l'abri du vent et de la mer. C'est le pays de Jemmy. York Minster a décidé de s'y installer avec Fuegia et Jemmy puisque nous ne parvenons pas à le ramener chez lui. »

Le lendemain, ils prirent deux embarcations, accostèrent et marchèrent pendant des miles à la recherche d'un terrain plat. Ils ne trouvèrent qu'une morasse désolée peuplée d'oies sauvages et de quelques *guanacos*. Charles la décrivit à son retour.

« Cette section ne comporte que de la tourbe d'environ six pieds d'épaisseur. Rien ne pourrait y pousser. J'ai bien peur que toute la région ne soit qu'un marécage.

— Alors il faudra que nous emmenions les Fuégiens plus haut vers l'intérieur. Et si nous ne trouvons aucune terre cultivable nous les ramènerons dans la baie de Ponsonby. »

10.

Trois baleinières et une yole quittèrent le *Beagle* avec vingt-huit personnes et les cadeaux donnés à Matthews et aux Fuégiens par la Missionary Society. Maintenant, dans les incroyables déserts de la Terre de Feu primitive, les verres à vin, les plateaux à thé, les soupières, les nécessaires de toilette d'acajou, le linge blanc et les chapeaux de castor semblaient de coupables folies.

Le capitaine dirigea les baleinières vers l'entrée de la passe du *Beagle*. Dans la soirée, traversant une terre découpée de criques et d'anses, la flottille découvrit un coin bien abrité que cachaient de petites îles. C'est là qu'ils plantèrent leurs tentes, en se servant de leurs avirons comme de piquets et allumèrent leurs feux pour faire cuire le souper. Après presque un mois d'enfer sur l'eau, Charles appréciait la saveur romantique de la scène. « Ce soir, je dormirai sur une terre dure et stable », cria-t-il joyeusement.

Le matin suivant ils explorèrent la passe. Ils se trouvaient dans une région très peuplée. L'apparition soudaine des quatre bateaux surprit les Fuégiens. Certains allumèrent des feux pour attirer leur attention, beaucoup coururent pendant des miles le long de la rive pour les suivre. Du haut d'une falaise qui surplombait la yole cinq hommes nus aux longs cheveux dénoués agitèrent leurs bras par-dessus la tête en poussant d'horribles cris.

Les bateaux accostèrent vers le milieu de l'après-midi. Les Fuégiens gardaient leurs lance-pierres à portée de la main. Les hommes répétaient toujours le même mot :

« *Yammershooner. Yammerchooner.*

— Qu'est-ce que cela veut dire ? demanda Charles.

— Donne-moi. Vous n'avez pas fini de l'entendre. »

Ils trouvèrent une crique inhabitée pour une nuit de sommeil bien gardée. Le lendemain matin, un groupe de Fuégiens s'approcha. Ils ramassèrent des pierres et renvoyèrent leurs femmes et leurs enfants dans les bois. FitzRoy ordonna que les fusils soient prêts.

« Vous ne nous donneriez pas l'ordre de tirer sur de tels pauvres bougres nus, capitaine, s'écria Charles.

— Si, pour les effrayer. »

Mais les Fuégiens ne prirent pas peur. Le capitaine fit tirer deux barillets par-dessus leur tête ; ils ne firent que se frotter les oreilles à cause du bruit. Lorsqu'il fit des moulinets avec son coutelas, ils se mirent à rire. Contrarié, FitzRoy déclara :

« Nous avons intérêt à trouver un terrain d'entente entre cette tribu et la famille de Jemmy.

— Pourquoi ne les calmerions-nous pas avec quelques cadeaux de plus ? demanda Charles.

— Ils veulent des couteaux et des bateaux. »

Cette nuit-là, ils logèrent chez une famille du peuple Tekeneeka, des parents de Jemmy. Ils étaient calmes et amicaux et se joignirent aux hommes du *Beagle* autour d'un grand feu. Charles, qui parvenait tout juste à se réchauffer dans ses vêtements épais, vit que les Tekeneekas transpiraient.

Un groupe important d'hommes fuégiens arriva. Ils avaient couru si vite pendant la nuit qu'ils saignaient du nez et avaient l'écume à la bouche. En s'approchant, Charles remarqua que chacun d'eux avait peint sur le visage un dessin différent, rouge, blanc ou noir.

Les hommes du *Beagle* se mirent en route pour retrouver la famille de Jemmy Button. Jemmy prétendait ne pas comprendre la langue indigène, mais il connaissait très bien la région au-dessus de la passe du Beagle et les guida vers une crique dans laquelle sa famille avait vécu. Il y trouva un frère et plus tard sa mère, d'autres frères, deux sœurs et un oncle arrivèrent.

« Leur réunion n'est guère plus émouvante que celle de deux chevaux dans un champ », fit remarquer Charles, déçu.

Ils arrivèrent en un lieu appelé Woollya. La terre y était fertile.

« Les légumes d'Europe pousseront bien ici, déclara FitzRoy. Nous y installerons leur colonie. »

Les Fuégiens passaient toute la journée assis pendant que leurs femmes travaillaient. Pourtant ils n'étaient pas totalement oisifs, ils volaient tout ce que les marins quittaient un instant des yeux.

Charles et Hamond partirent à pied pour collectionner dans les collines. Matthews, les menuisiers, Jemmy et York installèrent des tentes et construisirent quelques maisons d'une pièce. Les marins se servirent de leurs pelles et de leurs socs pour apprendre aux Fuégiens à cultiver la terre et à semer, activité qui leur était totalement inconnue. Bynoe expliqua :

« Ils vivent sur un littoral, de ce que la terre et la mer peuvent leur donner. S'il y a abondance, leur ventre gonfle. S'ils ne trouvent rien, il rétrécit. C'est ainsi que ces gens-là vivent depuis le commencement des temps.

— Nous allons changer cela, dit Richard Matthews timidement, car c'était un jeune homme peu bavard. Nous leur apprendrons à vivre une vie équilibrée basée sur ce qu'ils produiront eux-mêmes. »

Au réveil, les hommes du *Beagle* découvrirent que toutes les femmes et les enfants étaient partis, à l'exception de la famille de Jemmy. Les hommes s'étaient massés sur une colline au-dessus d'eux et les regardaient d'un air hostile.

« Nous ne passerons pas une nuit de plus ici, déclara FitzRoy. Transférez toutes les marchandises dans les maisons de la famille de Jemmy », ordonna-t-il.

Ils laissèrent derrière eux le missionnaire Matthews, Jemmy York et Fuégia Basket.

« Seront-ils en sécurité ? demanda Charles.

— Il faut qu'ils apprennent à vivre avec leur peuple », répondit FitzRoy.

Deux baleinières remontèrent la passe du *Beagle* pour tracer la carte des îles qui la bordaient à l'ouest. La journée devint insupportablement chaude. Charles comme les autres se mit torse nu, agrémentant sa peau très blanche d'un coup de soleil très rouge. En remontant en droite ligne un étroit chenal de cent vingt miles, jusqu'à l'océan Pacifique, ils se souvinrent que c'était un bras de mer en voyant de nombreuses baleines qui soufflaient de l'eau à moins d'un jet de pierre de la rive. Cette nuit-là, ils s'arrêtèrent sur une plage de galets que Charles trouva sèche et confortable sous ses couvertures. Lorsque son tour vint de prendre la garde jusqu'à une heure du matin, il enregistra avec soin ce qu'il écrirait dans son cahier le lendemain.

« *De telles scènes ont quelque chose de très solennel ; vous êtes soudain submergé par la conscience de vous trouver en un lieu extrêmement reculé du globe. Tout concourt à cette fin ; le calme de la nuit n'est troublé que par la lourde respiration des hommes et par le cri des oiseaux de nuit ; l'aboiement d'un chien dans le lointain vous rappelle que les Fuégiens rampent peut-être vers les tentes, prêts à livrer l'attaque peut-être fatale.* »

Vers la fin janvier, ils entrèrent dans une petite baie. Ils voulurent prendre leur repas de midi autour d'un feu sur une plage. Les deux baleinières furent mises à l'abri. Charles montrait du doigt le beau bleu béryl d'un glacier presque vertical à un demi-mile d'eux quand, sans le plus petit signe avant-coureur, un énorme morceau du glacier se détacha pour tomber à plat dans le chenal avec un bruit de tonnerre. Une grande vague s'approcha d'eux à toute allure.

« Les bateaux, cria le capitaine FitzRoy, ils vont être mis en pièces ! »

Charles et trois marins, les premiers sur pieds, se mirent à courir. Les longues jambes de Charles furent les premières à atteindre la baleinière. Il saisit les cordes et tira de toutes ses forces pour la haler sur la plage pendant que l'un des marins poussait à l'arrière. Un second marin parvint à se raccrocher aux cordes de halage lorsque la lame le renversa. La vitesse avec laquelle tous quatre avaient atteint les deux baleinières les sauva. Quand la seconde et la troisième vague se furent dissipées, ils retournèrent à leur repas.

« Messieurs, vous avez sauvé la journée », déclara FitzRoy. Et c'est avec un petit pincement de fierté que Charles entendit Sulivan ajouter :

« Philosophe, tu cours comme une gazelle avec un tigre aux trousses.

— Pur instinct. »

Le lendemain, les baleinières longèrent la corniche granitique qui semblait être l'épine dorsale de la Terre de Feu. Ils arrivèrent devant une vaste étendue d'eau. Le capitaine FitzRoy leva la main pour obtenir leur attention :

« Messieurs, j'appellerai cette étendue d'eau la baie de Darwin et c'est ainsi désormais que nous la désignerons dans nos cartes. »

Le rouge monta au visage de Charles. Il était pris totalement au dépourvu et se sentait aussi fier qu'un étudiant de l'école de Shrewsbury qui aurait gagné un prix en récitant du Virgile.

Cette nuit-là, ne trouvant pas de plage, ils dormirent sur les galets. L'eau venait déposer jusqu'au pied de leur tente des algues malodorantes mais Charles ne s'en souciait guère.

En rentrant à Woollya, ils rencontrèrent un groupe d'indigènes en costumes de cérémonie. Parmi eux se trouvait une femme habillée d'une ample blouse de lin qui avait appartenu à Fuégia Basket. D'autres portaient des morceaux de lin blanc et des bouts de tartan qu'on avait donnés à Matthews.

« Nous ferions bien d'aller retrouver nos gens aussi vite que possible », dit FitzRoy.

A midi leurs bateaux accostèrent. Ils furent soulagés de voir Matthews venir à leur rencontre. York et Jemmy portaient leurs vêtements anglais. Fuégia semblait toujours la même. Elle et York allaient bien mais à Jemmy on avait tout volé, sauf le costume qu'il avait sur le dos. Le nouveau jardin avait été saccagé.

C'est M. Matthews qui avait le plus souffert. Ils l'avaient contraint à garder la tête en bas, volant tout ce qu'il possédait, sauf les plus gros outils qu'il avait cachés dans les chevrons de sa hutte et dans une cave qu'il avait creusée. Ni de jour ni de nuit il n'avait connu un seul moment de paix ; les hommes demandaient tout ce qu'ils voyaient. Certains, de grosses pierres à la main, avaient menacé de le tuer s'il refusait ; d'autres avaient formé un cercle autour de lui et, voyant qu'il n'avait rien à donner, l'avaient malmené. Il était convaincu qu'ils le tueraient, ne serait-ce que pour prendre tout ce qu'il possédait.

Les femmes avaient été gentilles. Pendant que Jemmy gardait la hutte, elles avaient permis au pasteur de manger près d'elles autour du feu.

Le capitaine FitzRoy évalua les chances du missionnaire, et regarda les cent Fuégiens, assis sur leurs talons, qui les observaient.

« Comment pourrions-nous ramener au bateau votre coffre et ce qui vous reste de biens personnels sous le nez de ces hommes bien plus nombreux que nous ?

— En ne leur laissant pas le temps de réaliser ce que nous avons l'intention de faire », suggéra Charles.

Ce fut fait en un éclair ; la hutte et la cave furent vidées et leur contenu réparti entre les deux embarcations. Lorsque le dernier homme eut embarqué, FitzRoy eut l'astuce de distribuer quelques haches, des scies et des clous. Les Fuégiens posèrent leurs pierres, ce qui leur permit de pousser à l'eau les deux barques.

En voyant la plage et ses habitants rétrécir dans le lointain, Charles eut quelques regrets d'abandonner leurs trois Fuégiens à leurs compatriotes ; comment s'habitueraient-ils à ce retour à la vie primitive ? Et comme la générosité du capitaine FitzRoy se changeait vite en cruauté !

Ils passèrent une nuit à l'entrée de la baie de Ponsonby. Ils rejoignirent le *Beagle* le lendemain, ayant couvert dans leurs deux baleinières près de trois cents miles.

« Je me sens très explorateur chevronné ! » s'écria Charles, sans trop y croire en retrouvant la cabine de poupe familière. Pourtant, quelque part dans ces cartes empilées sur la table, une vaste étendue de mer bleue s'appelait désormais la baie de Darwin.

LIVRE CINQ

1.

Il fallait trois jours pour se rendre du Pas de Berkeley aux îles Falkland en gardant presque invariablement le cap à l'est du détroit de Magellan. Les îles Falkland avaient récemment été colonisées par un groupe de Buenosairains qu'on disait maintenant prospères. A leur arrivée, ils eurent la surprise de voir un drapeau britannique flotter sur la colonie. Au port, il n'y avait qu'un baleinier. Charles, de la poupe au-dessus du pont inférieur, vit une petite embarcation quitter la rive. Un maître d'équipage monta à bord, salua le capitaine FitzRoy et expliqua que leur navire, le *Magellan,* avait essuyé une tempête et s'était échoué sur la rive. Ses hommes avaient hâte de rentrer vers un port civilisé.

« Nous avons sauvé nos magasins, ce qui vous sera peut-être utile. »

Lorsque les hommes du *Beagle* débarquèrent, ils découvrirent une petite ville désertée ; quelques fermettes en pierre, à demi en ruine ; quelques huttes de tourbe branlantes ; quantité de moutons, de chèvres, de vaches et de cochons mais de très rares habitants, d'allure misérable. M. Dixon, le consul anglais, un homme dans la quarantaine, aux yeux chassieux, les dents du côté gauche limées par une pipe inamovible, expliqua que la ville était prospère avant de devenir le théâtre d'une guerre entre les nations...

« Ces îles étaient inhabitées depuis des millénaires jusqu'à ce que le gouvernement de Buenos Aires les revendique et y envoie des colons. Ils s'y développèrent. Le mois dernier, le navire de Sa Majesté *Clio,* venant en prendre possession au nom de l'Angleterre, découvrit que la corvette américaine *Lexington,* un an plus tôt, les avait attaquées par surprise en détruisant irrémédiablement propriétés et bâtiments. Les gauchos s'enfuirent vers l'intérieur, effrayés par cette violence. C'est un excellent lieu de mouillage, où l'on trouve en abondance eau potable et gibier. La colonie pourrait s'enrichir en ravitaillant les navires qui contournent le cap Horn. Et rien de plus. »

La corde neuve, le pain et la viande salée que les Français avaient conservés furent amenés à bord. Le capitaine FitzRoy accepta également de transporter vingt-deux hommes d'équipage et officiers jusqu'à Montevideo.

Tandis que les cartographes du *Beagle* faisaient leur travail, sur le navire et sur la côte, Charles passa trois jours assez froids à chevaucher à travers la campagne, couverte d'une herbe brune et drue qui poussait sur la tourbe. Tout en se plaignant de n'avoir guère matière à écrire dans son journal, il engrangea quand même bécassines, oies sauvages, un renard proche du loup, des chouettes, un pingouin, des étoiles de mer, divers poissons pris dans les rochers, du varech et des limaces de mer qui pondaient des œufs en ruban qui collaient à la pointe des rochers.

D'autres voiliers arrivèrent au port. Le plus important aux yeux du capitaine FitzRoy était l'*Unicorn* (la Licorne) ; William Low, l'un de ses propriétaires, était un chasseur de phoques qui se changeait à l'occasion en pirate et marchand d'esclaves. Il rejoignit FitzRoy et les officiers au mess.

« Je rentre d'une croisière de six mois, ruiné, avec un bateau vide. C'est la saison la plus désastreuse que j'aie connue depuis vingt ans. Je n'ai pas pris un phoque. Je dois vendre. Rapidement. Capitaine, connaissez-vous quelqu'un qui veuille acheter un excellent schooner à bas prix ? »

Les yeux de FitzRoy s'allumèrent.

« A quel prix ?

— Six mille dollars payables à mon associé à Montevideo. On peut en prendre immédiatement possession. »

Après le départ de Low, FitzRoy s'assit au bout de la table du mess et réfléchit un instant.

« Lors de notre premier voyage, finit-il par dire, un second bateau, l'*Adventure,* nous suivait et nous épaulait dans notre travail de cartographie. Je suis maintenant convaincu que le *Beagle* ne peut accomplir la tâche qui lui est assignée sans perdre un temps précieux à relever une série de distances méridiennes tout autour du globe. Le voyage dans le Pacifique et le retour par l'Australie et le cap de Bonne Espérance pourraient être sacrifiés à la tâche ingrate mais pourtant guère moins nécessaire d'établir un relevé détaillé des côtes. »

Un profond silence régnait dans le mess.

« Notre lieu de travail est si éloigné des ports où nous pourrions nous procurer des vivres qu'il nous faudra des mois de voyages supplémentaires rien que pour nous réapprovisionner. Et depuis longtemps je rêve d'un consort capable de transporter du fret, gréé de telle manière que quelques hommes suffisent à le manœuvrer, pour tenir compagnie au *Beagle.* »

FitzRoy et Chaffers allèrent inspecter la *Licorne.* Au retour FitzRoy déclara aux officiers : « Nous ne pourrions trouver vaisseau mieux approprié ; tonnage, cent soixante-dix tonnes, construit en chêne, doublé de cuivre d'un bout à l'autre, spacieux... un bon bateau de mer. J'ai des raisons de croire qu'il a coûté au moins six mille livres à la construction. A mille trois cents livres sterling, c'est une affaire.

— Mais combien coûteront les réparations ? demanda Rowlett, l'économe qui aurait à payer les factures.

— Nous pouvons récupérer tout ce qui est utilisable de la carcasse du *Magellan,* ancre, câbles, petits espars, pour un peu plus de quatre cents livres, moins d'un tiers du prix pratiqué dans tous les ports fréquentés. »

Les officiers convinrent que c'était une affaire d'or et le marché fut conclu. Charles, habitué depuis l'enfance à voir compter chaque sou, s'en étonna. L'Amirauté n'avait pas encore approuvé les cent quarante livres mensuelles pour la location des deux schooners de M. Harris, qui voyageaient pour leur compte depuis six mois déjà.

Une semaine plus tard, après quelques réparations mineures effectuées sur le nouveau navire rebaptisé *Adventure,* Chaffers et une équipe de volontaires du *Beagle* partirent pour le Rio Negro à quelque huit cent miles au nord des Falklands, pour retrouver Wickham et Stokes. Pendant ce temps, le *Beagle* fut révisé et Charles disséqua, classifia et empailla ses oiseaux.

Ils chargèrent à bord près de 700 livres de bœuf frais, remplirent les barils d'eau et, le 6 avril 1833, levèrent l'ancre et hissèrent les voiles. Charles était heureux de repartir vers le nord. La chaleur et la végétation luxuriante des tropiques lui manquaient.

Ils longèrent de loin les côtes de Patagonie, en direction du Rio Negro, poussés par un fort grain. Ils couvrirent en deux jours une distance importante, mais la traversée était dure. Tout sur le bateau paraissait sombre et mouillé, l'image même de l'inconfort. Charles était la plupart du temps plié en deux pour essayer de vomir. Puis, le temps redevint beau... « paradisiaque », déclara Charles. Le ciel était d'un bleu sans nuages et l'eau lisse. Le lieutenant Sulivan, depuis qu'il était devenu commandant en second du *Beagle,* était d'humeur moins joyeuse.

« C'est cela la vie de marin, Charley ; du froid de la tempête à la tranquillité des jours chauds pour retrouver la tempête en moins de vingt-quatre heures. Rien ne pourrait mieux préparer au mariage. »

Ils n'étaient plus qu'à quelques centaines de miles de l'inclémente Terre de Feu. Il leur fallut cinq jours pour atteindre l'embouchure du Rio Negro. Le capitaine FitzRoy s'inquiéta de ne pas y trouver les deux schooners à l'ancre, même si ni lui ni les officiers n'en voulaient rien laisser paraître. Le lendemain, la vigie aperçut une voile au sud-ouest. Le *Beagle* la prit en chasse. C'était l'*Adventure.* M. Chaffers rapporta que le temps avait été beau, malgré quelques bourrasques. FitzRoy était content.

« Dans ces conditions, M. Chaffers, soyez assez bon pour vous rendre à Maldonado, sur le Rio de la Plata et attendez-y notre arrivée. Nous continuerons à chercher Wickham et Stokes. »

Un petit schooner marchand apporta des nouvelles ; le capitaine avait vu Wickham et Stokes et leur avait parlé. Ils faisaient tous deux voile au sud de la baie de Saint-Joseph, au large du golfe de San Matias. Tout s'était bien passé, à cela près qu'un marin du nom de Williams était tombé par-dessus bord et s'était noyé. FitzRoy regrettait la mort du marin mais fut soulagé d'apprendre que les deux schooners étaient en bon état. Il en avait la responsabilité.

Ils firent voile vers la baie de Saint-Joseph pour y rejoindre les schooners. Ils ne réussirent pas à les trouver. Le ressac, dans la baie, était si fort qu'ils y perdirent une ancre qu'ils utilisaient en eaux calmes. Charles aperçut brièvement les falaises voisines, qui semblaient riches en fossiles, mais il n'y avait pas moyen de débarquer.

Ce soir-là, il écrivit à Henslow :

« ... *Me considérant comme votre élève, rien ne me fait plus plaisir que de vous faire part de mes bonnes fortunes. Je suis très impatient d'avoir de vos nouvelles. Quand je suis en proie au mal de mer, l'une de mes plus grandes consolations est de m'imaginer en promenade aux alentours de Cambridge en votre compagnie.*

Je suis convaincu que le Megatherium envoyé à la Geological Society est du même type que les os que j'ai expédiés chez nous ; et que c'est la rivière qui l'a arraché aux falaises qui forment la rive. »

Quand dans la matinée une brise fraîche se leva, le capitaine FitzRoy décida de mettre le cap sur Montevideo. Il dit à Charles :

« Puisque nous devons remettre l'*Adventure* en parfait état et que nous avons de nombreux relevés à effectuer dans cette région, vous pourrez passer deux bons mois à terre. Ou préféreriez-vous rester, dans l'agglomération la plus proche, à Maldonado, à Montevideo ou à Buenos Aires, de l'autre côté du fleuve ? »

Les yeux de Charles s'éclairèrent à l'idée de deux mois de travail de naturaliste ininterrompus, et d'autant de répit pour échapper à l'inconfort de la mer agitée.

« A Maldonado, peut-être. Cela aurait deux grands avantages : l'isolement et la nouveauté.

— Voyez si vous pouvez loger chez une vieille dame de notre connaissance, Dona Francisca. Je n'irai pas jusqu'à dire que sa maison est du plus grand confort, mais au moins, vous serez au sec sous son toit. »

A Montevideo, Charles débarqua pour aller rendre visite à Augustus Earle. Un coup d'œil lui suffit pour sentir que la santé d'Earle n'était guère meilleure après quatre mois de repos.

« Vous nous avez manqué, Earle. Avez-vous peint, au moins ? »

Earle lui fit son sourire en coin.

« Vous pouvez parier votre dernier sou là-dessus, mon vieux. Je me suis solidement attaché un pinceau entre les doigts enflés et je suis sorti tous les jours par temps sec. »

Charles vit la série de toiles appuyées contre le mur, et les examina l'une après l'autre. C'était des paysages raffinés, des vues de ports, des petits bateaux de commerce et des portraits extraordinairement vivants de porteurs noirs sur les quais avec des ballots sur la tête.

« Magnifique, Gus. Votre main sait toujours transposer avec le même talent tout ce sur quoi vous posez les yeux.

— Merci, Philos. J'avais besoin de l'avis d'un connaisseur. Quand je rentrerai à Londres, j'ai l'intention de montrer ces toiles à la Royal Academy. »

Lui aussi, il attendait l'avis d'un connaisseur et fut terriblement déçu de n'avoir aucune nouvelle du professeur Henslow. Il avait espéré que son premier envoi, expédié sur le *Emulous* huit mois plus tôt, était arrivé à Cambridge. Il avait désespérément besoin de critiques et de conseils. Il n'avait aucun moyen de savoir s'il traitait ses vastes matériaux de façon professionnelle. Et il était pour lui très urgent de savoir si ses spécimens étaient arrivés dans les mains d'Henslow, dûment préservés, traités et étiquetés.

Ses sœurs avaient poursuivi leur journal quotidien. Une lettre de Caroline avait été postée le 12 septembre, une de Susan le 12 novembre. Les nouvelles étaient vieilles de cinq à sept mois mais n'en étaient pas moins précieuses.

Les nouvelles du Mont étaient excellentes. Son père s'asseyait souvent sous le bananier qu'il avait planté dans la serre comme Charles l'avait suggéré, aimant l'idée de partager ainsi les tropiques avec son fils. Il s'occupait toujours de quelques vieux malades, mais avait annoncé qu'il ne ferait plus de visites à domicile. Un nouveau médecin, venu de York, reprenait l'essentiel de sa clientèle.

Comme un kaléidoscope, les lettres du Mont éveillaient dans sa tête des images colorées : la famille réunie autour de la table d'acajou sombre avec sa douce odeur de cire ; les chauds après-midi dans la serre et l'odeur de la mousse ; la bibliothèque et ses colonnes, où les classiques alternaient avec Scott et Thackeray.

Avec un soupir il se mit à empaqueter ce qu'il emporterait avec lui à terre. Et le simple contact de sa sacoche de cuir, de son filet et de son maillet suffit à lui rendre tout son enthousiasme.

Maldonado !

2.

Il trouva sans peine la maison de Dona Francisca dans ce petit village dont la population était principalement espagnole avec quelques sang-mêlé indiens. Dona Francisca était une aïeule si active qu'on oubliait son grand-âge. Elle portait des vêtements apprêtés qui provenaient sans doute de sa dot. Elle reçut Charles avec cordialité, l'informa des heures de repas, puis l'escorta vers une vaste pièce au plafond haut et aux fenêtres étroites. Toutes les chambres étaient au rez-de-chaussée, en enfilade, ce qui interdisait toute intimité. Les meubles lui coupèrent le souffle : un lit étroit sur des pieds de bois mal dégrossis, une chaise cannée à demi dépaillée et plusieurs caisses provenant d'anciens bateaux, superposées pour servir de commode. Il passa la journée à essayer de rendre la pièce confortable sans y parvenir ; il réussit quand même à acheter une table bancale de bois blanc pour ses instruments et ses bouteilles. Il déposa sur le sol, de chaque côté du lit, une demi-douzaine de livres. En feuilletant *Le Paradis perdu* de Milton, il tomba sur le passage suivant :

> « *As-tu choisi ce lieux,*
> *Tribut payé à la bataille*
> *Pour reposer ton cœur fourbu*
> *Comme en un hâvre de grâce ?* »

Il s'allongea sur le lit. Ses pieds dépassaient au bout et il joignit ses mains derrière sa tête, à peine plus en sécurité que dans son hamac !

« Mais je serai bientôt en pleine campagne, pensa-t-il, et je coucherai sur le sol, des myriades d'étoiles au-dessus de ma tête, avec une selle pour oreiller. »

Cela ne se produirait pas de sitôt. Des torrents de pluie tombèrent. Les rivières gonflèrent. Les Maldonados n'avaient pas encore inventé les ponts. Entre deux déchaînements, il se promenait regrettant de ne pas mieux parler espagnol, dans une ville presque déserte. Comme dans toutes les villes espagnoles, les rues étaient parallèles. Il passa donc des journées entières dans sa chambre à étudier la patience et l'espagnol, à lire tant qu'il réussissait à chasser de sa tête le bruit obsédant de la pluie. Est-ce parce qu'il était satisfait qu'il pouvait désormais faire preuve de patience ?

La pluie cessa. Le soleil apparut. Les mares se changèrent en boue, puis l'argile sécha. En attendant, il s'était fait un ami, Don Francisco Gonzales qui, avec son serviteur Morante, proposa de lui servir de guide dans son voyage vers l'intérieur.

Par une belle matinée, les trois hommes quittèrent la ville, poussant devant eux une troupe de chevaux frais, un luxe qui permettait de ne pas avoir à monter de cheval boiteux ou fatigué. Il y avait beaucoup de chevaux, ils étaient bon marché ; on pouvait en acheter trois pour le prix d'une selle médiocre. Les garçonnets montaient des poulains à cru, se poursuivant par monts et par vaux. C'étaient les plus gracieux cavaliers que Charles ait jamais vus. Il consentit à payer deux dollars par jour pour toutes les dépenses du voyage. Don Francisco et Morante étaient armés de sabres et de pistolets, ce qui lui paraissait exagéré. Lui-même n'avait qu'un revolver. La première nouvelle qu'ils apprirent en route était qu'un voyageur de Montevideo venait d'être retrouvé la gorge tranchée.

La campagne était vallonnée et accidentée, couverte d'une herbe verte et rase. Dans les plaines, on trouvait du bétail en abondance ; ils croisèrent de larges troupeaux d'autruches. Charles était devenu suffisamment marin pour les décrire comme « *tenant la barre et de leurs ailes faisant voile de tout vent* ».

Ils traversèrent à cheval des montagnes basses et sauvages qu'il présumait d'ardoise. Il en recueillit quelques spécimens, ainsi que dans le puits d'une mine d'or abandonnée. Ils se levèrent tôt pour entreprendre l'escalade de la Sierra de las Animas, d'où l'on avait une vue d'ensemble de Montevideo à l'ouest et des plaines de Maldonado à l'est. Ils attachèrent leurs chevaux pour que Charles puisse constituer ses collections. Don Francisco admirait sa capacité à reconnaître serpents venimeux et non venimeux, mais il fut stupéfait lorsqu'il le vit poser scorpions, araignées, poux ou vers sur des petits lits de coton dans des boîtes à pilules. Lorsqu'il vit Charles ouvrir le cobaye qu'il avait tué, prendre un ver intestinal dans son estomac et l'envelopper presque tendrement dans du coton, il s'exclama :

« Señor Darwin, vous pas *fatuo,* pas idiot. Pourquoi vous prendre ver du cobaye ? »

Charles avait toujours quelque difficulté à définir le rôle d'un naturaliste. Et il préférait passer pour « *fatuo* » que se faire appeler « l'homme qui sait tout ». Il expliqua aussi brièvement que possible. Et pour épargner à son guide des perplexités supplémentaires, il se mit à collectionner des plantes : cactus, agaves, fleurs naines, plantes aux feuilles charnues, plantes d'eau douce, lorsqu'ils arrivèrent au bord d'un lac.

Son petit compas de voyage suscita un étonnement sans bornes.

« Señor Darwin, à quoi sert cet étrange instrument ?

— A me dire quelle direction emprunte chaque route de votre pays.

— Même les routes de mon *estancia ?* » Charles avança sous la véranda, et ajusta le compas. « Elle va vers le nord-est.

— Cela permet à un étranger comme vous de connaître la route pour aller là où vous n'avez encore jamais été ! » fit son hôte avec admiration.

Les nouvelles vont vite dans un pays isolé. Le lendemain après-midi, alors qu'ils demandaient l'hospitalité à un ami de Don Francisco, on leur apprit que sa jeune fille était malade.

La mère supplia :

« Señor, pourriez-vous venir voir ma fille ? Elle a entendu parler de votre magie. Je crois que vous pourriez la guérir. »

Dans la demeure d'une grande famille espagnole, en présence des grands-parents et de nombreux enfants massés autour de la table, l'aïeul demanda :

« Señor Darwin, est-ce le soleil ou la terre qui bouge ?

— La terre, señor. »

Un des enfants demanda : « Est-ce que vous connaissez d'autres tours de magie, Señor Darwin ? »

Ses hôtes étaient si impressionnés par les récits de Don Francisco Gonzales sur la façon dont Darwin cassait les pierres avec un petit marteau et collectionnait des insectes que bien peu de familles acceptaient qu'il les paie pour leur hospitalité.

Dans l'une des *estancias,* le fils de la famille, qui ne comprenait rien à ce que Charles disait, demanda :

« Señor Darwin, êtes-vous né incapable de parler espagnol ?

— *Si señor.* » Le garçonnet hocha la tête avec pitié.

A plusieurs reprises, ils croisèrent des groupes de gauchos chassant avec leurs bolas. L'un des hommes voulut apprendre à Charles à galoper en faisant tournoyer les boules. Charles, assez vif pour attraper un insecte ou un oiseau avec son filet, eut du mal à apprendre à se servir de la bola. La boule qu'il fit tournoyer frappa un buisson, tomba par terre et toucha une patte arrière de son cheval. Les gauchos se tordaient de rire.

Un soir, ils s'arrêtèrent à une *pulperia,* l'endroit où l'on buvait. Il n'y avait pratiquement plus une place où s'asseoir. Darwin trouva les jeunes gauchos fumant cigares, frappants et beaux, fiers jusque dans leurs beuveries. Ils avaient des moustaches tombantes, de longs cheveux noirs dont les boucles leur tombaient dans le cou, des éperons aux talons et toujours un couteau à la ceinture.

Ils étaient extrêmement polis avec Charles. Aucun d'eux n'acceptait de boire le moindre alcool sans que Charles ait d'abord pris la première gorgée. Charles savait qu'il serait soûl. Mais il ne pouvait pas non plus se retirer pour se reposer pendant quelques heures, ce qui aurait constitué une grave insulte aux bonnes manières.

Ils chevauchèrent à travers la campagne pendant douze jours. Charles appréciait les chevaux robustes qu'il montait, la superbe luminosité de l'air chaud, la solidité de la terre des pampas. Il prit des notes sur la géologie des roches cristallines qui se détachaient sur la crête de chaque colline. En plusieurs endroits, il trouva les restes de gigantesques animaux disparus, indiquant que ces plaines immenses avaient été recouvertes par les eaux saumâtres du Rio de la Plata et s'étaient élevées graduellement. Il essaya d'expliquer cela par gestes à Don Francisco :

« Regardez, *amigo,* mon bras gauche est l'eau, mon bras droit la terre. Quand l'eau tombe, la terre monte. Quand l'eau monte, la terre disparaît.

— Comment le savez-vous ?

— Par la composition des roches. Les montagnes sont les livres d'histoire du passé. J'y trouve des fossiles et des coquillages qui ne pouvaient être autrefois que sous l'eau. »

Le vieil homme hocha gravement la tête, mais Charles n'était pas bien sûr qu'il ait compris.

A près de soixante miles au nord, dans la vallée des Tapas, Charles décrocha un bon morceau de roche ignée dont les cavités, bordées de cristaux de quartz, indiquaient l'origine volcanique ; ses composantes s'étaient réarrangées au cours de la métamorphose de la région tout entière.

« Nous avons tous tendance à croire que les rocs et les montagnes sont solides et immuables, déclara-t-il, alors qu'à une époque lointaine, ils étaient gazeux et fluides. »

Il revint chez Dona Francisca et étala ses collections de douze jours de recherches sur les formes vivantes de la pampa. Ses roches ne lui paraissaient pas moins vivantes que les cactus, les serpents ou les scorpions qu'il avait ramassés.

L'existence à Maldonado était monastique. A la différence de Buenos Aires, ville portuaire importante, on n'y trouvait ni restaurants, ni théâtres, ni concerts, ni gracieuses jeunes dames espagnoles avec de larges peignes dans les cheveux. Il commençait à regretter le *Beagle* et à attendre avec impatience l'occasion d'y retourner.

Il n'y avait pas grand monde à Maldonado, mais on y trouvait, par contre, quantité d'oiseaux. Il avait négligé l'ornithologie et prépara une expédition à grand renfort de pièges et de lacets ; en quelques jours, il eut ramassé quatre-vingts espèces différentes. Il attrapa un passereau qui construisait son nid en un lieu très exposé ; un autre qui ressemblait à une pie-grièche mais qui chassait comme un aigle ; des perroquets qui venaient par troupes se nourrir dans les plaines découvertes ; des condors, des busards-dindes, des moqueurs, des piverts, des aigles se nourrissant de charogne. C'était une tâche énorme que de tous les empailler. Il lui fallait également travailler vite pour préparer les reptiles, insectes, crustacés d'eau douce et poissons qu'il trouvait sur les plages.

Débordé de travail, il arriva bien malgré lui à la conclusion qu'il lui fallait un assistant. Il était prêt à lui payer un plein salaire et à le nourrir. Il était sûr que son père autoriserait cette dépense. Il pensa à Syms Covington. Il n'aimait guère la personnalité de ce garçon de vingt ans, mais il apprenait vite et l'avait déjà aidé à naturaliser. Il tirait bien et empaillait proprement. Il faudrait demander au capitaine, au cas où le garçon accepterait, s'il lui était possible de quitter son travail de marin pour devenir son assistant.

Le *Beagle* arriva fin mai. Charles était impatient de retrouver ses compagnons au terme de presque un mois de solitude. Mais ce n'est que trois jours plus tard que Wickham et King arrivèrent à bord d'un petit navire que FitzRoy avait loué pour les ramener du Rio Negro. Le lieutenant Wickham devait superviser les travaux qui changeraient l'*Adventure* en navire frère du *Beagle.* Stokes était resté pour commander les deux schooners et poursuivre les opérations de cartographie. L'arrivée de Wickham et de King donna lieu à des réjouissances au mess.

« Vous avez grandi en un mois, Philip ! s'exclama Charles en voyant King.

— Je me demande comment, répondit le garçon avec un sourire ironique, j'ai dormi dans une cabine où je pouvais tout juste de me lover comme un serpent. »

Charles se rendit dans la cabine du capitaine pour le thé. Il en retrouva avec plaisir les meubles, la fine vaisselle, l'argenterie.

« Je n'ai pas dit un mot d'anglais pendant un mois, capitaine. Pas un mot en quelque langue que ce soit. Comme au monastère de Fiesole où les moines font vœu de silence. »

FitzRoy se mit à rire. « Vous m'avez manqué également, Philos. Mais soixante espèces d'oiseaux ! C'est un record.

— Justement, capitaine, à ce propos j'aimerais vous parler. »

Charles expliqua les heures de travail nécessaires pour préserver, empailler, faire sécher, macérer dans l'alcool, sans parler des notes hâtivement prises en cours de route, dans de petits carnets, dont la transcription permettrait plus tard une description complète. Il demanda si Covington pouvait être affecté à son service, à ses frais ; il l'avait déjà souvent accompagné à terre, puisque Charles avait reçu l'ordre de ne jamais s'y aventurer seul.

FitzRoy réfléchit un instant.

« Oui, c'est possible. C'est votre garçon de cabine et quand vous êtes à terre, il n'a pas grand-chose à faire à bord, si ce n'est jouer du violon et " Nancy Dawson " sur huit cloches pour indiquer à l'équipage que le grog est prêt à être bu. Il voudra certainement continuer à le faire. Je le garderai sur les livres pour la nourriture et demanderai par écrit à l'Amirauté son autorisation. Vous pouvez considérer la chose acquise. »

Syms accepta volontiers. Il s'installa chez Dona Francisca et installa une table de travail sous la véranda. Quand le temps était mauvais, Charles restait à la maison pour travailler à ses spécimens ; s'il faisait beau, Syms portait son grand fusil et ils écumaient la campagne, entassant des daims, des cochons d'eau pesant parfois jusqu'à cent livres, des rongeurs apparentés aux taupes, des cobayes et des animaux proches de l'opossum.

Changement notoire chez Charles depuis ses années de collège, il avait perdu sa passion pour la chasse. Il entendait encore Adam Sedgwick lui dire dans la serre, au Mont : « Pour enseigner la géologie, j'ai abandonné mes chiens et mon fusil. Le marteau a remplacé la gâchette. » « Le *Beagle* est peut-être mon université », se dit Charles. Le mois de juillet apporta des complications. Le capitaine FitzRoy, très satisfait de leur travail de cartographie, reçut une sévère mise en garde de l'Amirauté. La lettre venait du capitaine Beaufort. Elle ne reflétait pas son opinion personnelle mais n'en était pas moins un sévère coup de semonce. Charles trouva FitzRoy, très abattu, dans sa cabine.

« L'Amirauté désapprouve la location et la rénovation des deux schooners de Harris. Ils disent que j'ai outrepassé mon autorité. Ils refusent de payer un penny de ces dépenses. Ils ne tiennent aucun compte du magnifique travail que nous avons accompli. Dès la fin du mois, il me faudra rendre les schooners à leur propriétaire. J'ai bien l'*Adventure.* Mais l'Amirauté n'approuve pas cet achat non plus ; il nous est pourtant encore plus utile et pourrait nous permettre de dresser des cartes du monde entier. » Il se mit à faire les cent pas, le dos raide.

« Il faut que j'écrive au capitaine Beaufort en lui demandant de me pardonner tous les ennuis que je lui crée à l'Amirauté. Je rénoverai l'*Adventure* et terminerai nos relevés des deux côtes de l'Amérique du Sud. Les frais seront pour moi ! Après quoi, *quien sabe ?* Mon cher Darwin, pardonnez-moi mais maintenant j'ai besoin d'être seul. »

C'est à la fin juillet que le vaisseau de Sa Majesté *Beagle* entreprit une croisière de cinq cents miles vers le sud pour retrouver John Stokes et son équipage à bord du schooner *Liebre,* tout en répertoriant les bancs extérieurs aux alentours du Rio Negro et de Bahia Blanca. Le capitaine FitzRoy choisit une nuit étrange pour leur départ, sous un ciel parcouru d'éclairs, mais, après une pause de six mois à Maldonado et Montevideo, et le souffle de l'Amirauté sur la nuque, il était impatient de faire voile et de terminer les cartes de la côte est. Le lieutenant Wickham resterait en arrière pour superviser les travaux sur l'*Adventure.*

Charles leva les yeux au ciel et dit à voix basse : « Rendons tous grâce à " Tonnerre-et-Eclairs " Harris. »

Une mauvaise houle les ralentit pendant plusieurs jours. Une série de tornades lui donna la nausée pendant neuf jours sans discontinuer. Au plus fort de la tempête et de la pluie, sa peau se couvrit de rougeurs, ne retrouvant son aspect habituel que lorsque le soleil revint. A l'embouchure du Rio Negro, le navire tira le canon pour signaler sa présence. Le *Liebre* ne fut pas long à les rejoindre. Charles descendit l'échelle en toute hâte et sauta dans la barque qui le conduisit au petit schooner. Il se jeta dans les bras de Stokes, son ancien compagnon de cabine. Ils avaient quelque peine à croire que huit mois avaient passé depuis leur brève rencontre, début décembre. Stokes, maintenant âgé de vingt et un ans, était bronzé et son visage avait mûri.

« John, comment avez-vous résisté à ces tempêtes côtières ? Nous y avons perdu une baleinière, et plusieurs bateaux ont fait naufrage.

— C'est notre petitesse qui nous a protégés. Au lieu de nous frapper, la mer nous a poussés devant elle. »

Stokes remit ses cartes de la côte jusqu'alors inexplorée, ce qui lui valut des compliments. Pour le remercier de ce qu'il avait accompli, FitzRoy lui donna une minuscule cabine qui s'était libérée près de la salle des cartes. Les deux hommes auraient ainsi un peu plus d'autonomie. Après un joyeux repas au mess Charles accompagna Stokes sur le schooner. Ils remontèrent l'embouchure du Rio Negro jusqu'à un mouillage abrité. Le vent tomba ; Charles et Stokes s'assirent sur le pont une bonne partie de la nuit, à se raconter des histoires.

Le lendemain, Charles fit une excursion de plusieurs miles sur la côte, à la recherche d'un passage vers le plateau en surplomb des falaises. Lorsqu'il arriva au sommet, hors d'haleine, il découvrit le paysage le plus stérile qu'il ait jamais vu : une base de grès avec des salines naturelles, une herbe sèche et quantité de buissons aux formidables épines. Il écrivit dans son cahier :

« *Ces plaines inhospitalières resteront pour toujours inutiles pour l'humanité.* »

John Stokes n'avait rien à faire le lendemain. Les deux hommes louèrent des chevaux et remontèrent pendant dix miles le long de la rivière jusqu'à Patagones. Située sur une falaise, c'était une petite ville habitée par des Espagnols et des Indiens qui paraissaient vivre en bonne intelligence bien que le reste du pays soit déchiré par une guerre chronique entre Indiens et Espagnols. Beaucoup des maisons étaient bâties avec le grès local ; le fleuve en contrebas était large, profond et rapide. Il n'y avait ni agriculture, ni bétail, ni commerce. Personne ne semblait travailler, pourtant les jeunes Indiens portaient des vêtements propres et colorés.

Tout le monde était aimable. Un groupe de curieux se forma. Grâce à Stokes, qui avait considérablement perfectionné son espagnol en dix mois, Charles apprit que le gouvernement de Buenos Aires les fournissait en viande en leur envoyant de vieux chevaux. Les femmes gagnaient quelques piécettes en confectionnant des tapis, des selles et des bottes pour les gauchos, avec les pattes arrière de chevaux. Mais le mot clef était *sal,* constamment répété. Ils allèrent jusqu'aux *salinas,* vastes lacs de saumure peu profonds qui s'asséchaient pendant l'été, laissant pour la récolte un champ de sel blanc comme neige. Les hommes de Patagones conduisaient jusqu'aux lacs leurs chars à bœufs et creusaient à la pelle dans parfois plusieurs pieds d'épaisseur de sel.

« Il y a assez de sel ici pour en fournir au monde entier, fit Stokes.

— Et à Montevideo, ils importent du sel anglais, je l'ai lu sur des paquets ! » répondit Charles. Il revint à ses notes : il y avait sous la boue de grands cristaux de gypse ; à certains endroits, la vase était pleine de vers.

« Je me demande comment de telles créatures peuvent vivre dans un fluide à ce point saturé de saumure, Johnny, fit-il remarquer. Mais sans ces vers, les flamants, dans les marais salants n'auraient rien pour se nourrir. Etranges organismes rudimentaires, unicellulaires ! »

Le *Liebre* fut rendu à Harris. Charles et Stokes, de retour sur le *Beagle,* apprirent que le navire resterait dans la région quelques jours supplémentaires, pour terminer ses sondages, puis rentrerait, avec escales à Bahia Blanca, à cinq cents miles de là, à Montevideo et à Buenos Aires pour mettre la dernière main à l'ensemble des cartes tracées depuis leur départ de Plymouth, avant de les envoyer à l'Amirauté à Londres. Cela fait, ils doteraient l'*Adventure* d'un équipage, chargeraient les deux navires d'assez de vivres pour les huit mois de voyage que prendrait leur retour en Terre de Feu ; puis, par le détroit de Magellan, ils gagneraient l'Océan Pacifique.

Charles alla trouver le capitaine FitzRoy. « Capitaine, ce serait une excellente occasion pour moi d'effectuer un voyage par les terres jusqu'à Bahia Blanca. C'est à un peu plus de cent miles.

— Magnifique idée, Philos. James Harris acceptera sûrement de vous accompagner. Je lui ai payé ce que je lui devais pour les deux schooners et il rentre à Buenos Aires. »

James Harris, que Charles trouva chez lui à Patagones, accepta volontiers. Il voyageait déjà avec un guide expérimenté, et une petite troupe de cinq gauchos en bottes blanches, pantalons flottants et foulard écarlate, qui, avec leurs chiens et leurs chevaux allaient faire des affaires dans le camp du général Rosas à quatre-vingt-cinq miles de là. Le général Rosas et une petite armée avaient été envoyés par le gouvernement de Buenos Aires pour exterminer des tribus à cheval d'Indiens rebelles.

« Ces gauchos sont aussi heureux de notre compagnie que nous de la leur, s'exclama Harris. La région tout entière est en plein soulèvement. »

Il n'y avait pendant des miles qu'herbe sèche et buissons épineux. L'air était vif. On leur avait volé des chevaux une nuit au corral, ils devaient donc avancer lentement derrière les chevaux chargés de fournitures pour le général Rosas. Des autruches, un guanaco, sorte de chameau sans bosse qui ressemblait à un daim, et des lièvres traversèrent leur piste, mais ils ne rencontrèrent guère d'autres êtres vivants. Ils passèrent aussi près d'un arbre que les Indiens révéraient comme un dieu. En descendant de cheval, Charles se vit entouré d'os blanchis de chevaux sacrifiés. Des morceaux de pain, de viande et de tissu pendaient aux branches ; ceux qui étaient trop pauvres retiraient un fil de leur poncho et le laissaient là.

« Pourquoi se donner le mal de construire une église quand la nature vous en a déjà donné une », fit remarquer Charles.

Un petit groupe d'Indiens s'approcha. Les hommes descendirent de cheval, versant avec déférence du maté, un thé vert, dans un trou conduisant à l'arbre, puis s'accroupirent et jetèrent vers les branches la fumée de leurs cigares.

Charles hocha la tête, stupéfait. « Les Grecs de l'Antiquité, selon Homère, faisaient rôtir un jarret de bœuf pour que le fumet aille au ciel chatouiller les narines des dieux. Cette forme de culte s'est-elle perpétuée pendant trois mille ans sans discontinuer ? Ou bien chaque peuple l'invente-t-il par lui-même ? »

Deux lieues plus loin, les gauchos décidèrent de s'arrêter pour la nuit. Ils localisèrent une vache, la poursuivirent au risque de se briser le cou, l'attrapèrent au lasso, l'abattirent et la firent cuire pour le dîner. A la tombée de la nuit, ils abritèrent le feu, entravèrent les chevaux et formèrent un cercle serré autour des flammes.

Charles s'allongea sur le sol, appuya sa tête sur sa selle et s'enveloppa dans une couverture. Il se sentait bien. Harris dormait déjà. Rien ne bougeait dans la plaine. Les chiens des gauchos veillaient.

Il fallut une semaine à la petite troupe pour atteindre le Rio Colorado. Trois lieues plus loin, la plaine de grès se changeait en une région de tourbe herbeuse et fertile, un repos pour les yeux et pour les sabots des chevaux. Le campement du général Rosas était en bordure du fleuve. A la cavalerie de Buenos Aires, s'ajoutaient six cents auxiliaires indiens. Le camp formait un carré de près de quatre cents yards, délimité par les chariots de marchandises et des cases de boue et de chaume. L'essentiel de la cavalerie était constitué par des sang-mêlé espagnols, noirs et indiens. Ils étaient tous d'allure peu engageante.

Les gauchos livrèrent leurs marchandises. Charles et Harris se rendirent au seul rancho, guère plus qu'une masure, où un vieil Espagnol leur offrit, avec l'hospitalité, d'interminables histoires du temps où il avait, sous les ordres de Napoléon, participé à la campagne de Russie. On envoya Charles au secrétaire du général Rosas. Il lui montra la lettre de recommandation qu'il avait obtenue cinq mois plus tôt. Il avait entendu parler de la cruauté du général Jean Manuel Rosas — qu'on disait capable d'exterminer des tribus entières d'Indiens quand ils ne voulaient pas quitter leurs terres, massacrant hommes et femmes et vendant les enfants en esclavage. On le disait également propriétaire de terres immenses sur lesquelles il parquait trois cent mille têtes de bétail et cultivait le maïs sur une grande échelle. Il n'avait aucune éducation, s'étant formé lui-même au cours des années, mais affectait les bonnes manières et parlait anglais. S'habillant comme un gaucho, c'était un despote extrêmement populaire parmi ses hommes avec lesquels il rivalisait d'adresse à cheval.

Un garde armé fit pénétrer Charles dans la tente du général Rosas, confortable, avec bureau et ce qu'il fallait pour écrire. Charles ne s'attendait pas à lui trouver un visage aussi agréable, plus européen qu'américain du Sud, malgré les cheveux noirs ondulés. Il indiqua à Charles une chaise de toile.

« Vous êtes naturaliste à bord du *Beagle ?*

— Oui monsieur, depuis bientôt deux ans.

— Qu'est-ce qui vous amène dans mon camp ?

— Je voulais voir votre pays. J'ai l'espoir d'écrire un livre sur la géologie de l'Amérique du Sud.

— Et que peut faire l'armée de Buenos Aires pour un naturaliste anglais ? demanda Rosas sans sourire.

— J'aurais aimé aller de Patagones à Buenos Aires par l'intérieur mais on m'affirme qu'au-delà de Bahia Blanca, des bandes d'Indiens errants rendent le pays peu sûr...

— On y est en sécurité maintenant. J'y ai établi des *postas* sur cinq cents miles, avec des hommes armés et des relais pour les chevaux.

— Alors j'aimerais vous demander une faveur. Puisque je peux payer pour tout ce dont j'ai besoin, m'autoriseriez-vous à passer la nuit dans vos *postas* et à m'y procurer des chevaux ? »

Jùan Rosas étudia le visage maigre et bronzé de Charles avec attention.

« Mon secrétaire vous fera un laissez-passer. Vous n'aurez rien à craindre. Vous rejoindrez en route les soldats qui portent mes messages à Buenos Aires. Et vous n'aurez rien à payer puisque vous conduirez mes chevaux à la *posta* suivante. »

Le visage de Charles rayonnait de gratitude.

« Comment pourrai-je vous remercier, Général ?

— En écrivant votre livre sur l'Amérique du Sud. Mon père a contribué à chasser les Anglais de Buenos Aires en 1807. Mais je respecte votre pays. Un jour, j'irai le visiter. Votre lettre sera prête ce soir. Etudiez bien. »

Charles retourna au rancho de terre. Il trouva Harris étendu sur son lit de camp.

« Rosas est magnifique ! s'écria-t-il. Il nous procure des chevaux et l'hospitalité dans toutes les postas jusqu'à Buenos Aires. »

Harris secoua tristement la tête :

« Je suis trop malade pour y aller avec vous, Darwin. Partez et j'attendrai que cette fièvre passe. Emmenez le guide, il est trop dangereux de voyager seul. »

Charles partit tôt le lendemain à travers les marais de salpêtre et les étangs. Un faux pas de son cheval le projeta dans la boue et il arriva à Bahia Blanca dans la soirée, sale et mouillé. Le *Beagle* n'y était pas. Il dormit chez Don Pablo, un ami de Harris. Le lendemain matin, il obtint du commandant de Bahia Blanca qu'il lui prête un soldat et une paire de chevaux. Ils chevauchèrent pendant deux heures sans voir la moindre trace du bateau. Ils attrapèrent un armadillo qu'ils firent rôtir pour le dîner. Il s'endormit à la belle étoile, la tête sur sa selle, sans autre protection que ses vêtements souillés et sans eau à boire. Il se rendit avec le guide jusqu'à Punta Alta où il avait trouvé le fossile du Megatherium un an plus tôt. De retour à Bahia Blanca, il retrouva Harris chez Don Pablo, toujours fiévreux.

« L'une des *postas* du général Rosas a été détruite par les Indiens il y a deux nuits, annonça-t-il à Charles. Les soldats ont été tués. Si vous insistez pour voyager par l'intérieur, dormez en gardant les deux yeux ouverts. »

Ce n'est que six jours plus tard qu'ils aperçurent le *Beagle*. Dans les deux jours qui suivirent, le vent fut si fort qu'ils ne purent envoyer de canot à terre. Finalement, Chaffers descendit la baleinière. Charles l'aida à acheter de la viande pour le bateau et les deux hommes y retournèrent ensemble. Charles n'avait pas vu ses compagnons de traversée depuis quinze jours. Il dîna au mess où chaque homme offrit sa bouteille. De retour dans la salle des cartes, Syms Covington l'accueillit avec une chaleur dont il ne le croyait pas capable.

Lorsque Charles fit part au capitaine FitzRoy de son intention de poursuivre son voyage par l'intérieur de Bahia Blanca jusqu'à Buenos Aires, FitzRoy hésita. Mais la lecture du laissez-passer du général Rosas dissipa ses craintes. « Aucun Anglais n'a encore accompli ce voyage. Vous avez dû faire une excellente impression sur le général. Il ne passe pas pour être très aimable. Un jésuite du nom de Falkner a tracé une carte de la région il y a quelques années. J'en ai trouvé un exemplaire ; je demanderai à mon secrétaire de la retrouver pour vous dans mes papiers. »

FitzRoy avait décidé d'effectuer de nouveaux sondages le long des rives dangereuses de la Baie d'Anegada, pour éviter que des navires ne s'y échouent à l'avenir.

Charles, en le quittant, lui dit avec un sourire :

« Mon cher capitaine FitzRoy, un jour le collège de la Marine royale vous rendra hommage... et l'Amirauté aussi ! »

3.

Une fois de plus, il pouvait rivaliser d'endurance avec ces gauchos qu'il admirait ; puis attacher son cheval et dire : « Nous allons passer la nuit ici. »

Il trouva un guide qui connaissait la route jusqu'à Buenos Aires, obtint un nouveau passeport du commandant du fort, rangea soigneusement l'autorisation du général Rosas à se servir de ses chevaux et la carte de la région établie par l'explorateur jésuite dans les sacoches de sa selle et partit vers le nord. Ils ne restèrent que peu de temps à la première *posta* et poursuivirent leur route en direction du Rio Sauce, qu'ils traversèrent avec de l'eau jusqu'au poitrail de leurs chevaux. La vallée de la Sauce, large d'un mile, était fertile, avec des champs de navets sauvages qui se révélèrent comestibles, bien qu'un peu amers.

Ils atteignirent la seconde *posta* dans l'après-midi. Charles demanda au lieutenant qui la commandait :

« A quelle distance sommes-nous de la Sierra de la Ventana ?

— Environ six lieues. Je vous ferai accompagner par un guide. »

La Sierra de la Ventana, toute de quartz gris-blanc, fut une déception : sans un arbre, ingrate et désolée. Ils ne trouvèrent d'eau qu'à la nuit. Les trois hommes bivouaquèrent près d'un ruisseau au pied de la montagne. Comme ils ne pouvaient trouver de brindilles pour y embrocher leur viande au-dessus du feu, ils prirent des chardons. La nuit était claire et froide. La rosée qui couvrait leurs selles s'était changée en glace au matin et l'eau de leur bouilloire avait gelé. Il se demanda comment il avait pu dormir d'un aussi bon sommeil sous une seule couverture, puis se dit fièrement : « Je suis en train de devenir un gaucho. »

Son premier guide, auquel on avait dit qu'il collectionnait des matériaux pour un livre sur la géologie, lui dit : « Grimpez falaise. Suivez corniche. Là-bas, grottes avec charbon, or et argent. Nous rester près du feu. »

C'était une escalade difficile. Il transportait sa réserve d'eau dans un coin de cape en caoutchouc des Indes attachée par un lacet de cuir. En arrivant au sommet, il se découvrit victime d'une illusion d'optique ; il était séparé par un précipice des quatre pics qu'il avait voulu atteindre. Il vit deux chevaux qui paissaient, sortit son télescope et les étudia, le temps qu'il fallait pour dissiper la crampe qu'il se sentait au mollet avant de s'attaquer au premier pic. Il ne trouva ni grottes, ni charbon, ni argent, ni or.

Il était plus de deux heures de l'après-midi lorsqu'il atteignit le sommet du second pic. « Inutile d'escalader les autres, décida-t-il, les premiers m'ont déjà appris tout ce que je voulais savoir. » Soudain il réalisa qu'il aurait dû avoir peur, qu'un groupe d'Indiens hostiles n'auraient eu aucun mal à loger une douzaine de lances dans son corps. Au lieu de quoi, il se mit à rire.

« Un brin de danger, c'est le sel de l'existence. »

Il trouva un chemin de retour plus aisé, rejoignit ses compagnons à la tombée de la nuit, but force maté en rédigeant ses notes au crayon à la mine d'argent, fuma plusieurs petits cigaritos, fit son lit et s'endormit sans se soucier du vent furieux qui soufflait au-dessus de sa tête.

Ils arrivèrent à la *posta* de Sauce dans l'après-midi. Elle était bien gardée. Son guide lui avait dit :

« Moi ici quand Indiens tuer beaucoup hommes. Femmes courir hauteurs et rouler grosses roches sur Indiens pour échapper. »

On mangea au dîner ce que les soldats avaient pris : un daim, une autruche, un armadillo. Ils dormirent sur des tiges de chardons. C'était l'endroit où , selon le général Rosas, Charles rejoindrait un officier qui l'accompagnerait dans son voyage. Ils rencontrèrent deux hommes qui portaient un paquet au commandant. Ce soir-là, les soldats se réunirent autour d'un feu pour jouer aux cartes : un beau jeune homme noir, un autre mélangé de Noir et d'Indien, un vieux mineur chilien, d'autres d'origines diverses.

Les jours qui passaient étaient riches en expériences. Les plaines peuplées de perdrix et de leur prédateur, un petit renard. Il voulut chasser avec la *bola,* mais sans succès. Deux soldats tuèrent un lion, dont ils ne mangèrent que la langue, et trouvèrent seize œufs d'autruche qui firent un excellent dîner. Charles et son guide rejoignirent les hommes de la *posta* suivante, galopant à travers un pays plat et marécageux jusqu'à la sierra Tepalquen : d'abord une bonne herbe grasse, des plaines sombres de tourbe douce, puis des lits de roseaux clairsemés.

La cinquième *posta* était un rancho construit au bord d'un lac où abondaient les oiseaux sauvages et les cygnes au col noir. Jusqu'à la sixième *posta* le sol était friable, rendant l'avance pénible, mais le rancho était construit sur pilotis, avec des chevrons et un solide toit de chaume. Une tempête de grêle la nuit précédente, avec des morceaux de glace gros comme des pommes avait tué beaucoup de petits animaux ; la plaine était jonchée de carcasses de daims, de canards et d'autruches.

A dîner, à la huitième *posta,* il demanda :

« Qu'est-ce que je suis en train de manger ?

— L'un des plats favoris de notre pays », répondit l'un des officiers.

Charles reposa son morceau de viande. Il savait que l'un de ces mets favoris était du veau mort-né.

« Du veau ? demanda-t-il.

— Non. Du puma. Bonne viande blanche. »

L'estomac lui tourna. Les soldats discutèrent de ce qui était le meilleur, la viande de jaguar ou de chat. Charles donna discrètement sa viande derrière lui à un chien qui n'attendait que cela.

Il pénétrait en pays colonisé. La neuvième *posta* se trouvait sur le Rio Tepalquen, entourée de *toldos,* les huttes en forme de four des familles d'Indiens qui servaient dans l'armée du général Rosas. Il y avait des magasins. Il acheta des biscuits, les premiers depuis Bahia Blanca. Il dépassa une tribu d'Indiens qui se rendaient à Guardia del Monte pour vendre leurs peaux et leurs vêtements, tissés à la main, *yergas* et jarretières aux couleurs vives d'un travail fin.

Sur de longues distances, les chevaux avaient de l'eau au-dessus du genou. Ils arrivèrent ensuite à une *estancia* où Charles vit du bétail au pâturage et une femme blanche. Après avoir traversé le Rio Salado, dans l'une des *estancias* fortifiées du général Rosas, il fut reçu comme un hôte de marque. Guardia del Monte se révéla une petite ville agréable avec des vergers pleins de pêches et de coings. Sur la rive d'un lac d'eau douce, près de la ville, il trouva un fossile de Megatherium en parfait état.

Puis vinrent de riches plaines vertes, avec du bétail, des chevaux et des moutons en abondance. Maintenant qu'ils retrouvaient la civilisation, on leur conseillait de dormir dans les *postas :* « Il y a tellement de voleurs qui rôdent. » Partout, la mention de naturaliste sur son passeport suscitait une curiosité respectueuse chez les officiers qui la lisaient.

Il arriva à Buenos Aires — avec ses haies d'agaves, ses oliveraies, ses pêchers et ses saules — le treizième jour de son expédition. Tout s'était passé le mieux du monde ; ses sacoches étaient pleines de spécimens. Il se rendit directement à la demeure de M. Lumb, un marchand anglais dont il avait fait la connaissance, qui le conduisit à une chambre à coucher dotée d'un vrai lit de cuivre, d'un dessus-delit anglais assorti aux rideaux et d'une véritable commode. M. Lumb lui apprit également que le *Beagle* était arrivé à Montevideo quatre jours plus tôt.

Il écrivit au capitaine FitzRoy à Montevideo, l'informant qu'il était arrivé sans encombres et demandant qu'on lui envoie Syms Covington. Il nota ses dépenses pour l'année écoulée, fit un retrait à la banque et partit s'acheter de nouveaux vêtements, médicaments, bottes, papier, encre, bouteilles et caisses.

Syms Covington arriva sans tarder, avec des messages du capitaine FitzRoy indiquant qu'il pensait quitter Rio de la Plata dans la première semaine de novembre. Covington apportait également du courrier.

C'étaient les premières nouvelles de sa famille qu'il recevait depuis quatre mois. La lettre de Kathy était datée du 29 mai 1833. Elle passait des vacances avec Susan à Londres :

« *Nous voyons beaucoup Erasmus ces jours-ci car nous habitons près de chez lui. Nous apprécions beaucoup sa compagnie ; il sait conduire sa voiture, même au plus fort des embouteillages. Il a l'air de plus en plus amoureux de la femme d'Hensleigh, Fanny, et vit presque chez eux. Papa s'attend chaque jour à voir le scandale s'étaler dans les journaux...* »

L'oncle Jos était à Londres, avec la grippe espagnole... Londres semblait frappé par la peste, tous les théâtres étaient fermés parce que vingt-quatre chanteurs étaient alités. Beaucoup de magasins étaient fermés ; quatre-vingt-dix employés de la Banque d'Angleterre étaient malades.

Charles pensa qu'Hensleigh savait sans doute qu'Erasmus ne représentait pas une menace. Son frère lui avait déclaré à Plymouth : « J'aime trop peu le monde ou moi-même, je ne serai jamais capable d'aimer une femme. »

Il était sincèrement navré pour Fanny Owen. D'après les lettres, son mariage n'était guère heureux. Elle avait choisi son propre destin. Ou était-ce son destin qui l'avait choisie ?

Il s'inquiétait toujours de n'avoir pas le moindre mot du professeur Henslow accusant bonne réception de son premier envoi.

Charles étudia le calendrier et demanda à Syms :

« Nous sommes aujourd'hui le 23 septembre. Si le *Beagle* ne quitte pas Montevideo avant la première semaine de novembre, cela me laisse plus d'un mois pour explorer le Nord. »

Lorsque M. Lumb rentra de son bureau pour le thé, il trouva

Charles qui étudiait les yeux brillants, sous la véranda, une carte étalée sur une table d'osier.

« Ah ! mon bon ami, aidez-moi à choisir mon itinéraire. J'aimerais suivre le cours du Rio Parana pendant un certain temps.

— Jusqu'à Santa Fe, ici. » Lumb laissa courir son doigt vers le nord. « Je vous donnerai une lettre de recommandation pour un bon ami à Rosario ; il vous aidera à vous procurer ce dont vous aurez besoin. A partir de Santa Fe vous pouvez traverser la rivière jusqu'à Entre Rios. C'est une terre fertile, irriguée à la fois par le Parana et le Rio Uruguay. Une fois en Uruguay vous pouvez redescendre la rivière jusqu'à la Plata, la remonter jusqu'à Buenos Aires et de là jusqu'à Montevideo. Le voyage, au total, ne devrait pas vous prendre plus de deux ou trois semaines. »

Syms aurait aimé l'accompagner, mais Charles préférait voyager seul. C'était même devenu pour lui une nécessité. Un guide, qui ne lui demandait aucun effort de conversation, lui suffisait.

Il se rendit dans les bureaux du gouvernement pour obtenir les nouveaux passeports nécessaires. En rentrant chez lui, après avoir acheté des munitions pour le plus grand de ses pistolets et une nouvelle lentille pour son télescope, il trouva M. Lumb en compagnie d'un homme de Buenos Aires, le teint mat, la trentaine, habillé comme un ouvrier.

« Darwin, laissez-moi vous présenter Juan, l'ancien guide du capitaine Francis Head, qui explora cette région il y a près de dix ans.

— L'auteur de *Rapid Journeys across the Pampas ?* En 1826, si mes souvenirs sont exacts. Nous l'avons dans la bibliothèque du *Beagle.* Je l'ai lu en mer. » Il était surexcité comme un enfant.

« Captain Head apprendre moi quelques mots anglais, dit Juan, petit peu. *Nos comprendemos.* ».

Ils partirent tard le lendemain et ne firent que sept miles le premier jour, jusqu'à la ville de Luxan. Ils avaient prévu de dormir dans les relais de poste le long de la route, où Charles et Juan auraient à payer tant par lieue à chaque étape. Charles préféra pourtant camper en route pour la nuit.

A l'aube, ils traversèrent le Rio Luxan sur une fine passerelle de bois. Leurs chevaux prirent de la vitesse lorsqu'ils furent en terrain plat. Les *estancias* étaient très espacées les unes des autres ; la terre couverte de chardons aussi épais qu'une forêt miniature et si hauts qu'ils arrivaient à l'encolure des chevaux. Juan lui conseilla de garder son pistolet à portée de la main et son fusil en bandoulière sur l'épaule gauche, plutôt que dans le dos.

« Chardons, bons pour voleurs. Vivre par ici. »

A la tombée du jour ils traversèrent l'Arrecifes sur un radeau fait de barils vides ficelés, puis arrivèrent au relais de poste. Le soldat leur dit en espagnol :

« Vous venez de Buenos Aires ? Très bien, vous payez pour trente et une lieues. »

Charles savait bien qu'il n'avait pas fait quatre-vingt-dix miles. La lieue, en Amérique du Sud, ne représentait en aucun cas les trois miles qu'elle était censée mesurer. Mais il n'avait pas envie de discuter. Il paya pour lui et pour Juan au même tarif à peu près que pour des colis envoyés d'un relais à l'autre. Le dîner était maigre mais passable, les lits de camp propres.

Le lendemain dans la soirée, ils atteignirent San Nicolas, sur un affluent du Rio Parana.

« Ah ! s'écria Charles en étudiant le paysage, quel beau fleuve ! Regarde, des vaisseaux à l'ancre, au pied des falaises ! »

Il en fallait plus pour émouvoir Juan.

« Demain, province de Santa Fe. Meilleurs voleurs. Pas couper gorge. Voler vos oreilles, vous rien voir. »

Ils ne volèrent pas les oreilles de Charles, mais sur une place de marché encombrée, quelqu'un subtilisa bel et bien le pistolet qu'il portait à la ceinture. Il ne découvrit le vol qu'après qu'ils aient traversé les eaux du Pabon, avec ses cascades spectaculaires de vingt pieds. Tout en admirant les chutes, sa main glissa machinalement sur son étui à revolver. Il poussa un juron en sentant qu'il était vide. Juan sourit d'un air navré.

« Pistolet plus utile qu'oreilles.

— Tu as sans doute raison. A quelle distance sommes-nous de Rosario ? J'ai une lettre pour un gentilhomme espagnol de là-bas. Il m'en prêtera peut-être un pour le reste du voyage. »

Juan s'abrita les yeux du soleil brûlant. « Quelques lieues. Allons vite. »

Rosario était une ville remarquable, construite sur un plateau à environ soixante pieds au-dessus du Rio Parana, clairsemé de nombreuses îles basses et boisées. Les falaises perpendiculaires en bordure du Parana étaient d'un rouge vif, rompu ici et là par des bouquets de mimosas et de cactus. De nombreux bateaux remontaient et descendaient la rivière qui reliait si utilement Buenos Aires à Montevideo.

L'ami de M. Lumb emmena Charles faire un tour de la ville, assez importante ; il lui servit un excellent repas et lui demanda combien de temps il aurait le plaisir de sa compagnie.

« Pas très longtemps, je vous remercie. Je veux traverser le fleuve à Entre Rios et rentrer par l'Uruguay à Buenos Aires. J'ai pourtant une grande faveur à vous demander. On m'a volé mon pistolet. Pourriez-vous m'en prêter un ? Je vous le retournerai par la poste.

— Certainement. Mais ne le renvoyez pas par la poste, remettez-le à M. Lumb. »

Ils partirent au clair de lune et parvinrent au Rio Tercero au lever du soleil. On avait dit à Charles qu'on trouvait de vieux os dans les falaises avoisinantes. Il alla y fouiller et ne tarda pas à trouver une grande canine très curieuse. Juan lui dit : « Os géant dépasser en haut de la rivière.

— Emmène-moi là-bas. Nous louerons un canot. » Les dires de Juan étaient exacts. Charles accosta au pied d'une falaise où il trouva deux groupes d'os qui dépassaient.

« Quel sorte ? demanda Juan.

— Je crois qu'ils appartiennent à un Mastodon. »

Les os fossilisés, bien que très grands, étaient si détériorés qu'il fut incapable d'en extraire un seul intact. Frustré, il retourna au canoë et nota ce qu'il avait vu.

Il se sentit soudain fiévreux. La chaleur était intense. La route était belle, pleine de fleurs et d'oiseaux. Il aima le petit village de Coronda avec ses jardins fleuris, mais à partir de là, la route traversait une forêt d'arbres bas et épineux, et un hameau abandonné dont les habitants avaient été tués par les Indiens lors d'un raid récent. Juan garda son revolver au poing, tenant les rênes de l'autre main.

Ils arrivèrent à Santa Fe au coucher du soleil. Charles était épuisé. Il loua une chambre avec un lit et s'endormit d'un sommeil agité.

Il dut garder le lit pendant deux jours. Il souffrait d'un étrange mal de tête. Une vieille femme souriante attachée à la maison devint son médecin et son infirmière. D'abord elle lui attacha des feuilles d'oranger sur les tempes qu'elle fixa dans un peu de plâtre noir. Lorsque le plâtre céda, elle coupa un haricot en deux, en humecta les deux parties qu'elle plaça, une sur chaque tempe, où elles n'eurent aucun mal à coller. Elle affirmait que c'était un remède souverain contre les maux de tête.

Le troisième jour, il eut la force de traverser avec Juan le Rio Parana pour gagner la ville de Parana, la capitale d'Entre Rios. Il entra dans ce port plein d'activité après s'être égaré pendant quatre heures dans différents bras de la rivière. Il présenta une lettre d'introduction, toujours de M. Lumb, à un vieux Catalan qui l'invita chez lui. Charles modifia néanmoins son programme.

« Je ne me sens pas bien. Je crois qu'il serait plus sage de rentrer immédiatement. Est-il possible de louer un bateau ?

— Si vous n'en trouvez pas, M. Darwin, vous pouvez toujours prendre place sur une *balandra.* Elle vous transportera tout aussi bien. »

Ce n'est que le 12 octobre que Juan et lui purent embarquer sur une *balandra*, un vaisseau à un mât de mille tonnes qui descendait la rivière à voile dans le sens du courant. Lorsque le temps devenait mauvais, le propriétaire, personnage peureux, attachait son vaisseau aux arbres d'une de ces îles qu'on rencontrait toutes les deux ou trois lieues, et attendait avec une belle résignation que les éléments se calment. C'était un vieil Espagnol qui vivait dans la région depuis longtemps. Il se disait ami des Anglais mais maintenait mordicus que la bataille de Trafalgar avait été gagnée en achetant les capitaines espagnols. Il préférait avoir comme compatriotes des traîtres que de mauvais soldats.

Les îles qu'ils dépassaient, couvertes de saules, ressemblaient à une jungle avec leur profusion de plantes grimpantes. Au cours de l'un de leurs arrêts dus au mauvais temps, Charles voulut explorer une île mais n'eut pas fait cent yards qu'il découvrit des traces nettes de jaguar. Rentrant à bord à la hâte, il apprit qu'un jaguar avait récemment tué plusieurs bûcherons.

Les soirées étaient tropicales, le thermomètre à peu près de quatre-vingts degrés. L'air était plein de lucioles et de moustiques. Une nuit, il dormit sur le pont, la tête enveloppée dans une fine moustiquaire de tulle. Finalement, pressé d'arriver à Buenos Aires, il quitta le bateau à Las Conchas, se procura un canoë dans lequel Juan et lui pagayèrent en descendant le fleuve jusqu'à Punta de Fernando.

Aux portes de Buenos Aires, Charles apprit avec consternation qu'une révolution avait éclaté ; on ne le laisserait pas rentrer en ville, puisqu'on en faisait le blocus. Il parla au commandant de la générosité du général Rosas à son égard. Immédiatement, le ton changea. On lui permit de rentrer en ville, mais sans Juan et sans lui donner de cheval. Il partit à pied et foula bientôt le pavé de la rue qui conduisait chez M. Lumb. Ce dernier expliqua à Charles que les officiers du général Rosas et ses soldats s'étaient révoltés contre l'actuel gouverneur et voulaient montrer au pays que seul Rosas pouvait lui donner la paix.

« Comment pourrai-je faire rentrer Syms Covington en ville ? Nous devons prendre un bateau pour Montevideo dès que possible, dit Charles.

— Il vous faudra soudoyer un homme pour qu'il lui fasse traverser les lignes. »

Syms arriva deux jours plus tard, très effrayé. Il avait bien failli mourir dans des sables mouvants ; l'un des fusils de Charles avait irrémédiablement sombré. Tous les vêtements de Syms avaient été volés ; les outils de Charles et ce que Syms avait chassé avaient été confisqués.

Ils rejoignirent le *Beagle* à Montevideo. Les retrouvailles avec sa famille d'adoption furent joyeuses. La cabine de poupe était devenue l'endroit le plus animé du navire. Plusieurs hommes des deux schooners, en plus de Wickham et Stokes, y travaillaient. La table des cartes était couverte de graphiques, de journaux de bord, de relevés horaires. Il n'y avait plus la moindre place pour que Charles puisse y dormir ou y travailler.

« Nous n'appareillerons pas avant un bon mois, prévint le capitaine FitzRoy. C'est le temps qu'il nous faudra pour terminer nos calculs et les envoyer à Londres...

— Un mois plein ? Et moi qui avais si peur, en descendant le Rio Parana que vous partiez sans nous ! s'exclama Charles en regardant l'animation qui régnait dans la cabine de poupe. Ne serait-il pas préférable pour tout le monde que je passe encore un mois à terre ? J'ai une lettre pour un marchand anglais qui paraît-il a un lit à ma disposition. »

Mais avant toute chose, il lui fallait expédier en Angleterre son quatrième envoi de caisses. Le troisième avait quitté Rio de la Plata fin juillet. Syms et lui se ménagèrent un espace sur le pont de poupe. M. May y monta temporairement des tréteaux sur lesquels ils posèrent des planches pour y étaler les spécimens. La révolution à Buenos Aires était terminée et M. Lumb avait réussi à récupérer les oiseaux de Syms. Cette fois encore, il lui faudrait au moins trois grosses caisses.

« Pourquoi ne pas utiliser également un de ces gros barils qui nous servent pour le sucre ou l'alcool ? suggéra M. May.

— Vous pourriez construire des casiers dans un baril circulaire ? »

May tapissa le fond d'une des caisses de feuilles d'étain. Puis, avec l'aide du tonnelier posa de fortes bandes de métal autour du baril. D'une main amoureuse et avec un soin infini Charles déposa dans la caisse doublée d'étain ses deux cents peaux d'oiseaux et d'animaux et un spécimen de souris d'Amérique du Sud. Dans la plus large des deux caisses allèrent ses os fossilisés et ses échantillons géologiques, tous étiquetés et catalogués. Dans le fût, il déposa ses bocaux de poissons, ses boîtes à insectes, ses bouteilles d'organismes marins, un sac de graines. Un paquebot devait repartir quelques jours plus tard ; ses amis de l'équipage l'aidèrent à y déposer caisses et baril.

Le paquebot lui apporta également un paquet de courrier. Le *Morning Herald* avait publié un article mentionnant le passage du *Beagle* dans les îles Falkland, assurant que tout allait bien à bord. Il apprit, avec un soulagement immense, que son premier envoi de caisses était arrivé à Cambridge en bon état. Apparemment, Susan était également allée à Cambridge car elle écrivait :

« *Le professeur Adam Sedgwick a prononcé un discours d'une grande éloquence en démissionnant de son poste de président de la British Association.* »

Charles sourit en lisant cela. Chaque courrier le rapprochait-il de l'éventualité d'avoir un beau-frère du corps enseignant ?

Son père se portait bien. Il avait acheté un nouveau cabriolet plus léger et appréciait de se faire conduire par Edward à travers la campagne. Mais Tante Bessy Wedgwood était gravement malade. Le professeur Henslow avait dû interrompre les soirées du vendredi parce que Mme Henslow était alitée ; Fanny Owen avait donné naissance à une petite fille. Susan poursuivait, réveillant chez lui une sourde nostalgie :

« *Nous avons passé quatre jours à Woodhouse. Nous avons pris des romans, une bouteille de cidre et des fruits et passé deux journées entières dans les foins... C'était la saison des fraises et Caroline Owen a dit que cela lui rappelait l'époque où Fanny et toi restiez couchés dans les fraisiers pendant des heures.* »

Il rangea les lettres dans un tiroir et rassembla les vêtements dont il aurait besoin à terre. Il fallait maintenant décider s'il remonterait le Rio Uruguay et ses étonnantes formations géologiques. C'est la route qu'il aurait voulu prendre en revenant d'Entre Rios mais les maux de tête et la fièvre l'en avaient empêché. Ce voyage lui coûterait cinquante livres supplémentaires et il avait déjà dépensé son budget pour l'année. Qu'en dirait son père ? Il écrivit à Caroline :

« *A l'idée de ne peut-être jamais plus me retrouver dans cette région, je ne peux accepter de manquer un des plus curieux spectacles offerts par la géologie. J'aimerais pouvoir vous faire partager tout le plaisir que la géologie me procure... J'ai dépassé de cinquante livres l'argent qui m'était alloué pour l'année. J'aimerais que Père fasse ce dont il me menace en riant, qu'il fasse réellement le compte de ce que je lui dois.* » Et il ajouta cette phrase qui le surprit lui-même :

« *L'intérêt que je ressens pour ce voyage est si totalement différent de tout ce que j'ai connu jusqu'à présent...* »

Cette impulsion de jeune homme qui l'avait poussé trente jours seulement après leur départ de Plymouth, en grignotant du biscuit, au pied de la falaise de St Jago, à décider d'écrire un livre sur la géologie de l'Amérique du Sud s'était changée en obsession.

« Plus qu'une obsession, pensa-t-il. Je suis possédé par cette idée. Je ne me croyais pas capable d'aimer des roches plus que mes scarabées. »

Son hôte anglais lui avait recommandé un vaquero comme guide et une écurie où louer des chevaux. Ils partirent par une belle matinée ensoleillée. Il avait d'abord cru que la pampa était plane ; il découvrait maintenant une tourbe verte, épaisse et ondulée.

Ils dormirent dans le cottage d'un vaquero cette nuit-là, et se levèrent à l'aube dans l'espoir d'avancer aussi loin que possible, en Uruguay. Mais les rivières étaient en crue. Charles vit les péons retirer leurs vêtements, en faire un ballot et remonter à cheval. Dès que le cheval perdait pied, le péon se laissait glisser derrière, lui attrapait la queue et se faisait traîner de l'autre côté de la rivière. Il écrivit dans son cahier :

« *C'est un bien beau spectacle qu'un homme nu sur un cheval nu. J'ignorais à quel point ces deux animaux vont bien ensemble. Lorsque je les vois galoper sur la rive, avant de s'être rhabillés, ils me rappellent les marbres d'Elgin.* »

La nuit, ils s'arrêtaient dans des relais de poste, ou quand Charles avait une lettre d'introduction, dans un ranch où ils étaient bien reçus. Le décor et la vie des gens changeaient du tout au tout dans chaque ville et région qu'ils traversaient. Dans une ville ancienne, les remparts en ruine de fortifications détruites par la guerre que s'y étaient livrée les Espagnols de Buenos Aires et les Portugais du Brésil. Ou à l'Arroyo de San Juan, un port prospère pour les bateaux de faible tonnage qui fournissaient Buenos Aires en bois combustible. Une nuit, la maison où il dormit était adjacente à un four à chaux. Sur la route de Punta Gorda il découvrit des griffures de jaguar sur des arbres ; pas le moindre jaguar pourtant, mais il garda le doigt sur la gâchette de son fusil. Dans *l'estancia* suivante, il vit des *vaqueros* attraper au lasso, tuer et dépouiller des singes dont la peau se vendait au prix très élevé de cinq dollars.

Ils se mirent en route au lever du soleil, traversant d'immenses étendues de chardons et d'artichauts sauvages à hauteur d'homme. Il leur fallut dix jours avant d'arriver dans ce paysage qui l'avait poussé à entreprendre le voyage, les falaises en bordure du Rio Uruguay. Il découvrit une formation d'argile rouge avec des nodules de marne couvertes de calcaire blanc qui contenait de grandes huîtres d'une espèce éteinte et divers coquillages marins. Il savait que chaque strate représentait une époque spécifique, un âge différent. Des os géants dépassaient de falaises blanchies. Il était convaincu que c'étaient des os de Megatheriums. En tout cas un apport important à sa collection de fossiles, bien que la nature de la roche dans laquelle ils étaient encastrés rendît très difficile la tâche d'en extraire des fragments. Il fut récompensé de ses peines le lendemain lorsqu'il découvrit dans une estancia une tête presque parfaite de Megatherium. Il était transporté : on ne trouvait nulle part en Angleterre un fossile pareil. Il l'acheta pour quelques shillings.

Ils traversèrent à cheval les champs de hautes herbes, puis des collines rocheuses jusqu'au Rio Perdido. Ses deux sacoches de cuir étaient pleines de roches extraites du sol, des rives, de la falaise. Ils dormaient dans des relais de poste dont les toits laissaient passer la pluie et ils se retrouvaient trempés à minuit ; dans l'un d'eux, le tenancier était si soûl qu'il dit en montrant Charles du doigt à un homme qui se trouvait près de lui : « Cela vaudrait la peine de l'assassiner. »

Charles prit cela pour une plaisanterie. Mais son guide, lui, prit la menace très au sérieux et le veilla toute la nuit revolver au poing. A l'aube, quand Charles se réveilla, son *vaquero* se permit sa première plaisanterie en deux semaines depuis qu'ils étaient partis :

« Et dire que ces péons stupides vous croyaient bon à tuer ! Moi au moins, je sais à quoi m'en tenir. »

Il rentra à Montevideo heureux de ses trouvailles. Augustus Earle rentrait en Angleterre par paquebot.

« J'irai voir votre première exposition dès notre retour », lui dit Charles.

Le capitaine FitzRoy ne voulait pas continuer le voyage sans un artiste à bord. Il engagea un Londonien du nom de Conrad Martens, qui avait étudié l'art du paysage avec Copley Fielding. Martens se trouvait sur le sloop *Hyacinth* quand à Rio de Janeiro il avait rencontré M. Hamond ; cet ancien officier du *Beagle,* qui rentrait chez lui, lui apprit que le *Beagle* avait besoin d'un peintre pour le reste de son voyage autour du monde. Il quitta immédiatement le *Hyacinth* pour aller à Montevideo. FitzRoy dit à Charles, amusé :

« M. Martens est un grand amateur de pierres, qui s'écrie dans son sommeil : " Imaginez-moi au sommet des Andes ou en train de faire le croquis d'un glacier fuégien. " Foi de connaisseur en bosses, vous allez l'aimer beaucoup. C'est un meilleur paysagiste que la plupart des Anglais, mais il n'arrive peut-être pas tout à fait à la hauteur d'Earle pour les personnages. »

Depuis maintenant près de deux ans, le *Beagle* était en mer. La garde-robe de Charles commençait à montrer des signes de fatigue. Il était un peu moins maigre, s'était étoffé et musclé. Il pesait près de cent cinquante livres. Quelques jours de mal de mer suffisaient à lui faire perdre jusqu'à dix livres et à lui donner les joues creuses et les épaules tombantes. Mais par beau temps et au cours de ses expéditions à terre, il avait un robuste appétit et regagnait rapidement du poids. En s'habillant pour dîner avec le capitaine, il réalisa que les coutures de son long pardessus marron craquaient et que son pantalon le serrait à la taille. Il n'y avait que la chaîne d'or de sa montre, en travers de son gilet, qui n'ait pas à souffrir de cette croissance.

Il écuma Montevideo à la recherche d'un bon costume pour la messe du dimanche et pour dîner avec le capitaine ; une bonne taille au-dessus de ses vêtements de Londres.

Les navires étaient rénovés également. Il faudrait encore au moins six mois avant qu'ils contournent le cap Horn et atteignent un grand port sur la côte ouest de l'Amérique du Sud.

Le 6 décembre, l'*Adventure* était prête à appareiller. FitzRoy avait décidé d'engager vingt marins de plus, qu'il placerait sous les ordres de Wickham, bien que l'Amirauté ne l'y ait pas autorisé. Cela constituerait un appoint appréciable. Les dessins, cartes et relevés exécutés par le *Beagle* étaient prêts à être envoyés à Londres. Les deux bateaux partirent ensemble, faisant voile vers le sud en descendant vers Port Désir, à mille miles en direction du Cap Horn. Ils eurent un vent passable, quittèrent le fleuve et, le soir, se retrouvèrent en eau claire. L'*Adventure* avançait en tête. Charles, sur la poupe, déclara à Sulivan :

« Comme il est agréable d'avoir un autre navire à regarder ! »

Et tandis que le *Beagle* roulait doucement, toutes voiles dehors, Charles lui parla de son dernier voyage en Uruguay, où les pauvres ne se nourrissaient que de fruits et du poisson qu'ils attrapaient.

« J'ai demandé à deux hommes en haillons pourquoi ils ne travaillaient pas. Le premier m'a répondu : « La journée est trop longue. » Et l'autre : « Je suis trop pauvre. »

Sulivan se mit à rire, puis redevint sérieux. « Deux de nos officiers viennent de déserter. Avec deux ans de salaire qui les attendront à l'Amirauté, à Londres ! »

Charles n'avait pas vu souvent FitzRoy lorsqu'il vivait à terre à Montevideo, mais il l'avait trouvé soucieux et déprimé. La frustration du capitaine fut totale lorsque le paquebot qui contenait les caisses de Charles partit brusquement pour l'Angleterre sans les relevés et les cartes du *Beagle.* Il comptait sur ces documents pour justifier deux années de travail et ses frais supplémentaires. Il dut finalement les confier au consul général anglais, M. Hood, qui ne savait quand ils seraient remis à l'Amirauté. Le visage de FitzRoy était congestionné et ses paumes moites.

« Il est clair qu'ils ne paieront jamais pour l'*Adventure* et les vingt-deux hommes que j'ai engagés, dit-il à Charles. Le capitaine King, au cours de notre premier voyage, pour une mission de bien moindre envergure, avait trois navires : le *Beagle,* l'*Adventure* et l'*Adelaide,* un ravitailleur que le gouvernement avait acheté à Montevideo pour deux mille livres sterling. Pourquoi dans ces conditions l'Amirauté ne veut-elle pas dépenser deux mille livres pour mon *Adventure* alors que nous en avons tellement besoin ? »

Pendant les dix-sept jours de leur voyage jusqu'à Port Désir, FitzRoy mangea peu, dormit moins encore, quatre heures par nuit tout au plus, selon Charles. Il ne prenait jamais la moindre pause pour se détendre ou se changer les idées. Il travaillait avec acharnement à ses énormes cartes, vérifiait chronomètres et relevés plutôt douze fois qu'une pour que tout soit correct dans les moindres détails. Parfois il était sujet à ce que Charles devait bien appeler des crises de travail, de réflexion et de décisions. Pendant ces accès, il prenait trois repas par jour face à Charles sans lever le nez ou dire un seul mot. En pareil cas,

Charles préférait aller manger au mess dont il retrouvait avec joie le chahut. Il savait que cette attitude chez FitzRoy n'avait rien de personnel. Il ne parlait à personne d'autre à bord, si ce n'est pour « passer un savon » aux aspirants à l'inspection le matin avant le petit déjeuner.

Charles était lui-même dans une période de transition. A partir de ses petits carnets rouges, il rédigeait des textes sur la géologie, sur la vie des plantes et des insectes ; puis, très vite, il glissa vers des sujets qui débordaient le domaine du naturaliste : la vie et le caractère des gens avec lesquels il avait voyagé ; la supériorité des gauchos sur les habitants des villes ; leur hospitalité en même temps que leur enthousiasme ; les effusions de sang qui résultaient de l'usage constant qu'ils faisaient de leurs couteaux. Il écrivit sur les guerres et les destructions qu'elles occasionnaient ; sur les révolutions constantes ; sur l'absence de tout concept de justice, lorsqu'elle est à vendre ; la vie quotidienne qui s'accommodait de la corruption et des bakchich à tous les niveaux, jusqu'aux bureaux de postes qui imprimaient de la fausse monnaie tant et plus. Il décrivit le contraste des sociétés, l'absence d'éducation, le mépris de la religion sauf pour l'observance des vacances. Il calculait la valeur des *estancias,* combien de généraux la guerre imposait à une société ; et combien de temps une forme de gouvernement démocratique, conduite par des hommes corrompus, pouvait retarder la dictature.

Il se souvenait du dicton d'Alexander Pope :

« *L'étude qui convient à l'humanité, c'est celle de l'homme.* »

Il ne pouvait conserver l'homme dans un bocal avec de l'alcool ou l'épingler dans de petites boîtes comme les scarabées, mais son horizon s'était à ce point agrandi au cours de ses voyages à terre ou de ses séjours dans leurs ports d'attache qu'il ne pouvait plus se borner à écrire seulement sur la philosophie naturelle. Ni les Darwin ni les Wedgwood n'acceptaient sans nuance le postulat religieux que Dieu avait créé la terre et tout ce qui s'y trouve pour l'usage et le profit exclusif de l'humanité ; il était sûr, quant à lui, qu'une race d'hommes spécifique, comme les pittoresques gauchos, était au moins aussi intéressante que la chaîne montagneuse de la Sierra de la Ventana ; qu'elle pouvait en apprendre autant sur l'origine et l'histoire de l'humanité que les fragments de roches qu'il détachait à coups de marteau.

Y avait-il réellement chez lui les germes d'une vocation de prêtre ?

4.

Les volumineux relevés partis pour Londres, la cabine de poupe fut à nouveau à lui. Dès qu'ils furent en mer, avec Syms, ils étalèrent sur la table des cartes la récolte du voyage de deux semaines le long du Rio Uruguay : des fossiles, des roches, des chardons, des reptiles.

Il fallait dix-sept jours de voile vers le sud pour arriver à Port Désir. Les vents étaient légers la plupart du temps. Puis le temps devint capricieux, mauvais. Charles essaya de résister au mal de mer en n'y prêtant pas attention. Mais le stratagème ne réussit pas.

Quand les deux navires arrivèrent au port, le lieutenant Wickham apprit au capitaine FitzRoy que l'*Adventure* ne s'était pas « bien comportée » dans le vent ; qu'il lui faudrait quelques jours pour modifier les voiles. Charles et Ben Bynoe entreprirent une longue marche dans le désert de Patagonie, une étendue stérile de gravier. Sur le sol de cette plaine, ils découvrirent des coquilles d'huître et des coquilles bleues de moule. Charles fit remarquer :

« Il est certain qu'il y a quelques siècles tout cela se trouvait sous la mer. Les eaux se sont-elles retirées ou est-ce la plaine qui s'est élevée ? »

Au même instant, il aperçut deux guanacos géants. Il saisit rapidement son fusil et tira sur le premier.

« Un coup magnifique ! s'exclama Bynoe. Ce bonhomme est si gros que tout l'équipage aura de la viande pour le dîner de Noël. »

Il passait ses journées à « géologiser » dans la craie sableuse et dans ce pays de gravier ; marchant parfois toute une journée jusqu'à des collines éloignées sans trouver un seul arbre pour s'y mettre à l'ombre. C'était une terre désolée et pourtant il observa : « Je ressens une joie profonde que je ne peux ni m'expliquer ni comprendre. »

Il se procura quelques animaux nouveaux, mesura avec un baromètre l'altitude de la plaine : près de deux cent cinquante pieds.

En attendant l'*Adventure,* le capitaine FitzRoy décida de descendre les cent dix miles au sud qui menaient au port de San Julian et de faire une reconnaissance du littoral. Une forte marée les poussa hors du port, ils passèrent les rapides et déployèrent les voiles... pour bientôt heurter à deux reprises et avec violence un rocher sur lequel ils passèrent. Sur le pont, FitzRoy cria :

« Damnation ! C'est le même rocher que nous avons heurté lors du premier voyage du *Beagle !* A-t-il beaucoup endommagé notre coque de cuivre ? »

Sulivan retira ses bottes et plongea par-dessus le bastingage. Charles trouva qu'il restait sous l'eau bien trop longtemps, mais il réapparut de l'autre côté, avec quelques écorchures qu'il s'était faites contre le cuivre déchiqueté.

« Rien de sérieux, capitaine. Quelques éraflures, mais ni trou ni fuite. »

FitzRoy voulut pourtant qu'on répare. Ils jetèrent l'ancre à l'embouchure du port de San Julian, et se rendirent à terre dans une baleinière. Tôt dans la matinée, le lendemain, Charles accompagna FitzRoy et deux hommes d'équipage pour aller chercher de l'eau potable, à la pointe d'un îlot qu'une vieille carte espagnole désignait comme un point d'eau douce, *agua dulce.* Le capitaine emporta son fusil à double barillet ; les hommes d'équipage portaient quelques lourds instruments de mesure ; Charles avait son fusil et deux gourdes.

Ils cherchèrent en pure perte. Pas d'*agua dulce.* L'air était extrêmement sec et au bout de longues heures de marche, il n'y avait plus d'eau dans les gourdes de Charles. Ils arrivèrent au sommet d'une nouvelle colline. FitzRoy s'allongea sur le sol.

« Je suis trop fatigué, j'ai trop soif pour faire un pas de plus.

— J'aperçois deux lacs à environ deux miles d'ici, dit Charles. Je vais aller y remplir mes gourdes. Restez avec le capitaine », dit-il aux deux hommes d'équipage.

Il marcha sans discontinuer et sans ressentir de fatigue excessive ; il lui était parfois arrivé de marcher onze heures d'affilée au cours de ses voyages dans l'intérieur. Il arriva deux miles plus loin au premier lac et s'empressa d'y plonger la main pour goûter l'eau. C'était une saline, une eau bien trop salée pour être buvable. Déçu, il marcha jusqu'au second : eau salée également.

La nuit tombait. Courbatu maintenant et furieux de n'avoir pu trouver d'eau potable, il retourna vers le capitaine qui avait dormi mais se sentait toujours incapable de reprendre la route. Il prit la situation en main.

« Je rentre au bateau. Un homme doit rester avec le capitaine. Vous sentez-vous assez fort pour marcher avec moi jusqu'au bateau ? demanda-t-il à l'autre homme.

— J'essaierai, monsieur. »

Il trouva un raccourci mais ils avaient encore plusieurs heures de marche. En arrivant au *Beagle,* Charles envoya deux hommes au secours du capitaine. Il insista pour qu'on allume un grand feu sur la plage, qui servirait de phare au groupe à son retour.

Charles ne fit pas un sort à l'incident, conscient surtout de n'avoir pas réussi à trouver d'eau potable. Mais l'attitude des officiers, et celle des hommes d'équipage, changea à son égard.

Charles Darwin n'était plus un dilettante, un « je sais tout ». C'était un homme que chacun respectait à bord.

En mars 1834, le *Beagle* termina sa reconnaissance de la côte est de Patagonie et de la Terre de Feu. L'*Adventure* les aidait dans leur tâche et puisque le temps semblait bon, FitzRoy décida de remonter le Beagle Channel jusqu'à Ponsonby pour voir comment se portaient leurs trois Fuégiens. Ils longèrent une chaîne de montagne de trois mille pieds dont les pics aigus surplombaient directement la mer, puis arrivèrent devant une montagne plus haute encore. FitzRoy annonça :

« C'est le plus haut sommet de la Terre de Feu, plus de sept mille pieds. Il s'appellera dorénavant le mont Darwin. » Charles, abasourdi, murmura :

« D'abord une baie, maintenant une montagne, Dieu sait ce que je vais devenir après ça !

— Un océan peut-être, suggéra Sulivan avec un sourire. Il ne te reste plus qu'à en découvrir un. »

Ils jetèrent l'ancre au nord de la baie de Ponsonby. En arrivant au pays de Jemmy Button, ils ne trouvèrent pas la moindre trace de la petite colonie qui avait été fondée pour Jemmy, York Minster et Fuegia Basket. La vigie cria :

« Un canoë approche, il agite un drapeau. »

Dans le canoë, ils reconnurent bientôt Jemmy, nu à l'exception d'une peau autour de la taille, ses cheveux nattés lui tombant sur les épaules, maigre et le visage émacié.

M. Bynoe, qui avait été le meilleur ami de Jemmy à bord, s'exclama : « C'est une catastrophe ! Nous l'avons laissé gras et si méticuleux qu'il avait même peur de salir ses chaussures. »

Jemmy grimpa par l'échelle de corde et se tint sur le pont, avec un sourire légèrement embarrassé et des yeux rougis par la fumée. Le capitaine ordonna d'un ton sec :

« Faites descendre Jemmy. Donnez-lui un bain, et coupez-lui les cheveux. Donnez-lui les meilleurs vêtements que nous ayons. »

Il ne fallut pas plus d'une demi-heure à l'équipage pour « réhabiliter » Jemmy. Le steward du capitaine apporta une troisième chaise dans la cabine et Charles et FitzRoy s'assirent pour dîner avec lui, en échangeant des regards entendus devant la correction avec laquelle Jemmy se servait de son couteau et de sa fourchette.

« Je dois vous féliciter, Jemmy. Vous vous conduisez avec la même correction que lorsque vous nous avez quittés. »

Jemmy leur décocha un large sourire reconnaissant.

« Avez-vous eu assez à manger ? demanda Charles.

— Beaucoup manger. Beaucoup fruits, beaucoup oiseaux. Planter navets et pommes de terre. Moi homme important ici.

— Où sont Fuegia Basket et York Minster ? » demanda FitzRoy.

Le visage de Jemmy se ferma. Il grinça des dents. « Partis. Grand canoë. Dans pays eux. York envoyé Fuegia prendre mes habits. Je réveille, eux partis. Laisser Jemmy tout nu. York voler outils, couvertures, graines... tout. »

FitzRoy lui proposa de rentrer avec eux en Angleterre mais il refusa, disant qu'il était mieux avec son peuple. Il revint au matin chargé de cadeaux : deux belles peaux de loutre, une pour FitzRoy l'autre pour le maître de quart James Bennet qui l'avait pris en amitié ; pour Charles deux belles lances qu'il avait confectionnées pour lui. Il était accompagné d'une jolie jeune squaw qui pleurait en silence jusqu'à ce qu'il la rassure en lui disant qu'il ne partait pas.

Cela suffit, avec la vue de châles, de rubans, de mouchoirs et d'une étole de dentelle, à sécher ses larmes.

Jemmy s'opposa fermement à la réouverture de la mission. Cela ne servirait à rien. De plus, il était certain que Matthews serait dévalisé par les Patagons de l'intérieur... Ou par les hommes de sa tribu aussi bien.

Le *Beagle* sortit de la baie de Ponsonby. Jemmy alluma un feu pour leur souhaiter bon voyage. Sur la poupe, le capitaine FitzRoy dit à Charles avec tristesse :

« Je ne peux m'empêcher d'espérer que quelque résultat bénéfique proviendra de la présence de ces gens, Jemmy, York et Fuegia Basket au milieu des autres indigènes de la Terre de Feu. Peut-être Jemmy Button et ses enfants viendront-ils en aide à un marin naufragé ? »

Ils arrivèrent rapidement aux îles Falkland, en précédant une mauvaise bourrasque. Le capitaine Beaufort avait demandé à FitzRoy d'effectuer une reconnaissance de leurs côtes, la première à être faite. Lorsqu'ils arrivèrent dans la baie de Berkeley, le lieutenant Smith, qui faisait fonction de gouverneur, vint à bord avec une histoire horrifiante : trois gauchos et cinq Indiens avaient tué cinq Anglais, kidnappé quelque dix-huit hommes, femmes et enfants et saccagé leurs maisons. Trois de ces mécréants avaient été attrapés. Le capitaine FitzRoy accepterait-il de garder leur chef aux fers en attendant qu'on puisse les emmener à Rio de Janeiro ?

Le capitaine accepta.

Pour la plus grande joie de Charles, il reçut une lettre du professeur Henslow, la première en vingt-sept mois de voyage. Elle était datée du 15 janvier 1833 et avait mis plus d'un an à lui parvenir.

Par quelle fatalité a-t-elle pu mettre si longtemps, se demanda Charles avant d'en étudier le contenu.

« *Mon cher Darwin,*

J'avais l'intention de vous écrire par le paquebot de décembre, mais au moment où je m'apprêtais à le faire, un mot de vous m'apprit qu'une caisse était en route ; j'ai donc cru préférable d'attendre d'avoir pu prendre connaissance de son contenu. Elle est ici maintenant et tout a bien supporté le voyage... Je ne m'inquiéterais pas, si j'étais vous, de savoir si j'ai raison ou tort de noter tel ou tel fait concernant la géologie. Notez tout ce qui pourrait être utile — et surtout la position relative des roches, accompagnée de petits croquis.

... Loin d'être déçu par la caisse, je pense que vous avez fait des merveilles, car je sais que vous ne vous contentez pas de collectionner des spécimens mais que vous avez bien soin de les décrire.

La plupart des plantes sont du plus grand intérêt pour moi. Evitez d'envoyer des fragments. Ramassez les spécimens les plus parfaits possibles avec racine, fleurs et feuilles et vous ne pourrez pas vous tromper. Pas besoin d'utiliser tant d'étoupe et de papier pour les spécimens de géologie, ils supportent très bien le voyage pourvu qu'ils soient bien enveloppés et serrés.

Pour ce qui est des oiseaux, plusieurs d'entre eux sont sans étiquette. Le mieux est de la leur attacher à la patte. Les quadrupèdes : le plus grand est remarquable, en parfait état. Les deux souris sont plutôt moisies. Les tout petits insectes sont parfaits. Les lichens sont excellents, on prend trop rarement la peine de nous les envoyer. Le plus petit d'entre eux devient ici un objet de grande curiosité. Même si vous en envoyiez dix fois plus que vous ne le faites, en arrivant, vous regretterez de ne pas en avoir envoyé cent fois plus ! Tant de choses qu'on prenait pour des déchets sont maintenant pour nous de précieux objets d'étude ! Personne ne songerait pourtant à vous reprocher d'être resté inactif ou à prétendre que votre caisse n'est pas de la plus haute importance...

Bien affectueusement et sincèrement vôtre,

J. S. Henslow. »

Il y avait également une lettre de sa sœur Katty. La précédente datait de quatre mois plus tôt et il la dévora.

Son père voyageait plus et travaillait moins. Erasmus suivait la famille Heinsleigh Wedgwood partout où elle allait : même après que Mme Wedgwood ait donné naissance à une petite fille. Fanny Biddulph était venue au Mont en visite, rougissant joliment à chaque fois qu'elle mentionnait le nom de Charles.

« *Elle a dit comme elle serait heureuse de te revoir et qu'elle te souhaitait le plus grand bonheur...* »

« Trop tard, pensa-t-il. Bien trop tard. »

La phrase la plus intéressante était de Katty :

« *Je ne peux m'empêcher d'être un peu inquiète quand je te vois décrire les tropiques avec un tel enthousiasme... J'ai bien peur que tu ne sois incapable de supporter cette calme vie de pasteur, à laquelle tu disais que tu reviendrais.* »

« Je disais, pensa-t-il. Mais je le dis toujours. Je ne change pas si facilement d'avis, lorsque j'ai décidé quelque chose, je m'y tiens. »

Puisque le *Beagle* aurait à faire des relevés pendant au moins deux semaines, Charles décida d'explorer l'intérieur. FitzRoy le lui déconseilla.

« Depuis les assassinats, on ne peut plus faire confiance aux gauchos. Et vous avez besoin d'un guide. »

Deux gauchos lui furent recommandés par le gouverneur suppléant, le lieutenant Smith. Ils étaient prêts à l'accompagner pour quelques jours. Charles loua six chevaux et se prépara à partir le lendemain matin. Le temps était mauvais et froid, avec de fortes averses de grêle, mais la petite troupe avança quand même à bonne allure et les gauchos se révélèrent des compagnons agréables. L'un d'eux, surtout, Santiago, s'attacha à Charles, et observait son travail avec curiosité.

A la tombée du jour, Santiago abattit une vache mais eut du mal à achever la bête furieuse. Le sol était mouillé et il n'y avait guère de fagot pour faire griller leur dîner. Santiago résolut le problème en ramassant des os de bœuf qui firent un feu aussi fort que des charbons.

La pluie continua. Charles collectionnait tout ce que la terre lui offrait mais c'était un travail difficile. Le sol n'était qu'une mare, pas un endroit sec où s'asseoir, encore moins où dormir. Il dormait pourtant, sa selle pour oreiller en s'enveloppant dans une couverture de cheval. Les chevaux piétinaient dans la boue et tombaient en essayant de sauter des ruisseaux. Pour mettre le comble à leurs misères, ils durent traverser un bras de mer où les chevaux eurent de l'eau jusqu'à l'encolure. Des vents violents soulevaient les vagues vers les trois hommes.

« C'est un concours d'endurance », déclara Charles.

Il arriva au *Beagle* encore trempé comme une soupe. Il prévint Benjamin Bynoe à l'infirmerie de se préparer pour une urgence.

« De quel genre ? demanda Bynoe.

— Double pneumonie.

— Ordonnance : double ration de rhum. Prenez-le avec du thé. Quelqu'un a-t-il essayé de vous assassiner ?

— Pas besoin. Je fais cela moi-même très bien. »

5.

Ils avaient tous hâte de quitter l'océan Indien et de voir l'autre moitié du globe. Mais il fallait d'abord échouer le *Beagle* à l'embouchure de la Santa Cruz pour réparer sa coque de cuivre.

Il fallut six jours de traversée, depuis les îles Falkland jusqu'au continent, en luttant contre des vents d'ouest. Charles n'avait jamais vu les voiles aussi serrées. Le navire fut échoué sur la plage dans la baie de Santa Cruz, après qu'on eut retiré canots, ancres et canons. On découvrit qu'un morceau de la quille secondaire avait été arraché.

« Une fois dans le Pacifique, expliqua le capitaine FitzRoy à Charles, les vers se mangeraient un chemin dans les planches non protégées. Le travail devrait être fini le temps d'une marée. »

Il y avait marée basse toutes les vingt-quatre heures, après sept heures pendant lesquelles l'eau du fleuve se précipitait par un étroit goulet vers l'océan. Ils auraient exactement cinq heures avant que la marée océane se précipite à nouveau pour recouvrir l'estuaire.

Le bateau transportait des feuilles de cuivre de rechange pour faire face à de telles éventualités. L'armurier les découpa à la bonne taille, les menuisiers, après avoir arraché le cuivre déchiqueté, ajustèrent très précisément les nouvelles feuilles. En début d'après-midi les eaux de l'océan remirent le *Beagle* à flot, avec canots, canons et ancres à leur place. Sulivan les conduisit à un mouillage sûr.

Le capitaine FitzRoy félicita ses hommes, puis organisa une expédition de trois baleinières pour explorer la rivière Santa Cruz. Avec des provisions pour trois semaines, il espérait atteindre et cartographier sa source, dans les Andes. Charles descendit par une échelle de corde dans la baleinière que commandait le capitaine ; sa tente, ses couvertures et ses outils de reconnaissance s'y trouvaient déjà. Il y avait une demi-douzaine de rameurs par bateau. Pas de voiles. Les deux autres embarcations étaient confiées à Edward Chaffers et à John Stokes ; vingt-cinq hommes en tout, bien armés en cas d'attaque.

M. Bynoe, ainsi que Conrad Martens, trente-trois ans, se trouvaient dans le bateau du capitaine. Martens se mit à faire des croquis pendant qu'ils descendaient la rivière. Il dessina toute la journée d'une main sûre et avec concentration les aspects changeants du fleuve, notant les différences de couleur qu'il utiliserait plus tard dans ses aquarelles. Dans des beiges et des bruns délicats, il saisissait l'esprit du pays, tout comme il avait su saisir le *Beagle* échoué, reposant sur le flanc, lorsqu'on en réparait la quille.

Quand le courant descendant de la Santa Cruz, d'une vitesse de quatre à six nœuds, ne leur permettait plus de remonter le fleuve à la rame, les trois bateaux étaient attachés l'un derrière l'autre ; les hommes allaient sur la rive, enfilaient des plastrons de toile, et des harnais de poitrine que le voilier du *Beagle* avait cousus, y fixaient de longues cordes et halaient les bateaux en remontant la rivière. Chaque homme prenait son tour, d'une heure et demie. Le capitaine dit à Charles, Bynoe et Martens :

« Vous trois, les spécialistes, vous n'avez pas à faire le halage.

— Et vous, y prenez-vous part ? demanda Charles.

— Certainement. Chaffers et Stokes également.

— Alors, je ne vois pas pourquoi je ne serais pas bon pour le harnais ! »

Charles hala à quatre reprises, prenant même plaisir à cette traction vigoureuse. Il avait la force d'un corps musclé tout en longueur. C'était comme un défi de s'en servir pour lutter contre la rivière tumultueuse. Terrien, il voulait toujours conquérir l'estime des marins.

A la tombée de la nuit, ils trouvèrent un terrain plat où s'arrêter. Trois tentes furent dressées ; chaque bateau s'installant dans l'une d'elles avec son équipage et son officier. Lorsqu'on en vint à tirer au sort l'ordre de la garde d'une heure qu'effectuerait chacun, pour protéger les bateaux de maraudeurs éventuels, Charles se porta volontaire pour la garde de minuit.

Trois jours après leur départ, ils se retrouvaient en *terra incognita.* C'était sans doute un pays que seules connaissaient quelques bandes errantes d'Indiens. Bien qu'un sort de stérilité ait frappé la terre de Patagonie, (pas un poisson dans l'eau et par conséquent pas de gibier d'eau), le pays regorgeait de guanacos, par troupeaux de cent, qui leur procurèrent de la viande fraîche.

Dans un paysage, c'était surtout l'aspect géologique qui passionnait Charles. Le cours de la rivière se rétrécit et ils butèrent sur deux morceaux de lave qui endommagèrent légèrement le flanc de l'un de leurs bateaux. Ils avaient halé leurs bateaux si haut qu'ils apercevaient les sommets neigeux des Andes. Dans le lit de la rivière, ils trouvèrent des blocs massifs d'ardoise et de granit.

« Comment peut-on trouver de la lave par ici ? demanda Bynoe.

— Elle est venue des Andes, Ben, à des époques de commotion antérieures. »

Le capitaine FitzRoy vint les rejoindre tandis que Charles tapait sur la roche volcanique pour en détacher des échantillons.

« A une époque reculée, je présume, dit Charles, ces plaines ont dû former le fond d'un océan et cette lave a dû sortir des Andes alors encore au niveau de l'océan. Quand les plaines se sont soulevées ou lorsque l'océan s'est retiré, la lave que nous voyons a fait surface. Cela vous paraît-il invraisemblable ? »

FitzRoy hocha la tête d'un air perplexe et contrarié. Il regardait au loin une autre plaine de détritus diluviens, où la pierre et la terre portaient visiblement les traces d'un déluge où d'une époque où l'eau aurait exercé une action catastrophique. Il finit par dire, sur un ton d'agacement :

« Une inondation de quarante jours n'aurait jamais suffi à faire tout cela.

— Pensez-vous donc, capitaine, que la formation de ces plaines de lave et de diluvium soit antérieure à 4004 av. J.-C. ? »

FitzRoy ne semblait guère ravi de ce qu'il découvrait, mais sa réponse fut assez claire :

« Nous voyons là un paysage usé par la mer, des pierres que le frottement et l'eau ont polies en galets. Il a sans doute fallu une action d'une ampleur et d'une durée immenses pour arrondir ainsi les pierres que nous trouvons enfouies dans ces déserts de Patagonie ! »

Cette nuit-là, en montant silencieusement la garde, Charles repensa à cette conclusion du capitaine : que les processus qui avaient formé la géologie de la terre était d'une « durée immense ».

C'est vers la mi-mai 1834 qu'ils mirent le cap vers le détroit de Magellan. Il leur fallut quatre jours de voile pour arriver au cap Virgins à l'embouchure du détroit. Le temps était froid et turbulent et Charles fut malade. A cent vingt miles seulement de la côte de Patagonie où le temps était sec et le ciel dégagé, ils devaient affronter la grêle, la neige et le vent. Le *Beagle* resta à l'entrée de la baie, multipliant les sondages pour tracer la carte d'une côte dangereuse. Le lendemain matin au lever du jour, ils aperçurent l'*Adventure,* revenue des Falklands. Un vaisseau anglais avait pris en charge les prisonniers de Berkeley Sound et remis au lieutenant Wickham un paquet de courrier d'Angleterre.

Il y avait pour Charles quatre lettres de ses sœurs, datées d'octobre et novembre précédents. Elles avaient reçu la première partie de son journal et le lisaient à tour de rôle dans la soirée, à voix haute, à leur père qui lui envoyait toute son affection. Susan lui avait tricoté une petite bourse qu'elle espérait assez large pour contenir des monnaies étrangères ; elle envoyait également un roman qu'elle venait de finir sur Ceylan qui s'appelait *Perles et Cannelle.* Erasmus avait déjà remis au capitaine Beaufort les divers livres d'histoire naturelle qu'il avait réclamés, y compris le troisième volume des *Principes de géologie.* Ses lettres, ajoutaient ses sœurs, passaient de main en main et suscitaient de longues discussions.

Les nouvelles politiques étaient bonnes. L'esclavage devait être aboli en août 1834, avec vingt millions de livres de compensation pour les propriétaires. La famille lisait des pamphlets en faveur de la présentation des « Lois sur la Pauvreté » en Irlande.

Il y avait également des nouvelles plus dérangeantes. Hensleigh Wedgwood, après avoir servi comme magistrat de police à huit cents livres par an, abandonnait son poste par scrupules religieux, refusant de se plier au système anglais qui exigeait qu'on prête serment. Sa conscience lui interdisait ce genre de serments, ce qui le laissait, lui et ses enfants sans autre revenu que la dot de sa femme. Une fois déjà, Hensleigh avait refusé une bourse à Cambridge pour ne pas prêter allégeance aux trente-neuf articles de l'Eglise d'Angleterre.

Caroline lui envoyait également quelques petits livres dont tout le monde parlait en Angleterre, de Miss Harriet Martineau. Elle était devenue la coqueluche littéraire de Londres et Erasmus l'admirait beaucoup. Si Charles trouvait ses livres ennuyeux, il n'aurait qu'à les jeter par-dessus bord. Elle envoyait également par même courrier le livre de l'archevêque de Dublin, *Les Révélations des Ecritures.*

La température tomba au-dessous de zéro. Il se mit à neiger. Il décrivit cela comme « *une bien misérable chose sur un bateau où il n'y a pas de feu ronflant et où le pont supérieur est recouvert de neige, comme s'il venait tapisser le couloir de votre maison* ». Toutefois un élément de la vie quotidienne s'améliora considérablement. Il avait dû boire une eau fortement saumâtre, pendant des jours, qui avait un goût de médicament sans pour autant calmer la soif. Mais dans la baie de Gregory, ils trouvèrent une semaine d'eau potable. Charles s'était si bien habitué à l'eau fangeuse qui, une fois bouillie, faisait un thé passable, qu'il avait oublié quel délice était l'eau fraîche et comme elle était essentielle au bien-être. Il fallut encore trois jours de traversée pénible par le détroit avant d'atteindre Port Famine, ainsi nommé parce qu'une colonie espagnole installée là par le roi Philippe II d'Espagne en 1585 y avait été décimée le premier hiver par la faim et la maladie. Le lieu n'était guère riant. A travers pluies et brouillards, on distinguait des arbres maigres et disparates, couverts de neige. Peu d'endroits du globe étaient moins hospitaliers à la race humaine. Mais malgré le temps, l'exploration de la rive se poursuivit.

FitzRoy quitta le détroit de Magellan par le pas de Magdalen, qu'on venait tout juste de découvrir. Ils étaient poussés par un bon vent mais des nuages sombres surplombaient les montagnes et les pics déchiquetés. Les pics enneigés et les glaciers bleutés se détachaient sur un ciel menaçant. Dans ce paysage sauvage, ils jetèrent l'ancre à cap Turn, près du mont Sarmiento. Là, Charles eut l'occasion de faire une étude approfondie d'une production marine qui selon lui aurait mérité un volume : le varech. Il poussait sur tous les rochers, jusqu'aux plus grandes profondeurs et devenait parfois si dense qu'il pouvait provoquer des accidents mortels. Avec l'aide de quelques marins, il en ramassa de grandes quantités qu'il étala sur le pont.

Les hommes s'assemblèrent autour de lui pendant qu'il démêlait patiemment les algues. Sur presque chaque feuille étaient incrustés des restes de coralline. Il en détacha des coquilles vides, des mollusques, des bivalves. D'innombrables crustacés venaient se nicher dans la plante. En secouant les grandes racines emmêlées, un amas de petits poissons, de coquillages, de crabes et d'étoiles de mer en tomba. Etudiant de plus près une autre partie du varech, il découvrit des créatures d'une structure inconnue et curieuse.

« Au beau milieu des feuilles de cette plante, déclara-t-il aux hommes qui l'entouraient, on trouve des espèces de poissons qui ne peuvent trouver nulle part ailleurs abri ou nourriture. Si ces poissons étaient détruits, les cormorans et autres oiseaux pêcheurs, tout comme les loutres, les morses et les tortues de mer périraient aussi. Et le sauvage fuégien, misérable maître de ces terres ingrates, disparaîtrait peut-être lui aussi tout à fait. »

Charles leva les yeux vers Sulivan, tenant le varech à pleines mains.

« Ce varech est en lui-même tout un univers. Chaque partie a un lien avec l'ensemble. Combien de milliers d'années pensez-vous qu'il a fallu à la nature pour donner naissance à une structure si finement équilibrée ?

— C'est à l'homme qui sait tout de nous répondre, grommela Sulivan. Je vous donne une heure pour débarrasser le pont de vos spécimens et les mettre sur la table des cartes. »

Sitôt achevé le relevé des chronomètres, FitzRoy fit voile vers le cap Turn. Le lendemain ils traversaient le Cockburn Channel, à l'ouest.

Avec ses amis, sur le pont, Charles trouvait les nuits longues. Un fin crachin tombait presque constamment. Les bourrasques venant de l'est étaient fréquentes. Il n'était prudent de manœuvrer que dans une zone de quatre miles carrés. Pendant quatorze heures ils la parcoururent en tous sens. Le capitaine FitzRoy était partisan de tirer des bordées avec peu de toile parce que son bateau tenait mieux tête aux intempéries en mouvement qu'à l'ancre. Il s'éloignait pourtant aussi peu que possible d'un même point.

Depuis deux ans qu'il l'observait, Charles était toujours fasciné par le maniement des voiles. Par cette nuit tranquille, il reconnaissait tous les craquements et les gémissements de cette grande masse en mouvement près des glaciers de la Terre de Feu. La même force qu'on savait capable de déraciner des forêts entières d'arbres gigantesques devait arracher aux flancs de la montagne de grands pans de rocher. Sous chaque glacier, il entendait le bruit des torrents. Dans le cahier qu'il consacrait à la géologie de l'Amérique du Sud, il écrivit :

« *A ces effets, communs à tous les cas, il faut ajouter dans ce pays l'usure considérable causée par les successives chutes d'arbres et de rochers.*

Et cet effet ne peut être tenu pour négligeable lorsqu'on sait qu'il se manifeste jour et nuit, pendant des siècles. Chaque partie de la montagne, nous ne devons pas l'oublier, au cours de l'élévation graduelle du terrain a été constamment soumise à l'action de ces forces combinées. »

Enfin vint l'aube du 11 juin 1834 ; le capitaine ordonna qu'on serve une ration de rhum à l'équipage puis annonça :

« L'*Adventure* va quitter la crique où elle a passé la nuit pour nous rejoindre. Les deux vaisseaux vont sortir de la passe, dépasser le mont Skyring et toutes les Furies aussi vite que nos voiles nous le permettront. Dans la soirée nous devrions nous trouver près des Tower Rocks, non loin du cap Noir et avec un bon vent du nord-ouest, partir vers le Pacifique avec le dernier pouce de toile que nous pouvons porter. »

Le Pacifique ! Charles ressentit un coup au cœur. Presque deux ans et demi après avoir quitté Plymouth ! C'était un jour dont il rêvait depuis si longtemps.

Mais il était bien différent du jeune homme qui avait quitté Plymouth deux ans et demi plus tôt. Etendu dans son hamac et doucement bercé par le roulis du *Beagle,* il comprit soudain qu'il était passé de l'insouciance de l'adolescence à l'âge adulte. Sans l'avoir cherché, il avait trouvé une activité à laquelle il pourrait consacrer sa vie, même s'il voyait mal encore à quelle profession « responsable » cela le mènerait. Il sentait, avec une excitation croissante, qu'il existait un monde dans lequel il trouverait sa place, en apportant peut-être sa modeste contribution. Et quel merveilleux apprentissage pour le futur que ces mois à bord du *Beagle* et ces excursions de naturaliste ! Comme il était heureux d'avoir surmonté les rigueurs de la vie en mer, l'étrangeté des instruments, pour découvrir les multiples facettes de la nature et cette sorte de vie dont il aurait pu tout ignorer !

Tout cela l'emmenait vers le Pacifique... le rêve de tous les voyageurs.

LIVRE SIX

1.

L'exaltation de Charles à se trouver dans l'Océan Pacifique fut de courte durée. L'océan était tout sauf pacifique. Une suite de rafales venues du nord firent subir au *Beagle* la pire tempête qu'ils aient connue depuis leur départ de Plymouth, pire que celle dans laquelle ils avaient presque sombré, à la hauteur du cap Horn. Ils n'échappèrent au naufrage qu'en carguant les voiles aussi serré que possible. Et quand les vents tombèrent, la mer resta trop haute pour leur permettre de remonter la côte ouest. Par un temps pareil Charles n'était capable de rien faire ; il ne pouvait ni travailler, ni lire, ni manger, ni trouver un répit dans le sommeil.

Le capitaine FitzRoy avait eu l'intention de remonter la côte jusqu'à Coquimbo, très au nord de Valparaiso, le port le plus important de la côte du sud-ouest, mais au bout de six cents miles dans les intempéries, il fit relâche dans le port de San Carlos, à l'île de Chiloe. Après dix-huit jours de totale inactivité Charles dit à Sulivan :

« J'espère que l'île est bien ancrée au fond de l'océan. »

Les indigènes vivaient dans de petites huttes aux toits de chaume, serrées les unes contre les autres sur la pointe ; ils vinrent à la rame dans de petites embarcations souhaiter la bienvenue au *Beagle* avec une joie non feinte car les bateaux qui s'arrêtaient dans ce port reculé étaient peu nombreux. C'étaient des métis d'Espagnols et d'Indiens qui élevaient des porcs, cultivaient des pommes de terre et pêchaient du poisson pour le vendre.

Charles fit une petite promenade, grimpant par des chemins tortueux au milieu d'arbres magnifiques. Il nota dans ses cahiers que nulle part, sauf peut-être au Brésil, il n'avait vu végétation plus luxuriante. Le sol, de cendre volcanique, était fertile, et les bambous poussaient curieusement entre les arbres jusqu'à une hauteur de quarante pieds.

L'*Adventure* entra au port avec un mât brisé, par suite de la tempête.

Charles trouva un bon lit dans un cottage du village de San Carlos, au cœur de la verdure. Les indigènes s'habillaient de laine rêche que chaque famille tissait et teignait d'indigo bleu sombre.

Il y eut d'abord des pluies torrentielles, comme toujours en cette saison d'hiver, puis le temps s'adoucit trois jours de suite. Examinant la composition des roches, Charles estima qu'il s'agissait de lits autrefois sous-marins qui s'étaient élevés au-dessus de la mer à une période très récente. Très récente ? Cinq mille ans ? Cinq cent mille ans ? Cinq millions d'années ?

En fin d'après-midi il retourna à quai, et dîna à bord de l'*Adventure* avec Wickham, un peu réconforté depuis que le mât avait été changé.

« Je sais ce que tu ressens, John, lui dit-il devant un morceau de porc et de légumes frais bouillis. Je me sentais si mal quand nous avons doublé le cap Horn que je m'étais juré d'abandonner le bateau et de rentrer dans le Shropshire. Mais l'île de Chiloe me console de mes peines.

— Tu ne peux pas devenir une autorité sur la géologie de l'Amérique du Sud en restant tranquillement au coin du feu, dit Wickham, pour le taquiner, ou au Mont en jouant au whist avec tes sœurs, si charmantes qu'elles soient, je n'en doute pas. »

Leur croisière de dix jours jusqu'à Valparaiso fut assez calme pour permettre à Charles d'écrire assez longuement dans son journal et ses cahiers scientifiques.

Lorsqu'ils arrivèrent à Valparaiso (un port dont la marine royale anglaise avait fait l'une de ses bases en Amérique du Sud, un point de ravitaillement où l'on pouvait également recevoir messages officiels et courrier), le 23 juillet, il y avait des lettres pratiquement pour chaque homme à bord qui avait de la famille en Angleterre. Charles en avait trois, l'une de Caroline du 3 novembre, l'autre de Katty du 27 janvier et la troisième de Susan qui lui avait écrit le 12 février, jour de son anniversaire, parce que les trois filles et leur père se souvenaient de la date et avaient voulu lui envoyer leurs meilleurs vœux pour ses vingt-cinq ans. La famille allait bien. Comme toujours les vicissitudes sentimentales de leurs familles et connaissances prédominaient : le docteur Henry Holland était sur le point d'épouser la fille de Sydney Smith, comme il en avait annoncé l'intention à Charles à Londres. Oncle Jos avait persuadé Hensleigh de ne pas démissionner... Fanny Biddulph n'était plus que l'ombre d'elle-même... Les journaux anglais mentionnaient la révolution à Buenos Aires...

Il y avait également une longue lettre du professeur Henslow, datée du 31 août 1833. Un autre envoi de caisses était arrivé à Cambridge sans dégâts :

« ... *à l'exception de quelques articles dans la caisse des alcools qui se sont gâtés à cause d'un trou par lequel l'alcool a fui. Les fragments fossiles du Megatherium se sont révélés extrêmement intéressants, permettant d'illustrer certaines parties de l'animal que les spécimens reçus de France ou d'ici ne permettaient pas de reconstituer. Buckland et Clift les ont exposés au cours de la troisième réunion du département de géologie de la British Association sous la présidence du professeur Adam Sedgwick. Je viens de recevoir une lettre de Clift me demandant de lui faire parvenir le tout pour qu'il puisse les répertorier avec soin, les réparer et me les renvoyer avec une description de leur nature et de leur fonction. Nous saurons ainsi jusqu'à quel point ils permettent d'illustrer l'ostéologie du Monstre...*

J'ai plongé les divers animaux placés dans le baril dans de nouveaux bocaux d'alcool et les ai entreposés dans ma cave. Je conserve à la maison les éléments les plus délicats comme les insectes et les peaux, etc., en prenant soin de mettre du camphre dans les os. Les plantes m'enchantent ; je ne les ai pas toutes identifiées mais avec l'aide de Hooker, j'espère pouvoir le faire avant longtemps... »

Henslow n'était pas moins impatient que Charles de pouvoir discuter avec lui, de vive voix, les événements de ce voyage ; mais il souhaitait que Charles continue aussi longtemps qu'il s'en sentirait le courage.

« *Ne vous découragez pas. Envoyez-nous tout fragment de crâne de Megatherium sur lequel vous jetterez les yeux et tous les fossiles. Et servez-vous bien de votre filet car je prévois que la plupart de vos petits insectes vont se révéler nouveaux...* »

Il plia les lettres et s'assit à sa table pour ruminer toutes ces nouvelles. Susan, qui était rigoriste en matière d'orthographe avait relevé dans son journal quelques petites erreurs. Il avait orthographié : *lâche, payssage, le plu haut, cannabal, paissible, querrelle.* Elle ajoutait toutefois une phrase qui non seulement le consolait de ses remarques mais le stupéfiait :

« *Quel amusant livre de voyage cela ferait si on le publiait !* »

Charles posa les coudes sur la table et se couvrit les yeux des mains. Avait-il réellement assez de matériaux pour un second livre ? Il n'avait jamais pensé, même en rêve, à publier son journal. Il avait eu l'audace de se croire capable d'écrire un livre sur la géologie de l'Amérique du Sud ; ayant travaillé dur pour réunir ses matériaux il était maintenant fermement décidé à l'écrire. Mais son journal ? Depuis des années, il avait lu quantité de récits de voyage ; jamais il n'aurait cru avoir la moindre chance de rejoindre la liste de ces ouvrages prestigieux. Mais c'était une idée agréable. Depuis deux ans et demi, il avait couvert plusieurs centaines de pages avec spontanéité, candeur et cette sorte de relâchement que Susan avait découvert dans son orthographe. Il continuerait de même, écrirait sur tout ce qu'il verrait, penserait et ressentirait, même sur la condition humaine dans les diverses cultures et pays qu'il traverserait.

Robert FitzRoy n'avait pas eu la chance de recevoir un courrier aussi agréable. Quand Charles le rejoignit pour le repas de midi, il le trouva pâle et défait. Une lettre de capitaine Beaufort traînait sur son bureau. FitzRoy leva la tête sans le regarder et déclara d'un ton morne :

« Une série de mauvaises nouvelles. Je dois vendre l'*Adventure,* renvoyer les vingt hommes que j'ai engagés à Montevideo et payer de ma poche leurs salaires, tout comme les sept cents livres que j'ai dépensées à rénover le bateau. » Il se leva et se mit à faire les cent pas dans sa cabine élégamment meublée.

« C'est une sévère déception, Charles. Si l'Amirauté m'avait permis de garder l'*Adventure,* nous aurions pu sans peine combler tous les blancs dans les cartes de l'ouest de la Patagonie, puis mener de concert une reconnaissance le long de la côte de l'Equateur, et gagner ensuite les îles Galapagos, les îles Marquises, les îles de la Société, les îles Friendly et Fidji. Avec deux navires, nous aurions pu accomplir tout cela avant la fin de 1837... »

1837 ! Cela aurait fait un voyage de six ans ! Charles en tremblait intérieurement. Mais il n'en laissa rien paraître.

« Vos cartes et vos relevés plaideront votre cause. Vous êtes en train de réaliser l'une des plus importantes œuvres de cartographie jamais entreprises. »

Mais FitzRoy était trop abattu pour apprécier le compliment. « Je propose que nous restions ici à Valparaiso pendant la saison d'hiver, en juin et en juillet. Je m'installerai à terre, et emmènerai Stokes et

King avec moi. Nous aurons besoin de plus de lumière et d'espace que nous n'en avons à bord. Je laisserai au lieutenant Wickham le soin de réparer et réapprovisionner le *Beagle.*

— Alors, moi aussi, je pourrai passer un peu plus d'un mois à terre ? Entreprendre un long voyage dans les Andes ? » Il n'avait pu cacher sa joie. Le fantôme d'un sourire vint se dessiner sur le visage soucieux du capitaine.

FitzRoy avait initialement prévu de faire une excursion d'une semaine à Santiago, grande ville agréable. Il secouait maintenant la tête avec résignation : « Impossible. Cela me distrairait de mes calculs quotidiens et du classement des relevés effectués par nos vaisseaux. J'enverrai Wickham à ma place pour qu'il se procure les laissez-passer dont nous avons besoin. »

Charles, préoccupé par l'état du capitaine, en parla à Bynoe. « Ne pourrions-nous rien faire pour l'aider à se détendre, Ben ? Il se tue littéralement au travail...

— Si le capitaine se cassait un bras, répondit Bynoe, il me permettrait de réduire la fracture. Mais la fatigue et la dépression échappent à mon autorité de chirurgien de bord. »

Il passerait cinq semaines à Valparaiso ; il se rendit à terre pour chercher un logement et eut la chance de rencontrer un vieux camarade de classe de Shrewsbury, Richard Corfield. Charles avait été en vacances dans sa famille lorsqu'ils étaient enfants à Pitchford, un petit village près de Shrewsbury. De deux ans l'aîné de Charles, Corfield était venu au Chili quelques années plus tôt comme représentant de manufactures anglaises et avait fait fortune.

Quand les deux jeunes gens eurent fini de se serrer la main et de se dire la joie qu'ils avaient à se rencontrer par hasard si loin de chez eux, Charles lui apprit qu'il était naturaliste à bord du *Beagle* et lui demanda s'il connaissait un Anglais assez hospitalier pour lui louer quelques pièces.

Corfield se mit à rire.

« Tu peux parier ton dernier billet là-dessus ! Je vis dans une maison charmante dans l'Almendral, un quartier résidentiel construit sur une ancienne plage. Il y a toute la place que tu voudras. Reviens avec tes affaires à huit heures. Je te conduirai à la maison pour le dîner et t'aiderai à t'installer. »

Le temps était beau, le ciel bleu et le soleil haut. Charles aimait la façon dont était construite Valparaiso, avec sa rue principale parallèle à la côte et des maisons entassées les unes sur les autres dès qu'une petite vallée conduisait à la mer. Toutes les pièces de la maison de Corfield donnaient sur un petit jardin rectangulaire ; il y avait des gravures de chasse anglaises sur les murs, des hommes en redingote rouge sur des chevaux élégants et une meute disciplinée aboyant en prévision de la chasse au renard. Corfield expliqua que le loyer de cette maison, qu'il partageait avec un autre gentleman anglais, était extrêmement modeste, quatre cents livres sterling par an avec la nourriture, le vin, deux serviteurs et quatre chevaux. Quand Charles insista pour payer sa part, ce blond aux yeux bleus de Corfield répondit :

« Très bien si cela doit te mettre à l'aise, mais je serais heureux que tu sois mon invité. Nous avons appris les mathématiques ensemble, tu peux calculer le prorata comme il te plaira. »

Le lendemain était un dimanche. Corfield organisa un dîner en l'honneur de Charles, invitant le plus clair de la colonie anglaise de Valparaiso ainsi que le capitaine FitzRoy. Charles trouva les invités plus intéressants que ne l'étaient généralement les colons qu'il avait rencontrés dans d'autres villes d'Amérique du Sud. Ils ne s'intéressaient pas exclusivement aux ballots de marchandises, aux livres, shillings et pence. Un marchand d'un certain âge se pencha sur la table et demanda :

« M. Darwin, seriez-vous assez aimable pour nous donner votre franche opinion sur les *Principes de Géologie* de Lyell ? Grâce à quelques librairies anglaises nous avons pu nous procurer et lire ses deux premiers volumes. » Surpris de trouver au Chili des gens qui lisaient Lyell, Charles répondit avec force détails.

« Tu sais, Charles, dit Corfield, tu ferais un excellent professeur. As-tu jamais envisagé de retourner à Cambridge ?

— J'ai fait des études pour être pasteur, Richard, c'est ce que mon père attend de moi... Pourtant, j'aime la perspective de communiquer des idées. »

Le Chili était un long crayon de terre pris comme dans un étau entre les pics déchiquetés des Andes et les turbulences de l'Océan Pacifique. Charles voulait se mettre immédiatement en route pour le pied des Andes avant que l'accès n'en soit fermé par les neiges d'hiver. Mais après les déboires que lui avait fait subir la mer et devant la beauté d'un climat tous les jours excellent, il passa deux semaines à paresser, se détendre et profiter du soleil dans un Valparaiso très hospitalier.

Le 7 août, un paquebot entra au port en remontant la côte. Il apportait des lettres pour le *Beagle* et pour Charles. L'une, de Caroline, datée du 9 mars 1834, contenait une série de nouvelles stupéfiantes : le *London Times* avait rapporté l'arrivée de « *plusieurs paquets de fossiles, oiseaux, quadrupèdes, peaux et spécimens géologiques collectionnés par le naturaliste M. Dawson et envoyés au professeur Hindon à Cambridge.* »

« Eh bien, s'exclama-t-il, c'est la première fois que mon nom figure dans un journal anglais ; comment pourrai-je m'attendre à ce qu'ils l'épellent correctement ? »

Il fut grandement soulagé d'apprendre que le troisième envoi de caisses était bien arrivé, en se fiant à l'article qui les disait à Londres, bien que le *Times* ait également écorché le nom du professeur Henslow. La lettre de Caroline contenait une deuxième nouvelle surprenante. Erasmus travaillait pour Charles à Londres et obtenait des résultats. Il avait écrit à Caroline :

« *J'ai été trouver M. Clift, le conservateur du Musée du Collège de chirurgie pour lui lire un passage d'une lettre de Charles sur les os. Je n'avais jamais vu de petit homme plus content. J'ai écrit à Cambridge pour qu'on fasse parvenir les fossiles à Londres. Le conservateur a consacré chaque heure de son temps libre pendant les deux derniers mois à étudier les fossiles. C'est une bien étrange coïncidence, alors que le musée possède la partie frontale d'un crâne de Megatherium, que Charles en envoie la partie manquante. Cela leur permet de compléter leurs dessins.* »

Le père de Charles lui envoyait ses sentiments les plus affectueux. Il n'avait pas à s'inquiéter pour l'argent, qu'il se contente d'être aussi économe qu'à l'accoutumée. Et il avait demandé à sa fille : « As-tu annoncé à Charles qu'il était célèbre ? »

Charles rit de bon cœur en pensant à la gloire de ce M. Dawson qui envoyait des spécimens à M. Hindon de Cambridge !

2.

Richard Corfield l'aida à se procurer des chevaux pour son équipée dans les Andes et un *guaso* de confiance, Mariano Gonzales, comme guide. Il alla avec Corfield et Gonzales acheter les vivres nécessaires pour trois semaines de voyage, car, à la différence des gauchos, les *guasos* ne chassaient pas en route pour se nourrir mais emportaient du bœuf séché, du maté, des fruits et des légumes.

Il revint à bord du *Beagle* pour prévenir le capitaine FitzRoy de son départ. Lors de leurs rencontres, au cours de dîners à Valparaiso, il avait donné à Charles l'impression de s'amuser. Mais ce jour-là, son visage était de cendre. Ils mangèrent en silence. Vers la fin du repas, le capitaine leva les yeux vers Charles pour la première fois.

« Je suis fatigué rien que d'y penser, mais je dois donner une grande réception pour tous les résidents qui m'ont reçu ici. »

Charles savait tous les efforts que coûtaient à FitzRoy ces dîners de « remerciements ». Il répondit, sur un ton qu'il voulait convaincant :

« Je ne pense vraiment pas que cela soit nécessaire, dans la situation présente. »

Le visage de FitzRoy s'empourpra et il se leva si furieusement qu'il en renversa sa chaise sur le tapis.

« Voilà bien le genre d'homme que vous êtes, capable d'accepter des faveurs sans jamais les rendre ! »

Charles ne répondit rien. Il ne se sentait pas insulté ; c'étaient les nerfs du capitaine qui le trahissaient. Il quitta la cabine sans un mot et regagna rapidement la terre. C'était la première fois en plus de deux ans, depuis cette conversation commencée par le capitaine Paget sur l'esclavage, que Charles et le capitaine se querellaient.

Il fut bien surpris, quelques jours plus tard en revenant à bord, quand Wickham l'accueillit par les mots :

« Ah ! te voilà, maudit philosophe. J'aimerais bien que tu cesses de te disputer avec le patron. Après ton départ l'autre jour, malgré ma fatigue, il m'a gardé sur le pont jusqu'à minuit pour me dire du mal de toi ! »

Il se mit en route vers la cordillère des Andes à la mi-août. Gonzales portait des genouillères de laine noires et vertes sous un vaste poncho coloré. Il était particulièrement fier de ses gigantesques éperons. C'était un as du lasso ; on ne pouvait pas utiliser la *bola* comme en pampa sur ce terrain accidenté. Charles avait des bottes hautes, des pantalons bouffants de marin. Ils montaient des chevaux robustes.

Ils rencontrèrent bientôt de grands lits de coquillages, à plusieurs pieds au-dessus du niveau de la mer, si riches qu'on les exploitait depuis des années en les brûlant pour en faire de la chaux. Ils dormirent à la belle étoile après avoir fait chauffer leur bœuf et leur maté sur un feu de broussailles. Gonzales refusait de manger avec Charles, insistant pour attendre qu'il ait fini.

« Vous patron, moi *guaso*. Homme payé manger après homme qui paie. »

Au lever du soleil, après avoir bu leur maté chaud, ils se dirigèrent vers la vallée de Quillota, à travers de grands espaces coupés parfois de vallons et de ruisseaux. Des forêts de conifères s'accrochaient aux ravines. Lorsqu'ils parvinrent aux limites de la sierra, la vallée se trouvait exactement sous eux, vaste et plate, aisément irriguable, avec ses jardins où poussaient en abondance orangers, oliviers et toutes sortes de légumes.

Ils dormirent cette nuit-là dans une *hacienda* au pied des Andes. Le lendemain, le major-domo prêta à Charles de nouveaux chevaux et un guide supplémentaire pour faire l'ascension de la *campana,* la cloche, une montagne de près de 6400 pieds d'altitude. Le second *guaso* attacha leurs chevaux.

« Mauvais chemin, dit-il. Grande pente. Aller doucement. Rentrer dans la soirée. »

La piste était trop dangereuse pour les chevaux mais les formations géologiques le dédommagèrent de ses heures d'escalade. Il se reposa une heure au sommet puis redescendit par le versant sud à travers des bambous qui s'élevaient à plus de quinze pieds et des palmiers qui poussaient à cette altitude peu courante de quatre mille cinq cents pieds.

Le *guaso* de l'hacienda connaissait une source d'eau fraîche. Ils ôtèrent la selle de leurs chevaux dans la lumière d'un grandiose coucher de soleil, les pics neigeux des Andes brillant au loin comme des rubis. Le soir, ils allumèrent un feu sous un bouquet de bambous. Charles se régala de bœuf séché, de pêches, de figues et de raisins puis rejoignit l'endroit, à quelques pas de là, où il avait posé sa selle et sa couverture. Les *guasos* auraient refusé de manger avant.

Charles s'endormit en écoutant le cri aigu du *bizcacha,* un gros lièvre de montagne, et le cri faible de l'engoulevent. Sa dernière pensée fut, une fois encore pour, le charme incomparable de la vie en plein air.

Au point du jour ils escaladèrent une masse de néphrite brute brisée en fragments angulaires, certains, selon lui, d'élévation récente, d'autres recouverts de lichen. Il était sûr de se trouver dans une région où les tremblements de terre étaient constants ; et inconsciemment, il s'écartait le plus possible des amas de roches en équilibre instable.

Oubliant à qui il parlait, il déclara aux Chiliens :

« Comment ne pas admirer les forces merveilleuses qui ont soulevé ces montagnes, et plus encore, le temps infini qu'il a fallu pour briser, déplacer et aplanir des masses aussi gigantesques ? »

Devant l'air ahuri de ses auditeurs, Charles se mit à rire, s'adossa à un tronc d'arbre et nota la même question pertinente dans son cahier.

Ce soir-là, avant de s'endormir, il attendit un peu à l'écart que les Chiliens aient fini leur dîner, lavé et rangé leurs gamelles dans les sacoches de selle, puis les rejoignit autour du feu. Ils n'étaient pas bavards mais consciencieux et veillaient à sa sécurité. Parlant une sorte de *lingua franca* avec eux, Charles apprit que le *guaso* du Chili était plus civilisé que le gaucho des pampas ; ils avaient perdu un peu de leur culture originale et passivement accepté une hiérarchie du rang et de l'argent. Le gaucho, à la fois pillard et gentilhomme, ne s'appliquait qu'à bien monter ; le *guaso* acceptait de travailler dans les champs ou les mines d'or ; le moindre recoin de ces montagnes était passé au peigne fin dans la rage de trouver le métal précieux.

Ils traversèrent la ville de Quillota et se dirigèrent vers les mines de Jajuel, dans une ravine des basses Andes. L'intendant, un Cornouaillais marié à une Espagnole, invita Charles à y passer la nuit. Devant une table rustique, au dîner, il demanda à Charles des détails sur la mort de George IV, dont la nouvelle venait seulement de lui parvenir :

« Et maintenant que le roi George est mort, avons-nous un nouveau roi ?

— Sans aucun doute, répondit Charles avec un sourire. Le roi William IV. J'ai assisté à son couronnement à Londres, il y a plusieurs années.

— Ils le savent sans doute à Valparaiso. Mais dans ces Andes, aucune nouvelle ne nous parvient », grommela-t-il.

Charles avait ramassé des fleurs, des plantes et des arbustes à l'odeur bizarre et pénétrante ; des bambous, des palmes, du lichen, de nombreux cactées, acacias, et des coquillages aux formes nouvelles. Parmi les oiseaux, il se procura un *turco* de la famille de la grive, un *tapaculo,* ou « couvre-toi le derrière », ainsi nommé parce qu'il avait la queue toujours dressée ; deux sortes de colibris. Se souvenant des conseils de Henslow, il débusqua les araignées derrière les rochers, ainsi que des serpents, scorpions, sangsues et lézards jaunâtres.

Il s'émeut du sort très dur des travailleurs chiliens. Ils travaillaient aux champs été comme en hiver, ou à la mine du lever au coucher du soleil sans même prendre le temps de manger. Ils recevaient un salaire d'une livre sterling par mois et pour toute nourriture : seize figues au petit déjeuner et deux petites miches de pain. Comme déjeuner, des haricots bouillis ; et comme dîner, des céréales moulues et grillées. Ils goûtaient rarement à la viande.

Les mineurs avaient une vie plus dure encore que les agriculteurs. On leur donnait vingt-cinq shillings par mois et un peu de bœuf séché mais on ne leur permettait de quitter leurs masures en montagne, pour aller voir leur femme et leurs enfants, qu'une fois toutes les deux ou trois semaines.

Il passa cinq jours à prospecter autour des mines de Jajuel, explorant tous les recoins de ces montagnes énormes. Les roches brûlées et éclatées qui traversaient les strates de néphrite fondue indiquaient la commotion qui avait sans doute accompagné la formation de ces arêtes.

Charles et Gonzales poursuivirent leur route en passant par le bassin de San Felipe et Cerro de Talguen, par une journée brillamment ensoleillée ; puis se dirigèrent vers Santiago et l'auberge où Richard Corfield avait réservé une chambre pour lui.

Deux jours plus tard, ils arrivèrent à Santiago. Pendant une semaine, il explora à cheval les plaines alentour, étudiant les phénomènes géologiques. Le soir, il dînait avec les amis anglais de Corfield. Parmi eux se trouvait M. Alexander Caldcleugh qui avait publié en 1825 un livre intitulé *Voyages en Amérique du Sud en 1819, 1820 et 1821.* Charles avait lu le livre et le trouvait superficiel.

Ayant décidé de rentrer à Valparaiso par le sud, Gonzales et lui se trouvèrent un jour devant une curieuse passerelle faite de lanières de cuir. Il la vit vaciller de façon quelque peu vertigineuse lorsqu'il la traversa à cheval. Dans la soirée, ils trouvèrent une jolie hacienda habitée par quelques ravissantes señoritas.

Quand Charles déclara qu'il avait visité de nombreuses églises très intéressantes, elles levèrent au ciel des yeux horrifiés.

« Comment pouvez-vous donc entrer dans une église seulement pour la regarder ? demanda l'une d'elles. Les églises sont sacrées ! »

Une autre demanda : « Pourquoi ne devenez-vous pas chrétien ? Notre religion se base sur des certitudes.

— Mais je suis chrétien, répondit Charles d'un ton léger.

— Non, non. Vos prêtres et même vos évêques se marient ! Un évêque avec une femme ! C'est une horreur dont on ne sait s'il faut rire ou pleurer. » Elles lui tirèrent quand même la révérence et lui souhaitèrent une bonne nuit.

Il était bien traité au cours de son voyage, mais nulle part il ne reçut la même chaude hospitalité que dans les pampas. Il était toujours surpris au matin, de voir que son hôte, même s'il était riche, attendait de lui un paiement, ne fût-ce que quelques shillings.

Ils contournèrent la vallée du Rio Cachapol jusqu'aux sources chaudes de Cauquenes, dont les bains étaient réputés pour leurs propriétés médicinales. Il décida de s'y baigner un jour ou deux mais la pluie l'empêcha d'en repartir pendant deux jours. Sa seule distraction était de regarder les condors tournant à très haute altitude au-dessus d'un point précis.

« Lion tue vache, expliqua Gonzales. Là où vache mourir, tous les condors venir chasser. »

Et les lions et les pumas eux-mêmes étaient fréquemment tués par de petits chiens sauvages qui leur sautaient à la gorge.

Le 14 septembre, ils atteignirent les mines d'or de Yaquil. M. Nixon, le propriétaire, dit à Charles :

« Cette mine-ci est profonde de quatre cent cinquante pieds. Chaque homme porte sur son dos un quintal de pierre, beaucoup plus de cent livres. Ils remontent leur fardeau en grimpant à des entailles faites dans des troncs d'arbres placés dans les puits. Nous leur donnons du pain et des haricots. Ils préfèrent ne vivre que de pain, mais cela les affaiblit ; la compagnie les force à manger des haricots, mais ils ne les aiment pas. »

En prenant bien soin d'éliminer toute nuance critique de sa voix, Charles demanda :

« N'est-ce pas un bien maigre salaire, pour hisser des fardeaux d'un tel poids des profondeurs de la mine ?

— Certainement pour vous et moi, répondit le propriétaire sans se démonter. Mais les Chiliens l'acceptent. Ils ont désespérément besoin de travail et de quelques shillings pour nourrir leurs familles. »

Sa dernière leçon d'économie fut l'explication qu'on lui fournit du système du fermage au Chili. Un propriétaire terrien donnait quelques arpents à un homme, ainsi que le droit d'y bâtir sa maison, en échange de quoi le fermier travaillait pour son propriétaire tous les jours de sa vie sans le moindre salaire. Jusqu'à ce que le travailleur ait un fils en âge de le remplacer, les femmes et les enfants cultivaient la parcelle de terre. Sa famille restait dans un état de pauvreté chronique.

Dans la salle à manger, Charles rencontra deux autres invités, un vieil avocat espagnol et un naturaliste allemand, Herr Reinous. Tous deux parlaient anglais.

Reinous demanda au vieil Espagnol :

« Que pensez-vous du roi d'Angleterre qui envoie un jeune homme au Chili pour y collectionner des lézards, des scarabées et de vieux cailloux ? »

Le vieillard réfléchit avant de répondre : « Je n'aime pas cela. On a beau être riche, à quoi sert d'envoyer des gens ramasser de tels déchets ?

— Il y a quelques années, ajouta Reinous, je me suis fait arrêter pour moins que ça. En attendant qu'elles se changent en papillon, j'avais confié quelques chenilles à une servante dans ma maison de San Fernando. Ils ont pris cela pour de la sorcellerie. »

Charles se mit à rire. Il resta deux jours de plus chez M. Nixon, ne se sentant pas bien. Il reprit la route le 19 septembre.

Il fit une chute de cheval.

Dans les mines d'or, il avait bu un peu de *chichi,* qu'on aurait pu prendre pour un vin léger, aigre et nouveau. C'était en fait un breuvage puissant fait de mélasse et de maïs, un whisky distillé par les Indiens d'Amérique du Sud. Il se réveilla plusieurs nuits plus tard. Pendant de longues heures avant l'aube son estomac le fit souffrir comme s'il était rongé par de l'acide. Ce matin-là, son hôte, un riche *haciendero,* lui assura qu'il n'y avait pas de meilleur remède que des œufs avec du pain et du maté. Charles n'eut pas avalé deux cuillères de cette mixture qu'il dut courir hors de la pièce pour vomir.

Il resta alité deux jours, ne buvant que quelques gouttes d'eau. Des flammes lui dévoraient les viscères. Il savait bien qu'il avait la fièvre. La troisième nuit, il parvint à dormir un peu et au réveil se sentit le courage de partir pour Valparaiso. C'est à peine s'il parvint jusqu'à la seconde *hacienda,* faible et nauséeux, s'accrochant désespérément aux flancs de son cheval. Il avait une gastrite sérieuse et craignait de n'avoir pas assez de force pour atteindre la ville.

Le lendemain matin, il ne put rester en selle. Gonzales étala une couverture sur le sol et le recouvrit avec une autre. Il ne mangea rien et ne dormit cette nuit-là que par intermittence, fiévreux, la bouche sèche et les lèvres craquelées. Le lendemain, il eut la chance d'arriver chez un riche *haciendero* qui lui offrit l'hospitalité au bord de la mer et quelques médicaments du lieu. Il y resta deux jours en profitant de la sollicitude de son hôte et de son hôtesse. Le troisième jour, il se leva, et collectionna divers restes marins, dans ces lits de formation tertiaire qui constituaient la plaine en bordure de mer. Septembre touchait à sa fin. Il était en route depuis près de six semaines. Il se sentit de force à reprendre la route.

La première étape lui donna pourtant bien du mal. Mais il fallait continuer. Mario Gonzales et lui arrivèrent à Casablanca cette nuit-là, le guide passant souvent son bras sous la taille ou l'épaule de Charles pour le maintenir en selle. Au lever du jour, Charles comprit pourtant qu'il était arrivé au bout de ses forces. Il ne serait pas capable de faire le reste de la route jusqu'à Valparaiso.

Gonzales, le temps de se procurer une carriole l'enveloppa dans des couvertures, et l'emmena aussi vite que possible chez Corfield à Valparaiso. Dès que ce dernier vit Charles, il s'exclama :

« Mais mon cher Charles, vous êtes pâle comme un linge, vous n'êtes plus que l'ombre de vous-même ! »

Corfield et Gonzales le mirent au lit. Le cuisinier lui apporta un verre de lait chaud. Charles sombra dans un sommeil comateux.

Corfield prévint le *Beagle.* M. Bynoe vint aussi vite qu'un boulet de canon. Il prit le pouls de Charles et sa température, écouta l'histoire du vin cru, tapota ses poumons, ausculta son estomac et ses intestins. Charles hurla de douleur. Il lui demanda de se laver à l'eau tiède, fit raser par un barbier sa barbe hisurte de Patagonie, le frictionna au calomel.

« C'est une terrible perte de temps, Ben, gémit-il. J'espérais pouvoir collectionner tant d'animaux marins.

— Il faudra garder le lit pendant plusieurs semaines, répondit Bynoe. Je viendrai aussi souvent que possible et te dirai quand tu pourras te lever. »

Il s'assit au pied du lit de Charles et lui apprit que le capitaine FitzRoy avait vendu *l'Adventure.* En additionnant toutes ses dépenses, réparations, vivres et salaires, il faisait une perte sèche de quelque sept cents livres.

Par manque de place, il avait même dû laisser partir le peintre Martens.

Le calomel donna à Charles la diarrhée ; les fèves que Corfield le poussait à manger le rendaient nauseux. Mais son estomac semblait guérir. Une lettre de Susan le réconforta : le conservateur du British Museum, qui n'avait pas manifesté d'intérêt pour les collections qu'il leur avait proposées, enchanté des fragments de crâne de Megatherium qu'il avait envoyés au professeur Henslow, déclarait maintenant en public que les fragments de Darwin s'ajustaient si parfaitement à ceux qu'ils avaient en leur possession qu'on aurait pu croire qu'ils appartenaient au même animal ! Charles en était ravi, mais pensait :

« C'est peu probable. Il doit y avoir des milliers de squelettes de Megatherium enfouis en Amérique du Sud. »

Le lendemain, le capitaine FitzRoy vint lui rendre visite. Il avait les yeux cernés.

« Vous semblez exténué, capitaine, s'exclama Charles. Vous devriez terminer vos cartes au plus vite et les envoyer en Angleterre. »

FitzRoy avança une chaise et dit d'une voix enrouée :

« Je n'ai que des ennuis. J'ai dû vendre mon schooner et tout réentasser à bord du *Beagle.* Nous ne pourrons pas faire la moitié du travail escompté. »

Il se leva et se mit à arpenter la pièce de long en large, comme Charles l'avait si souvent vu faire dans sa cabine.

« L'Amirauté me refuse tout. Travail harassant, lourdes dépenses, c'est assez pour me rendre malade et dépressif. »

Le 13 octobre, Charles put s'asseoir dans son lit. Il lui avait fallu seize jours pour arriver à ce résultat.

Le 14 octobre, M. Bynoe, au cours de sa visite quotidienne, lui rapporta que le capitaine FitzRoy craignait d'être victime de troubles mentaux ; cela faisait partie de son hérédité, un oncle maternel, Lord Castlereagh, s'était donné la mort quelques années plus tôt...

Charles en fut abasourdi. Pendant les longues heures où il avait partagé la cabine du capitaine, il avait vu la santé de FitzRoy se détériorer. Ce processus le conduirait-il de façon inéluctable au suicide ? Robert FitzRoy, son idéal du beau capitaine, intelligent, d'une haute compétence, riche, de famille royale... un homme comblé de tant de dons !

Charles ne dormit guère et malmena ses draps cette nuit-là.

Le lendemain à midi, Bynoe et John Wickham vinrent lui rendre visite.

Wickham lui annonça précipitamment : « Mauvaise nouvelle, Philos. Le capitaine s'est démis de ses fonctions et m'a chargé de prendre le commandement.

— Comment cela ? demanda Charles.

— En écrivant une lettre devant moi. En temps normal, il faudrait le renvoyer chez lui. Pour l'heure, je me suis contenté de mettre sa lettre de côté.

— Nous pensons qu'il a besoin d'un repos prolongé, continua Bynoe.

— Si je dois devenir capitaine, dit Wickham, je veux être nommé par l'Amirauté et non parce que l'officier qui me commande se fait porter malade.

— Puis-je rentrer à bord, Ben ? demanda Charles.

— Certainement pas. »

Les deux hommes partis, Charles repensa aux moments de dépression qu'il avait lui-même connus. Il avait souvent été bien près de flancher, mais jamais au point d'envisager de quitter le *Beagle.* Il irait jusqu'au bout, oui. Il savait également que le plaisir de retrouver sa famille et Shrewsbury ne pourrait compenser l'absurdité d'avoir subi les rigueurs de la Terre de Feu sans avoir exploré, ni constitué de collections dans le Pacifique. Il se serait senti... floué ! Si malade qu'il soit, il n'était pas prêt à rentrer chez lui.

Les jours d'oisiveté se traînaient, interminables. Pour passer le temps, il écrivait à sa famille, et parcourait distraitement quelques romans que Richard Corfield avait empruntés à ses amis. Il fut enfin capable de mettre une robe de chambre et d'aller se promener dans le petit patio. Vers le milieu de la semaine, Bynoe lui apporta une nouvelle encourageante.

« Wickham n'a cessé de demander au capitaine ce qu'il avait à gagner en démissionnant. Pourquoi il ne se contentait pas de faire le minimum nécessaire ici, avant de rentrer par le Pacifique, comme l'avait ordonné le capitaine Beaufort. John est malin. Il sait quelle admiration FitzRoy voue à Beaufort. Le capitaine commence à l'écouter avec moins d'hostilité. Il se repose également, il ne compare plus de cartes, n'en commande plus, n'inspecte plus ni l'équipage ni le navire. » Et il ajouta : « La consternation, à l'annonce de sa décision, à bord, est générale. »

Est-ce la campagne discrète mais persuasive de Wickham qui porta ses fruits ? Toujours est-il qu'à la fin de la semaine Ben Bynoe et Wickham rentrèrent en coup de vent dans sa chambre en criant : « Le capitaine a repris sa lettre de démission. »

Charles eut la surprise, le lendemain après-midi, de trouver le capitaine FitzRoy en grand uniforme debout devant sa porte : il se tenait bien droit, un sourire amical sur le visage. Charles bondit de sa chaise. FitzRoy étendit la main.

« Mon cher Tue-mouches, pardonnez-moi de ne pas être venu vous voir plus souvent. Je veux maintenant que vous me racontiez votre voyage dans les Andes.

— Quand reprenons-nous la mer, capitaine ? demanda Charles.

— Pas avant dix jours encore. Les réparations du *Beagle* ne sont pas entièrement terminées. »

Charles rit joyeusement. « Et mes jambes ne sont toujours pas très solides. »

Lorsque Ben Bynoe vint lui rendre visite le lendemain, Charles s'empressa de lui dire :

« Je suis content que le *Beagle* ne soit pas prêt avant dix jours. Je serai en bien meilleure santé d'ici là.

— Mais le *Beagle* pourrait appareiller à la minute même, Charley, fit Bynoe avec un sourire malicieux.

— Alors, pourquoi ? demanda Charles interloqué.

— Le capitaine sait bien que ton estomac ne te permettra pas d'avoir le mal de mer avant la guérison complète. »

Charles en eut les larmes aux yeux.

« Cela veut dire que le patron a retrouvé sa forme, dit Bynoe.

— Et la générosité de son geste lui permet de retrouver sa pleine estime pour lui-même. »

Le navire *Samarang,* à destination de Portsmouth, transportait son envoi de deux caisses contenant os et pierres, et dans une boîte six petites bouteilles et un grand bocal. Avec l'aide de Syms il prépara deux caisses de plus qu'il expédierait par le *Challenger,* un navire qui ne partirait pas avant le mois de janvier suivant. Il envoya bon nombre de peaux d'oiseaux, un colis de papier contenant des boîtes à insectes, certains fragiles, des vers ronds séchés, des plantes aux feilles attachées et une bouteille, soigneusement bouchée, contenant de l'eau gazeuse des bains chauds de Cauquences, dont il espérait que quelqu'un à Cambridge pourrait faire une analyse chimique. Il envoya une lettre à Henslow par le même courrier et cinq minutes avant de fermer la caisse, y glissa un extrait de son journal, écrivant à son mentor :

« *Vous pouvez naturellement jeter un coup d'œil sur telle partie du journal de mon train-train quotidien qu'il vous plaira. Pourriez-vous être assez aimable pour ensuite le faire parvenir au docteur Darwin à Shrewsbury ?* »

Il était prêt à rentrer à bord du *Beagle.*

3.

Le *Beagle* leva l'ancre et sortit du port de Valparaiso le 10 novembre 1834.

Bientôt ce fut décembre et Noël ; trois ans déjà passés en voyage. Il n'y eut pas de jeux cette année-là, ni de joutes athlétiques. Avec la nouvelle année 1835 s'abattit sur eux une tempête d'une rare férocité. Le *Beagle,* étant revenu sur Chiloe, progressa lentement vers le nord jusqu'au mouillage de Valdivia. Charles et Syms firent de longues promenades dans les bois, collectionnant tout ce qui vivait, animal, végétal et minéral. Un peu avant midi, au cours de l'une de leurs expéditions, Charles s'étendit sur le sol pour se reposer.

Il n'était pas plutôt allongé qu'il sentit la terre trembler. Il y eut un mouvement, une ondulation sous lui comme lorsque le *Beagle* était pris entre deux courants. Il crut que c'était lui qui frissonnait. Il n'eut aucun mal à se lever, mais un mouvement sous ses pieds le fit vaciller. Cette action de broyage, de torsion et de poussée dura deux bonnes minutes.

« C'était un tremblement de terre, Syms. Retournons à Valdivia pour voir ce qui s'est passé. »

Il retrouva la plupart des officiers en ville. Les maisons de bois avaient été violemment ébranlées, les clous partiellement arrachés, mais aucune de ces maisons très simples ne s'était écroulée. Ce n'est qu'en arrivant à Concepcion, après dix jours de repérages sur la côte, qu'ils connurent les véritables conséquences du tremblement de terre. Le *Beagle* pénétra dans le port de Concepcion, Talcahuano. Sur l'île de Quiriquina, ils furent stupéfaits de ce qu'ils virent. Les plus petits bateaux avaient été rejetés sur la rive. Le séisme avait détruit toutes les maisons du village. La côte était jonchée de bois de charpente et de meubles détruits, comme si de grands navires avaient fait naufrage. Les entrepôts avaient été détruits, des sacs de coton éparpillés. Un raz de marée avait balayé la plupart des ruines.

Il se mit à la recherche de failles dans le sol ; la plus large se trouvait près des falaises du littoral, large d'un pied. Des masses rocheuses étaient tombées des falaises ; d'autres fragments, de six pieds de longueur, qui se trouvaient sous l'eau et portaient encore des organismes marins, avaient été projetés sur la rive.

C'était une stupéfiante expérience de géologie vivante ! Le spectacle le plus redoutable qu'il lui ait jamais été donné de voir. Il écrivit dans son cahier :

« A l'avenir, lorsque je verrai une section géologique traversée d'un certain nombre de fissures, je saurai parfaitement pourquoi. Je crois que ce

seul tremblement de terre a fait plus pour dégrader ou rapetisser cette île que cent ans de lente érosion régulière. »

Le lendemain matin, il alla, avec le capitaine FitzRoy et quelques officiers, sept miles plus haut sur la rivière Bio Bio jusqu'à la ville de Concepcion. Là aussi, les rues étaient encombrées de débris de bois près des maisons écroulées. Il ne restait plus qu'une arche et un pan de mur de la grande église sur la plaza. Il était impossible de reconnaître ce qui avait été autrefois une communauté habitée. Comme la série de tremblements de terre s'était produite à onze heures quarante du matin, il n'y avait eu qu'une centaine de morts ; mais les villageois cherchaient encore des corps dans les décombres.

Des feux s'étaient déclarés ; les toits de chaume étaient tombés dans les flammes et toute la ville avait brûlé. Des gens hagards étaient à la recherche de membres de leur famille. Des voleurs pillaient tout ce qui avait de la valeur dans les décombres, criant *misericordia* sans cesser d'empocher bijoux et argenterie.

Les notables faisaient des plans pour la reconstruction.

« Si les tremblements de terre sont puissants, fit remarquer FitzRoy, les êtres humains sont encore plus forts. Et quand la misère est universelle, personne ne songe plus à s'en plaindre. Evidemment, les gens de la ville croient connaître la raison de tout cela. Il y a deux ans, on a manqué de respect à quelques vieilles Indiennes. Par quelque sorcellerie, elles ont bouché le volcan et voilà maintenant le tremblement de terre ! »

Les hommes se mirent à rire. Charles fit remarquer : « Les villageois ne sont pas loin de la vérité ; l'expérience leur a appris la relation entre l'action contrariée des volcans et les tremblements de terre. Il y a de bonnes raisons de croire que la terre n'est qu'une croûte au-dessus d'une masse fluide en fusion. »

De retour sur le *Beagle,* il écrivit son journal presque jusqu'à l'aube, essayant de dépeindre la désolation de Talcahuano et de Concepcion. Il terminait par cette appréciation :

« *Je ne crois pas que nous ayons, depuis notre départ d'Angleterre, assisté à un phénomène plus passionnant. Volcans et tremblements de terre sont les plus remarquables phénomènes auxquels notre monde est soumis.* »

Le *Beagle* revint à Valparaiso le 11 mars, par une froide journée d'automne. Tout en approuvant la suggestion de Wickham d'avancer sur le Pacifique, le capitaine avait décidé de passer quelque temps à cartographier l'importante région côtière du Sud-Ouest, puisque le capitaine Beaufort leur avait signalé qu'elle n'avait jamais été correctement identifiée auparavant.

Cela correspondait aux ambitions de l'Angleterre de vendre ses produits manufacturés et d'importer les matières premières brutes nécessaires pour accomplir sa révolution industrielle. L'Amérique du Sud, autrefois sous domination espagnole et portugaise, était, en cette période de troubles politique, ouverte à l'influence anglaise.

Richard Corfield fit bruyamment fête à Charles. Il changea volontiers pour lui un bon de soixante livres dont il avait besoin pour acheter provisions et matériel, et pour payer ses guides pendant le mois d'exploration des Andes qu'il projetait... au grand dam de ses amis à bord du *Beagle.*

Gonzales, son ancien guide, se trouvait à Santiago. Charles se mit en route dans une carriole chargée de ses vêtements de cheval, ses étriers, éperons et autres achats. A Santiago, il fut reçu par Alexander Caldcleugh, cet Anglais auteur de récits de voyage qu'il avait trouvés superficiels, tandis que Gonzales louait les services d'un muletier, de dix mulets et d'une *madrina,* une mule qui portait une large cloche autour du cou. Gonzales expliqua :

« Les mulets sont mâles. La *madrina* femelle. Mulets suivre femelle, pas cloche. Cloche dire où est femelle. Eux suivre de près. »

Six des mulets devaient être montés, quatre devaient porter les charges, et de la nourriture en quantité car ils ne pourraient trouver à manger au beau milieu des précipices andains ; et en cas de sévère tempête de neige, sans provisions, ils mourraient. Charles amassa bœuf séché, divers haricots et fruits secs ; noix, caramel dur, café, maté, chocolat, condiments, sucre et rhum. Caldcleugh le présenta au Président du Chili, Joaquin Prieto, qui eut l'amabilité d'écrire une lettre de recommandation pour Charles dans son passeport.

Ils formaient un groupe bien comique au départ de Santiago : Gonzales, le muletier et Charles sur des mulets ; les trois autres montures attachées derrière et fermant la marche, les mulets porteurs, leurs selles débordantes sanglées sous leurs petits ventres. Ils traversèrent une plaine brûlée pendant des heures avant d'entrer dans la vallée de la rivière Maipo, bordée par les hautes montagnes de la chaîne principale. En fin de soirée, à un poste de douane chilien, on inspecta leurs selles et armes à feu. A la nuit, ils trouvèrent un cottage dont les propriétaires acceptèrent de leur louer quelques chambres. Le lendemain soir, ils achetèrent du fagot à un fermier, louèrent un coin de champ, et bivouaquèrent pour s'y faire cuire un repas.

Charles se sentait à nouveau heureux et bien ; il se grisait de liberté dans ses voyages, ne sachant ni quand il partirait le matin ni où il dormirait le soir. Après avoir été confiné quatre mois dans un hamac, dans un coin encombré de cabine de poupe, c'était un sentiment exaltant.

Ils progressaient lentement ; ils dépassèrent la plus haute maison de la région, à environ cent pieds au-dessus du fleuve Maipo ; un torrent de montagne dont l'eau couleur de boue rugissait comme la mer. En escaladant les falaises abruptes, Charles estimait que la montagne au-dessus d'eux s'élevait à trois mille cinq cents pieds, totalement nue, violette, d'une raideur effrayante. Ils croisèrent des troupeaux qu'on redescendait des hauts plateaux car l'hiver approchait ; il pressa son muletier, voulant aller aussi vite que possible. Mais il descendait souvent de mule pour ramasser des spécimens de roche qu'il ne pouvait identifier et des plantes alpines qu'il mettait dans ses sacoches. Il n'y avait, à son grand regret, pas un insecte ou un oiseau en vue. La première chaîne des Andes présentait un spectacle sauvage de pics vertigineux. Il n'avait jamais observé de masse montagneuse aussi gigantesque, se poursuivant à perte de vue.

Dans la soirée, ils atteignirent la vallée del Yeso. Cette nuit-là, ils campèrent avec une troupe de bergers dont les mulets chargés de gypse redescendaient à Santiago avec leurs troupeaux. En continuant à suivre le Yeso, ils arrivèrent au pied d'une arête où les eaux de la fonte des neiges et les eaux de pluie se séparaient, une partie coulant vers l'est dans l'océan Pacifique et l'autre vers l'ouest dans l'océan Atlantique. Levant la tête vers le haut du col, entre les deux chaînes principales, à environ douze mille pieds d'altitude, ils virent leur piste qui continuait à zigzaguer en pente raide. Au-delà de ces chaînes se trouvaient des pics plus hauts, peut-être de dix-huit mille pieds, couverts de neiges éternelles.

L'ascension des Grandes Andes fut lente et difficile. Les mulets s'arrêtaient tous les cinquante yards pour reprendre haleine. Et les trois hommes avaient du mal à respirer dans cet air raréfié.

Charles se demanda comment Humboldt et ceux qui l'avaient suivi dans les montagnes à des centaines de miles au nord avaient pu respirer si peu que ce soit. Près du sommet, au-dessus de champs de neige perpétuelle, le vent était violent et extrêmement mordant. Charles vit ce que les navigateurs arctiques appelaient la « neige rouge ». Il en ramassa une bonne quantité qu'il examinerait au microscope, de retour sur le *Beagle*. Sur la crête, l'air était totalement clair, le ciel d'un bleu intense, la vue magnifique. Sous eux, les vallées, les formations rocheuses déchiquetées de pierre colorée se détachaient sur des montagnes entièrement couvertes de neige. Seul un condor, ici ou là, parvenait à survivre. Nulle part au monde la cassure de la croûte terrestre n'aurait pu présenter un spectacle plus extraordinaire que ces pics des Andes centrales. S'écartant un peu des deux autres hommes, il marcha près d'un mile vers le sommet, savourant ce panorama grandiose comme le chœur du *Messie* joué par un grand orchestre.

Ils redescendirent de deux mille pieds sur l'autre versant de la chaîne, et établirent leur campement à un peu moins de dix mille pieds. Il n'y avait pas la moindre végétation. Gonzales essaya de faire bouillir des pommes de terre sur les racines épaisses d'une plante dont il ignorait le nom, mais elles restèrent froides et dures.

Charles se fit un lit avec les couvertures des chevaux. L'altitude lui donnait mal à la tête. Il se réveilla vers minuit, le ciel était chargé de nuages.

Aux premières lueurs de l'aube, le guide et le muletier ramassèrent assez de racines pour faire un feu. Ils parvinrent à réchauffer un peu le bœuf aux haricots et burent leur maté tiède.

Ils poursuivirent jusqu'au pied de la chaîne Portillo. L'escalade à nouveau devint pénible et lente, entre des collines nues et coniques de granit rouge. De nombreuses roches barraient si totalement leur piste que leurs bêtes de charge avaient du mal à passer. Les hommes durent décharger leurs provisions pour aplatir les sacoches de selle. Ce col des Andes tirait son nom, Portillo, de l'étroite crevasse au sommet de la chaîne par laquelle la piste passait. Lorsqu'ils redescendirent sur l'autre versant, ils furent avalés par un nuage qui fit pleuvoir sur eux de minuscules cristaux glacés piquants comme des aiguilles.

Ce fut un grand soulagement de retrouver plus bas la végétation et un bon terrain où installer le campement, à l'abri de larges pans rocheux. Les nuages s'éclaircirent, la pleine lune et les étoiles brillèrent avec un nouvel éclat dû à l'altitude dans l'air transparent. Un air si sec que le sucre et le pain en devenaient durs comme du bois.

La descente de la chaîne sur le versant atlantique fut difficile, puis ils retrouvèrent le pays plat. Dans les jours qui suivirent, ils traversèrent les marais bas et la plaine sèche qui conduisait au nord de la ville de Mendoza. Les mulets firent encore quarante-deux miles jusqu'à Estacado. La plaine stérile était chaude et morne mais le second soir ils aperçurent les jardins verdoyants qui entouraient le village de Luxan. Au sud, s'élevait un nuage rouge foncé. Gonzales pensa tout d'abord que c'était la fumée d'un feu de pampas. Charles comprit qu'il s'agissait d'un fléau de sauterelles, se déplaçant à une vitesse qu'il estima de dix à quinze miles à l'heure ; leur masse énorme s'élevait de vingt pieds au-dessus du sol jusqu'à peut-être deux mille pieds. Elles faisaient le bruit d'une forte brise sifflant dans les gréements d'un navire, et faisaient ressembler le ciel à une gravure mezzo-tinto. Quand les sauterelles se posaient, les champs passaient du vert au brun rougeâtre ; elles dépouillaient les arbres de leur dernière feuille. Les trois hommes virent les villageois allumer des feux et, en criant et agitant des branches dans la fumée, essayer de les détourner. Les jeunes pousses étaient totalement mangées.

Luxan était une ville petite mais agréable, à la pointe sud d'un pays fertile. Charles parvint à louer une chambre. Il se réveilla quelques heures plus tard avec une sensation de dégoût. Sur la main, il avait un *benchuca,* un grand insecte noir des pampas. Il maîtrisa un haut-le-cœur en observant l'insecte mou et sans ailes se traîner sur sa main en suçant son sang, et de maigre qu'il était, se gonfler en dix minutes. Il se demanda combien de temps avec ce sang l'insecte resterait gros. Quinze jours, un mois ? Puis il l'écrasa et le jeta au loin avant de se rendormir. Le lendemain, il trouva un spécimen vivant qu'il empala sur du coton et enferma dans une de ses petites boîtes.

Après deux jours de repos et un festin de melons et de pêches, le petit cortège de mulets entreprit de rentrer à Santiago. Ils se trouvaient encore à plusieurs milliers de pieds au-dessus du niveau de la mer, mais le soleil leur brûlait le dos et ils traversaient de fins nuages de poussière. Une fois de plus, ils durent franchir une chaîne montagneuse, l'Uspallata, aride et sans eau potable. Du sommet, Charles aperçut des roches sédimentaires vertes, violettes, rouges et blanches mélangées à de la lave noire ; et également des strates brisées par des collines de porphyre dans toutes les nuances de marron et de mauve vif. Elles ressemblaient littéralement à un dessin colorié de coupe géologique.

Ils eurent du mal à seller leurs mulets, le lendemain matin, dans la bourrasque et les nuages de poussière. A la tombée de la nuit, ils arrivèrent au Rio de las Vacas, réputé le plus boueux et turbulent des torrents de montagne. Le muletier insista pour qu'ils campent en bordure de l'eau jusqu'à ce qu'ils puissent la traverser sans danger.

Le lendemain, devant d'importants dépôts de coquillages fossiles, il conclut qu'à une époque reculée cette grande chaîne des Andes avait dû être constituée d'îles volcaniques recouvertes de forêts. Il trouva des troncs d'arbre, dont l'un de quinze pieds de circonférence, devenu silice et incrusté dans des strates marines. Les montagnes s'étaient élevées lentement, le changement de climat les avait profondément érodées. Quand une grande partie de la chaîne s'était formée, l'Amérique du Sud était peut-être déjà peuplée. Dix mille ans, vingt mille ans plus tôt ? Il en était réduit à des suppositions.

Ils prirent enfin la grand-route de Santiago, en passant par Cuesta de Chacabuco ; ils s'arrêtèrent pour la nuit dans le tranquille petit village de Colina.

Au réveil, Charles était secoué de frissons. Cette fois, pourtant, il n'avait bu ni vin aigre ni eau polluée et avait mangé constamment la même chose depuis le début de leur expédition.

Il demanda à Gonzales : « Y a-t-il une épidémie dans la région ?

— Peut-être insecte noir qui sucer votre sang. Beaucoup de gens toujours malades à Luxan. »

Il y avait deux semaines que le *benchuca* l'avait piqué. Il estima que c'était peut-être la période d'incubation. Mais en arrivant à Santiago, vers midi, le 10 avril, il se sentait déjà mieux. Et de retour à Valparaiso, il déclara à Richard Corfield :

« Je suis amplement récompensé de tout le mal que je me suis donné ; mais il faudra cent hommes et un siècle pour comprendre cette chaîne déchiquetée. »

Il écrivit à Susan que depuis son départ d'Angleterre aucun de ses voyages n'avait été plus fructueux.

« *...le géologue y trouve des traces évidentes de la plus extrême violence ; les strates des pics les plus élevés sont crevées comme la croûte d'une tarte brisée.* »

Il passa les jours suivants à se faire couper les cheveux, faire nettoyer ses vêtements et laver son linge, à acheter de l'alcool pour ses spécimens, à remplacer des outils dont il avait besoin et des médicaments. Malgré les rigueurs du voyage, il se sentait en parfaite santé ; il avait les joues colorées et ses yeux, brillants du sentiment de la réussite, avaient perdu de leur candeur. Sa bouche s'était affirmée, s'accordant bien avec son long nez et lui donnant du caractère. Ses cheveux s'étaient légèrement éclaircis, ce qui lui dégageait le front.

« Je suis devenu un homme, pensa-t-il. Mais quelle sorte d'homme ? » Le *Beagle* rentra à Valparaiso. Charles se rendit à bord, trouva du courrier et se jeta sur les nouvelles de chez lui avec voracité. Une phrase dans la lettre de Caroline le fit bondir jusqu'à la cabine du capitaine. Il poussa impétueusement la porte sans frapper. FitzRoy se retourna, surpris.

« On vous a donné une promotion, s'exclama Charles. Ma sœur en a lu l'annonce officielle dans un journal de Londres ! Enfin, nous savons maintenant le grand cas que fait l'Amirauté de vos relevés et de vos cartes ! »

FitzRoy rougit d'émotion en saisissant le bras de son fauteuil.

« Excellente nouvelle, Darwin ! s'exclama-t-il. Cela veut dire que l'Amirauté ne me tient plus rigueur de mes erreurs avec l'*Adventure* et les deux schooners. Je n'ai plus à craindre d'avoir causé du tort au capitaine Beaufort ou de m'être fait des ennemis à l'Institut Hydrographique. »

Charles prépara le dernier chargement qu'il voulait envoyer en Angleterre. Il remplit une caisse de ses spécimens mous, avec un soin tout particulier, une autre de roches qu'il avait trouvées. Son dernier voyage lui avait rapporté une demi-charge de mulet de spécimens géologiques car sans de multiples preuves, il était persuadé qu'on ne croirait pas un seul mot de sa théorie sur les Andes.

Ils naviguèrent les douze cents miles au nord de Lima par bon vent de croisière. Charles profita du calme de la mer pour passer treize jours à décrire ses trouvailles géologiques. Il était prêt pour la terre ferme lorsqu'ils atteignirent la ville portuaire de Callao, à sept miles de Lima, mais la ville était « *misérablement sale, mal construite, l'air vicié par les mauvaises odeurs* ». Le Pérou était dans un état de révolution permanente, quatre factions militaires y luttaient pour le pouvoir. M. Belford Hinton Wilson, consul général anglais, diplomate à la quarantaine impeccable, l'avertit :

« N'allez pas vous perdre seul dans l'intérieur du pays. Il n'y a guère, Lord Clinton, un Français et moi-même nous promenions à cheval lorsqu'une bande armée nous a attaqués, des voleurs déguisés en soldats qui nous ont si bien dépouillés que nous sommes rentrés sans rien d'autre que nos caleçons. Les voleurs agitaient la bannière péruvienne avec patriotisme en criant alternativement « *Viva la Patria* » et « *Donnez-moi votre jaquette* », « *Libertad, Libertad* » et « *Retirez votre pantalon !* »

Charles ne put s'empêcher de rire.

« On m'a dit que Lima est une ville petite mais splendide. Comment puis-je m'y rendre ?

— Il y a une diligence bien gardée qui s'y rend deux fois par jour. Je me joindrai à vous. »

Dix jours plus tard, il était à Lima, située sur une petite plaine formée par le retrait graduel de la mer. Il trouva la ville dans un état de délabrement lamentable, les rues non pavées encombrées d'immondices. On y trouvait pourtant de nombreuses églises fort belles. Le consul général donna un dîner en son honneur. Les résidents européens et anglais étaient intelligents et cultivés. Quant aux jeunes dames, il en tomba éperdument amoureux : leurs longues robes souples cernaient de si près leur silhouette qu'elles devaient marcher à petits pas élégants, montrant leurs bas de soie blanche et leurs adorables petits pieds. De grands voiles de soie noire qu'elles portaient autour de la tête étaient fixés à leur taille par-derrière et seuls leurs yeux aguicheurs restaient visibles.

« Mais cet œil est si noir et si brillant, s'exclama-t-il en présence de Wilson amusé, si expressif qu'il cause un effet puissant.

— Restez ici et mariez-vous avec l'une d'elles.

— Impossible. Mais au rythme auquel mes sœurs m'annoncent le mariage de toutes les belles filles d'Angleterre, il n'en restera plus une pour moi à mon retour. »

Soudain il ressentait cruellement l'absence d'une chaude main féminine dans la sienne, et d'un visage gracieux à contempler. Dans quatre mois il y aurait quatre ans qu'il voyageait. C'était longtemps à vivre dans un monde sans jeunes femmes, sans amour à donner ou à recevoir.

4.

Il était impatient de visiter les Galapagos, les îles des Tortues, du nom des énormes tortues terrestres découvertes accidentellement par l'évêque Berlanga, envoyé du roi Carlos 1er d'Espagne, dont le navire en panne avait dérivé à six cents miles du continent sud-américain... jusqu'à ce groupe d'îles volcaniques. Ce qui motivait surtout l'enthousiasme de Charles, comme il l'expliqua à Stokes, c'était d' « escalader un volcan en activité ».

Aucun voilier ne s'était aventuré dans les parages des Galapagos depuis un siècle et demi, bien qu'elles soient indiquées sur les cartes d'Ortelius et de Mercator en 1587. Ceux, peu nombreux, qui connaissaient leur existence, évitaient leurs récifs dangereux ; jusqu'à ce que les baleiniers et les boucaniers découvrent qu'elles contenaient de l'eau potable et des milliers de tortues géantes qui pouvaient rester vivantes empilées par demi-douzaines sur un entrepont et leur procurer de la viande fraîche pendant des mois. Les îles devinrent alors un point d'escale si fréquenté qu'un bureau de poste y fut installé, un baril dans une branche d'arbre fourchue ; les marins pouvaient y déposer du courrier qui était pris et acheminé par le premier navire allant vers la destination requise.

Ils avaient parcouru mille miles en huit jours et attendaient la terre avec impatience lorsque la vigie cria du haut du mât : « Un îlot droit devant nous, mon commandant. » Il avait repéré le sommet du mont Pitt à la pointe de l'île de Chatham. Portés par la brise et les courants, ils ne tardèrent pas à apercevoir les autres sommets. Ils s'arrêtèrent un instant à l'île de Hood pour descendre une baleinière. M. Chaffers et l'aspirant Mellersh se mirent à la recherche d'un mouillage. Dans une crique à Chatham, le lieutenant Sullivan et dix hommes prirent place dans une baleinière pour tracer des cartes des îles centrales de ce groupe de dix-huit vestiges volcaniques.

A première vue, les îles parurent à Charles désolées, des cônes symétriques de lave noire entièrement recouverts de buissons sans feuilles et d'arbres rabougris. Mais sa déception fut de courte durée car lorsque le *Beagle* eut jeté l'ancre dans la baie de St Stephen devant l'île de Chatham, il découvrit qu'elle abondait en poissons, requins et tortues qui pointaient la tête hors de l'eau. Il s'empressa de jeter une ligne par-dessus bord, comme le reste de l'équipage. Très vite, ils attrapèrent tous de beaux poissons de deux ou trois pieds de long, une pêche miraculeuse qui frétillait partout sur le pont. Après le déjeuner, il se rendit à terre avec Stokes et King ; la chaleur était étouffante, et la lave noire ressemblait aux fourneaux d'Annie au Mont. Il était stupéfait par l'énormité de la famille de reptiles qui vivaient sur la lave : non seulement les tortues à carapace dure et aux mouvements lents, leur tête minuscule avançant sur un cou épais, mais des créatures visqueuses sur les rochers bas, empilées par milliers les unes sur les autres, sur cinq ou six rangs, « des lézards répugnants et maladroits, aussi noirs que la lave poreuse sur laquelle ils reposent, s'exclama-t-il. Je ne savais même pas qu'ils étaient vivants avant de m'approcher à quelques mètres d'eux. » Il fit demi-tour sans essayer d'en attraper aucun. Il préférait botaniser, escalader le flanc d'un volcan éteint et ramasser dix spécimens différents « si insignifiants et laids, s'écria-t-il, que le professeur Henslow croira que je les ai ramassés dans l'arctique et non aux tropiques ». Même leur odeur était désagréable.

Mais ce qui le ravit dès le premier jour fut la diversité des oiseaux, d'espèces qu'il n'avait encore jamais rencontrées.

Les oiseaux étaient si peu accoutumés aux hommes et si peu effrayés que King en tua un avec son chapeau et que Charles fit tomber un gros aigle d'une branche.

Ses trouvailles du lendemain, d'un autre point d'ancrage, furent également stupéfiantes : les rochers noirs de la plage grouillaient d'une infinité de crabes rouge vif, les zones sablonneuses étaient couvertes de lions de mer qui barrissaient bruyamment avant de plonger gracieusement dans la mer.

Stokes et lui grimpèrent jusqu'au sommet d'un large cratère de faible altitude. Le pays, au nord, était constellé de petits cônes de lave noire que Charles décrivit comme d'anciennes cheminées pour les fluides souterrains en fusion. Et en brisant des roches ici et là, il ne fut pas long à conclure que le volcan qu'ils avaient escaladé avait été autrefois sous-marin.

Chaque jour, les Galapagos réservaient une nouvelle aventure, chaque fois que le *Beagle* changeait d'ancrage pour cartographier les diverses îles : Chatham, James, Charles, Narborough, Albemarle, le plus haut et le plus abrupt des pics volcaniques, noir de lave sur son versant est, stérile et sec, semé de petits cratères secondaires. Charles allait souvent à terre, muni d'une couverture et de sa tente, accompagné d'un ou de plusieurs de ses compagnons de bord. Ils bivouaquaient sous un mince filet d'eau dans une petite vallée ; ou traversaient un sable noir qui brûlait les pieds même à travers les bottes ou du sable brun qui lorsqu'on y plaçait un thermomètre enregistrait 137°, le maximum qu'il puisse indiquer.

Sur l'île James, leur excursion fut longue. Environ six miles à une altitude de deux mille pieds, un air très sec, très chaud, des arbres bas et tordus, presque sans feuilles mais plus épais que ceux qu'ils avaient vus jusqu'alors. A trois mille pieds, ils trouvèrent les seuls points d'eau de l'île. Des nuages planaient au-dessus des hauts plateaux ; la vapeur condensée par les arbres dégoulinait comme de la pluie. C'était merveilleusement rafraîchissant. Parfois, ils firent des « promenades mouillées », sur des plages étroites et peu profondes, roulant leurs pantalons au-dessus des genoux, attachant leurs chaussures par les lacets et les portant autour du cou, glissant le long de la baleinière en attendant que la vague suivante les pousse à terre, courant dans l'eau à travers pierres ponces et galets.

Les membres d'équipage ramenaient dix à quinze tortues géantes par jour. Syms et lui essayèrent d'en soulever une. Ils n'obtinrent pour toutes leurs peines qu'un long sifflement avant que la lourde créature antédiluvienne ne rétracte sa tête et s'ébranle d'un pas de pachyderme. Charles se tint debout sur l'épaisse carapace sans arrêter sa lente progression.

« En fait, raconta-t-il avec un sourire, la tortue n'a rien remarqué du tout ! Je me demande jusqu'à quel âge elles peuvent vivre. Ce cactus qu'elles mâchent, ce doit être la fontaine de Jouvence dont parle Ponce de Leon. »

La géologie était instructive et curieuse : des cratères de toutes formes et de toutes hauteurs se dressaient dans toutes les directions ; certains si petits qu'on aurait pu les appeler des spécimens de cratère. On trouvait des couches de calcaire volcanique, des veines de lave nue, noire, rêche et ingrate, des grands champs de lave trachytique contenant de grands cristaux de feldspath vitreux et fracturé. La plupart des ruisseaux étaient asséchés, la présence ou l'absence de feuillage indiquant leur âge. La couleur brune dominait. Certains cratères plus hauts que d'autres devenaient plus verts lorsqu'on approchait du sommet, leurs hauts plateaux bénéficiant parfois d'un vent rafraîchissant venu du sud.

Il explora les cônes noirs de cratères qui ressemblaient à la fonte des cheminées de Wolverhampton, de larges puits circulaires « probablement produits par le volume de gaz à l'époque où la lave était liquide ».

Une nuit il dormit sur la plage, puis passa le lendemain à collectionner diverses formes de lave basaltique, de la poussière volcanique, d'anciens coquillages, des insectes qu'il pouvait décrire mais non nommer ; des cactus, arbustes, oiseaux, iguanes marins.

Il n'avait pas imaginé la beauté confondante de l'archipel : le bleu brillant du ciel et de la mer ; le plumage chatoyant de myriades d'oiseaux : les frégates, avec leur poche gonflable sous la gorge, rouge ou orange, les pingouins aux masques blancs bien dessinés et aux pieds bleus ; les cormorans incapables de voler, avec leurs ailes tronquées ; les albatros de mer, la mouette de lave à queue d'hirondelle, l'oiseau tropical au bec rouge, le héron de nuit, les pinsons ; de petits étangs où les bébés morses jouaient à se battre ; le lion de mer obèse se hissant jusqu'au meilleur rocher plat du promontoire où ses femelles pourraient se mettre autour de lui ; la tortue de mer creusant un trou dans le sable pour y enfouir ses œufs ; les oiseaux déposant leurs œufs dans de maigres nids de brindilles sur de la lave dure ou là où ils s'accouplaient, haut perchés dans les falaises grêlées et scarifiées de pierre ponce ; les tortues épaisses aux pieds tronqués, ressemblant aux habitants d'une autre planète ; les cris d'oiseaux, de reptiles et d'animaux marins. Et dans les hauteurs, la verdure, là où le *palo santo,* le palétuvier à boutons, le *matazarno,* avaient pris racine dans une terre que les vents amenaient depuis une éternité ; les hauts cactus tordus, un cactus bien particulier dont les vastes feuilles ovales formaient des branches en se rejoignant ; les goulets par lesquels la mer jaillissait comme un geyser ; les falaises sous-marines ayant parfois jusqu'à deux miles de profondeur ; des lacs circulaires ; des falaises que le vent et la mer avaient sculptées en colonnes aux formes fantastiques.

Les centaines de variétés de poissons qu'on y trouvait étaient stupéfiantes ; et sur le rivage, en plus des crabes *Sally-lightfoot,* il y avait des étoiles de mer, des oursins, des dollars du sable, des concombres de mer, tous vibrant d'intensité dans la chaude lumière blanche.

Il ne trouva qu'un seul volcan en activité, fumant. En grimpant sur un versant, il constata qu'il n'y avait ni feu ni lave liquide. Il était clair que ni les nombreux volcans sur chaque île, ni les îles elles-mêmes, n'avaient été formés à la même époque. L'aspect dramatique des structures de l'île, cette étrange multiplicité de volcans, cette vie tumultueuse, dans la mer, dans les airs et sur les plages de coquillages brisés, les faisaient ressembler à une création expérimentale de Dieu, avant qu'Il sache très bien de quelle façon Il voulait peupler la Terre.

Mais c'est seulement quand le *Beagle* jeta l'ancre devant l'île Charles, qu'il comprit la véritable nature des Galapagos, et cela en partie grâce à une observation personnelle. En étudiant des pinsons qu'il avait attrapés sur deux îles différentes, il remarqua que curieusement, la forme de leur bec n'était pas la même. Il eut confirmation de sa découverte en rencontrant Nicholas Lawson, nommé gouverneur britannique depuis que l'Ecuador avait réclamé la souveraineté sur ces îles quelques années plus tôt.

Lawson se trouvait dans le port de l'île Charles, en visite sur une baleinière, et offrit à Charles de le guider vers une colonie de deux cents exilés, bannis d'Ecuador pour crimes politiques. Le long d'une piste de cendre jusqu'au centre de l'île, ils dépassèrent quantité de tortues qui avançaient à l'allure de quatre miles en vingt-quatre heures.

« Je suis capable de vous dire au premier coup d'œil de quelle île vient chacune de ces tortues », déclara-t-il.

Charles s'arrêta net.

« Voulez-vous dire, M. Lawson, que chaque île produit une sorte distincte de tortue ?

— Sans aucun doute, M. Darwin. J'ai appris à les identifier il y a plus d'un an. Les tortues des diverses îles se distinguent principalement par leurs carapaces, et l'espacement différent des taches devant et derrière. Leurs carapaces sont également d'épaisseurs et de couleurs différentes ; elles varient également de grosseur selon les îles. »

Charles, profondément surpris par ce phénomène, demanda à Lawson : « Pourquoi et comment peuvent-elles changer de caractéristiques ?

— Je l'ignore, répondit Lawson. Je ne fais que vous dire ce que j'ai observé. »

Pendant les quelques heures qu'il passa avec Lawson dans un *pueblo* fait de maisons rudimentaires sur pilotis, avec des carrés de patates douces et de plantains, l'énigme des tortues différentes ne cessa de le préoccuper. Il s'assit sur une souche près d'une source d'eau potable où les tortues venaient boire, une rareté dans l'île car la lave poreuse ne conservait pas l'eau de pluie. Une foule de ces monstres préhistoriques montait le cou tendu pendant qu'une autre file redescendait, ayant bu tout son soûl. Il regarda les tortues, la tête enfouie jusqu'au-dessus des yeux, boire à grandes gorgées.

« J'ai eu tort de mettre toutes mes trouvailles sur ces îles dans le même sac, sans identifier leur lieu d'origine, se dit-il. S'il y a des différences entre les becs de pinson et les carapaces de tortue, il faut que je prenne bien soin d'étiqueter scrupuleusement les collections provenant de chaque île séparément. Je pourrai ainsi comparer et déterminer si les espèces d'oiseaux, de lézards ou de plantes, diffèrent d'une île à l'autre. Si oui, c'est peut-être la plus importante découverte de mon voyage. Et quelle est la cause de ces différences ? C'est la question. »

Sur les trente-six jours que le *Beagle* passa à explorer les Galapagos, Charles en passa vingt-deux à terre. Les terriers de l'iguane terrestre, qui avait deux à trois pieds de long, que ses écailles aux nuances jaunes, roses et violettes rendaient d'une hideur somptueuse, étaient si nombreux que les hommes avaient du mal à trouver un endroit où planter leur tente. Ces lézards gigantesques se nourrissaient exclusivement de baies et de feuilles qu'ils atteignaient souvent en grimpant aux arbres, et de succulents cactus qui leur fournissaient l'eau. Tout ce qu'il ramassa en quelques jours lui tourna la tête : plus de vingt sortes d'oiseaux terrestres dont il était certain qu'ils n'avaient jamais été identifiés. Toutes les plantes, en cette saison, étaient en fleur : jusqu'aux herbes, cactus, mousses, fougères et plantes grasses. Lorsque les baleinières partaient faire des cartes d'autres îles, les hommes collectionnaient pour lui : des colombes et divers pinsons. Selon ses instructions, ils conservaient ce qu'ils trouvaient sur chaque île dans un sac séparé.

Le *Beagle* n'eut d'ennuis qu'en une occasion, par manque d'eau. La source sur laquelle ils comptaient, près de la rive, avait été envahie par la mer. Ils n'eurent plus que demi-ration.

C'est un baleinier américain qui les sauva. Ses officiers leur firent aimablement cadeau de trois barils d'eau potable et d'une caisse d'oignons. En remerciant les Américains, FitzRoy dit à Charles :

« Ce n'est pas la première fois que les Américains se montrent serviables à notre égard, et plus généreux que nos propres compatriotes.

— Je me demande, Capitaine, s'ils ont autant de préjugés à l'encontre des Anglais que nous en avons à leur égard. »

Quand Charles revint pour la première fois de l'île de Chatham, le lieutenant Wickham lui demanda :

« A quoi ressemble l'île ?

— A un coin d'enfer qu'on aurait voulu cultiver. »

Il les avait maintenant visitées toutes ; elles regorgeaient d'une vie sauvage exubérante, et à l'exception des tortues géantes, toutes les formes vivantes qui y proliféraient n'avaient jamais rencontré l'homme, se trouvant telles que les avait faites une évolution de peut-être plusieurs millions d'années depuis que des éruptions successives avaient créé cet archipel. Il ne connaissait aucun autre lieu au monde où la nature se révèle comme au premier jour de la création. Un laboratoire de la vie primordiale que rien n'avait dénaturé, sorti bouillant tel quel du fond de l'océan des millions d'années plus tôt... Se peuplant graduellement au cours de périodes infiniment longues. Mais comment chaque île avait-elle pu élaborer des espèces différentes ? Et surtout, pourquoi ?

5.

Pour une fois, le Pacifique fit honneur à son nom. De bons vents alizés conduisirent le *Beagle* des îles Galapagos jusqu'à Tahiti en un peu moins de quatre semaines, toutes voiles déployées, couvrant cent cinquante miles par jour sur l'océan bleu. Ce fut un temps agréable. Charles faisait des descriptions de ses collections des Galapagos et théorisait considérablement pour déterminer à quel « centre de création » les êtres qui peuplaient les îles devaient être rattachés. Après dîner, chaque soir, FitzRoy et lui, intéressés par le rôle des missionnaires anglais dans le Pacifique sud, lisaient à haute voix des passages des *Recherches Polynésiennes* de William Ellis, qui était favorable aux missionnaires ; de la *Narration d'un voyage dans le Pacifique* de F. W. Beechey, qui était neutre en la matière ; et du *Nouveau Voyage autour du Monde* de Kotzebue, qui critiquait sévèrement l'influence de l'homme blanc sur les indigènes.

Le matin du 15 novembre, Charles put voir du pont pour la première fois Tahiti, dont la beauté ferait pour longtemps « *le rêve type du voyage dans les mers du Sud* ». Le *Beagle* mouilla dans la baie de Matavai, tous drapeaux déployés. Derrière un fouillis de verdure luxuriante, de hautes montagnes crénelées dressaient un mur à l'infini. Ils furent reçus avec gentillesse par les indigènes cuivrés, conduits à la maison du missionnaire de la région, après quoi Charles fit une promenade par des chemins sinueux et ombragés, parmi les maisons clairsemées et spacieuses. Il s'exclama :

« Cela doit être le Paradis. Ou serait-ce violer les trente-neuf articles de l'Eglise d'Angleterre que de faire l'expérience du paradis sur la terre ? »

Le seul terrain cultivé était une bande de sol alluvial au pied des montagnes, protégé par un cercle de récifs coralliens. Il traversa un jardin tropical : bananes, noix de coco, oranges, fruit à pain, goyaves et entre les arbres, des plants de manioc, de canne à sucre, d'ananas et de patates douces. Le Jardin d'Eden !

Dans l'après-midi, le capitaine fit déblayer le pont pour que les Tahitiens venus en canoës puissent y étaler leurs marchandises. Ils envahirent le *Beagle* comme des abeilles, changeant le navire en un bruyant bazar : cochons, paniers de coquillages, fruits, hameçons, rouleaux de tissu. Lorsqu'ils voyaient quelqu'un d'intéressé, ils criaient : « *One dola, one dola !* »

Ils ne voulaient pas d'argent anglais, n'acceptant que les pièces américaines, en argent ; curieusement, le prix pour tout était le même, un dollar, pour un porc comme pour un hameçon. Les hommes portaient des pagnes en guise de pantalons. C'était les plus beaux hommes que Charles ait jamais vus, grands, aux épaules larges, athlétiques, la peau cuivrée. Ils étaient légèrement tatoués de dessins qui soulignaient encore l'élégance de leurs corps. Un motif que Charles reconnut était un bouquet de palmes, un autre, un chapiteau corinthien dont les lignes partaient de la colonne vertébrale pour se développer de chaque côté. Il ne put s'empêcher de les comparer aux hideuses peintures des sauvages de la Terre de Feu et fit remarquer à John Dring, un excellent collectionneur d'oiseaux qui à bord remplaçait Rowlett :

« Ces hommes n'ont qu'à tendre la main pour cueillir les fruits des arbres, et pêcher poissons, crustacés et anguilles dans les récifs coralliens. Il me semble qu'ils sont bénis de Dieu. »

Dring, qui avait été à terre le matin même pour y acheter des vivres, répondit :

« Pourquoi donc les femmes de Tahiti ne sont-elles pas plus belles ? Elles me semblent bien ordinaires. C'est désolant ! »

Le lendemain matin, Charles demanda au missionnaire le nom de deux guides qui pourraient conduire Syms et lui pendant plusieurs jours à travers les chaînes montagneuses. Il profita de l'occasion pour interroger l'un de ces blonds ventrus aux manières douces : quel effet avait l'action des missionnaires sur les indigènes ?

« C'étaient des païens, nus, pour la plupart. Ils pratiquaient sans doute des sacrifices humains. Nous les avons vêtus et en avons fait des chrétiens. Nous leur avons enseigné la moralité sexuelle. Ils ont cessé de boire le jus de la racine d'*ava* dont les effets sont fortement intoxicants. Nous leur avons appris l'anglais, à lire la Bible ; interdit leurs danses et leurs chants endiablés, à l'exception des hymnes et des cantiques.

— Et ils en sont heureux ?

— Apparemment. Voyez comme ils sont aimables et hospitaliers. Ils viennent à l'église le dimanche. C'est une preuve en soi. »

Syms empaqueta des vivres, emporta une flasque d'alcool et des couvertures, et ils se mirent en route. Les deux jeunes guides, vêtus seulement de petits pagnes à la ceinture, attachèrent le lourd ballot et les couvertures à chaque extrémité d'une perche qu'ils portèrent à tour de rôle en travers des épaules. La seule façon de gagner l'intérieur était de suivre la vallée en bordure de la rivière ; très vite, la vallée rétrécissait, et les montagnes devenaient plus accidentées. Au bout de quatre heures d'escalade ininterrompue, ils se trouvèrent dans une ravine si escarpée que Syms dit :

« Pitié. Nous n'irons pas plus loin.

— Non, Syms, les guides affirment qu'ils peuvent nous conduire au sommet. »

Les Tahitiens grimpaient comme des cabris, puis aidaient Charles et Syms à se hisser sur les pentes couvertes d'une végétation épaisse, de bananiers sauvages et de plantes tropicales ; et ainsi de suite jusqu'à des sommets fins comme des couteaux au-dessus de profondes ravines. Ils estimèrent la profondeur d'un des précipices qu'ils virent à mille pieds et arrivèrent devant de magnifiques gorges montagneuses.

En fin d'après-midi, ils trouvèrent un terrain plat et y plantèrent leur campement.

Les Tahitiens plongèrent dans le ruisseau voisin avec des filets, poursuivirent le poisson et sortirent de l'eau avec de bonnes prises. Ils enveloppèrent des morceaux de poisson et de banane dans des feuilles fraîches, firent un feu de brindilles, ramassèrent une vingtaine de pierres qu'ils posèrent sur le feu, puis calèrent chaque petit paquet comestible entre deux pierres. Le tout fut recouvert d'un toit de terre pour que ni fumée ni vapeur ne s'en échappent. Ils firent ensuite une nappe de feuilles de bananier, coupèrent en deux des noix de coco et remplirent ces coupes d'eau de la source. Quand Charles leur offrit la flasque d'alcool, ils mirent un doigt devant leur bouche en disant « missionnaire ! » avant d'en prendre une gorgée. Prêts à manger maintenant, les deux indigènes se mirent à genoux et murmurèrent des prières chrétiennes.

« Qu'est-ce que la montagne offre comme dessert ? demanda Charles.

— *Ti.* Nous couper racine. »

Le *ti* était aussi doux que de la mélasse. Le repas fini, Syms déroula leurs couvertures. Ils remontèrent le ruisseau jusqu'à une cascade et à leur retour s'endormirent à l'ombre des abris que leurs guides leur avaient tressés avec des feuilles de bananier.

Le dimanche matin, FitzRoy invita Charles et plusieurs officiers à l'accompagner au service divin à Papeete, d'abord en tahitien, puis en anglais, conduit par M. Pritchard, le chef de la mission à Tahiti. Charles rencontra un troisième missionnaire qui vivait à Tahiti depuis quarante ans et terminait une traduction de la Bible en tahitien. C'était un homme charmant et un remarquable érudit.

« Kotzebue avait tort de dénoncer si sauvagement nos missionnaires, dit Charles à FitzRoy. J'en arrive à leur trouver du bon. »

Mais ayant néanmoins son content de religion, il loua un canoë et quelques hommes et passa le reste de la journée à étudier les récifs de corail qui formaient le lagon. Les coraux avaient des formes florales exquises, et s'étendaient sur des miles, constituant un récif dans lequel le capitaine James Cook n'avait trouvé qu'une entrée, en 1769. Les Tahitiens plongèrent volontiers du canoë et brisèrent de larges morceaux de corail pour qu'il les observe.

Les récifs coralliens étaient comme un poème parmi les créations de la nature. On y trouvait des organismes vivants d'une variété infinie de taille et de structure : éponges, étoiles, rameaux qu'on aurait pu prendre pour des bois de cerfs emmêlés, tuyaux d'orgues, squelettes calcaires blanchis, algues pétrifiées ; polypes tentaculaires formant des tours, des vases, des colliers, des éventails, des rosettes... Il y avait des champs de tiges mûres, des tubes, des arbres aux branches épaisses et nues, des lits de lave, des tapis richement tissés, des formes bizarres qu'aucun nom connu ne pouvait décrire ; toutes les compositions que l'esprit humain pouvait concevoir y étaient brillamment représentées. Les nuances subtiles du corail, du blanc éclatant à l'ambre en passant par le jaune, le rose, le bleu, le vert, le rouge sombre, le violet et le noir, avec toutes les délicates nuances intermédiaires possibles créaient une incroyable fantasmagorie, évoquant les plus délicats arrangements floraux.

De retour sur le *Beagle,* il écrivit dans son journal :

« *On a beaucoup écrit mais on ne sait toujours rien de la structure et de l'origine des îles de corail et des récifs.* »

Il prit le second volume des *Principes de Géologie* de Lyell qu'il avait reçu à Montevideo en 1832, et lut :

« *La forme circulaire ou ovale de nombreuses îles coralliennes du Pacifique, avec un lagon au centre, suggère naturellement l'idée qu'ils ne sont rien d'autre que la crête de volcans sous-marins dont le cratère, sur les bords et au fond, s'est couvert de coraux...* »

D'une chose au moins il était maintenant certain. Charles Lyell se trompait lourdement ! Les récifs de corail s'étaient formés d'une tout autre façon. Et il était bien décidé à savoir laquelle lorsqu'il rentrerait en Angleterre.

Les officiers et l'équipage étaient d'excellente humeur en quittant Tahiti. Ils mirent le cap vers la Nouvelle-Zélande. La reine des îles n'avait pas trahi sa réputation. Les indigènes avaient été accueillants, et fort actifs quand cela avait été nécessaire.

Après un bon dîner de porc frais et de patates tahitiennes, FitzRoy se cala dans sa chaise et dit :

« Philos, voilà bientôt quatre ans que vous écrivez votre journal et vous ne m'en avez pas montré une seule page. Accepteriez-vous de m'en laisser lire quelques passages ? »

Le steward débarrassa la table. Charles mit les dernières pages de son journal sous les yeux du capitaine et s'étendit sur le divan pour lire quelques passages de la *Théorie de la Terre* de Playfair et Hutton, l'un des livres d'une caisse que son frère Erasmus lui avait envoyée à Valparaiso. Il lisait depuis un peu plus d'une heure quand FitzRoy se leva de table et dit avec un sourire de gratitude qui illumina son visage saturnien :

« Vous avez tenu un excellent journal de notre expédition, Darwin. Je pense qu'il vaudrait la peine d'être publié. »

Charles se releva et vit que le capitaine était tout à fait sincère. Susan, il est vrai, avait aimé le Journal et suggéré de le publier, mais on a toujours tendance à croire sa propre famille trop indulgente. Le capitaine FitzRoy, lui, avait lu toute la littérature de voyage du monde !

Charles n'avait jamais consciemment pensé en faire un livre. Mais il s'était trouvé pendant quatre ans à quelques mètres d'étagères remplies de récits de voyages. « Je pouvais en lire les titres dans le noir de mon hamac, se dit-il. Est-ce d'une prétention folle que de vouloir écrire un livre non moins intéressant ni authentique ? »

Il savait que le capitaine FitzRoy travaillait déjà à son propre récit de voyage pour le publier. Mais cela avait été convenu avec l'Amirauté avant leur départ de Plymouth. Le livre du capitaine FitzRoy jouerait un rôle important dans l'Histoire de la Marine. Mais celui de Charles Darwin ? Un jeune homme de vingt-six ans, un naturaliste en herbe, qu'on avait engagé à la dernière minute ?

Il demanda tout à coup :

« Capitaine, serait-ce trop tôt pour vous demander de lire des extraits du vôtre ?

— Pas particulièrement », répondit FitzRoy. Il ouvrit un tiroir de son secrétaire et en sortit un volumineux manuscrit.

« Lisez-le dans la cabine et dites-moi, s'il vous plaît, quand je pourrai le remettre à sa place. »

FitzRoy partit vaquer à ses occupations, Charles eut deux bonnes heures de solitude. Sa première réaction fut : « Oh ! comme il écrit bien, il faudra absolument que je l'en félicite ! »

Mais ce qu'il ne dirait pas à FitzRoy quand ce dernier rentrerait dans la cabine pour ranger son manuscrit c'est qu'au goût de Charles, bien que son journal soit simple et excellent à certains endroits, il était également confus à d'autres et d'un intérêt trop étroitement limité aux questions nautiques.

Ils avaient quitté Tahiti le 26 novembre. Leur cinquième Noël à bord approchait, ils avaient tous très fort la nostalgie du pays et FitzRoy pas moins que Charles. Et pour empirer les choses, le navire piquait du nez dans une mer agitée ; au plus fort de son mal de mer, Charles dit à Stokes qui s'obstinait à vouloir dessiner sur la table qui se balançait sous lui :

« Jusqu'à présent le plaisir et les difficultés, la géologie et le mal de mer se sont équilibrés. Maintenant que nous approchons du méridien il n'y aura plus de plaisir pour moi qu'à Shrewsbury, et nous n'y seront pas avant huit mois. »

La traversée serait encore longue. Mais l'essentiel de leur mission était accompli.

Ils rencontrèrent d'assez bons vents. Vingt-cinq jours plus tard, ils aperçurent au loin la Nouvelle-Zélande et jetèrent l'ancre dans l'anse de la baie des Iles, le 21 décembre 1835. Au télescope, Charles découvrit un pays assez vert, vallonné mais aux contours doux, la baie s'encastrant profondément dans de longs bras de terre. Un seul canoë vint à la rencontre de leur navire, manœuvré par des indigènes au visage couvert d'incisions et de tatouages en spirales noires, des boucles, des cercles et des volutes du menton jusqu'au nez et au front strié.

Dans le port il y avait trois baleiniers à l'ancre ; derrière eux de petites agglomérations de maisons carrées et proprettes entourées de fleurs.

« Cela ressemble à l'Angleterre, dit FitzRoy, mais d'après ce qu'on m'a dit, les indigènes ne vivent pas dans des maisons aux murs blancs entourées de rosiers. »

Charles remarqua que les hauteurs étaient cultivées en terrasses bien délimitées. Une fois à terre, on lui apprit que ces terrasses étaient des fortifications. Les Maoris de Nouvelle-Zélande étaient l'une des tribus les plus féroces de la terre et avaient passé des siècles à se détruire les uns les autres, en prenant des esclaves parmi les vaincus.

Ce soir-là, Charles alla à terre avec le capitaine FitzRoy et M. Baker, un missionnaire venu à bord leur souhaiter la bienvenue. Dans la baleinière, M. Baker, avec plus de réalisme que d'amertume, leur apprit que si certaines tribus païennes de l'intérieur s'étaient converties au christianisme, il n'avait guère eu de succès ici, à Kororadika, le plus important village de Nouvelle-Zélande. Les résidents anglais étaient pour la plupart des condamnés exilés d'Angleterre qui s'étaient échappés de la Nouvelle-Galles du Sud.

« Je regrette d'avoir à le dire, fit M. Baker sur le ton de la confidence, et ce n'est peut-être pas d'un sentiment très chrétien, mais la plupart de ces Anglais ne sont que des bons à rien, en proie à l'alcoolisme et à toutes sortes de vices. Et ils nous tiennent, nous autres missionnaires, en bien piètre estime. »

Apprenant que certains missionnaires avaient acheté des terres dans l'intérieur, à Waimate, pour y créer des exploitations agricoles, Charles demanda s'il pourrait leur rendre visite.

« Certainement, mon cher garçon. Mais prenez des guides, vous en aurez absolument besoin. »

M. Busby, le consul anglais, emmena Charles voir un chef qui avait été autrefois un grand guerrier. Il était tatoué des pieds à la tête. Quand Charles lui demanda s'il pouvait lui procurer deux hommes comme guides, le chef répondit :

« Moi aller. Combien de livres payer ?

— Pas de livres. Deux dollars.

— Deux dolas. Très bon ! »

Ils marchèrent longtemps sur un sol volcanique impropre à la culture, couvert de hautes fougères et de buissons bas.

Les indigènes n'étaient pas sans rappeler ceux de la Terre de Feu. La façon dont chaque pouce de leur visage était tatoué intriguait Charles. Cela leur donnait une expression dure et figée, des yeux extrêmement cruels.

Le terrain défriché et cultivé par les missionnaires était un plaisir pour les yeux : champs d'orge, de blé et de trèfle. Dans le verger, il retrouva presque tous les fruits et légumes chez lui. Et même des groseilles et du houblon ; des ajoncs en guise de haie et des chênes anglais.

Il arriva chez le Rév. Williams en fin d'après-midi, à temps pour rencontrer une vaste assemblée en train de prendre le thé ; des enfants anglais débarbouillés et endimanchés, babillant librement comme des oiseaux d'une branche à l'autre. La vivacité de la scène rappela à Charles Maer Hall et ses cousins Wedgwood. Le thé était une institution, le principal dénominateur commun qui maintenait l'unité du peuple anglais. Tous ceux qui étaient présents se passionnaient pour la tentative d'installer Richard Matthews en Terre de Feu.

« Ce fut un échec, conclut Charles, se souvenant des dangers et des difficultés rencontrés par Matthews.

— Non, non. Seulement un premier pas, s'écria Williams. Tout comme nos débuts en Nouvelle-Zélande. Mais grâce à Dieu, nous avons réussi au-delà de nos prévisions. »

De retour à Pahia, Charles rejoignit FitzRoy pendant l'office.

« Notre cinquième Noël loin de chez nous, murmura-t-il.

— Et le dernier ! ajouta tranquillement FitzRoy. Prochain Noël en Angleterre ! »

Le dernier jour au port, 29 décembre 1835, Charles fit une longue promenade en remontant la rivière. Il rencontra les funérailles de la fille d'un chef, morte cinq jours plus tôt. La hutte dans laquelle elle était morte avait été brûlée et son corps enfermé dans deux canoës droits entourés de statues de bois de dieux indigènes, le tout peint en rouge. Les cheveux de la fille dépassaient des deux canoës qui l'enfermaient, et sa robe était attachée à ce cercueil dressé. Les membres de la famille de la morte s'étaient écorché le visage, les bras et le corps et, couverts de sang séché, avaient un aspect terrifiant. Si la Nouvelle-Zélande n'avait guère gâté le naturaliste, elle fournissait assurément des éléments à l'anthropologue qui mûrissait en lui.

6.

Il leur fallut treize jours pour gagner la baie de Sydney, Nouvelle-Hollande (Australie), un port magnifique, plein de bateaux de gros tonnage et doté d'entrepôts aussi vastes que ceux de Plymouth. Tous ceux qui étaient à bord attendaient avec impatience du courrier. Mais le tender qui quitta la rive pour venir vers eux n'avait pas une seule lettre pour le *Beagle*. Pour les officiers comme pour les hommes d'équipage, c'était comme si le grand mât leur était tombé sur la tête.

FitzRoy, seul, n'en semblait pas trop affecté.

« Dommage. Mais nous n'en rejoindrons que plus vite l'Angleterre ! »

Dans l'après-midi, Charles se promena par les rues vastes et propres de Sydney. Il fut frappé de la solidité de la ville, ses maisons bien construites, ses magasins bien achalandés. Elle ressemblait à la banlieue de Londres. Beaucoup de grandes maisons venaient tout juste d'être achevées, beaucoup d'autres étaient en construction. Sydney paraissait riche. Charles, à pied, se faisait dépasser par des cabriolets, des phaétons et des calèches conduits par des serviteurs en livrée.

« Etonnant, pensa-t-il, pour une colonie fondée il y a seulement quarante-huit ans. Cela témoigne bien de l'énergie de la nation anglaise. Je ne peux m'empêcher de me féliciter d'être né anglais. »

Son euphorie fut de courte durée.

Il loua un homme et deux chevaux pour aller explorer le village de Bathurst, région agricole fertile à environ cent vingt miles vers l'intérieur. Les routes goudronnées étaient bonnes, il dépassa deux diligences aussi bondées qu'en Angleterre et des tavernes en grand nombre. Il ne s'attendait pas à voir un groupe de forçats, en vêtements jaunes et gris, travaillant dans les fers sous la garde de sentinelles armées. C'était un spectacle glaçant. Il apprit que ceux qui étaient enchaînés avaient été condamnés ici en Australie pour quelque vétille. Il avait également entendu parler des criminels qu'on avait chassés d'Angleterre, et condamné ici aux travaux forcés, une fraction fatalement dangereuse de la population.

Il se remit à observer le paysage. Il était surprenant de découvrir, dans un pays dont la capitale était aussi prospère que Sydney, une campagne d'une telle stérilité.

Au coucher du soleil, un groupe de Noirs aborigènes passa, chacun portant un faisceau de lances. Ils avaient quelques vêtements et parlaient quelques mots d'anglais. Ils semblaient de bonne composition. Charles s'approcha d'un jeune homme magnifiquement bâti et lui dit :

« Si je vous paie un shilling, voulez-vous me montrer comment vous jetez vos lances ? » Et il donna la pièce au jeune homme. Il y eut des cris d'approbation chez les aborigènes qui avaient bien rarement l'occasion de voir une pièce, puisque rien ne pouvait les décider à cultiver la terre, ou à garder des moutons, à construire des maisons ou à rester sédentaires. Ils préféraient leur vie errante, se nourrissant apparemment des produits de leur chasse.

Le jeune homme cria : « Donnez chapeau. »

Un de ses compagnons courut à trente yards de là et plaça le chapeau sur une branche basse. Chacun, à tour de rôle, jeta sa lance et chacun transperça le chapeau. Charles applaudit. Les indigènes l'imitèrent et se remirent en route en riant. Il dormit cette nuit-là dans une auberge confortable au ferry d'Emu, à trente-cinq miles de Sydney.

Les jours suivants, il atteignit les Montagnes Bleues qui n'étaient que des vallonnements en pente douce. Il y récolta quelques échantillons de grès. Les routes étaient bordées d'eucalyptus, mais il ne voyait ni maison ni terres cultivées. Il dormit à l'auberge de Blackheath et le lendemain matin marcha pendant trois miles jusqu'au Saut de Govett, d'où l'on avait une vue saisissante sur la forêt en contrebas.

Puis, à cheval cette fois, il fit un crochet par la ferme Walewarang, un élevage de quinze mille moutons où l'on cultivait le blé nécessaire à la subsistance des ouvriers-forçats. Charles avait une lettre d'introduction pour le directeur que lui avait remise le propriétaire de la ferme.

« Pourquoi ne passez-vous pas la nuit ici ? Nous irons chasser le kangourou demain matin... »

Après dîner, Charles demanda :

« M. Brown, est-ce que tous vos ouvriers sont des bagnards chassés d'Angleterre ?

— Tous.

— Mais vous n'avez pas de gardes armés.

— Ce n'est pas nécessaire. Quelques-uns s'enfuient. Mais la plupart veulent finir leur temps et être libres. Beaucoup deviennent ensuite commerçants et gagnent beaucoup d'argent. Ils ne sont pas reçus dans la bonne société, mais ils peuvent acheter tout ce qu'ils désirent. »

Charles ne trouva pas de kangourou à ramener en Angleterre mais vit des troupeaux de cacatoès blancs qui mangeaient dans des champs de maïs ; de magnifiques perroquets, des corbeaux, des sortes de pies ; et dans la soirée, le fameux platypus, un mammifère rare, ovipare, aux lèvres énormes, qui jouait à la surface d'un étang.

Il passa dix jours à collectionner tout ce qu'il pouvait trouver de vie sauvage et s'interrogea sur les animaux étranges d'Australie : le platypus, le kangourou, le koala, le tamandua, le phascolome et le bandicoot.

« Celui qui voudrait ne se fier qu'à sa propre raison penserait sans doute que deux créateurs distincts se sont mis à l'œuvre. Et un géologue, peut-être que la création s'est faite en deux périodes distinctes, très éloignées l'une de l'autre ; que le Créateur a fait une pause dans son travail. »

De retour à Sydney, il apprit que la ville était divisée en factions rivales qui s'opposaient sur presque tous les sujets. Les domestiques étaient des forçats en liberté sur parole, dont la haine était profonde et mal déguisée. On ne parlait que d'argent et de laine. Se promenant à travers la ville, il vit des librairies vides de tout livre intéressant. Il rencontra également le peintre Conrad Martens qui par manque d'espace avait dû quitter le *Beagle* à Valparaiso. Martens s'était rendu à Tahiti par ses propres moyens et avait peint pendant sept semaines dans la baie des Iles en Nouvelle-Zélande. En avril 1835, il était arrivé à Sydney où, le premier à découvrir le pittoresque du port, la ville l'avait pris dans son sein pour en faire son peintre officiel. Charles visita sa maison confortable dont la moitié était changée en atelier. Une certaine réussite le rendait un peu plus exubérant. Il prit Charles par l'épaule, un geste dont il aurait été bien incapable deux ans plus tôt.

« Je ne vous ai pas quittés de gaieté de cœur, dit-il, mais depuis mon départ du *Beagle,* tout va plutôt mieux pour moi. Je vends bien et suis bien reçu dans les meilleures familles. »

Charles se promena dans l'atelier.

« Oh ! mais ce sont des peintures d'après vos croquis du *Beagle,* s'exclama-t-il ; excellentes ; nos deux petits voiliers dans l'immense lagon sous un volcan fumant ; nos voiles au milieu des autres, et Valparaiso au fond. Je n'en ai pas vraiment les moyens, mais j'aimerais acheter ces deux aquarelles pour les ramener chez moi : celle-ci, avec les navires qu'on hale en remontant la Santa Cruz ; et celle-là, de la Terre de Feu. Combien valent-elles ?

— Pour vous, mon cher Charles, un prix symbolique. Disons, trois guinées...

— Conclu ! » Puis il demanda : « D'où vient, Martens, que l'on trouve si rarement des personnages dans vos peintures ? »

Martens réfléchit un instant.

« Ce qui m'intéresse c'est la topographie, le paysage. Je place parfois des personnages pour agrémenter le paysage. Je suis de la famille de Claude, ce paysagiste français qui disait que ses personnages étaient compris dans le prix d'une peinture et qu'il ne comptait pas de supplément. »

Peu avant le départ du *Beagle* pour Hobart Town, en Tasmanie, Charles écrivit au professeur Henslow :

« *Il me faut vivre dans le futur et c'est une certitude délicieuse que de savoir que dans moins de huit mois je connaîtrai à nouveau la tranquillité de Cambridge. Je n'étais certes pas fait pour être un voyageur. Mes pensées s'égarent toujours vers le passé ou le futur ; je ne peux goûter le bonheur présent en pensant au futur ; ce qui n'est guère plus intelligent que le chien qui lâche la proie pour son ombre.* »

A Katty, il écrivit :

« *J'avoue que je ne vois jamais un navire marchand partir pour l'Angleterre sans ressentir la plus dangereuse envie de me précipiter à son bord... Ces derniers quatre mois me paraissent aussi longs que les deux années précédentes. On n'a jamais vu de navire plus rempli de héros pressés de rentrer chez eux que le* Beagle. *Nous devrions en avoir honte.* »

Hobart Town était le rêve du géologue. Il voulut faire l'ascension des trois mille pieds du mont Wellington. La densité des arbres morts en rendait l'escalade difficile ; il lui fallut cinq heures pour atteindre le sommet, mais une fois arrivé il s'écria :

« Cela en valait la peine ! Cette dentelle de terres découpées et de baies brillantes ! »

Il récolta des roches et Bynoe le vit penché sur sa loupe tant d'heures d'affilée qu'il le prévint :

« Lève-toi, chaque fois que tu entends la cloche de deux, de quatre ou de six heures, ou en rentrant en Angleterre, tu seras bossu.

— Mais regarde, Ben, ce que j'ai trouvé dans cette carrière ; les seules traces que nous possédions de végétation en Tasmanie, à une époque précédente. »

Ben regarda à la loupe les feuilles et plantes fossiles.

« Quel âge ont-elles ?

— Ce qui correspond à l'époque silurienne en Europe, des millions d'années. »

Ils passèrent dix-sept jours à faire des cartes de la côte sud d'Australie, par mer calme. Pendant ces longues journées en mer que le mauvais temps ne troublait pas, il se consacra à la rédaction de ses anciennes notes de géologie. En les reprenant, il découvrit qu'il lui faudrait les récrire entièrement. C'est alors seulement qu'il découvrit la difficulté d'exprimer ses idées sur le papier. Il dit à Sulivan en ronchonnant :

« Tant qu'il ne s'agit que de décrire, c'est facile. Mais si je veux raisonner en restant à peu près lisible, c'est d'une difficulté dont je n'avais pas la moindre idée.

— Depuis quatre ans que je te vois écrire, fit Sulivan surpris, j'aurais cru que cela ne te posait plus aucun problème.

— Le don d'écrire ne s'acquiert peut-être jamais. Cela expliquerait pourquoi les grands écrivains sont si rares. »

Le capitaine FitzRoy aussi mettait de l'ordre dans ses notes de voyage. Il semblait plus heureux de jour en jour et confia un soir après dîner :

« Philos, j'aimerais que vous lisiez mes derniers chapitres. Et j'aimerais lire les vôtres. »

Les deux hommes échangèrent leurs manuscrits. Charles trouva le style de FitzRoy clair et lisible, mais parfois un peu monotone. FitzRoy lui rendit ses pages.

« Darwin, ces deux cents pages sont joliment bien écrites ! Fascinantes, pour l'essentiel. J'aimerais maintenant vous faire une proposition. Soyez tout à fait libre d'accepter, ou de refuser si elle ne vous paraît pas juste. »

Charles savait déjà ce qu'il allait lui demander.

« Je suggère que vous joigniez votre récit au mien pour la publication. Autrement dit, de me permettre d'utiliser des éléments de votre journal pour les inclure dans le mien. »

Le cœur de Charles se serra. Le journal de FitzRoy avait déjà plus de cinq cents pages. Y ajouter plusieurs centaines de pages de Charles le rendrait impubliable ; et en ajouter moins revenait à l'oblitérer. Aucun éditeur n'accepterait de publier une version tronquée de son journal après que le meilleur en eût déjà été publié ailleurs.

Le plus grave restait que les deux textes ne pouvaient pas plus se marier que le mazout et l'eau salée. FitzRoy était un observateur perspicace mais son livre était technique, basé sur les performances du *Beagle* et tout le travail de cartographie qu'ils avaient accompli autour du globe ; des données brutes, indispensables mais sèches. Son manuscrit à lui était chaud et personnel, couvrant un domaine scientifique plus vaste, tant par les nombreuses collections qu'il avait constituées que parce qu'il s'était intéressé à tous les aspects de la vie des gens qu'il avait rencontrés, leurs mœurs et leur éthique, en anthropologue.

Il avait rigoureusement contrôlé l'expression de son visage pour que FitzRoy ne soupçonne rien des sentiments qui l'agitaient. Et il répondit calmement :

« Naturellement, volontiers, Capitaine, si vous voulez mes matériaux. Ou si vous pensez que mon bavardage puisse vous être utile.

— Merci infiniment, Darwin. Je pensais bien que vous accepteriez. »

Etendu tout habillé dans son hamac, sans allumer de chandelle dans la salle des cartes, frissonnant, il se demanda :

« Est-ce de l'hypocrisie ? De la lâcheté ? Que pouvais-je faire d'autre ? »

Il lui restait au moins son livre de géologie ! C'était pour lui une chance que parmi les nombreux naturalistes qui avaient accompagné un navire il n'y ait jamais eu de géologue. Personne ne contesterait sa contribution dans ce domaine. Cela compenserait la ruine des espoirs qu'il commençait tout juste à nourrir pour son journal.

« J'attends impatiemment le moment où Henslow, avec son sérieux habituel, évaluera la qualité de mes notes, se dit-il en se dressant dans son hamac. Car j'ai mis dans mon travail toute l'énergie dont je suis capable. »

La baie du Roi George était une nouvelle colonie de quelque trente petites maisons blanches au cœur d'un pays si aride et stérile que les habitants y vivaient de viande salée. Le seul événement un peu remarquable fut une promenade avec FitzRoy jusqu'à Bald Head où ils virent un bouquet d'arbres pétrifiés dans la position même dans laquelle ils avaient poussé.

« Etrange ! s'exclama FitzRoy. En tant que géologue, comment expliquez-vous cela, une forêt pétrifiée, toujours intacte et debout ?

— Oh ! elle n'est pas intacte. C'est le résultat de nombreuses actions de la nature. Donnez-moi une heure pour me servir de mon marteau. »

Il prit tout le temps nécessaire puis fit part de ses conclusions à un FitzRoy éberlué mais patient :

« Ces arbres ne se sont changés en rochers que très très lentement. Le vent a transporté un sable calcaire que les pluies ont injecté aux arbres. Les arbres et leurs racines se sont donc trouvés ainsi complètement enfermés. En temps voulu, le bois des arbres s'est décomposé à l'intérieur de leur coquille rocheuse. De la chaux est venue remplir les cavités, les rendant solides comme des stalagtites.

Les intempéries ont érodé la pierre tendre qui les recouvrait, si bien que nous avons maintenant un moulage d'arbres en dur avec leurs racines, imitation parfaite d'une forêt morte. »

Les yeux de FitzRoy brillaient d'excitation devant la finesse de cette analyse.

« Philosophe, votre ami Sedgwick avait raison. Vous êtes une vraie graine de géologue. »

Ce n'est que trois semaines plus tard, dans les îles Keeling, à dix-huit jours de voile dans l'océan Indien, qu'il mérita pleinement le titre de professionnel.

Depuis longtemps il mettait en doute la validité de la théorie de Lyell : que les récifs de corail étaient bâtis sur les cratères de volcans submergés. L'idée d'une île lagon de trente miles de diamètre lui semblait une hypothèse monstrueuse. A Tahiti, il avait vu des récifs de corail s'étendre sur des miles et des miles. Il était impossible au cratère d'un volcan de se dilater sur une telle largeur. Et dès le début de ses études en Amérique du Sud, il avait tenté d'élaborer une théorie plus satisfaisante sur la formation des récifs de corail.

Devant l'une des îles Keeling, récif corallien bas et circulaire, le capitaine FitzRoy effectua de nombreux sondages en apposant un peu de suif sur le plomb. A une profondeur de dix fathoms, soixante pieds, le plomb enduit de suif remontait invariablement avec des traces de coraux polypifères, une colonie de polypes... aussi nette que si on l'avait déposée sur un tapis d'herbe, preuve que les polypes étaient vivants !

Lorsque les sondages étaient plus profonds, Charles vit que les impressions laissées sur la suie par les coraux vivants devenaient moins nombreuses et que les particules de sable se multipliaient. Quelque part entre quatre-vingts et cent pieds, la suie indiqua que le fond consistait en une couche de sable fin.

« Capitaine, pourrions-nous recommencer des sondages entre trente et soixante pieds ? » demanda-t-il avec exaltation.

Après plusieurs heures de sondages et de notes, la vérité incontestable apparut. La plus grande profondeur à laquelle des polypes coralliens puissent construire des récifs était de cent quatre-vingts pieds. Partout où l'on trouvait maintenant un atoll ou un récif de corail, une base au fond de l'océan, de sable ou de pierre, avait dû exister à une profondeur de vingt ou trente brasses !

Il comprit que les récifs de corail pouvaient s'étendre pendant des centaines, voire des milliers de miles tant qu'une base terrestre ou rocheuse immergée entre ces deux profondeurs permettait aux polypes de bâtir, par billions ou trillions, s'appuyant les uns sur les autres pendant des millénaires, enfermant baies tropicales et littoral des îles dans d'immenses atolls et lagons semblables à ceux, qu'il avait étudiés à Papeete et ici dans les îles Keeling ; ou à ceux qu'il connaissait par ses lectures, de Bow Atoll et de l'île Menohikov. Ce n'était pas un cratère volcanique sous la surface de l'océan qui formait la base de la structure corallienne, mais des montagnes dont le sommet s'était autrefois élevé au-dessus de la mer et qui s'étaient graduellement effondrées, en procurant une base pour la prolifération des polypes.

« J'en suis navré pour Lyell mais de retour à Londres, il faudra que je lui dise que sa théorie est désormais dépassée », dit-il à FitzRoy.

Il avait le rouge aux joues et il se mit à compter sur ses doigts : « Premièrement, les coraux ne peuvent vivre que dans des eaux chaudes. Deuxièmement, ils se développent face au vent, là où ils sont le plus exposés aux vagues qui leur apportent les éléments nutritifs. Troisièmement, les sédiments flottant dans l'eau empêchent leur croissance. Quatrièmement, ils ne peuvent tolérer l'eau douce. Cinquièmement, et le prouver demandera énormément de travail, les récifs sont faits de plusieurs sortes de coraux, de différentes tailles, formes et couleurs, selon les conditions variables de la nature et de la mer.

— La huitième merveille du monde ? suggéra FitzRoy.

— Oui, capitaine. Comme les Pyramides paraissent insignifiantes comparées à ces montagnes de pierre agencées par de minuscules et fragiles animaux ! »

Ils interrompirent leur longue traversée de l'océan Indien par une escale à Mauritius, ancienne colonie française, anglaise depuis 1810, réputée pour ses merveilleux paysages : maisons éparpillées sur un fond vert intense de cannes à sucre ; au centre, des montagnes boisées et d'anciennes roches volcaniques au sommet. La ville de Port-Louis était délicieuse ; rues propres, librairies bien achalandées, un charmant théâtre où l'on chantait des opéras, des magasins remplis des plus fins produits français. Charles escalada La Pouce, une montagne qui s'élevait à deux mille six cents pieds derrière la ville, mais là s'arrêta son travail de naturaliste. Il rencontra le capitaine Lloyd, gouverneur général, bien connu pour ses cartes de l'isthme de Panama, qui l'invita en compagnie de Stokes à passer deux jours dans sa maison de campagne à six miles du port. Ils dépassèrent de beaux jardins, des champs de canne à sucre poussant parmi les roches de lave. Charles monta l'éléphant de Lloyd.

Assis sous la véranda, il déclara :

« Mauritius respire l'élégance et l'harmonie. Comme il doit être agréable de passer sa vie en un lieu aussi calme ! »

Le capitaine Lloyd fit une grimace.

« Elégant oui. Harmonieux, non. Depuis que l'Angleterre en a pris possession, après la France, il y a vingt-cinq ans, nous avons utilisé l'art du macadam pour construire ces excellentes routes que vous avez prises ; nous avons accru les exportations de canne à sucre de soixante-quinze pour cent. Sur l'île voisine de Bourbon, toujours sous contrôle français, les routes sont délabrées et les résidents français ont bénéficié de la productivité accrue de notre île ; mais le gouvernement anglais est loin d'être populaire. La jalousie, l'envie et la haine ne sont pas rares. »

Avant de quitter Mauritius, le 29 avril 1836, il écrivit à sa sœur Caroline :

« *Je suis plein d'enthousiasme pour ma géologie et nourris l'espoir que mes observations seront utiles aux géologues de métier. Je vois clairement qu'il me faudra passer au moins un an à Londres et qu'en travaillant beaucoup, j'arriverai peut-être alors à épuiser mes matériaux.* »

7.

Ils passèrent la pointe sud de Madagascar, arrivèrent en vue des côtes d'Afrique à Natal, longèrent un bon moment la côte sud, perdirent une semaine pour vents contraires à la hauteur du cap Lagullas et jetèrent finalement l'ancre à Simon's Bay le dernier jour de mai, à Cape Colony à l'extrême pointe de l'Afrique.

Une fois encore, après neuf mois d'une interminable attente sans nouvelles de chez soi, chacun à bord espérait trouver du courrier en abondance. Il ne consistait en fait, hélas, qu'en une dizaine de lettres, parmi lesquelles une pour Charles de sa sœur Katty, datée seulement de quatre mois plus tôt.

Il y trouva un petit paragraphe curieux :

« ... *Nous avons envoyé à William Fox un exemplaire des petits livres d'extraits de tes lettres ; tous ceux qui les ont vus en sont ravis. Le professeur Henslow en a envoyé une demi-douzaine au docteur Butler ;*

nous en avons également envoyé un à ton ami Tom Eyton. Il dit qu'il t'a écrit à Sydney, tu connaîtras donc ainsi directement son avis. »

Il fixa le vide, stupéfait. Un petit livre de lui ! Quel livre ? Et le professeur Henslow en avait envoyé à ce même docteur Butler, le directeur de l'Ecole de Shrewsbury qui l'avait publiquement accusé de « perdre son temps » à étudier des matières aussi inutiles que la chimie ! Mais de quelles lettres s'agissait-il et quel était leur contenu ?

Il s'assit à un coin de la table des cartes et répondit à Katty, très troublé :

« *J'ai toujours écrit à Henslow de la même façon décousue qu'à toi, et imprimer ce que j'ai écrit sans précaution ni correction est sans doute un instrument à double tranchant. Mais comme disent les Espagnols : « No hay remedio » le mal est fait.* »

Il remplit ensuite un petit sac de voyage, loua une carriole et parcourut les vingt-deux miles qu'il y avait jusqu'à Cape-Town. C'était le 1er juin 1836. La végétation tout à fait nouvelle qu'il découvrit en route retint son attention et, en arrivant tard dans la soirée, il apprit que plusieurs bateaux en provenance des Indes étaient entrés au port, déversant leurs passagers dans le seul bon hôtel et les quelques auberges. Il finit par trouver une chambre passable dans une pension.

Le lendemain, il se leva tôt pour aller se promener en ville. Il fut frappé par le nombre de chars à bœufs dans les rues, certains tirés par un troupeau de vingt-quatre bœufs. La ville était tracée avec une précision rectangulaire à laquelle les villes espagnoles l'avaient habitué. Les routes étaient goudronnées et bordées d'arbres, les maisons blanchies à la chaux. On retrouvait les traces d'une ancienne colonie boer. Sur les docks, on chargeait des peaux, du suif et du vin, pour l'exportation.

Il se tint devant la fameuse montagne de la Table, bouche bée, levant la tête vers le sommet à trois mille cinq cents pieds d'un véritable mur s'élevant dans les nuages. Composée de strates horizontales, la ville du Cap se détachait sur ce fond de décor monumental.

Il loua quelques chevaux et un jeune guide hottentot pour visiter les alentours. Le Hottentot parlait anglais et portait une redingote propre, chapeau melon et gants blancs. Il était plus clair de teint que les Noirs africains. Le paysage était sans intérêt : peu d'animaux, moins de plantes encore à collectionner, sans un arbre qui vienne rompre la monotonie des collines de grès. Il vit très peu d'indigènes noirs et apprit qu'ils vivaient dans l'intérieur sur les terres de leurs tribus. Mais il vit des centaines de Boers quitter la colonie du Cap, emmenant femmes et enfants et toutes leurs possessions dans de grands chariots de bois, allant au nord pour y établir de nouvelles colonies, poussant leurs troupeaux de bœufs et de moutons devant eux. Il entendait souvent parler anglais, mais réalisa rapidement que tout en ayant prospéré sous la férule anglaise, les Boers la détestaient, et tout particulièrement les missionnaires, qui parquaient les noirs autochtones dans des réserves pour les protéger des exploiteurs. Quand le Parlement anglais émancipa les esclaves, les Boers ne se considérèrent pas suffisamment dédommagés de leurs pertes.

Il dormit cette nuit-là dans la maison d'un fermier anglais et rentra à Cape Town le lendemain. Il passa une journée passionnante avec Sir John Herschel, dont il avait lu l'*Introduction à la Philosophie Naturelle* avec beaucoup d'intérêt en dernière année à Cambridge. Bien peu d'ouvrages l'avaient autant influencé, avec le *Personal Narrative* de Humboldt. Sir John l'invita à dîner en compagnie de FitzRoy dans sa maison en pleine campagne au milieu des sapins et des chênes. Après l'apéritif, il leur montra son jardin, plein de bulbes du Cap qu'il avait collectionnés lui-même.

A quarante-quatre ans, Sir John Herschel était un homme franc qui parlait peu mais allait droit au but. Au dessert, il s'était suffisamment détendu pour révéler sa plus intéressante découverte en astronomie, depuis deux ans et demi qu'il avait quitté l'Angleterre. Charles en apprit beaucoup sur ces étoiles et ces galaxies qu'il avait contemplées du pont du *Beagle.*

En leur disant au revoir devant la véranda, Herschel se tourna vers Charles avec une cordialité toute particulière et lui dit :

« Darwin, on m'a appris que nous avions été collègues lors de la réunion de novembre de la Société Philosophique de Cambridge ».

Charles ne put que répéter : « ... Collègues ? Comment cela, Sir John ?

— On a lu des extraits de certaines de mes lettres sur l'astronomie telle qu'on la découvre de la colonie du Cap. Apparemment, on a lu également des extraits de vos lettres au professeur Henslow sur la géologie de l'Amérique du Sud. »

Charles, confondu, parvint tout juste à bégayer :

« Quel honneur pour moi, Sir John... être lu en votre compagnie. Il ne s'agissait pour moi que de notes hâtivement jetées et envoyées à mon mentor et ami. »

La modestie du jeune homme plut à Herschel.

« Oh ! je n'en suis pas si sûr, fit-il avec un sourire malicieux. J'ai appris que la Philosophical Society avait publié vos fragments en une monographie. Et la Société n'a pas fait un tel sort à ma communication, que je sache ! »

En rentrant sur Cape Town, le capitaine FitzRoy lui dit avec empressement :

« Mes félicitations. Je ne savais pas que vous aviez un ouvrage publié à votre crédit.

— Mais moi non plus, Capitaine, moi non plus ! »

Charles eut l'impression qu'il y avait mille miles, chacun plus long que l'autre, jusqu'à Sainte-Hélène, à mi-chemin entre les gigantesques continents africain et sud-américain. Il trouva à se loger à un jet de pierre de la tombe de Napoléon et écrivit :

« *L'état dans lequel se trouve la maison où est mort Napoléon est scandaleux ; voir ces pièces désertes et sales graffitées du nom de leurs visiteurs fut pour moi comme apercevoir une vieille ruine volontairement défigurée.* »

Il passa quatre jours à errer sur la petite île, guidé par un civil aimable qui avait été esclave et gardien de chèvres dans son enfance. Le petit monde de Sainte-Hélène, perdu au cœur du vaste océan, excitait sa curiosité.

Il aima ses randonnées parmi les roches et les montagnes et écrivit au professeur Henslow une petite note, dont il comprit qu'elle forgeait peut-être un autre maillon de sa destinée. Il décrivait son impatience de retrouver une vie tranquille dans un monde où aucun objet nouveau ne viendrait solliciter sa curiosité...

« *Personne ne peut l'imaginer s'il n'a fait le tour du monde sur un brick de dix canons...* »

Mais en se relisant, c'est son premier paragraphe qui lui révéla une pensée profonde dont il n'avait pas pleinement pris conscience jusqu'alors :

« *Je vais vous demander un service. Je désire vivement faire partie de la Société de Géologie. Je n'en suis pas certain, mais j'imagine qu'il faut proposer sa candidature quelque temps auparavant pour qu'elle soit soumise au vote. Si c'est le cas, auriez-vous l'amabilité de faire les premières démarches nécessaires ?* »

L'île d'Ascension se trouvait également au beau milieu de l'Atlantique, entre les deux parties renflées de l'Amérique du Sud et de l'Afrique. Elle n'était habitée que par des marins anglais. Rien ne poussait sur la côte de lave mais à l'intérieur, près du sommet de l'île centrale, Green Hill, Charles trouva des maisons, des jardins et des champs. Il y avait des raffineries d'huile de castor, des sauterelles, des moutons, des chèvres, des vaches et des chevaux. Il n'y avait pas grand-chose à collectionner : des crabes de terre, des souris et des pintades. Il fit de longues marches, guidé par des marins, vers l'intérieur peu accueillant : couches de pierre ponce, cendres, grès et projections volcaniques crachées rouges et incandescentes parle cratère et jonchant toute la surface. Il n'avait jamais rien vu de plus hideusement nu ; et il se souvint de ce que les habitants de Sainte-Hélène lui avaient malicieusement dit un jour :

« Nous savons bien que nous vivons sur un rocher. Mais les pauvres gens d'Ascension eux, vivent sur des cendres. »

Le 18 juillet 1836, à Ascension, il reçut une lettre de Susan datée du 22 novembre 1835.

« *Le docteur Butler a envoyé à Papa une lettre du docteur Henslow où il dit de toi :* « *Il accomplit un travail admirable en Amérique du Sud et a déjà envoyé ici une collection d'une valeur inappréciable. (...) Si Dieu le garde en vie, il se fera sans nul doute un nom parmi les plus grands naturalistes d'Europe.* »

Il serra les feuilles de papier et tomba à la renverse dans sa chaise près de la table des cartes ; l'espoir, la peur et la perplexité dansaient dans sa tête une gigue endiablée.

Avec ses carnets et ses journaux bourrés d'observations mal digérées — et cette nouvelle approbation des professionnels — que restait-il de la promesse qu'il avait faite à son père de devenir pasteur ?

Sa vie bouillait comme un volcan. Il faisait trop chaud dans la pièce. Il sortit prendre un peu d'air frais sur le pont.

8.

Au lieu de mettre le cap droit au nord vers l'Angleterre, le capitaine FitzRoy décida de faire voile vers l'est, vers Bahia du Brésil, pour vérifier d'inquiétantes divergences de longitude. Il était pressé de compléter leur périple dans l'hémisphère sud, mais revint sur le trajet qu'ils avaient suivi à l'aller.

De Bahia, Charles écrivit à Susan, le 4 août :

« *Cette façon d'avancer en zigzag est insupportable ; elle met mon exaspération à son comble. Je déteste la mer et tous les bateaux qui s'y trouvent.* »

Leur dernière étape serait Pernambouc, au Brésil, puis ils rentreraient en Angleterre via les Açores. Il était impatient de rentrer chez lui, d'où les bonnes nouvelles ne cessaient de lui parvenir.

Il reçut une autre lettre de Caroline, datée du 29 décembre, qui avait elle aussi parcouru les mers à la poursuite du *Beagle*. Allongé sur le sofa du capitaine, il la lut avec émotion :

« *Il faut maintenant que tu saches que ta gloire se répand. Père a reçu du professeur Henslow une lettre dans laquelle il se réjouissait de ton proche retour* " *pour récolter les fruits de sa persévérance et prendre place parmi les premiers naturalistes de notre temps* ". *Il y joignait quelques exemplaires imprimés d'extraits de lettres que tu lui avais envoyées, pour être distribués aux membres de la Société Philosophique de Cambridge en raison de l'intérêt soulevé par certaines observations géologiques qu'elles contiennent et qui furent lues le 15 novembre 1835* ».

Ce fut comme si un tremblement de terre parcourait son long corps maigre.

« Grand Dieu du Ciel, que m'est-il donc arrivé sans que je m'en doute ? Est-ce possible ? Ai-je trouvé une vocation ? Ne dois-je plus aller m'enterrer au milieu des arbres d'une paroisse bien tranquille ? »

Il comprit les implications de la lettre de sa sœur. Son père avait lu chaque mot de son livre et respectait son travail. Il en avait été si fier qu'il en avait lui-même distribué quelques exemplaires à ses amis. Cela signifiait-il qu'il autoriserait son fils à consacrer sa vie à la science et le relèverait de sa promesse ? Avec l'approbation de son père, il n'aurait plus seulement les deux années qui précèdent habituellement la nomination à un poste de diacre mais tout le temps qu'il voudrait pour développer ses notes de géologie, ses journaux, rédiger des monographies dans tous les domaines où il avait amassé des collections. Continuer son travail de naturaliste, où que cela puisse le conduire ! La perspective d'une vie entière de travail créateur dans un domaine qu'il aimait aussi passionnément le remplit d'une joie ineffable. Son père ne le considérerait plus comme un oisif « *qui ne saurait jamais rien faire que honte à sa famille* ».

Il monta sur le pont. La nuit était tombée. La lune était un cimetière au cœur de brillantes galaxies d'étoiles. Il marcha jusqu'à la proue et regarda le *Beagle,* toutes voiles dehors, trancher, comme une lame aiguisée, les vagues phosphorescentes de l'Atlantique.

Il se revit assis sous le mûrier de Milton dans le jardin de Christ College, par une chaude et odorante journée de printemps, les dahlias en fleur, jaunes, rouges, orange et roses dans les plates-bandes, lisant un poème de William Cowper :

> « *C'est par des voies mystérieuses*
> *que Dieu rend manifestes Ses merveilles.*
> *Il marche sur la mer*
> *et chevauche la tempête.* »

Il était littéralement en extase à l'idée de retrouver le Mont, Maer Hall, Christ College, tous ceux de sa famille qui lui étaient chers, tous ses amis et condisciples de Cambridge et de Londres… d'aller vers… une nouvelle carrière.

DEUXIÈME PARTIE

LIVRE SEPT

1.

Tout le monde était sur le pont pour saisir la première image d'Angleterre. Un cri s'éleva lorsqu'ils virent la terre, mais Charles curieusement ne ressentit aucune émotion. S'était-il trop réjoui d'avance ?

Ils accostèrent aux docks de Falmouth par une nuit orageuse. Son trench-coat usé était totalement trempé lorsqu'il arriva au Royal Hotel et se procura un siège dans la chaise de poste. Il faudrait vingt-neuf heures de voyage jusqu'au « Cygne à Deux Cous », à Londres avant d'attraper le Tally Ho ! à sept heures quarante-cinq du matin. Syms Covington demanda à Charles s'il pouvait rester à son service jusqu'à la fin de leur travail sur les collections. Charles accepta mais lui accorda quelques jours de vacances et ils se séparèrent.

Il avait encore seize heures à être brinquebalé, en somnolant par intermittences ; le Tally Ho ! arriverait à Shrewsbury à minuit, en s'arrêtant à l'Auberge du Corbeau sur Pride Hill. Sa famille dormirait. Peut-être l'attendraient-ils en parlant toute la nuit ? Il était si épuisé, au terme de quarante-six heures de diligence, qu'il préféra se reposer un peu et changer de vêtements.

Il dormit comme un mort ; mais à six heures du matin, il prit un bain dans une grande baignoire de métal, se rasa soigneusement, mit la dernière des douze chemises que Nancy avait faites pour lui, les vestiges de son beau manteau de velours bleu et le pantalon plus neuf qu'il avait acheté à Montevideo. La famille aurait du mal à le reconnaître dans ces vêtements mal ajustés.

C'était une matinée typique du Shropshire, un léger brouillard, un soleil froid, un air clair et frais. L'important était d'avoir sous les pieds la bonne terre de Shrewsbury qui ne tanguait ni ne roulait. Il descendit la rue vers la rivière Severn, traversa le Welsh Bridge et entra au Mont par le bas du jardin, avec ses fleurs d'automne.

Edward ouvrit la porte d'entrée massive au son du heurtoir, et poussa un grand cri qui se répercuta dans toute la maison. Son père, qui venait juste de terminer sa « promenade du docteur » fut le premier à le rejoindre.

« Mon cher Charles ! Enfin ! Nous t'avons attendu tous les jours, depuis le 1er septembre. »

Ses sœurs descendirent l'escalier à la hâte en ajustant leurs robes de chambre. Il ne pouvait pas même les reconnaître, elles se précipitaient pour le prendre dans leurs bras toutes à la fois. Au bout d'un moment, il put se reculer pour mieux les voir. En cinq ans, elles n'avaient pas beaucoup changé : Caroline, à trente-six ans, n'avait toujours pas le plus petit fil blanc dans sa chevelure de jais ; Susan, grande et souriante, n'avait rien perdu de sa beauté, même si l'or de ses tresses était légèrement moins brillant. C'est Katty qui avait subi les plus grandes métamorphoses : de fillette elle était devenue femme.

Ils essayèrent tous d'éviter les larmes mais personne n'y parvint, pas même le docteur Darwin que Charles n'avait jamais vu pleurer depuis la mort de sa femme.

Puis ce fut au tour des domestiques de venir le saluer. « Monsieur Charles ! s'exclama Annie, ils ne vous ont donc rien donné à manger sur ce bateau ! »

A soixante-dix ans, le docteur Darwin ne voyait plus que quelques malades et accusait son âge. Il était chauve, avec seulement une touffe blanche au-dessus de chaque oreille. De fréquentes attaques de goutte et de lumbago lui rendaient la marche difficile. Le bas de son double menton s'était affaissé, mais il n'avait encore perdu que quelques livres. Sa voix retentit à travers le Mont, aussi forte que toujours.

« A table, tout le monde ! Annie, prépare le meilleur breakfast de ta vie pour le retour de notre fils prodigue. »

Charles prit son siège habituel, à la droite de son père devant la table d'acajou aux lourdes pattes griffues et reconnut tout de suite la bonne odeur de cire familière. Il regarda par la fenêtre la rivière Severn et les Hereford qui broutaient les verts pâturages. Il engloutit le haddock à la vapeur, quatre œufs à la coque, des rognons de mouton au bacon, les toasts coupés en triangle, et le café et le lait versés simultanément par Edouard de deux pichets d'argent.

Ses sœurs le regardaient les larmes aux yeux. Ils en oubliaient tous de manger. Leurs lettres lui avaient assez répété à quel point il leur avait manqué. Se reculant dans sa chaise de Chippendale, il s'écria :

« En ce moment même, j'ai un fort sentiment de déjà vu. J'ai l'impression de n'être jamais parti d'ici et que rien n'a changé.

— Il y a pourtant quelque chose qui a changé, répondit son père.

— Et quoi donc, Père ?

— Ta tête a changé ! »

D'abord surpris, Charles et ses sœurs se mirent à rire.

« Comment pourrait-il en être autrement avec tout ce qu'elle a vu et accumulé ? La question est maintenant : Ai-je la clef du coffre aux trésors ? Et qu'en ferai-je, lorsque je sortirai tout cela des réserves ? »

Il y eut un moment de silence, puis le docteur Darwin se pencha et posa son énorme main sur la main fine de son fils.

« Je suis sûr que tu connais la réponse à cette question. Travaille dur, mais sans précipitation. Tu as de nombreuses années devant toi pour accomplir le travail que la nature semble avoir taillé pour toi. »

Charles se leva, hésita, puis embrassa son père sur le front. Sa liberté lui était rendue ! Son père l'autorisait à faire de sa vie ce que bon lui semblerait !

Il entendit ensuite Katty qui s'écriait :

« Si Edward nous allumait un feu dans la bibliothèque... Charles a sans doute plus d'une histoire à raconter, depuis cette dernière lettre qu'il nous a postée du Brésil.

— Je peux vous annoncer tout de suite une excellente nouvelle, dit-il. Je suis à la maison et j'ai bien l'intention d'y rester. Que diriez-vous de quelques parties de whist devant la cheminée ? Comme cela, je me sentirai vraiment de retour dans le giron des Darwin ! »

Vers le milieu de la matinée, il sortit dans le jardin et siffla Pincher qui vint trottiner sur ses talons le long de la rivière comme s'il avait fait la même chose avec Charles la veille et non cinq ans plus tôt.

Il lui fallut neuf jours pour retrouver ses jambes de terrien, regagner le poids que les derniers jours épuisants de la traversée lui avaient fait perdre. Il déballa tous ses instruments, mit un peu d'ordre dans son linge. Il ne se lassait pas de contempler les tirés à part qu'on avait fait imprimer à partir d'extraits de ses lettres et les posa sur son bureau bien en évidence pour ne pas les perdre trop longtemps de vue. Il écrivit des lettres chaleureuses à son oncle Jos à Wedgwood, à William Owen à Woodhouse et au professeur Henslow ; également au capitaine FitzRoy, toujours à bord de son navire à Falmouth, qui brûlait littéralement de se rendre à terre pour épouser Mary O'Brien, la jeune fille avec laquelle il avait dansé au bal d'adieu donné à Plymouth par les officiers du *Beagle* avant leur départ.

Tôt dans la matinée le lendemain, Charles monta le plateau du petit déjeuner dans la chambre de son père, dont les nombreuses fenêtres donnaient sur les prés verdoyants en bordure de la rivière. Il versa du café pour eux deux et s'assit sur le rebord du lit.

« Père, j'ai fait un relevé aussi exact que possible de toutes mes dépenses au cours du voyage. Voudriez-vous y jeter un coup d'œil ?

— Inutile, Charles. Tu as été remarquablement économe et n'as fait des dépenses qu'à bon escient.

— Je suis heureux que vous ne soyez pas trop fâché par les frais qu'ont occasionnés mes voyages à terre. Selon mes calculs, en comptant les fusils, le télescope, le microscope et les boussoles que j'ai achetés avant le départ, j'ai dépensé un peu plus de neuf cents livres en cinq ans. J'espère pouvoir vous prouver que cet argent n'a pas été dépensé en vain.

— Mon cher garçon, je viens de fêter mon soixante-dixième anniversaire ; j'ai l'intention de profiter pleinement de mes dernières années et de ne me laisser troubler par rien ni par personne. Tu sembles en pleine forme mais tes vêtements ont l'air fatigués. Si tu veux devenir un géologue dans la lignée d'Adam Sedgwick, tu vas avoir besoin de plusieurs nouveaux costumes. Nous ne pouvons tout de même pas te laisser dans un état qui ferait honte à l'écusson des Darwin. Prends tout ce dont tu as besoin pour pouvoir continuer à travailler. Ta pension de quatre cents livres continuera à t'être versée. »

Une chaude complicité s'établit entre le père et le fils. Son père acceptait qu'il devienne un scientifique. Et semblait très heureux d'avoir changé d'avis sur lui.

Il laissa dans les écuries de l'auberge du Lion Rouge le cheval et la carriole qu'il avait dû louer à Brickhill, et se rendit à pied, son bagage à la main, directement chez le docteur Henslow à Cambridge, qui l'avait invité à passer la nuit chez lui. Les trois étages de brique sombre de leur maison sur Regent street ne semblaient pas avoir changé. Mais la famille elle-même s'était agrandie de trois filles et de deux garçons. Il donna au heurtoir les cinq coups rapides, puis les deux lents. Harriet et John Henslow ouvrirent ensemble leur porte d'entrée et le serrèrent tous deux dans leurs bras. Le visage franc de John Henslow était plus sympathique que jamais.

Ce fut une joyeuse réunion. Les deux aînés des enfants se souvenaient de lui ; il fallut qu'on lui présente les trois plus jeunes. Les soirées du vendredi avaient dû être suspendues, à cause du flot ininterrompu des enfants, mais Henslow n'était pas resté oisif. Il venait tout juste de publier des *Principes de Botanique physiologique et descriptive* qui faisaient désormais autorité en la matière. Et sa cure de Cholsey-cum-Moulsford, dans le Berkshire, lui procurait un revenu supplémentaire de trois cent quarante livres par an. C'était à cent miles de Cambridge mais il y passait d'agréables vacances avec sa famille.

Après dîner, les deux hommes s'installèrent dans les gros fauteuils usés de la bibliothèque. Henslow mit des bûches dans la cheminée, les disposant selon son rituel habituel.

« Mon cher Henslow, j'avais envie de vous voir depuis si longtemps ! s'exclama Charles. Vous avez été pour moi le meilleur ami qu'un homme ait jamais eu ! Je vous suis et vous serai toujours profondément redevable.

— Je vous ai embarqué sur le *Beagle*. C'était ma responsabilité de vous aider à en revenir indemne ainsi que vos collections. Quand pourrai-je voir vos plantes des îles Galapagos ?

— Dès que le capitaine FitzRoy amènera le navire jusqu'à Greenwich. Je veux vous libérer du fardeau de toutes ces caisses et travailler aussi vite que possible à mon livre de géologie.

— Venez passer quelque temps à Cambridge, classez vos spécimens par branches et par familles, et attendez que les spécialistes qui s'intéressent déjà aux mêmes domaines vous les réclament. A propos, Sedgwick et moi avons signé votre recommandation pour la Geological Society le mois dernier. Votre candidature sera proposée le 2 novembre. Vous serez sans doute très vite élu. »

Le frère d'Harriet Henslow, Leonard Jenyns, vint de sa paroisse en bordure des Fens pour passer la journée. Il était toujours comme Charles se souvenait de lui, avec des yeux bons aux paupières lourdes auxquels rien de ce qui se passait autour de lui n'échappait.

« Je vous ai apporté un exemplaire de mon livre récemment paru aux Presses de l'Université de Cambridge, *Manual of British Vertebrate Animals.* Les zoologistes l'ont bien reçu. Je me suis étendu sur les habitudes des animaux en me basant sur leur description, de sorte que seuls les naturalistes scientifiques, j'en ai peur, s'y intéresseront...

— Ni vous ni moi ne sommes Charles Dickens publiant les *Pickwick Papers* en feuilleton », osa faire remarquer Charles.

Le lendemain matin, Henslow l'emmena au sous-sol. Charles se trouva soudain face à face avec ses trouvailles de cinq années à bord du *Beagle,* et contempla fixement ces caisses et ces tonneaux qui évoquaient si précisément pour lui la mer, les montagnes et les déserts dans lesquels il s'était aventuré, les oreilles encore pleines du bruit des innombrables marchés, des langues étrangères et du son du marteau de May, le menuisier clouant les premières caisses ; ou des cris du lieutenant Wickham lui demandant d'évacuer tout cela du pont...

Les pièces du sous-sol étaient fraîches mais sèches ; cela sentait à la fois la poissonnerie et le poulailler bien rempli. Henslow passa tout en revue, des spécimens marins aux échantillons de roche et le complimenta au passage pour ses « poissons magnifiques, si bien conservés dans l'alcool ».

« J'ai envoyé les fossiles, comme vous le savez, à M. Clift, au Surgeons Hall de Londres, pour qu'il les reconstitue et les préserve. Votre paquet de fourrures a mis longtemps à arriver mais tout a été déballé en bon état. Quelques graines ont pourri avant que j'aie pu les planter. Et pour l'amour du ciel, à quoi correspond 233 ? Ce n'est plus qu'un tas de suie. Dans l'ensemble, pourtant, vous avez très bien conservé vos oiseaux, vos reptiles, plantes et fougères. Nous avons perdu un très beau crabe, qui n'avait plus une patte, et cet oiseau dont les plumes de la queue ont été écrasées. »

Charles posa affectueusement le bras sur l'épaule de son mentor.

« Il n'y avait que vous au monde pour examiner et ranger ces milliers de spécimens, mon cher Henslow.

— J'ai déjà cinq enfants, répondit Henslow en bougonnant. Cela m'en a fait un de plus ! »

2.

Erasmus l'accueillit chez lui au 43 Great Marlborough street à Londres. Charles avait pris la « Star » depuis Cambridge, puis un omnibus depuis la « Bell Sauvage » sur Ludgate Hill. Il eut la surprise de se retrouver dans l'un des quartiers les plus pittoresques et les plus bohèmes de la ville, des rues en angles, des boutiques et des bureaux peints de couleurs vives, presque criardes. Même les gens dans la rue avaient l'air différent, ne s'habillant en rien comme des hommes d'affaires britanniques. C'était plutôt les gitans de la société londonienne, et parmi eux bon nombre de peintres en pantalon et cape de velours qui lui rappelèrent Augustus Earle. D'autres, écrivains ou acteurs, parlaient avec de grands gestes, ou traînaient, les mains dans les poches.

Ras s'était trouvé une colonie d'artistes à deux pas d'Oxford Circus et à quelques bâtiments du très chic Cavendish Square.

« Mon Dieu, comme tu as changé ! s'exclama Erasmus. C'est peut-être ton visage qui est plus rond. Et ces yeux, Dieu du ciel ! La dernière fois que je les ai vus, ils ne rêvaient que de Fanny Owen ou de la dernière perdrix tuée. Ce ne sont plus les mêmes yeux. De quoi sont-ils pleins maintenant ? De science, d'ambition, de projets ?

— De travail, mon cher Ras. Voilà tout ce qu'il y a dans mes yeux. Mais laisse-moi te regarder : toujours beau garçon, à ta façon. Mais que fais-tu en robe de chambre à une heure de l'après-midi ?

— J'apprécie la vie et laisse le temps à la vie de m'apprécier. J'ai découvert que prendre du plaisir, ce qu'on appelle d'ordinaire l'oisiveté, est la chose la plus difficile du monde. Je n'ai ni femme, ni maîtresse, ni enfant, ni aucune autre responsabilité que d'être habillé à l'heure du thé lorsque mes amis commencent à arriver. Aujourd'hui, tu rencontreras Thomas Carlyle et sa femme Jane ; Harriet Martineau, la coqueluche du tout-Londres des lettres ; ce grand esprit, le divin Sydney Smith...

— Bien joué, Ras. Tu as collectionné les monstres littéraires pendant que je collectionnais les crabes et les serpents. »

Erasmus le fixait d'un air étrange.

« Tu sais, Gaz, j'ai l'impression que tu es plus petit que lorsque tu es parti !

— Absurde. Les hommes ne commencent pas à rapetisser avant soixante ou soixante-dix ans et j'en aurai vingt-huit dans quatre mois. Je mesurais six pieds exactement quand je suis parti et je mesure exactement six pieds maintenant.

— J'ai vu ton hamac, dans la cabine de poupe. Tu veux parier ? Viens par ici, j'ai une toise. »

Erasmus avait raison. La toise indiqua que Charles mesurait cinq pieds onze pouces et trois huitièmes, pieds nus.

« Bon sang ! murmura Charles. Ce voyage sur le *Beagle* m'a fait perdre plus d'un demi-pouce de taille ! Et j'en avais pourtant absolument besoin. »

Il se mit immédiatement à rendre visite aux musées et aux hommes de science. Ses premières tentatives furent décevantes. Pratiquement personne ne désirait posséder les trésors de naturaliste qu'il avait accumulés. William Yarrell, qui s'était montré si serviable cinq ans plus tôt, avait des ennuis commerciaux et de plus était occupé par la distribution de son nouveau livre, *History of British Fishes.* Charles alla le voir deux fois dans sa librairie puis décida qu'il était égoïste de le surcharger de ses propres problèmes. Thomas Bell, qui venait tout juste d'être nommé professeur de géologie au King's College et que Charles espérait intéresser à ses reptiles, fit savoir qu'il avait bien trop à faire pour pouvoir s'intéresser à ses spécimens. Le Musée Zoologique, au 33, Bruton street, avait en réserve des milliers de spécimens toujours pas montés. Il n'avait aucune confiance dans le British Museum ; ses matériaux n'y seraient qu'entassés, négligés ou perdus. Et il apprit qu'aucune institution ne voulait acquérir des spécimens non identifiés.

« En rentrant en Angleterre, dit-il à Erasmus, je croyais mon travail terminé. Je sais maintenant que j'ai à peine commencé.

— C'est précisément ce que je n'aime pas dans le travail, dit Erasmus, il a comme une tendance à n'être jamais fini.

— Il ne me reste plus qu'à retourner à Cambridge et à me faire aider pour étiqueter mes collections. »

Il fut invité à une soirée par George Waterhouse, qui venait d'être nommé conservateur de la Zoological Society. La première personne à le saluer, lorsqu'il entra dans le bâtiment, non loin de Berkeley Square, fut John Gould, un taxidermiste qui appartenait depuis longtemps à la Société et qui manifesta de l'intérêt pour ses oiseaux. Ce fut le seul moment plaisant de la soirée car lorsque les membres commencèrent à lire leurs communications, ils se mirent à se quereller. Charles se lassa vite de l'esprit belliqueux des zoologistes ; la Société n'avait aucun désir d'abriter ses collections. Alors que le professeur Henslow aurait aimé qu'il rapporte des spécimens botaniques plus nombreux ! Avant de quitter la pièce bruyante et surchauffée, il pensa : « Si j'avais pu prévoir que les zoologistes manifesteraient si peu d'intérêt et les botanistes tellement, j'aurais réparti mes collections tout autrement. »

Mais aussi brutalement que le soleil levant dissipe l'obscurité, la chance de Charles connut un revirement total. Il s'était levé tôt et finissait juste de s'habiller lorsqu'il entendit frapper à la porte d'Erasmus. Il eut la surprise d'y reconnaître la silhouette et le visage rude d'Adam Sedgwick.

« J'ai obtenu votre adresse hier et je me suis rendu ici tout droit ! s'exclama Sedgwick.

— Mon cher professeur, quel plaisir de vous revoir ! Vous m'avez appris beaucoup plus que vous ne croyez au cours de ce voyage au pays de Galles !

— Ah ! je déborde de science, comme une gouttière d'eau de pluie ! Venez avec moi. Nous allons prendre le meilleur petit déjeuner de Londres et vous pourrez m'emmener en exploration à travers les Andes. »

Ils passèrent plusieurs heures à table. Sedgwick avait plus de cinquante ans maintenant, et tout en se plaignant de ses rhumatismes, il était plus robuste et bavard que jamais.

« Ce qu'il faut surtout, maintenant, conclut Sedgwick, c'est que je vous fasse rencontrer Charles Lyell. Savez-vous ce qu'il m'a écrit en décembre dernier ? “ *J'attends avec impatience le retour de Darwin et j'espère que vous n'avez pas l'intention de le monopoliser à Cambridge.* ” »

Charles en resta bouche bée. « Lyell vous a écrit cela, mais pourquoi ?

— Il a aimé ces extraits de vos lettres qu'Henslow et moi avons publiés. Il pense que vous avez une approche nouvelle de la géologie. »

Une note brève mais cordiale, écrite par une main féminine mais signée Charles Lyell, l'invita à passer les voir à l'heure qui lui conviendrait le lendemain après-midi. Il mit la belle redingote sombre au col dur et aux larges revers que ses tailleurs, Hamilton et Kimpton, sur le Strand, venaient de terminer ; Erasmus lui prêta l'une de ses cravates les plus sages. Il était rasé de près, avec seulement des favoris fournis pour rappeler sa barbe de Patagonie. Erasmus le regarda avec satisfaction. « Elégant en diable ! Il faudra que tu t'habilles comme cela pour rencontrer mes invités — ce que jusqu'à présent tu n'as pas eu le temps de faire.

— Bientôt, Ras. Mais maintenant, je dois aller voir le “ grand homme de science ”. Et j'ai bien besoin d'aide pour ma collection. »

On pouvait aller à pied jusqu'au 16 Hart Street, une petite maison de brique de trois étages que Lyell louait, près de Bloomsbury

Square, un quartier populaire. Les collègues de Lyell se demandaient pourquoi lui dont la famille avait de la fortune et sa femme Mary, fille d'un riche marchand d'Edimbourg, avaient choisi de vivre si simplement, sans voitures ni chevaux ni nombreuse domesticité.

Charles hésita un instant devant la porte de la maison de Hart street, puis frappa. Très vite Charles Lyell vint lui ouvrir lui-même. C'était un homme de trente-neuf ans, avec de longues jambes et des yeux fatigués.

« Mon cher Darwin, quel plaisir de vous voir ! J'attendais votre retour. Entrez, je vous en prie. Laissez-moi vous présenter ma femme, Mary. C'est elle qui écrit tout mon courrier, comme vous l'avez peut-être remarqué en recevant notre note hier. »

Lyell guida Charles vers un salon de bonne taille. Il y avait mis le mobilier de son logement de célibataire et le reste lui avait été donné par son beau-père, Leonard Horner. C'était un assemblage des plus hétéroclites mais les Lyell ne s'en souciaient guère.

« C'est un quartier tranquille, aussi près de Somerset House et de l'Athenaeum que mes moyens me le permettent », fit Lyell.

Charles examina celui qui voulait devenir son ami. Sa grosse tête que la calvitie guettait, des cheveux qui viraient au gris sur les tempes ; un nez fort et une bouche sensible. Et des yeux gris qui voyaient mal mais qui étaient agréables à regarder.

Mary Horner Lyell avait une tête patricienne, une peau sans défaut, une vaste poitrine et de beaux cheveux châtains qu'elle ramenait en bandeaux au-dessus des perles de ses boucles d'oreilles. Elle invita Charles à s'asseoir en face du bureau encombré de Lyell et lui demanda s'il préférait son cherry sec ou doux. Elle n'avait que trente-trois ans lorsqu'elle avait épousé Lyell, quatre ans plus tôt. Elle l'accompagnait en voyage, lorsque ses études de géologie l'avaient conduit en France ou en Allemagne et pour épargner sa vue précaire, lui faisait la lecture et lui servait de secrétaire.

« Le professeur Henslow me dit que vous êtes passionné par les scarabées, dit Lyell, et que vous avez formé un Club des scarabées à Cambridge. J'ai d'ailleurs trouvé un scarabée extrêmement rare dans les *Illustrations of British Insects* de Stephen, suivi des mots magiques : “ *capturé par C. Darwin* ”. »

Charles rougit comme une tomate.

« C'était la première fois que je voyais mon nom imprimé. Plus grisant encore que le brandy.

— Mais pas la dernière, je parie. Moi aussi, c'est par les insectes que j'ai abordé la science. On me retira de l'école et me renvoya à la maison, dans le Hampshire, pour des raisons de santé. Mon père, peu de temps auparavant, avait commencé des études d'entomologie, une passade qui dura juste assez pour le pousser à acheter quelques livres sur le sujet. D'abord, je me suis contenté d'observer les papillons diurnes ou nocturnes les plus beaux ; puis j'ai commencé à m'intéresser aux habitudes curieuses des insectes aquatiques et à passer des matinées entières près d'un étang à leur livrer des mouches ou à essayer de les attraper...

Mais parlez-moi plutôt de vos projets. Je veux vous aider autant qu'il me sera possible. »

Charles se sentait intimidé en présence d'un des maîtres de la géologie. Il dit à Lyell qu'il avait noirci quelque neuf cents pages sur la géologie, en plus de ce qui avait trait à ce sujet dans son journal.

« J'ai fait de longs voyages à travers les pampas et les Andes. Lorsque j'aurai fini de transcrire mes journaux, j'aimerais pouvoir écrire un livre sur la geologie de l'Amérique du Sud. »

Lyell approuva.

« La géologie n'est le monopole de personne. Plus nous aurons de livres — et en particulier de livres basés sur de solides observations — plus forte deviendra notre science. Une chose que je vous envie est d'avoir pu aller à Tahiti et sur d'autres atolls tropicaux, d'avoir pu étudier sur place les récifs de corail. Je n'ai jamais vu de masse importante de coraux. Pourriez-vous m'en parler ? »

C'était sa première rencontre avec un homme qu'il trouvait charmant et avec qui il nouerait très certainement des relations fructueuses. Pouvait-il le vexer en lui apprenant ce qu'il avait découvert sur les îles Keeling ? Qu'il croyait savoir maintenant comment les atolls de corail se formaient, et que ce n'était pas de la façon décrite par Lyell ?

Il décida de lui parler avec franchise.

« Eh bien, j'ai élaboré une théorie sur les coraux qui diffère sensiblement de l'hypothèse que les atolls sont, comme vous le pensez, bâtis sur le rebord de cratères volcaniques submergés. Me permettrez-vous de vous l'exposer ? Vous pourriez peut-être en souligner les faiblesses ou les erreurs. »

Les yeux de Lyell s'assombrirent.

« Allez-y, tirez ! »

Charles procéda point par point, faisant état de ses observations dans les lagons des mers du Sud, et des relevés qu'il avait effectués dans les îles Keeling, qui prouvaient que les coraux ne pouvaient vivre qu'en eaux chaudes ; il souligna que les polypes se développaient en direction du large d'où leur venait leur nourriture ; et qu'on ne pouvait en trouver au-dessous d'un niveau de cent vingt à cent quatre-vingts pieds.

« Et jamais, M. Lyell, je n'ai vu de rebord volcanique. On ne pourrait en trouver de soixante miles de long, comme l'île Menchikov. La théorie du volcan n'explique pas l'existence de la barrière de récifs de corail en Nouvelle-Calédonie, ou la Grande Barrière de récifs d'Australie, qui a douze cents miles de long. Selon moi, ce ne sont pas des cratères volcaniques sous la surface de l'océan qui forment la base des structures coralliennes, mais des chaînes montagneuses, des continents dont les sommets se trouvait autrefois émergé mais qui en s'effondrant graduellement fournissent un support à la croissance des polypes. »

Lorsque Charles eut fini, Lyell resta silencieux et immobile un instant. Puis, devant sa femme et Charles stupéfait, il se leva soudain et se lança dans la plus curieuse des danses, riant, criant et gesticulant : « Magnifique ! Je suis ravi ! » Il vint chaleureusement secouer la main de Charles et lui dit : « Je suis parfaitement satisfait par votre nouvelle théorie sur les îles coralliennes. Je demanderai à William Wheewell, qui me remplace en février prochain à la présidence de la Société de Géologie de vous la faire lire lors de notre prochaine réunion.

— M. Lyell, je dois reconnaître que vous êtes un homme extrêmement encourageant pour des amateurs débutants comme moi.

— En matière de science, je progresse avec précaution. Si je n'étais tout à fait convaincu par votre argumentation, je vous aurais présenté toutes les objections possibles. Mes études de droit à Lincoln Inn m'ont au moins appris cela. Mais je vois bien qu'il me faut abandonner à tout jamais ma théorie des cratères volcaniques. Ce n'est pas sans un coup au cœur, croyez-le bien. »

Lyell voulait également des détails sur ses collections de zoologie. Charles les décrivit dans les grandes lignes, puis crut plus poli de se retirer. Lyell s'écria :

« Oh ! il faudra que vous reveniez, samedi, pour le thé. J'inviterai Richard Owen. Il vient d'être nommé professeur d'anatomie à Hunter et de physiologie au Collège Royal de Chirurgie. C'est l'une des personnes les plus capables de vous conseiller en matière de zoologie.

— Je dois aller à Greenwich samedi matin pour récupérer le reste de mes spécimens, y compris les plantes des îles Galapagos et mes instruments, répondit Charles. Mais soyez sûr que je ferai tout pour être de retour à temps. »

3.

Ce furent de joyeuses retrouvailles avec ses amis du *Beagle,* car Mary O'Brien avait déjà donné son consentement au capitaine FitzRoy et ils prévoyaient de se marier sans délai. Le lieutenant James Sulivan avait été agréé par la fille de l'amiral Young ; ils se marieraient en janvier 1837. Le lieutenant Wickham était heureux car l'Amirauté lui avait fait savoir qu'elle lui confierait le commandement du *Beagle* au cours de son prochain voyage. Pour plus de sûreté, Charles décida de transporter lui-même ses plantes des Galapagos à Londres et de là, de les envoyer à Henslow par le « Fly Coach ».

Ce soir-là, chez les Lyell, il rencontra Richard Owen. Il était de cinq ans son aîné, avec de grands yeux et des cheveux très noirs soigneusement peignés sur une tête aristocratique. Il avait établi d'importants catalogues au Royal College et en disséquant les animaux morts dans les jardins de la Zoological Society, était devenu un expert. Il était d'un naturel plutôt distant mais déclara :

« J'ai vu les fossiles de mammifères que vous avez envoyés d'Amérique du Sud, M. Darwin. Ils ont beaucoup impressionné mon beau-père, M. Clift. Selon lui, deux de vos têtes s'adaptent à de vieux os qu'il avait ramassés lui-même.

— Puisque M. Clift les trouve intéressantes, je serai enchanté de les offrir au Musée.

— En ce qui me concerne, continua Owen, lorsque votre collection sera prête, j'aimerais beaucoup disséquer vos animaux. »

Charles rêvait déjà d'avoir trouvé un collaborateur pour son projet de publier un ouvrage de zoologie, mais il eut la sagesse de n'en rien dire. Il se contenta de répondre :

« Elle sera prête dans quelques mois, classée et cataloguée. » Le thé de Mary Lyell était en fait un dîner léger. Ils se servirent eux-mêmes à un buffet dans la salle à manger ; un kedgeree (poisson avec du riz), des œufs brouillés au bacon, du thé et un blanc-manger au chocolat. Tous voulaient entendre des anecdotes, des descriptions de lieux où ils n'avaient jamais été : les Andes, la Patagonie, la Terre de Feu, la

Nouvelle-Zélande, les îles Keeling et le cap de Bonne Espérance ; et des nouvelles de leur bon ami Sir John Herschel auquel Lyell aurait voulu confier la présidence de la Royal Society mais qui avait préféré s'en aller au fin fond de l'Afrique. Puis la discussion se porta sur l'endroit où Charles serait le mieux pour travailler. Lyell répondit :

« Londres, c'est là où vous serez le mieux lorsque vous commencerez à écrire sur la géologie. Mais, pour l'instant, Cambridge. Là, on peut se concentrer.

— Vous prêchez un convaincu », fit Charles en souriant.

William Yarrell, réalisant qu'il avait été brusque avec Charles, lui envoya une note l'invitant à dîner à la Linnean Society le lendemain soir. C'était l'une des sociétés les plus prestigieuses de la vie scientifique anglaise, fondée par charte royale en 1788. Yarrell vint le chercher en cabriolet et le conduisit en descendant Oxford street jusqu'au beau bâtiment de pierre sombre de Soho Square.

« Vous allez rencontrer ici tous les grands hommes », lui dit-il lorsqu'ils passèrent sous les blanches arches sculptées de l'entrée.

Le premier qu'ils saluèrent fut le professeur Thomas Bell, qui portait avec bonne humeur ses cinquante-six ans. Il terminait un livre qui aurait pour titre *Une Histoire des Quadrupèdes anglais.*

« Mais bien évidemment, M. Darwin. Je serai fasciné de voir ce que vous avez amassé aux quatre coins du monde. »

Charles fit part à Bell d'une idée qui se précisait :

« Dès que mes spécimens seront triés, j'aimerais concevoir une série de livres sur les mammifères, les oiseaux, les poissons, les reptiles et les plantes, chacun réalisé par un expert en ce domaine... si toutefois il est clair que ces spécimens sont nouveaux et intéressants. Je m'occuperai moi-même de la géologie.

— Primordial ! Je serai peut-être bien votre homme pour les reptiles. »

Le lendemain, Lyell vint le chercher dans un équipage luxueux pour aller dîner à la Geological Society, dont les vastes locaux se trouvaient dans Somerset House, tout près du Strand. Charles fut impressionné par l'entrée majestueuse du bâtiment : deux larges allées en terrasse sous une toiture de marbre gris et rose et huit fines colonnes avec au centre une vaste allée carrossable.

Lyell paya le cocher et sous la voûte grandiose, Charles fit remarquer : « Nos architectes savent indiscutablement voir grand.

— Et pourquoi pas ? répondit joyeusement Lyell. Ne sommes-nous pas une grande nation ? Vous verrez, vous aimerez travailler et participer à nos réunions ici. »

Il fut accueilli par William Clift, qui le remercia pour les fossiles qu'il lui avait donnés. William Wheewell, le futur président, lui serra la main en disant : « Je me souviens parfaitement de nos promenades le vendredi soir, en rentrant de chez Henslow. Félicitations. Nous voterons probablement votre nomination d'ici la fin de l'année. »

Lyell et Wheewell se relayèrent pour lui présenter les membres venus dîner ; car la Société était réputée pour avoir une cave et un chef excellents. Charles comprit à les observer, dans la bibliothèque et dans la salle à manger, que ces hommes avaient des liens d'amitié et de respect mutuel. Et se souvenant des soirées orageuses de la Société de Zoologie, il demanda à Lyell, assis près de lui à la table d'acajou massif :

« D'où vient que les hommes qui travaillent sur les poissons, les oiseaux, les insectes et les reptiles se détestent et se disputent alors que les hommes qui explorent les chaînes de montagnes et ramassent des minéraux se conduisent avec courtoisie ? »

Lyell se mit à rire :

« Ce sont toutes ces heures d'escalade qui en sont la cause, Darwin. Ces expéditions interminables dans les Alpes, les Pyrénées ou les Apennins renforcent nos qualités morales. »

Il était de retour depuis plus d'un mois et n'avait pas encore rendu visite aux Wedgwood à Maer Hall. Puisqu'il n'avait plus rien à faire à Londres tant que ses collections ne seraient pas prêtes, il fit ses bagages et résolut de se rendre directement à Maer. Il emportait avec lui les huit cents pages de son journal.

Il prit le Royal Mail de Liverpool à Newcastle-under-Lyme, voyagea toute la nuit, se rafraîchit à une auberge et loua un cheval pour les quelques miles qui lui restaient. Une neige assez épaisse recouvrait les buissons en fleur et les mille branches des noisetiers d'Espagne. Les tilleuls, les ormes, les chênes et les hêtres se détachaient en blanc sur le ciel automnal ; quelques canards sauvages divaguaient sur l'eau fraîche d'un étang.

Il trouva Josiah Wedgwood dans sa bibliothèque. Les deux hommes se jetèrent dans les bras l'un de l'autre.

« Oncle Jos, Premier commandant de l'Amirauté !

— Et toi, réincarnation de mon frère Tom ! »

Quand Charles se recula, il trouva Josiah fort vieilli. Il n'avait pourtant que soixante-sept ans.

« Je suis un peu fatigué en ce moment, Charles. Peut-être mes deux sessions parlementaires mouvementées, loin de la maison... »

Il y eut un cri de joie dans l'escalier. Emma se précipita dans la pièce, les boucles au vent.

« Charles, enfin ! Nous attendons ton retour depuis si longtemps ! » Leur étreinte de retrouvailles n'eut rien de familial. Lorsqu'ils se séparèrent, ce fut avec un mélange de surprise et de frayeur. Ils s'assirent côte à côte sur le divan de cuir.

« Nous avons voulu accumuler quelques connaissances pour rester à ton niveau, dit Emma ; mais je n'ai jamais été plus loin que sur les traces du capitaine Head, que je n'avais jamais lu.

— *Voyages rapides à travers les pampas,* murmura Charles en souriant. Bien trop rapides. C'est l'un des guides de Head qui m'a ouvert la piste le long du Rio Parana.

— J'espère que tu as apporté ton journal, Charles ; ta sœur Caroline, qui vient ici de temps en temps, nous a raconté certaines de tes aventures.

— Est-ce que ton cœur sec de frère Joe et elle ont progressé un tant soit peu ?

— Nous l'espérons toujours, fit Emma avec un sourire de conspirateur. Tu as pu dormir dans la diligence de Liverpool ?

— Malheureusement pas. Mes jambes sont trop longues, il n'y avait pas de place pour elles. »

Oncle Jos prit les devants : « Nous avons préparé ton ancienne chambre. Emma t'y fera monter quelque chose à manger et du chocolat chaud. Dors bien, car nous avons invité les franges les plus lointaines de la famille à venir te rencontrer. »

C'est seulement tard dans l'après-midi qu'il se réveilla, dispos. En descendant l'escalier, il entendit le piano-forte d'Emma. Il se souvint alors de sa dernière visite à Maer Hall et du duo des « Douces Colombes ».

Dans le salon, il fut immédiatement assiégé. Sa sœur Caroline fut la première. Joe Wedgwood lui écrasa la main. Elisabeth Wedgwood l'embrassa ; Harry et Frank Wedgwood étaient venus avec femmes et enfants. Le docteur Henry Holland était là également, avec sa seconde femme Saba Smith, dans cette même pièce où il lui avait déconseillé d'embarquer sur le *Beagle.*

Emma glissa son bras sous le sien en murmurant :

« Charles, j'ai demandé qu'on serve le dîner à six heures. Cela nous laissera une longue soirée pour que tu nous lises ton journal. »

Charles posa légèrement son bras sur sa taille.

« Mais qu'est-il donc arrivé à notre petite demoiselle souillon ? On dirait que c'est toi qui régente Maer Hall, maintenant. Et je dois dire que la maison ne m'a jamais paru plus belle. »

Emma rougit de plaisir.

« Elisabeth et moi nous partageons le travail. C'est étrange comme l'attitude des gens change quand ils assument une responsabilité. »

Lorsqu'ils eurent terminé un délicieux repas d'agneau rôti et de purée de pommes ainsi qu'une tarte servie à la lueur des chandelles, Oncle Jos suggéra qu'ils se rendent à la bibliothèque. Les mèches des lampes à la paraffine avaient été taillées et relevées. Les larges abat-jour de verre blanc laiteux ou d'albâtre safran créaient des nappes de lumière accueillante. Josiah insista pour que Charles prenne ce fauteuil de cuir dans lequel il avait passé lui-même le plus clair de sa vie à lire. Lorsque tout le monde fut assis, Charles déplia les papiers forts qui enveloppaient son journal. Lorsqu'il en extirpa sept cent soixante-dix-neuf pages, il y eut des cris d'étonnement.

« Je vais choisir quelques passages qui me semblent les plus pittoresques. »

Le plus grand silence régnait dans la pièce. La voix de Charles était agréable, bien timbrée et son articulation excellente. Il commença par les débuts : la luxuriance des jungles brésiliennes, le site surprenant de Rio de Janeiro ; la lune se reflétant sur le plan brillant de l'eau lorsqu'ils étaient en panne ; les processions de tortues à la poupe de leur navire ; la mer lumineuse, leur vaisseau avançant entre deux sillons de liquide phosphorescent ; la férocité des vagues et du vent au Cap Horn, les sauvages de la Terre de Feu, leur impossibilité à y fonder une mission ; sa description des gauchos et de leur mode de vie indépendant ; les tremblements de terre catastrophiques de Concepcion ; son voyage de vingt-trois jours dans la cordillère des Andes ; les bizarreries et le foissennement de la vie sauvage sur les Galapagos, où l'homme pouvait découvrir la nature telle qu'elle était des milliers d'années plus tôt ; la beauté des récifs coralliens aux couleurs vives et des poissons qui vivaient parmi eux...

Il était minuit lorsqu'il eut fini de lire ses extraits. Entre chaque scène, on murmurait un peu ; mais personne ne rompit le charme en posant des questions. On le félicita avec chaleur.

« Pendant combien de temps ai-je fait la lecture ? demanda-t-il.

— Environ quatre heures.

— Eh bien, le reste de mes notes n'est ni meilleur ni pire. » Il expliqua que le capitaine FitzRoy lui avait demandé la permission de citer des extraits du journal dans son propre ouvrage.

Le docteur Holland prit la parole, sans agressivité.

« Mon cher Charles, un journal est toujours un agréable passe-temps quand on est loin de chez soi. Mais son intérêt s'arrête là. Je dois vous dire, en toute honnêteté, que ces notes ne sont pas dignes d'être publiées. Je suis expert en matière de récits de voyages ; il n'y a rien dans ce que vous nous avez lu qui soit curieux ou intéressant. »

Un silence si profond s'abattit soudain sur la bibliothèque qu'on aurait pu le couper au couteau. Tout le monde le sentit, sauf le docteur Holland qui entama le récit d'une de ses propres aventures de voyage. Sa femme Saba était plus sensible. Elle alla vers son mari et lui dit :

« Il se fait tard, très cher. Pourrions-nous rentrer ? »

Les Holland partis, les cris d'indignation fusèrent :

« Je ne crois pas qu'il soit qualifié pour juger... Il ne voulait déjà pas que tu partes en voyage... Avec toi, tout devient vivant : le pays, la mer, les habitants de ces contrées exotiques... » Et Emma : « Je suis certaine que cela ferait un très beau livre. »

Charles se tourna vers son oncle Jos. Il avait les yeux brillants et paraissait de vingt ans plus jeune que dans la matinée.

« Charles, tu ne devrais pas permettre au capitaine FitzRoy de publier son journal avec le tien. Cela va le détruire. Tu as réalisé quelque chose d'important ici. Chaque phase de la science du naturaliste y est représentée de façon convaincante. Et de plus, tu y as ajouté les observations d'un anthropologue en t'intéressant à la vie et à la nature de races lointaines. C'est magnifique ! »

Charles embrassa son oncle, et Emma tous les deux. Trop ému pour dire bonsoir à haute voix, il s'inclina, monta se coucher... et fixa le plafond jusqu'à l'aube sans pouvoir dormir.

Deux jours plus tard, il rentra au Mont avec sa sœur Caroline. Il avait promis à la famille d'y rester deux semaines, avant de retourner à Cambridge se plonger dans un travail de peut-être un an ou deux sur ses spécimens, son Journal et la géologie de l'Amérique du Sud. Il voulait se reposer, mais son père et ses sœurs insistèrent pour donner des soirées de retrouvailles et l'emmener chez des amis de Shrewsbury ou dans le Shropshire des environs. Il ne s'en plaignit pas. Son père et ses sœurs étaient si fiers de lui, si contents de l'exhiber, qu'il ne pouvait faire autrement que se montrer aimable. Il s'efforça de feindre cette sociabilité qu'il manifestait plus jeune, lorsqu'il n'avait en tête que des histoires de chasse ou de scarabées.

Mais il bouillait de se mettre au travail au plus vite. Le travail pouvait sucer le sang d'un homme avec plus de voracité encore que le *benchuca* de Luxan.

4.

Il avait besoin d'un espace considérable pour entreposer ses quelque milliers de spécimens et ne pouvait les laisser plus longtemps dans la maison déjà surchargée des Henslow.

Il trouva précisément ce qu'il cherchait, une petite maison à louer au mois avec les quelques meubles dont il avait besoin, dans une charmante impasse, Fitzwilliam street, près de Trumpington road, qui donnait sur Tennis Court lane. Une douzaine de maisons contiguës, de chaque côté de la petite rue tranquille, que seules différenciaient des fleurs de couleurs vives aux fenêtres. Il se rendit au bureau du Fitzwilliam Trust, propriétaire de la plupart de ces maisons ainsi que du terrain sur lequel on construirait bientôt le musée Fitzwilliam, dès qu'un projet architectural aurait été primé. Le musée abriterait la collection qui se trouvait dans ses premiers locaux : la Perse Grammar School toute proche.

« Ravi de vous avoir comme locataire, déclara la vieille dame qui faisait les locations ; vous devrez payer trois mois de loyer d'avance mais vous pouvez vous installer immédiatement. »

La maison étroite, à quatre étages, était parfaite pour ce qu'il voulait faire. Il trépignait, allant de pièce en pièce pour décider de ce qu'il ferait de chacune d'elles. La pièce en entresol sur la rue avait une fenêtre et une cheminée, « bonne pour une cuisine où Syms pourra me préparer mes repas ». Le premier étage avait une pièce de bonne taille dont les larges fenêtres exposées à l'est recevaient le soleil. Au fond se trouvait la meilleure pièce de la maison, de dix pieds sur douze, avec deux fenêtres de chaque côté donnant sur un jardin. « Ma chambre à coucher, décida-t-il. Syms pourra avoir une des chambres qui donnent sur le couloir. »

Il grimpa un escalier en colimaçon, raide et étroit. En haut, il trouva deux petites pièces en façade. Celle de droite pourrait contenir ses spécimens marins, crustacés, mollusques et poissons ; l'autre, ses insectes et ses reptiles. Il demanderait à Syms d'y mettre des tables sur tréteaux.

La plus grande pièce au fond servirait, décida-t-il, à entreposer ses animaux, vertébrés et invertébrés. A l'étage au-dessus, au troisième, il y avait deux pièces avec des lucarnes.

« Une pour mes oiseaux, fit-il à haute voix; l'autre pour les collections de botanique : plantes, fleurs, herbes et graines, et les parasites des arbres tropicaux. »

Ses coquillages iraient dans l'une des pièces plus petites de côté. Le grenier avait une toiture mansardée, mais offrait deux pièces de plus.

« Mes roches, naturellement », s'exclama-t-il.

Il fallut, à Syms et à deux porteurs, deux jours pour réemballer hermétiquement les vingt et une caisses et boîtes qu'il avait expédiées à Henslow, ainsi que les cinq coffres supplémentaires qu'il avait ramenés avec lui sur le *Beagle.* La plupart des caisses durent être rapportées de la cave d'Henslow. Les autres étaient entreposées aux confins de la ville. La grande pièce du devant, dont il voulait faire un bureau pour y rédiger son journal, put contenir plusieurs des caisses les plus lourdes et quelques boîtes de plus petite taille. Les autres restèrent alignées, comme des soldats de bois, le long du couloir du rez-de-chaussée.

« Je vais d'abord vider celles-ci, se dit-il, pour que nous puissions bouger. Et ensuite, je m'attaquerai aux caisses de la grande pièce. Je vais acheter deux ou trois paniers bon marché et m'en servir pour monter les éléments de petite taille en étages. Covington sait déjà grimper ces escaliers en tire-bouchon et il arrive à lire mes étiquettes. »

Déplacer ces milliers de spécimens, dont beaucoup étaient dans l'alcool, ne fut pas une mince affaire. Et tout en se maudissant de n'avoir pas entreposé les roches au rez-de-chaussée, lorsqu'elles furent toutes montées, Charles ne fut pas mécontent. Maintenant, son travail proprement dit pouvait commencer. Syms, meilleur violoniste que menuisier, s'était coupé une fois ou deux en sciant des planches pour en faire des bancs rudimentaires ; et son visage ingrat ne souriait qu'à moitié.

« Un vrai petit musée. Cela va être un plaisir de travailler ici, M. Darwin. »

Il n'y avait pas grand-chose à faire pour la maison proprement dite, rien qui, pour Charles, valût la peine de perdre du temps. Il y avait des rideaux défraîchis aux fenêtres, des draps et des couvertures pour les deux lits de camp ; mais ni serviettes, ni casseroles, ni assiettes. Lorsqu'il le mentionna au dîner chez les Henslow ce soir-là, Harriet Henslow lui dit : « Nous pouvons certainement vous prêter quelques casseroles, quelques assiettes et quelques couverts.

— Vous êtes une mère pour moi, Harriet. Mais assurez-vous bien de ne me prêter que les ustensiles les plus usagés. Car je vous les rendrai en bien pire état qu'ils ne sortiront de votre cuisine. »

Les jours et les semaines qui suivirent furent une aventure, une récapitulation de ses cinq années autour du monde. Il vida la caisse qui contenait la méduse bleu sombre de son premier coup de filet entre Tenerife et St Jago ; la seiche des îles du Cap-Vert qui lui avait envoyé une giclée dans les yeux ; les araignées de Rio de Janeiro et les insectes aux couleurs brillantes ; l'étrange reptile que FitzRoy et lui avaient découvert non loin de Montevideo, qui ressemblait à un serpent mais avec deux petites pattes ou nageoires arrière. Les perroquets et les busards de Maldonado ; les peaux d'animaux, celle des guanacos qu'il avait vus se poursuivre et qu'il avait tués. Les caisses de ses trouvailles des Galapagos, chacune soigneusement étiquetée et portant le nom de l'île d'où elle provenait... Sa très importante collection de roches volcaniques de St Jago ; gravier mêlé aux coquillages de Bahia Blanca, là où il avait trouvé ses premiers fossiles ; des spécimens de lave récoltés lors de sa remontée du fleuve Santa Cruz ; du pur gypse blanc des Andes ; les roches sédimentaires rouges, violettes et pourpres des Upsallatas...

Ils travaillaient avec un soin méticuleux, caisse après caisse, en prenant soin de ne pas endommager le plus petit échantillon et en groupant ensemble les diverses familles.

Une fois vidée, une caisse servait de banc ou de socle dans la pièce qui lui était assignée et les spécimens venaient s'ordonner sur elle, en rangs serrés. Les heures s'envolaient.

Noël était proche. Le plus grand calme régnait à Cambridge, enseignants et élèves étant en vacances. Cela convenait parfaitement à Charles. Dînant tôt, il se consacrait ensuite à son journal. Il l'avait écrit avec grand soin ; son principal travail maintenant consistait à rédiger un résumé des résultats scientifiques les plus remarquables. A cet effet, il avait éliminé les premières vingt-neuf pages du manuscrit, tout ce qui avait trait à ses palpitations, à Plymouth, durant ces deux mois d'attente continuelle avant que les vents ne permettent au *Beagle* de quitter le port.

Il reçut une lettre de Lyell confirmant qu'il avait été élu membre de la Geological Society et l'engageant à écrire une étude sur un sujet dont ils avaient parlé : « *Observations sur des preuves d'une élévation récente des côtes chiliennes.* » L'article était presque entièrement rédigé dans ses nombreux carnets de géologie : il n'avait qu'à clarifier les termes et récrire le tout dans une langue plus correcte. Il resta bref, environ six pages, et l'envoya par le Royal Mail chez Lyell.

Pour se détendre, il fit une promenade d'une heure avec Henslow avant le dîner. En passant devant Queen's College, King's Clare, Trinity et St John, ils n'avaient pas chaud. Ils s'emmitouflèrent dans les grandes capes que Charles portait en mer. Ils parlaient de science. Le vent emportait leurs phrases, mais ils ne s'en souciaient guère. Charles dit à Henslow :

« Je viens de recevoir une lettre de Lyell m'annonçant qu'il a lu mon papier. Il me demande d'aller à Londres le 2 janvier pour une demi-heure de corrections et ensuite de le lire à la réunion de la Geological Society.

— Mais faites-le donc ! s'écria Henslow. Ils apprécient votre talent, il faut qu'ils connaissent vos qualités personnelles maintenant.

— Je vais y aller, naturellement. Lyell a également proposé ma candidature à l'Athenaeum, et m'invite à dîner au club, si j'en ai envie. Il n'y a pas de siège vacant, mais je suis premier sur la liste des postulants.

— L'Athenaeum est le meilleur club de Londres. Vous y rencontrerez des scientifiques, des hommes de lettres et des artistes tout comme des nobles et des gentilshommes, des mécènes de la science, de la littérature et des beaux-arts. »

Son travail sur le journal devint plus facile lorsqu'il reçut de FitzRoy une lettre porteuse de la meilleure des nouvelles.

« *Il y a quelques jours à Londres, j'ai demandé conseil à Henry Colburn, un éditeur de renom sur Great Marlborough Street, au sujet du journal du capitaine King et du mien. Il recommande une publication simultanée : un volume pour King, un autre pour vous et un troisième pour moi. Les profits, s'il y en a, devront être divisés en trois parts égales. Dois-je accepter cette offre ou attendre et discuter de la chose avec vous lorsque nous nous verrons ?* »

Il renvoya son accord aussi vite qu'un boulet des canons du *Beagle*.

Il se rendit chez Lyell à cinq heures, comme celui-ci l'avait suggéré et passa une demi-heure à récrire des phrases et à retoucher des paragraphes, en découvrant bien vite le bien-fondé des plus petites remarques de Lyell. A cinq heures et demie, il passa à table, en compagnie des parents de Mary Lyell. M. Leonard Horner le salua avec cordialité ; il l'avait rencontré à Edimbourg au cours d'une des réunions de la Plinian Society, où il avait lu un papier sur les *Ova* de *Flustra.*

Plus tard dans la soirée, il se rendit avec Lyell et Horner à la Geological Society, où il lut son papier. C'était la première fois qu'il prenait la parole en public depuis cette réunion de la Plinian Society dix ans plus tôt. Il était nerveux lorsque M. Lyell, en tant que président, le présenta, mais lorsqu'il eut commencé à lire sur l'élévation de la côte du Chili, il se retrouva en Amérique du Sud et fut totalement à l'aise. Sa voix, tendue dans les premières phrases, trouva rapidement son registre, clair et sonore, dans ce vaste auditorium plein de ses pairs.

Il fut très applaudi. Lyell était rayonnant. Charles n'avait que douze ans de moins que lui, mais il en avait fait son fils adoptif.

« Mettons le cap sur l'Athenaeum. Nous y prendrons un verre ensemble. »

Charles n'était jamais entré dans ce club, fondé en 1824 par Sir Walter Scott et Thomas Moore. Le manoir, situé à l'angle nord-ouest de Pall Mall, était presque désert à cette heure tardive. Charles eut tout le loisir de se perdre dans les salles élégantes et de passer quelque temps dans la riche bibliothèque du deuxième étage. Après deux ou trois verres de brandy, juste avant que le portier n'annonce « l'heure de la fermeture, Messieurs », Lyell se pencha vers lui et déclara avec une grande franchise :

« Vous voici lancé maintenant dans la Société, Charles, et d'entrée, je dois vous donner un conseil important.

— Je vous écoute avec la plus grande attention.

— Ne dites à personne que c'est un conseil de moi. Ne travaillez que pour la science et pour vous-même pendant des années, et ne briguez pas prématurément le prestige ou les devoirs de titres officiels. Il y a des gens à qui de tels emplois conviennent parce qu'ils ne travailleraient pas sans eux. Mais tel n'est pas votre cas. »

Lorsqu'il revint à Cambridge, les cours et la vie sociale avaient repris. Charles fut invité à de nombreuses soirées, beaucoup données en son honneur. Mais à l'exception d'une soirée chez les Sedgwick, qui se poursuivit bien après minuit, Charles réussit à se retirer à dix heures, pour pouvoir travailler encore deux heures à son journal avant de se coucher. Le dimanche matin, il allait à Little St Mary avec les Henslow, ou écouter les chœurs de la chapelle du King's College.

Avec son travail, son plus grand plaisir était la compagnie des élèves de Christ College. La plupart des maîtres qu'il avait connus étaient toujours en poste : le Révérend John Graham ; le directeur des études et ses assistants ; il y avait également quatorze membres de la Faculté qui avait leur propre maison, au fond du Jardin des Elèves avec au centre l'arbre que Milton avait rendu célèbre. Le Rév. Joseph Shaw, président de l'Association des anciens élèves, l'invita à dîner avec eux dans le grand hall. Il y fut reçu en grande pompe et l'on porta un toast en son honneur, même s'il fallut d'abord subir une interminable prière. Personne ne semblait surpris de le voir de retour ni penser qu'il doive partir à nouveau.

Ce fut le début d'une période particulièrement heureuse. Il était invité à dîner au Collège plusieurs fois par semaine, mais restait mince et apparemment mal nourri. Après quelques verres pour se mettre à l'aise dans le salon, moins froid et guindé que l'énorme salle à manger, il fit ses premiers paris et perdit le premier sur la hauteur des plafonds.

« Je paierai ma bouteille ce soir même », déclara-t-il.

Les membres de la faculté commencèrent à venir voir ses collections dans sa maison de Fitzwilliam street. Il leur expliqua qu'il avait essayé de mettre un peu d'ordre dans la zoologie du *Beagle.*

« A Londres, Thomas Bell a accepté d'examiner mes reptiles et crustacés. Richard Owen, mes fossiles. John Gould, les oiseaux. Ce matin même, Leonard Jenyns a consenti à regarder mes poissons. Si je parviens à réunir assez d'argent pour faire exécuter des planches en couleurs, j'espère que chacun d'eux fera un livre sur ses découvertes. »

Le président de l'Association des anciens élèves lui demanda :

« Darwin, accepteriez-vous que je jette un coup d'œil sur votre journal ? Je serais ravi d'en lire quelques pages.

— J'en serais très flatté. Suivez-moi, je vous prie. »

Une heure plus tard, Charles leva le nez de son travail et vit l'homme qui le regardait avec de grands yeux.

« Qui aurait pu prévoir que celui qui se promenait avec Henslow, il y a seulement cinq ans, pour ramasser des grenouilles dans les Fens, écrirait avec un tel talent ? »

Charles rougit. Cela revint aux oreilles d'Henslow, naturellement.

Le dimanche suivant, en prenant son petit déjeuner avec Charles avant d'aller à l'église, Henslow lui demanda avec douceur :

« Vous êtes heureux à Christ, Charles, n'est-ce pas ?

— Extrêmement. C'est une équipe formidable.

— Aimeriez-vous en faire partie ? Devenir un membre permanent, un enseignant et donner des conférences ? »

Charles en eut le souffle coupé.

« Croyez-vous qu'ils m'accepteraient ? »

Henslow sourit. « Peut-être pas demain matin à la cloche de huit heures. Mais quand vous aurez publié votre journal et votre livre sur la géologie de l'Amérique du Sud. A propos, pour ces livres que vous aimeriez publier en zoologie, pourquoi ne soumettriez-vous pas une demande de bourse au chancelier de l'Echiquier ? Après tout, cela couronnerait admirablement le travail accompli par un navire de la marine royale. La Geological Society vous appuierait, ainsi que Sedgwick, Peacock et moi. Ne soyez pas timide, essayez. »

L'hiver vint, avec de la neige en abondance. La nuit, la lune se reflétait sur le givre des toits de la maison de Fitzwilliam street. La maison devint cruellement froide. Charles jetait des pelletées de charbon dans sa cheminée pour que le feu brûle toute la nuit.

Au début mars, il décida qu'une première phase de son travail était terminée. Le professeur Henslow prit les spécimens de botanique, s'exclamant chaque fois qu'il trouvait une plante avec racines, fleurs et feuilles intactes. Le professeur de minéralogie William Miller lui demanda s'il pourrait conserver quelques échantillons de ses roches à Cambridge. Un fois les poissons conservés dans l'alcool soigneusement entreposés dans la paroisse de Jenyns à Swaffham Bulbeck, Syms et lui empaquetèrent les reptiles et les crustacés et les envoyèrent par le « Marsh Wagon » à Thomas Bell, à l'Université de Londres. Cela vida plusieurs pièces.

Apprenant son départ imminent pour Londres, le recteur de Christ College l'invita à dîner. Il retrouva, en plus des quatorze professeurs titulaires, les professeurs Henslow et Sedgwick. Charles trouva l'atmosphère curieuse. On lui offrit un cigare qu'il alluma. Le recteur se tenait avec une certaine solennité devant la cheminée.

« M. Darwin, auriez-vous l'amabilité d'avancer ? » Tous les yeux se fixèrent sur lui pendant qu'il traversait la pièce.

« En ma qualité de président d'honneur de Christ College, et en parfait accord avec mes collègues, nous avons décidé que le travail que vous avez accompli durant les cinq années que ont suivi votre départ de notre illustre établissement mérite le diplôme de « Master of Arts ». Ce n'est pas un diplôme honorifique. De l'avis autorisé de la faculté de Christ College, vous avez pleinement mérité votre diplôme supérieur. Le parchemin vous sera remis demain à la Maison du Sénat. »

Des larmes vinrent aux yeux de Charles.

« C'est un honneur dont je n'aurais pu rêver. Votre estime me touche profondément et j'essaierai d'en rester toujours digne. »

Les accolades et les tapes amicales se mirent à pleuvoir sur son dos. Et l'on but plusieurs bouteilles supplémentaires à sa santé.

Le lendemain matin, il faisait ses bagages, lorsqu'il reçut une note du secrétariat de l'Université. Le diplôme n'était pas entièrement gratuit. Il devait payer au gouvernement six livres pour frais de timbres, et cinq livres au trésorier de l'université. Comme il le fit remarquer à Henslow avec humour :

« J'aurai de la chance si je récupère cette somme en droits d'auteur sur mes deux livres. »

5.

Erasmus fut pris d'une soudaine flambée d'énergie. Il passa des heures à explorer le quartier pour le compte de Charles, montant et descendant les escaliers, inspectant la disposition de divers appartements, les rejetant comme ne convenant pas aux besoins de son frère. Après plusieurs jours de recherche, ils trouvèrent ce que Charles souhaitait, à quelques maisons de celle d'Erasmus, au 36 Great Marlborough street, au-dessus d'une boutique. L'appartement avait cinq pièces ; les deux qui donnaient sur la rue étaient entièrement nues, à l'exception des rideaux bleus laissés par les précédents locataires. Le propriétaire demandait un peu moins de cent livres par an. Charles signa un contrat et paya deux mois de loyer d'avance. Il s'inquiétait de ce qu'il lui en coûterait de meubler la maison.

« Eh bien, ne la meuble pas. Ou ne meuble que ton bureau et ta chambre à coucher. »

Erasmus connaissait le quartier. Il accompagna Charles pour acheter un bureau, des chaises, un sofa confortable, des tapis bon marché pour protéger du froid de Londres, des rayonnages d'occasion mais convenables, un bon lit, quelques draps, couvertures et oreillers, une penderie pour ses vêtements. Son père lui avait conseillé de négliger le superflu mais de ne pas se priver des premières nécessités. Il donna de l'argent à Syms pour qu'il aménage la cuisine ; s'il voulait vivre aussi frugalement que possible, il devrait manger à la maison.

Il plaça ses livres sur les rayons, accrocha l'une des aquarelles de Martens au mur de son bureau-living-room, celle qui représentait les marins du *Beagle* halant le navire en remontant la Santa Cruz. L'autre, celle qui représentait le *Beagle* en Terre de Feu, à l'ancre dans le détroit de Ponsonby, il la mit dans sa chambre à coucher. Erasmus lui prêta deux gravures anglaises de verts paysages et la maison commença à avoir l'air habitée.

« Quand tu en auras assez de la cuisine de Covington, dit Erasmus, mon cuisinier fait une excellente côte de mouton. Et il y a toujours une bouteille de champagne pour en relever le goût.

— Côtes de mouton et champagne ! Mon dernier repas à Plymouth avant d'embarquer. Curieux comme tout est cyclique dans nos vies. »

Syms aménagea la cuisine, s'installa une chambre dans l'une des pièces du fond, et reprit ce rôle de serviteur et d'assistant qu'il aimait tant. Charles se levait tôt, se rasait, prenait l'un de ces copieux petits déjeuners dont Syms avait le secret : porridge, hareng fumé, œufs à la coque, pain bis beurré ; puis travaillait à son journal. Au bout d'une semaine ou deux, le tourbillon des invitations à dîner se calma, pour son plus grand soulagement.

Il se rendit à la Zoological Society pour y retrouver George Waterhouse, le conservateur, et John Gould qui avait manifesté de l'intérêt pour ses oiseaux. Devant un café, les trois hommes parvinrent à un accord : les collections de Charles de peaux d'oiseaux et ses mammifères seraient donnés à la Zoological Society qui les conserverait ou s'en servirait à des fins scientifiques. Charles était heureux qu'elles trouvent le lieu qui leur convenait.

Il ne fallut pas longtemps à George Waterhouse pour accepter d'écrire une description des éléments de la collection de mammifères, ainsi que quelques articles sur les insectes. John Gould, célèbre pour ses ouvrages sur les oiseaux d'Europe, magnifiquement illustrés par des lithographies de sa femme Elisabeth, proposa de faire le même travail sur les oiseaux inconnus rapportés par Charles ; Thomas Bell, professeur de géologie au King College, avait étudié ses reptiles.

« Fascinante collection, Darwin. Vous avez ramassé quelques

spécimens dont je ne soupçonnais même pas l'existence. » Il acceptait d'en faire un livre.

Bien qu'il ait déclaré sans intérêt les animaux conservés dans l'alcool qu'il avait demandé à voir, Richard Owen se dit intéressé par les os fossilisés. Sur ce sujet, il accepterait de contribuer aux monographies de zoologie.

La chance de Charles ne tarit pas. La rumeur se répandit, dans le monde scientifique, que la collection du jeune Darwin était la plus importante qu'un voyageur ait rapportée jusqu'à ce jour. Un spécialiste du nom de M. J. Berkeley étudia ses cryptogames et écrivit plusieurs articles à leur sujet dans les *Annales d'Histoire naturelle ;* G B. Sowerby étudia les coquillages et en fit une description. Frederick William Hope, fondateur et ancien président de la Société d'Entomologie, offrit d'étudier les collections d'insectes que Charles avait réalisées.

En mai, il lut encore deux communications à la Geological Society : la première sur les os fossilisés de Megatherium qu'il avait trouvés à Punta Alta, la seconde sur sa théorie de la formation des récifs coralliens. Toutes deux furent très remarquées.

Maintenant qu'il avait ses cinq participants au projet de zoologie, — Jenyns, Owen, Gould et Waterhouse — il s'attaqua au problème de trouver un éditeur pour les cinq monographies. Et puisque de nombreuses illustrations seraient nécessaires — et pour les oiseaux de Gould toutes en couleur —, il savait que la chose ne serait pas facile. John Gould avait édité ses propres ouvrages, avec succès. Charles rendit visite à Gould, près de Berkeley Square, et lui demanda comment il s'y était pris.

« C'est tout simple, Darwin. Les naturalistes de Londres ont largement manifesté leur intérêt pour vos collections. Pourquoi ne vous soutiendraient-ils pas, en prenant des souscriptions ? Publiez le travail par petites tranches, au fur et à mesure de vos possibilités ; et ainsi, vous ne perdrez pas d'argent. »

Charles exposa le plan de Gould à William Yarrell, dans sa librairie.

« Je n'aime pas l'idée de vous voir aller quémander des souscriptions, s'exclama Yarrell.

— Pensez-vous que je doive, comme Henslow me l'a suggéré, demander une bourse au chancelier de l'Echiquier ? »

Yarrell se leva d'un bond.

« Naturellement ! Le ministère des Finances ! Vous avez fait don de vos collections aux sociétés scientifiques. Vous avez travaillé pour le compte du gouvernement britannique ; il serait donc normal qu'il fasse les frais de la publication de votre ouvrage de zoologie.

— Mais comment peut-on contacter le chancelier de l'Echiquier ?

— D'abord, vous écrivez un plan détaillé. Puis vous le remettez au duc de Somerset, président de la Linnean et à Lord Derby, l'ancien président ; et à William Wheewell, président de la Geological. Ils vous écriront des lettres de recommandation. Les cinq auteurs sont estimés par le gouvernement, qui connaît également le coût des illustrations en couleurs, et même en noir et blanc. Demandée dans les formes, vous pourriez obtenir une bourse de mille livres. »

Les trois hommes contactés pour se porter garants furent amicaux mais le mirent en garde. De telles affaires prenaient du temps et devaient suivre leur cours ; il lui faudrait être patient et continuer son travail en attendant.

La nuit du 20 juin 1837, le roi William IV mourut — pour assister à son couronnement Charles n'avait pas hésité autrefois à payer une guinée. La nièce de William, Victoria, fille du duc de Kent, était l'héritière. Pendant des semaines, dans le *London Times,* le *Morning Advertiser,* le *Morning Chronicle* et le *Standard,* on ne tarit pas d'éloges pour la grâce et la dignité de la jeune reine de dix-huit ans au cours des cérémonies royales. La joie était générale, ainsi que l'idée romantique qu'une époque plus glorieuse de la monarchie anglaise s'annonçait, et que de tout cela, l'Angleterre sortirait grandie.

Pour Charles, l'agitation royale retardait de plusieurs mois toute demande de bourse.

Vers la fin juin, son journal terminé, à l'exception d'un chapitre d'introduction intitulé « Avis aux collectionneurs », il décida qu'il méritait bien une visite à son père et ses sœurs et quelques jours au Mont. Il prendrait le *Tally Ho !* du matin et pourrait ainsi admirer le paysage.

Les nouvelles étaient bonnes. Joe Wedgwood s'était enfin décidé à demander la main de Caroline. Joe avait quarante-deux ans et Caroline trente-sept. Elle était radieuse lorsqu'elle l'accueillit dans la grande entrée du Mont.

« Nous nous marierons le 1er août. Dans cinq semaines seulement. »

Le Shropshire resplendissait dans sa robe de printemps, un clair soleil faisait briller les champs de trèfle, de blé et d'orge, avec ici et là des carrés de moutarde jaune. Il dormit tard et se gava d'oie et de pigeon en croûte. Il emmena les filles pêcher sur la rivière Severn et faire du cheval dans la campagne. Après le dîner, ils se réunirent autour d'une table pour jouer au whist. Emma Wedgwood vint rendre à Caroline la visite qu'elle lui avait faite cinq mois plus tôt. En l'aidant à descendre de la voiture des Wedgwood, Charles s'exclama :

« Quelle chance extraordinaire de te retrouver ici pour mes deux derniers jours de vacances !

— Coïncidence, n'est-ce pas ? » répondit Emma avec douceur et une petite lueur dans les yeux. Caroline eut un léger sourire approbateur au coin des lèvres.

C'est vers la mi-juillet, après avoir envoyé son journal à l'éditeur, qu'il s'attaqua à un sujet qui l'intriguait depuis longtemps. Il commença à jeter ses idées sur le papier, mais savait que ce serait difficile, car il touchait à un domaine jusqu'alors peu étudié : la transmutation des espèces. Les espèces étaient immuables. C'était au moins ce qu'il croyait en quittant Plymouth, comme la plupart des scientifiques de son temps. Dieu avait créé toutes les créatures du ciel, de la terre et de la mer, les herbes et les arbres fruitiers ; les grandes baleines et toutes les créatures vivantes qui se meuvent ; le bétail et les êtres rampants : et Dieu avait dit : « Faisons l'homme à notre image. » Depuis le jour de la création jusqu'à cette journée de juillet 1837, Dieu n'avait pas créé de nouvelles espèces. Il y avait eu des cataclysmes, comme le Déluge, mais chaque être vivant était précisément comme Dieu l'avait créé !

« Cela ne peut pas être vrai », s'exclamait-il maintenant. Il se souvint d'un jour où, alors que le *Beagle* était à l'ancre dans une baie de l'île Charles, dans les Galapagos, il avait découvert que deux pinsons pris sur deux îles distinctes avaient des becs de formes différentes.

Et tous les fossiles qu'il avait déterrés dans les falaises de Punta Alta, le Megatherium, le Mastodonte, le Toxodon et autres rongeurs ? Certaines espèces avaient disparu alors que d'autres étaient apparues, modifiées de façon significative.

Pourquoi ? Quand ? Par quel processus ? Il ne le savait pas. Mais il sentait qu'il avait découvert quelque chose… d'important.

Il s'était habitué à vivre avec un cahier sur le *Beagle,* y consignant chaque jour non seulement ce qu'il avait vu mais ses réactions intellectuelles et ses émotions. Il serait bon de retrouver un cahier comme compagnon et confident.

« La graine doit d'abord germer dans ma tête, mais ensuite, mon esprit et ma main font équipe pour écrire. »

Il marchait par une chaude journée de juillet dans la foule de Great Marlborough street. Il alla chez son libraire favori, choisit un cahier de grand format à couverture brune de deux cent quatre-vingts pages environ. De retour, il écrivit qu'il était vivement impressionné, depuis mars, par « *la nature des fossiles sud-américains et des espèces de l'archipel des Galapagos.* »

Il écrivit dans ce cahier, qu'il marqua de la lettre B., tous les jours, sans discipline mais pour y consigner des idées déjà formulées ; et pour se poser des questions :

« *Pourquoi la vie est-elle courte ? Pourquoi l'individu meurt-il ? Nous savons que le monde est soumis à des cycles de changement, de température et de toutes les conditions qui affectent la vie. Nous voyons de jeunes êtres vivants changer de façon permanente ou soumis à des variations, selon les circonstances...* »

Il reprit la *Zoonomia* de son grand-père, pour l'étudier cette fois, et fut heureux de découvrir la profondeur des vues du docteur Erasmus Darwin sur l'homme et les créatures vivantes du monde. Le docteur Darwin en était venu à croire en une sorte de vie évolutive et était convaincu que la croûte terrestre était vieille de millions d'années. Il n'avait pourtant eu ni le temps ni le goût de prouver ces conclusions hérétiques. Il pratiquait la médecine à plein temps et avait publié de nombreux volumes de poésie. Il n'avait pas voyagé de par le monde pour rapporter des faits irréfutables qui auraient étayé ses thèses.

Il relut également le dixième chapitre du second volume des *Principes de Zoologie* de Charles Lyell, dans lequel il s'étendait sur la « distribution des espèces ». Lyell admettait le mouvement de toutes les formes de vie selon les changements de climat ou de géographie ; il avait pourtant écrit :

« *Il serait vain de spéculer sur la possibilité théorique d'une espèce à se changer en une autre quand des facteurs connus bien plus déterminants dans leur nature rendent de tels changements impossibles.* »

Ecrire dans son cahier sur les espèces lui donnait un tout autre plaisir que de récrire son journal ou d'écrire les premières pages expérimentales de son livre sur la géologie de l'Amérique du Sud. Dans ces deux derniers cas, il s'appuyait sur ce qu'il avait déjà écrit. Dans son cahier des espèces, c'est son propre esprit qui devait lui fournir de nouvelles hypothèses, des raisonnements et des enchaînements d'idées abstraites qu'il fallait rendre cohérents dans un domaine où rien n'avait été encore publié ni conçu par les scientifiques les mieux informés. Par suite, c'était un travail épuisant, qu'il dure quelques heures ou une journée entière. Lorsqu'il s'arrêtait, la tête lui tournait.

« *Propagation explique pourquoi animaux modernes du même type qu'éteints. Loi presque vérifiée. Ils meurent s'ils ne changent pas, comme des reinettes dorées ; il y a une génération d'espèces comme une génération d'individus.* »

« *Si une espèce en engendre une autre, sa race n'est pas entièrement éliminée.* »

Plus loin il écrivait :

« *Les astronomes ont pu autrefois prétendre que Dieu ordonnait à chaque planète de suivre une destinée particulière. De la même manière Dieu ordonne que chaque animal soit doté d'une certaine forme dans un certain pays. Mais, pouvoir combien plus sublime et plus simple, — qu'on laisse l'attraction obéir à certaines lois, les conséquences en sont inévitables — que les animaux soient créés et par les lois fixes de la procréation, tels seront leurs successeurs.* »

Son frère Erasmus vint le voir pour se plaindre :

« Gaz, tu ne vaux rien. D'une vertu, tu fais un vice.

— Quel vice ?

— Le travail. Pour toi, c'est une drogue.

— Pas exactement. J'explore des idées qui ne sont pas encore très claires pour moi, mais qui me fascinent.

— Ce n'est pas une raison pour te changer en ermite. Viens dîner chez moi ce soir. J'ai invité quelques-uns des écrivains les plus célèbres de Londres.

— J'y serai. »

Mais naturellement, il n'y allait pas.

Il était en plein travail lorsque lui parvint une offre du président Wheewell de devenir l'un des deux secrétaires de la Geological Society. C'était l'un des postes scientifiques les plus importants d'Angleterre, mais sans aucun salaire.

Son premier mouvement fut de se renseigner sur cette situation. Le docteur John Royle, chirurgien et naturaliste, qui avait été secrétaire, lui dit :

« Cette fonction me prenait beaucoup de temps, trois jours au moins toutes les deux semaines. »

Charles était indéniablement flatté par cette offre mais pourrait-il y consacrer assez de temps et d'énergie, alors qu'il avait encore tant à faire dans sa nouvelle profession ?

Vers la mi-août, le chancelier de l'Echiquier le convoqua. Il pensa : « L'entrevue sera sûrement désagréable. » Lorsqu'il entra dans le bureau du chancelier Thomas Spring-Rice, il y trouva George Peacock, qui voulait s'assurer que le jeune homme qu'il avait recommandé comme naturaliste à bord du *Beagle* recevrait bien sa bourse. Il secoua vigoureusement la main de Charles et le présenta au chancelier. Ce dernier n'avait pas la moindre intention de lui être désagréable. Il lui dit au contraire avec un sourire satisfait :

« Mes sincères félicitations, Darwin. Je suis chargé de vous apprendre dans les formes... » et il se mit à lire :

« *Etant donné qu'on a fait valoir aux honorables membres de la commission des Finances de Sa Majesté, de divers départements, qu'il serait extrêmement avantageux pour les sciences d'Histoire Naturelle qu'un arrangement soit pris pour vous permettre de publier, sous une forme convenable et au meilleur prix, les résultats de vos travaux dans cette branche de la science, mes supérieurs estiment justifié de donner leur accord pour que vous soit allouée une somme n'excédant pas mille livres pour aider à une telle publication.* »

Une émotion faite de soulagement et de jubilation saisit Charles à la poitrine. Et une pointe d'angoisse également : le chancelier venait briser le cocon qu'il était en train de tresser autour de lui.

« Nous n'imposons aucune restriction, Darwin. Seulement que vous fassiez le meilleur usage possible des fonds publics. Les paiements s'effectueront au fur et à mesure, sur un certificat indiquant que le travail de gravure a progressé. »

Charles exprima sa gratitude. Il raccompagna Peacock jusqu'à son club, le remercia d'être pour lui « un ami dans le jury ». Peacock répondit simplement :

« Nous devons tous nous entraider pour la science. C'est le sens de notre époque. »

Il était maintenant en mesure de signer un contrat pour les volumes de la zoologie du *Beagle* avec Smith Elder et Company, éditeurs spécialisés dans les ouvrages scientifiques. Ils convinrent que Charles superviserait la progression du travail, relirait et corrigerait les différents chapitres au fil de leur publication, écrirait une préface géographique à chacun des volumes et une préface à l'ensemble de l'ouvrage, qui serait imprimée en tête de la première partie, sur les Mammifères fossiles.

Sans savoir pourquoi, il se réveilla au milieu de la nuit, début septembre, avec des maux d'estomac et des palpitations cardiaques. Il repensa immédiatement aux palpitations dont il avait souffert pendant les deux horribles mois d'attente à Plymouth avant le départ du *Beagle.* Pourquoi se reproduisaient-elles, six ans plus tard ? Sa maison était confortable, il mangeait et buvait sobrement. Il était content, et même fier de la tournure que prenait sa carrière. Il avançait bien dans son cahier sur la modification des espèces, formulant ses idées dans un domaine où bien peu osaient s'aventurer. Le jour même, il avait écrit :

« *Nous avons la certitude absolue que certaines espèces meurent et que d'autres les remplacent.* »

Ce qu'il appelait tout d'abord « cette » conception de la reproduction était devenu « mon idée » et « ma conception de la reproduction ». Il n'avait pas eu à évacuer la divinité de la structure de sa théorie. Dieu avait créé des lois ; les lois elles-mêmes gouvernaient les processus naturels.

Le malaise ne se dissipa pas ; les palpitations revinrent, tout comme le « coup » dans l'estomac. Sans régularité, parfois le jour, parfois la nuit. Heureusement, cela ne semblait pas empirer. Cela l'importunait sans toutefois l'empêcher de travailler.

Fin septembre, il se sentit suffisamment mal pour aller consulter le docteur Henry Holland, qui lui trouva une gastrite et des voies digestives douloureuses. Lorsque Charles lui décrivit son rythme de travail, sans oublier l'offre de devenir secrétaire « qui m'a hanté tout l'été » le docteur Holland ôta son pince-nez, qu'il portait attaché au bout d'un cordon noir autour du cou.

« Je comprends mieux maintenant ; je vais pouvoir vous soigner. Deux ou trois jours d'anxiété continuelle créent un désordre et une faiblesse des organes digestifs. Même une activité intellectuelle trop intense, sans troubles émotionnels particuliers, interfère avec la digestion facile idéale.

— Insinuez-vous que je suis victime de surmenage intellectuel ? s'écria Charles désorienté. Comment donc puis-je continuer mon travail ?

— Vous n'y arriverez pas. Du moins, pas sans suivre mon célèbre régime. Le mouton et toutes sortes de gibiers sont faciles à digérer. Les oléagineux sont les plus difficiles. Les plats frits sont intolérables. Le fromage, le lait et le beurre sont généralement mauvais. Les légumes frais sont dangereux, tout particulièrement le chou, les petits pois et les haricots, tout comme les concombres, les poires et les melons... »

Peu satisfait du diagnostic du docteur Holland, Charles alla voir le docteur James Clark, qu'il avait rencontré au cours d'une réunion de la « Société ». Il avait appris que Clark écrivait un livre sur *L'influence du climat sur la santé.* Charles lui rapporta qu'il ne se sentait pas bien et souffrait de palpitations cardiaques. Le docteur Clark posa son stéthoscope sur la poitrine de Charles, puis sur son cœur et sur son dos.

« Je ne trouve rien de particulier, Darwin. Votre pouls est fort et régulier. Vous souffrez simplement de fatigue. Je vous conseille vivement d'interrompre tout travail pendant quelques semaines et d'aller vous reposer à la campagne. Je constate chaque jour les effets bénéfiques d'un changement d'air. »

Deux jours plus tard, il prit la diligence de Londres pour aller à Maer Hall. Les Wedgwood furent surpris et ravis de le voir. Il n'avait pas passé la porte qu'il leur avait déjà fait part de son malaise, l'attribuant à ses incertitudes quant à l'acceptation de ce poste de secrétaire de la Geological Society.

« Ce n'est pas seulement un travail d'un an, grommela Charles. Et il me faudra des années pour en sortir. »

Emma ouvrit la fenêtre de la bibliothèque pour laisser entrer un peu d'air ; elle se glissa gracieusement près de lui sur le sofa et prit son visage soucieux dans ses mains.

« On dirait que tu as peur, Charles, cela ne te ressemble pas ! »

Charles regarda son oncle et sa cousine favoris et décida :

« Je vais écrire une lettre au professeur Henslow pour lui demander son avis.

— Et tu sais bien ce qu'il te répondra, n'est-ce pas ? demanda Josiah.

— Oui. “ Cessez de vous lamenter et mettez-vous au travail. ”

— Bravo, Charles ! s'écria Emma. Voilà le Charles que j'aime et que je reconnais. »

Lorsque l'oncle Jos se retira, Charles et Emma se rendirent au salon où elle lui joua du Mozart et du Haydn. Il lui confia qu'il avait des problèmes cardiaques.

« Je suis désolée d'apprendre cela, Charles. » Elle semblait sincèrement consternée. « Tu devrais consacrer plus de temps aux loisirs.

— Le problème, Emma, c'est que je n'aime pas les loisirs. Qui donc a dit : « nous souffrons autant de nos vertus que de nos vices » ?

— Toi-même, à l'instant. Trouves-tu la vie à Londres trop épuisante ?

— Oui, mais j'ai besoin de rester à Londres, près des scientifiques que je consulte, des bibliothèques, des éditeurs... »

Il se reposa pendant trois semaines au Mont, se promenant dans son Shropshire natal, en barque sur la rivière, à cheval et à pied. Son seul travail consistait à corriger les épreuves du Journal et à se plonger dans la lecture des erreurs d'orthographe ou de contenu qui se glissent inévitablement dans un manuscrit de cette taille. La famille ne parlait de rien de bien sérieux, surtout préoccupée de savoir si tout de monde irait à Londres en juin prochain pour assister au couronnement de la reine Victoria. Son père demanda des nouvelles d'Erasmus, et fit une légère grimace en constatant qu'Erasmus, à l'âge de trente-trois ans, trouvait le voyage en diligence trop fatigant.

« Ras vous appelle Gouverneur. Gouverneur, il aime la bonne compagnie. Il ne vit que pour cela. Mais il aime également que ses visiteurs s'en aillent à minuit tapant. Il ne veut voir personne à l'heure du petit déjeuner le lendemain matin.

— Pas même une femme ?

— Surtout pas une femme !

— J'espère, Charles, que ce n'est pas ton cas.

— Pas le moins du monde. C'est seulement que je suis trop occupé pour accorder même une pensée au mariage.

— Tu approches des trente ans. Ce devrait être bientôt. Si l'on se marie trop tard, on manque une grande part de bonheur. »

6.

Il rentra à Londres vers la fin d'octobre, reposé. Les épreuves corrigées du Journal avaient été renvoyées à l'éditeur Henry Colburn. Henslow le poussait à accepter le poste de secrétaire, tout comme Josiah Wedgwood. Il n'avait plus qu'un recours, Lyell. Il n'avait pas dépassé l'entrée que Lyell lui administra une tape amicale sur l'épaule.

« Félicitations, Charles ! Vous étiez mon premier choix pour ce poste.

— Mais vous m'aviez conseillé de n'accepter aucun poste officiel !

— Certainement ! Mais cela ne concernait pas la Geological

Society. C'est la seule exception qui vous donne le droit de mourir sur le bûcher !

— Mais c'est déjà un travail considérable que d'essayer de changer mes neuf cents pages d'observations géologiques en un livre lisible et cohérent.

— Je peux vous indiquer une façon d'alléger la tâche, à laquelle j'ai eu recours lorsque j'ai dû condenser les matériaux de mes livres deux et trois en un seul volume. Divisez votre ouvrage en plusieurs parties, et ne travaillez que sur une à la fois. Chaque volume éveillera l'intérêt pour le suivant. »

Charles leva les bras au ciel.

« Mon cher Lyell, vous venez tout simplement de réduire mon travail d'un tiers. Je consacrerai mon premier livre aux récifs coralliens. Le suivant aux îles volcaniques. Le troisième à l'élévation et l'affaissement des côtes de l'Amérique du Sud. »

Lyell sourit.

« Je l'ai probablement rendu plus lourd parce que maintenant vous traiterez chaque partie plus en détail. »

Le 1er novembre, exactement un an et un mois depuis son retour en Angleterre, un coursier de chez Henry Colburn lui apporta un jeu d'épreuves propres et corrigées du *Journal de Charles Darwin, naturaliste à bord du « Beagle »*, augmenté de cartes pliantes retraçant la totalité du parcours du *Beagle* autour du monde. Les six cents pages n'avaient ni couverture ni reliure, il faudrait attendre que les volumes de King et de FitzRoy soient prêts pour la publication. Il écrivit pourtant à Henslow :

« *Je me suis assis l'autre soir dans un silence admiratif devant la première page de mon propre ouvrage lorsque l'imprimeur me l'a fait parvenir !* »

Il s'agita dans son sommeil, se leva plusieurs fois dans la nuit pour aller contempler par la fenêtre la rue sombre et déserte. Il repensait au Mont et à son père lui disant :

« Quand te marieras-tu ? Tôt ou tard ? Ce devrait être bientôt, mon fils. On est plus souple de caractère... »

Il lut jusqu'à l'aube puis alla à son bureau. Pendant les six dernières années, à l'exception de lettres, il n'avait écrit que dans des cahiers bien reliés. Comme ce qu'il allait écrire maintenant était strictement personnel, il ramassa deux vieilles enveloppes ouvertes depuis très longtemps, et gribouilla en haut d'une d'elles : *Si je ne me marie pas ;* et en haut de l'autre : *Si je me marie.* Puisqu'il n'y avait pas de jeune femme qu'il veuille épouser, ou d'ailleurs qui souhaite l'épouser lui, il commença par le côté négatif du problème.

« *Si je ne me marie pas, VOYAGER ? Europe — Oui ? Amérique ? ? ? Si je voyage, cela doit être exclusivement pour la géologie. Si je ne voyage pas ? Travailler à la transmutation des Espèces. Microscope. Les formes les plus rudimentaires de la vie. Vivre à Londres — dans une petite maison près de Regent Park. Avoir des chevaux. Faire des voyages en été. Collectionner des spécimens, une forme ou une autre de zoologie. Spéculations sur le travail du géographe et du géologue — systématiser et étudier les affinités.* »

Il entendit Syms qui allait et venait dans la cuisine. Il prit la seconde enveloppe et écrivit :

« *Si je me marie — moyens limités — l'obligation de travailler pour gagner de l'argent.*

Pas d'autre vie à Londres que la « Société », pas de campagne, pas d'excursions, pas de grandes collections de zoologie, pas de livres. Le professorat à Cambridge. Géologie ou Zoologie.

Mais plutôt que d'hiberner à la campagne — où ?, je ne serais pas capable de vivre dans une maison de campagne sans rien faire — si j'étais moyennement riche, je vivrais à Londres dans une maison assez grande — mais pourrais-je le faire avec des enfants et en étant pauvre ? Non.

Alors, le professorat à Cambridge et en profiter au mieux. Faire son travail et écrire pendant le temps libre.

Mon destin sera d'être professeur à Cambridge, ou pauvre. »

Il n'était pas particulièrement satisfait de ses analyses. Aucune ne semblait véritablement concluante. Eh bien, il s'attaquerait au problème du mariage un autre jour. Il se rendit dans l'une des pièces où Syms avait construit des tables de travail. Sur l'une d'elles se trouvaient une pipette, une large bougie à mèche plate et quelques roches. A Cambridge, William Miller, professeur de minéralogie à St John's, lui avait appris à déterminer la nature de tous les minéraux en soufflant de l'air chaud par la pipette sur toutes les roches, dont certaines fondaient à basse température et d'autres, à température élevée. Miller lui avait dit :

« Tous les minéraux sont des cristaux, sauf les coraux ou les laves. Et toute la minéralogie est cristallographie. La température à laquelle fondent les minéraux est une indication irréfutable de leur identité. »

« Ce n'est pas pour rien qu'on t'a surnommé Gaz », avait commenté Ras quand il le lui avait expliqué.

Janvier 1838 débuta dans une furie de travail. Il tenait un journal, mois après mois, dans lequel il notait les livres qu'il avait lus pour étoffer ses propres expériences, et poursuivait son travail en géologie. En fin de semaine, il ne se souvenait pas de grand-chose, si ce n'est d'avoir travaillé. Les jours, les semaines et les mois se confondaient dans un tourbillon épuisant ; il ne s'arrêtait que le temps qu'il fallait pour se nourrir et pour dormir.

En janvier, il termina sa description géologique des îles Galapagos et Ascencion ; en février, son travail sur Sainte-Hélène et les petites îles de l'Atlantique. En février également, il utilisa les dernières pages de son cahier sur la transmutation des espèces qu'il s'empressa de remplacer pour continuer.

Mars fut consacré principalement aux mammifères, pour une étude de zoologie ; il rédigea aussi une communication sur les tremblements de terre pour la Geological Society, qui lui valut de grands éloges.

En avril, il aida John Gould avec ses collections d'oiseaux pour *La Zoologie du « Beagle »*, et donna aux Gould de l'argent de la bourse qu'il avait obtenue pour les planches d'illustration. John Gould avait déjà fait cinquante esquisses. Elisabeth Gould les exécuta sur la pierre. Ils obtinrent des planches magnifiques, aux couleurs vives, la plupart grandeur nature.

« Votre monographie va être splendide ! s'exclama Charles, aussi belle et fidèle que celle d'Audubon. »

Il se mit à travailler sur le cap de Bonne-Espérance, le détroit de King George et Sydney. Il passa également un temps considérable sur son second cahier des espèces, mais il se sentait malade. Les palpitations revinrent, ainsi que les malaises intestinaux. En mai, il se consacra surtout à la géologie, travaillant sur Hobart Town et la Nouvelle-Zélande, St Jago et les îles du Cap-Vert.

Il découvrit avec surprise qu'il prenait plaisir à ses fonctions de secrétaire, à relire les articles apportés par les géologues, à faire des résumés pour le Bulletin, à participer à des réunions, à lire aux membres présents les articles envoyés par des auteurs qui ne pouvaient quitter leur poste à quelque distance en Angleterre. Il ne tarda pas à apprendre que les deux secrétaires sont les véritables dirigeants de la société. C'était une expérience grisante. Il ne regrettait plus le temps perdu en réunions mais se réjouissait de l'occasion qu'elles lui donnaient de quitter son appartement et de rompre son intense concentration, pour retrouver la plaisante compagnie de ses collègues scientifiques.

La première partie de l'ouvrage d'Owen *Zoology of the Voyage of H.M.S. Beagle, Fossil Mammalia* fut publiée. C'était un grand folio agréable avec une typographie aérée. Charles avait beaucoup travaillé avec l'imprimeur pour arriver à ce résultat, car le premier folio servirait de modèle aux autres. Il comportait sept planches, une préface-introduction de Charles de treize pages et vingt-sept écrites par Owen. Le tout au prix de huit shillings, le coût modeste de tous les volumes allant de huit à douze shillings selon le nombre de planches et de pages. Lorsque Charles se rendit à la librairie Yarrell, au coin de la rue Bury et de Little Ryder street, il demanda en tremblant, comme le font tous les auteurs pour leur première publication :

« Comment cela part-il ?

— C'est parti, voulez-vous dire. Je les ai déjà vendus jusqu'au dernier. »

Charles poussa un grand soupir de soulagement.

« Je me sens comme une mère de famille à laquelle on apprend que son enfant a bien cinq doigts de pieds, et pas six ! »

Les scientifiques des Sociétés Géologique, Linnéenne et Zoologique apprécièrent ce premier travail, en achetèrent des exemplaires, le félicitèrent pour la clarté de description des lieux sur lesquels il avait trouvé ses spécimens. La Geological Society décerna sans tarder à Richard Owen sa médaille d'or Wollaston, si recherchée. Owen était enchanté de l'approbation de ce qu'il appelait « les Fossiles de Darwin ».

« Quel excellent départ pour la série ! » exultait Charles.

Le gouvernement, qui avait fourni l'argent pour les planches, se félicitait de l'excellence de son propre jugement.

Robert Brown, bibliothécaire de la Linnean Society et botaniste, invita Charles à un petit déjeuner, un dimanche matin. Charles lui avait fourni des bois fossilisés du détroit de King George que Brown avait coupés et moulus pour en identifier les composantes. Brown, âgé à l'époque de soixante-quatre ans, arpentait son laboratoire en pantoufles, n'essayant même plus de paraître jeune. Sa lèvre inférieure était aussi flasque que celle d'un bouledogue.

« Ravi de vous voir publié, Darwin. Il était grand temps.

— Vous me surprenez, M. Brown. Lorsque je suis venu vous voir ici, il y a six ans, vous m'avez dit que vous souhaitiez n'être jamais imprimé, qu'une erreur imprimée est une condamnation aux galères. Moi aussi, j'ai pu commettre des erreurs.

— Vous vivrez plus longtemps qu'elles », dit Brown en faisant la moue. Il ouvrit ses yeux gonflés. « Ma mission était de faire reposer la botanique sur des bases solides, tout comme votre ami Henslow. Ni lui ni moi ne publierons jamais que des catalogues descriptifs. Vous, vous êtes né pour toucher un vaste public avec des découvertes créatrices. Ecrivez, publiez ; vous ferez des erreurs. Acceptez votre destin sans vous plaindre. »

Charles ne s'accordait qu'une invitation à dîner par semaine et, au cours d'une autre soirée, rendait la politesse à ceux qui l'avaient reçu. Erasmus et lui déjeunaient parfois ensemble. Pour le reste, sa vie sociale se bornait aux réunions de la Geological Society et aux confrères qu'il y rencontrait. En mai, il écrivit avec assiduité dans son second cahier, mais ne se sentit pas bien la plupart du temps, au point qu'à la mi-juin, lorsque sa sœur Katty, Emma et plusieurs autres membres de la famille Wedgwood s'arrêtèrent à Londres en route pour des vacances à Paris, il ne les vit qu'une fois, et encore très brièvement pour s'excuser. Il fut désolé d'apprendre qu'Emma avait cru qu'il l'avait négligée à dessein.

« Pourquoi ferais-je une chose pareille ? se répétait-il. Je ne pouvais tout simplement pas supporter qu'elle me voie malade toute la semaine. »

Pour se soigner, il prit un paquebot jusqu'à Edimbourg, se promena en solitaire à Salisbury Craig, en repensant aux deux années qu'il y avait passées et aux ennuyeux cours de géologie du professeur Jameson. Il resta quelque temps à Glasgow et à Glen Roy puis rentra au bout d'une semaine à Liverpool par bateau et de là à Shrewsbury.

« Comme cette excursion t'a réussi ! s'exclama Katty en voyant son visage bronzé. Emma et moi étions inquiètes pour toi à Londres.

— J'irai à Maer pour me montrer, en rentrant à Londres. »

Il se sentait reposé, après seize jours de vacances, mais pour la première fois, la vue de son appartement londonnien le frappait de terreur.

« Mon Dieu, c'est tellement nu ! Il n'y a que Syms pour me faire la cuisine et m'apporter les roches dont j'ai besoin pour le chapitre que je rédige. C'est la vie d'un ermite dans une grotte, pas la vie normale d'un être vivant. Je ne peux supporter l'idée de retourner à ce silence stérile. »

C'est ce qu'il avait voulu pendant les vingt derniers mois. Mais vingt mois de plus ? Il commencerait à s'y sentir en exil, prisonnier. Il se souvint des notes qu'il avait griffonnées au dos des deux enveloppes : « *Si je me marie... Si je ne me marie pas.* » Il essaierait une nouvelle fois.

Il alla à la bibliothèque, sortit deux feuilles d'un tiroir et se mit à écrire :

Là est la question

Il s'arrêta, se souvenant qu'à Londres il avait écrit tout d'abord : *Si je ne me marie pas.* Cette fois, il commencerait par : *Si je me marie.*

Puis il écrivit rapidement :

« *Des enfants (Si Dieu le veut) une compagne constante (amie pour les vieux jours) qui s'intéressera à moi. Objet à adorer, avec lequel jouer.*

Un foyer. Et quelqu'un pour s'occuper de la maison. Le charme de la musique et des bavardages féminins. Toutes choses bonnes pour la santé.

Mon Dieu, il est intolérable de penser à passer toute sa vie comme une abeille ouvrière, à travailler, travailler et rien au bout du compte. Non, non, cela n'ira pas. Se représenter simplement une femme belle et douce sur un sofa devant un bon feu, des livres et peut-être de la musique — et comparer cette vision avec l'austère dignité de Gt Marlboro st.

Se marier — se marier — se marier. »

Il quitta la bibliothèque, marcha le long des chemins du grand jardin des Darwin. Puis revint à son bureau et écrivit sous la rubrique : « *Ne pas se marier :*

Pas d'enfants. Pas de seconde vie. Personne qui s'occupe de vous dans la vieillesse.

La liberté d'aller où bon vous semble — le choix de qui on fréquente et en petit nombre. La conversation d'hommes intelligents dans les clubs. Pas d'obligation de rendre visite à la famille, de se plier à tous les caprices — échapper aux frais et aux angoisses que donnent des enfants, qui se querelleront peut-être.

Perte de temps — impossibilité de lire dans la soirée, embonpoint et oisiveté, angoisses et responsabilités — moins d'argent pour les livres, etc. Si les enfants nombreux, la nécessité de gagner son pain. »

Au dos de la feuille, il écrivit son résumé :

« *Mais si je me marie demain, il y aura des frais considérables pour trouver et meubler une maison — se battre pour ne voir personne — les visites du matin, perte de temps quotidienne... Reprendre courage — impossible de vivre cette vie solitaire, avec la grogne du vieil âge, sans ami, froid et sans enfants, à contempler son visage qui commence à prendre des rides.*

Ne pas s'en préoccuper, faire confiance au hasard — continuer à chercher. Il y a plus d'un esclave heureux. »

Il avait toujours aimé le paysage entre Shrewsbury et Maer, surtout à la fin juillet quand les champs verts et jaunes sont presque prêts pour la moisson. Mais cette fois-là, il ne vit pas grand-chose, car ses pensées étaient tournées vers l'intérieur. A l'exception des Lyell, de Yarrell et de Brown, il s'était coupé de toute vie sociale. Il n'avait pas rencontré une seule jeune femme attirante ou même plaisante depuis son retour en Angleterre. Il savait pourtant qu'elles étaient nombreuses à Londres. Il les voyait passer en voiture...

Tout ce qui n'était pas son travail était passé à côté de lui. Il avait toujours été sociable. Maintenant, c'était un demi-reclus. Il ne trouvait pas non plus la vie de célibataire d'Erasmus enviable. Comme son père le lui avait rappelé, en février prochain, il aurait trente ans, et il ne serait plus un jeune homme. S'il ne se mariait pas et n'avait pas d'enfants, ce serait la fin de la lignée des Darwin, dont on pouvait retracer l'existence depuis les années 1500. Ce n'était pas un devoir absolu ; pourtant, il avait connu bien du bonheur dans sa propre famille, une famille nombreuse, comme celle des Wedgwood et des Henslow. Le mariage, une maison, des enfants, c'était là une vie normale. Et il était un homme normal.

Que faire ? Mettre une annonce dans le *London Times : cherche épouse ?* Commencer à regarder toutes les jeunes femmes disponibles, au cours des soirées, avec des yeux intéressés plutôt que préoccupés ? Demander à ses amis hommes de science de lui présenter des jeunes filles charmantes ? Il avait été amoureux une fois, de Fanny Owen, et il en avait guéri non sans amertume à bord du *Beagle.* Fallait-il qu'il demande à ses sœurs de lui présenter des jeunes femmes de leur connaissance ? Aller à Maer Hall et demander à Elisabeth et Emma si elles connaissaient quelqu'un...

Emma ! Dieu tout-puissant, Emma ! ses doux yeux bruns, ses douces boucles brunes, sa voix mélodieuse et sa silhouette fine, cette personnalité charmante, sa meilleure amie et sa confidente depuis l'enfance. Emma qui avait défendu son droit à embarquer sur le *Beagle,* à publier son journal, qui s'était montrée tendre quand il en avait besoin et perspicace quand c'était nécessaire...

Emma ! Il avait toujours aimé Emma. Emma l'aimait depuis toujours. Comme un cousin ? Mais il avait déjà surpris des regards de connivence entre elle et Caroline.

« Ah ! voilà ma réponse ! » cria-t-il aux champs de pommes de terre qui n'en pouvaient mais. Emma lui était destinée de toute éternité ! Il se souvenait maintenant qu'elle avait repoussé quatre bons partis, parmi lesquels un jeune pasteur qui avait fondu en larmes lorsqu'elle l'avait repoussé. Pourquoi avait-elle agi ainsi ? Ne voulait-elle ni amour ni mariage ? C'était impossible. Elle avait un cœur affectueux et sensible et donnait son amitié à tous, enfants et adultes. Se jugeait-elle indigne d'eaux ? Non, car elle avait une saine opinion d'elle-même. Attendait-elle quelqu'un ? Mais qui ? Il n'avait jamais entendu avancer le nom de personne et pourtant les jeunes gens à marier ne manquaient pas dans le Staffordshire. La famille des Wedgwood était l'une des plus honorables à laquelle on puisse, par un mariage, se flatter d'appartenir.

« Pour moi ? se demanda-t-il sans y croire. Mais si c'est le cas, comment a-t-elle pu être aussi patiente ? »

Il força soudain l'allure de son cheval. Il atteignit Maer Hall d'excellente humeur. Emma et lui étaient heureux en compagnie l'un de l'autre. Une douzaine de fois dans les deux jours qui suivirent, il voulut être assez hardi pour en venir au fait mais toujours il recula au dernier moment.

« Et si elle me repousse ? Après tout, je ne gagne pas ma vie, j'ai un visage quelconque. Nous serions tous deux bien embarrassés. »

Au moment où il partait, Emma l'embrassa d'un air modeste et lui dit :

« Nous avons passé des moments si agréables, Charles, il faut que tu reviennes vite.

— C'est promis, Emma. »

Il se maudit pendant tout son retour à Londres, pour sa lâcheté.

7.

Lorsqu'il retrouva Great Marlborough street, il eut bien du mal à se concentrer. Il ne pouvait penser à rien d'autre qu'à Emma Wedgwood. Il conserva son image pendant la journée et une partie de la nuit. Il s'était conduit comme un parfait idiot en ne la demandant pas en mariage. Il lui faudrait le faire, de toute façon et très bientôt, car il était maintenant totalement amoureux d'elle et avait décidé qu'elle était la seule femme qui pût lui convenir. Il était décidé à retourner à Maer Hall dès qu'il saurait exactement quels mots employer.

Il ne parvint à échapper à son angoisse qu'en se concentrant sur la géologie. Il commença un article sur les routes et les bancs qu'il avait observés à Glen Roy. En mai, la première série des *Mammifères* de George Waterhouse était parue, avec seize pages et dix planches. En juin le début du livre de John Gould sur les *Oiseaux* avait été publié, avec dix magnifiques planches en couleurs. Ses séries de géologie étaient bien parties.

Un exemplaire des *Eléments de Géologie* de Lyell, récemment publié, avait été déposé à son bureau à la « Société ». Lyell était en Ecosse, à Kinnordy, pour rendre visite à ses parents. Après avoir dévoré le volume, Charles s'empressa d'écrire à son ami :

« *Je l'ai lu du premier au dernier mot et suis plein d'admiration... je brûle de pouvoir en parler avec vous.* »

Une phrase de la préface de Lyell, pourtant, le dérangeait. Elle disait que la publication du journal des recherches de Darwin avait été retardée « *au grand regret du monde scientifique* » par l'incapacité de Robert FitzRoy à terminer l'ouvrage qui devait l'accompagner. Il comprenait bien que Lyell voulait lui faire un compliment mais il redoutait les réactions de FitzRoy. Il ne pouvait espérer que FitzRoy ne la lirait pas, sachant qu'il achetait tous les livres scientifiques importants...

Il poursuivit son article sur Glen Roy. C'était une étude longue et détaillée qui lui prit près de six semaines ; il continuait en même temps à écrire régulièrement dans son cahier sur les espèces. Début juin, déjà, il avait écrit à son cousin William Darwin Fox :

« *Merci d'avoir eu la gentillesse de ne pas oublier ma question sur le croisement des animaux. C'est mon dada du moment, et je crois bien qu'un jour je serai en mesure de faire quelque chose sur ce sujet extrêmement complexe des espèces et de leurs variations.* »

Maintenant, en septembre, il se concentrait pleinement sur son cahier des espèces. Il parlait à ses amis de questions techniques comme les croisements, sans leur divulguer les raisons de son intérêt.

A Lyell il écrivit :

« *J'ai récemment été terriblement tenté de ne rien faire, du moins en géologie, devant le nombre très satisfaisant de nouvelles conceptions qui n'ont cessé de me venir sur la classification par affinités et instinct des animaux, en m'attachant à la question des espèces. J'ai rempli de pleins cahiers de faits qui commencent clairement à s'organiser en sous-catégories.* »

Le temps, en septembre et octobre, fut assez bon et lui permit de faire de longues promenades en ville. Il partait généralement en direction d'une librairie, celles de Yarrell, de John Tallis ou de Hatchard. Il fouillait parmi les étalages, achetant quelque chose d'intéressant à lire le soir même, car il lisait un peu tout ce qui lui tombait sous la main, pour le plaisir, et pour oublier l'obsédante petite Miss Souillon. Ses goûts étaient classiques ; en septembre et octobre, tout en commençant son livre sur les coraux, il lut *La sagesse de Dieu* de John Ray, *L'art d'être mari* de Lister, *l'Histoire de l'Homme* de Horne, le *Voyage autour du Monde* de Lisiansky, *Le Pouvoir intellectuel* d'Abercrombie, et *Comment observer* d'Harriet Martineau. Par un concours de hasard et de curiosité, il ramassa un exemplaire des *Principes de démographie* de Malthus qui avaient été publiés en 1798, exactement quarante ans plus tôt. Charles n'avait pas rencontré Malthus pendant son bref séjour à Londres avant le départ du *Beagle,* mais bon nombre de ses amis le connaissaient. Malthus avait fait ses études à Cambridge et avait enseigné pendant plus de vingt ans au Collège de la Compagnie des Indes, à Haileybury.

Il revint chez lui, le nouveau livre niché sous son bras. Syms lui apporta un dîner léger devant un bon feu dans le salon du bas. Il ouvrit le premier chapitre, intitulé « *Accroissement de la population en fonction de la nourriture* ».

Il commença à lire et, à la seconde page de Malthus, se sentit comme frappé par un éclair, un flash intellectuel qui le laissa pantelant, tant les implications pour lui en étaient fulgurantes. Il y avait quinze mois pleins qu'il avait entrepris son enquête systématique sur les origines, les changements et les déviations dans les espèces animales et végétales et c'est seulement maintenant qu'il trouvait la clef de l'énigme. Il lut :

« *La cause à laquelle je fais allusion est la tendance constante de toute vie animée à se développer plus que ne le lui permet la nourriture qui lui est impartie.*

On a observé... qu'il n'y a d'autre limite à la nature prolifique des plantes ou des animaux que leur trop grand nombre et leur interférence dans leurs mutuels moyens de subsistance...

C'est une vérité indéniable. Partout, dans les royaumes végétal et animal, la nature a distribué d'une main généreuse les graines de la vie ; mais elle semble comparativement plus avare en ce qui concerne l'espace et la nourriture nécessaires à leur croissance. Les germes d'existence que contient cette terre, s'ils pouvaient se développer librement, pourraient remplir des millions de mondes pendant plusieurs milliers d'années. Mais la nécessité, cette implacable et générale loi de la nature, les maintient dans les limites qui leur sont prescrites. La race des plantes et la race des animaux se rapetissent sous cette grande loi restrictive ; et l'homme malgré tous les efforts de sa raison, ne peut y échapper non plus.

... la population a cette tendance constante à se développer au-delà de ses moyens de subsistance... »

Il ne pouvait contenir sa jubilation à découvrir la clef du secret bien gardé de l'origine des espèces. Il fit les cent pas dans les deux pièces principales, l'esprit débordant d'images de son voyage à bord du *Beagle* et des études qu'il avait faites depuis son retour. Epuisé mais ne pouvant se résoudre à aller se coucher, il se jeta sur le sofa, tout habillé.

Maintenant il avait une théorie pour appuyer ses travaux ! Il voulait à tout prix éviter les a priori et décida que pendant un certain temps, il n'écrirait rien, pas même le plus petit brouillon. Il attendrait de s'être suffisamment documenté.

Il arriva à Maer Hall un vendredi soir, le 9 novembre. Une partie de la famille s'était déjà couchée, y compris sa sœur Katty qui s'y trouvait en visite. Emma partit fouiller dans la cuisine et lui en rapporta quelque chose à manger avec un pichet de chocolat chaud. Epuisé et rompu comme il l'était, il n'avait pas l'intention de se déclarer à Emma ce soir-là. Il voulait rester près d'elle toute la journée du lendemain, marcher dans les bois, emmitouflés d'écharpes pour se protéger du froid ; et retrouver la camaraderie qu'ils avaient tant appréciée lors de sa dernière visite en juillet.

Le moment se présenta dimanche, à leur retour de l'église après le sermon du vicaire de Maer, le cousin d'Emma, John Allen Wedgwood, « Remerciement après une tempête en mer » qui, murmura Emma à l'oreille de Charles, était tout particulièrement destiné à célébrer le retour du « vieux loup de mer » dans la famille.

Le salon était d'une fraîcheur agréable. Charles et Emma s'assirent tous deux sur le banc du piano. Elle joua pour lui, doucement, quelques lieder de Mozart. Charles soupira, soulagé, car Emma avait touché précisément la note sensible.

« Emma, j'aimerais pouvoir te parler. »

Surprise, elle lui répondit : « Mais depuis quand as-tu besoin de me demander la permission pour me parler ?

— Je suis sérieux. C'est quelque chose d'important.

— Je m'en rends compte à ton expression.

— Emma, nous sommes amis depuis longtemps.

— Depuis que nous sommes cousins.

— Je ne sais pas comment tu vas prendre cela. Franchement, je suis terrorisé. »

Emma se tourna vers lui, un peu pâle.

« Charles, quand tu es venu nous voir, en juillet dernier, tu étais en pleine forme, j'étais très heureuse d'être près de toi et j'ai eu l'impression que si tu me voyais plus souvent, tu m'aimerais vraiment bien. »

L'expression tendue disparut de son visage. Il prit ses deux mains dans les siennes.

« Très chère Emma, je t'ai toujours aimée plus que personne au monde. Maintenant je sais — pardonne-moi d'avoir tant tardé à te le dire, on dirait que c'est dans mon caractère — que je t'aime depuis longtemps. Je t'en prie, n'aie pas peur de froisser mes sentiments ; je sais que je ne suis pas bel homme. Surtout, dis-moi la vérité.

— Je te le promets, Charles.

— Je veux te demander si tu accepterais de m'épouser. »

Emma n'eut pas la plus légère hésitation.

« Mais naturellement, Charles. Voilà des années que j'attends que tu me le proposes. Tout le monde dans nos deux familles s'attend à ce que nous nous mariions. Ne le savais-tu pas ?

— Non. Je ne savais... rien du tout. »

Elle rit doucement devant son air malheureux.

Il lui dit à voix basse :

« Je t'aime. Tu m'as dit que tu m'épouserais. Mais m'aimes-tu ? »

Elle le serra très fort dans ses bras et l'embrassa :

« Tu es l'homme le plus ouvert et le plus transparent que j'aie jamais rencontré. Chacun de tes mots exprime tes véritables sentiments. Tu es affectueux, très gentil avec tes sœurs, et d'une nature tout à fait douce.

— Comme un enfant à qui l'on donne ce qu'il aime par-dessus tout, j'ai hâte de pouvoir dire “ Emma chérie, mon Emma à moi ”. »

Et il l'embrassa à son tour, un baiser profond et passionné, le second qu'ils échangeaient. Cela les fouetta et leur mit au cœur une chaleur irradiante qui leur fit comprendre à tous deux comme il serait doux de s'aimer. Elle s'arracha à son étreinte, et demanda :

« Ne devrions-nous pas prévenir Papa et Katty ? »

Lorsque Josiah et Katty entrèrent dans la pièce, Emma leur dit avec un sourire radieux :

« Vous vous en doutez sûrement rien qu'à voir nos têtes. Charles m'a demandée en mariage. Nous allons nous marier. »

Les yeux de Josiah Wedgwood s'emplirent de larmes de joie qu'il n'essaya pas de dissimuler. Il prit Charles dans ses bras, puis Emma.

« C'est l'un des moments les plus heureux de ma vie. » L'émotion altérait sa voix. « J'ai prié pendant des années pour que cela se produise. Charles, tu sais quelle grande confiance j'ai toujours eu en toi.

— Et moi, je vous ai toujours admiré, Oncle Jos, j'ai pour vous la plus grande affection. »

De nombreux membres de la famille Wedgwood avaient été invités à dîner le dimanche soir. Hensleigh et sa femme Fanny étaient venus de Londres. Il avait démissionné de son poste de magistrat et se trouvait sans travail depuis près d'un an, mais Fanny et lui étaient d'aussi joyeuse humeur que le reste des convives.

« Ils sont même déchaînés, murmura Charles à l'oreille d'Emma assise près de lui. Tu ne veux tout de même pas que nous annoncions notre mariage au beau milieu de toutes ces jacasseries. — Non, je suis d'accord avec toi. » Il lui serra la main sous la table.

Il allait se déshabiller pour se mettre au lit lorsqu'on frappa à sa porte. Il ouvrit et trouva Hensleigh Wedgwood planté là.

« Viens dans notre chambre à coucher. Quelque chose se prépare. »

Charles descendit le corridor. Il entendait des voix qui s'exclamaient. Quand il entra, Emma bondit d'une chaise près du feu.

« Charles, nous avions l'air si lugubre au dîner que ma tante Fanny et la femme d'Harry, Jessie, se demandaient ce qui nous arrivait. Fanny a deviné. Ils connaissent notre secret.

— Nous le connaissons depuis des années, s'écria Fanny. Seulement c'est nous qui l'avons bien gardé. »

Il éprouva un grand bien-être, la sensation enivrante que tout dans son monde était à la bonne place. Emma l'attira sur une chaise près de la sienne.

« Charles, c'est un couple pressenti par tout le monde avant nous.

— Katty et moi rentrerons quand même demain pour l'annoncer à

Père et à Susan, fit-il. Je suis sûr que Père ne s'en réjouira pas moins qu'Oncle Jos. »

Les yeux d'Emma brillèrent. « Hensleigh, je meurs de faim, pourriez-vous nous trouver quelque chose à manger ? »

Ils se retrouvèrent en pleine discussion des mérites respectifs des fiançailles brèves ou longues.

« Brèves ! s'écria Charles. J'ai déjà manqué suffisamment de bonheur comme cela.

— Longues, dit Emma doucement. Je ne peux pas laisser Elisabeth s'occuper seule de Maman.

— Et pourquoi pas ? demanda bravement Elisabeth. Votre bonheur, c'est aussi le mien. »

Josiah et Charles furent les premiers debout le lendemain. Une neige fine comme du cristal tombait sur Maer. Après le café, Josiah proposa qu'ils sellent les chevaux pour aller faire une promenade dans les bois. L'air vif et froid picotait agréablement les narines. Ils chevauchèrent le long du lac puis prirent à travers les bois où tant d'années de suite, en septembre, ils avaient tiré perdrix et gibier. La voix de Josiah portait bien dans le calme du petit matin.

« Une fille bonne et aimante est le plus précieux trésor d'un père, après sa femme. Je n'aurais laissé partir Emma avec personne d'autre que toi, que je considère déjà comme mon fils. » Son visage se couvrit de rides rieuses. « Parlons de choses pratiques un instant, Charles. Je me propose de faire pour Emma ce que j'ai fait pour Charlotte et pour mes fils ; je lui donne une obligation de cinq mille livres et lui alloue quatre cents livres par an de rente aussi longtemps que mes revenus me le permettront, ce qui, j'ai toutes les raisons de le croire, devrait être tant que je vivrai. »

Charles rougit. Il n'avait pas pensé un seul instant à l'éventualité d'une dot pour Emma ; il était pourtant évident qu'elle en aurait une ; les Wedgwood étaient riches, grâce à leurs célèbres poteries d'Etrurie.

« C'est très généreux à vous, Oncle Jos. J'aurais besoin de votre avis, et de celui de mon père, sur la façon d'investir les cinq mille livres d'Emma. Je devrais bientôt gagner de l'argent moi-même, j'espère que nous pourrons conserver le capital d'Emma et ses intérêts intacts pour nos enfants, comme notre père l'a fait pour nous. »

Emma en était encore au petit déjeuner. Ils s'embrassèrent, les yeux brillants, puis Emma lui servit du porridge, un hareng fumé, des œufs à la coque dans de petits coquetiers bleus de Wedgwood, une montagne de toasts, du café avec du lait chaud. Charles engloutit le tout.

« Emma, pourrions-nous faire allumer un feu dans la bibliothèque ? On y est si bien pour parler en toute tranquillité. »

Dans la pièce aux murs recouverts de livres, il lui dit :

« Nous allons devoir vivre à Londres pendant plusieurs années, je le crains, jusqu'à ce que mes ouvrages de géologie soient publiés. Est-ce que cela t'ennuie ?

— Je serai heureuse de vivre chez nous, où que ce soit. J'ai des dispositions pour être heureuse.

— C'est l'un de tes nombreux talents. Préférerais-tu le centre de Londres ou les environs ?

— Je pense que le centre de Londres serait plus pratique puisque tu es secrétaire de la Geological Society.

— Et de mon côté, j'aimerais vivre près de chez les Lyell ; il m'aide de la façon la plus extraordinaire, à la fois en géologie et sur le plan matériel. Ce n'est pas un quartier chic, mais c'est un bon quartier, près du British Museum et de la nouvelle Université de Londres.

— Lorsque tu auras trouvé plusieurs maisons qui semblent convenables, je viendrai à Londres et t'aiderai à choisir. »

Après quelque discussion, Emma fixa la date de leur mariage au 29 janvier 1839, à peu près deux mois et demi plus tard. La cérémonie aurait lieu dans leur église, sur la colline au-dessus de Maer Hall.

8.

Erasmus fut plus amusé que surpris.

« Condoléances, Gaz. Mais tant qu'à faire ce geste fatal, autant garder les problèmes dans la famille. »

Ils se mirent à écumer les rues du quartier de Bloomsbury, sur plusieurs miles carrés, d'Euston Road à Great Russel street, de Tottenham Court Road à Gray's Inn Road. Charles prenait des notes dans son cahier de Sainte-Hélène sur chaque maison qu'ils visitaient : adresse, loyer, taille, meubles, au milieu de ses notes sur la poussière volcanique et les squelettes de pigeon. M. Fuller, au 8 Albany Place, près de Regent's Park, voulait deux cents livres par an. Dans la même rue ils trouvèrent une maison non meublée, à soixante-dix livres par an, qui était trop petite ; pour une autre, l'agent voulait qu'on verse un premier paiement de cent livres immédiatement. Ils trouvèrent d'autres maisons à louer sur Montague Place, derrière le musée ; une autre sur Russel Square près de la maison des Lyell, Hart street ; une, au 12 Upper Gower street, dont la laideur n'était pas déplaisante, avec un petit jardin derrière.

Il ne pouvait pas travailler, ce qui l'exaspérait. A la fin de la semaine, il écrivit à Emma :

« *Les propriétaires sont devenus fous, de demander des prix pareils !* » Lyell avait réussi finalement à le faire admettre à l'Athenaeum en août 1838.

Il écrivit à Emma, enchanté :

« *Je vais dîner à l'Athenaeum comme un gentilhomme, ou plutôt comme un lord, car le premier soir où je me suis assis dans le grand salon, sur un sofa, tout seul, je me suis véritablement senti comme un prince. A l'Athenaeum, il y a tant de gens qu'on admire et qu'on a envie de rencontrer !* »

Un dimanche soir, Erasmus emmena Charles prendre un thé chez les Thomas Carlyle. Erasmus leur avait présenté Emma lorsqu'elle était venue à Londres en juin. Et Carlyle avait dit à Erasmus qu'Emma était une des filles les plus charmantes qu'il ait jamais vues. A quarante-trois ans, Carlyle était déjà bien connu des cercles de la littérature anglaise. Il avait publié *Sartor Resartus ;* et seulement un an plus tôt, une étude très fouillée sur *La Révolution Française.* Très versé dans la langue allemande, il avait traduit en anglais le *Wilhelm Meister* de Goethe. Les Carlyle, mariés depuis douze ans, sans enfants, avaient une maison agréable et du terrain près de la Tamise, dans Chelsea. Erasmus leur vouait un culte. Jane Carlyle envoya des messages à Charles par-dessus leurs tasses à thé mais Charles eut du mal à la comprendre « *à cause de cette sorte de ricanement hystérique qui rendent ses remarques presque inintelligibles* ».

Ils trouvèrent préférable qu'Emma vienne elle-même à Londres aider à choisir la maison qu'il leur fallait. Elle pourrait habiter avec Fanny et son frère Hensleigh à Notting Hill.

Charles alla la chercher à la gare d'Euston. Ce furent des retrouvailles publiques, forcément modérées. Il la conduisit en cabriolet chez Hensleigh. Là, elle put retirer son chapeau à larges bords ; ils se jetèrent dans les bras l'un de l'autre et s'embrassèrent avec chaleur.

« Sais-tu ce que Papa veut nous offrir comme cadeau de mariage ? s'écria-t-elle. Le piano que je voudrai choisir à Londres ! Maman pense que notre mariage doit être confortable et s'amuse beaucoup à tout prévoir pour la maison, le trousseau et même le gâteau de mariage, dont j'espérais qu'elle l'oublierait car c'est bien du travail et des dépenses pour rien. »

Chaque jour, dans la matinée, il venait la chercher en voiture et l'emmenait visiter les maisons qu'Erasmus et lui avaient déjà vues, plus une douzaine d'autres. La seule qui leur plut réellement était celle du 12 Upper Gower street, une maison de brique rouge de cinq étages, dans une suite de bâtiments serrés en enfilade, tous scrupuleusement bien entretenus. Et derrière la maison, ce que Charles appelait « un vaste et beau jardin ». Le quartier était parfait ; la rue, de l'autre côté du jardin, était celle de l'Université de Londres, on pouvait aller à pied jusqu'au British Museum, la maison des Lyell était à deux rues de là ; et le magnifique Regent's Park, avec son lac sur lequel on faisait de la barque, à dix minutes de marche.

Emma déclara qu'elle aimait la disposition de la maison : un sous-sol de bonne taille, éclairé devant et derrière par des ouvertures, « bon pour une cuisine, au fond », décida-t-elle. Le rez-de-chaussée comportait une entrée et un escalier avec des pièces devant et derrière. Le premier étage leur avait plu à tous deux, une grande pièce donnant sur la rue avec trois hautes fenêtres pour l'air et la lumière, qui ferait une belle salle de séjour ; une autre grande pièce à l'arrière dont les fenêtres donnaient sur le jardin, les arbres et les fleurs. Les deux pièces avaient des cheminées de marbre vert sombre.

« Cela pourrait être notre salon, dit Emma, pour le piano. »

Les chambres du deuxième étage étaient très belles également.

« Et nous pourrons même nous servir du grenier, dit Charles. Je pourrai y installer des socles pour mes roches et mes spécimens. »

Mais ils ne parvinrent pas à s'entendre avec la propriétaire. Quand Charles lui offrit cent livres par an de loyer, payables immédiatement, et un prix convenable pour ses meubles d'occasion, elle refusa catégoriquement son offre. Ils revinrent à trois reprises, lui garantissant un bail de deux ans si elle voulait soit reprendre ses meubles soit en ramener le prix à un chiffre plus raisonnable. Elle comprit à quel point la maison leur plaisait.

« C'est à prendre ou à laisser », leur dit-elle.

A regret, ils durent la laisser. Les deux semaines d'Emma arrivaient à leur terme. Elle devait rentrer à Maer Hall pour préparer son trousseau de mariage. On était déjà le 21 décembre. Charles la conduisit en toute hâte à la gare.

Il passa les huit jours qui suivirent à visiter plus de maisons qu'il n'en avait jamais vu. Le neuvième jour, on lui remit une note qui l'invitait à retourner au 12 Upper Gower street dès qu'il le pourrait ; c'était de la propriétaire. Charles s'y rendit immédiatement, plein d'espoir.

L'expression maussade de la propriétaire avait changé du tout au tout.

« M. Darwin, j'ai décidé que vous et cette Mlle Wedgwood si bien élevée seriez de bons locataires. Je vous consens un bail pour cent livres par an. Quant aux meubles, vous pourrez les avoir au prix de l'expertise. Pensez-vous que Pearsall et Jordan sauront les évaluer à leur juste valeur ?

— Oui. Leurs prix sont corrects.

— Alors, la maison est à vous. »

Il sortit quelques billets d'une serviette, les lui tendit, signa le contrat et, en échange, reçut la clé de la maison. Il eut la surprise d'hériter en sus d'une vieille femme qui leur ferait le ménage même après leur mariage.

Il revint en courant vers Gt Marlborough street et son bureau.

« *Ma chère Emma, je ne peux laisser partir ce courrier sans t'apprendre que Upper Gower street est à nous, avec ses rideaux jaunes et tout ce qui s'y trouve... Quelle joie cela sera d'avoir enfin notre propre foyer...* »

Cette nuit-là, tant d'heureux projets se bousculaient dans sa tête . qu'il ne put fermer l'œil jusque bien après deux heures.

Il se réveilla encore à cinq heures, trop préoccupé pour pouvoir se rendormir ; il se leva, puis sonna Covington.

« Je suis désolé de troubler ton dimanche, Syms. Mais commence à faire nos bagages.

— Mais pourquoi, Monsieur ?

— Je déménage. J'ai loué une maison Upper Gower street. Remballe les spécimens dans leurs caisses. Pendant ce temps, je vais trier mes tonnes de papiers. »

Erasmus vint les aider. A trois heures et demie, ils avaient deux pleins chargements de caisses et les déménageurs s'étonnèrent du poids de ce qu'ils transportaient. « Ma parole ! on dirait des roches », fit l'un d'eux qui ne croyait pas si bien dire. A six heures et demie, tout avait été déménagé. Pour se calmer, Charles alla faire les cent pas dans le jardin. Et avant d'aller se coucher, il traça :

« *12 Upper Gower street* » en haut d'une feuille de papier et écrivit à Emma :

« *Je m'assieds pour avoir la satisfaction infinie d'écrire à ma chère future femme, le tout premier soir de mon entrée dans ce qui sera notre maison. Il n'y a jamais eu de meilleure maison pour moi...* »

Il voulait que la maison soit aussi agréable que possible pour Emma. Il engagea des femmes de charge pour nettoyer les fenêtres, laver les rideaux, nettoyer les tapis de l'entrée et de l'escalier, laver les murs, cirer les parquets, épousseter et encaustiquer les meubles. Les couleurs dans la maison juraient : volets rouges, rideaux jaunes, murs d'une triste couleur moutarde, vert criard ou bleu fané. Il surnomma la maison le cottage Macaw, du nom d'un perroquet multicolore. Il baptisa le grenier « le Musée » pour ses collections. Il fit de la chambre du fond son bureau, disposa ses rayonnages et sa table de travail, accrocha les aquarelles de Martens, plaça ses instruments du *Beagle* sur une table. Il aurait voulu rendre le salon aussi accueillant.

Fanny Wedgwood vint le voir ; elle avait vérifié les références d'une cuisinière, Jane, et conseillait à Charles de l'engager.

« Elle vous coûtera quatorze livres dix par an, avec le thé et le sucre. »

Charles engagea la femme, et lui demanda de veiller à ce que de bons feux flambent dans les quatre pièces principales, mardi soir, quand Emma et lui rentreraient de leur mariage. Syms Covington emménagea dans son propre logement, et Charles promit de lui donner de bonnes références pour un nouvel emploi.

Charles s'était juré de ne rien porter de si extravagant qu'il doive se changer pour le voyage. Les vêtements n'étaient pas importants. Il venait d'être nommé membre de la Royal Society, un honneur que l'Angleterre n'accordait qu'à ses hommes de science les plus renommés, le plus prisé dans les cercles académiques et professionnels ! C'était le cadeau de mariage qu'il emportait fièrement vers Maer et entendait partager avec Emma.

Il passa deux jours au Mont, puis avec son père, Susan et Katty, partit pour Maer Hall. Ils arrivèrent dans l'après-midi, la veille de la cérémonie, et trouvèrent la maison pleine de leurs deux familles. Emma était si occupée à essayer sa robe de mariée qu'elle ne l'embrassa qu'une fois en murmurant : « Je te verrai à l'église demain matin. » Dans la soirée, le groupe bruyant qui buvait et riait se tut un moment lorsqu'on apprit que la mère d'Emma ne se sentait pas assez bien pour être transportée à l'église ; et que le premier enfant de Joe et Caroline, malade depuis deux mois, allait de plus en plus mal.

Le mariage se poursuivit néanmoins dans la gaieté. Emma était ravissante dans sa robe de soie gris-vert sous son petit bonnet de piqué blanc bordé de fleurs blondes. L'église était fraîche mais hospitalière, le soleil d'hiver illuminait les vitraux. John Wedgwood, vicaire de Maer, lut les phrases de cérémonie d'une voix qui résonna dans la petite chapelle.

« Très chers amis, nous nous trouvons ici, sous le regard de Dieu et devant la présente compagnie pour unir cet homme et cette femme par les liens sacrés du mariage ; qui constitue un état honorable... »

Charles était si nerveux qu'en signant le premier des deux certificats de mariage, il trouva le moyen de raturer son second prénom, le rendant illisible. L'éclat de rire qui suivit détendit quelque peu l'atmosphère.

Vers le milieu de la matinée, le cortège redescendit de la colline, Charles et Emma se tenant par le bras, pour prendre un punch et un gâteau de Savoie. Emma quitta sa robe de mariée, s'assit quelques minutes devant la cheminée de la salle à manger avec ses sœurs, puis monta chez sa mère pour lui dire au revoir. Elle fut soulagée de la trouver endormie, ce qui leur épargnait à toutes deux la douleur des adieux. Elle redescendit et dit à Charles :

« Je suis prête. »

On les conduisit à la nouvelle station de chemin de fer de Whitmore, à un mille trois quarts de Maer, dans l'attelage de la famille. Dans le train, ils firent honneur aux sandwiches au poulet, tomates et concombres qu'Elisabeth avait préparés pour eux.

Ils arrivèrent à Upper Gower street assez tard dans la soirée. Deux feux flambaient joyeusement dans les pièces principales et dans leur chambre à coucher. Ils eurent la surprise de trouver Edward, le majordome depuis toujours au Mont, que Charles aimait beaucoup, apparaître à la porte pour leur présenter ses vœux.

« Edward ! Mais que fais-tu à Londres ? s'écria Charles.

— C'est le docteur Darwin qui m'a demandé de descendre. Il a pensé que je pourrais peut-être vous être utile pendant une semaine ou deux, pour aider madame Darwin à s'installer.

— Comme c'est gentil de la part du docteur Darwin ! » s'écria Emma.

Ils allaient de pièce en pièce, la main dans la main.

« C'est peut-être à cause des lumières et du feu dans la cheminée, Charles, dit Emma, mais la maison me paraît soudain très confortable, et même les meubles me semblent de bon goût.

— Vous êtes assez élégante vous-même, Mme Darwin !

— Mme Darwin ! C'est impressionnant ! »

Edward leur servit à dîner devant la cheminée du bureau de Charles et se retira discrètement en leur souhaitant une bonne nuit. Charles mit une pelletée de charbon au fond de la cheminée de la chambre pour que le feu brûle toute la nuit.

Ils allèrent se coucher tôt car la journée avait été longue. Blottis dans les bras l'un de l'autre, il murmura, ses lèvres sur celles d'Emma :

« Lorsque Fanny a épousé son cousin Hensleigh, elle a demandé à sa bonne quel effet faisait le mariage. Elle a répondu : " Ben m'dame, ça f'ra pas grande différence ! " Emma, ma très chère Emma, cette bonne avait tort. C'est la plus grande différence qui soit. »

LIVRE HUIT

1

Après un long petit déjeuner, Emma, complètement habillée, lui dit :

« Charley, il faudra que nous achetions une robe d'intérieur pour moi. Je n'ai pas voulu en prendre une à Staffordshire de peur que tu ne l'aimes pas.

— Je t'aime dans tous tes vêtements. » Et il réprima l'envie d'ajouter : « et sans aucun ».

Il découvrit qu'il était compatible avec le mariage. Parce qu'il n'y avait qu'un fauteuil dans la maison d'Upper Gower street, qu'Emma trouvait confortable mais Charles pas, ils prirent un fiacre qui les conduisit non loin de là chez Hewetson, Milner et Thexton sur Tottenham Court road, qu'on appelait le quartier du meuble. Dans la troisième boutique, ils tombèrent sur un vaste fauteuil d'acajou tapissé de velours rouge. Charles déclara :

« Il est parfait pour les lecteurs acharnés, les rats de bibliothèque. Il me soutient le dos et me permet d'étendre mes longues jambes. »

La journée était froide, les rues enneigées et glissantes ; ils s'arrêtèrent encore devant une librairie et achetèrent un roman qu'ils se lurent à voix haute devant la cheminée du bureau.

Le lendemain matin, ils pataugèrent dans la neige fondue pour aller acheter la robe d'intérieur d'Emma, en satin marron clair avec un col haut.

« Est-ce que tu l'aimes, Charles ? Moi, je la trouve irréprochable.

— Elle te va très bien, mais le satin ne te tiendra pas très chaud.

— Ton amour s'en chargera, mon chéri. »

Le dîner ce soir-là ne fut pas fameux. Emma n'était guère conquise par Jane, une jeune rouquine pimpante.

« La cuisinière n'est pas très bonne, ne trouves-tu pas ?

— Pas très bonne en effet.

— Il va falloir que je l'attaque sur son propre terrain. Quelle partie du dîner as-tu aimé le moins ?

— Les pommes de terre. Trop bouillies.

— Très bien. Je lui reprocherai d'avoir trop fait cuire les pommes de terre. Cela sera un bon début et me donnera de l'autorité. »

Le lendemain, ils allèrent ensemble chez Broadwood, fabricant de piano-forte. Emma chercha celui que le Révérend Thomas Stevens, un ami de la famille Wedgwood qui lui avait donné des leçons de piano, avait choisi pour elle. Elle le trouva avec sa carte dessus. C'était un piano à queue, en acajou, magnifique. Lorsqu'elle s'assit pour l'essayer, Emma s'écria, radieuse :

« Oh ! Charles, quel son merveilleux. Il n'a pas un seul des défauts de notre piano de Maer ! »

Charles demanda qu'on le leur livre au 12 Upper Gower street aussi vite que possible.

On lui avait offert une charmante aquarelle de Barmouth peinte par Charlotte, la sœur d'Emma. Ils l'accrochèrent dans le salon d'un côté de la cheminée. Ne voulant pas demander ouvertement un tableau jumeau à Charlotte, Emma écrivit à Elisabeth en lui disant :

« *Si Charlotte veut connaître le format exact de son aquarelle de Barmouth, elle fait treize pouces par huit et demi. Hum hum !* »

En un temps record, ils reçurent une seconde aquarelle très précisément du même format qui vint faire pendant à celle de Barmouth de l'autre côté de la cheminée.

Leur sortie suivante les conduisit en voiture chez Lambert et Rawlings au 11 Coventry street, près de Regent Circus, pour acheter leur argenterie et leur vaisselle. Les couverts qu'Emma préférait avaient été dessinés par Harrison Bros & Houson, couteliers de Sa Majesté. Ils portaient, dessiné en relief sur chaque manche, un motif floral. Elle acheta un service pour douze, douze énormes cuillères à soupe, douze petites cuillères à thé et douze un peu plus grandes pour le dessert ; douze couteaux d'acier bien affûtés à manche d'argent pour la viande et douze autres à bout rond pour le pain et le beurre. Ils choisirent les fourchettes massives pour le repas et les petites fourchettes à dessert. Ils firent aussi l'acquisition d'un service à poisson avec des manches d'ivoire et d'énormes couverts pour servir.

Pour les pommes, les poires et les autres fruits, il y avait de petits couteaux d'argent à manches incrustés de nacre. Et chaque service était dans un coffret doublé de velours. Lorsque Emma en additionna les prix, elle murmura à Charles :

« Nous sommes à demi ruinés !

— Dépensons la moitié qui nous reste, fit-il, grand seigneur. Choisis tes bols en argent. Père nous a offert deux cents livres comme cadeau de mariage pour équilibrer notre budget jusqu'à ce que nous trouvions une maison à la campagne. Ce sera son cadeau. »

D'autres membres de la famille avaient fait des dons en argent pour leur permettre de monter leur ménage. Emma choisit avec un soin infini ses plateaux d'argent, ses soupières, pots à confiture, services à thé, s'assurant toujours que Charles approuvait ses choix.

Lorsqu'ils virent l'ensemble étalé devant eux, luxueux, brillant et bien aligné :

« Cela devrait nous durer toute une vie, dit Charles.

— Certainement. C'est curieux, mais je me sens vraiment mariée, maintenant que je vais pouvoir mettre correctement la table. »

Ils étaient joyeux dans la voiture qui les ramenait à la maison, riant et s'embrassant comme les jeunes mariés qu'ils étaient, dès qu'ils se surent hors de vue du cocher perché devant sur son siège.

Le samedi suivant, Charles se promenait aux alentours de la maison lorsqu'il vit qu'on venait leur livrer le piano. Il observa les déménageurs qui le montaient avec précaution, en le tournant sur le côté, jusqu'à cette niche dans le salon du premier étage où il devait prendre place. A peine était-il installé qu'Emma joua quelques mesures de Haendel et de Haydn.

« Tu auras droit à un bon morceau de musique tous les soirs, s'écria-t-elle.

— N'est-ce pas William Congreve qui disait que la musique adoucissait même les bêtes sauvages ?

— Tu aurais dû emporter un piano avec toi en Terre de Feu ! »

Emma décida de tester ses talents sur la famille pour son premier dîner. Elle servit une soupe aux huîtres, une sole au citron, un rôti de dinde avec une farce épicée. Hensleigh et Fanny arrivèrent tôt le lendemain, mardi soir. Hensleigh rayonnait de joie :

« Une chance extraordinaire. J'ai obtenu le poste de greffier au Service d'Immatriculation des Fiacres. Pas besoin d'être assermenté. Je dois toucher cinq cents livres par an, trois cents de moins que ce que je recevais en tant qu'officier de police, mais nous pourrons nous en tirer. »

Charles lui serra la main et embrassa Fanny sur la joue. Il savait combien l'année qui venait de s'écouler l'avait éprouvée.

« Je travaillerai de dix heures à quatre heures, quatre jours par semaine, continua Hensleigh. Cela me laissera du temps pour mes recherches et pour écrire. Pendant toute l'année où je suis resté sans emploi, j'étais incapable de me concentrer sur mon étymologie. L'origine et les dérivés des mots semblaient si dérisoires dans un monde où je n'avais rien à faire. Maintenant, c'est différent, si modeste que soit la tâche. »

Hensleigh était celui des fils Wedgwood qui était le plus proche de Josiah ; pas aussi grand mais mince, avec d'abondantes boucles brunes et des yeux intelligents. Brillant à Christ College, on lui avait offert une bourse. Mais, là encore, il avait refusé parce qu'il fallait prêter serment.

Fanny, cousine germaine d'Emma par sa mère, était une blonde cendrée avec des yeux gris qui semblaient avoir toute la patience du monde. Elle avait soutenu Hensleigh dans sa décision de démissionner de son poste bien payé et quitté leur grande maison de Clapham pour celle de Notting Hill.

Ils passeraient la nuit. Emma les accompagna jusqu'à leur chambre. Lorsqu'elle revint Charles lui demanda :

« Où crois-tu qu'Hensleigh ait été pêcher cette sainte horreur des serments ?

— Papa a essayé de le savoir mais Hensleigh lui a répondu que cela ne regardait que lui.

— Evidemment. Mais il désire pourtant vivement devenir un savant et être publié. La bourse à Cambridge lui aurait permis tout cela. »

Edward, dans sa plus belle livrée, disposa sur la table le cristal et les porcelaines de la fabrique Wedgwood en Etrurie. C'est le père d'Emma et deux de ses frères qui avaient choisis eux-mêmes le motif floral, une bordure rouge et bleu foncé avec des roses sur un fond blanc. Tout cela étincelait sur le buffet pas trop élégant qui leur était venu avec la maison.

Erasmus arriva à sept heures, comme toujours impeccablement habillé. Il avait au fond des yeux une lueur dubitative. Mais lorsqu'il arriva dans la salle à manger, il s'écria :

« Eh ! mais vous avez bien fait les choses ! »

Les cinq membres de la famille s'assirent pour dîner. Lorsque Edward apporta les plats encore fumants, Erasmus fit avec un sourire sarcastique : « Ha ! une pâle imitation de mon dîner de Marlborough street. »

Emma en fut amusée.

Mais au pudding, dès les premières cuillerées, Eramus capitula.

« Emma, je dois admettre que le mien n'est pas aussi bon. Je m'avoue vaincu. »

Charles s'autorisa une lune de miel de huit jours. Il passa son temps avec Emma : ils firent des achats, se promenèrent quand le temps était beau, allèrent à des concerts, dont celui de Blagrove. Le neuvième jour, il bondit hors du lit avec tant de détermination qu'il la réveilla. Elle se frotta les yeux, le vit qui se tenait au-dessus d'elle, ses larges épaules hors de la chemise de nuit et ses cheveux emmêlés sur le front par le sommeil.

« Charles... que se passe-t-il ?

— Je me suis levé.

— Je le vois bien. Tu essaies de fuir un mauvais rêve ?

— C'est toujours comme cela que je me lève quand je me mets à travailler. »

Il se pencha sur elle et l'embrassa.

« C'est Sir Walter Scott qui m'a appris cela. Il disait : “ Tournez-vous de l'autre côté une seule fois et vous ne vous lèverez pas. ” »

Il ferma la porte du bureau derrière lui et se plongea dans son livre sur les coraux, développant les arguments prouvant que les atolls ne prenaient pas appui sur des cratères.

Emma l'appela pour le petit déjeuner à dix heures, et lui servit ce qu'il aimait à Maer. Ils mangèrent et parlèrent tranquillement jusqu'à onze heures. Puis Charles retourna au travail, écrivant et consultant les ouvrages de référence jusqu'à deux heures ; au total, cinq heures de concentration qui selon Lyell, suffisaient pour la journée.

« Il faut que je passe dans l'après-midi à la Geological Society, dit-il à Emma, après le repas. Il doit y avoir quantité de papiers qui attendent d'être lus et résumés. Je les ai négligés depuis que tu m'as accepté. Et négligé tout le reste également. J'ignorais que l'amour est une telle fièvre dans le sang.

— Tu rattraperas tout cela, répondit-elle avec sérénité. Tu gagneras du temps en n'ayant pas à faire la cour à d'autres filles.

— Je n'ai jamais fait la cour à personne d'autre que toi. Et j'ai bien l'intention de m'en tenir là. Pourrions-nous faire quelques pas dans Regent Park avant que je m'immole à la Société de Géologie ?

— Je vais mettre mon plus beau chapeau. »

C'est ce qu'elle fit. Malheureusement il se mit à pleuvoir pendant qu'ils étaient dans le parc. Par chance, ils trouvèrent une voiture sur Euston road, dès qu'ils en sortirent, ce qui sauva le chapeau d'Emma. Charles continua jusqu'à la Geological Society et s'absorba dans une pile d'articles scientifiques.

Il reprit son quatrième cahier sur les espèces, commencé en août 1838. Il citait Malthus :

« *L'esprit le plus " libéral ! " de la philosophie s'accorde à croire que pas une pierre ne peut tomber ni une plante pousser sans l'intervention immédiate de la divinité. Mais nous savons par " expérience " que ces processus que nous appelons la nature obéissent " presque " invariablement à des lois déterminées ; et depuis les débuts du monde, les causes de population et de dépopulation sont sans doute aussi constantes que toutes les autres lois de la nature qui nous sont familières — je n'appliquerais pas seulement cela à la population et à la dépopulation, mais également à la destruction et à la production de nouvelles formes...* »

Il se remit à lire sérieusement, passant trois à quatre heures par jour sur les *Observations sur la morale* du pape Eugène IV, le *Traité de Géologie* de John Phillips. Pourtant le travail ne lui prenait pas tout son temps. Ils allaient prendre le thé chez les Lyell qui habitaient tout près.

« Je suis si heureuse que vous ayez trouvé une femme ! s'était exclamée Mary Lyell. Je pourrai enfin parler avec Emma de choses quotidiennes pendant que les deux Charles se perdent dans les méandres de la géologie. »

Et au docteur Holland qui le félicitait sur sa bonne mine :

« Ma femme a désormais pleins pouvoirs sur mon cœur et sur mon estomac. »

Il ne laissa Emma seule que lorsqu'il dut lire son article sur Glen Roy à la Royal Society, se rendre à la Geological Society pour participer aux fêtes du trente-deuxième anniversaire et écouter une conférence du président Wheewell sur les coquillages fossilisés.

En juin, la deuxième partie des *Oiseaux* de John Gould était parue, avec dix planches en couleurs. La seconde livraison des *Mammifères Fossiles* de Richard Owen, illustrée de dix lithographies, était prête à être distribuée. C'est George Waterhouse qui travaillait le plus vite ; il avait déjà publié trois plaquettes sur ses *Mammifères* et travaillait à la quatrième. A dix shillings pièce, les séries se vendaient bien. Charles rendait souvent visite aux écrivains, et tenait un compte détaillé de l'argent du gouvernement qu'il dépensait.

Voulant se reposer des coraux, il se plongea dans un chapitre sur les tremblements de terre, qui l'intriguaient depuis longtemps, bien qu'en principe il n'ait prévu d'aborder ce sujet que dans le dernier volume de sa trilogie. Emma, venant le chercher pour le repas de deux heures — il consultait rarement sa montre en or — devant la pile de feuilles couvertes de ses hiéroglyphes en vrac sur son bureau, lui dit :

« Mon cher Charles, je n'imaginais pas que tu puisses travailler aussi dur. Tes visites à Mear Hall étaient toujours des vacances. Je suis contente de voir quelle joie tu éprouves à écrire. »

Il l'assit sur ses genoux et l'embrassa.

« Ma chère Emma, il n'y a que deux choses qui comptent dans la vie : l'amour et le travail. Ou le travail et l'amour, dans l'ordre qui te plaira.

— Mettons l'amour en premier. » Elle lui rendit son baiser. « Va laver toute cette encre que tu as sur les doigts. J'ai de la sole au citron pour toi.

— Quel amour de fille tu fais, à me servir toujours mes plats préférés !

— Je ne suis pas une fille, mais une femme, mon cher. Et il sied mal à un membre de la Royal Society d'employer un mot pour un autre. »

Il avait repris l'habitude qu'avait eue son père toute sa vie de tenir un compte détaillé des plus petites sommes qu'ils dépensaient : tant pour la nourriture, tant pour le vin et la bière, pour le charbon, pour les coupes de cheveux, pour les fiacres et les transports, pour les livres, pour les vêtements, au demi-sou près ; pour le salaire de la cuisinière et de leur nouveau factotum, qu'Emma n'aimait guère.

« Il sert correctement et c'est à peu près tout ce qu'il sait faire, sinon donner des ordres à Jane et Margaret. Et je trouve particulièrement injuste qu'il reçoive un salaire double en travaillant deux fois moins.

— S'il ne te plaît pas, engages-en un autre. Mais nous devrons toujours lui donner trente-cinq livres par an. C'est le salaire que tout le monde paie.

— Je sais bien que c'est la coutume, à Londres, d'avoir des

serviteurs masculins, mais pour moi, je préférerais qu'il n'y ait que des femmes. »

A la fin février, il se remit à fouiller les librairies. Chez Yarrell, il acheta des vies de Haydn et de Mozart pour Emma ; pour lui, les *Amaryllidaceae* de William Herbert, qui traitait des hybrides, et qu'il annota en marge. Les trois volumes de *La Révolution Française* de l'ami d'Erasmus, Carlyle ; les conférences de Wells sur l'instinct ; *Sur le Croisement des animaux* de Cline ; un traité sur les pigeons et pour se rafraîchir la mémoire un nouvel exemplaire de la *Zoonomia* de son grand-père.

Le dimanche matin, par tous les temps, ils allaient dans une église du voisinage écouter les chœurs. Charles savait Emma religieuse par nature. La plupart des Wedgwood étaient Unitariens, comme la mère de Charles par le passé. Son grand-père, le redoutable docteur Erasmus Darwin avait dit un jour : « *l'Unitarianisme est le lit de plume que l'on pose sous un chrétien en perdition* ». Charles ne connaissait personne, dans sa famille ou dans celle d'Emma, qui soit dévot. Mais il réalisait maintenant que sa femme était une croyante sincère. Il décida de l'emmener à l'église tous les dimanches. Au début de mars, ils firent un mile et demi à pied, jusqu'à l'église de King's College, pour n'y trouver qu'une demi-douzaine de fidèles dans une chapelle mal chauffée. Vers le milieu de l'office, il fut pris de frissons.

« Emma, il fait terriblement froid ici. Pourrions-nous rentrer ?

— Dès que l'office sera terminé. »

Ils eurent la chance de trouver immédiatement un fiacre et rentrèrent à la maison. Emma le mit au lit et lui apporta du thé au citron ; et fut soulagée de le voir guéri quelques jours plus tard.

Il encourageait aussi l'amour d'Emma pour le théâtre. Il l'emmena voir une nouvelle pièce, *Richelieu,* dans laquelle jouait le célèbre acteur McReady. Le parterre était plein à craquer de gens qui « écoutaient de toutes leurs oreilles », chuchota Emma. Charles applaudit de bon cœur. En rentrant, il fit remarquer :

« C'était intéressant et bien joué. Merci de m'avoir réappris le chemin du théâtre. Je l'avais oublié. »

Vers la mi-mars, Charles remarqua que son Emma, d'ordinaire si calme, semblait agitée.

« J'aimerais me séparer de Jane, expliqua-t-elle. J'ai la nette impression qu'elle est trop maligne et ne cherche qu'à se servir de nous.

— Est-ce qu'elle chaparde ?

— J'aimerais surtout ne pas avoir à la prendre en flagrant délit de malhonnêteté et pouvoir lui donner un certificat.

— Personne ne devrait vivre à la maison avec qui tu ne sois parfaitement à l'aise », dit-il.

Emma lui sourit joyeusement.

« Merci, Charles, je reconnais ta courtoisie. Demain, j'aurai le courage de lui dire qu'elle ne convient pas. Ta sœur Susan a entendu parler d'une femme du Shropshire qui, croit-elle, pourrait faire l'affaire. Ce sera très reposant d'avoir une personne de la campagne.

— Sans parler de la cuisine campagnarde ! »

Sally, la campagnarde de Susan, arriva peu après. Elle était rondouillarde, dans la quarantaine, heureuse d'avoir pour la première fois l'occasion de venir vivre à Londres. Elle plut à Emma, qui trouvait sa présence rassurante à la maison.

Leur chance n'en resta pas là. Emma avait essayé deux serviteurs, dont aucun ne convenait.

« J'essaierai une dernière fois, dit-elle à Charles, après quoi, je défierai les conventions s'il le faut et m'en passerai. »

On leur recommanda Joseph Parslow. Il semblait faire partie de la famille à la minute où il passa la porte. Il avait vingt-sept ans, était petit, casanier sans être pesant, aussi rapidement sur pied qu'un chat. Il avait essayé plusieurs métiers pour lesquels il n'avait aucun talent, puis était rentré en service. Il n'avait pas aimé les deux maisons précédentes dans lesquelles il avait travaillé ; elles étaient froides et les gens distants.

« C' que j' cherche, M'dame, c't'une une famille. Comme qui dirait en permanence. En faire partie. Aimer les gens. Et être traité décemment, pas regardé de haut. Et bien m'occuper de leur maison et de leur personne...

— Joseph Parslow, vous êtes engagé. Si ce que vous dites est vrai, vous venez de vous trouver une famille. »

Parslow s'entendit bien avec Margaret et Sally, fit les cuivres et l'argenterie, tailla les mèches et remplit les lampes, servit à table, fit des courses pour Charles et le marché pour Emma. Il était infatigable, de bonne humeur, aimable avec Charles, Emma et leurs amis lorsqu'il leur ouvrait la porte ou leur servait le thé au salon.

« Parslow est un jeune Edward, dit Emma. Nous avons maintenant une maison parfaitement organisée. »

2.

Charles reçut une lettre de John Henslow ; Harriet et lui venaient à Londres et auraient aimé les voir. Emma ne les avait jamais rencontrés mais savait le rôle capital qu'ils avaient joué dans la vie de Charles.

« Pourquoi ne les inviterions-nous pas à passer quelques jours chez nous ? demanda-t-elle. La chambre d'amis est présentable, maintenant, avec les nouvelles gravures au mur. »

Il leur envoya une invitation et très vite se mit à se faire du souci. « Que faire pour qu'ils ne s'ennuient pas ? Faut-il donner une réception avec des scientifiques qu'Henslow aimerait rencontrer ? Ou peut-être louer une voiture pour quelques jours... ? »

Emma se mit à rire. « On dirait un fils qui invite des parents exigeants chez lui pour la première fois. Ne t'inquiète pas. Tout ira bien. »

Il n'y eut jamais d'invités plus accommodants. Ils arrivèrent à quatre heures de l'après-midi. Harriet alla d'elle-même dans la chambre d'amis pour se reposer ; Charles et Henslow s'engouffrèrent dans le bureau. Emma eut donc le temps de superviser les derniers détails de son premier grand dîner. L'élégant service de Wedgwood et les fins cristaux brillèrent à nouveau de tout leur éclat sur une nappe de lin fin, autre cadeau de mariage. Et elle put tout à loisir faire sa toilette et s'habiller d'une robe de velours bleu qui laissait ses épaules découvertes et flattait son teint.

Les Lyell furent les premiers à arriver, amenant avec eux la sœur de Mary, Leonora. Les Henslow et les Lyell étaient de vieux amis. Peu après, Robert Brown arriva ; Henslow et Brown, les deux botanistes les plus célèbres d'Angleterre, se précipitèrent l'un sur l'autre avec joie. Le docteur William Fitton, éminent géologue et ancien président de la Société de Géologie, n'arrivait toujours pas. Emma s'en inquiéta. Elle alla dans la cuisine pour s'assurer que Sally ne laissait pas le dîner brûler.

« Vous pouvez m' faire confiance m'dame. J' prévois toujours pour les retardataires. On connaît ça dans le Shropshire, surtout quand les routes sont pas bonnes. »

William Fitton se fit pardonner en avalant d'un trait son verre de sherry puis l'assemblée passa à table. Emma avait fait des merveilles.

« Tu ne m'en voudras pas si je jette un peu de poudre aux yeux ? » avait-elle demandé à Charles.

Parslow, dans sa nouvelle redingote offerte par les Darwin, apporta une soupe d'artichaut en purée, de la morue dans une sauce à l'huître, des côtelettes provençales et des petits pâtés à la sauce blanche ; puis une selle de mouton suivie de fromage, de fruits, et d'un pudding glacé ; des sucreries et des prunes confites sur un plat d'argent, et des petits cakes. Il y avait un bon clairet.

Malgré ces mets délicieux, l'atmosphère était lourde. Pour une raison ou une autre, Lyell, qui élevait facilement la voix chez lui quand il discutait de géologie, parlait dans un souffle, si bien que les autres baissèrent le ton pour se mettre au diapason. Personne n'entendait rien. Robert Brown, qu'Humboldt appelait « l'honneur de la Grande-Bretagne » était si timide qu'il semblait se recroqueviller sur lui-même et disparaître complètement.

« Mon Dieu, mon Dieu ! se dit Emma, avec ces deux poids morts, ce dîner de sommités va s'aplatir comme un soufflé froid. »

Ce furent les femmes qui sauvèrent la soirée. Harriet Henslow avait la voix forte et claire. Elle se mit à raconter les dernières anecdotes des facultés de Cambridge. Mary Lyell, surprise du manque de souffle de son mari, prit sa revanche pour toutes ces heures où elle avait dû rester muette pendant qu'il se perdait dans des détails techniques de géologie et fit preuve d'un grand sens de la repartie. Charles, voyant ce qui se passait, plongea tête la première dans la conversation, s'adressant à ses amis l'un après l'autre. Lyell et Brown durent parler plus fort pour qu'on les entende. Tout le monde passa une bonne soirée et complimenta Emma pour le somptueux repas.

Les Henslow ne restèrent que quelques jours. Le mercredi, les Lyell donnèrent un dîner en leur honneur et le lendemain, ce fut le tour de William Fitton d'inviter tout le monde. Ils allaient partir lorsque John annonça :

« J'ai gardé la meilleure nouvelle pour la fin. Nous vendons notre maison à Cambridge et nous nous installons dans un logement de la Couronne, à Hitcham dans le Suffolk, la paroisse dont je suis recteur. Je reviendrai tous les printemps à Cambridge pour y donner mon cours de botanique. »

Il se pencha en joignant les mains. « Il y a beaucoup à faire à Hitcham. C'est une paroisse d'un peu plus de mille âmes, de pauvres et d'illettrés. Baptêmes et mariages y sont considérés comme un luxe. L'église est vide. Pour ce qui est de la nourriture, de l'habillement ou d'un mode de vie décent, les habitants y sont tout à fait au bas de l'échelle sociale. C'est un défi que je suis prêt à relever. Il faut que leur vie s'améliore et les méthodes d'agriculture moderne peuvent les y aider. En tant qu'homme de Dieu, c'est ma mission que de m'y efforcer. »

Le mois suivant fut heureux et productif, entièrement consacré au tracé de cartes et de dessins pour illustrer les chapitres traitant de l'atoll de Keeling et des récifs de l'île Maurice, qui apportaient des matériaux nouveaux sur le rythme de croissance, la profondeur à laquelle vivent les coraux, les récifs submergés et morts. Charles travaillait presque toute la journée. Emma ne s'en plaignait pas car cela lui laissait un peu d'intimité et la possibilité de s'accoutumer à la vie de Londres. Dans la soirée, elle lui lisait un livre humoristique ou lui jouait quelque morceau apaisant.

Vers la fin avril, voulant se reposer de sa concentration sur les coraux, il revint à sa continuelle recherche dans le domaine des espèces. Dans son quatrième cahier, il écrivit :

« *Lorsque deux races humaines se rencontrent, elles agissent précisément comme les espèces animales : elles se combattent, s'entre-dévorent, se communiquent des maladies, etc. mais vient ensuite l'épreuve décisive, qui révèle celle qui possède la meilleure organisation ou les instincts (c'est-à-dire, chez l'homme, l'intelligence) qui lui permettent d'emporter la bataille...*

Il est difficile d'imaginer la guerre silencieuse mais sans merci que se livrent continuellement les êtres organiques au cœur des bois paisibles ou des champs riants. »

Puis il fit une généralisation sur toute variation :

« *Mon principe étant la destruction de tous ceux qui présentent une moindre résistance et la préservation de ceux qui résistent accidentellement.* »

Il commit une sérieuse erreur de jugement. Il n'avait personne avec qui discuter de son travail sur les espèces, excepté Charles Lyell, qui croyait déjà au changement et aux modifications. Il n'aurait pas songé à dissimuler à Emma ses achats de livres sur les croisements animaux et la reproduction, ou les raisons de sa correspondance avec des éleveurs qui par croisement cherchaient à développer des races de bétail plus utiles. Parfois, en écrivant dans le cahier en cours ou en se reportant aux trois précédents pour vérifier quelque chose, il commentait son travail, informe et indécis encore, mais fascinant :

« C'est Malthus qui m'a fourni le maillon manquant de cette

chaîne, expliqua-t-il à Emma, en mentionnant cette tendance de toutes les formes de la vie à s'accroître au-delà du potentiel de nourriture que leur procure l'environnement. Ma théorie que le changement, dans les temps historiques, est resté minime, est irréfutable ; le changement d'une forme résulte du changement des conditions. Il est logique que lorsqu'une espèce se fait plus rare, au fur et à mesure qu'elle avance vers l'extinction, d'autres espèces croissent en plus grand nombre dans l'espace qu'elle laisse inoccupé. »

Un autre soir, il lui dit :

« Chaque structure est susceptible d'infinies variations aussi longtemps que chacune d'elles constitue une meilleure adaptation aux conditions de l'époque. »

Emma ne réagissait toujours pas. S'il n'avait été à ce point absorbé dans ses propres pensées, il aurait pu saisir un élément nouveau dans ce silence d'Emma. Ce fut une longue discussion qu'il eut un soir avec Lyell, qu'il rapporta dans son cahier et raconta plus tard à Emma, qui fit éclater la crise.

« Lyell fait observer que les espèces ne réapparaissent jamais plus, une fois éteintes. Il suggère que depuis les périodes les plus reculées, il y a eu apparition ininterrompue de nouvelles formes organiques. Mes propres études et observations corroborent cela. Lyell suggère également que ces formes, qui préexistaient sur la terre, se sont éteintes. Comme ces fossiles de Megatherium que j'ai trouvés en Amérique du Sud. »

Emma leva les yeux, mal à l'aise.

« Es-tu en train de suggérer qu'il n'y a pas de Dieu ?

— Ce que je suggère, c'est que Dieu, au commencement, créa certaines lois. Puis Il se retira, permettant à ses lois de s'appliquer d'elles-mêmes. »

C'était la première fois qu'il remarquait l'inquiétude d'Emma. Mais il ne s'attendait pas aux suites. Le lendemain soir, au moment où ils se déshabillaient pour se mettre au lit, elle lui dit calmement :

« Charles, mon cher, j'ai posé une lettre sur ton bureau. C'est-à-dire, pas véritablement une lettre, plutôt, une communication. Préférerais-tu la lire ce soir ou plutôt demain matin ?

— C'est la première fois depuis que nous sommes mariés que tu m'écris une communication. Il vaut mieux que j'aille la lire tout de suite. »

Il mit une robe de chambre et trouva sur son bureau une feuille couverte de l'écriture précise d'Emma. « Trop précise, pensa-t-il. Elle a dû la récrire plusieurs fois. »

« *Je souhaite vivement continuer à penser que tant que tu agiras selon ta conscience, en souhaitant de toutes tes forces découvrir la vérité, tu ne pourras pas être dans l'erreur, mais quelques raisons s'imposent à moi qui m'empêchent de pouvoir toujours me rassurer ainsi. Je suis sûr que tu les as déjà envisagées, mais je les écrirai quand même, sachant bien que ton affection me pardonnera...*

Est-ce que cette habitude de la recherche scientifique, de ne rien croire qui ne soit prouvé, ne t'influence pas trop dans des domaines où rien ne peut être prouvé de cette manière ? Et devant les faits qui, pour être vrais, sont vraisemblablement au-delà de notre compréhension ? N'est-il pas dangereux de négliger la Révélation, *dont on ne tient aucun compte de l'autre côté, ne faut-il pas craindre l'ingratitude lorsque l'on rejette ce qui a été fait pour votre bien en même temps que pour celui du monde ? Cela devrait te rendre encore plus prudent, peureux même, tant que tu n'auras pas fait tous les efforts possibles pour arriver à une juste conclusion...*

Je n'attends pas de réponse à tout cela — c'est une satisfaction pour moi que de l'écrire. Ne pense pas que cela ne me regarde pas ou que le sujet ne me tienne grandement à cœur. Tout ce qui te concerne, me concerne et je serais très malheureuse si je cessais de croire que nous nous appartenons l'un à l'autre pour toujours. J'ai bien peur que mon très cher pense que j'ai oublié ma promesse de ne pas l'importuner, mais je suis sûre qu'il m'aime et ne sais comment lui exprimer le bonheur qu'il me donne, le remercier pour toute son affection qui rend ma vie chaque jour un peu plus heureuse. »

Il était bouleversé par cette marque d'amour que lui donnait Emma, en même temps que par sa peur qu'il perdît la foi en Dieu et la promesse d'une vie éternelle. Il resta très longtemps assis à son bureau puis se mit à marcher de long en large. Lorsqu'il jeta un coup d'œil dans la chambre à coucher, il vit qu'Emma dormait profondément, paisiblement, ayant dit ce qu'elle avait à dire. Il baisa sa lettre, puis se tint devant la fenêtre, contemplant le jardin dans l'obscurité. Que pouvait-il faire ? Il ne pouvait pas continuer son travail sur les origines et la vulnérabilité des espèces si cela effrayait sa femme. Ce pouvait être un coup fatal porté à leur union.

« Je ne peux lui imposer un tel fardeau. Elle ne veut que me sauver de la damnation éternelle ! »

Il n'avait fait aucun sacrifice pour Emma ; il s'était contenté d'accepter la sincérité de son amour et le bien-être qu'il lui procurait.

Il serait plus juste de poursuivre une vie de géologue heureux et d'abandonner des recherches qui questionnaient la validité des Trente-Neuf articles de l'Eglise d'Angleterre dont pas un seul n'était mis en doute par son mentor, le professeur John Henslow.

Il fallait mettre un terme à cette apostasie. Il avait eu quand même assez de bon sens pour ne pas divulguer ses découvertes hérétiques aux Sociétés Royale et de Géologie, au risque de s'en faire chasser à grand bruit. Il s'était mis dans une position dangereuse sans en mesurer toutes les conséquences possibles.

Emma le rappelait à ses responsabilités. Demain matin, il brûlerait les cahiers. Elle n'aurait plus jamais à lui en reparler. La porte était close, de façon permanente.

Il se mit au lit et resta étendu, frissonnant dans le noir. Il aurait pu se réchauffer en se serrant contre sa femme mais il ne s'en sentait pas le droit. Pas cette nuit-là. Les minutes et les heures se traînèrent. A l'aube, il ne dormait toujours pas. Il se leva, retourna dans son bureau glacial, s'assit à son bureau... et écrivit huit pages de plus dans son cahier sur les espèces.

« *On pourrait prétendre que les animaux sauvages, selon mes conceptions malthusiennes, varieront en dehors de certaines limites mais pas au-delà. Développer les arguments contraires. L'analogie permet certainement la variation tout autant que la différence entre les espèces, par exemple les pigeons ; se pose ensuite la question des genera. Il est évident que les hirondelles ont diminué en nombre. Quelle en est la cause ?* »

Il ne dit pas à Emma qu'une nécessité plus forte que lui-même le poussait à poursuivre ses recherches. Il se plongea dans deux nouveaux livres : *Sur l'influence des agents physiques* et une *Histoire des oiseaux familiers*. Puis il fut incapable de rien faire. Plusieurs jours se passèrent dans une oisiveté agitée.

Il tomba malade, eut de la fièvre, des palpitations cardiaques, des vomissements.

« Qu'est-ce que cela peut être, Charles ? lui demanda Emma, en s'approchant de lui et en prenant sa main. La nourriture ? Le manque d'exercice ? Des inquiétudes au sujet de ton père ou de tes sœurs ? Ou la maison et... moi ? » Elle avait toujours sa lettre à l'esprit.

« Oui. C'est toi. Je t'aime trop. »

Emma embrassa son front fiévreux.

« Nous vivrons aussi calmement que possible, jusqu'à ce mal disparaisse, aussi mystérieusement qu'il est venu. »

3.

Ils suivirent le conseil que le docteur Clark avait donné à Charles quelque temps plus tôt. Le 26 avril, ils partirent pour Maer. C'était l'une des saisons les plus agréables de l'année dans le Staffordshire. Les cerisiers roses et les amandiers blancs commençaient à bourgeonner. Des tulipes de toutes les couleurs perçaient de toute part. Les ormes avaient toutes leurs feuilles, le long des routes et dans les champs. Et les collines vertes ondulaient se succédant comme des vagues.

Elisabeth, maintenant, s'occupait seule de leurs deux parents malades ; ils la trouvèrent dans un carré de crocus, en arrivant. Elle se releva avec difficulté. « Je suis si heureuse de vous voir. Trois semaines avec vous, cela me changera du jardinage solitaire. Et la dernière semaine j'irai à Shrewsbury avec vous. Une de nos cousines s'occupera de Maman. »

Bien que son propre ouvrage, *The Narrative of the Surveying Voyages of His Majesty's Ships Adventure and Beagle*[1], ne doive être officiellement publié que vers l'été, il en avait apporté des exemplaires fraîchement relié à Maer et au Mont. Josiah Wedgwood fut si captivé qu'il ne parla pratiquement plus à personne pendant les trois jours qu'il passa en compagnie du livre.

« Cela doit vous intéresser tout particulièrement, Oncle Jos, dit Charles. Vous avez risqué votre amitié de toute une vie avec mon père pour me permettre d'effectuer ce voyage. »

Josiah se souleva de son fauteuil de cuir avec difficulté.

« Je savais que j'allais priver Emma d'un bon mari pour quelques années. Mais je pensais que ce voyage te mettrait sur la bonne voie. Tout s'est passé pour le mieux. Est-ce la chance ? La volonté de Dieu ? »

Quinze jours plus tard, à la mi-mai, ils allèrent à vingt miles de là, à Shrewsbury. Le docteur Darwin examina son fils et trouva une raison plausible à sa mauvaise santé constante.

« Je pense que tu paies maintenant cinq années d'exploration et de

1. En français : *Voyage d'un Naturaliste autour du Monde, fait à bord du navire « Le Beagle » de 1831 à 1836.*

tension probablement plus épuisantes que vingt années de travail en Angleterre. Ne te surmène pas trop. »

Cette nuit-là, près d'Emma endormie, il se posa la question. Pendant tout le voyage à bord du *Beagle,* il n'avait été malade que trois ou quatre fois, la pire étant le jour où il avait bu trop de whisky à Valparaiso. Compte tenu de toute l'eau saumâtre qu'il avait bue, des nourritures indigènes qu'il avait mangées et des insectes qui l'avaient piqué, il avait au contraire fait preuve d'une robuste santé. Pourquoi était-il donc maintenant toujours malade. Son travail ?

C'est en septembre 1837 qu'il avait été malade pour la première fois. Que faisait-il donc à ce moment-là ?

Il se leva doucement pour ne pas réveiller Emma et descendit dans la bibliothèque chaude et sans air. Il essaya de passer en revue ses souvenirs de l'époque. Il avait travaillé à son journal, écrit deux articles pour la Geological Society, l'un sur les coraux, l'autre sur les mammifères éteints ; et il avait présenté une demande de bourse au gouvernement pour son livre de zoologie.

Puis peu à peu, comme se dévide un écheveau, il avait abandonné tout cela pour commencer son premier cahier sur les espèces, essayant d'organiser les faits notés sur les tortues des Galapagos, les pinsons différents sur quatre îles voisines, les fossiles sud-américains découverts à Punta Alta. Il avait trouvé cela exaltant, plus épuisant que ce qu'il écrivait habituellement. La géologie s'appuyait sur l'observation des faits. Même lorsqu'il contredisait la théorie de Lyell sur la formation des atolls coralliens, il avait des preuves que ses découvertes étaient justes. Mais en spéculant sur la façon dont les espèces étaient nées, s'étaient modifiées, adaptées, pour mourir ou se développer, il avançait en terrain mouvant. Tout n'était pratiquement que supposition, conjecture, devinette, hypothèse. Pas de marteau de biologiste avec lequel découper des petits morceaux du courant de la vie. Et de plus, il s'attaquait à des problèmes auxquels la révélation divine avait apporté une réponse définitive.

Il remonta le large escalier et retourna dans leur chambre. Mais il ne parvenait toujours pas à dormir. En se blottissant doucement contre le dos d'Emma, il continuait à s'interroger sur la bizarrerie de sa condition.

Il lui vint une idée qui le soulagea beaucoup.

« Mais naturellement ! Mes malaises n'ont rien à voir avec mes quatre cahiers. C'est plutôt que je ne m'y consacre que lorsque je suis totalement épuisé par de longues périodes de travail sur autre chose.

C'est lorsque j'ai dépassé la dose permise de géologie et de zoologie que je me tourne vers ces cahiers pour y jeter en vrac ce qui me passe par la tête. Les cahiers des espèces sont pour moi une échappatoire. »

Après quoi il s'endormit profondément. Le lendemain matin, il s'éveilla frais et dispos. Lorsque Emma revint de la salle de bains, avec ses profondes baignoires de cuivre et ses pots d'eau chaude, il lui annonça :

« Emma, je suis tout à fait guéri. J'ai hâte maintenant de rentrer à Londres et de me remettre au travail.

— J'en suis heureuse pour toi, Charles, mon bon ami. Tu commençais à nous inquiéter, sais-tu bien ? »

Les adieux furent démonstratifs ; Charles promit à sa famille qu'il reviendrait en août ou en septembre.

Ils étaient rentrés depuis peu lorsqu'en traversant Trafalgar Square il reconnut un visage familier.

« Docteur Robert McCormick ! Il doit y avoir près de sept ans que je ne vous ai pas vu. Vous vous faisiez rapatrier de Rio de Janeiro. Avez-vous toujours ce perroquet gris que vous vouliez ramener en Angleterre ?

— Charles Darwin ! Vous avez une mémoire étonnante. Oui, ce maudit perroquet braille toujours à tort et à travers. Puis-je vous présenter Joseph Hooker ? Il fait le voyage avec moi en tant qu'aide-chirurgien sur le Navire de Sa Majesté *Erebus* qui explore l'Antarctique. » McCormick souriait d'un air triomphant. « Et j'ai été nommé naturaliste cette fois !

— Vous avez toujours aimé les expéditions dans les climats froids, vous ne supportiez pas les tropiques, Docteur », lui répondit Charles. Il se tourna vers Joseph Hooker, un jeune homme agréable de vingt-deux ans, portant des lunettes cerclées de fer qui agrandissaient légèrement ses yeux alertes.

« Serez-vous, à bord de l'*Erebus,* assistant-naturaliste également ?

— Non, monsieur Darwin. Botaniste, pour un voyage de quatre ans. Je veux reprendre la profession de mon père, qui est professeur de botanique à l'université de Glasgow.

— Alors, vous devez connaître les travaux de mon bon ami le professeur Henslow ?

— Naturellement. Je connais également les travaux de Charles Darwin.

— Les miens ? Comment cela ? Si peu sont publiés...

— J'ai lu votre *Journal* sur épreuves. Charles Lyell les a envoyées à son père, à Kinnordy, qui eut la gentillesse de s'intéresser à mon ambition de devenir naturaliste et qui me les a prêtées. Je préparais mon diplôme de médecine à l'université de Glasgow et j'étais si pressé par le temps que je dormais avec vos pages sous mon oreiller pour les lire entre le moment où je me réveillais et celui où je me levais. Votre livre m'a beaucoup impressionné... et m'a bien un peu désespéré aussi en me montrant toutes les qualités, mentales et physiques requises pour vouloir marcher sur vos traces ! Vous avez stimulé mon désir de voyager et d'observer. »

Charles était ravi de l'enthousiasme de Hooker mais, plus tard dans la journée, fut très déçu par son éditeur Henry Colburn. La première annonce de ses publications ne mentionnait son volume que tout à fait en bas de page, en lettres minuscules, comme s'il ne constituait qu'un appendice à ceux de King et de FitzRoy. On pouvait naturellement en déduire que c'était le moins important des trois.

Henry Colburn, au second étage de ses bureaux de Great Marlborough street, restait évasif. Oui, il avait imprimé quinze cents exemplaires. Non, il ne les avait pas tous fait relier. Combien en avait-il fait relier ? Il ne savait pas exactement. Les librairies en auraient en nombre suffisant pour commencer. Que se passerait-il si la première série ne se vendait pas bien ? Il ne savait pas, peut-être le reste serait-il mis au pilon, il manquait d'espace pour entreposer les livres, il en sortait tant de nouveaux...

De retour chez lui, il trouva Syms Covington qui l'attendait. Il ne l'avait pas revu depuis son mariage. Son visage s'éclaira lorsqu'il vit Charles, et celui-ci le reçut avec chaleur. Il était devenu comptable dans un grand bureau.

« A ton expression, je déduis que tu n'aimes guère ton nouveau travail.

— Non, c'est trop routinier, après avoir chassé et amassé des collections avec vous. J'ai économisé sur mon salaire de misère et j'ai presque assez pour un billet pour l'Australie.

— L'Australie ! C'est donc le pays qui t'a impressionné le plus ?

— Oui, monsieur Darwin. C'est grand... et presque vide. M'a paru un endroit où un homme pourrait faire sa place au soleil. Je suis venu vous demander si vous pourriez avoir la gentillesse de m'écrire une lettre de recommandation.

— Très certainement. »

Il écrivit :

« *J'ai connu Syms Covington pendant plus de huit ans ; pendant toute cette période, sa conduite a été en tous points satisfaisante. Il me servait de secrétaire à l'époque et c'est principalement dans cette capacité qu'il a trouvé du travail depuis ce voyage. Dans les circonstances difficiles, il s'est toujours comporté avec prudence. J'ai constamment eu pour habitude de lui laisser, en toute confiance, des sommes d'argent grandes ou petites...* »

Syms le remercia pour la lettre en ajoutant :

« Et soyez sans crainte, monsieur Darwin, si vous avez un jour besoin de moi, je reviendrai aussi vite que les vents pourront me ramener. »

Charles reprit son rythme de travail, écrivant sur les coraux autant que sur les espèces et lisant avec voracité. *La Main, ses mécanismes et ses capacités tels qu'ils apparaissent dans sa structure* de Sir Charles Bell, qu'il commenta dans son cahier sur les espèces ; le second volume de la *Philosophie Zoologique* de Lamarck.

Le 1er juin, un coursier lui apporta des volumes reliés de King et de FitzRoy et la première critique, parue dans l'*Atheneum,* l'une des revues les plus respectées d'Angleterre. Seuls les ouvrages de King et de FitzRoy y étaient cités et décrits ; une note apprenait au lecteur que le volume de Charles Darwin serait bientôt analysé.

Quelques semaines plus tard, l'*Athenaeum* fit remarquer :

« *Le défaut de ces volumes est qu'ils consistent non en un récit unique mais en plusieurs journaux de personnes visitant les mêmes pays ensemble ou à des moments différents. Ils font parfois montre d'un certain manque d'unité, d'intérêt soutenu et contiennent de fréquentes répétitions...* »

Charles devait bien admettre que la critique n'était pas sans fondement ; mais il ne s'attendait pas à se voir personnellement pris à partie. Car l'*Atheneum* poursuivait en ridiculisant son observation que le continent sud-américain ait pu s'élever des profondeurs de l'océan un mètre à la fois. Qu'un million d'années au moins s'étaient écoulées depuis que les vagues de la mer étaient venues lécher les pieds des Andes. C'était tout bonnement impossible puisque l'évêque Ussher avait établi, au XVIIe siècle, que le monde avait été créé en 4004 avant J.-C. Aussi hardies qu'elles puissent être, les observations et généralisations de M. Darwin étaient sans crédibilité ni valeur. Suivait ce que Charles appela « un véritable coup bas » : le Journal était prétentieux « *fait de bric et de broc, d'un ramassis hétéroclite puisé en vrac par l'auteur dans ses cartons* ».

Lyell rit devant son exaspération.

« Que vous disait donc Henslow du premier volume de mes *Principes ?* « *Etudiez le livre mais n'acceptez en aucun cas les vues qu'adopte l'auteur.* » Mais c'est pourtant Henslow et autres croyants en des cataclysmes successifs créés par Dieu qui sont confrontés à un dilemme épineux, pas nous les géologues. »

Emma avait pour lui une nouvelle qu'elle considérait comme plus importante.

« Je veux t'annoncer quelque chose moi-même, avant que la nature ne l'annonce au monde entier », lui dit-elle avec un sourire en coin.

Charles la regarda sans comprendre.

« Oui, très cher, tu vas devenir père. Avant la fin de l'année, très probablement.

— Emma, en es-tu sûre ?

— La réponse classique. Naturellement j'en suis sûre, depuis mon malaise de l'autre matin à Maer Hall ! »

Il s'agenouilla devant sa chaise et lui prit doucement le visage dans les mains.

« Emma, ma chérie, je suis si content pour toi. Pour moi. Pour nous. Pour le monde entier. » Il l'embrassa tendrement. « Je vais bien m'occuper de toi.

— Pas besoin, répondit-elle, je suis une Wedgwood ; je suis d'une porcelaine résistante. Et j'ai une autre nouvelle. Fanny et Hensleigh ont trouvé une maison quatre bâtiments plus haut, Upper Gower Street. Mais Hensleigh ne veut pas signer le bail avant d'avoir ton accord. Je trouverais cela très réconfortant, maintenant que la famille est en train, qu'en penses-tu ?

— Mais cela serait parfait. Ni Fanny ni toi n'êtes des paresseuses qui perdràient leur temps à courir d'une maison à l'autre sans raison.

— Merci, très cher. C'est un cadeau pour moi.

— Tu m'en donnes bien un... »

Malgré la « communication » d'Emma et son profond désir de ne la heurter en rien, il lui était impossible de rejeter son concept de l'origine, qui se précisait, de la modification et de l'apparition d'espèces évolutives. Il était comme possédé ; un calcul qu'il fit indiquait que depuis qu'il avait commencé son premier cahier, en juillet 1837, deux ans plus tôt, il avait lu et annoté des centaines d'articles, pamphlets et livres et pris un abonnement à la plupart des journaux importants : les *Transactions of the Linnean Society,* le *Quarterly Journal of Science,* le *Edinburg Philosophical Journal,* les *Annals and Magazine of Natural History.* Il retournait en pensée au processus déclenché sur les îles Galapagos et avançait, avec de nouvelles observations et de nouvelles découvertes chaque jour. Il avait pris le chemin de la trahison et les traîtres étaient condamnés sur la place publique. comme l'avait été Galileo Galilei. Il écrivit dans son cahier :

« *Le point faible de ma théorie, c'est l'absolue nécessité que chaque être organique se croise avec un autre. Pour l'éviter, dans tous les cas, nous devons tirer une conclusion tout à fait monstrueuse, que chaque organe devient fixe et ne peut varier — ce qui dans tous les faits se révèle absurde. Je dénie hautement à quiconque le droit de contredire ma théorie pour la seule raison qu'elle rend le monde beaucoup plus vieux que les géologues eux-mêmes ne le pensent. Quelle sorte de relation de temps peuvent avoir les planètes avec la durée de notre vie ?* »

Il termina son quatrième cahier en juillet, décidé à accumuler des matériaux solides et à avancer comme il pourrait vers des conclusions qu'il garderait soigneusement pour lui. Il n'écrirait pas une ligne de plus, mais il formulerait dans sa tête une théorie clairement articulée qu'il était sûr d'écrire un jour. Et qu'il publierait également ?

Emma allait donner naissance à son bébé, pour la plus grande joie de leurs deux familles. Mais cet ouvrage en gestation chez lui... à qui ferait-il plaisir ?

4.

Le temps fut beau tout l'été. Charles se promenait avec Emma dans le jardin. Elle supportait sa grossesse aisément. Pour le plaisir, ils se lisaient à haute voix des passages de *La vie de Cowper* ainsi qu'un recueil de sa correspondance. Emma jouait du piano chaque soir pendant une heure. Seul dans son bureau, il lisait *Intermarriage,* un article sur l'archipel des Indes Orientales, qui lui donna des informations à la fois sur les coraux et sur certains exemples de transmutation. Il était tiraillé de remords pour sa duplicité.

Vers la fin août, il laissa Emma à Maer Hall pour assister, à Birmingham, à une réunion de la « British Association for the Advancement of Science » où la plupart des scientifiques d'Angleterre se retrouvaient pour échanger des communications et des idées, et pour polémiquer. Charles connaissait la plupart des participants mais en rencontra d'autres pour la première fois. Certains avaient déjà lu son Journal ; ils le complimentèrent sur son style et sur ses descriptions de contrées et de peuplades étranges. Ils rejetaient catégoriquement ses théories géologiques sur l'affaissement et l'élévation, le concept qu'au cours de millions d'années, non seulement d'énormes masses d'eau s'étaient soulevées pour retomber et se soulever peut-être encore, mais des masses continentales également. Ils acceptaient ses observations et rejetaient sa théorie, comme ils l'avaient fait pour Lyell.

Devant une bière, dans un pub non loin de la salle des conférences, en essuyant la mousse qu'il avait au coin de la bouche, Lyell lui dit :

« N'essayez pas de convertir vos pairs ; " la génération suivante vous croira ", comme dit le proverbe... »

Ils se retrouvèrent à Londres fin octobre. Charles trouva une note de Yarrell lui demandant de passer à sa boutique.

Le vieil homme, avec l'éternel chapeau de laine qui lui protégeait le crâne du froid, l'accueillit avec un sourire radieux.

« Votre livre est épuisé, Darwin. Félicitations. J'en ai commandé un deuxième stock à l'éditeur. Il est également introuvable chez les autres libraires. »

Charles était stupéfait. Les critiques, s'alignant sur celle de l'*Athenaeum*, ne lui avaient guère consacré plus d'une ligne, rarement favorable.

« Les volumes de King et de FitzRoy sont loin de partir aussi bien, continua le libraire. Il serait temps que vous demandiez à Colburn de relier le reste de vos exemplaires. De plus, vous devriez lui demander une page de titre plus convenable. Votre nom n'apparaît qu'à la troisième page, après le sous-titre. »

Henry Colburn accepta volontiers de faire relier cinq cents volumes de plus pour une seconde édition.

Charles pensa, ravi : « Magnifique ! Entre Emma et Colburn, j'aurai deux nouvelles éditions cette année. »

La nouvelle page de titre indiquait « *Journal de recherches en géologie et Histoire naturelle dans les divers pays visités par le Beagle, sous le commandement du capitaine FitzRoy. De 1832 à 1836, par Charles Darwin Esq. M.A. F.R.S., Secrétaire de la Société de Géologie* ». Il demanda qu'on lui en livre trente exemplaires à domicile dès qu'ils seraient prêts. Enfin, il allait gagner quelque argent avec ce qu'il écrivait ! Il ne gagnerait rien sur les onze chapitres déjà publiés de la *Zoologie du voyage du Navire de Sa Majesté « Beagle »*, bien qu'il eût passé des centaines d'heures à le corriger et à annoter les planches d'illustration. La première série de Jenyns sur les poissons devait paraître en janvier. Charles ne puisait qu'avec prudence dans la bourse de mille livres du gouvernement, mais les cartes et les planches étaient étonnamment coûteuses. A l'heure du thé, devant le feu, chez Lyell, il demanda :

« Si, quand la série de *Zoologie* sera publiée, je me retrouve avec quelque argent de reste, croyez-vous que je puisse utiliser cette somme pour les quelque dix cartes et gravures sur bois dont j'aurais besoin pour mon livre sur les coraux ?

— Je ne vois pas ce qui pourrait vous en empêcher, répondit Lyell. Le chancelier de l'Echiquier, en accord sur ce point avec les hommes de science londoniens, trouve que vous avez fait un excellent travail en supervisant cette publication.

— Naturellement, je demanderai l'autorisation. Mais je détesterais sortir cet argent de ma poche quand il n'y aura pas une âme pour lire le livre... Il y a pourtant un début d'engouement pour la géologie. »

Les jours passèrent. A la fin de novembre, ils préparèrent la plus petite pièce du devant pour l'enfant. Josiah Wedgwood et Elisabeth vinrent vivre chez eux jusqu'à la naissance du bébé. Erasmus lui-même était surpris de son excitation à devenir oncle. « Un Darwin de plus dans la famille, s'écria-t-il, si c'est un garçon, naturellement. »

La famille Wedgwood décida de passer dignement les fêtes de Noël au 12 Upper Gower street. Elisabeth et Fanny choisirent l'arbre de Noël et Parslow l'installa devant la fenêtre du salon. Chacun aida à fixer les petites bougies dans les appliques de cuivre accrochées aux branches. Le matin de Noël, les trois enfants Wedgwood vidèrent leurs bas de laine avec des cris de joie devant chaque nouveau jouet ou friandise. Pour les domestiques, il y avait des vêtements d'hiver. Pour les hommes, des livres et des cigares. Pour les femmes, des bijoux. Il y avait même, pour Elisabeth, un paquet de graines exotiques à planter à Maer au printemps. Après l'église, ils revinrent chanter des hymnes de Noël avec Emma au piano, puis descendirent à la salle à manger où Charles découpa l'oie traditionnelle de Noël.

Le docteur Holland avait recommandé un obstétricien. Le bébé naquit deux jours après le réveillon. Emma chevaucha le sommet de la vague avec des douleurs considérables, mais sans complications. Quand Charles passa un chiffon humide sur son front en sueur, elle murmura :

« C'est le travail le plus formidable que j'aie jamais fourni. » Ils avaient prévu deux prénoms. Celui qui convint fut William Erasmus.

« William Erasmus est né le 27 décembre, le jour du huitième anniversaire de mon départ de Plymouth, s'écria Charles. Il ne m'est rien arrivé depuis que d'excellent ! »

Emma baissa les yeux sur son premier-né, dans son berceau de bois tressé ajusté à un ressort de montre qui le berçait pendant quarante-trois minutes, un cadeau de son père.

« J'aime ses yeux bleu foncé. Pour le reste, il a l'air si pitoyable...

— Il s'améliorera avec l'âge, fit Erasmus. Comme le vin et le fromage. »

Le père et les sœurs d'Emma restèrent encore quelques jours, quittant Emma et le bébé à regret. Bien que William Erasmus fût baptisé, selon les règles du *Book of Common Prayer,* on ne nomma ni parrain ni marraine car c'était un usage que ni les Wedgwood ni les Darwin ne respectaient.

Emma garda le lit jusqu'à la fin janvier. Elle avait trouvé une excellente nourrice, et se fit livrer du lait d'ânesse.

« Papa et Elisabeth sont partis trop tôt, dit Emma à Charles. William est beaucoup plus beau maintenant. Je ne sais trop que dire de son nez, mais il ne le dérangera pas, tant qu'il sera bébé. »

Charles sourit d'un air embarrassé :

« Tous les Darwin ont le nez long. »

La maternité donnait une nouvelle chaleur au regard d'Emma. Elle se sentait si bien qu'elle emmena Fanny Wedgwood et ses trois enfants voir les feux d'artifice une semaine avant le mariage de la reine Victoria avec son cousin germain, le prince Albert de Saxe-Coburg-Gotha.

Dès la naissance de son premier garçon, Charles se mit à l'observer attentivement, à prendre des notes sur les réactions émotionnelles du nouveau-né, à noter quand et pourquoi il pleurait, quand les canaux lacrymaux s'activaient, combien de temps les larmes duraient ; les expressions d'excitation ou de joie dans les yeux du tout petit, ses réactions à la nourriture et au jeu, lorsqu'il était pris et cajolé par ses parents. Il n'avait jamais rien vu ou lu sur les émotions infantiles depuis le jour de la naissance et décida que c'était un domaine digne d'intérêt.

En dehors des résumés qu'il faisait des articles envoyés à la Geological Society pour être publiés dans les « *Délibérations* » il n'écrivait pas un mot. Sans qu'il sache pourquoi, son inspiration sur les coraux s'était tarie.

« Cela arrive aux meilleurs d'entre nous, lui dit Lyell pour le rassurer. Laissez cela de côté pendant un an et vous le retrouverez avec plaisir. »

Il n'était capable de se concentrer que pour la lecture, sur un sofa, dans son bureau : les *Eléments de Physiologie* de Johannes Müller, *Chartism* de Carlyle, que toute l'Angleterre apparemment lisait, y compris Emma, à qui le livre fit perdre patience.

« C'est plein d'enthousiasme et de bons sentiments, mais c'est tout à fait déraisonnable », s'écria-t-elle.

Charles leva les yeux, surpris.

« Carlyle a une conversation intéressante, il est naturel...

— Mais son écriture est bien différente, répondit Emma.

— Peut-être vaudrait-il mieux que je n'écrive plus, moi non plus. Et que je me contente d'être un causeur agréable... »

Elle osa lui demander :

« Charles, très cher, pourquoi n'écris-tu pas ?

— Je ne sais pas. Cette inactivité me pèse.

— Je le sais. Et j'ai bien de la chance, quel que soit ton malaise, que tu restes toujours aussi aimable avec moi. »

Il l'attira vers lui et frotta sa joue contre la sienne.

Le temps, pendant les premiers mois de 1840, fut mauvais, la neige était sale. Ils sortirent peu. Susan vint passer une semaine chez eux, faisant valser ses boucles d'or en racontant avec animation des histoires de Shrewsbury. Charles était fasciné par son fils, qu'ils avaient surnommé William Hoddy Doddy, un surnom que l'on donne aux petits trapus. La reine Victoria et le prince Albert se marièrent le 10 février à la chapelle royale de St James. Fin mars, on savait déjà qu'ils donneraient, avant la fin de l'année, un héritier au trône d'Angleterre.

Son travail de secrétariat était tout ce que Charles parvenait à faire, peut-être parce que résumer les travaux des autres ne demandait guère de créativité. Il aidait également à la publication de trois fascicules de sa *Zoologie,* deux par Jenyns sur les poissons et la dernière série sur les mammifères fossiles de Richard Owen. Colburn avait vendu toute sa seconde livraison du *Journal* et avait relié les cinq cents exemplaires qui restaient, changeant en 1840 la date sur la page de titre de cette troisième édition.

A la fin mars, il se força à reprendre son livre sur les coraux. « Tout ce que je demande, c'est de l'énergie, dit-il à Emma. Mais en désirant cela, on désire précisément la seule chose qui rend la vie supportable.

— Pourquoi ne pas prévoir de longues vacances d'été à Maer Hall et au Mont ? suggéra-t-elle.

— Cela me plairait beaucoup. Mon château de cartes du moment consiste à vouloir vivre quelque part dans le Surrey, à vingt miles de Londres. Nous pourrions partir début juin.

— Cela serait parfait. Ma tante Jessie Sismondi et son mari viennent à Londres pour un mois. C'est avec eux que j'ai vécu en Suisse. Ils pourront habiter chez nous pendant notre absence. La maison leur conviendra parfaitement. »

Ils faisaient leurs bagages pour partir à Maer, lorsque Londres fut traumatisée par un attentat contre la reine. Elle et le prince étaient en route vers Constitution Hill, venant de Buckhingham Palace dans un carrosse bas découvert lorsqu'un garçon de dix-sept ans tira sur la reine, un pistolet dans chaque main. La foule voulut le lyncher mais on l'envoya dans un asile de fous pour la vie.

Ils quittèrent la ville le 10 juin, emmenant avec eux Bessy pour qu'elle s'occupe de l'enfant. Elisabeth fut ravie de les avoir près d'elle.

« Tu ne peux pas savoir comme ces pièces sont silencieuses depuis que Joe et toi vous êtes mariés. »

Le père et la mère d'Emma se ranimèrent à leur arrivée. L'heure où elle jouait du vieux piano sur lequel elle avait appris était tonique pour eux, tout comme la présence de leur petit-fils. Charles alla piocher dans la bibliothèque de Josiah, qui contenait non seulement ses livres d'histoire naturelle mais également la collection importante de son père, y compris les quatre volumes de Josiah Wedgwood, premier du nom, sur les fossiles. Il lut avec une avidité toute particulière les livres qui étaient utiles à sa théorie des espèces. Une traduction en neuf volumes de l'*Histoire Naturelle* de Buffon était sa lecture de base, tout en parcourant huit livres de voyages dans des pays aussi différents que la Sibérie, le Levant, le Bengale et l'Amérique du Nord. Il lut le *Dictionnaire Ornithologique* de Montague ; deux livres sur les roses et l'ouvrage de Jones sur les formes fruitées.

Il n'écrivit pas un mot, et pourtant dans sa tête, des conclusions s'élaboraient. En marchant le long du lac ou en chevauchant à travers bois, il polissait ses idées, les récrivant et les formulant dans sa tête aussi clairement et complètement qu'il l'aurait fait sur une feuille de papier.

« *Il y a de la grandeur à voir dans les animaux existants ou bien les descendants en droite ligne de formes enfouies sous des milliers de mètres de matière, ou comme les co-héritiers de quelque ancêtre encore plus lointain...*

« Il est insultant de croire que le Créateur d'innombrables systèmes de mondes ait dû créer chacun des parasites rampants et gluants qui se sont multipliés par myriades chaque jour sur la terre et sur l'eau de ce seul globe. Nous cessons de nous étonner qu'un groupe d'animaux ait été directement créé pour pondre ses œufs dans les selles et dans la chair d'autres...

« De la mort, de la famine, des rapines et de la guerre cachée de la nature, nous pouvons voir que découle directement le plus grand bien, la création des animaux supérieurs...

« Il est d'une grandiose simplicité de penser que la vie avec ses pouvoirs de croissance, d'assimilation et de reproduction, ait pu à l'origine être insufflée à la matière sous une ou plusieurs formes, et tandis que ceci, notre planète, se mettait à décrire des cercles, selon des lois fixées, la terre et l'eau, dans un cycle de changement, se sont remplacées l'une l'autre ; qu'une origine si simple, par un processus graduel de sélection de changements infinitésimaux, s'est développée en une variation infinie de formes, plus belles et plus merveilleuses. »

Le père de Charles et deux de ses sœurs arrivèrent à Maer Hall dans l'équipage des Darwin, en toute hâte, pour voir le nouveau Darwin. Susan et Katty ne cessaient de rire ; le docteur Darwin était muet d'admiration.

« Pourquoi regardez-vous ce garçon d'un air si grave, Père ? demanda Charles.

— C'est que je réalise soudain quelque chose. Votre sœur Marianne a cinq enfants, mais ce sont tous des Parker. C'est le premier de mes petits-enfants à porter le nom des Darwin. Je suppose que c'est un trait oriental chez moi, mais j'ai travaillé pour me faire un nom et je veux qu'il dure. Je te remercie, Charles.

— C'est Emma qui a fait tout le travail. »

Ils promirent d'emmener William passer quinze jours au Mont, pour qu'il fasse connaissance avec la maison de son père.

Vers la mi-juillet, Charles tint parole et emmena Emma, William et sa nounou sur la route familière de Shrewsbury, avec ses champs verdoyants sous les collines boisées. La maison était fleurie en leur honneur. Le docteur Darwin ne faisait plus sa promenade du matin, ni de longues excursions autour du village pittoresque de Shrewsbury.

« Je me promène chaque jour une heure dans le jardin, dit-il à Charles. On dirait que c'est seulement à soixante-quatorze ans que mes jambes se sont souvenues de leur âge. Mais parlons plutôt de ta santé, pas de la mienne. Ce sont peut-être ces vomissements qui t'épuisent. Emma m'affirme que vous avez une bonne cuisinière, cela ne peut donc venir de ce que tu manges.

— Qu'est-ce donc alors qui me rend malade ?

— C'est à toi de me le dire. Y a-t-il dans ta vie un motif de contrariété ? J'ai souvent vu mes malades vomir ainsi leur difficultés, leurs échecs ou leurs frustrations dans leur travail...

— Ce n'est pas mon cas.

— Nous trouverons et te guérirons ça. »

Début août, Emma annonça qu'elle était enceinte à nouveau. « Le petit William aura quelqu'un avec qui jouer. »

Charles la serra dans ses bras. « Maintenant qu'il y a une vie en toi, je suis sûr que je vais aller mieux. »

En octobre, il sortit de sa léthargie en recevant un numéro du *Scotsman* avec un article sur Glen Roy intitulé « *Découverte de l'existence d'anciens glaciers en Ecosse, particulièrement dans les Highlands* », par Louis Agassiz, professeur d'histoire naturelle en Suisse. Charles connaissait son travail pour avoir lu les monographies qu'il avait publiées depuis 1833, qui amenaient à près de mille le nombre de poissons fossiles identifiés. Ce qui dérangeait Charles c'est que Louis Agassiz affirmait avoir la preuve que les routes ou lits de Glen Roy dans lesquels Charles avait vu d'anciennes plages marines, étaient des vallées autrefois occupées par des lacs contenus par des glaciers. Ni Lyell ni lui n'avaient encore eu vent de théories scientifiques établissant l'influence du mouvement des glaciers sur la géologie.

« Si Agassiz a raison, mon article sur Glen Roy est totalement faux ! Cela va discréditer mon jugement et saper la crédibilité de mes autres travaux. Agassiz ne peut pas avoir raison. Je vais défendre ma théorie... »

Charles décida qu'ils devaient rentrer immédiatement.

Ils rentrèrent à Londres, non sans que son père ait remis à Charles une potion qui, selon lui, guérirait ses aigreurs d'estomac.

Ils furent heureux de retrouver leur maison, même si ce n'était qu'une boîte à cinq étages coincée entre d'autres boîtes du même type. Elle était d'une propreté impeccable et leurs plats favoris étaient sur les fourneaux.

Il continua à lire beaucoup, sur les espèces, principalement, mais aussi sur l'économie politique, la philosophie, le christianisme, l'histoire. Pour la lecture à haute voix, Emma et lui se tournèrent vers la littérature : les poèmes de Grey, *Le Songe d'une nuit d'été* de Shakespeare, *Le Vicaire de Wakefield* de Goldsmith, *La Divine Comédie* de Dante et *Les Voyages de Gulliver.*

Il brûlait de commencer son cinquième cahier sur les espèces, tant il avait la tête pleine de nouvelles intuitions. Il lui fallait une détermination de tous les instants, pénible à son esprit comme à son corps, pour s'abstenir du travail qu'il avait le plus envie de faire ; celui qui à ses yeux constituait la contribution de loin la plus importante qu'un scientifique puisse apporter. Devant les réactions à ses hérésies mineures en géologie, il ne pouvait douter des risques qu'il courait de perdre la position et l'autorité qu'il commençait à acquérir, voire même de perdre l'amitié de son cher John Henslow, ou de son confrère et admirateur Adam Sedgwick. Pourtant, il lui serait humainement impossible de ne pas publier... un jour. Et cela précipiterait sur sa tête les foudres de l'Eglise d'Angleterre, du gouvernement, des universités, et de toute la société établie.

Trois articles assez courts le satisfirent passablement, un dont il pourrait se resservir plus tard en préparant son livre sur la géologie de l'Amérique du Sud, un autre concernant un bloc rocheux pris dans un iceberg, qui éclairait la question des « roches errantes » qui avaient longtemps rendus perplexes les géologues en apparaissant dans des lieux où elles n'avaient rien à faire. Il passa un temps considérable à la Société de Géologie, résumant les articles pour les « *Délibérations* », répondant aux lettres qui s'étaient accumulées. Il voulait que tout soit parfaitement en ordre car le 19 février 1841, cela ferait trois ans qu'il était secrétaire et il quitterait le poste à cette date anniversaire.

Il fut considérablement affecté lorsque son bon ami Charles Lyell, en novembre et décembre 1840, lut les éléments d'une étude en deux parties dans laquelle il soutenait fermement la théorie des glaciers de Louis Agassiz et leur rôle dans la géographie de l'Ecosse. Adam Sedgwick attaqua vigoureusement la théorie d'Agassiz ; Charles ne prit pas la parole mais écouta jusqu'à près de minuit une discussion qui n'eût pas manqué de tourner à l'aigre si elle avait eu lieu à la Société de Zoologie.

Ce dimanche-là, Emma lui dit :

« Charles et Mary Lyell nous invitent régulièrement chez eux pour le thé. J'apprécierais un peu de compagnie. »

Lyell et lui discutèrent vivement la théorie d'Agassiz.

« Lorsque Agassiz et William Buckland eurent terminé leur tour de

Glen Roy et des Highlands, déclara Lyell, Buckland est venu nous voir à Kinnordy. Il m'a montré de beaux fragments de moraines, des accumulations de terre et de pierres transportées par un glacier et déposées à moins de deux miles de la maison de mon père. J'ai accepté leur théorie. Elle résoud une foule de difficultés qui m'ont embarrassé toute ma vie.

— Mais n'est-ce pas une conversion un peu rapide ? demanda Charles calmement.

— Certainement. Aussi rapide que ma conversion à votre théorie de la formation des récifs coralliens qui me prouvait que je m'étais trompé, fit Lyell.

— Vous êtes donc maintenant convaincu que je me trompe sur Glen Roy ?

— Précisément.

— Désirez-vous que je me rétracte ?

— Il faudra que vous le fassiez un jour ou l'autre, et le plus tôt sera le mieux. Laissez-moi vous prêter l'*Etude des Glaciers* d'Agassiz qui vient juste de paraître. »

Lyell prit Charles amicalement par le bras.

« En art et en littérature, il n'est pas nécessaire de reconnaître qu'on s'est trompé. Mais en science, c'est indispensable. Voilà pourquoi notre ami Robert Brown refuse de publier quoi que ce soit. Mais ce n'est pas ainsi que la science avance. Il faut avoir l'audace d'explorer et de théoriser sur ses trouvailles, pour apprendre en cours de route. Tenez, voilà Mary qui nous appelle pour le thé. Elle a votre gâteau favori. »

Charles eut un pâle sourire en allant vers la table de la salle à manger.

« Il y a un domaine dans lequel personne ne peut se tromper. Le goûter-dînatoire. Avec du thé, de fins sandwiches à la tomate, au concombre et au cresson, des petits pains chauds beurrés et de la confiture de fraise ! »

5.

Vers la fin de 1841, il commença à mettre de l'ordre dans ses notes et observations sur la transmutation des espèces. Il décida également d'installer à nouveau un laboratoire de dissection ; peut-être dans la chambre mansardée sous le toit, qu'il pourrait fermer à clef. A son cousin Fox, recteur à Delamere Forest depuis plusieurs années, à la fois pasteur et naturaliste comme Charles aurait pu l'être avant d'embarquer sur le *Beagle*, il écrivit :

« *Je continue à compiler tous les faits possibles sur* « *La Variation et les Espèces* », *pour le livre auquel je donnerai un jour ce titre; les contributions, si modestes soient-elles, sont acceptées avec gratitude. Les descriptions des résultats de croisements entre toutes sortes d'oiseaux et d'animaux, chiens, chats, très utiles. N'oubliez pas, si votre chat à demi africain venait à mourir, je vous serais très reconnaissant de m'envoyer sa carcasse dans une petite boîte.* »

Le second enfant d'Emma naquit le 2 mars, leur première fille. Ils l'appelèrent Anne, ce qui devint rapidement Annie. Annie fut dès le début un bébé adorable. Emma confia à Charles :

« Depuis ma grossesse, je me suis occupée si peu de Doddy que je lui suis devenue totalement indifférente.

— Je le gâterai pour toi », répondit-il pour la rassurer.

Ils étaient le plus souvent d'accord et ne se disputaient pratiquement jamais. Pourtant, Charles reprochait parfois à Bessy, devenue nourrice, son allure négligée. « Petite Miss Souillon de Londres », répondait Emma avec indulgence.

Les séries de géologie continuèrent à être bien reçues. Le dernier tome des *Oiseaux* parut en mars, le troisième des *Poissons* en avril. C'étaient des in-folio présentés sous une reliure gris-vert, si bien que Charles avait à son crédit trois nouveaux livres en tant qu'éditeur et coordinateur des travaux : les *Oiseaux* de John Gould, les *Mammifères fossiles* de Richard Owen et les *Mammifères* de George Waterhouse. Il ne manquait plus que quelques volumes sur les poissons et les reptiles pour que la série soit complète. Et il lui restait encore un peu d'argent pour illustrer ses volumes à venir.

Mai fut pour eux un bon mois. Charles lut son article sur « *Les roches errantes et les dépôts non stratifiés* » à la Geological Society où il fut bien reçu. Emma reprit son heure de piano quotidienne, mais consacra plus de temps à son fils pour reconquérir son affection. Charles écrivit de courts articles; s'amusa à noter ses commentaires sur les innombrables livres qui lui passaient entre les mains : *Les Voyages* de Peter Tallas : « *détestable* ». *A la recherche de la nature de la lumière* de Abraham Tucker, « *intolérablement bavard* »...

Wordworth lui plaisait toujours autant. Pourtant l'essentiel de ses lectures consistait en recherches sur les daims, les insectes nuisibles,

les vers à soie, la foliation des arbres, le pin suédois ou le mouton péruvien.

Charles et Mary Lyell étaient fous de joie : il avait été invité à donner une série de conférences au Lowell Institute de Boston avec un salaire qui leur permettrait de faire un voyage en Amérique du Nord comme ils l'avaient toujours désiré. Emma découvrit que tout en prétendant parfois s'ennuyer pendant que son mari parlait technique, Mary avait absorbé de nombreuses connaissances en géologie.

« Les voyages d'exploration géologique à l'étranger sont de grands moments pour moi, dit-elle à Emma. Charles fait ses observations à haute voix, je les note dans un carnet dont il se sert plus tard pour écrire. C'est à ces moments-là que nous nous sentons proches l'un de l'autre. A Londres, la vie est si fragmentée. »

Quand Sir William Hooker fut nommé directeur des Jardins Botaniques Royaux de Kew, et quitta Glasgow à la fin du printemps 1841, Charles emmena Emma et les deux enfants dans une poussette pour une sortie. Sir William n'avait que brièvement rencontré Charles à une réunion de la British Association, mais il connaissait la grande admiration que son fils vouait au *Journal,* dont Joseph écrivait qu'il était son guide de tous les instants à bord de l'*Erebus.* A cinquante-six ans, Sir William avait l'allure et la vitalité d'un homme beaucoup plus jeune. Il fit faire à la famille Darwin une visite des quinze arpents sur lesquels bien peu de particuliers étaient admis, et toujours sous étroite surveillance.

« C'est la première chose que j'ai l'intention de changer, confia le nouveau directeur. Dès que je pourrai faire abattre ces murs de brique, l'accès en sera ouvert en permanence au public. Je suis certain qu'il n'y aura aucune déprédation, surtout quand j'aurai acquis les terrains avoisinants et les aurai changés en beaux jardins, avec parterres de fleurs et fontaines.

— Et qu'allez-vous faire de ces éléphants de verre blanc ? demanda Charles en indiquant une suite de serres peut-être fonctionnelles mais sans grâce.

— Nous allons les redessiner et les agrandir, y installer un système de chauffage moderne, un réseau de tuyaux d'eau chaude pour la serre des cactus, pour celles des plantes orchidacées et des fougères, et en fait, toutes les plantes tropicales. Puis nous les ferons communiquer entre elles, nous créerons des étangs avec des nénuphars et des roseaux. Je suis sûr que Joseph va nous rapporter des collections magnifiques de son voyage sur l'*Erebus*. A son retour, j'aimerais faire de lui mon assistant. Où pourrait-il être plus à l'aise qu'ici pour vivre et travailler ? »

Ils retournèrent à Maer Hall fin mai. On y était toujours heureux de les voir. La famille tomba amoureuse d'Annie. Elisabeth chuchota :

« Vous amenez un nouveau-né à chaque printemps. Nous nous y attendons maintenant. »

Emma embrassa affectueusement sa sœur.

« Oh ! Elisabeth, je me sens si lâche, à vivre confortablement à Londres pendant que tu es seule ici à t'occuper de Maman et Papa.

— Chacun a son rôle à jouer, ma chère Emma. Je suis heureuse d'accomplir la tâche que le Seigneur m'a attribuée. Tout comme je suis heureuse de te voir t'occuper de ce cher Charles et mettre au monde ces Wedgwood et Darwin combinés. »

Vers la fin de juin, malgré le bon air de Maer, Charles confia à Emma :

« Parfois, vers quatre heures de l'après-midi, je suis pris de frissons. »

Une semaine plus tôt, ils avaient envoyé leur fils, accompagné par Bessy, à Shrewsbury.

« Pourquoi ne vas-tu pas chercher William chez ton père ? Il t'a aidé l'année dernière. »

Le docteur Darwin refusa de parler de sa propre santé avec son fils.

« Je vais bien. L'étincelle de vie qui est en moi continuera à briller encore quelques années. » Mais il écouta attentivement les descriptions des symptômes fébriles que Charles lui faisait.

« Charles, j'avais sous-estimé les efforts physiques que t'a coûté ton voyage. Il te faudra peut-être quinze ou vingt ans pour récupérer totalement. »

Charles eut un coup au cœur. C'était comme si on l'avait déclaré infirme.

« Père, fit-il d'une voix altérée, il est un peu difficile pour moi d'admettre que " la course est faite pour les plus forts ". Je devrai sans doute m'estimer heureux de pouvoir admirer les progrès que feront les autres dans les sciences. J'ai hâte de m'installer à l'air pur, loin du bruit, de la crasse et de la misère de cette grande verrue, comme William Cobbett appelle Londres dans « *Chevauchées campagnardes* ». Votre proposition de nous acheter une maison à la campagne comme cadeau de mariage tient toujours ?

— Naturellement.

— Alors nous allons nous mettre à chercher dans le Surrey et dans le Kent.

— Je te suggère de louer d'abord pendant six ans dans une région donnée, avant d'acheter. Tu pourras ainsi te sentir vraiment du pays.

— Six ans ! C'est trop long, Père, pour rester locataire à la campagne. Nous voulons acheter vite, mais bien sûr, sans précipitation. »

Le lendemain matin, le soleil inondait brillamment le Mont. Après le petit déjeuner, la famille partit flâner dans le jardin des Darwin, en pleine floraison, chacun voulait apprendre à Doddy le nom d'une plante différente.

Et plus tard ce jour-là, le docteur Darwin déclara :

« Quand Emma et toi aurez trouvé une maison qui vous plaira, dites-le-moi. L'argent est mis de côté. »

Charles posa légèrement le bras sur la large épaule voûtée de son père, en guise de remerciement.

A Londres, un message lui parvint, colporté par trois mains, ou plutôt, trois bouches. Apparemment, il émanait de John Henslow, et avait été transmis par Adam Sedgwick à Charles Lyell. Son contenu ? Le temps était venu d'entreprendre les démarches qui feraient de lui un membre permanent de la Faculté de Christ College. Préférait-il attendre d'avoir terminé sa trilogie de géologie ? Il ne pouvait en tout cas retarder plus longtemps un séjour un peu prolongé à Cambridge, pour y renouveler ses attaches et préciser ses intentions. Certains membres du Collège commençaient à faire remarquer que Charles Darwin ne leur avait pas rendu visite depuis l'hiver 1837, quelque cinq ans plus tôt. Pourtant, Cambridge n'était qu'à quelques heures de bonne route de Londres.

On lui avait rapporté que la Faculté et l'Administration étaient fières de la publication de son *Journal,* de ses nombreux articles et des cinq volumes de *Zoologie.* Elles s'étaient réjouies de sa nomination dans deux sociétés savantes qui admettaient rarement les professeurs de Cambridge eux-mêmes. Il ne faisait aucun doute, selon Sedgwick et Henslow, qu'il était accepté par tous comme un membre de la famille. Et qu'en temps voulu, ils attendaient de lui qu'il rejoigne leurs rangs de façon permanente.

Il s'enfonça dans son fauteuil et fit courir une main distraite sur son large front et dans ses cheveux qui fonçaient.

« Cambridge est une charmante petite ville médiévale : une architecture remarquable, de vastes pelouses et des jardins fleuris, les bateaux à fond plat qu'on conduit à la perche sur la rivière Cam, la splendeur de King's Chapel et de ses chœurs le dimanche matin. Le salaire n'est que de cent livres par an, deux cents tout au plus par la suite, mais puisque nous avons une fortune personnelle, je n'aurais pas besoin de passer des heures à donner des leçons particulières, comme ce pauvre Henslow devait le faire. Les échanges avec mes pairs seraient sans doute fructueux. Je n'aurais qu'un nombre restreint d'heures à consacrer à mes élèves ou à l'administration du collège ; j'aurais le plus clair de mon temps à moi. Et c'est bien ainsi que le collège l'entendrait.

— On dirait que tu y penses sérieusement, fit remarquer Emma. La vie à Cambridge ne serait pas désagréable. On y trouve les meilleures bibliothèques, les meilleurs esprits. C'est un lieu idéal pour y élever des enfants. » C'était une communauté dans laquelle Emma Darwin, dans un milieu social actif et stimulant, pourrait continuer la tradition d'hospitalité des Wedgwood.

« Et peut-être un jour serais-tu la doyenne de la société de Cambridge. Vous avez indubitablement les qualités requises, petite Miss Souillon, avec votre don pour le bonheur et votre capacité à aimer les gens », continua-t-il en se tournant vers sa femme.

Emma le regarda sans savoir où il voulait en venir.

« Pourtant, continua Charles, si attirant qu'il puisse paraître, ce genre de vie n'est pas fait pour moi. J'ai besoin de calme, d'isolement ; le mieux serait la campagne, avec juste ce qu'il faut de vie sociale pour ne pas se sentir cloîtré. Mes raisons pour cela sont simples. Je veux écrire des livres, j'ai des théories à formuler et à défendre et cela n'est pas compatible avec la vie de collège, les affaires universitaires et les activités sociales. »

Emma lui répondit :

« Je peux être heureuse partout. L'important, pour moi, c'est ma famille : mon mari, mes enfants, notre bien-être à tous. Cela peut être à Londres, si c'est là que tu dois être ; ou à Cambridge, si tu le préfères. Ou même à la campagne, si tu en as besoin pour ton travail. Je suis heureuse et resterai heureuse, même si tu nous emmènes en Terre de Feu !

— Non, pas si loin ! s'écria-t-il en riant. Mais je dois pouvoir me concentrer sans interruption. Les dîners, les parlottes m'épuisent. Je ne suis bon à rien le lendemain.

J'ai reparlé d'une maison de campagne avec mon père. Comme j'aimerais n'entendre que le chant des oiseaux et le bruit du vent dans les arbres. Je continue à avoir ces malaises mystérieux. Je ne sais ni quand ils se présentent ni combien de temps ils dureront. Si, au collège, une attaque de ce genre me rendait incapable d'accomplir ma tâche, je m'en sentirais coupable. Alors que sans autre obligation que mon travail personnel, si je ne me sens pas bien, je peux jouer avec les enfants, aller faire une promenade, lire, écouter de la musique sans importuner personne. Comprends-tu cela ?

— Oui. Tu veux... être libre de toute obligation pour te consacrer à ce que tu considères comme ta tâche la plus importante.

— Précisément. Je veux que les trouvailles dont je remplirai mes livres soient utiles... peut-être à toute une génération. Je veux que ce soit mes livres qui fondent mon autorité. Est-ce présomptueux ?

— Chacun de nous doit découvrir le travail que le Seigneur nous assigne. Mon père est devenu naturaliste par la lecture. Ton père, un médecin qui écoute. Tu deviendras un scientifique qui écrit. Est-ce là ce que tu désires ?

— De toutes mes forces ! »

6.

Il reprit son manuscrit longtemps délaissé sur les récifs coralliens, relut ce qu'il avait déjà écrit, et trouva ses matériaux et sa conclusion solides.

« Treize mois de négligence, pensa-t-il. Mais inutile de perdre son énergie à regarder en arrière. Je finirai le livre pour la fin de l'année. »

Il écrivit deux heures d'affilée ce matin-là, sur la croissance en hauteur des coraux. Chaque jour, il augmenta sa dose de travail. Ses yeux retrouvaient l'étincelle qu'ils avaient perdue. Quand Emma le lui fit remarquer, Charles répondit :

« Les pronostics de mon père sur ma santé m'ont terrifié. Il faut que je lui prouve qu'il se trompe. Tout comme je dois prouver que je ne suis pas hypocondriaque.

— Qui a jamais pensé une chose pareille ?

— Moi. »

Emma finit par obtenir un peu plus de correction vestimentaire de Bessy, la nounou. Et Parslow, l'antithèse même du valet guindé, ne cachait pas sa joie d'avoir trouvé une bonne maison. Il s'affairait toute la journée, servant les repas, roulant les tapis sur les sols qu'on voulait cirer, cirant les bottes, allant tôt à la librairie la plus proche pour en ramener le *London Chronicle* et le *Times* pour que Charles les feuillette après le petit déjeuner.

Après le repas, Charles et Emma mettaient les enfants dans un landau et allaient se promener à l'ombre des arbres de Regent's Park. Charles apprit à William, maintenant un fort petit bonhomme d'un an et demi, à faire flotter son bateau à voile sur le lac. Ils allaient jusqu'au Jardin Zoologique voir le rhinocéros et l'éléphant qui barrissait souvent en direction des visiteurs. Mais c'est surtout l'orang-outan qui fascinait, lorsqu'il se jetait sur le dos en pleurant et en gigotant comme un enfant en colère, si par exemple le gardien lui montrait une pomme et refusait de la lui donner.

Charles définit des catégories pour les diverses structures des récifs coralliens et fit des croquis pour rendre ses observations plus compréhensibles. Le dimanche, après l'église, ils prenaient le train pour se rendre dans le Kent ou le Surrey tout proches, à la recherche de maisons à vendre. Il leur fallut chercher longtemps avant d'en trouver une qui leur plaise, qui s'appelait Westcroft, sur plusieurs arpents de terre, à une heure trois quarts de Vauxhall Bridge et à quelque six miles de Windsor Castle. Mais le propriétaire demandait mille livres de plus que Charles n'avait l'intention de dépenser. Ils continuèrent à chercher tout l'automne, louant parfois une carriole à la gare et visitant plusieurs maisons par jour. Rien ne leur convenait.

« Il doit y avoir, quelque part, un lieu et une maison faits précisément pour nous, dit Charles.

— Voilà Charles qui devient fataliste », répondit Emma en riant.

Plusieurs événements marquèrent la fin de l'année. Emma était enceinte pour la troisième fois. On fêta les deux ans de Willy. Charles termina son livre sur les coraux et se prépara à le donner, avec six gravures sur bois et trois cartes dépliantes sur lesquelles les atolls étaient indiqués en bleu foncé, les récifs en bleu pâle et les récifs limitrophes en rouge. Cela lui permettait de délimiter les précédentes altitudes ou affaissements de différentes régions en surface. Avant d'envoyer le tout à Smith Elder et Cie, Charles écrivit une introduction, pour plus de clarté :

« Ce volume se propose de décrire, en se basant sur mes propres observations et sur les travaux d'autres chercheurs, les différentes sortes de récifs coralliens, tout particulièrement ceux qu'on trouve au grand large, et

d'expliquer l'origine de leurs formes d'organisation. Je ne traite ici des polypifères qui construisent ces vastes structures, que dans la mesure où ils jouent un rôle dans leur distribution et dans les conditions favorables à leur vigoureux développement... »

Emma lui demanda si elle pourrait lire quelques pages du manuscrit. Elle noua ses mains derrière la nuque de Charles et murmura :

« Tu es un poète, Charles. Je le pensais en lisant ton *Journal,* mais j'avais peur pour les récifs et les coraux.

— Mais la poésie est dans la nature, ma chérie. »

Il corrigea les épreuves. Malgré le coût élevé des dix-neuf livraisons en cinq volumes de la *Zoologie,* il lui restait près de cent quarante livres. Il avait demandé l'autorisation au Commissaire du Trésor d'utiliser cette somme pour les cartes et les illustrations des volumes sur l'Amérique du Sud. A elles seules, les illustrations pour les récifs coralliens épuisèrent ce qui restait.

« L'argent du gouvernement a été dépensé plus vite que je ne l'aurais cru, se plaignait-il à Emma.

— N'est-ce pas toujours ainsi, avec l'argent ? » lui fit-elle remarquer avec un sourire.

Lorsqu'il en viendrait au second volume, sur les îles volcaniques, il faudrait que Charles et les éditeurs, à parts égales, assument le coût des planches. Les bibliothèques et les scientifiques anglais achèteraient le livre. C'est du moins ce que Yarrell lui assurait.

« Malheureusement, gémissait Charles, nous n'en éditons pas assez. La première édition sera tout de suite épuisée. »

Emma se sentit mal dès les premiers jours de sa grossesse. Charles passait son temps libre près d'elle, à lui lire les derniers romans ou à lui faire la conversation. Elle insistait pour s'habiller pour le dîner. Willy s'asseyait souvent avec eux à table, étonnamment bien élevé pour un enfant de deux ans. Il avait du mal à prononcer les W ; cela donnait : « Ze m'appelle Villy Darvin. »

La petite Annie, pour une raison qui leur échappait, refusait même de s'approcher de lui. A Charles qui s'en inquiétait, Emma répondait : « Ce n'est qu'une phase, j'en suis sûre. Tu devrais plutôt apprendre à Willy à prononcer correctement son nom. »

Il passait également son temps à faire effrontément campagne pour la nomination d'Erasmus à l'Athenaeum, se rendant aux soirées du lundi soir, puisque la plupart des personnalités scientifiques ou littéraires de Londres y assistaient. Les deux seuls titres qui puissent valoir à Erasmus cette nomination étaient de tenir un salon littéraire, et d'être le frère de Charles Darwin. Charles se rendit à la réunion du vote avec de grands espoirs battus en brèche par des craintes légitimes.

« J'espère que personne ne demandera ce qu'Erasmus a écrit, confia-t-il à Emma. Il suffit d'un seul vote contraire pour ne pas être admis et cela lui donnerait une place dans la société de Londres à laquelle il aspire tant. »

Il revint tard, ayant été chercher son frère au passage. Ils riaient et chahutaient comme deux gamins.

« Pas la peine de demander ce qui s'est passé, dit Emma. Le résultat se lit sur vos visages. »

Ils trouvèrent juste à temps une excellente nounou écossaise du nom de Brodie. Elle avait un visage fortement marqué par la petite vérole, les cheveux poil-de-carotte, des yeux de faïence bleue, et malgré sa peau abîmée, un sourire charmant. Elle semblait tout aussi heureuse d'avoir trouvé une famille que Parslow. Elle prit en main William et Annie avec habileté et douceur. Le garçon se mit à prononcer les w et Annie vint se jeter dans les jambes de son père.

Le jour de son trente-troisième anniversaire, Charles marchait dans la neige fondue de février vers Great Marlborough street. Il avait rendez-vous avec l'éditeur du *Journal*. Après une heure de discussion bien terre à eterre, il rentra chez lui pour écrire à Susan, au Mont :

« *A propos d'argent, j'ai récolté l'autre jour tout le profit que je tirerai jamais de mon* Journal, *qui consiste à payer M. Colburn 21 livres 10 shillings pour les exemplaires que j'ai offerts à diverses personnes ; 1 337 exemplaires ont été vendus. C'est une bonne affaire, ne crois-tu pas ?* »

Au même moment, on lui apporta une note de Roderick Murchinson, ancien militaire devenu géologue, ami intime d'Adam Sedgwick et de Charles Lyell. Murchinson recevait Alexander von Humboldt, qui avait exprimé le désir de rencontrer le jeune Charles Darwin. Voudrait-il avoir l'amabilité d'être des leurs, le lendemain matin pour le petit déjeuner ?

« Humboldt, le héros de ma jeunesse, demande à me rencontrer ! s'écria Charles. C'est la montagne qui va à Mohammed, sans aucun doute... »

Murchinson, qui était riche, vivait dans un manoir, Belgrave Square, avec des domestiques en livrée. Il avait été président de la Geological Society et Charles le connaissait bien. A soixante-treize ans, Von Humboldt était aimable et énergique, même après avoir publié une œuvre en trente volumes. Il lui serra la main pendant un temps considérable, le félicita pour son *Journal,* pour les volumes de *Zoologie,* ainsi que sur les pages sur les récifs coralliens que l'éditeur lui avait envoyées dans l'espoir d'une ligne élogieuse. Il était tout particulièrement intéressé par les plantes que Charles avait ramassées sur les îles Galapagos.

Charles bégaya : « Mais... c'est moi qui devrais... Vous avez toujours été pour moi le plus grand... j'ai une admiration profonde... »

Murchinson l'avait obligeamment placé à côté de son hôte de marque, afin qu'ils puissent converser. Charles n'eut plus jamais l'occasion de placer un seul mot. Humboldt entama un monologue de trois heures, au demeurant passionnant de bout en bout : ses voyages, ses dernières théories, ses collections, et le tout sans cesser d'engloutir méthodiquement et de bon cœur un copieux petit déjeuner. Lorsque Charles partit, le grand scientifique lui écrasa à nouveau la main en lui disant : « Je suis si heureux d'avoir fait votre connaissance, Darwin, et de vous connaître maintenant un petit peu mieux. »

« Comment cela est-il possible ? se disait Charles en rentrant ; il ne m'a pas laissé ouvrir la bouche... »

Emma retourna à Maer, avec Brodie et les enfants. Charles resta derrière pour « une affaire d'imprimerie ». Sa sœur Katty vint du Mont pour lui tenir compagnie.

Il rejoignit Emma à Maer fin mai.

« Consacre à Papa tout le temps que tu pourras, lui demanda-t-elle. Elisabeth dit qu'elle ne l'a pas vu sourire plus d'une ou deux fois en un mois. »

Son beau-père, âgé maintenant de soixante-treize ans, ne pouvait contrôler un tremblement spasmodique des mains ; ses joues s'étaient creusées, et ses yeux noirs exprimaient la douleur et la gêne que lui occasionnait sa condition. Charles parvint à sourire faiblement en posant maladroitement son bras sur l'épaule d'Oncle Jos. Tante Bessy, après deux attaques, le reconnut à peine.

Il passa les premières semaines à courir les sentiers à travers champs, se concentrant dans un effort pour structurer ses matériaux sur les espèces. Il commencerait par les questions de base : comment étaient nées les espèces ? Comment s'étaient-elles modifiées ? Pourquoi certaines prospéraient-elles alors que d'autres disparaissaient ? Y avait-il des lois qui gouvernaient tout ce qui vivait... et mourait ? Quelles étaient ces lois ?

Il resta à Maer Hall un mois, puis demanda à Emma si elle pourrait se passer de lui pendant quelques semaines, le temps de visiter quelques sites de Galles du Nord qu'il avait vus onze ans plus tôt en compagnie de Sedgwick. Depuis qu'il avait lu le livre de Louis Agassiz, il voulait observer les effets de ces anciens glaciers dont Agassiz prétendait qu'ils avaient autrefois occupé les plus grandes vallées. C'est quatre ans plus tôt qu'il avait fait son voyage d'études géologiques à Glen Roy.

Le garçon d'écurie des Wedgwood le conduisit en voiture à Shrewsbury. Sa famille exprima son plaisir de le voir en si excellente forme. Ils lui remirent également des déclarations d'impôts que le gouvernement de Londres leur avait envoyées pour lui. C'était la première fois qu'un impôt sur le revenu était perçu depuis les guerres napoléoniennes de 1803 à 1815. La taxe était de sept pence par livre sterling. Charles calcula que son revenu de l'année précédente s'élevait à mille trente livres. Par conséquent, il aurait près de trente livres d'impôts à payer. Il espérait n'avoir pas à payer plus, surtout maintenant qu'Emma et lui avaient des enfants à élever.

Il resta trois jours, puis prit la route du pays de Galles, juste sous la maison. Il laissa son cheval à l'auberge et entreprit l'escalade des montagnes autour de Capel Curig, Caernavon, Bangor, marchant pendant des journées entières le long des vallées à la recherche de signes d'anciens glaciers. Ses jambes étaient fortes et son souffle bon. « Je continue à penser qu'Agassiz a tort, au moins en ce qui concerne Glen Roy. »

Pendant dix jours, il reprit sensiblement les routes que lui avait fait emprunter Adam Sedgwick. Sans nul doute, tout cela il l'avait déjà vu.

Il revint à Maer Hall décidé à commencer à écrire sur les espèces, leurs origines et leurs lois, à formuler la réponse à ces questions qu'il se posait depuis trois ans. Il s'appropria une chambre à coucher inoccupée, y transporta une table, et déballa ses quatre cahiers sur les espèces. Il était prêt à contester la religion établie, tout comme Galilée l'avait fait pour prouver que la Terre tournait autour du Soleil, et pour sa peine avait été condamné à l'apostasie, avec le choix entre renier ses trouvailles sacrilèges ou mourir.

Galilée s'était rétracté. Que ferait-il lui, Charles Darwin, dans une situation semblable ? Il n'en savait rien. Mais en attendant, il ferait le premier pas, rationnel et conséquent, il ne pouvait faire moins.

Le papier dont il disposait était médiocre, mais il s'en moquait. Il prit un crayon tendre et écrivit lentement, avec attention, en se corrigeant au fur et à mesure. Pour la première partie de son essai il se servit du titre *La variation sous l'action de la domestication* », et « *Les Principes de la Sélection* ».

« *Quand un organisme se développe pendant plusieurs générations sous l'action de conditions nouvelles ou variables, la variation est plus importante et prend des formes infinies... se conserve lorsque les individus sont restés longtemps exposés aux nouvelles conditions...* »

Pour sa seconde partie, il se servit du titre, « *Variation à l'état de Nature et les Moyens Naturels de Sélection.* »

« *Notre expérience tend à nous faire supposer que chacun de ces organismes sans exception peut varier dans de nouvelles conditions. La géologie affiche une constante chaîne de changements, mettant en jeu par tous les changements possibles de climat et la mort des habitants précédents, des variations sans fin de nouvelles conditions...* »

Chaque jour il s'enfermait dans son bureau ; personne ne venait troubler sa solitude. Jour après jour, il puisait dans les vastes ressources qu'il avait accumulées depuis son voyage du *Beagle* et toutes celles qu'il avait tirées de ses innombrables lectures ; essayant d'organiser cette masse de faits dans une théorie cohérente sur les myriades de changements survenus aux espèces depuis le commencement des temps.

Il eut la surprise de se sentir parfaitement bien. Pas le plus petit signe de ces nausées qui l'importunaient les jours précédents. Dans sa conclusion, il écrivit :

« ... *Les affinités de divers groupes, l'unité des types de structure, les formes significatives par lesquelles passe le fœtus, la métamorphose de certains organes, l'atrophie d'autres, cessent de devenir des expressions métaphoriques et deviennent des faits intelligibles. Nous ne regardons plus un animal comme un sauvage regarde un bateau, ou toute autre grande œuvre d'art, comme quelque chose d'entièrement extérieur à notre compréhension, mais nous l'examinons avec beaucoup plus d'intérêt...* »

L'essai, lorsqu'il fut terminé, au bout de plusieurs semaines, ne comportait que trente-cinq pages ; et pourtant, il avait maintenant une introduction compacte.

« Un début, mais le début de quoi ? » se demanda-t-il en lui-même.

7.

Tout d'abord, il ne fut pas particulièrement impressionné par la maison bâtie sur quinze arpents de champs de craie. On la lui avait pourtant décrite comme « une maison de campagne qui pourrait vous convenir parfaitement, étonnament rurale à seize miles de St Paul seulement ». Le prix était raisonnable, deux mille deux cents livres, une somme qu'il pouvait en toute bonne conscience demander à son père de payer. Il avait parcouru en train dix miles jusqu'à la gare de Sydendham, puis loué un cabriolet pour traverser pendant huit miles et demi les collines, les vallées verdoyantes et les superbes forêts du Kent, par un beau soleil de juillet et un ciel sans nuages.

Il s'arrêta quelques minutes dans le petit village de Down ; la maison à louer ne se trouvait qu'à un tiers de mile en haut du chemin. Le village comportait environ quarante maisons, un boucher, un boulanger, un épicier, un bureau de poste, une école maternelle, un atelier de menuiserie et une petite auberge au-dessus de la boutique de l'épicier. Pas de carrefour au centre du village, un lieu dégagé seulement occupé par un noyer géant et une église flanquée d'un cimetière de trois allées. Les villageois qu'il rencontrait lui tiraient leur chapeau, comme c'était la coutume au pays de Galles.

Il remonta en voiture et engagea son équipage sur le sentier étroit qui menait à la maison inoccupée, construite sur un plateau à une certaine altitude. En d'autres temps, elle s'était appelée la Grande Maison. Sa première impression fut qu'elle était laide, construite en brique et recouverte d'un crépi blanc qui s'écaillait. Et construite bien trop près du chemin, il est vrai peu fréquenté.

A l'autre bout du site, se trouvait la ferme d'origine, construite vers le milieu du XVIIe siècle. La cuisine, plutôt vaste, était au sous-sol. Près d'elle, une chambre froide pour y entreposer fromages, beurre, lait et vins. Egalement une arrière-cuisine et un garde-manger pour la viande. Un peu à l'écart, une fermette, une étable avec plusieurs râteliers, et un petit potager à l'abandon. L'arrière de la maison, ouvrant sur quinze arpents de champs, principalement des prés, était plaisant, avec un bouquet d'arbres : cerisiers, noyers, ifs, noisetiers d'Espagne, poiriers, mélèzes, sapins écossais et sapins blancs, et un grand mûrier.

Il pénétra dans la maison, décidé à prendre des notes détaillées pour Emma. L'entrée était spacieuse. Une des pièces de bonne taille, face au chemin, pourrait lui servir de bureau. La pièce adjacente ferait une bonne salle à manger. Le salon donnait sur les arbres et les prés. Cela pourrait suffire pour un temps. Il voyait comment l'agrandir et l'ouvrir plus sur le jardin, en modifiant les fenêtres.

« Ce qui me plaît le plus, dit-il à Emma lorsqu'il fut de retour à la maison dans la soirée, c'est le grand nombre de chambres à coucher, assez pour y loger nos deux familles. L'endroit est idéal, si calme et pourtant si près de Londres. La campagne alentour est magnifique ; la maison laisse quelque peu à désirer, mais nous pouvons l'améliorer et l'arranger à notre goût.

— J'irai la voir demain avec toi. Quel soulagement cela serait, si nous pouvions aimer cette maison de Down et nous y installer. »

La journée s'annonça grise et froide dès l'aube, mais Emma insista pour faire le voyage quand même. Ils prirent une petite valise pour pouvoir passer la nuit à Down. Emma fut déçue par la nature tout autour de la maison.

« Charles, ne trouves-tu pas l'endroit plutôt... désolé ?

— Si. Toutes les régions crayeuses le sont. Mais je suis habitué au Cambridgeshire, qui est dix fois pire. »

Toutefois elle aima la maison et les prés, peut-être plus que lui. Elle était située comme elle l'aimait, ni trop près, ni trop loin des autres.

Le lendemain, le soleil brillait. Ils visitèrent à nouveau la maison et le terrain, puis refirent en voiture les huit miles et demi jusqu'à la gare de chemin de fer. Emma était enchantée par le paysage.

« Je change d'avis, Charles. Les sentiers étroits bordés de hautes haies, les collines, tout cela me donne un grand sentiment de paix. Down House est peut-être la maison qu'il nous faut, après tout... »

Le docteur Darwin accepta volontiers d'acheter la propriété de Down, puisque Charles lui assurait qu'elle était bon marché. Les quinze arpents de champs qui l'entouraient, protégés par de bonnes haies, rapporteraient au moins quarante livres par an de foin, que l'acheteur coupait et que le propriétaire n'avait pas à fertiliser. Prêt à acheter, Charles parvint encore à faire baisser le prix de cent quatre-vingts livres, qu'il utiliserait pour les travaux de menuiserie, les solides rayonnages et meubles de rangement qu'il voulait faire construire dans son bureau.

L'affaire fut conclue en quelques semaines. Charles dit à Emma :

« La maison est à nous maintenant, ma très chère. Mais ne crois-tu pas que nous devrions attendre la naissance du bébé et que tu sois rétablie avant de déménager ?

— J'aimerais autant le faire le plus vite possible et que l'enfant naisse dans notre nouvelle maison. Je crois que tout compte fait, il serait plus facile pour moi d'être déjà installée et d'avoir tout mon temps pour récupérer. »

Il contacta une compagnie de déménagement pour transférer leurs effets et leurs meubles dans la maison de Down. Comme les déménageurs ne seraient pas disponibles avant une semaine au moins, Charles s'assit pour la dernière fois à son bureau de Upper Gower street et écrivit son article sur les effets des glaciers au nord du pays de Galles, concédant qu'on y trouvait bien des traces de glaciers mais persistant à affirmer que les routes ou les accotements de Glen Roy résultaient d'autre chose que du blocage des lacs par les glaciers. L'article fut accepté avec empressement par le *London, Edinburgh and Dublin Philosophical Magazine and Journal of Science.* Charles s'en réjouit car cette revue lui donnerait de nouveaux lecteurs. Il avait également de bonnes nouvelles de Smith Elder et Cie concernant les *Récifs coralliens ;* le livre allait être sérieusement analysé et, pour un ouvrage aussi technique, les ventes étaient bonnes. Les éditeurs lui assuraient qu'ils étaient prêts à entreprendre la publication de son livre sur les îles volcaniques.

Charles tria ses papiers et les classa avec soin avant de les mettre dans des boîtes. Il enveloppa avec amour ses livres dans de vieux journaux. Il empaqueta séparément la plupart des spécimens qui lui restaient mais de certains, il n'avait plus besoin. Il envoya un paquet de peintures avec lesquelles les Fuégiens se peignaient le corps, deux lances avec lesquelles ils chassaient les tortues, un poisson, une loutre, un guanaco, et un harpon à dauphin du Pacifique au professeur Henslow pour sa collection.

Dans l'après-midi, pendant qu'Emma faisait la sieste, Charles se plongea dans ses minutieux relevés de comptes, qu'il tenait de septembre à septembre. En additionnant des centaines de chiffres, il découvrit qu'ils avaient dépensé pendant l'année passée à Upper Gower street pour le loyer, la nourriture, le salaire des femmes domestiques, 465 livres, 24 de plus pour le charbon, 14 pour la bière, 40 pour leur valet, 200 pour les médecins, 11 en papier à lettres et timbres, 65 en meubles et réparations, 22 en location de chevaux et de voitures, 76 en frais de voyage, 142 en impôts, 53 en charités... et tant pour les livres et les instruments scientifiques... au total 10 062 livres, ce qui représentait , comme il le constata, 67 livres de plus qu'ils n'en avaient dépensé l'année d'avant. Toutefois leurs revenus avaient été assez importants pour leur permettre de déposer en banque 475 livres 11 shillings. En ajoutant cela à ses économies de l'année précédente, il pouvait maintenant acheter pour 538 livres 5 shillings, 600 livres de Consols, bons du gouvernement qui leur rapporteraient à peu près 50 livres par an. Il décida fermement que, même si le déménagement et la transformation du vilain petit canard de Down House en un cygne blanc devait coûter très cher, ils ne devraient pas dépenser, pour la maison et son aménagement, un sou de plus qu'ils ne gagnaient. Les dèttes étaient une abomination.

Charles loua la voiture la plus vaste et la plus confortable qu'il put trouver et, le 14 septembre 1842, Emma déménagea dans la maison de Down, avec William, âgé de presque trois ans et Annie de dix-huit mois. Avec elle se trouvait Brodie, la nourrice écossaise désormais indispensable à la famille, Parslow, qui pourrait aider à l'installation à Down House, et Sally la cuisinière. Bessy décida qu'elle préférait rester à Londres. Elle resta deux jours de plus pour s'occuper de Charles pendant qu'il effectuait les dernières démarches avant de rendre la maison à sa propriétaire.

La chambre à coucher, immédiatement au-dessus du salon, dans laquelle Emma s'installa, était agréable et confortable, mais les fenêtres qui donnaient sur les champs étaient trop petites pour laisser pénétrer beaucoup de soleil.

Charles la rassura.

« Ne t'inquiète pas. J'ai des plans pour toute cette aile. A la même époque l'année prochaine, l'air et la lumière entreront ici à flots, et nous pourrons apercevoir les collines. »

Emma eut son troisième enfant, une fille qu'ils appelèrent Mary Eleanor, neuf jours seulement après leur installation dans la nouvelle maison. Le docteur Edgar Cockel, membre du Collège Royal de Chirurgie, qui avait quitté Londres pour Down deux ans plus tôt et avait acheté une propriété à deux champs de distance de celle des Darwin, avait rencontré Charles dans la petite rue du village et s'était présenté. Ils se découvrirent des amis communs. Les villageois respectaient le docteur Cockell. Charles lui demanda d'accoucher Emma.

« Charles, je suis inquiète, lui confia Emma. La petite est si pâle. Elle ne gagne pas du tout de poids. On dirait qu'elle n'a pas un instant de répit... »

Charles s'assit sur le bord de son lit et l'embrassa sur le front pour la réconforter.

« Voyons, ma très chère, elle ira mieux d'un jour à l'autre. » Emma allait mieux d'heure en heure, mais pas le bébé. Elle souffrait de quelque désordre interne. Pour tromper son inquiétude, Charles se plongea dans un tourbillon de travail ; il engagea le menuisier, également propriétaire de la pension dans laquelle Emma et lui avaient passé la nuit ; il prit des mesures dans son bureau, fit des croquis d'étagères de différentes hauteurs pour ses livres, mesura l'espace entre les rayonnages et la porte où le menuisier poserait des tiroirs que Charles étiquetterait méticuleusement.

Emma engagea une nounou de treize ans, Bessy Harding, qui était agréable. Elle aidait Brodie dans ses tâches. Charles engagea un jardinier-cocher du nom de Comfort, qui méritait son nom en tous points. Comfort eut tôt fait de débarrasser le potager des cailloux et des mauvaises herbes, le déplaça et y déversa des brouettées de terre fertile. Les jours suivants, Charles acheta un phaéton et des chevaux, des vaches et des cochons, dont Comfort s'occuperait, ainsi qu'une selle, des rênes, du maïs, de l'avoine et un grand sécateur dont Comfort se servirait.

Mary Eleanor mourut avant d'avoir tout à fait un mois. Ils l'enterrèrent au petit cimetière du village près de l'église de silex. Charles était atterré, redoutant les funérailles. Emma prit le coup avec une tristesse calme. Ce fut elle qui réconforta son mari en lui disant :

« Tu seras inconsolable tant que nous n'aurons pas un autre enfant, bien portant celui-là, ce qui se produira tôt ou tard. En attendant, il nous faut oublier et retrouver notre vie normale. C'eût été bien pire, si elle avait dû souffrir plus longtemps. Nous avons deux autres enfants que nous aimons. Ils ne doivent pas souffrir de ce qui nous arrive. Je me sens assez forte aujourd'hui. Je descendrai pour dîner.

— C'est la meilleure nouvelle que je puisse entendre. Et nous n'avons pas fait grand-chose encore pour la maison. Il faut maintenant que nous en fassions véritablement un foyer. »

Emma enfila une robe de chambre et Charles l'aida à descendre en lui tenant le bras. Ils se promenèrent ainsi à travers les pièces, décidant de l'emplacement de nouveaux tapis ou de nouveaux meubles, des endroits où une couche de peinture serait nécessaire, ou peut-être un joli papier peint. Charles fit ensuite avec elle une courte promenade à travers champs. Bien que ce fût déjà la fin octobre, le temps était resté chaud. Ils se retournèrent pour regarder la maison.

« Nous devrons faire de ce côté-ci la façade, dit Charles, pour pouvoir nous asseoir quand il fait beau sous les arbres. J'ai des plans pour un arpent ou deux. Nous planterons des aubépines, une pelouse et au printemps prochain nous construirons des bow-windows en saillie aux trois étages. Cela ajoutera considérablement à l'espace de notre salon et de notre chambre à coucher et nous donnera une vue sur la campagne. Je t'accorde que la maison était laide quand nous l'avons achetée. Sinistre. Maintenant nous allons la rendre aussi belle que Maer Hall ou le Mont, et elle sera tout à nous. » Il prit Emma dans ses bras et l'embrassa : « Et nous y connaîtrons aussi de beaux moments. » Ils revinrent lentement vers Down House en se tenant tendrement par la taille, espérant fermement que les années à venir leur apporteraient le bonheur.

LIVRE NEUF

1.

Down House devait être une maison familiale. Le véritable centre en était pourtant le bureau de Charles : une pièce de bonnes dimensions avec une belle cheminée de marbre blanc surmontée d'un large miroir au cadre doré. Il y avait maintenant des rayons le long du mur en face de la cheminée, avec des casiers pour les périodiques et les monographies ; et au coin, près de la porte, une trentaine de tiroirs de tailles différentes pour y ranger les notes, les coupures de presse et la correspondance. Emma tapissa le mur de la fenêtre et le tour de la cheminée d'un tissu imprimé gris clair et bleu.

Lorsque Charles pénétra dans son bureau, à huit heures du matin, pour sa première journée de travail, il trouva la grille pleine de charbon rougeoyant que Parslow avait allumé une heure plus tôt pour réchauffer la pièce par cette fraîche journée d'automne.

« Où aimeriez-vous que l'on place votre bureau ? avait demandé Parslow. Entre les deux grandes fenêtres en tournant le dos au sentier ?

— Nouvelle maison, nouvelles habitudes, Parslow. Je ne veux pas de bureau du tout. Je vais écrire dans mon fauteuil favori d'Upper Gower street. »

Parslow découpa une planche de bois blanc assez large pour s'ajuster en travers des deux accoudoirs du fauteuil et pour y poser crayons, plumes, encre, papier et notes, et recouvrit le tout d'un tissu vert. Il plaça le fauteuil au coin du mur de la cheminée, près d'un autre ensemble de tiroirs de classement, des étagères en hauteur, et une commode basse fixée au mur avec un large plateau sur lequel était posée une lampe de jade. Sur un tapis rouge clair, on avait placé le globe jauni de Charles sur son trépied, sa table circulaire avec une douzaine de tiroirs pleins des derniers trésors du *Beagle ;* des bocaux de spécimens, des pierres curieuses, des mélanges de poudres, des tubes et des bouteilles de produits chimiques.

Emma vint lui souhaiter bonne chance.

« Je vois que tu as recréé ton coin de la cabine de poupe, fit-elle remarquer.

— Précisément. Ah ! j'ai fait du bon travail dans cet espace exigu !

— Tu vas être à l'aise pour travailler ici, Charles.

— Pour de nombreuses années, je l'espère. La nouvelle tapisserie que tu as choisie donne à la pièce l'air de flotter... au large sur une mer tranquille. »

Emma lui sourit, contente.

« Je ne vois pas dans quelles eaux tu pourrais partir à la dérive, barricadé derrière ta planche à écrire... sinon bien sûr vers l'Amérique du Sud de ton livre sur les volcans. »

Emma installa la famille dans le reste de la maison. Le salon et leur chambre à coucher semblèrent moins ordinaires lorsqu'elle eut recouvert les murs d'un beau tissu, mis ses délicats vases de Wedgwood sur la cheminée, recouvert le sol de tapis de couleurs vives. Elle ajouta quelques petites tables à café et des chaises à leurs possessions d'Upper Gower street, accrocha les deux aquarelles du *Beagle* peintes par Conrad Martens. Le crépi extérieur de la maison reçut une couche de badigeon gris perle.

« Il n'y a qu'une chose qui m'ennuie, confia-t-elle à Charles, cette cuisine en sous-sol qui force Parslow à monter un étage et à traverser le corridor jusqu'à la salle à manger. Nous avons assez de plats couverts pour qu'ils restent chauds, mais éventuellement, il serait préférable d'avoir la cuisine au premier étage.

— L'année prochaine, ma chère. Nous ne pouvons dépasser une certaine somme en travaux par an.

— Note bien que ni Sally ni Parslow ne se plaignent. Je n'en parlais que pour le futur, toujours plus agréable à envisager que le passé.

— Tu crois vraiment ? Moi aussi, j'ai un problème. C'est ce sentier devant mon bureau. N'importe quel cavalier passant par là peut voir à l'intérieur.

— Que veux-tu faire alors ? Surélever ton bureau ou abaisser le sentier ? »

Il se mit à rire. « Abaisser le sentier. D'environ deux pieds. Et également faire construire un mur de notre côté. »

Ils établirent un emploi du temps qui convenait à tout le monde. Charles se levait avant sept heures, en prenant soin de ne pas réveiller Emma. Il se rasait, s'habillait et partait faire une promenade dans ses champs et dans ses jardins. Cette promenade dans l'obscurité, avant le lever du soleil, surprenait parfois les renards rentrant au terrier après une nuit de rapines. A sept heures quarante-cinq, il mangeait seul un petit déjeuner léger et à huit heures avait refermé sur lui la porte de son bureau. Des vents froids soufflaient du nord. Malgré le feu allumé par Parslow, il avait parfois besoin d'un châle. Il se mettait à écrire sur les îles volcaniques. Personne ne frappait à sa porte, et il ne levait pas les yeux de son travail jusqu'à neuf heures et demie. A ce moment-là, il traversait le couloir jusqu'au salon où Emma l'attendait.

« Où sont les petits ?

— Bessy les a emmenés faire une promenade. Le temps est sec et elle les a bien emmitouflés contre le froid.

— Des lettres ?

— Une de Maer Hall et une du Mont. »

S'il n'y avait pas de courrier, Emma lui lisait un chapitre du *Gardien* de Jack Hinton, une suite d'exploits rocambolesques en Irlande, ou du mélodrame de William Bulver *la Nuit et l'aube*. A dix heures et demie, il retournait dans son bureau, reprenant son récit là où il l'avait laissé, citant d'autres voyageurs ou géologues, formulant théories et hypothèses. Lorsqu'il s'arrêtait, vers midi, Emma pouvait voir à son expression si son travail d'écriture avait progressé.

« J'ai bien travaillé, aujourd'hui.

— Parfait. Maintenant, va te promener. Toutes ces heures assis, ce n'est pas cela qui te donnera de l'appétit. Nous avons un pâté aux rognons d'agneau, une sauce aux câpres et du pudding. »

Il enfilait sa cape, son chapeau mou, ramassait sa canne, une badine de frêne creusée tout du long en spirale là où un chèvrefeuille s'était enroulé, et partait pour une promenade à vive allure de deux miles, jusqu'au bout de ses terres d'abord puis le long des sentiers jusqu'à Cudham Wood, en suivant la verte vallée.

Le déjeuner, le repas le plus important de la journée, était servi à une heure, généralement accompagné d'un verre de vin léger. Après le repas, Charles lisait le *London Times* que Parslow avait été chercher au village avec le courrier, puis retournait faire sa correspondance, de plus en plus abondante, à cause des réponses des fermiers et éleveurs, à la recherche d'informations pour sa théorie des espèces.

A trois heures, il allait dans sa chambre à coucher, paressait sur un sofa, fumait une des deux cigarettes qu'il s'autorisait par jour, se reposait, sommeillait de temps en temps, puis retournait à son bureau pour encore une heure. Cette technique visant à briser la journée de travail lui avait été recommandée par Lyell.

Plus tard, il ne prenait qu'un thé très léger avec un œuf ou une tranche de viande. Puis venait le réel défi de la journée, deux parties de jacquet avec Emma, un passe-temps auquel ils n'avaient guère pu sacrifier à Upper Gower street. Lorsqu'elle gagnait, il était très sincèrement furieux.

Après quoi, Emma jouait du piano pendant une heure ; puis il lisait des livres scientifiques et des journaux pendant qu'elle faisait du crochet jusqu'à l'heure à laquelle ils allaient se coucher, à dix heures et demie.

Ce fut une époque de calme, de satisfaction et de stabilité. Il était très attaché à ses enfants, jouait avec William et l'impétueuse petite Annie, quand il n'était pas dans son bureau, et ne manquait jamais d'aller leur dire bonsoir après que Brodie les ait bordés dans leur lit.

Toutes les deux semaines, il allait à Londres pour les réunions de la Geological Society, aux délibérations de laquelle il participait toujours, et à la Royal Society pour entretenir les rapports d'amitié avec ses collègues.

A Londres, il habitait chez Erasmus. Ils prenaient le thé ou dînaient ensemble à l'Athenaeum.

Il ne parvenait pas à persuader Emma de venir à Londres avec lui. Il craignait qu'elle ne finisse par trouver morne la vie à la campagne. Les villageois les connaissaient et les traitaient avec respect ; John Willot, le recteur, et la congrégation de la petite église au carrefour étaient polis, mais ils ne s'étaient pas fait d'amis à Down. Dans la campagne anglaise, les amitiés étaient prudentes et lentes à se nouer.

« Je t'ai déjà posé la question à Londres, et je te la répète ici où tu n'as pas d'amis proches pour animer la journée : Es-tu heureuse Emma ? »

Emma eut un rire tranquille.

« Il y a autant de formes de bonheur, mon bon ami, qu'il y a d'individus. Je n'aimerais rester prisonnière d'aucune d'elles. »

Vers novembre, il y eut beaucoup plus d'activité dans la maison. Hensleigh Wedgwood avait attrapé une maladie sérieuse qu'on ne pouvait diagnostiquer. Fanny lui servait d'infirmière. Emma avait demandé : « Charles, crois-tu que nous puissions garder deux ou trois de leurs enfants ici ? Cela leur faciliterait la vie d'autant.

— Naturellement. Comfort emportera ta note en ville et elle partira par la malle de poste de cet après-midi. »

Deux jours plus tard, Isabella, la gouvernante des Wedgwood, arriva avec Neige, la petite fille de neuf ans, Bro, un petit garçon de huit ans, et Erny, de cinq ans. Les enfants Darwin étaient ravis. Emma mit les deux plus jeunes dans une chambre à coucher en face de la leur. Tout alla bien jusqu'au jour où Emma autorisa la petite Bessy Harding à les emmener tous les cinq en promenade jusqu'à Cudham Wood. La terre était boueuse et les bois sombres ; la petite Bessy ne put garder les enfants groupés, en partie parce qu'elle devait porter Annie, qui avait deux ans. Neige et William se perdirent, mais Neige avait un bon sens de l'orientation et ramena William à la maison. Les autres ne rentraient toujours pas. Emma et Charles partirent à leur recherche avec Parslow et Comfort, s'attendant à tout instant à retrouver les enfants assis au bord d'une flaque quelque part, en larmes et perdus. Au lieu de quoi, le propriétaire de la première ferme qu'ils rencontrèrent leur dit que les enfants lui avaient demandé leur chemin. Peu de temps après, ils rencontrèrent Bessy, portant toujours Annie, devant une autre ferme avec les deux autres garçons.

Ils rentrèrent à Down House et se réchauffèrent tous devant un bon feu dans le salon.

Lorsque Hensleigh Wedgwood reprit son travail au début de janvier, ses trois enfants rentrèrent chez eux. Emma annonça que leurs familles les considéraient maintenant comme définitivement installés et viendraient leur rendre visite.

Charles fut heureux de recevoir un exemplaire de l'*Edinburgh New Philosophical Journal,* qui publiait une critique détaillée de ses *Récifs Coralliens* par Charles Maclaren, critique compétent, qui disait · « *Cette théorie rend mieux compte des phénomènes en question qu'aucune autre avancée jusqu'à ce jour* » et poursuivait en soulignant avec pertinence les principaux apports de l'ouvrage avant de prendre ses distances avec quelques-unes de ses théories.

N'étant pas homme à fuir les critiques, Charles écrivit à Maclaren. Sa lettre était modeste, reconnaissant même que l'une des objections de Maclaren était « de poids » et le rendait perplexe.

La critique ainsi que sa réponse furent lues toutes deux dans les cercles scientifiques, attirant l'attention sur le livre. Lors de son voyage suivant à Londres, il fut félicité par ses amis. Lyell, rentré d'Amérique du Nord plein d'enthousiasme pour ce pays, fut le plus démonstratif.

« C'est un bien bon départ pour votre trilogie, Darwin, lui dit-il à l'Athenaeum où il avait entraîné Charles pour un dernier verre. Comment se présentent « Les îles volcaniques » ?

Charles avala son brandy.

« Si j'ai fini vers la fin de l'année, le livre devrait se trouver en librairie au début de l'année prochaine. »

Le mois de mars fut d'une douceur surprenante. Charles convoqua menuisiers et maçons pour faire construire des bow-windows pour le salon et la chambre à coucher principale. Cela agrandissait les pièces de presque un tiers et leur donnait considérablement plus de lumière, faisant du modeste salon une pièce tout à fait respectable. Emma choisit des rideaux de dentelle et des tentures de velours aux motifs floraux.

« Notre vilain petit canard commence à faire meilleure figure ! » s'écria-t-elle joyeusement.

Charles abandonna son bureau pendant une semaine pour surveiller les ouvriers. Une deuxième équipe construisait une vaste cuisine au rez-de-chaussée, comme l'avait proposé Emma. Un groupe de terrassiers de Down modifiaient l'allée selon les plans de Charles. Il était ravi de tous ces changements, jusqu'à ce que ses livres de comptes indiquent que l'agrandissement des trois pièces, la nouvelle cuisine, le nivellement de la route et la construction du mur lui avaient coûté plus de quatre cents livres.

Un jardin potager fut délimité du côté de la maison où la terre était la meilleure pour permettre aux Darwin de manger leurs propres pommes de terre et leurs propres légumes. Leurs vaches leur donnaient assez de lait pour les enfants, et ce qu'il leur fallait de beurre et de fromage qu'ils entreposaient à la cave, près des vins.

Charles retrouva son bureau. Le manuscrit des « îles volcaniques » avançait à très bonne allure. Il se replongea dans ses lectures, acheta *Regions of Vegetation* de Richard Hinds, qui venait tout juste d'être publié, passa au crible plusieurs volumes des *Transactions* de la Linnean Society, annota le livre de William Spence sur les insectes.

Lorsqu'il vint à Londres, en avril, il rendit visite aux FitzRoy dans leur élégante maison de Belgrave Square pour dire au revoir à la famille, puisque le capitaine FitzRoy venait d'être nommé gouverneur de Nouvelle-Zélande. Charles avait été amusé d'apprendre ce qui s'était passé lorsque FitzRoy s'était présenté au Parlement, depuis Durham, et avait été élu. Il avait échangé des lettres venimeuses avec un certain M. William Sheppard, querelle qui avait abouti à un « duel » sur la promenade, devant le « United Service Club ». Sheppard s'était précipité sur FitzRoy en brandissant un fouet et s'était écrié :

« Capitaine FitzRoy, je ne vous frapperai pas, mais vous pouvez considérer votre cheval comme fouetté. »

FitzRoy avait roué Sheppard de coups de parapluie !

Curieusement, après tant d'années passées en mer, FitzRoy avait effectué un bon travail au Parlement, participant à des Commissions importantes et faisant voter des lois dans des domaines intéressant la Royal Navy.

Après avoir pris le thé avec FitzRoy et sa femme Mary, Charles marcha de Belgrave Square jusqu'à la nouvelle maison que louait Erasmus, Park street. Il y passa la nuit.

Emma, enceinte de plusieurs mois, fit avec Charles des promenades pendant lesquelles il étudiait la géologie, prenant des notes sur le paysage local. Il lui montrait du doigt les aspects intéressants du terrain au fur et à mesure qu'ils avançaient dans cette campagne de collines de craie et ses vallées aux fonds arrondis, qui étaient selon toute probabilité d'anciennes baies marines.

« As-tu l'intention d'écrire sur le Kent ? lui demanda-t-elle.

— Non. C'est seulement pour ne pas perdre la main. »

Au début de juillet, Emma reçut une lettre d'Elisabeth lui annonçant que la santé de leur père déclinait rapidement. Lorsqu'ils arrivèrent à Maer Hall après dix heures de voyage depuis Londres, Oncle Jos fut tout juste capable de prononcer quelques mots, mais ses yeux exprimèrent le soulagement qu'il ressentait à les voir à son chevet. Il mourut quatre jours plus tard, dans son sommeil, à l'âge de soixante-quatorze ans. Le service funèbre eut lieu dans la chapelle au-dessus de Maer Hall, celle où Emma et Charles s'étaient mariés. Tante Bessy ne put quitter son lit pour y participer. Il n'y eut ni larmes ni signes bruyants de tristesse. Quand Charles rentra à la maison avec la famille Wedgwood et la sienne — le docteur Darwin avait parcouru les vingt miles du Mont à Maer Hall tous les trois quatre jours pour tenter d'adoucir les dernières heures de Josiah — ils s'assirent à l'ombre des arbres en buvant de la limonade. Joe Wedgwood déclara :

« Il n'a jamais vraiment aimé les Poteries. Pas plus que moi, en tout cas. Son bonheur, c'était ses livres et sa famille. »

Après une brève visite au Mont, ils se retrouvèrent à Down House à la mi-juillet. Elisabeth vint leur rendre visite une semaine plus tard. Puisque Emma avait de la compagnie, Charles décida de se rendre à la réunion de la British Association à Cork, en Irlande au mois d'août. Il y rencontra bon nombre de jeunes gens travaillant dans les sciences de la vie, particulièrement en biologie, et de nouveaux collègues avec lesquels correspondre lorsqu'il aurait besoin d'informations.

La fin de l'été fut très chaude. La maison elle-même était fraîche. Son travail sur les îles volcaniques terminé, Charles piochait dans les quatre premiers volumes de l'*Histoire* de Gibbon, se plongeait dans quelques exemplaires des *Annals and Magazine of Natural History,* et dans un livre de voyage sur Salmone, à la pointe orientale de l'île de Crète. Il creusait également, au bout de sa propriété, en un lieu où les terrassiers avaient découvert un puits d'argile et une assez grande carrière de sable.

« Que fait donc tout ce sable par ici ? se demandait-il. Cette région était-elle une plage lorsque le Kent était sous la mer ? »

Un Ecossais du nom de Kemp lui envoya un paquet de graines qu'il avait trouvées dans la couche inférieure d'une carrière de sable très profonde avec ce commentaire :

« *Aucun géologue ne peut évaluer, même de façon fantaisiste, les milliers d'années qui se sont écoulés depuis que ces graines se sont trouvées prises, avec de la matière végétale au fond du sable.* »

Charles envoya certaines des graines à Henslow, d'autres à la Société d'Horticulture. A la surprise générale, elles germèrent facilement ! Elles poussèrent en une sorte de rumex que ni Charles, ni Henslow, ni la Société d'Horticulture n'avaient jamais vue. Ils s'accordaient tous pour admettre que ce qui poussait sous leurs yeux n'était pas une plante anglaise. Mais si ce n'était pas anglais, d'où cela venait-il ? Et si elle venait d'ici, en quel autre lieu pouvait-on la trouver maintenant ? Y avait-il eu une Angleterre bien différente, des éternités plus tôt ? Il se souvenait du coquillage tropical qu'un ouvrier lui avait montré des années auparavant. Si l'on trouvait des coquillages tropicaux sous la surface de l'Angleterre, l'île avait donc eu par le passé un climat tropical. La documentation sur les époques précédentes se faisait plus abondante. Louis Agassiz avait trouvé des poissons fossiles vieux de plusieurs milliers d'années. Toutes les formes vivantes évoluaient. La mer et les continents évoluaient peut-être aussi. Il était fasciné.

En septembre, le jardinier, très modestement aidé par Charles quand il en avait le temps, eut terminé le jardin potager. Le verger avec ces cerisiers, poiriers, pruniers, pommiers et cognassiers rendait bien. Charles y ajouta des pêchers et des abricotiers.

Emma donna naissance à leur seconde fille. Ils l'appelèrent Henrietta ; la mère et la fille étaient en parfaite santé.

« On n'a jamais vu petite âme de meilleure composition que cette demoiselle Henrietta Emma Darwin », déclara Charles.

Susan vint les voir, abandonnant Shrewsbury pendant un mois, au cours duquel Charles finit ses dernières pages sur les îles volcaniques. Il écrivit à Lyell :

« *J'espère que vous lirez mon livre, car à part vous, je ne vois pas très bien qui d'autre pourrait le faire.* »

En octobre, puisque Susan tenait compagnie à Emma, il décida d'aller passer quelques jours avec Katty et son père à Shrewsbury. Le docteur Darwin, âgé maintenant de soixante-dix-sept ans, avait bon pied bon œil mais marchait quand même moins qu'avant. Quand Charles lui parla de l'engourdissement qu'il ressentait parfois au bout des doigts, le docteur Darwin lui dit avec un sourire :

« Eh oui, névralgique, évidemment. Cela disparaîtra avant longtemps. »

Charles lui montra ses comptes et tout ce qu'il avait dépensé en travaux pour Down House.

« J'ai peut-être dépensé trop d'argent ? »

Son père fit un grand geste de dénégation.

« Ne t'inquiète donc pas pour l'argent. Vous dépensez toujours moins que votre revenu ; nous avons tout ce qu'il nous faut. Ne t'occupe que de ton travail scientifique et oublie tes livres de comptes. »

Il n'y eut pas un nuage pendant tout l'automne. Charles regardait les oiseaux s'assembler par groupes de dix ou trente dans les arbres. Il y avait aussi de nombreuses sittelles.

La famille leur rendait maintenant visite régulièrement. Quand Brodie et Parslow semblaient à Emma un peu éteints, par manque de distractions, elle les envoyait en voiture à Bromley, à quatre miles de là, écouter un concert ou voir une pièce de théâtre. Ils firent la connaissance de Lady Lubbock, dont la famille possédait une propriété non loin de là, High Elms. Ils se rendaient visite de temps en temps.

« En un mot, déclara Charles, nous prenons racine. Je suis content d'avoir fait de cette maison notre point d'ancrage. »

2.

Les minutes et les heures continuaient à égrener leur tic-tac sur la haute pendule de l'entrée. Les feuilles du calendrier tombaient aussi naturellement que celles des ormes et des érables. Parfois le temps paraissait s'écouler avec l'impétuosité d'un torrent ; ou il semblait stagnant comme l'eau d'un marigot.

Au début de l'année 1844, Charles remit son manuscrit sur les îles volcaniques à ses éditeurs. En février, ayant corrigé les dernières épreuves, il ressortit près de neuf cents pages d'observations sur la géologie des lieux visités lors du voyage du *Beagle,* ainsi que les notes décousues écrites à bord, à l'encre, sur des feuilles à peu près toutes du même format, de huit pouces sur dix.

« C'est déjà un livre et demi, s'exclama-t-il à voix haute. Cela demande tout un travail d'organisation. »

Il le relut rapidement puis réenveloppa et rangea le tout. « Trop tôt, expliqua-t-il à Emma à l'heure où elle lui jouait du piano. Il me faut un temps de repos entre deux livres. » Mais ce qu'il ne lui dit pas, c'est qu'il mourait d'envie de revenir à son livre sur la transformation des espèces. Il n'avait rien écrit dans ce domaine depuis qu'il avait fini son essai de trente-cinq pages à Maer Hall pendant l'été 1842. Cette fois, il voulait écrire un livre non plus seulement basé sur ses observations autour du monde, mais sur les corrélations entre ces sciences de la vie qu'il étudiait depuis sept ans. Lyell en avait partiellement connaissance, tout comme son cousin Fox. Il choisit un nouvel ami, le jeune Joseph Hooker, qu'il avait rencontré pour la première fois en compagnie du docteur McCormick avant son embarquement à bord de l'*Erebus* en tant que botaniste. Hooker était resté en voyage pendant quatre ans mais avait écrit à Charles des lettres brillantes pour lui parler de la collection qu'il constituait. Charles voyait en Hooker, de huit ans plus jeune que lui, l'enthousiasme, la ténacité et la profondeur de perception, l'étoffe d'un grand botaniste et d'un naturaliste de première importance. Les deux hommes continuaient à s'écrire, depuis le retour de Hooker, et

Charles l'encourageait à rédiger en détail un livre sur les plantes et les fleurs qu'il avait ramassées au cours de son voyage.

« Est-ce qu'il ne t'est pas surtout sympathique parce qu'il aimait ton journal au point de s'endormir avec les épreuves sous son oreiller ? le taquina Emma.

— Ce n'est peut-être pas sans rapport. Je vais l'inviter à dîner chez Ras, la prochaine fois que j'irai à Londres. »

Le 11 janvier 1844, au moment de se remettre délibérément au travail sur les espèces, il écrivit, très ouvertement, à Hooker :

« *J'ai été si frappé par la distribution des organismes dans les Galapagos et par le caractère des mammifères fossiles d'Amérique du Sud que depuis mon retour j'ai décidé de collectionner systématiquement tous les faits qui, d'une façon ou d'une autre, pourraient avoir trait aux espèces. J'ai lu quantité de livres sur l'horticulture et l'agriculture. Finalement, j'en ai tiré quelques brèves lumières. Et je suis à peu près convaincu, contrairement à l'opinion qui était la mienne au départ, que les espèces ne sont pas (c'est comme confesser un meurtre) immutables, invariables, jamais sujettes au changement... Je crois avoir trouvé (c'est là qu'intervient la présomption) la façon simple par laquelle les espèces s'adaptent magnifiquement à diverses fins. Vous allez grogner et penser par-devers vous : " Oh ! dire que j'ai perdu mon temps à écrire à cet homme-là ! " C'est ce que j'aurais pensé moi-même il y a cinq ans...* »

Il reçut, avant la fin du mois, une réponse encourageante de Joseph Hooker.

« *... Il est indéniable que la végétation était autrefois en un endroit donné très différente de ce qu'elle est maintenant... Il est possible, selon moi, qu'il y ait eu des séries de production en différents lieux, et aussi une modification graduelle des espèces. Je serais ravi d'apprendre à quoi vous attribuez ce changement, car aucune des opinions émises jusqu'à présent sur ce sujet ne me satisfait.* »

Les vastes lectures de Charles lui avaient appris que, dès 1789, le naturaliste français Buffon avait estimé que la terre pourrait bien être âgée de soixante-dix mille ans. En 1755, le philosophe allemand Emmanuel Kant croyait la terre vieille de millions d'années. Aucun des deux hommes n'avait essayé de prouver par des faits ce qu'il avançait. Le premier à présenter une théorie intelligible du changement évolutif avait été le naturaliste français Lamarck qui, en 1809, avait écrit sur la nature du changement dans tous les organismes, chez les plantes, les animaux et l'homme. Charles avait d'abord connu les théories de Lamarck par ses aînés du Musée d'Histoire Naturelle de l'Université d'Edimbourg. Là où Lamarck se trompait, Charles l'avait senti très vite, c'était en attribuant l'évolution à un instinct inhérent à tous les organismes, « *une tendance inéluctable vers la perfection de sa propre espèce* ».

Pendant les mois venteux et froids de janvier et de février, Emma lui lut plusieurs romans de l'écrivain suédois Frederika Bremer, ainsi que des extraits des lettres de Lord Chesterfield. Pour son trente-cinquième anniversaire, elle lui offrit *L'Histoire constitutionnelle de l'Angleterre* de Henry Hallam. Pour leur cinquième anniversaire de mariage, il lui offrit un bel ensemble des romans de Waverley de Sir Walter Scott mais la supplia de lui épargner son grand dîner de célébration en famille. Il était impossible de n'en inviter que quelques-uns. Au lieu de quoi, ils invitèrent les deux aînés de leurs enfants à manger à la grande table et poussèrent le berceau de la petite Henrietta, de quatre mois, à côté. Parslow sortit la plus belle nappe de lin et les plus beaux couverts d'argent. Sally travailla pendant deux jours à la cuisine pour préparer un festin de bouillon clair, soufflé aux huîtres, poulet Marengo, agneau rôti sauce menthe, pommes de terre nouvelles au beurre, riz à l'ananas. Ils ne purent que goûter à chacun des plats. Sally avait également confectionné un cake de Dundee spécial, avec des raisins secs, de l'écorce d'orange, de la muscade, du brandy et des amandes. Et il y avait six bougies au milieu des amandes. « Une de plus que nous ne sommes, dit Emma dans un souffle. Nous n'avons sans doute pas encore autant d'enfants que nous pouvons en avoir. Mais cela m'aiderait de me reposer un an ou deux. »

Charles prit sa main dans la sienne.

« Je trouve véritablement cruel que la femme ait à endurer toute la douleur sans que l'homme puisse y prendre une juste part.

— Mais tu fais la tienne, chère vieille âme. Tes angoisses pendant mes grossesses sont presque aussi intolérables que les miennes. » Elle regarda William, Annie et Henrietta. « Ils apportent de la joie à nos vies. »

Fanny Wedgwood allait avoir très bientôt son sixième enfant. Emma lui demanda si elle accepterait d'envoyer ses cinq enfants à Down House.

Hensleigh mit donc leurs neveux et nièces dans une grande voiture avec leur gouvernante. William et Annie furent enchantés de voir débarquer toute cette petite troupe de compagnons de jeux. Ils coururent au jardin avec des écharpes et des bonnets de laine, faisant littéralement la ronde dans le jardin autour du grand mûrier en chantant « *nous fai-sons-la-ron-de/au-tour-du-mû-rier* » juste sous la baie vitrée. Par mauvais temps, Emma leur préparait des jeux dans la pièce du haut. Et elle découvrit comme la vieille maison était bien construite : les cris et les éclats de rire de sept enfants jouant à « *Up Jenkins* » (un jeu de devinette avec une bille cachée dans le poing fermé), ou à « *Snakes and ladders* » (avec une paire de dés qu'on jette sur une planche pour savoir si celui qui les a jetés avance d'un espace ou, ayant rencontré un serpent, redescend d'une case) — les meubles bousculés, les coups dans les murs et planchers — rien ne s'entendait dans le reste de la maison.

Charles ne s'opposait pas au chahut général dans les couloirs et les chambres à coucher. Tout comme Emma, il avait passé des semaines, parfois des mois, dans la maison de leurs oncles et tantes, à vivre et à jouer avec un nombre égal de cousins. Il était captivé par les émotions qu'il découvrait chez ses propres enfants et les jeunes Wedgwood, et écrivit à ses amis en leur recommandant d'observer leurs enfants. Le volume de ses notes grandissait ; puis son esprit curieux se porta dans le domaine des animaux. N'avaient-ils pas des émotions eux aussi ? Du plaisir à manger, à jouer, de l'affection pour ceux qui s'occupaient d'eux, entre eux, de la vivacité dans l'attaque, de la peur et de la douleur ? Il commença à jeter des notes sur les réactions identifiables qu'il avait enregistrées chez des animaux au cours du voyage du *Beagle,* ou lors de ses visites au Zoo de Londres ; il se mit à rechercher des contes d'animaux dans sa bibliothèque. Les matériaux étaient abondants mais personne n'avait recherché les causes ou déterminé les limites de l'expression chez les animaux. Il était sûr qu'il y avait dans ce domaine des éléments éclairants ; et peut-être quelque rapport plausible entre l'émotion des enfants et celle des animaux.

Il écrivait régulièrement sur les espèces maintenant, sur des feuilles volantes, divisant parfois une large feuille en trois colonnes, travaillant exclusivement de mémoire. Il conserva les principales têtes de rubrique de son essai de Maer Hall, mais chaque jour avançait en approfondissant et généralisant.

« Les effets des conditions extérieures sur la taille, la couleur et la forme, qui peuvent rarement et difficilement être détectés au cours de la vie d'un individu, deviennent apparents après plusieurs générations : les légères différences, souvent à peine perceptibles, qui caractérisent le bétail de divers pays, et même de diverses régions d'un même pays, semblent dues à de telles actions continues. »

Il développa son second chapitre, « *Moyens Naturels de Selection* ».

« *De Candolle, dans un passage saisissant, déclare que toute la nature est en guerre, un organisme contre l'autre, ou contre la nature extérieure. Lorsqu'on considère l'aspect riant de la nature, on peut au premier abord en douter; mais la réflexion ne peut manquer de prouver la véracité du fait. La guerre, néanmoins, n'est pas constante, seulement légèrement réactivée par intermittences et plus sévère à des périodes plus espacées; par conséquent ses effets sont facilement négligés. Dans la plupart des cas, c'est la doctrine de Malthus appliquée à la puissance dix... Même la population humaine, qui se développe à un rythme lent, a doublé en vingt-cinq ans, et si elle pouvait facilement accroître ses moyens de subsistance, elle doublerait en moins de temps encore. Mais pour les animaux, sans moyens artificiels, en moyenne, la quantité de nourriture pour chaque espèce doit être constante; tandis que l'accroissement de tous les organismes tend à être géométrique et, dans la vaste majorité des cas, dans des proportions énormes...* »

Il pensa :

« Tout ce qui naît, naît pour manger et être mangé. »

Fin mars, les parterres autour de Down House était couverts de pâles violettes. Et les colombes roucoulaient dans les bois.

« Cela ressemble au ronronnement d'un chat », fit remarquer Emma. Elle glissa sa main dans la sienne en marchant. « Ce lieu semblait si désolé lorsque nous avons acheté la maison... Je crois bien maintenant que c'est l'endroit le plus charmant que je connaisse. » Les champs autour de la maison s'étaient couverts de fleurs. Les sentiers étaient plus fréquentés, les villageois devenaient plus amicaux et hospitaliers. Les Darwin acceptèrent plusieurs invitations à dîner. Charles était heureux qu'Emma puisse être en compagnie d'adultes, pour changer.

En avril, Charles planta des lis, des pieds d'alouette, des portulacas, de la verveine, des gazanias, « scientifiquement et non-scientifiquement ». Comfort travaillait avec lui. Dans la chaleur de juin, ils installèrent des bancs sous les fenêtres du salon; Parslow rassemblait les enfants autour de tartes aux groseilles dans le rose pourpre du soleil couchant.

Le 4 juillet, il avait terminé près de cent quatre-vingts pages de son traité sur les espèces. Il s'était resservi de beaucoup d'élément écrits précédemment mais y avait ajouté de nouvelles observations et découvertes.

« *Comme tous les instincts deviennent intéressants lorsque nous spéculons sur leur origine pour y voir des habitudes héréditaires, ou comme de légères modifications congénitales d'instincts précédents préservés chez les individus qu'ils caractérisent. Lorsque nous considérons la complexité de chaque instinct et de chaque mécanisme comme l'addition d'une longue histoire d'inventions, toutes plus utiles à leur possesseur, un peu à la façon dont on regarde une grande invention mécanique comme le résultat final du travail, de l'expérience, du raisonnement et même des erreurs de nombreux ouvriers...*

... car nous voyons dans tout cela les conséquences inéluctables d'une grande loi unique, celle de la multiplication des êtres organiques qui n'ont pas été créés immutables... »

Au cœur même de son exaltation, dans sa niche bien protégée, il décida :

« Je n'ai aucune intention de publier cet ouvrage sous sa forme actuelle, mais il faut pourtant que je le protège au cas où je viendrais à mourir ! On s'endort un soir en Angleterre pour se réveiller dans les limbes. Et ensuite...

Je me demande si Emma a la moindre idée de ce que j'écris depuis le début de l'année. Probablement. Il faudra de toute façon qu'elle le sache un jour, car c'est à elle que je confierai ce manuscrit. »

A huit heures le lendemain matin, il s'installa dans son grand fauteuil, abaissa la planche couverte de tissu vert sur les accoudoirs et commença une lettre à Emma.

« *Je viens de finir l'esquisse de ma théorie sur les espèces. Si, comme je le pense, ma théorie est acceptée en temps voulu par un esprit qui fasse autorité, elle constituera un pas considérable pour la science.*

J'écris donc ce qui suit au cas où je mourrais subitement, comme ma plus solennelle et dernière requête — que, j'en suis sûr, tu respecteras tout autant que si elle était légalement incluse dans mon testament — que tu consacreras quatre cents livres à sa publication, et qui plus est que tu prendras toi-même, ou confieras à Hensleigh, le soin de la promouvoir. Je souhaite que mon plan soit remis à une personne de compétence, avec la somme nécessaire pour le motiver à se donner le mal de l'améliorer et de la développer... Je te demande également de remettre à cette personne toutes ces feuilles volantes, approximativement de huit sur dix, sur papier brun. Si cela convient aux éditeurs, la personne la mieux qualifiée pour réviser le tout serait M. Lyell, surtout si Hooker pouvait l'aider... »

Il mit la lettre dans un tiroir fermé à clef qui ne serait ouvert qu'après sa mort, celui dans lequel il avait l'intention de placer son testament et ses dernières volontés. Cela fait, il porta son manuscrit chez un copiste du nom de Fletcher, qui saurait faire le travail proprement sans se préoccuper de ce qu'il copiait.

Charles était pris par son travail. C'est Emma qui se chargeait de l'éducation des enfants. William avait quatre ans passés ; Annie trois, Henrietta, qu'ils appelaient Ettie, neuf mois. Ni Charles ni Emma n'avaient été élevés dans des familles où l'on infligeait des châtiments corporels aux enfants pour corriger leurs bévues. Mais dans beaucoup de maisons anglaises, les gouvernantes étaient brutales, faisant payer leurs propres frustrations aux enfants dont elles avaient la garde, les battant ou les enfermant dans des placards ou des chambres noires. Emma avait juré, dès la naissance de leur premier enfant : « Cela n'aura pas lieu ici. Nos petits n'auront jamais à subir pareil traitement. »

Dans la journée, elle rejoignait les enfants dans la salle de jeu, leur racontait ou leur lisait des histoires. On descendait le bébé dans la petite pièce près de la cuisine où elle pouvait être gâtée à loisir par Parslow, Sally et Brodie. Brodie, âgée d'une trentaine d'années, était une nounou compétente. Emma l'avait choisie parce que ses yeux n'exprimaient ni malheur ni violence. Lorsqu'elle l'avait engagée, au début de 1842, elle s'était contentée de lui dire :

« Si vous n'aimez pas les enfants, ou si vous prenez ce travail seulement parce que vous n'en trouvez pas d'autre, ne commencez pas.

— Oh ! j' suis pas du tout comme ça, avait répondu Brodie avec son accent écossais. Etre bien traitée dans une maison agréable, pour moi ça vaut tout l'or du monde !

— Très bien, Brodie. Je vous engage à quarante livres par an. Mais souvenez-vous, discipliner les enfants relèvera de ma seule responsabilité. »

Emma amenait les enfants dans la salle à manger pour le petit déjeuner. Si leur père n'était pas trop fatigué, ils le rejoignaient à une heure. Si elle les faisait manger avant, elle s'asseyait avec eux. Et l'atmosphère à Down House était aussi calme et productive que la campagne avoisinante.

Malgré plusieurs années de marche dans les Fens du Cambridgeshire et ses collections de plantes et de fleurs lors du voyage du *Beagle,* Charles se considérait toujours comme un amateur en botanique. C'était un défaut qu'il lui faudrait corriger parce que c'était dans le monde végétal qu'il pourrait prouver la justesse de sa théorie sur l'évolution des espèces. Il considérait Joseph Hooker comme le jeune botaniste le plus prometteur d'Angleterre, et il lui avait déjà confié quelques mots de sa théorie, c'est donc à lui qu'il demanderait de l'aide.

Il le fit inviter par Erasmus, Park street. Après un petit déjeuner de rognons grillés, d'œufs brouillés au bacon, du cresson et des fraises, Charles et Hooker passèrent au salon. La maison était sans prétention mais Erasmus avait quand même quitté le quartier pittoresque et bohème de Carnaby street pour le quartier plus chic de Mayfair. Malgré leur faible différence d'âge, Hooker représentait pour Charles la nouvelle génération. Il s'était laissé pousser de longs favoris pendant son voyage à bord de l'*Erebus*. Son visage avait minci, le faisant légèrement ressembler à un portrait du Greco, mais sans tristesse dans les yeux, seulement de la concentration. Il avait une large fossette au menton. Au total, le visage le plus ouvert que Charles ait jamais vu chez un scientifique.

Hooker adoptait l'allure d'un étudiant en passe de devenir érudit. De constitution délicate, il avait pourtant très bien supporté les rigueurs du voyage. C'était la première fois que Charles rencontrait un confrère plus jeune et c'était une expérience rafraîchissante.

Les deux hommes parlèrent botanique toute la matinée. Dans son enfance, Hooker avait collectionné des mousses comme Charles avait collectionné les scarabées. Dans sa maison, au retour de ses expéditions, il construisait avec des pierres des montagnes en miniature et plaçait ses spécimens aux hauteurs relatives auxquelles il les avait trouvés.

« Ce fut l'aube de mon amour pour la géographie botanique », dit-il à Charles alors qu'ils étaient tous deux assis sur le beau sofa d'Erasmus. Et Charles se disait : « On peut voir qu'il est honnête jusqu'à la moelle des os. Il est d'une intelligence très fine et il a de grandes capacités de généralisation. »

Charles savait que Lyell avait envoyé à Hooker un exemplaire du *Journal*. Hooker avait écrit à Lyell : « *Votre généreux cadeau est maintenant un livre bien écorné, car tous les officiers me l'ont emprunté.* » A sa mère, Hooker avait écrit : « *Les nuages et le brouillard, la pluie et la neige sont tout à fait comme les décrit Darwin. Ses remarques à ce sujet sont si exactes et si imagées que partout où nous allons, l'aimable présent de M. Lyell est non seulement indispensable, mais un plaisant compagnon et un guide.* »

Cette fois il raconta à Charles comment on lui avait presque refusé le poste de botaniste à bord de l'*Erebus* parce que le capitaine Ross voulait « quelqu'un de connu dans le monde, quelqu'un comme M. Darwin... »

« A ces mots je l'interrompis par un " Mais qui était M. Darwin avant d'embarquer ? Il connaissait, je n'en doute pas, son sujet mieux que je ne connais le mien pour l'instant mais le monde le connaissait-il ? Ce sont ses voyages avec FitzRoy qui l'ont formé. " »

Ils ne furent en désaccord que deux fois, et dans les deux cas s'emportèrent violemment. Quand Charles suggéra que des plantes carbonifères s'étaient peut-être développées dans des eaux de mer peu profondes, Hooker combattit sauvagement l'idée. Et quand Hooker avança qu'un continent avait peut-être autrefois existé entre l'Australie et l'Amérique du Sud, Charles en rejeta dédaigneusement l'idée. Les deux hommes se reprirent pourtant vite, et rirent de leur propre véhémence.

« Tant mieux, fit Charles ; nous saurons ainsi que si nous tombons d'accord, ce ne sera jamais par politesse. »

Il avait maintenant bien progressé dans sa géologie d'Amérique du Sud, toujours encouragé par Lyell. Il continuait à lire énormément mais au hasard : des livres sur la chasse à l'approche des daims et la pêche au saumon, sur un énorme papillon de nuit disparu, sur la philosophie de l'histoire naturelle, sur l'agriculture, les *Réflexions sur l'Etude de la Nature* de Linné, qu'il résuma d'un mot : « *rien* ». Il déposa des notes et des citations dans des douzaines de tiroirs bien classés.

L'essentiel des travaux d'aménagement de leur maison étant fini, il contacta une compagnie d'assurances, Sun Insurance Office Ltd, qui inspecta la propriété avant d'établir son contrat. Il dut payer quatre livres seize shillings par an pour une propriété dont la valeur fut estimée à deux mille cent livres.

Lors du voyage suivant qu'il fit à Londres, il dîna chez les Lyell, Hart street. Le nouveau livre de Lyell, *Voyages en Amérique du Nord,* était sous presse.

« Pays intéressant, ces Etats-Unis, déclara-t-il. Les gens y sont pleins de dynamisme et d'enthousiasme.

— C'est ce que j'avais cru remarquer chez les marins américains qui ont ravitaillé le *Beagle* lorsque nous nous trouvions à court de vivres. D'une grande générosité.

— C'est bien mon impression. Dans les mêmes professions, ils ont souvent quinze à vingt ans de moins que leurs collègues en Angleterre ou en Europe. Je suis surpris de notre ignorance sur ce qui se passe là-bas, où il y a bien autant de choses à imiter qu'à éviter. Emma et vous devriez visiter l'Amérique du Nord un jour ou l'autre ; la publication de votre *Journal* aux Etats-Unis vous vaudra sans doute une chaleureuse réception. »

Ils en vinrent à discuter de la géologie des Etats-Unis ainsi que de l'ouvrage de géologie de Charles sur l'Amérique du Sud, dont il avait terminé les soixante premières pages. Il dit à Lyell :

« J'ai toujours eu l'impression que mes livres vous devaient beaucoup, et j'ai peur de ne pas toujours en faire suffisamment état. Le grand mérite des *Principes* à mes yeux est d'avoir donné une direction totalement nouvelle aux recherches ; même lorsqu'on rapporte des faits que vous n'avez pas vus vous-même, c'est par vos yeux qu'on les observe.

— Méfiez-vous, mon cher Darwin, il se pourrait qu'un jour, surtout après la publication de votre livre sur l'origine des espèces, un jeune scientifique vous retourne le compliment. »

Charles ne dit pas à Lyell qu'il n'avait nulle intention de publier son livre sur les espèces. Il continuerait à y travailler régulièrement et accumulerait tant de preuves dans des domaines si divers des sciences de la nature que personne ne pourrait contredire ses hypothèses. Mais il ne s'attaquerait pas à l'ordre établi ; quiconque contredisait les termes de la révélation biblique pouvait s'attendre à n'être réfuté ni par la logique, ni par la raison mais plutôt par « la foi qui dépasse toute connaissance ». Abandonner son projet par peur de ces réactions serait sans doute une lâcheté. Il terminerait son travail, même s'il devait lui prendre toute une vie... et prendrait ses dispositions pour qu'il soit publié après sa mort. Après lui, que l'ouragan se déchaîne.

3.

Pour une raison inconnue de Charles, la publication de son livre sur les îles volcaniques fut retardée jusqu'à novembre bien que les épreuves en aient été corrigées depuis longtemps par Lyell et par le père de Mary Lyell, Leonard Horner, qui envoya à Charles une lettre très élogieuse.

« Si un tiers de ce que Horner affirme n'est pas de pure

complaisance, je serai satisfait de mon petit volume », confia-t-il à Emma. Et il lui répondit :

« *Si bref que soit l'ouvrage, il m'a coûté beaucoup de temps. Le plaisir de l'observation est un salaire en soi ; mais pas celui de la composition. Il faut l'espoir d'être au moins utile à quelque chose pour consoler du pensum de changer du mauvais anglais en quelque chose d'un peu meilleur.* »

Emma s'indigna.

« Que veux-tu dire, " mauvais anglais " ? Des données techniques, oui ; mais je t'en prie, souviens-toi de ce que je te disais en lisant tes *Récifs coralliens.* C'est d'un poète et je te serais reconnaissante de bien vouloir m'en croire.

— J'essaierai », dit-il en souriant, amusé de sa véhémence. Pendant les mois où il avait travaillé à son manuscrit sur les espèces, il s'était senti bien. Maintenant, ayant corrigé la copie au propre et enfoui la version développée du manuscrit avec le premier essai, dans un tiroir bien fermé, il commença à souffrir de légers malaises, se réveillant plusieurs fois dans la nuit avec des crampes.

« Au nom du ciel, que m'arrive-t-il ? » s'écria-t-il.

C'est alors, en octobre 1844, que parut, sans nom d'auteur, un livre qui portait le titre de *Vestiges de l'Histoire Naturelle de la Création.* Le volume causa une levée de boucliers. Il dérangea également Charles énormément. Cet auteur anonyme lui aurait-il volé son manuscrit sur les espèces ? Absurde ! Et les premières attaques contre *Vestiges* n'étaient guère faites pour le rassurer. Le *British Quarterly* le dénonçait comme une pure hérésie ; l'*Athenaeum* le rangeait parmi les charlataneries, avec l'alchimie, l'astrologie, la sorcellerie, le mesmérisme et la phrénologie. Charles lut le volume attentivement, agrafant aux pages une série de questions et de commentaires. Il le trouvait bien écrit, mais la géologie mauvaise et la zoologie pire encore. Il était à la fois amusé et horrifié d'apprendre qu'il faisait partie des auteurs présumés.

Vestiges continuait à être beaucoup lu, en partie à cause de la nouveauté du concept de l'évolution naturelle qu'il proposait. Les insultes continuèrent à pleuvoir ; Charles trouvait la plupart de ces attaques injustifiées, mais restait surpris par leur véhémence.

« Le livre est faible et peu concluant, dit-il à Hooker, qui était venu lui rendre visite début décembre, en apportant le premier volet de son propre livre, *Flora Antarctica ;* et cela, pour la même raison que le livre de mon grand-père *Zoonomia.* Les deux hommes ont lu ce qui a été publié sur le sujet mais aucun n'a été étudier et observer sur place comme je l'ai fait sur le *Beagle*. *Vestiges* est un travail de cabinet.

— Le livre m'a plutôt amusé que dérangé, répondit Hooker.

— J'admets que l'idée d'un poisson se changeant en reptile a quelque chose de monstrueux. » Charles fit une pause, puis prit une grande décision.

« Mon cher Hooker, j'ai moi-même un manuscrit — près de deux cent trente pages — sur l'évolution des espèces. Personne ne l'a jamais vu que le copiste qui me l'a mis au propre. Voudriez-vous le lire ? Vous pourriez ainsi comparer avec *Vestiges*. Je sais que je peux me fier à votre entière discrétion.

— Sans aucun doute. »

Hooker lut le manuscrit dans le bureau, portes closes. Le lendemain après-midi, ils firent une longue promenade.

De sa voix douce mais ferme, Hooker déclara : « J'ai tout particulièrement apprécié vos références à mon domaine. Par exemple : “ *Qui peut affirmer que si l'horticulture se développe encore pendant quelques siècles, nous n'aurons pas de nouvelles sortes de pommes de terre et de dahlias ?* ”

— Et que pensez-vous de mes principes de sélection, l'apparence graduelle d'une nouvelle espèce, et l'extinction des anciennes ? »

Hooker prit tout son temps avant de répondre :

« Je suis d'accord avec vos hypothèses... jusqu'à un certain point. Naturellement, vous avez raison en ce qui concerne la variabilité infinie des espèces. J'accepte la relation entre des espèces variables, leur relation avec les fossiles qui les ont précédées. Mais quand j'en arrive à votre point central de la transmutation, le changement d'une espèce en une autre, là, je ne suis pas convaincu. »

Le soleil commençait à quitter le ciel d'hiver. Charles resserra son écharpe.

« Vous y viendrez, mon cher Hooker, en temps voulu. »

Ils rentrèrent à la maison. Un bon feu flambait dans la cheminée près de laquelle Emma les attendait avec un thé.

Avec le début de 1845 vint la nouvelle qu'Emma était à nouveau enceinte. En février, elle alla à Maer Hall voir sa mère et ses sœurs, laissant Charles seul à la maison avec les trois enfants. Le temps était si humide et brumeux qu'ils ne pouvaient jouer dehors. Il passa des heures à jouer aux cartes avec eux, à chahuter avec Ettie. A un moment où ils se montraient particulièrement turbulents, sautant sur les meubles où jouant à chat autour des chaises, Charles s'écria : « Je sauterai de joie quand j'entendrai le gong du dîner. » Et William répondit : « Je sais quand tu sauteras encore plus, c'est quand Maman rentrera. »

Malgré de fréquents troubles d'estomac, il termina sa première ébauche sur la géologie de l'Amérique du Sud, fin avril. C'est à la même époque qu'il reçut la première somme importante que lui rapportaient ses écrits, cent cinquante livres pour céder les droits de son *Journal* à l'éditeur John Murray, pour sa collection « *Colonial and Home Library* ».

« Il faudra quand même que je travaille pour ces cent cinquante livres de John Murray, dit-il à Emma. Nous pensons tous deux que le livre a besoin d'être sérieusement révisé et raccourci. »

Le *Journal* dans une édition bon marché — une demi-couronne —, pourrait maintenant toucher un vaste public, mais ne serait imprimé que de façon médiocre, avec de petits caractères et des marges inexistantes. Murray supprimait les cartes, ce que Charles regrettait, mais augmentait le nombre de gravures sur bois. La collection était très lue. C'est Lyell qui avait poussé Murray à acheter le livre. Il s'attaqua immédiatement aux révisions, développant beaucoup ce qui avait trait aux Fuégiens ; coupant de moitié les descriptions de climat et de glaciers. L'ajout le plus important, à ses yeux, était une discussion à mots couverts de l'extinction des espèces ; car il avait beaucoup appris en six ans depuis la parution du *Journal*. Il permit à sa croyance en l'évolution de se glisser plus nettement entre les pages.

Les Lyell viendraient bientôt les voir à Down House. Charles avait reçu par la poste les *Voyages en Amérique du Nord* de Lyell. Son œil critique y avait décelé des insuffisances de structure ainsi que des faiblesses morales ; par exemple Lyell semblait prendre l'esclavage à la légère. Charles le lui dit, au cours d'une promenade des deux hommes dans les bois. Lyell fut très affecté. Ils étaient sur le point de repartir aux Etats-Unis pour neuf mois. Il promit d'examiner le sujet d'un peu plus près.

« Mary m'a systématiquement empêché de trop travailler, lui confia Lyell. Est-ce qu'Emma fait pour vous la même chose ?

— Pas la peine. L'état déplorable de mon système digestif le fait à sa place. Même si cela doit me faire passer, aux yeux de mes amis, pour un hypocondriaque. »

Peu après le retour des Lyell à Londres, Emma donna naissance à un garçon, George Howard Darwin, né le 9 juillet 1845. Elle mit du temps à retrouver ses forces. Charles fut aussi tendre avec elle qu'elle avait été patiente au cours de ses attaques. Ils adoraient tous deux le bébé joufflu et furent heureux lorsque la santé d'Emma leur permit de reprendre leurs promenades dans le jardin et les champs.

Fin août, il envoya l'édition corrigée de son *Journal* à John Murray, puis mit une dernière main à sa *Géologie d'Amérique du Sud*. Erasmus vint leur rendre visite pour la deuxième fois. Les enfants l'adoraient et il était avec eux d'une grande patience.

Il était en grande forme. Le lendemain de son arrivée, très tôt, il conduisit Charles devant un petit tertre dans le jardin où les arbustes qu'ils avaient plantés ne se portaient pas trop bien. A la stupéfaction de Charles, Erasmus retira veste et cravate, saisit une pelle et s'attaqua dare-dare au monticule, transportant la terre dans une brouette.

« Je ne t'ai jamais vu travailler avec autant d'énergie, depuis notre enfance.

— Tout le monde doit donner un coup de main. Et tu verras la différence dans ton jardin. »

Erasmus se démena tellement dans les jours qui suivirent qu'Emma finit par lui dire :

« Erasmus, la campagne a l'air de vous faire tant de bien, pourquoi ne viendriez-vous pas vivre ici avec nous ? »

Erasmus poussa un soupir.

« Votre jardin terminé, je m'ennuierais à mourir. Invitez-moi seulement une fois par an. Cela chassera la poussière de charbon de mes poumons. »

John Murray publia le *Journal* du *Beagle* en trois parties distinctes, en juillet, septembre et octobre. Les fragments se vendirent plutôt bien. Il fit ensuite relier cinq mille exemplaires du livre au complet. Il avait fallu près de quatre ans à Colburn pour vendre ses mille cinq cents exemplaires.

« C'est un saut énorme dans les quantités », s'exclama Charles. Mais il déclare le livre " bon marché " dans sa publicité. J'aurais préféré qu'il dise " peu coûteux " ! »

Il alla à Londres pour dévaliser les librairies et pour déjeuner avec Lyell à l'Athaeneum, sachant qu'il allait partir bientôt. Les deux hommes marchèrent le long de la Tamise, en route vers le club, si captivés par leur conversation qu'ils remarquaient à peine les bâtiments majestueux qu'ils dépassaient. A l'Athaeneum, ils choisirent une table en angle et s'enfoncèrent profondément dans les fauteuils de cuir.

« J'ai continué à lire et à collectionner des faits sur la variation des animaux domestiques et des plantes, déclara Charles. Sur la question de la constitution des espèces, j'ai des données considérables et j'espère pouvoir en tirer des conclusions solides.

— Que toutes les espèces sont mutables, sujettes au changement au cours des millénaires ?

— Précisément. Et que des espèces alliées sont des co-descendants de sources communes.

— Et vous n'avez toujours pas l'intention de publier de telles découvertes ?

— Pas avant longtemps... si je le fais jamais. Voilà près de neuf ans que je travaille sur ce sujet ; c'est pour moi une source d'amusement constante. »

Lyell leva les sourcils.

« D'amusement ? En êtes-vous si sûr ? Comment Emma prend-elle ce continuel assaut des " Révélations " ? »

Charles essaya de répondre en toute honnêteté.

« Elle doit se douter de ce que je fais, car elle voit arriver un flot ininterrompu de lettres, de journaux techniques et de livres d'éleveurs, de botanistes et de zoologistes... alors que je suis géologue ! Pourtant, elle ne dit rien et je n'aborde jamais ce sujet. »

Ce fut au cours d'un de ces voyages d'une journée à Londres qu'il apprit que le capitaine FitzRoy n'avait pas réussi à s'entendre avec les colons de Nouvelle-Zélande, et avait été rappelé après avoir été gouverneur deux ans. Cela n'était pas la seule nouvelle déprimante. Charles savait, par la lecture des journaux, que l'Angleterre traversait l'une des crises les plus graves qu'elle ait connue. Les salaires étaient les plus bas depuis un siècle. Les *Corn Laws* détestées, contre lesquelles les familles Wedgwood et Darwin s'étaient battues, maintenaient les taxes sur l'importation si hautes que le grain ne pouvait entrer dans le pays. Les pauvres gagnaient à peine assez pour nourrir leurs familles. La production agricole avait été sérieusement ralentie par la Révolution industrielle. Les fermiers, surtout les jeunes, abandonnaient la terre et couraient à l'usine pour y gagner de vrais salaires. Et pour comble de malheur, la récolte de maïs avait été mauvaise et un parasite avait détruit la plupart des récoltes de pommes de terre.

Il omit de dire à Emma, que la lecture du journal intéressait peu, que selon certains journalistes, l'Angleterre n'avait jamais été plus proche d'une révolution. Il écrivit à John Henslow :

« *Mon ouvrier ici se plaint de ce que le prix de la farine ayant doublé sa famille dépense quinze pence de plus que ses douze shillings de salaire par semaine rien que pour le pain. C'est aussi terrible que si nous avions à payer 50 ou 100 livres de plus pour notre pain. Ces infâmes Corn Laws doivent être balayées !* »

Ce fut un triste hiver dans tout le pays. En juin, l'année suivante, les Corn Laws furent abolies. Charles fit remarquer :

« Les parasites ont réussi là où vingt ans d'agitation n'avaient servi à rien. »

Au début de 1846, la santé de la mère d'Emma déclina. Emma alla à Maer Hall pour la soutenir. Lorsqu'elle rentra à Down House, ce fut au tour de Charles d'aller au Mont parce que les forces du docteur Darwin faiblissaient. Bessie Wedgwood mourut fin mars. Elisabeth écrivit :

« *Comme je suis reconnaissante que sa mort ait été si douce. Dans la soirée, je l'ai entendue dire, comme plusieurs fois auparavant : « Seigneur, permets à ta servante de partir en paix.* »

Le docteur Darwin était plus robuste que tante Bessy. Il guérit, et reprit sa vie habituelle, avec Susan et Katty pour s'occuper de lui.

William allait avoir sept ans. Avec quatre enfants plus jeunes que lui, il devenait clair que Down House aurait besoin d'une salle d'étude, et d'une gouvernante pour leur donner des cours.

« J'aimerais n'engager de gouvernante que le plus tard possible, commenta Charles, mais tu as raison pour la salle d'étude. Nous allons rénover un ou deux des bâtiments annexes, y faire mettre un nouveau plancher, et construire une salle d'étude de bonne taille donnant sur le jardin. Derrière, nous aménagerons un logement pour la gouvernante.

— Pouvons-nous nous permettre de tels frais ?

— Tout juste. J'espère que le conclave de Shrewsbury ne me condamnera pas pour prodigalité excessive. Et pourtant, depuis que nous lisons la vie de Sir Walter Scott, je me demande si nous ne suivons pas son chemin vers la faillite à un rythme d'escargot. »

Le docteur Henry Holland, au cours d'une de ses visites à Londres, lui avait recommandé d'abandonner le cigare qu'il fumait de temps à autres et ses deux cigarettes par jour. Il s'était donc mis à priser, ce qu'il appréciait énormément ; cela lui dégageait la tête et lui donnait l'impression d'aiguiser ses facultés. Il gardait un pot de céramique vert foncé, sur la commode à sa droite, toujours à portée de la main.

« C'est tout aussi nocif que les cigarettes, se plaignit Emma lorsque sa santé redevint mauvaise. Pour mon bien comme pour le tien, je te demande d'arrêter pendant un mois. »

Il arrêta mais il ronchonnait continuellement : « Ma femme est cruelle ! Elle me force à arrêter de priser et maintenant je me sens stupide et léthargique. »

Au bout d'un mois, ils firent un compromis.

« Pourquoi ne pas mettre le pot de tabac à priser dans le couloir ? proposa-t-il. Il me sera difficile d'arrêter mon travail pour aller en chercher et cela diminuera sans doute ma consommation.

— Des deux tiers ? Très bien. Si tu peux t'y tenir, cela ne te fera pas de mal. Mais je ne dirai pas à tes enfants que pour échapper à la tentation tu as dû la mettre hors d'atteinte. »

Joseph Hooker vint passer quelques jours, apportant son travail avec lui. Il était devenu l'ami intime de Charles et son confident. Charles l'abreuva de ses nouvelles idées sur la vie et la mort des espèces. Comme il avait l'air pâle et maigre, Charles s'exclama : « Il faut que vous trouviez une femme, qui vous empêche de travailler trop. »

Hooker eut un faible sourire.

« Je n'ai que vingt-huit ans. Vous ne vous êtes pas marié avant trente ans. Je veux faire encore un voyage d'exploration avant de m'installer. »

Lorsque Hooker fut rentré à Kew, Charles prit une décision.

« J'ai l'intention de construire une promenade, dit-il à Emma, comme la promenade du docteur à Shrewsbury. Au bout de notre terrain, là où nos terres touchent à celles des Lubbock. J'éprouve le besoin d'une promenade qui ne soit qu'à moi. Un « chemin pour penser » pour ainsi dire, qui m'aide à poser les questions et à tester les réponses. C'est d'abord dans l'esprit que se conçoivent les monographies et les livres avant d'être couchés sur le papier. » Il réfléchit un peu avant de poursuivre. « La moitié sera à découvert, le reste, à travers bois, après le champs de foin, une sorte de manège. Nous avons découvert une carrière de sable dans les bois. Quand Comfort et moi aurons tracé la route, j'engagerai quelques manœuvres pour dépierrer, débroussailler et niveler, et leur ferai recouvrir le tout de sable.

— Ton empire pour cogiter. De quelle taille ?

— Disons de sept à huit pieds de large, un tiers de mile au total. »

Il découvrit qu'il n'avait pas assez de terrain de l'autre côté du bois pour le chemin qu'il voulait. Il devait empiéter de quelques mètres sur le domaine de son voisin, Sir John Lubbock, banquier astronome et mathématicien. C'était une bande de terre aux confins de la vaste propriété des Lubbock, High Elms, qui ne servait à rien, tout en surplombant une vallée riante où le bétail des Lubbock venait paître. Les Darwin et les Lubbock avaient fait connaissance, avaient dîné les uns chez les autres à plusieurs reprises. Lady Lubbock surtout, était très aimable avec Emma.

« Je n'aime pas demander des services aux voisins, fit Charles.

— Propose-leur une location à l'année », suggéra Emma, toujours pratique.

Charles se rendit à High Elms et exposa le problème.

« Je crois que ce terrain est la propriété de ma femme, répondit Sir John. Laissez-moi lui demander ce qu'elle en pense. »

Deux jours plus tard, Lubbock vint à Down House sur son étalon favori et dit à Charles et à Emma devant une tasse de thé :

« Lady Lubbock accepte très volontiers de vous laisser utiliser cette petite bande de terre. Elle refusait tout loyer, mais je lui ai suggéré d'accepter peut-être une somme symbolique pour que vous n'ayez pas à vous sentir obligés. »

Ils louèrent donc aux Lubbock un arpent, deux verges et dix perches de terrain. Charles fit planter par le jardinier une longue rangée de houx, de noisetiers, d'aulnes, de tilleuls, de charmes blancs, de troènes et d'églantiers. Un chêne et un bouleau furent plantés tout près d'une porte de bois dans une haie haute au bout du potager. La partie découverte que la famille se mit à appeler « le Sable », séparant les prairies des Darwin de celles des Lubbock, fut clôturée. C'était la partie claire, au bout de laquelle Charles fit construire par le menuisier une petite maison d'été. A partir de là, « le Sable » s'enfonçait dans l'obscurité, le chemin se perdait à travers une forêt épaisse tapissée de toutes sortes de mousses avant de retrouver l'air libre et déboucher vers le haut de la promenade découverte.

« Le Sable » fut enfin terminé, pour la plus grande satisfaction de Charles.

« Maintenant, confia-t-il à Emma, il faut que je trouve une façon de noter le nombre de fois où je ferai le tour du circuit en sous-bois.

— Ne pourrais-tu te promener jusqu'à ce que tu sois fatigué ?

— C'est trop simple. Il faut que je trouve une formule. »

Emma se mit à rire, mais il était sérieux. A l'endroit où le sable entrait dans les bois, il planta une série de petits silex, sept. Chaque pierre représentait un tour dans le sous-bois en longueur. Lorsqu'il avait terminé un tour, il donnait un coup de pied dans l'une des pierres. Lorsque la dernière était tombée, il redescendait vers la petite porte de bois dans la haie, traversant fleurs et légumes avant de se mettre à table pour déjeuner. Il aimait son « Sable » avec sérieux, ne manquant jamais sa promenade quotidienne, si fatigué qu'il se sente.

« Une chose me rend perplexe, dit Emma en l'accompagnant dans sa promenade. Comment sais-tu d'avance combien de ces cailloux tu veux mettre en tas ?

— Cela dépend de tout un ensemble de facteurs, répondit Charles d'un air de fausse gravité. C'est une équation mathématique. Combien de temps pour chasser de mon corps les poisons causés par le travail mental ? Le temps qu'il fait et l'odeur de ce que fait cuire Sally. Maintenant que je ne marche plus vers un lieu précis, comme Cudham Wood ou Holmsdale, il faut que j'établisse une routine. Cela me détend et me permet de m'organiser en même temps. Tu comprends ?

— Pour toi, oui. En ce qui me concerne, je suis toujours ravie d'en arriver à la dernière pierre. »

4.

En juin, Emma emmena William et Annie voir leurs tantes Elisabeth et Charlotte, qui vivaient maintenant à Penally dans Carmathan Bay, en Galles du Sud, laissant Charles avec les deux plus jeunes, Henrietta et le bébé, George, d'un peu moins d'un an. Etty, avec laquelle il jouait lorsqu'il faisait une pause dans son travail, était très mignonne, même si elle lui préférait souvent la compagnie de ses poupées.

Les jours qui suivirent furent orageux. Malgré d'inexplicables problèmes intestinaux, Charles écrivait cinq lettres par jour, donnant ou recevant des détails sur la nature des êtres qui croissent et qui vivent. Il puisait largement dans les *Eléments d'une anatomie comparée des vertébrés* de Wagner, *Sur l'alternance des générations* de Steenstrup, *Expédition* de l'Américain John Charles Fremont, et dans le livre de son ami Richard Owen, *Une histoire des mammifères fossiles et des oiseaux en Angleterre.*

Pour se détendre, dans la soirée, où il sentait cruellement l'absence de son heure de musique et de ses deux parties de jacquet, il lisait les *Discours et Lettres d'Oliver Cromwell* de Carlyle, s'émerveillant du travail de recherche et du talent de ce dernier. Son propre travail lui semblait avancer au rythme d'une tortue des Galapagos lorsqu'il le comparait aux bonds de lièvre de Carlyle. Il écrivit à Emma :

« *Je ne suis qu'un vieux chien grincheux d'oser ainsi toujours me plaindre ; je suis resté assis dans la maison d'été, à regarder l'orage et j'ai réalisé quel homme heureux je suis, si comblé des biens de ce monde, avec des enfants précieux, et par-dessus tout, une femme telle que toi.* »

Les Lyell rentrèrent des Etats-Unis et quittèrent Hart street pour Harley street, dans un quartier plus élégant. La septième édition des *Principes de géologie* parut, témoignant de l'autorité de Lyell dans son domaine. Il demanda à Charles de l'aider dans son nouveau projet *Modifications du Monde Organique Actuellement en Cours...*

Sir William Hooker avait à moitié terminé la construction de la grande serre des palmiers à Kew Gardens, qui serait la plus grande serre du monde. Joseph Hooker publia un autre volet de sa *Flora Antarctica,* que Charles trouva particulièrement utile pour son travail personnel. Il envoya à Hooker une lettre de félicitations, ajoutant :

« *Vous trouverez cette lettre d'autant plus remarquable qu'elle vient d'un homme qui ne sait pas reconnaître une pâquerette d'un pissenlit !* »

Il décida de se rendre au Congrès de la British Association, à Southampton, en septembre et demanda à Emma si elle voulait bien l'accompagner.

« Nous pourrions également faire quelques excursions à Portsmouth et sur l'île de Wight », suggéra-t-elle.

Ils eurent la joie de rencontrer les Lyell à Southampton, ainsi que Leonard Jenyns, qui lui offrit un exemplaire de son nouveau livre *Observations d'Histoire Naturelle.* Charles rencontra également bon nombre de ses amis d'Edimbourg et un groupe de naturalistes irlandais. Ceux qui vivaient non loin de là leur firent visiter les environs et les invitèrent à des festins où l'on discutait beaucoup. Après la lecture d'un article technique particulièrement ardu, Charles se tourna vers Emma.

« Cela doit t'ennuyer considérablement.

— Pas plus que le reste », répondit-elle d'un air résigné. Charles rit de bon cœur, et répéta la chose à son voisin de table. Il emmena

Emma faire les excursions promises. Sur le chemin du retour, il lui dit :

« J'ai vraiment apprécié cette semaine. »

Emma considéra le visage haut en couleur de son mari, ses yeux brillants et son air de bonne santé.

« Peut-être devrions-nous passer le reste de notre vie à écouter des conférences savantes et à partir en excursions. Tu ne serais plus jamais malade.

— Je sais bien que tu plaisantes, répondit-il. La vie sans travail serait pour moi insupportable. »

Observations Géologiques sur l'Amérique du Sud devait être publié à la fin de l'année. Dix années s'étaient écoulées depuis qu'il s'était attelé à la tâche. Comme l'avait prédit John Henslow, il avait passé deux fois plus de temps à décrire qu'à collectionner et observer.

Joseph Hooker vint leur rendre visite pour quelques jours. Charles lui annonça : « Je vais travailler pendant quelques mois, un an tout au plus, sur les berniques. J'en ai découvert sur la côte du Chili une espèce différente de toutes les Cirripedia connues. Puis je commencerai à revoir les notes que j'accumule depuis dix ans sur les espèces et leurs variations. Il me faudra encore cinq ans, je suppose, pour l'écrire. Et si l'ouvrage est publié, je deviendrai la cible de tous les naturalistes confirmés.

— Vos amis, qui connaissent le sérieux de vos recherches, vous suivront. Quant à vos ennemis, ils vous attaqueront. C'est leur rôle. »

Le mois d'octobre 1846, début de la seconde décade de sa vie professionnelle, s'ouvrit par une matinée claire et fraîche. Il siffla son chien, et descendit à grands pas vers « le Sable ». Il plaça sept pierres au départ, car il se sentait plein de vigueur et d'énergie. Au repas, à une heure, il dit à Emma : « Cette sorte de Cirripedia que j'ai trouvée sur les côtes chiliennes diffère des autres berniques en ceci qu'elles ont développé un organe qui leur permet de percer la coquille des Concholepas, les mollusques qui constituent probablement leur seule source de nourriture. Sans cet appendice foreur, leur variété serait sans doute éteinte. Je vais disséquer cette bernique et le microscope m'expliquera son fonctionnement. »

Il disposa dans son bureau microscope et instruments : longs et fins ciseaux de dissection dont on pouvait régler la surface tranchante, lime triangulaire avec une pointe fine comme une aiguille ; plusieurs brosses minuscules ; un long bâtonnet d'ivoire au bout duquel était ajusté un morceau d'acier, une aiguille pour stimuler, une sonde ; un canif. La bernique qui l'intéressait était conservée dans l'alcool, avec une douzaine d'autres, d'un type plus commun. Il descendit dans la cave fraîche, y récupéra l'un des rares bocaux de spécimens qu'il ait conservé pendant dix ans, le remonta dans son bureau et en extirpa la petite bernique. Il en ôta soigneusement la coquille, en trouva le contenu toujours mou et le plaça dans un bol de verre transparent. Il plaça le tout sous son microscope, y riva son œil droit, et ajusta le miroir réfléchissant sous la plaquette pour obtenir le plus de lumière possible.

Le résultat fut décevant ; le corps mou de la bernique, bien que mesurant moins de trois millimètres, était assez épais pour être opaque. Il ne pouvait faire de mise au point, sur la plaquette peu stable, sur aucun organe particulier, même en découpant de fines lamelles, pour obtenir les informations qu'il recherchait : distinguer la partie supérieure et inférieure de l'animal, établir si le petit orifice comportait ou non des dents, s'il était mobile ; la couleur des muscles et autres parties internes. Ce microscope ne correspondait pas à ses besoins. C'était le plus perfectionné lorsqu'il avait embarqué sur le *Beagle* et il l'avait bien servi. Mais maintenant qu'il voulait disséquer à la fois vertébrés et invertébrés, il lui faudrait un outil plus perfectionné.

Il ne pourrait le trouver qu'à Londres. Parslow lui prépara son vieux sac bleu. Il passerait la nuit chez Erasmus. Il était impatient de se mettre au travail. De la gare de London Bridge, il se fit conduire à Covent Garden, et plus précisément Garrick, Coleman et Newgate street où toutes les boutiques d'opticiens étaient concentrées, comme tous les autres commerces de la ville, des chapelleries aux tailleurs, en passant par les marchands de thé ou de poisson.

Dans une demi-douzaine de boutiques, il expliqua ce qu'il voulait. Les propriétaires étaient polis mais s'excusaient.

« Nous n'avons que le microscope que vous avez acheté en 1831, M. Darwin. Il n'y a pas de modèle plus perfectionné. »

Dans l'une des plus grandes boutiques, Smith et Beck, au 6 Coleman street, près de la Banque d'Angleterre, les propriétaires lui proposèrent de fabriquer tout ce qu'il voudrait s'il leur donnait des plans et des mesures précises.

« C'est très aimable à vous Messieurs, mais je n'ai malheureusement pas de plan et serais bien incapable de les dessiner. »

Dans la soirée, découragé, il rentra chez Erasmus. Il arriva à Park street à temps pour trouver son salon en pleine activité, un feu dans l'âtre, les petites tables chargées de sandwiches pour le thé, du pain bis beurré, des terrines de viande, un chaud-froid de poulet, des pains au lait chauds, des théières et des pots d'eau chaude recouverts de housses. La pièce était bruyante mais joyeuse.

« Gaz ! s'exclama Erasmus en accueillant Charles à la porte. Tu arrives au bon moment ! Mon cuisinier a fait des merveilles. Il devait savoir que tu allais venir. »

Le visage de son frère rayonnait, c'était le moment de la journée qu'il préférait. Charles pensait, tout en saluant Thomas Carlyle : « Ras est un hôte parfait. Il était né pour recevoir, personne ne le fait mieux que lui. » On le présenta à deux romancières dont Emma lui avait lu les œuvres « sautibus », à un architecte et à un sculpteur. Il s'assit un peu à l'écart avec une tasse de thé, n'écoutant que d'une oreille distraite les conversations animées qui l'entouraient. Le dernier invité parti, Erasmus lui demanda :

« Pourquoi cette humeur sombre, Charley ? »

Charles le lui expliqua.

« Ne te décourage pas pour si peu. Nous déjeunerons demain à l'Athenaeum, et dînerons à l'une de tes Sociétés. Nous expliquerons à tous ceux que nous rencontrerons ce que tu cherches. Nous créerons un réseau qui saura dénicher un meilleur microscope, s'il en existe un quelque part. »

Il n'aurait pu dire à combien de scientifiques Erasmus et lui posèrent la question le lendemain. Peut-être vingt. Tous utilisaient le même instrument, y compris Hooker, Owen, Bell, le spécialiste des reptiles, et Gould l'ornithologue. Ils terminaient leur verre de porto à l'Athenaeum quand William Carpenter, qu'on appelait déjà, à l'âge de trente-trois ans, un « grand physiologiste », arriva.

« Darwin, on m'a parlé de ce que vous cherchez. Il y a seulement quelques jours, j'ai découvert des plans qui viennent d'arriver de Paris, dessinés par un certain Chevalier. Je n'y ai jeté qu'un coup d'œil mais je crois qu'ils pourraient comporter certains des éléments dont vous avez besoin. »

Le bibliothécaire de l'une des Sociétés d'Histoire parvint à localiser les plans le lendemain matin, et les déroula en posant des livres pesants aux quatre coins. Charles lut les commentaires en français de Chevalier qui avait souligné à l'encre tous les nouveaux aspects de l'instrument. C'était un artiste qui s'intéressait au dessin scientifique et qu'un certain M. Brucke avait chargé de concevoir ces plans.

« Magnifique ! s'écria Charles. Cette plaque est assez large et assez solide pour soutenir une soucoupe de huit centimètres de diamètre. » Il demanda la permission d'emprunter les plans le temps que Smith et Beck puissent en faire une copie. Un de leurs dessinateurs se mit immédiatement au travail, en tenant compte de plusieurs suggestions de Charles. Lorsque ce fut fini, il demanda :

« Combien de temps faudrait-il pour le construire ?

— Difficile à dire, M. Darwin. Nous devons faire de nouveaux moulages, tailler et polir de nouvelles lentilles. Trois à quatre mois. »

Charles poussa un soupir. « Et cela coûtera ? »

« Nous ne pouvons pas non plus vous le dire. Mais nous tiendrons compte des matériaux et du travail et y ajouterons notre marge bénéficiaire habituelle. Cela vous convient-il ?

— Oui. »

Dans son impatience, il se rendit plusieurs fois à Londres pour voir comment le travail avançait. Et pour occuper son attente, il invita à Down House George Waterhouse, qui avait rédigé la partie concernant *Les Mammifères* dans la série de zoologie, et Thomas Bell auquel il avait confié *Les Reptiles.*

Joseph Hooker venait souvent lui rendre visite, amenant son travail avec lui. En février, il avait accepté un poste de botaniste dans une enquête géologique se proposant de définir les relations de la flore anglaise avec sa géologie. Le salaire était de cent cinquante livres plus les dépenses de voyage. Il fit l'essentiel de son travail à la maison. Après le petit déjeuner, chaque matin, lorsque les deux hommes se retrouvaient dans son bureau, Charles disait :

« Maintenant, je vais me servir de vous pendant une demi-heure. » Et il sortait une poignée de feuilles couvertes de questions de botanique.

Hooker déclarait :

« J'ai toujours l'impression, quand je m'en vais, que je ne vous ai rien appris et que j'en retire plus que je ne peux encore en digérer. »

C'est dans les premiers jours de 1847 qu'Erasmus arriva pour un week-end, apportant triomphalement le microscope terminé.

« Smith et Beck te demandent l'autorisation d'en construire un autre du même type et de le recommander aux naturalistes que tu connais. C'est un joujou magnifique ! »

Ils allèrent dans son bureau où Charles sortit avec amour le microscope luisant de sa solide boîte de bois. Il plaça une lamelle de bernique dans une soucoupe pleine d'eau, la posa sur la plaquette et ajusta la lentille.

« Un joujou superbe ! s'écria-t-il, infiniment plus facile à régler. Je vais voir des valves et des muscles de scrotum dont personne ne soupçonnait l'existence. Et regarde ces dents si finement serrées, et ces subtiles couleurs pourpres. Je comprends ce que Galilée a dû ressentir en apercevant pour la première fois les astres au télescope.

— Suggères-tu que les berniques sont comparables aux étoiles dans le ciel ? » demanda Erasmus.

Charles se tourna vers lui. « Peut-être pas, Ras. L'étude des berniques n'est pas une fin en soi mais un moyen. Si je dissèque et observe les structures internes de centaines de berniques provenant du monde entier, elles me révéleront peut-être comment graduellement la nature se modifie et forme de nouvelles espèces. »

L'appui de la seconde fenêtre était trop étroit pour qu'on puisse y poser le deuxième microscope. Il demanda au menuisier de Down de lui construire une tablette parfaitement stable sous la fenêtre, sur une base de chêne massif. Une innovation de son cru était un croisillon léger en haut de la partie supérieure pour soutenir les loupes ; il pouvait pivoter, avancer et reculer. Dans sa chambre à coucher, il prit un solide tabouret pivotant que son père avait envoyé comme cadeau à Down House. Il était plus ovale que carré, couvert d'un coussin épais et confortable et se révéla de la hauteur parfaite pour le travail au microscope.

Il lut tout ce qu'on avait écrit sur les berniques. Cela consistait en peu de chose : deux livres, l'un en français, *Mémoire sur l'organisation des cirripèdes,* l'autre en allemand ; et quelques monographies.

Il découvrit qu'à de très rares exceptions aucun naturaliste ne s'était soucié de comparer les valves et les organes mous des *Cirripedia,* se contentant de les nommer et de les classifier selon leur apparence extérieure et les différences de leurs coquilles. Et que la nomenclature des quelques centaines, voire milliers de variétés était totalement chaotique, la même bernique étant désignée d'un nom différent par divers naturalistes. Il entreprit donc, même si cela devait lui prendre un an ou plus, d'introduire un peu de méthode dans ce domaine.

5.

Comme la Terre tourne sur elle-même, la vie des Darwin tournait autour des événements de leur proche famille et du travail intensif de

Charles sur les berniques. Même s'il disséquait, découvrait, décrivait en détail et classifiait dans un domaine longtemps négligé, il s'agissait d'une occupation principalement mécanique, qui l'absorbait tant qu'il était au microscope mais qui ne demandait plus rien de lui une fois refermée la porte de son bureau.

Il observait le développement de la personnalité de chacun de ses enfants, si différente. William, à huit ans, était totalement autonome, aimant garder ses pensées et ses activités pour lui-même. Annie, à bientôt sept ans, était sa préférée, une enfant affectueuse et gaie. Elle venait souvent dans son bureau en ayant chapardé une pincée de tabac à priser, souriant de donner à son père ce petit plaisir. Quand Charles ne travaillait pas, elle s'asseyait sur ses genoux et passait un temps considérable à lui « arranger les cheveux ». Elle l'accompagnait parfois sur « le Sable » en le tenant par la main ou en courant devant.

Henrietta, Etty, à quatre ans, était tout le contraire. C'était une enfant tranquille et studieuse qui savait déjà lire, qui aimait s'asseoir près d'Emma lorsqu'elle faisait la lecture à Charles et les étonnait tous deux par tout ce qu'elle en comprenait. C'était également le seul enfant jaloux. A la naissance de George, elle avait souffert de perdre l'attention que Brodie accordait naturellement au nouveau-né. Par beau temps, les enfants couraient jusqu'au « Sable ». Brodie s'asseyait dans la petite maison d'été, tricotant, à l'écossaise, avec une des aiguilles fichée dans quelques plumes de coq attachées à la taille.

Down House devint un lieu de rencontre pour les parents des familles Darwin et Wedgwood, comme l'avait été Maer Hall et le Mont ; il y avait des visiteurs presque en permanence : la sœur d'Emma, Elisabeth ; son frère Hensleigh avec Fanny et leurs enfants ; ses frères Frank et Harry avec femmes et enfants ; Joe Wedgwood et la sœur de Charles, Caroline, qui s'étaient installés avec leurs trois enfants à Leith Hill Place, près de Wotton dans le Surrey, non loin de là ; sa sœur Charlotte et le révérend Charles Langton avec leur enfant unique, Edmund. Les sœurs de Charles, Susan et Katty, venaient de Shrewsbury chacune à leur tour. Charles en était content pour Emma ; ses liens avec sa famille étaient les racines qui la retenaient à la terre. Personne ne le dérangeait dans son travail et il n'avait pas à parler à table s'il n'en avait pas envie. Les membres de la famille en visite lui demandaient moins d'efforts que lorsqu'il devait aller dîner dehors ou recevoir des amis.

« Tu es devenue une *mater familias,* fit-il remarquer à Emma. Les deux familles viennent te trouver dès qu'elles ont un problème qu'elles ne savent pas résoudre.

— Ils viennent me parler de leurs joies également, dit-elle avec un sourire de matrone. J'aime bien jouer à la mère des Darwin et des Wedgwood, même si je suis la plus jeune de toutes, après Katty.

— La sagesse n'a rien à voir avec l'âge.

— Ce n'est pas de la sagesse. Seulement de la patience et de l'affection. »

Quelques changements dans leur apparence physique marquaient l'approche de la quarantaine. Le reflet roux des cheveux de Charles s'était assombri. Sa toison abondante au moment de son mariage, à presque trente-huit ans, s'était considérablement dégarnie. Pour compenser, il portait des favoris longs et fournis.

« Comme je vieillis ! se plaignait-il auprès d'Emma. Il y a huit ans, tu épousais un jeune homme d'allure agréable. Et regarde-moi à moins de quarante ans... presque chauve !

— C'est pour avoir trop pensé, répondit-elle pour le taquiner. Pour moi, je te trouve beaucoup plus beau que lorsque nous nous sommes mariés. Ton visage est beaucoup plus fort et expressif. Tu étais agréable à regarder. Maintenant tu es puissant.

— Ah ! l'Amour, si délicieusement aveugle !

« En vieillissant, ruminait-il le lendemain matin en se rasant, le visage reflète plus fidèlement la personnalité profonde. »

Bien qu'en 1847 Emma ait déjà donné naissance à cinq enfants, elle n'avait que très peu vieilli. Ses cheveux étaient toujours d'un châtain brillant, sa peau était douce et saine. Ni les Wedgwood ni les Darwin ne l'avaient jamais trouvée belle. Mais jamais insignifiante. Ses yeux marron avaient toujours cette expression de velours qui allait bien à ses belles couleurs. Elle avait un visage dont on ne se lassait pas et elle avait gardé sa silhouette.

Si le visage de Charles avait gagné en force, comme le prétendait Emma, on ne pouvait en dire autant de sa santé physique. Il était bien incapable désormais de rester en selle quatorze heures par jour, de dormir sur un sol mouillé avec sa selle pour oreiller, de manger du guanaco... Il dit à Joseph Hooker :

« Je ne sais que penser de ma santé, toujours pareille, parfois meilleure, parfois pire. » Il avait constamment peur que ses amis le prennent pour un hypocondriaque.

Emma lui avait dit comme elle appréciait, lorsqu'il se sentait très mal, qu'il reste toujours aussi sociable, aussi affectueux. Et le docteur Holland avait déclaré :

« Emma, vous êtes la nurse idéale pour un malade modèle. »

Charles avait l'habitude de l'ironie de leur cousin. Et comme il l'avait dit un jour à Emma :

« On dirait que c'est la fonction de notre lointain parent que de jouer le rôle d'attaquant dans nos vies. Si je l'avais écouté, je serais aujourd'hui enterré dans quelque paroisse campagnarde à collectionner les scarabées. »

Il ne conservait plus que quelques spécimens de la collection de Cirripedia qu'il avait donnée à Richard Owen en quittant Cambridge : un nombre suffisant des types *Conia, Balanus, Acasta* et *Clisia* pour lui fournir un matériel d'étude pendant peut-être trois mois. Il regrettait de plus en plus les spécimens qu'il avait donnés.

« Il faudra que je demande à Owen si le Collège Royal de Chirurgie accepterait de me rendre ma collection pour que je l'étudie à Down », décida-t-il.

En février 1847, il fit une courte pause pour aller rendre visite à son père à Shrewsbury et, en passant par Londres, alla à la Royal Society. Les journaux se félicitaient de ce que les « Commons » aient promulgué la Loi des Dix Heures, qui limitait à dix heures par jour le travail des femmes et des enfants dans les usines, mesure sans doute la plus libérale votée depuis l'abolition des « Corn Laus ».

A son retour, Emma lui apprit qu'elle était enceinte à nouveau.

« Il y a presque deux ans depuis la naissance de George, lui dit-elle. Nous voulions une grande famille, nous devrions remercier Dieu de nous en accorder une... »

Il l'embrassa sur le front en murmurant :

« J'ai bien peur que nous n'ayons pas le choix. A moins que je prononce des vœux et entre dans un monastère. »

Comme il savait d'avance que la journée du lendemain se passerait au microscope, il n'avait plus à s'en préoccuper. Et pendant ce temps-là, son esprit survolait les nombreux domaines de la science qu'il avait abordés, les matériaux qui lui parvenaient sur les variations des espèces dues aux croisements sélectifs. Il regroupait sans cesse les facteurs connus pour élaborer des hypothèses vérifiables.

Dix ans plus tôt, il avait griffonné dans un carnet :

« *Si nous donnons libre cours à nos plus folles suppositions, il se pourrait que les animaux et nous ayons la même origine, un ancêtre commun. Nous pourrions être tous ensemble confondus... quelque chose nous pousse à rechercher les causes du changement.* »

En pensant aux autruches de Patagonie qui se faisaient de plus en plus rares, il avait été frappé par le fait que « *les variations favorables auraient tendance à être préservées, les défavorables à disparaître.* » Le chapitre de Malthus sur les limites de la croissance démographique avait étayé cette première intuition.

Il aimait les deux aspects de son travail, les travaux pratiques dans son bureau, et les spéculations auxquelles il se livrait en faisant le tour du Sable. En juin, il se rendit à une réunion de la British Association à Oxford. Tous ses collègues semblaient s'y trouver : Michael Faraday, Sir John Herschel, John et Harriet Henslow avec leur fille aînée Frances, devenue une beauté de vingt-deux ans. C'était du moins l'avis de Joseph Hooker, qui dit à Charles, alors qu'ils allaient ensemble au département de géologie pour écouter une conférence de Lyell :

« C'est étrange. J'avais souvent vu Frances chez les Henslow et l'avais toujours trouvée charmante. Mais hier soir au dîner, sa beauté m'a littéralement subjugué. Ce fut comme une révélation. J'ai compris sans le moindre doute que je l'aimais et que je voulais l'épouser. Je lui ai parlé ce matin. Les Henslow ont approuvé...

— Cela ne m'étonne pas. C'est le jeune botaniste le plus brillant d'Angleterre qu'ils accueillent dans leur famille. Curieuse, cette façon dont se superposent nos liens professionnels et nos liens familiaux. »

Mais les compliments glissaient sur Joseph Hooker comme la pluie sur le ciré d'un marin.

« Mais nous ne pourrons pas nous marier avant plusieurs années. L'Amirauté prépare un voyage scientifique à Bornéo et pourrait bien me nommer naturaliste. Et le ministère des Eaux et Forêts m'a proposé un voyage aux Indes. »

Hooker apportait la nouvelle que les Jardins Botaniques Royaux de Kew étaient maintenant ouverts au public ainsi que le nouveau Museum of Economic Botany créé par Sir William Hooker.

Charles prit la parole au département de géologie, ainsi qu'Adam Sedgwick et Robert Chambers, dont Charles avait conclu qu'il était l'auteur du livre violemment critiqué, *Vestiges*. De retour chez eux, il dit à Emma :

« La réunion était intéressante, mais ce qui m'a fait le plus plaisir, c'est la façon dont les spécialistes des crustacés ont accueilli la nouvelle que je me consacrais à la dissection et à la description de toutes sortes de berniques. Henri Milnes-Edward, auteur de trois volumes sur le sujet auxquels je dois beaucoup, m'a proposé de me laisser examiner sa collection et de faire savoir que j'ai besoin qu'on me prête des spécimens. »

Emma approuva mais avec retenue.

« Pardonne-moi, mais pour l'instant, je suis plus préoccupée par les enfants que par les berniques. »

Une fille leur naquit le 8 juillet, qu'ils appelèrent Elisabeth, une troisième fille qui tiendrait compagnie à leurs deux garçons. Immédiatement après la naissance, Emma se sentit parfaitement bien. Charles retourna à son travail sur la *Tubicinella Coronula* et sur l'anatomie de la *Cirripedia* pédonculée. Il observa :

« En terminant mon livre sur les récifs coralliens, je me plaignais de ce que personne ne le lirait jamais. Mais qui vraiment pourrait bien lire un livre sur l'anatomie des *Cirripedia ?* »

Dans ses quatre premiers livres publiés et les cinq qu'il avait supervisés, la validité scientifique de bien peu de ses théories avait été mise en question et toujours avec la discrétion des débats académiques. Mais en septembre 1847, dans la *Transcription des Débats de la Société Royale d'Edimbourg* parut un article sur les voies et le littoral de Glen Roy, qui constituait une attaque en règle de l'article publié plus tôt par Charles pour la Royal Society de Londres, et de son intégrité scientifique, au point, comme il s'en ouvrit à Hooker, de le « rendre horriblement malade ».

La controverse n'était pas sur un sujet d'importance primordiale et pourtant Charles maudissait le jour où il était parti en Ecosse neuf ans plus tôt.

« Je ne peux supporter les critiques, gémit-il auprès d'Emma. C'est sûrement une faiblesse chez moi. Je devrais être plus fort et capable de me battre quand on m'attaque. »

Il s'enferma dans son bureau et écrivit une lettre de réfutation de neuf pages à l'éditeur du *Scotsman.* Ses pages étaient couvertes de ratures, il récrivit presque chaque phrase. Sa lettre ne fut jamais publiée.

En octobre, Charles et Mary Lyell vinrent passer une semaine chez eux. Lyell apportait une collection de berniques pour Charles et Mary un beau portrait de Lyell, déjà encadré. Charles l'accrocha immédiatement au-dessus du miroir, au centre de la pièce, au-dessus de la cheminée. Et entraîna Mary dans son bureau pour lui montrer le résultat.

« Je suis ravi de l'avoir ici et ne sais comment vous en remercier. »

Lyell lut les notes qu'il avait accumulées sur les *Cirripedia,* le regarda disséquer dans l'eau et extirper les parties rondes et molles en forme de poche.

« Vous devenez un expert dans l'utilisation de ces fins instruments coupants, Darwin. Et j'admire l'extrême précision de vos descriptions. C'est un travail de spécialiste, et un bel exemple de méthodologie scientifique. »

Charles poussa un soupir, recouvrit son microscope et dit :

« Si nous prenions nos manteaux pour faire quelques tours dans le Sable ? Combien de pierres devrions-nous mettre au départ ? Dix ? Ce serait la première fois de l'année que je ferais dix tours... »

Vers le huitième tour, Charles dit :

« Vous savez, Lyell, je n'aurais jamais cru qu'il y avait tant de sortes de berniques dans le monde. J'en connaissais des centaines. Mais des milliers... Faire un travail exhaustif sur ce sujet me prendrait dix années de ma vie. »

Un large sourire éclaira le visage de Lyell.

« Mais qui vous empêche de faire cela toute votre vie ? » Charles médita cette réponse pendant un certain temps. Lyell donna un coup de pied dans la dernière pierre. Ils n'avaient plus que quelques mètres à parcourir. Il commençait à faire froid et on sentait venir la pluie.

« Je veux bien admettre que les berniques sont ennuyeuses, ajouta Lyell. Elles ne font que détériorer la coque des bateaux. Mais la nature les a sans doute mises ici pour une raison quelconque. En étudiant comme vous le faites la façon dont leur anatomie s'adapte aux variations du climat, de la mer, et en fonction de leur nourriture, vous découvrirez peut-être quelque chose qui viendra étayer cette théorie mystique qui vous est chère, la transmutation des espèces... »

Il fit une pause en posant affectueusement un bras sur l'épaule de Charles.

« ... dont personnellement vous ne m'avez convaincu qu'à moitié ! »

Lorsqu'il eut fini de disséquer les berniques de Lyell, il alla voir Richard Owen à Londres. Les locaux d'Owen au Collège Royal de Chirurgie offraient un violent contraste : dans une pièce, un bureau confortable rempli de livres, qui sentait bon le travail et la pipe. L'autre, un laboratoire froid, avec une table d'opération, tous les scalpels et outils de dissection imaginables pour « anatomiser » les animaux vivants en cage et les morts rangés dans des tiroirs sur de la glace. Charles lui demanda :

« Owen, pourrais-je emprunter la collection de berniques que j'ai donnée au Collège ? J'ai besoin du plus grand nombre de genres possible pour interpréter leurs variations de structures.

— Mais très certainement. Votre collection, ici au Musée, ne sert qu'à ramasser la poussière.

— Pour être franc, il ne s'agit pas seulement de les « emprunter ». Elles seront détruites dans le processus de dissection ; je n'ai trouvé aucun moyen de les replacer dans leur coquille. » Owen sourit de cet effort de Charles pour être drôle. On ne le voyait jamais rire de façon bruyante.

« Nous aurons votre monographie et elle nous dédommagera amplement. »

Il fut surpris par tout le temps et la concentration que cela exigeait, l'œil allant alternativement du microscope à la page sur laquelle il enregistrait ce qu'il avait vu. Il notait dans son journal le temps passé sur chaque espèce particulière.

« J'ai dû, bien malgré moi, donner des noms à plusieurs valves et à quelques-unes des parties les plus molles, dit-il à Emma.

— Personne ne leur avait donné de nom ?

— Personne ne les avait même encore vues. »

Une sorte particulière l'occupa pendant trente-six jours, conduisant à vingt-deux pages de descriptions. Une autre, dix-neuf jours d'observation, avec en contrepartie vingt-sept pages de matériaux inédits.

« A ce rythme, je n'en finirai jamais, grommela-t-il en s'installant dans un fauteuil devant la cheminée du salon. Voilà déjà plus d'un an que je travaille sur ces bestioles.

— Un travail est un travail, répondit Emma. Tu aimes ce que tu fais, n'est-ce pas ?

— Oh ! Surtout ces berniques, je suis littéralement captivé ! »

6.

Sir John Herschel lui fit parvenir une invitation à dîner, lors d'un de ses passages à Londres. Herschel avait été le premier à l'informer de la parution de sa petite monographie publiée par la « Cambridge Philosophical Society ». Sir John était rentré de Cape Town en

Angleterre en 1838, deux ans après le retour du *Beagle* et avait consacré les neuf années suivantes à son ouvrage capital *Cape Observations.* Il n'avait pas tardé à être nommé président de la Royal Astronomical Society. En voyant Herschel, Charles repensa avec émotion et nostalgie à ses cinq années en mer.

« Je vous ai fait venir pour vous demander d'effectuer un important travail pour les Commissaires de l'Amirauté, lui dit-il au cours du dîner. Ils m'ont demandé de compiler, je cite " *un Manuel d'Enquête scientifique à l'usage des officiers de la Marine de Sa Majesté, et pour les naturalistes et les voyageurs en général* ". Nous allons y inclure de nombreux chapitres, sur l'astronomie, l'hydrographie, la météorologie et naturellement sur la zoologie, dont se chargera votre ami Richard Owen et sur la botanique, que nous confierons à Sir William Hooker. Personne mieux que vous ne pourrait rédiger le chapitre sur la géologie. Qu'en dites-vous ? »

Il y avait un peu moins de deux ans qu'il avait terminé son manuscrit sur la géologie d'Amérique du Sud, et à l'époque il en était totalement dégoûté. Mais il ne devait pas être trop difficile de résumer ce qu'il avait appris en une trentaine de pages qui pourraient être utiles à des générations d'officiers et de naturalistes.

« L'Amirauté assurera la publication, ajouta Sir John. Et Murray a accepté de la distribuer. Il n'a été question ni de droits d'auteurs ni d'honoraires, mais cela ne pose sans doute pas de problème pour vous.

— Je dois énormément à l'Amirauté ; tout, à vrai dire. Et je serai fier de participer à un ouvrage en votre compagnie, avec Richard Owen et Sir William Hooker. »

En rentrant à Down House, dans le vacarme du train qui crachait sa fumée en traversant la campagne du Kent, il pensait : « Voilà qui me console des attaques de la Royal Society d'Edimbourg. Le mal que fait l'une, c'est l'autre qui le guérit. »

Il couvrit son microscope, mit de côté ses instruments et retrouva son siège habituel, avec la planche couverte de feutre en travers des accoudoirs... heureux de retrouver l'espace de la cabine de poupe. Le chapitre s'écrivit d'un seul jet, tout l'acquis géologique de cinq années de voyages sur le *Beagle.* Il lui fallut moins de trois semaines ; il avait peur d'avoir inclus trop de matériaux mais Sir John fut satisfait de la rapidité autant que de la qualité de son travail. Soudain plein d'énergie, il s'attaqua immédiatement à un article que Lyell et la

Geological Society lui demandaient depuis longtemps : « *Sur le passage des roches errantes à un niveau d'altitude plus élevé.* »

Dans la soirée, Emma jouait pour lui des pots-pourris de la *Norma* de Bellini, et du *Guillaume Tell* de Rossini. L'un des morceaux favoris de Charles était, on devine pourquoi, *Emma* d'Auber. C'était également une bonne année pour la lecture à haute voix, car parurent à Londres *Jane Eyre* de Charlotte Brontë, les premiers chapitres de *La Foire aux Vanités* de Thackeray, *Les Hauts de Hurle-Vent* d'Emily Brontë.

Et les allées et venues de la maison à la gare de Sydenham se multipliaient, ses collègues de Londres étaient de plus en plus nombreux à apprendre le chemin de Down House.

Le 19 avril 1848, il dîna à la Geological Society avec Lyell, Murchinson, Horner, Wheewell. Il ne leur avait pas rendu visite depuis longtemps. On le taquina gentiment, le traitant de « gentilhomme campagnard à la retraite s'adonnant à la paresse de la vie rurale ».

Dans la communication qu'il lut, Charles offrit des preuves de sa théorie (que c'était la glace côtière qui soulevait les roches au-dessus des couches de même nature). Son article fut bien reçu, et la plupart des membres présents vinrent lui serrer chaleureusement la main. En marchant vers la maison de Lyell, Harley street, ce dernier lui demanda :

« Vous n'aimeriez pas mieux vivre en ville, Darwin ? Une réception comme celle qu'on vous a faite ce soir... voilà qui devrait vous réconcilier avec la capitale.

— Sans doute. Londres a ses avantages. Mais je suis absolument décidé à vivre à la campagne. C'est ce qui me convient le mieux ; vous verrez. »

Le lendemain matin, il prit le petit déjeuner avec Erasmus, puis alla voir John Gray, le conservateur du British Museum. Le musée avait des collections considérables de *Cirripedia* que les naturalistes y avaient déposées au cours des ans, mais elles n'avaient jamais été classifiées ni cataloguées.

« Nous n'en avons aucun besoin réel ici, lui dit Gray. Personne ne les regarde jamais. Je demanderai à notre comité de vous laisser en disposer. »

Il revint encore à Londres ce printemps-là pour écouter Gideon Mantell lire un article sur les fossiles trouvés dans les roches anciennes. Il rencontra Lyell pour dîner dans les salles de la Royal

Society à Somerset House. Assis à leur table se trouvait Richard Owen. Owen, Charles le savait, se considérait comme une autorité irréfutable en matière de fossiles. Il devenait même très célèbre.

Charles avait apprécié la communication de Mantell, la trouvant non seulement bien écrite, une rareté dans les cercles scientifiques, mais juste dans son raisonnement. Aussi fut-il stupéfait, lorsque Mantell vint s'asseoir près d'eux, de voir Richard Owen bondir, le visage rouge de rage et se mettre à hurler en direction de Mantell :

« Ce papier est au-dessous de tout ! Le travail de recherche est superficiel et les conclusions fumeuses. Je dénonce cette forme de grappillage prétentieux comme totalement indigne de la Royal Society. On devrait l'interdire absolument ! »

Le docteur Gideon Mantell, médecin en exercice de cinquante-huit ans, respecté en Angleterre comme l'auteur des *Merveilles de la Géologie, Médailles de la Création* et pour avoir créé un musée où il avait entreposé sa remarquable collection de fossiles, s'assit, abasourdi... Un silence gêné s'abattit sur toute l'assemblée, un peu comme le bourdonnement des papillons de nuit que Charles avait pu entendre à Bahia sur le pont du *Beagle*.

Lyell et Charles marchèrent en silence jusqu'à l'Athenaeum. Devant un verre de porto, bien enfoncés dans leurs fauteuils de cuir, Charles se décida enfin à dire :

« Tant de mauvaises actions sont commises pour la gloire ! Le seul amour de la vérité ne conduirait jamais un homme à en attaquer un autre avec une telle sauvagerie. »

Lyell se tourna vers Charles et lui demanda :

« Vous avez reçu Owen à Down House, n'est-ce pas ?

— Oui, à plusieurs reprises.

— Mais vous ne lui avez jamais parlé de votre théorie sur les espèces ?

— Non. Pourquoi ?

— Méfiez-vous d'Owen. Il se retournera contre vous. Il se retourne contre tout le monde. »

Charles apprit aux aînés de ses enfants à se servir du microscope. William, le solitaire, explorait les sentiers du voisinage et connaissait maintenant toutes les maisons sur plusieurs miles à la ronde. Un jour, il rentra pour dîner avec une question à poser.

« Papa, tu connais ce M. Montpitcher qui vit au sud du village ? Il reste assis devant sa fenêtre toute la journée à tirer sur sa pipe sans rien faire.

— Il est peut-être à la retraite, Willy.

— Mais quand trouve-t-il le temps de faire ses berniques ? »

Emma rit de bon cœur.

« Tu vois, Charles, à te voir travailler depuis deux ans, les enfants en sont venus à croire que tous les hommes dissèquent des berniques à longueur de journée !

— Ils comprendront peut-être, si je termine un jour cette tâche sans fin. Mais je n'y arriverai sans doute jamais. Je viens de recevoir une lettre d'un certain M. Stuchbury de Bristol qui m'offre ses collections de *Cirripedia* de toute une vie, qu'on dit splendides. »

D'autres collections ne cessaient de lui parvenir. Hugh Cuming, naturaliste et fabricant de voile, envoya la sienne ; August Gould envoya ses spécimens personnels, tout comme Louis Agassiz, qui venait d'être nommé professeur de géologie à Harvard. Même Syms Covington, qui travaillait maintenant en Australie, envoya sa contribution sous forme d'une boîte de berniques. Les lettres s'empilaient, venant de France et d'Allemagne, de gens qui voulaient le faire bénéficier de leur expérience... suivies de caisses et de pots contenant plus de cent spécimens encore inconnus de lui. Il étudiait chaque espèce classifiée depuis l'état larvaire jusqu'à sa forme adulte. Et par d'habiles dissections, il prouva que toutes les berniques sans exception étaient des crustacés reliés aux crabes, aux crevettes et aux homards.

Le courrier lui apportait d'autres nouvelles. Charles Lyell serait fait chevalier par la reine Victoria au château royal de Balmoral, en Ecosse. Il deviendrait Sir Charles Lyell et sa femme Lady Mary Lyell. Les Darwin burent le champagne en leur honneur.

Les journaux, par contre, n'annonçaient rien de réjouissant, faisant état de révolutions en Allemagne, en Autriche, en Italie. A Londres, les Chartistes, membres d'un mouvement ouvrier réclamant le vote pour tous les hommes et des élections annuelles, préparaient des manifestations massives. Les ministres de la reine Victoria l'avaient persuadée de résider sur l'île de Wight pour mettre la famille royale à l'abri de toute violence possible.

C'était pourtant un été agréable ; les azalées étaient en fleurs et les arbres du verger lourds de fruits. Charles passait plusieurs heures par jour en plein air. Ses tours du Sable faisaient aussi germer dans son esprit de multiples idées. Emma donna naissance à leur troisième fils, Francis, en août.

Pourquoi alors, dès le début de juin, s'était-il senti si mal, « *remarquablement mal* » comme il l'avait noté dans son journal ? La tête en coton, dépressif, tremblant, des taches noires devant les yeux, avec des vomissements subits ?

Malgré les soins constants d'Emma et le régime précis qu'elle lui faisait suivre, son état empira ; ses muscles se contractaient, ses mains tremblaient. Vers la fin de l'année, il était continuellement souffrant.

Il eut la gentillesse de ne pas dire à Emma qu'il se croyait mourant. Mais il sortit son manuscrit de 1844 sur les espèces et la lettre à sa femme du tiroir dans lequel il les avait enfermés pour qu'elle puisse les trouver plus facilement.

Une lettre de sa sœur Katty le fit sortir de sa léthargie. Le docteur Darwin ne pouvait plus marcher. Il était maintenant dans une chaise roulante et dormait sur un lit dans la bibliothèque. Le jardinier le poussait dans la serre chaque matin, car il aimait tout particulièrement rester sous le bananier qu'il avait planté, après lecture des descriptions de Charles de Bahia, Brésil. La lettre de Katty indiquait clairement que leur père était mourant. Il partit immédiatement au Mont. Il ne laissa pas Emma l'accompagner car le bébé n'avait que quelques mois. Il passa une nuit chez Erasmus à Londres, arriva à Shrewsbury le lendemain après-midi, si inquiet pour son père que pendant tout le long voyage en diligence il oublia de s'inquiéter pour lui-même.

Il fut saisi de voir son père dans une chaise roulante, dans la bibliothèque, touchant à peine au plateau que lui présentait Susan, assise à côté de lui, lisant à haute voix l'un de ses poètes favoris. Son imposante charpente était bien amaigrie. Lorsque Charles l'embrassa, des larmes vinrent aux yeux du vieil homme.

« J'ai l'intention de rester avec vous pendant deux semaines, Père. J'ai d'excellentes nouvelles. La Ray Society, fondée il y a quatre ans en l'honneur de John Ray, le fameux naturaliste anglais, a pour principale fonction de publier des ouvrages scientifiques. La Société a décidé de publier mon livre sur les berniques lorsqu'il sera terminé. Ils ont plus de sept cent cinquante membres, parmi les hommes de science les plus respectés d'Angleterre. A dire vrai, je n'étais pas sûr que le livre soit jamais publié. »

Un sourire se dessina sur le visage du docteur Darwin. Il avança le bras pour toucher son fils, trop ému pour pouvoir parler. Plus tard dans la soirée, lorsqu'il se fut endormi, veillé par Susan, Charles et Katty en parlèrent à table, devant le dîner qu'avait préparé leur bonne vieille Annie.

« Qu'en penses-tu Katty ?

— Difficile à dire, Charles. Père a toute sa lucidité. Et il est si gentil avec tout le monde, les domestiques, leurs enfants... il ne se plaint jamais. Susan est restée debout presque toute la nuit dernière. Elle s'occupe merveilleusement de lui et c'est à elle qu'il demande tout ce dont il a besoin. »

Les deux semaines passèrent vite, car le docteur Darwin semblait réconforté par la présence de son fils. Il reprenait des forces à l'écouter parler du Sable, d'Emma et des enfants, du lien très fort qui l'unissait à la petite Annie ; du nouveau microscope. Il se sentait bien. Il s'était dit qu'il le fallait, pour rassurer son père à son sujet.

Pourtant, dès qu'il entra dans son bureau à Down House, tous ses symptômes revinrent. Il était totalement incapable de travailler. Il savait la mauvaise nouvelle imminente. Elle arriva dix-neuf jours seulement après son retour. Le docteur Darwin était mort paisiblement à l'âge de quatre-vingt-deux ans.

Charles pleura sans s'en cacher. Il aimait son père, surtout depuis qu'il avait su convaincre le vieil homme qu'il était bon à autre chose qu'à la chasse et à faire honte à sa famille. Une note de Katty disait :

« *Que Dieu te console, mon cher Charles, toi qu'il aimait tant.* »

Il ne put quitter le lit pendant deux jours.

« Mais il faudra que je sois à Shrewsbury pour l'enterrement, dit-il à Emma.

— En auras-tu la force ?

— La force viendra en marchant. Demande à Parslow de préparer mes bagages. »

Le voyage à Londres lui fit du bien. Il ne sentit pas la fatigue avant d'arriver chez Erasmus. Erasmus était déjà à Shrewsbury, mais son majordome lui fit servir un thé et une collation. Il était déjà trois heures de l'après-midi et ni le train ni la diligence ne lui permettraient d'arriver à Shrewsbury ce soir-là. Il posta un mot à Emma pour lui assurer qu'il se sentait « *à peu près comme toujours* ».

Il prit la première chaise de poste le lendemain matin. Il arriva trop tard pour la cérémonie toute simple, dans le cimetière de Montford où le docteur Darwin reposait à côté de sa femme. Mais il retrouva au Mont toute la famille et les amis de son père auxquels les jeunes servantes présentaient du café à leur retour à la maison. L'article annonçant la mort du docteur Darwin dans le *Chronicle* de Shrewsbury était élogieux, réconfortant pour la famille en deuil. Pourtant Charles voyait bien que Katty et Susan étaient inconsolables. Le docteur Darwin était toute leur vie. Maintenant, elles étaient comme deux barques sans pilote perdues en pleine mer. Charles décida de rester une semaine avec ses sœurs et de les convaincre de rester vivre au Mont jusqu'à la fin de leurs jours. Lorsqu'on lut le testament du docteur Darwin, on sut qu'elles avaient hérité d'une fortune qui leur assurerait une certaine aisance. La part d'héritage d'Erasmus était très généreuse. Il n'aurait plus besoin de rien. Charles recevrait un peu plus de quarante mille livres, assez pour élever ses enfants et leur permettre de débuter dans une profession, pour agrandir Down House et en améliorer les terres.

Le docteur Darwin avait généreusement pensé à tous ses enfants.

7.

Au début de 1849, il entendit parler, par Sulivan et William Fox, de la cure thermale du docteur Gully à Malvern. Intrigué, il envoya chercher à Londres le livre du docteur Gully, *La Cure par l'eau des maladies chroniques,* le lut attentivement et trouva les propos du docteur Gully raisonnables.

« Je crois que je devrais essayer, dit-il à Emma.

— Si cela en a soulagé d'autres, pourquoi pas ?

— Mais il faudra rester de six à huit semaines à Malvern pour que cela soit efficace.

— C'est trop long pour laisser les enfants. Nous devrons les emmener, et les domestiques aussi. »

C'était possible. Malvern avait une grande maison appelée « The Lodge », louée au mois. Après échange de correspondance,ils louèrent the Lodge et le docteur Gully fut averti de l'arrivée de Charles. C'était un long voyage au nord de Shrewsbury, en train jusqu'à Cheltenham où ils prendraient la diligence : leurs six enfants, trois fils et trois filles, Parslow, Brodie, Sally, Miss Thorley, la gouvernante et une bonne à tout faire. On laissa Comfort à Down pour qu'il s'occupe du jardin. La « Lodge » se révéla confortable, bien que rustique, avec assez de chambres à coucher pour tout le monde. Elle donnait sur un petit pré et des bois menant à la montagne.

« C'est un terrain de jeu idéal pour les enfants ! » s'exclama Charles. Le lendemain matin, il se rendit à sa première consultation chez le docteur Gully. De quelques mois plus vieux que Charles, il était déjà chauve, le visage empreint de professionnalisme, les yeux mi-clos et les lèvres serrées. Les murs de son confortable bureau étaient tapissés de diplômes encadrés d'écoles médicales parmi lesquelles Edimbourg et Paris, et de titres de membre honoraire de diverses sociétés médicales. Il avait d'abord pratiqué à Londres avec succès en publiant de nombreux ouvrages sur des sujets médicaux. Toutefois, il avait cessé de croire dans les médications habituelles, les considérant comme « périmées et inefficaces, voire parfois franchement nuisibles ». Lorsque son ami et confrère James Wilson revint du Continent « tout imbu de l'hydrothérapie » et du merveilleux pouvoir thérapeutique des cures d'eau dans le traitement des maladies aiguës et chroniques, le docteur Gully se rangea à ses idées. Avec Wilson, il ouvrit à Malvern son Etablissement Hydropathique, qui prospéra.

L'Etablissement Hydropathique avait été autrefois un prieuré bénédictin depuis longtemps célèbre pour les propriétés médicinales de ses eaux, ayant eu la faveur de la reine Victoria comme celle de Tennyson. Il consistait en une vaste demeure une bâtisse Tudor House, et plus petite, Holyrood House, reliées par ce qu'on appelait « le Pont des Soupirs » peut-être parce que le docteur Gully exigeait que les célibataires des deux sexes restent dans leur propre maison. Derrière la petite communauté, avec l'église du prieuré au centre, se trouvaient les collines de Malvern.

Le docteur Gully examina Charles et déclara d'une voix neutre :

« Je prescris une friction à l'eau froide le matin, deux bains de pieds froids par jour et une compresse froide sur l'estomac. Voilà également un régime qu'il vous faudra suivre. Nous commencerons lentement.

— Pensez-vous que cela m'aidera, Docteur ? »

Gully pinça encore un peu plus les lèvres.

« Le temps seul nous le dira, Monsieur Darwin. »

Il allait chaque jour un peu mieux, retrouvant l'appétit. Il emmenait les enfants faire de longues promenades au cours desquelles ils ramassaient des fleurs et des plantes.

Le seul inconvénient du traitement fut d'entraîner une irritation de la peau sur tout le corps qui, après sept heures du soir, l'empêchait de tenir en place. Le docteur Gully prescrivit des séances de sudation qui aidèrent.

Au bout de quinze jours, il déclara :

« Je suis convaincu de pouvoir vous soulager de plus en plus. Je le dis rarement à mes malades. Mais je vous crois prêt pour une cure complète. »

La « cure complète » consistait à se lever à six heures quarante-cinq et à être frotté au gant de crin et à l'eau froide, ce qui, dit-il à Emma, « me rend rouge comme un homard ». Il avait un laveur placide qui frottait par-derrière pendant que Charles frottait par-devant. Il lui fallait ensuite boire une carafe d'eau, s'habiller le plus vite possible et marcher pendant vingt minutes... « et je trouve, dit-il à sa famille, tout cela très agréable ».

Il fallait ensuite appliquer une compresse de lin pliée, enveloppée dans un tissu imperméable. La compresse était trempée dans l'eau froide toutes les deux heures. Charles la portait toute la journée, sauf après le repas de midi. Après sa promenade matinale, il rentrait à la maison, se rasait, prenait un petit déjeuner consistant seulement en un toast, un œuf ou de la viande. Aucun liquide n'était permis Quand Charles ne pouvait pas avaler son toast sec, le docteur Gully lui permettait de le tremper dans un peu de lait. Il n'avait droit ni au sucre ni aux épices, ni beurre, ni thé ni bacon...

« Je n'ai droit à rien de ce qui est bon, grognait-il. Mais je dois admettre que je me sens mieux. Mes mains ne tremblent plus, je n'ai plus les muscles contractés et mon estomac semble s'être calmé. »

A midi, il prenait un bain de pieds froid, à la farine de moutarde, pendant dix minutes. Puis son laveur lui frottait violemment les pieds. Le froid lui faisait mal mais, dans l'ensemble, il avait les pieds moins froids que lorsqu'il était malade à la maison. Il marchait pendant vingt minutes, déjeunait à la « Lodge » avec Emma et les enfants, se reposait jusqu'à cinq heures, reprenait le traitement froid par les pieds. Le docteur Gully recommandait l'équitation ; il acheta donc une jument docile qu'il montait pendant une heure dans l'après-midi. Son souper, à six heures du soir, était le même que le petit déjeuner.

Sa santé s'améliorait tant que le docteur Gully accéléra le traitement. A six heures tous les matins, on l'enveloppait dans une couverture pendant une heure et demie, avec une bouteille d'eau chaude aux pieds, puis on le frottait avec un drap mouillé froid. Vers la fin d'avril il se sentait assez bien pour écrire à son cousin Fox :

« *Il faudra que je suive cette cure pendant des mois à la maison selon ses instructions. Pour ce qui est de ma santé, elle va plutôt bien, mais je suis las de cette vie inactive et la cure a eu sur moi le plus étrange effet, me rendant incroyablement lent d'esprit et comme engourdi ; si je n'en avais fait l'expérience, je n'aurais pas cru cela possible... Je me suis transformé en une simple machine à marcher et à manger.* »

Avec les beaux jours, les malades, à Malvern, venaient plus nombreux. Charles apprit que l'été précédent, le docteur Gully avait eu cent vingt pensionnaires.

« Il doit gagner une fortune, fit-il remarquer.

— Chaque guinée est bien gagnée, lui répondit Emma.

— Le docteur Gully affirme être à peu près certain de me guérir en temps voulu. Je sais maintenant par expérience que le traitement par l'eau n'est pas une charlatanerie ; c'est un agent puissant qui affecte toutes les habitudes de notre constitution. Mais comme je serai heureux de retrouver Down House et mon travail sur mes petites berniques adorées ! »

Les Darwin et leur entourage revinrent à Down House au début de juillet 1849. Charles engagea un jeune fermier pour ramener la jument à Down, continua à monter presque chaque jour et apprit à William à monter sans selle. Il fit construire par un menuisier une douche lui permettant de s'asperger avec des pots d'eau froide apportés par Parslow, comme l'avait recommandé le docteur Gully.

Il décida également de commencer un journal de santé, enregistrant son état dans les heures de la journée et pendant les longues nuits où, trop souvent, il était réveillé par les douleurs intestinales.

Il en fit part à Emma un jour qu'elle finissait de jouer pour lui les *Romances sans paroles* de Mendelssohn et s'apprêtait à lui lire à haute voix un chapitre de *David Copperfield.*

« Tu excelles à tenir des journaux. Tu notes tout, jusqu'au poids des enfants d'Hensleigh et je suis sûre qu'un journal de plus sera excellent pour ta santé.

— J'ai bien l'impression qu'on se moque de moi.

— Tu connais ta petite Miss Souillon. Moi, tout ce que je retiens est dans ma tête. »

Il se sentait un peu mieux chaque mois. Il continua à prendre ses douches froides, gelées ou pas. Il se servait également d'un drap mouillé une fois par jour. Il trouvait ce traitement merveilleusement tonique.

Le docteur Gully ne l'autorisait à travailler que deux heures et demie par jour sur ses berniques. Mais sa concentration était si forte que même cette courte séance de travail l'épuisait. Il écrivit à Joseph Hooker, qui étudiait toujours la flore en Inde :

« *Ce qui m'ennuie le plus, dans ma cure, c'est d'avoir dû abandonner toute lecture sauf celle des journaux ; car mes deux heures et demie de travail sur les berniques sont tout ce que je peux faire pour m'occuper l'esprit. J'ai par conséquent un terrible retard dans tous les livres scientifiques...* »

Malgré ses plaintes, il fit pourtant quelques trouvailles extraordinaires. Ce que certaines autorités avaient pris jusqu'alors chez les *Cirripedia* pour des glandes salivaires, était des ovaires ; le contenu cellulaire des tubes ovariens passait dans une matière qui les cimentait. En fait, les *Cirripedia* formaient une colle à partir de leurs propres œufs non formés. Des chercheurs précédents avaient maintenu que la bernique n'avait pas de tête. Il prouva que l'ensemble de la *Cirripedia,* visible à l'extérieur, constituait les trois segments antérieurs de la tête.

Une autre observation surprenante était qu'à l'exception d'une seule sorte, toutes les *Cirripedia* étaient bisexuelles, les mâles étant de taille microscopique. Il écrivit :

« *Voilà le fait étrange : le mâle, ou parfois deux mâles, au moment où ils cessent d'être des larves locomotrices, deviennent parasitaires dans la poche de la femelle et, ainsi fixés et à moitié incrustés dans la chair de leurs femmes, y passent leur vie entière et n'en bougent jamais plus.* »

Si le travail de Charles s'était ralenti, John Henslow, lui, accomplissait quelques progrès dans sa paroisse pauvre d'illettrés et de mécréants d'Hitcham. Il avait fait construire une école et engagé un instituteur. Il apprenait aux fermiers à tirer une meilleure récolte de leurs champs, avait obtenu cinquante lotissements d'un quart d'arpent pour les journaliers dans le dénuement, emmenait ses paroissiens en voyage d'histoire naturelle, tout comme il l'avait fait avec Charles et les élèves de sa classe ; et finalement, il avait obtenu des gens de la paroisse qu'ils se rendent à l'église pour les mariages, les funérailles et les sermons les jours de fête.

« Voilà ce que j'appelle un grand homme », déclara Charles, sincèrement admiratif.

Le docteur Henry Holland, avec sa femme, vint passer un week-end à Down House ; il avait entendu parler de la guérison miraculeuse de Charles. Après le souper, il fit remarquer :

« Vous avez indiscutablement l'air en pleine forme. Parlez-moi donc un peu de cette discipline, l'hydrothérapie. »

Après avoir écouté Charles, il s'écria :

« Ce ne sont pas les draps froids ni les bains de pieds qui vous ont guéri, mon cher Charles ! C'est vous-même. En vous accordant quatre mois de vacances dans une belle campagne montagneuse. Avez-vous travaillé là-bas ?

— Pas le moins du monde.

— Et vous ne vous êtes préoccupé de rien ? Vous n'avez pas essayé de concevoir quelque nouvelle théorie scientifique ?

— Tout au contraire. L'eau rend l'esprit totalement inerte.

— Vous avez beaucoup marché ?

— Sept miles par jour.

— Vous vous êtes couché tôt et vous avez dormi des nuits pleines ?

— Oui.

— Et au bout d'une semaine, vos nausées ont complètement disparu ?

— Exactement.

— Vous voyez bien, fit le docteur Holland avec un sourire triomphant, tous ces baquets d'eau froide n'ont de vertus que théâtrales.

— Insinuez-vous que le docteur Gully est un charlatan ?

— Pas le moins du monde. Il croit très honnêtement à la valeur de l'hydrothérapie. Comment pourrait-il en être autrement quand des centaines de gens comme vous guérissent après une longue cure de vacances à ses bains ? Mais il croit sans doute aussi au mesmérisme, au spiritualisme et à l'homéopathie.

— Que voulez-vous dire ?

— Rien d'autre que ceci : ce sont vos randonnées à cheval et le fait d'avoir laissé vos soucis à la maison qui vous ont guéri. »

Avec une véhémence peu coutumière, Charles lui répondit :

« Il y a presque dix ans, tout en suivant scrupuleusement vos prescriptions, je n'ai pas ressenti le moindre soulagement ! »

Saba Holland posa la main sur le bras de son mari pour l'empêcher de s'emporter.

« Naturellement, explosa-t-il. Vous vous êtes remis au travail immédiatement !

— Je ne suis pas de votre avis. La cure par l'eau est indiscutablement une grande découverte. Et je n'ai qu'un regret, c'est de ne pas l'avoir entreprise cinq ou six ans plus tôt.

— Croyez-moi, avant la fin de votre vie, l'hydrothérapie sera discréditée, comme le mesmérisme aujourd'hui. »

Dans leur chambre, ce soir-là, Emma s'exclama : « C'est une bonne chose qu'il y ait du Darwin et du Wedgwood chez le docteur Holland. Cela nous empêche d'attribuer à l'une ou l'autre de nos familles la responsabilité exclusive de son mauvais caractère. »

Charles rit de bon cœur.

En février 1849, Sir Charles Lyell fut réélu président de la Geological Society. Charles Darwin fut élu l'un des vice-présidents de l' « Association anglaise pour l'avancement de la science », au cours de leur séance d'été. Lorsque les Darwin rencontrèrent les Lyell à Birmingham, Lyell dit en le taquinant :

« Faites bien attention, Darwin, ou vous me succéderez comme président de la Geological Society ; et serez fait chevalier avant longtemps »... Lyell, pour qui la différence ne résidait pas dans l'âge mais dans les qualités intellectuelles et la discipline, voyait en Charles un compagnon et un confrère.

Emma inaugura le premier mois de 1850 par un septième enfant. Charles avait entendu parler de la découverte et de l'utilisation du chloroforme comme anesthésique. Et comme le docteur de Down ne s'était jamais servi de ce liquide pour soulager les douleurs de l'enfantement, Charles en commanda à Londres. Ils discutèrent du nombre de gouttes qu'il fallait mettre sur un tampon de gaze, et à quelle fréquence il fallait renouveler l'opération. Emma entra très rapidement en couches, avant que le docteur puisse arriver à Down House. Elle permit à Charles de se servir du chloroforme. Il sortit un tampon et l'imbiba de dix gouttes avant de le lui appliquer sur le nez et la bouche.

Elle se détendit, la douleur diminua. Charles ajouta des gouttes lentement, une à la fois. Le docteur arriva dix minutes avant l'accouchement. Lorsque Emma se réveilla et qu'on lui montra son quatrième fils, elle déclara : « Je ne me souviens absolument de rien, que de la première douleur et des premiers cris de l'enfant.

— N'est-ce pas extraordinaire ! » s'exclama Charles.

Et quand le docteur le félicita d'avoir su manier un produit chimique aussi dangereux qu'il n'avait encore jamais vu utiliser, Charles répondit avec un rien de fausse modestie :

« Après tout, je viens d'une famille de médecins ! »

On appela le garçon Leonard. Divers membres de la famille suggérèrent qu'Emma avait fait son devoir et ne devrait plus avoir d'enfants. Le docteur Robert et Susannah Darwin avaient eu six enfants, Oncle Jos et Tante Bessy, neuf.

En rentrant de six tours du « Sable », il trouva un jour un groupe de villageois de Down dans leurs habits du dimanche, qui l'attendaient. Ils avaient fondé un « Club Amical de Down » qui collectait de l'argent pour aider ses membres s'ils étaient malades ou handicapés et couvrir les frais d'enterrement.

L'honorable M. Darwin accepterait-il de devenir leur trésorier et de tenir leurs livres ?

Il n'hésita pas un instant.

« Volontiers. Tenir des livres est l'une de mes rares qualités, suscitée chez moi par mon père. Apportez-moi vos comptes dimanche prochain. Et considérez-moi, à dater de ce moment-là, comme votre trésorier officiel. »

Puis un événement extrêmement encourageant se produisit. L'Université d'Oxford institua ses premiers diplômes en Science. Cambridge ne tarda pas à en faire autant, preuve que la science cessait d'être considérée comme hérétique ou inutile. On découvrait que la science était non seulement recevable, mais indispensable ! Les efforts des grands amis de Charles et les siens commençaient à révolutionner le monde.

8.

Pendant l'été 1850, à quarante-deux ans, alors que Leonard ne marchait pas encore, Emma se découvrit enceinte à nouveau. Au même moment, Annie tomba malade. Elle avait toujours été d'une santé fragile mais Charles et Emma ne s'en étaient guère inquiétés tant l'enfant semblait gaie et robuste. Cette fois pourtant, la fièvre augmentait, elle ne retrouvait pas l'appétit et le docteur ne parvenait pas à établir un diagnostic.

Ils décidèrent d'emmener la famille en vacances à Ramsgate, un village de bord de mer à la pointe sud-est de l'Angleterre. C'était en octobre, les foules des vacances étaient parties, l'air marin était frais. Les promenades sur la plage avec son père semblaient aider Annie. Lorsque le docteur Holland vint leur rendre visite à Noël, il examina Annie. Lui aussi dut avouer sa perplexité.

Au début de mars 1851, la gravité de la maladie d'Annie ne laissait plus aucun doute.

« Faut-il que j'envoie Annie à Malvern et la confie aux bons soins du docteur Gully ? demanda Charles à Emma.

« C'est le seul médecin qui t'ait jamais soulagé, toi.

— Cela vaut la peine d'essayer, admit-il. J'emmènerai Ettie pour lui tenir compagnie, et également Brodie. Miss Thorley pourra nous rejoindre là-bas. Mais toi, ma chérie, j'ai bien peur que ton accouchement soit encore beaucoup trop récent pour te permettre de nous accompagner. »

Charles et les quatre personnes qu'il amenait furent logés dans une suite de chambres, dans le bâtiment principal.

« Je ferai pour elle tout ce qui est en mon pouvoir, dit le docteur Gully. Nous commencerons la cure très doucement et je viendrai la voir chaque jour. »

Rassuré par la promesse du docteur Gully et par l'arrivée de la gouvernante qui s'occuperait des deux filles, Charles alla passer deux jours à Londres chez Erasmus. Le dimanche 30 mars, Erasmus et lui dînèrent avec Hensleigh et Fanny Wedgwood dans leur nouvelle maison de Chester Terrace, mieux située pour leurs enfants que celle d'Upper Gower street. *Les Pierres de Venise,* de Ruskin, était le livre du jour et tout le monde en chantait les louanges. Lorsque Erasmus l'interrogea au sujet du livre, Carlyle lui répondit sans ambages :

« Tout le livre n'est qu'un interminable sermon : vous devez être un homme bon et véridique, même pour construire la plus ordinaire des maisons ! »

Il rentra à Down le lendemain matin, rassura Emma au sujet d'Annie et se remit au travail. Il était de retour depuis seize jours lorsqu'on lui apporta un télégramme électrique envoyé de Malvern à Londres et apporté à Down House par messager spécial.

Annie avait été prise de crises de vomissements que le docteur Gully avait tout d'abord cru de peu d'importance. Mais ils avaient été suivis d'une fièvre redoutable. Charles devait retourner à Malvern immédiatement.

Fanny Wedgwood le rejoignit à Londres pour faire avec lui le reste du voyage jusqu'à Malvern. Lorsque Charles pénétra dans la chambre d'Annie, c'est à peine s'il reconnut l'enfant, tant elle avait les traits creusés.

Elle ouvrit les yeux et dit « Papa » avec affection, ce qui l'aida à la reconnaître.

Cette nuit-là, à onze heures et demie, voyant Annie s'endormir, le docteur Gully déclara : « Elle a passé le cap. »

Avec ce nouvel espoir, Charles alla dormir dans la chambre attenante. Le lendemain matin, il trouva sa fille bien trop tranquille et fut désespéré d'apprendre du docteur que son pouls était irrégulier. Pourtant, elle avalait un peu de gruau toutes les heures. Et dans l'après-midi, elle but un peu d'eau. Elle ne se plaignait toujours pas.

Puis elle demanda une orange à Fanny. Lorsque celle-ci lui donna une gorgée de thé à boire en lui demandant si c'était bon, elle répondit :

« Excellent. » Et le lendemain, lorsque Charles lui donna de l'eau, elle lui dit : « Je vous remercie infiniment. »

Ce furent les derniers mots qu'elle adressa à son père. Annie mourut à minuit, le 23 avril.

Charles et Emma échangèrent des lettres de réconfort. Fanny resta pour les funérailles. On enterra Annie au petit cimetière de Malvern. Puis Charles rentra pour retrouver Emma aussi vite que possible. Tous deux étaient inconsolables.

Moins d'un mois après la mort d'Annie, naquit leur cinquième fils, baptisé Horace... La sœur d'Emma, Elisabeth, vint lui tenir compagnie. Charles espérait que la naissance de cet enfant chasserait leur tristesse.

Lorsque la Société Paléontologique de Londres apprit que Charles travaillait sur les *Cirripedia* fossiles, domaine très mal connu, la Société offrit de faire paraître sa monographie dans sa publication annuelle. Charles avait terminé la première partie en 1850, mais les 88 pages, sous le titre peu engageant de « *Monographie sur les fossiles de Lepadidae ; ou les cirripèdes pédonculés de Grande-Bretagne* » ne furent pas publiées avant juin 1851.

Plus tard dans la même année, la Ray Society publia, à l'intention de ses membres, la première moitié de son travail sur les modernes *Cirripedia,* avec des planches anatomiques détaillées. Aucun exemplaire n'était mis en vente en librairie, et l'ouvrage passa presque inaperçu, beaucoup trop technique pour le grand public. Il fut pourtant apprécié dans les cercles scientifiques. Charles en obtint vingt exemplaires, seule compensation offerte par la Société, pour les distribuer à ces généreux collectionneurs et chercheurs qui l'avaient aidé.

Maintenant qu'il lisait à nouveau les journaux, il apprit qu'on parlait beaucoup de la construction d'un bâtiment pour abriter la « Grande Exposition des Oeuvres de l'Industrie de toutes les

Nations », à Hyde Park, qu'on appelait déjà le « *Crystal Palace* » parce qu'il était construit à partir d'une ossature métallique habillée de près d'un million de pieds de panneaux de verre. Lyell faisait partie du comité, essayant de donner à l'exposition un caractère didactique, insistant pour que des galeries soient réservées à l'exposition de grandes œuvres d'art. Joseph Hooker, de retour des Indes depuis peu, faisait partie du jury de la section botanique.

L'exposition du Crystal Palace avait été conçue par le prince Albert et approuvée par la reine Victoria. Pourtant, lorsque les immenses galeries furent presques terminées, couvrant au total une superficie de dix-neuf arpents, la presse londonienne et une bonne partie des critiques se déchaînèrent contre elles : Hyde Park était saccagé... cela deviendrait le bivouac de tous les clochards de Londres... Des visiteurs étrangers tenteraient d'assassiner la reine... les rats répandraient la peste bubonique... et les papistes infiltrés, l'idolâtrie... Tout l'édifice s'effondrerait au premier coup de tonnerre.

Charles en était amusé. Lyell et Hooker lui avaient tous deux affirmé que la structure était solide et que ces galeries pourraient accueillir des centaines de milliers de visiteurs en leur présentant les plus hautes découvertes de la civilisation moderne. Il dit à Emma :

« Allons passer une semaine chez Ras pour voir le Crystal Palace. Nous emmènerons un ou deux enfants. Ils adoreront cela. »

Vers la fin de juillet, ils allèrent à Londres avec Henrietta et George. Erasmus engagea un cuisinier supplémentaire pour s'occuper de la famille de son frère. Le lendemain matin, ils partirent dans deux fiacres. Charles en haut-de-forme de soie, long manteau noir et pantalon léger... Emma avec un nouveau bonnet, une jupe à trois paniers de coton fin qui tombait sur ses chaussures, et un vaste châle du même tissu pour couvrir ses épaules. Les enfants également, étaient équipés comme des navires prêts à appareiller, de grands bonnets noués sous le menton, de longs manteaux de velours bleu marine et des bas blancs.

Charles fut enchanté par l'aspect coloré des galeries. Il y avait des centaines de milliers d'objets exposés, venus du monde entier : Turquie, Tunisie, Russie, Etats-Unis. Dans la galerie de sculpture, ils admirèrent l'*Esclave Grec,* de l'Américain Hiram Powers, l'*Indien blessé,* de Boston, *le Roi Croisé,* de Belgique ; et la sculpture qui avait fait scandale, un *Bacchus nu* et plaisamment ivre, couché lascivement sur un lit de feuilles de vigne.

« La contribution française », dit Emma qui fit faire un crochet aux enfants pour qu'ils ne voient pas le nu.

Etty, à presque huit ans et George, six ans, étaient bien plus captivés par les animaux empaillés, une famille de chats assis sur des chaises et buvant du thé, et une grenouille en train d'en raser une autre. Et ils appréciaient par-dessus tout les glaces et les gâteaux. Charles conduisit sa famille de salle en salle en expliquant les dernières inventions mécaniques primées ; ainsi que la moissonneuse tirée par un engin « *Puffing Billy* », un couteau à quatre-vingts lames, une église flottante pour les marins, de Philadelphie. Le système qui fit le plus rire les quatre Darwin était un réveil silencieux : son propriétaire réglait le réveil pour l'heure à laquelle il voulait se lever ; quand il se déclenchait, le dormeur était éjecté du lit et plongé dans un bain froid.

Ils passèrent toute la journée au Crystal Palace. Les enfants en eurent enfin assez.

Charles y revint plusieurs fois dans la semaine mais cette fois avec Lyell ou Hooker. Charles et Hooker se retrouvèrent avec grand plaisir dans les jardins du Pavillon, renouant leur amitié après quatre ans passés par Hooker en Inde, dans l'Himalaya, où on l'avait même mis en prison. Il avait parcouru des pistes de montagne à dix-huit mille pieds d'altitude, des régions que personne ne connaissait sauf les aborigènes. Cet homme d'apparence si frêle avait fait preuve, tout comme Charles au cours de son voyage de cinq ans, d'énormes ressources de courage, de force et d'endurance. Il avait rapporté une merveilleuse collection de plantes, dont la plupart étaient totalement inconnues en Angleterre. A son retour, Hooker et la fille des Henslow, Frances, s'étaient mariés sans tapage à l'église d'Hitcham et s'étaient installés à Kew Gardens.

Par hasard, Charles rencontra John Henslow guidant un groupe de ses paroissiens qu'il avait fait venir d'Hitcham, en se servant de l'argent économisé par la suppression de la grande beuverie annuelle à laquelle les hommes de la paroisse s'adonnaient avant son arrivée.

A cinquante-cinq ans, John Henslow arborait une superbe crinière blanche.

« Mon cher Henslow ! s'écria Charles, lorsque je vois tout ce que vous avez accompli, mes pauvres mots sur du papier semblent bien insignifiants. »

Henslow répondit sévèrement :

« Chacun de nous doit accomplir le travail de Dieu selon ses capacités propres. »

C'est au Crystal Palace que Charles rencontra, en compagnie de Joseph Hooker, Thomas Huxley, un jeune homme de vingt-six ans qui avait effectué une croisière de quatre ans dans l'océan Indien et les eaux australiennes en tant que second chirurgien sur le navire *Rattlesnake.* Pendant la dernière partie de son voyage, il avait écrit et envoyé à Londres trois articles de zoologie que Charles avait lus dans les « comptes rendus » de la Zoological Society, les *Philosophical Transactions* de la Royal Society, et dans *Les Annales et le Magazine d'Histoire Naturelle.* Tout trois faisaient preuve de tant de pénétration, de clarté et d'originalité qu'Huxley s'était trouvé, à son retour à Londres, déjà très connu. Charles avait été trop pris par ses *Cirripedia* pour rencontrer Thomas Huxley mais en juin de cette année-là, il avait eu le plaisir d'aider à le faire élire membre de la Royal Society.

Joseph Hooker lui présenta Thomas Huxley avec beaucoup de chaleur.

Huxley rougit en lui tendant la main.

« Il n'y a personne en Angleterre, M. Darwin, que j'admire plus que vous. J'ai étudié vos livres, depuis le *Journal* jusqu'au plus récent sur les *Cirripedia.* »

Thomas Huxley avait un visage frappant, avec des yeux sombres et perçants, un nez droit et long, une grande bouche, et parlait avec l'air décidé d'un homme d'action.

« Je suis très heureux de faire votre connaissance, Huxley, j'attendais cette occasion, dit Charles. Mes amis m'ont dit beaucoup de bien de vous. »

Hooker s'excusa de devoir partir et Charles invita Huxley à prendre une glace avec lui.

« Mes enfants disent qu'elles sont excellentes. »

Tout en mangeant sa glace, Charles étudiait le jeune homme qui se trouvait en face de lui. Il était habillé avec recherche. Et ses manières étaient à la fois discrètes et pleines d'allant.

« Parlez-moi donc un peu de vous, Huxley. Où avez-vous fait vos études ?

« Je n'en ai pas fait, répondit-il avec un sourire. Mon père était instituteur dans une école d'Ealing, où je suis né, mais je n'ai été à l'école que pendant deux ans, de huit à dix ans. Mon père perdit son travail. Nous sommes partis vivre dans un autre village où nous faisions partie des pauvres. La société que je découvris à l'école était la pire que j'ai jamais connue. » Huxley eut pourtant un sourire lumineux.

« C'est sans doute ce qui m'a fait comprendre plus ou moins confusément que j'aurais à faire mon éducation moi-même. A douze ans, je me levais à l'aube, j'allumais une bougie, m'épinglais une couverture autour des épaules et lisais la *Géologie* d'Hutton... suivie des *Principes de Géologie* de Lyell, l'année suivante. »

Charles se souvint des deux années qu'il avait passées avec ses maîtres en science au Musée d'Edimbourg, puis de ses trois ans et demi à Cambridge, encouragé par l'amitié d'hommes aussi éminents que John Henslow, Adam Sedgwick, George Peacock, William Wheewell.

« Mais vous devez bien avoir reçu quelque formation scientifique ?

— D'une certaine manière, oui. Mes deux sœurs ont épousé des médecins. L'un d'eux me permettait de l'accompagner dans ses rondes à l'hôpital. De là, j'obtins une bourse de trois ans au Charing Cross Hospital, puis passai quelque temps à l'Université de Londres où j'obtins ma maîtrise de biologie. C'est ce qui m'a valu d'obtenir le poste d'assistant-chirurgien à bord du *Rattlesnake* et m'a donné la chance d'explorer des contrées lointaines. Mais je ne suis pas un collectionneur, vous savez. Je voulais, en fait, devenir ingénieur mécanicien. Et c'est finalement ce que je suis devenu, en zoologie. J'étudie la mécanique interne des animaux invertébrés, comme vous l'avez fait vous-même pour les *Cirripedia*.

— Et qu'allez-vous faire maintenant ? »

Pour la première fois, le sourire d'Huxley disparut.

« Je vis chez un de mes frères. Je n'ai aucun travail en perspective. J'ai essayé tous les collèges, toutes les institutions qui emploient des conférenciers. Et ce qui est pire, je suis tombé amoureux d'une jeune fille anglaise dont les parents sont partis s'installer à Sydney. Nous sommes fiancés depuis plus de trois ans. Combien de temps faudra-t-il encore avant que je puisse la faire revenir d'Australie pour nous marier ? Je n'en ai pas la moindre idée. »

Charles n'était pas du genre à prodiguer de bonnes paroles du bout des lèvres.

« Quelques années. Lorsque vous aurez publié vos travaux, écrit quelques livres sur vos voyages à bord du *Rattlesnake,* on voudra de vous quelque part. »

Ils en vinrent à parler des espèces. Huxley croyait à l'existence de lignes de démarcation entre les différents groupes, et en l'absence de formes de transitions. Charles lui répondit avec un sourire ironique mais gentil :

« Ce n'est pas du tout mon opinion. »

Joseph Hooker les retrouva une heure plus tard. En tendant la main à Huxley, Charles lui dit : « J'espère avoir le plaisir de vous revoir.

— Nous nous reverrons très certainement, s'exclama Huxley. Je vais très souvent chez votre frère Erasmus. Les Carlyle m'y emmènent. Ils m'aident à améliorer mon allemand, une étude que j'ai entreprise pour pouvoir mieux lire les journaux scientifiques européens. »

En les regardant s'éloigner, Charles pensait : « Ce jeune homme me plaît bien. Je crois que nous pourrions faire quelque chose ensemble. »

Charles et Huxley se retrouvèrent en effet chez Erasmus, chez les Lyell à Londres, ainsi que chez les Hooker à Kew. Lorsque Charles se trouvait devant un problème complexe de zoologie, il s'en ouvrait à Huxley. Et ce dernier allait d'emblée au cœur du sujet. Il leur arrivait souvent de parler de Richard Owen, l'anatomiste et le zoologiste le plus célèbre d'Angleterre. Huxley avait essayé de remercier Owen de l'avoir aidé à devenir membre de la Royal Society, mais Owen lui avait répondu : « Ne remerciez que l'excellence de votre propre travail. »

Charles jugea bon de laisser le jeune homme découvrir par lui-même la jungle des scientifiques londoniens. Il ne lui fallut pas longtemps. Après une réunion à l'une des sociétés, Charles entraîna Huxley à l'Athenæum pour un dernier verre de brandy.

« Il y a quelque chose de curieux chez Richard Owen, fit Huxley d'un ton pensif ; il est à la fois craint et haï. Je l'ai vu se livrer à quelques manœuvres assez tortueuses. A mon avis, il n'est pas aussi extraordinaire qu'il veut bien le croire lui-même.

— S'en est-il pris à vous ?

— Pas encore. »

Mais cela ne devait pas tarder. Huxley écrivit un mémoire pour la Royal Society, *Sur la Morphologie des Mollusques céphales* qu'il considérait comme sa plus importante contribution. Richard Owen essaya d'empêcher sa publication dans les *Philosophical Transactions.* Huxley s'exclama :

« Il essaye systématiquement d'écarter tout le monde. Pourquoi est-il d'une telle avidité ? »

Charles en était navré pour Huxley.

« Depuis vingt ans, on considère Owen comme la plus grande autorité dans son domaine. Malheureusement, il en est venu à considérer le monde des sciences naturelles comme sa chasse gardée...

— Et nous ne sommes tous que des plaisantins !

— Exactement. Mais ne vous en préoccupez pas outre mesure. Il ne peut entraver vos projets. Confidentiellement, mes amis et moi vous avons proposé pour la Médaille Royale. »

On aurait pu croire un instant qu'Huxley allait se mettre à pleurer. Il prit la main de Charles dans les siennes et s'écria :

« Avec des alliés comme vous, Joseph Hooker et Thomas Lyell dans le monde scientifique, je pourrai tenir tête à une douzaine de Richard Owen.

— Il nous faudra peut-être bien en passer par là, vous et moi », répondit Charles avec une grimace.

Il lui restait encore un an ou deux à travailler sur ce qu'il avait appelé « mes berniques adorées » ; « mes maudites berniques » eût été plus proche de sa pensée... Mais rien ne pouvait l'en dispenser, il lui restait deux volumes à écrire, dont, seul réconfort, la publication était assurée. Il faisait de son mieux pour cacher son exaspération à sa famille, cherchant la meilleure école pour William, qui allait avoir douze ans. Après bien des hésitations, il choisit Rugby, sur la route de Shrewsbury. Les deux aînés d'Hensleigh Wedgwood s'y trouvaient déjà. La pension coûtait entre cent dix et cent vingt livres par an.

Deux fois en vingt-quatre heures, une fois pour la journée et une fois pour la nuit, il tenait son propre bulletin de santé dans un carnet spécial, notant le nombre de malaises intestinaux, le nombre de fois où il avait été réveillé par des douleurs gastriques ; combien de maux de tête, maux de dents, rhumes, eczémas, furoncles ; les médicaments qu'il prenait, ses traitements d'hydrothérapie ; à quelle fréquence il avait des envies de vomir, des accès de dépression, de frayeur, de frissons, l'impression de sombrer, des moments de respiration difficile ; quand il se sentait particulièrement lourd et fatigué. Il avait commencé à noter les éléments de sa condition physique en juillet 1849. A la fin de chaque mois, il notait également le nombre de jours de répit dont il avait bénéficié, les moments où il s'était senti parfaitement bien. Ces bons jours allaient de deux à cinq dans les plus mauvais mois jusqu'à vingt ou vingt-neuf parfois. Il marquait les bons jours d'un double tiret.

Il réalisa que ce journal de santé, tout en correspondant à un aspect de son caractère qu'avait encouragé son père, était une sorte de confessionnal. L'écrire était comme se confier à quelqu'un. Ainsi, il pouvait garder ses soucis pour lui et ne pas en surcharger son entourage. Le temps passant, il n'utilisa plus l'hydrothérapie du docteur Gully qu'occasionnellement, abandonnant douches et bains de pieds. Mais dans sa recherche de la bonne santé, il était toujours crédule, prêt à essayer de nouvelles cures que décrivaient les journaux de Londres. En octobre 1851, il essaya les chaînes hydro-électriques qu'on venait de découvrir, s'entourant de fils de cuivre et de zinc alternés, d'abord autour de la taille puis autour du cou. Humectées de vinaigre, ces chaînes étaient censées provoquer des chocs électriques adoucis. Les nuits où il les utilisa, il se sentit bien mais ne put dormir. Il décida donc qu'elles étaient d'une valeur discutable et les abandonna.

Les arbres en bordure du « Sable » poussaient magnifiquement ; les haies de houx étaient maintenant hautes. Les enfants, eux aussi, grandissaient. Et les manuscrits suivaient le mouvement. Ils remerciaient le ciel qu'Emma, quant à elle, s'en tînt là. Ils avaient maintenant sept enfants. Smith, Elder and Co réunirent trois ouvrages distincts dont il était l'auteur : *Récifs coralliens, Iles volcaniques,* et *Observations géologiques sur l'Amérique du Sud* en un seul volume, relié sous toile bleue et pourpre, pour le prix raisonnable de dix shillings et six pence. Son vieil ami William Yarrell lui apprit qu'il se vendait bien et élargissait son public habituel.

La maison de Down House était pleine d'amis et de parents. Il les recevait avec plaisir mais la fatigue d'avoir constamment à communiquer occasionnait parfois de douloureuses rechutes de mauvaise santé. Il refusait alors de voir qui que ce soit. Lorsqu'au bout d'un moment, il se sentait tourner à l'ermite, il envoyait des signaux de détresse, comme il le fit à Joseph Hooker, en lui demandant de le parrainer au Philosophical Club qui venait d'être formé à Londres :

« *Il y a seulement deux ou trois jours, je me plaignais devant ma femme d'avoir abandonné et d'avoir été abandonné par presque toutes mes relations et j'ai pensé au Club qui, autant que faire se peut, me permettrait de conserver mes anciennes connaissances et de m'en créer de nouvelles...* »

En novembre 1853, on lui décerna la Médaille Royale pour ses ouvrages, le plus grand honneur que ses pairs aient le pouvoir de lui conférer. Il écrivit à Joseph Hooker :

« *Dans un an ou deux, je reviendrai à mon livre sur les espèces, si je ne recule pas à la dernière minute.* »

Mais il savait qu'il ne reculerait pas. Et lorsqu'il aurait terminé son livre sur les berniques, il serait un homme libre.

« Libre, vraiment ? Ou ne ferai-je que changer de pénitencier ? Un lieu sans barreaux mais dont je resterai sans doute prisonnier volontaire, toute ma vie peut-être. »

LIVRE DIX

1.

En mai 1855, le second volume des *Cirripedia vivantes* avait été distribué, et le second volume de sa monographie sur les *Cirripedia fossiles* était publié par la Société de Paléontologie.

Charles confessa à Emma : « Si je retombe jamais sur une bernique par hasard, je ferai un détour et passerai mon chemin. »

Les aiguilles à tricoter d'Emma continuèrent à cliqueter au coin du feu ; ils se chauffaient, devant la cheminée de leur chambre à coucher.

« J'ai hâte maintenant de passer au projet suivant.

— Quel projet, cette fois, je me le demande ? »

Il fut stupéfait. Elle ne posait jamais de questions sur son travail. Jamais, depuis qu'il avait lu sa lettre seize ans plus tôt, il n'avait reparlé de sa théorie des espèces avec sa femme. Mais il ne pouvait lui dissimuler plus longtemps que c'était à ce projet qu'il avait l'intention de consacrer le reste de sa vie. Il ne voulait pas rendre Emma malheureuse ; mais il trouvait plus grave de lui cacher quoi que ce soit.

Il fixa longtemps les flammes. Puis il se tourna vers Emma, posa son tricot et lui prit les mains.

« Ma chérie, je vais te faire part de mes plans pour les années à venir ; la vérité totale, telle que je suis capable de la percevoir. J'espère et prie pour que tu n'aies pas à en souffrir. » Ses yeux bruns chaleureux rencontrèrent les siens. Il se leva, tournant le dos à la cheminée.

« Je crois que si tu sais où je veux en venir, mes vues ne te paraîtront plus aussi folles et inconsidérées. Il m'a fallu assez longtemps pour les formuler, et je l'espère en toute conscience. Pourtant ces vues soulèveront inévitablement une opposition. Pour te donner un exemple, la dernière fois que j'ai vu mon ami le botaniste Hugh Falconer à Londres, il m'a violemment attaqué, bien que sans méchanceté et m'a dit : « Vous ferez plus de mal que dix naturalistes ne pourraient faire de bien. Je vois que vous avez déjà corrompu et à moitié contaminé Hooker ! »

Emma n'eut pas de réaction.

« Laisse-moi te résumer brièvement ma conception des moyens qu'emploie la nature pour créer ses espèces. Mes raisons de penser que les espèces ont changé reposent sur des facteurs reconnus : l'embryologie, les rudiments d'organe, l'histoire géologique, et la distribution géographique des êtres organiques. Tu me suis ?

— A peu près.

— Je voudrais être tout à fait clair. » Il s'arrêta un instant. « Prenons par exemple le sujet des organes rudimentaires, atrophiés ou avortés. Des organes ou des parties du corps apparemment inutiles se retrouvent partout dans la nature. Il n'y a pas un seul animal évolué chez lequel on ne retrouve un élément ou un autre sous forme atrophiée. Chez les mammifères par exemple, les mâles possèdent des seins rudimentaires. Chez les serpents, un des lobes des poumons est rudimentaire. Chez les oiseaux, des appendices bâtards peuvent être considérés comme des ailes rudimentaires qui ne permettent plus de voler. Plus curieusement encore, on trouve des dents au fœtus de la baleine, alors que les adultes n'en ont pas une dans la bouche. Ou des dents qui ne percent jamais la gencive sur la mâchoire supérieure des veaux mort-nés.

Il est stupéfiant de voir tout ce que le principe de sélection par l'homme, c'est-à-dire le choix des qualités qu'il désire et les croisements qu'il provoque, arrive à réaliser. Même les éleveurs sont surpris de leurs résultats. Je suis convaincu que la sélection intentionnelle est le principal facteur qui a constitué nos races d'animaux domestiques. L'homme, par sa capacité à accumuler de très faibles ou de plus importantes variations, adapte les êtres vivants à ses besoins. On pourrait dire qu'il rend la laine d'un mouton bonne pour les tapis, celle d'un autre, bonne pour le tissu.

— Mais ces sortes de croisements ne se font que depuis peu, n'est-ce pas ? demanda-t-elle.

— Oui. Mais je crois pouvoir montrer qu'il y a un pouvoir inhérent qui s'exerce, une « sélection naturelle » qui depuis toujours choisit en fonction du bien de chaque être organique. Rappelle-toi que chaque être, même les éléphants, se reproduit à un tel rythme qu'en quelques années, en quelques siècles tout au plus, la surface de la terre serait trop petite pour contenir la progéniture d'une seule espèce. Il m'a toujours été très difficile de ne jamais oublier que l'accroissement de toutes les espèces sans exception est limité à un moment donné de leur vie. Un petit nombre seulement de ceux qui naissent tous les ans vivent pour propager l'espèce. Et quelle infime différence suffit à décider de celle qui doit survivre et celle qui doit périr. »

Emma pâlit.

« Tout cela n'est-il pas antichrétien ?

— Non. Cela ne s'oppose qu'au dogme ; un ensemble de dogmes surimposés assez tard à l'Eglise. Cela ne contredit en rien l'idée de l'existence de Dieu. La nature ne fait que suivre Ses lois.

— Mais ne taxes-tu pas Dieu de cruauté quand tu dis que seul un petit nombre de ceux qui naisssent peuvent rester en vie ?

— Il serait infiniment plus cruel de voir tout ce qui naît sous forme de plante ou d'animal rester en vie. Notre terre serait asphyxiée depuis des millions d'années. C'est seulement par la sélection naturelle, c'est-à-dire par la mort des moins adaptés, que notre monde peut rester habitable. »

Emma se pencha vers lui et, le regarda intensément, les coudes sur les genoux, le menton dans les mains. Elle n'était pas seulement sincèrement religieuse mais avait des croyances très arrêtées. Elle allait régulièrement à l'église et recevait les sacrements du Rév. M. Innes. Elle lisait la Bible à leurs enfants et décourageait toute forme d'activité le dimanche qui demandait l'usage de la voiture à chevaux de la famille. Quand ils étaient encore jeunes mariés, elle avait regretté de voir que Charles ne partageait pas sa foi. Mais elle avait cessé de s'en inquiéter ; à ses yeux, Charles vivait une vie trop exemplaire pour n'avoir pas en lui le sens de Dieu.

« Il est difficile pour moi d'admettre que tous les êtres vivants ne sont pas comme Dieu les a faits, et ne sont pas bénis par lui, et destinés à prospérer.

— Je sais. J'ai eu du mal, moi aussi, jusqu'à ce que s'en présentent des preuves irréfutables. Lyell ne l'accepte pas pleinement et Hooker non plus.

— Je dois respecter tes convictions. Mais comment vas-tu faire admettre une idée aussi irrecevable ?

— Pour pouvoir écrire sur la mutabilité des espèces, leur changement, leur croissance et leur point de départ, il me faudra étudier et accumuler des données sur tous les êtres vivants : plantes et animaux, insectes, poissons, reptiles, l'écorce terrestre avec ses chaînes de montagnes, vallées, plateaux et les mers qui l'entourent. C'est une tâche impossible, aucun homme ne peut connaître tous les secrets de notre monde en remontant au commencement de chaque organisme. Mais quelqu'un doit commencer ! Il y a un proverbe hébreu : « *Ce n'est pas à toi qu'il incombe de terminer la tâche mais tu n'es pas non plus libre de t'y dérober* »... Son exaltation tomba et il se sentit soudain accablé.

Emma plissait le front, se concentrant. Sa voix n'était pas hostile.

« Tu penses avoir été choisi pour cette tâche ?

— Je me suis choisi moi-même, répondit-il avec un demi-sourire ironique.

— Cela revient au même, Charles. Si tu es choisi, alors, il te faut accepter ton destin. Puisque tu cites des proverbes, puise consolation chez Matthieu dans le Nouveau Testament : « *Si cela doit être, que cette coupe passe par mes mains : non pourtant selon ma propre volonté mais selon la Tienne.* »

Il la souleva de sa chaise et la prit dans ses bras.

Il se barricada dans son coin de cabine de poupe, la planche couverte de feutre vert en travers des bras de son confortable fauteuil. Comme il était bon de spéculer à nouveau sur ce travail qui le passionnait tant. Et de retrouver son bureau. En janvier cette année-là, avec deux de leurs fils atteints de bronchite, les Darwin avaient loué une maison à Londres au 17 York place, Baker street, en partie pour le plaisir et en partie pour un changement d'air dont ils pensaient qu'il pourrait faire du bien aux garçons. Mais lorsqu'ils s'installèrent dans la maison qu'ils avaient louée, la ville était sous la neige et les gelées si sévères que la plupart du temps ils ne pouvaient mettre le nez dehors. C'était aussi l'hiver de la terrible guerre de Crimée, les Anglais et les Français se battant contre le tzar pour l'empêcher de s'emparer de parties stratégiquement importantes de la Turquie. L'Angleterre était en deuil de nombreux jeunes gens. Et bien que le poème de Tennyson, *La Charge de la Brigade Légère* ait insufflé un nouveau courage aux esprits, Lyell fit remarquer :

« Vous vous souvenez de ce qu'a déclaré le général français

Bosquet ? “ *Ce fut magnifique, cette charge, mais ce n’est pas la guerre.* ” »

Le mécontentement devant l’inconséquence de la guerre de Crimée conduisit le ministère de Lord Aberdeen à présenter sa démission ; Lord Palmerston devint Premier ministre. La taxe sur les journaux fut abolie, les moins riches pouvaient enfin se permettre de les acheter, surtout le *Daily Telegraph,* à grand tirage, nouvellement fondé. MM. Straham, Paul et Bates, banquiers renommés, furent pris à détourner vingt-deux mille livres de bons pour leur usage personnel. Comme il s’agissait d’hommes bien élevés, dont on attendait une conduite plus correcte — c’est du moins ce que déclara la Cour, — ils furent condamné à la peine sévère de quatorze ans d’exil en Australie.

« L’Australie ! s’exclama Charles, se souvenant de son passage dans ce pays avec le *Beagle.* Un bon pays riche en potentiel. Ils se débrouilleront très bien. Seront propriétaires de vastes ranches, épouseront de jolies Australiennes. Il aurait fallu les condamner à quatorze ans d’exil dans l’un des secteurs les plus miséreux de Londres : Bermondsey, Holborn, le East End. Là on pourrait parler de punition ! »

Il y avait également quelques bonnes nouvelles. Florence Nightingale et un groupe d’infirmières s’étaient rendues à Scutari pour soigner les blessés de la guerre de Crimée. Les boîtes à lettres apparurent pour la première fois dans les rues de Londres, libérant de l’obligation d’aller à la poste pour envoyer une lettre. La reine Victoria et le prince Albert furent invités à un bal à Versailles ; Victor Emmanuel, roi de Sardaigne, qui s’était allié à l’Angleterre et à la France dans la guerre, rendit visite à la reine Victoria et au prince Albert, et fut décoré de l’Ordre de la Jarretière, ce qui laissait augurer de bonnes relations diplomatiques entre les deux pays.

Quand le temps le leur permettait, les Darwin allaient voir les Hooker à Kew. Ils emmenèrent la petite Henrietta, douze ans, à des concerts dirigés par Louis Jullien, ce Français qui avait tant fait pour populariser la musique symphonique en Angleterre, également célèbre pour l’élégance de ses redingotes. Pour leur premier dimanche à Londres, ils louèrent un brougham fermé pour aller déjeuner dans l’élégante maison de quatre étages qu’Erasmus avait achetée depuis peu, au 6 de la rue Queen Ann, non loin du Cavendish Square et de son charmant petit parc.

Ils restèrent un instant devant la maison, à en admirer la façade, dans le froid pénétrant de février. Emma murmura à travers le châle dont elle se couvrait la bouche :

« Notre frère a fait son chemin. Il profite de son héritage.

— Très certainement. Les jeunes membres du Parlement viennent souvent déjeuner chez lui le dimanche. Depuis qu'il s'est lié d'amitié avec l'auteur dramatique Charles Reade, dont les *Masques et Visages* sont si célèbres, on trouve souvent parmi ses invités de séduisants acteurs et de ravissantes actrices. Mais ses proches sont toujours des auteurs : Charles Kingsley, dont tu lis en ce moment le *Westward Ho !,* Anthony Trollope, dont le roman *The Warden* va bientôt être publié ; Willie Collins, dont tu m'as lu à la maison *Antonina* et *Cache-Cache.*

Ils gravirent les marches du perron. Un maître d'hôtel élégamment vêtu d'un costume noir et d'une chemise blanche amidonnée leur ouvrit au premier coup de heurtoir et prit leurs manteaux. Ils avancèrent vers la cheminée de marbre dans le salon aux plafonds hauts avec ses panneaux de bois sculptés et ses seaux de cuivre remplis de charbon de chaque côté. Emma resta debout devant la flamme, les bras tendus, pour se réchauffer. Charles tourna le dos à l'âtre. « Curieux comme le goût change, fit remarquer Emma. L'atmosphère de l'ancienne maison de Ras était plus légère. Depuis qu'on suit le style de la reine Victoria, les salons sont beaucoup plus sévères. Regarde ces fenêtres couvertes de lourds rideaux épais, et ce satin sombre qui tapisse les murs, avec des dessins dans des teintes plus foncées. »

Ce que le salon d'Erasmus avait de plus frappant encore, c'était la quantité de meubles qui encombraient la pièce, et l'étalage de sa collection de boîtes de porcelaine, de petits paravents filigranés, de grands et de petits vases, de figurines, de pendules élaborées, de plantes. Des broderies recouvraient le dossier des chaises sculptées à la main. Il y avait ici ou là une belle pièce anglaise, simple et magnifiquement exécutée, un secrétaire ou une desserte, car Erasmus s'était mis à hanter les boutiques d'antiquaires de Londres.

« Est-ce que cela te plaît ? demanda-t-il à son frère. C'est tout à fait fini maintenant. Il m'a fallu deux ans pour tout arranger exactement comme je le voulais. »

Il s'était glissé dans la pièce, fleurant bon l'eau de Cologne, élégamment vêtu d'une veste de smoking de velours bleu et d'un pantalon gris bien taillé, serré dans ses bottes brillantes.

« C'est charmant, Ras, dit Emma. Vous avez un goût très sûr. »

Le premier arrivé fut Thomas Huxley, dont la vibrante personnalité faisait trembler les murs aussi bien que les idées toutes faites. Il s'inclina courtoisement devant Emma et secoua vigoureusement la main de Charles.

« Je suis venu tôt exprès, Darwin, confia-t-il. J'espérais bien vous trouver seul pour vous demander de m'excuser.

— Mais de quoi donc grands Dieux ?

— D'être un pareil idiot. Lorsque je vous ai rencontré, je vous ai fait part de ma conviction qu'il y avait des lignes de démarcation bien distinctes entre les espèces, avec toute l'insolence d'un ignorant. L'amabilité avec laquelle vous m'avez déclaré être d'un autre avis m'a vivement impressionné et m'a laissé longtemps perplexe. Mais des années de travail acharné me permettent de comprendre ce que vous vouliez dire.

— Je suis heureux d'entendre cela, Huxley. Les espèces ont besoin d'amis.

— Ne me rangez pourtant pas encore au rang des convertis, Darwin. Je n'ai pas la plus petite objection à opposer au récit de Milton, dans lequel il illustre de façon si vivante et naturelle le sens de la Création : « *Je me garderai bien de dire que cela n'est pas vrai parce que c'est impossible.* »

Et pendant que Charles riait franchement, Emma demanda avec sollicitude :

« Quelles nouvelles de votre fiancée, Miss Heathorn ? »

Le visage franc d'Huxley s'illumina d'un sourire.

« Elle et ses parents sont en ce moment sur un bateau qui les ramène de Sydney en Angleterre. Ayant attendu pendant sept ans, nous devrions, je pense, nous marier immédiatement. Je peux subvenir à ses besoins maintenant, bien que tout juste, avec mes deux cents livres par an de conférencier à l'Ecole gouvernementale des Mines, en plus de mon salaire au *Geological Survey.* Je suis pourtant mortellement inquiet, ajouta-t-il en s'assombrissant. D'après les lettres de son père, elle est en très mauvaise santé. »

Les invités d'Erasmus commencèrent à arriver. C'était un défilé de mode comme les Darwin avaient rarement l'occasion d'en voir. Les femmes portaient des toilettes compliquées, avec des chapeaux bordés de fleurs, de dentelles et de rubans, portés suffisamment en arrière pour laisser le visage découvert. Les plus osées avaient adopté les nouvelles couleurs vives, bleu, doré avec des reflets verts, rose et jaune ; les plus conservatrices en restaient aux bruns et aux verts sombres avec des nattes fantaisies, des bouquets de fleurs sur leurs châles légers et des mousselines imprimées. C'était les robes de soie sur des crinolines, la dernière nouveauté, qui attiraient le plus l'attention.

« Ma parole, s'exclama Emma en parlant à Charles, près de ces femmes élégantes, je me sens comme une campagnarde.

— Dans la nature, répondit Charles, c'est le paon mâle qui a le plus beau plumage. Veux-tu bien admirer ces pardessus serrés à double rangée de boutons... et ces queues de pie échancrées sur le côté ! »

Les hommes rivalisaient d'éclat avec les femmes : des cachemires, de la soie et du velours, bleu marine et vert foncé pour aller avec la couleur des tissus écossais. Leurs courtes bottes de cuir souple s'arrêtant à la cheville brillaient comme des miroirs. Quelques artistes, parmi les amis d'Erasmus, portaient des toques de velours ou de cachemire.

« C'est l'habit qui fait le gentilhomme, fit remarquer Charles amusé. Dans quelques heures nous saurons ce que cachent ces vestes recherchées. Mais il faut admettre qu'elles sont décoratives. »

Il allait de groupe en groupe, écoutant les échanges. C'était brillant, animé, spirituel, quelquefois méchant lorsqu'on passait au crible les pièces de théâtre, les œuvres musicales, ou les livres les plus récents ; on critiquait la politique de Whitehall de façon acerbe, et on s'étendait avec complaisance sur les derniers potins et scandales de la cour.

Le déjeuner fut annoncé. La salle à manger n'était pas moins élégante. Une cheminée de marbre blanc sculpté dans laquelle brûlait un bon feu, une longue table de bois de rose sous un chandelier de cristal. Des domestiques stylés pour servir les hors-d'œuvre du buffet, turbot à la sauce crevette, poulet en fricassée, faisan froid, galantine de veau, salade, tarte aux pommes à la crème, fruits en gelée, crème caramel.

Le froid dehors, la gaieté des conversations du salon, et le fait qu'il était déjà trois heures de l'après-midi, donnait aux invités d'Erasmus un appétit solide. Charles et Emma mangèrent également à belles dents. Si incroyable que cela puisse paraître, tous les plats copieux, arrosés de carafes toujours remplies d'un excellent vin blanc furent engloutis, et les longs buffets Chippendale se retrouvèrent aussi vides qu'un champ de bataille après le départ des troupes.

Erasmus les raccompagna jusqu'à la porte.

« Tu as réussi ce que tu avais dans la vie pour ambition de faire, Ras, dit Charles.

— Oh ! ne le prends pas de trop haut avec moi, Charles. Je ne suis pas moins perfectionniste que toi. Je travaille méticuleusement à faire de chaque réunion une rencontre inoubliable. Les gens qu'il faut, les nourritures et les boissons qu'il faut, l'ambiance qui permettra aux conversations et aux amitiés de fleurir. Tu n'imagines pas le nombre d'hommes et de femmes, créateurs de premier rang, qui, s'étant rencontrés ici pour la première fois, y ont établi des relations qui ont enrichi leurs vies.

— Je n'en doute pas un seul instant », répondit Charles d'un ton conciliant.

2.

Ils se retrouvèrent à Down House vers la mi-février ; il y avait encore de la neige, cette année-là. Les enfants emmitouflés dans leurs manteaux et écharpes de laine marchaient à la hauteur des pointes de fer de la clôture, sous ses fenêtres pendant que Charles écrivait un article sur les sillons et cicatrices que creusent les icebergs dans tous les paysages qu'ils traversent. Il fut publié dans le *Journal of Science.* Il se plongea ensuite dans le livre de son ami Thomas Wollaston sur les insectes de Madère, dont il trouvait les descriptions admirables mais le raisonnement aussi plein de fissures qu'une vieille péniche sur la Tamise. Wollaston était un entomologiste et un conchologiste, diplômé de Jesus College à Cambridge. Il supposait l'existence d'une sorte d'insectes volumineux avec un embryon d'aile dont Charles n'avait pu le faire démordre. Lorsque Hooker vint le voir, Charles lui montra le chapitre incriminé.

« Hooker, n'est-ce pas là une belle collection d'affirmations gratuites ?

— Totalement invérifiables en effet. »

Cette sorte d'insectes dotée en principe d'ailes embryonnaires ramena Charles en pensée à ces cormorans incapables de voler des îles Galapagos. Il avait été extrêmement surpris, tout comme FitzRoy et Benjamin Bynoe, de voir ces oiseaux qui ne pouvaient plus voler. Personne à bord du *Beagle* n'avait pu avancer la moindre explication et ce n'est qu'après de longues recherches sur les organes rudimentaires qu'aujourd'hui, il commençait à en comprendre la raison.

Il parla à Hooker de sa journée sur Albemarle, dont le souvenir, ce jour-là, dans son bureau, lui revint de façon très vivante. La provision d'eau du bateau était insuffisante et chacun ne recevait que demi-ration, un demi-gallon par personne, ce que le soleil vertical de l'équateur rendait extrêmement pénible. Charles s'était rendu à terre mais n'avait trouvé qu'une eau saumâtre. C'est là, sur Albemarle, qu'il avait vu les cormorans se nourrir sur les roches basses, avec des ailes qui n'étaient plus que des moignons bordés de plumes ébouriffées. Il y avait quantité de nourriture sur les roches ; nul besoin de voler au-dessus de l'eau pour aller pêcher ; il n'y avait ni prédateurs ni grands oiseaux de proie. Les ailes des cormorans s'étaient atrophiées parce qu'ils n'en avaient plus besoin. Inutilisées, les ailes des sédentaires s'étaient réduites, perdant l'envergure qui avait dû leur permettre de mouvoir leurs corps lourds dans les airs ; de même d'autres organes, chez tous les êtres vivants, disparaissaient virtuellement s'ils perdaient leur fonction.

Joseph Hooker tira doucement sur le poil de ses sourcils, aussi luxuriants que les plantes tropicales du jardin de Kew.

« Impossible de vous contredire sur ce point.

— N'est-ce pas ? Dieu n'aurait jamais créé un oiseau aux ailes en forme de moignon, incapable de voler ! C'est le temps et le changement qui ont créé le cormoran qui ne vole pas. »

Au commencement de 1855, il avait abandonné ses notes quotidiennes sur sa santé, un journal qu'il avait tenu pendant cinq ans et demi. Il aimait prendre des notes pour le plaisir mais ses observations quotidiennes n'avaient su découvrir aucune régularité dans ses attaques chroniques.

Il ne passait qu'une partie de son temps dans son bureau ; le reste de la journée, il travaillait dehors sur les squelettes de poussins, de canards, de dindes, essayant de déterminer combien de variations comportait chaque espèce.

En travaillant sur de petits poulets, il innova un système de mesure de leurs membres en touchant leurs jointures. Il étudiait les squelettes de vieilles dindes ; il fit très précisément mesurer chevaux de trait et chevaux de course. Il apprit que l'un de ses collègues naturalistes avait collectionné quarante variétés du canard ordinaire. Il commença à étudier simultanément la structure de l'oreille et de l'œil de centaines d'oiseaux, gibier, reptiles, très conscient de leur finesse et de leur complexité.

Il se mit à faire bouillir des canards sur un feu de bois que le nouveau jardinier, le jeune Lettington, qui avait remplacé Comfort maintenant à la retraite, ne cessait d'alimenter, devant leur appentis. Ses sept enfants (car William était rentré de Rugby pour passer quelques jours à la maison) étaient intrigués par son travail avec le gibier ; ils s'étaient fatigués des berniques bien avant leur père. Ils le taquinaient en criant :

« Oh ! la bonne odeur de canard bien cuit ! »

Au lieu de se plaindre de la puanteur, Emma lui demanda s'il ne voulait pas faire construire une petite cabane pour la cuisson à l'autre extrémité du jardin potager.

« J'entre dans une nouvelle phase maintenant. L'étude des pigeons. Yarrell m'apprendra tout ce que je dois savoir pour qu'en allant chez les éleveurs en acheter, je ne me laisse pas trop rouler. Non, ajouta-t-il avec un sourire, je n'ai pas l'intention de les faire bouillir. »

Chez le principal marchand de Londres, Bailey, il acheta plusieurs paires d'oiseaux de choix, queue en éventail et grosse gorge. Bien qu'il n'ait jusqu'alors guère prêté d'attention aux pigeons, il était ravi de son achat et construisit, pour le plus grand plaisir des enfants, un vaste pigeonnier.

Au printemps, Joseph Hooker fut nommé directeur adjoint des Jardins Botaniques Royaux de Kew. Joseph et sa femme Frances Henslow, qui avaient déjà deux enfants et en attendaient un troisième, obtinrent également la maison près des grilles pour y vivre.

Hooker avait avec Charles à peu près la même relation que Charles avec Henslow. Si surchargé de travail qu'il soit (essayant de gagner sa vie en étant, par exemple, répétiteur de botanique pour les étudiants en médecine, tout en terminant son livre sur la faune et la flore de Nouvelle-Zélande et des Indes) il n'était jamais trop fatigué pour répondre aux lettres de Charles et aux douzaines de questions sur la botanique qu'elles contenaient.

Début juin, Charles et Miss Thorley, la gouvernante des enfants depuis toujours, firent une collection de toutes les plantes qui poussaient dans un champ d'abord cultivé, qu'on avait ensuite laissé en friche. Puis ils collectionnèrent les plantes d'un champ voisin pour déterminer celles qui venaient tout juste d'arriver et celles qui avaient disparu.

« Comme il est difficile de donner un nom aux plantes ! s'exclama Charles en considérant leur butin. Nous aurons besoin de l'aide de Hooker pour identifier celles qui resteront pour nous un mystère. »

Il avait découvert au cours de son voyage sur le *Beagle,*et des années de vastes lectures par la suite l'avaient confirmé, que des espèces végétales aussi bien que d'animaux ou d'oiseaux pouvaient se trouver sur des îles très éloignées les unes des autres où il était impossible aux plantes et aux animaux d'arriver par eux-mêmes, seuls les plus gros oiseaux étant capables d'y parvenir en volant. Les traditionalistes avaient une explication toute faite pour cela :

« La création spontanée par Dieu de toutes les formes de vie sur tous les points de la planète ».

Charles ne le croyait pas. Il avait en théorisant élaboré une réponse partielle : le mouvement des graines et des oeufs sur des bouts de bois transportés par la mer, des conglomérats de rondins ou d'algues, dans les griffes ou les intestins d'oiseaux migrateurs expulsant les excréments de ce qu'ils avaient ramassé ailleurs.

Il demanda à Hooker :

« Est-ce que des graines, des œufs ou du sperme peuvent rester vivants pendant des centaines de miles dans l'eau salée, pendant des jours, des semaines, des mois, et éclore sur quelque rivage lointain ?

— C'est possible, répondit Hooker, mais ce sera à vous d'en apporter la preuve.

— Je tiens, aussi souvent que c'est possible, à prouver les faits. Je sais que vous ne vous moquerez pas et considérerez mes expériences en bon chrétien. Je vais me procurer des graines de toutes sortes, ainsi que des œufs nouvellement pondus, les mettre dans des éprouvettes et des bocaux pleins d'eau salée, noter combien de temps ils restent en vie hors de leurs récipients pour, une fois plantés, se développer normalement. Si toutefois vous n'y voyez aucune objection.

— Diable non ! s'écria Hooker. Seriez-vous fâché si je conduisais quelques expériences de même nature à Kew Gardens ? Moi aussi, je veux savoir si les graines peuvent flotter.

— Faites l'expérience avec moi. Elles flotteront, car il faut qu'elles flottent. »

Il acheta des bocaux et de vieux morceaux de bois de toutes les tailles, les plaça en rangs le long du potager, les remplit d'eau salée en gardant la température entre trente-deux et trente-trois degrés centigrades, la température de l'océan, selon la moyenne qu'il avait établie sur plusieurs années. Les enfants aimaient ce nouveau jeu que leur père, ils en étaient secrètement persuadés, jouait pour eux. Emma, qui ne voulait prendre aucune part à ses dissections d'animaux ou de gibier à plume, pour ne rien dire des berniques, s'y intéressait elle aussi. Les enfants étiquetèrent les bouteilles et chacun des baquets de bois à l'extérieur. Emma offrit de noter l'état des graines jour après jour. Elle ne se doutait pas le moins du monde qu'il puisse s'agir d'un des éléments-clefs du traité de son mari sur l'origine des espèces.

Il commença par des graines de radis, de cresson, de chou, de laitue, de céleri et d'oignon. Pendant une semaine, on les conservait dans les baquets puis on les sortait pour les planter en terre. Les enfants ne cessaient de venir en courant dans son bureau pour lui dire :

« Papa, papa; viens voir, les céleris et les oignons commencent à pousser. »

Il observa que le cresson et la laitue poussaient très rapidement, mais les choux de façon très irrégulière. Au bout de trois semaines, cresson et laitue poussaient toujours vigoureusement.

« Ma parole ! fit Charles, j'ai du mal à croire à notre succès. »

Les enfants demandèrent : « Est-ce que tu battras le docteur Hooker ? » Le paquet de graines suivant qui tremperait dans l'eau salée était constitué d'épinards français, d'orge, de houblon, de chiendent et de betteraves. Après deux semaines d'immersion, puis trois, il les sortit et les planta. Il savait que ces durées étaient trop courtes pour permettre à des graines de dériver très loin sur des radeaux. Mais lorsque les robustes graines d'oignons et de céleri germèrent après quatre-vingt-cinq jours de vie dans l'eau salée, il s'écria :

« C'est un triomphe. Cela prouve que certaines formes de vie peuvent flotter sur les océans et se reformer sur des îles ; tout comme sur d'autres continents lointains. »

Il écrivit à Henslow, demandant à son vieux professeur d'offrir six pence aux petites filles de sa paroisse qui collectionneraient des graines pour lui. Elles arrivèrent en quantités et il les paya en timbres. Il conduisit une autre expérience en accord avec la Zoological Society de Londres. Il écrivit à Hooker :

« *Les poissons de la Zoological Society ont mangé quantité de graines ayant trempé dans l'eau salée. Dans mon imagination, ils avaient été avalés par un héron, et les graines, transportées pendant des centaines de miles, rejetées sur les rives d'un autre lac, avaient magnifiquement germé. Malheureusement, les poissons rejetèrent les graines avec violence.* »

Son cousin Fox lui envoya des pigeons. Il interdit la cabane à Emma mais permit aux aînés des enfants de rester. Il écrivit à Fox :

« *J'ai commis ce noir forfait et assassiné un angélique petit pigeon à l'âge de dix jours. J'ai essayé le chloroforme et l'éther pour le premier.*

Pour le second, j'ai préféré mettre des grumeaux de cyanure de potassium dans un large flacon humide une demi-heure avant d'y placer le pigeon : le gaz d'acide prussique ainsi obtenu a été rapidement fatal. »

Il avait besoin de savoir si les œufs de serpent et de lézard nouvellement pondus pouvaient flotter dans l'eau salée assez longtemps pour peupler d'autres terres. Il demanda à Fox :

« *Puisque vous vivez dans une région sablonneuse, avez-vous communément des lézards ? Si oui, pensez-vous qu'il soit ridicule d'offrir une récompense aux garçons de votre école qui pourraient me trouver des œufs de lézard ? Un shilling pour la demi-douzaine, ou plus, s'ils sont rares, jusqu'à ce que vous en ayez deux ou trois douzaines et puissiez me les envoyer ? Si des œufs de serpent venaient à s'égarer parmi eux, cela n'en serait que mieux car j'en cherche aussi. Et nous n'avons ni lézards ni serpents par ici.* »

Au fil des semaines et des mois, il remplissait des centaines de pages de notes décousues sur tous les bouts de papier qui lui tombaient sous la main, même sur de vieilles enveloppes, notant les résultats de ses expériences. Les douzaines de tiroirs qu'il avait fait construire dans son bureau commençaient à se remplir. C'étaient ses mines d'observations et d'informations. Il n'était que rarement découragé, quand la théorie et les faits ne s'harmonisaient pas.

Il fit une rencontre fructueuse en la personne d'un Américain, Asa Gray, à Kew Gardens, que lui présenta Joseph Hooker. Le docteur Gray, professeur de botanique à Harvard, auteur d'un *Manuel de Botanique du nord des Etats-Unis,* lui communiqua des informations précieuses sur les plantes d'Amérique. Charles se rendit également à Londres pour assister aux réunions du « Southwark Columbarium » ou de la « Pigeon Fancier Society », qui se retrouvaient à sept heures à la Taverne Yorkshire Grey, 4 Park street Borough Market, à peu près à dix minutes de marche de la gare de London Bridge, près de la Tamise. C'était un quartier de Londres où il allait rarement depuis qu'il s'était installé à la campagne.

En se rendant à Rugby pour voir Williams qui avait attrapé les oreillons, il dit à son aîné :

« Je viens de rencontrer un groupe d'hommes bizarres qui se réunissent dans une taverne dirigée, crois-le si tu veux, par une femme, une certaine Miss Victoire Arden.

— Et que préfère Miss Arden ? demanda William malicieusement, les hommes bizarres ou les pigeons ?

— Les hommes bizarres. Ils dépensent plus d'argent pour la boisson. »

Ses garçons étaient des chasseurs de papillons. Comme la plupart des jeunes lépidoptéristes néophytes, ils méprisaient les chasseurs de scarabées. C'était également une façon de faire enrager leur père. Il avait su éveiller chez eux un intérêt pour l'histoire naturelle mais il se gardait bien de leur donner des spécimens. Les jeunes devaient constituer leurs collections eux-mêmes pour acquérir cette passion. Emma avait donné à ses enfants le sens du devoir et des bonnes manières ; pourtant, chacun d'eux avait un sens très aigu de son indépendance. Un jour, dans le salon, Charles trouva le petit Leonard, cinq ans, qui sautait à pieds joints sur leur sofa de velours rouge.

« Leonard, je t'ai déjà dit que je ne voulais pas te voir sauter sur ce sofa.

— Eh bien papa, si tu ne veux pas me voir, tu n'as qu'à quitter la pièce. »

Pendant l'été et l'automne, il s'intéressa aux poules et aux coqs, essayant d'établir les différences de structure des os, le poids, le nombre de plumes de la queue pour pouvoir déterminer les véritables variations. Il avait découvert que la mise à mort des jeunes oiseaux affectait Emma et les enfants. Maintenant, il s'adressait à un éleveur, M. Baker, qui lui vendait des pigeons, des lapins et des canards morts. Son fournisseur attitré restait son cousin Fox, malgré le lumbago qui le faisait continuellement souffrir. Charles écrivit également vingt lettres à des éleveurs connus et à des peaussiers professionnels pour acquérir des peaux de volailles et de pigeons.

Et il pensait :

« Il y a trente ans, on disait souvent que le rôle des géologues était d'observer et non de théoriser ; je me souviens avoir entendu quelqu'un dire que, dans ce cas, on aurait aussi vite fait de descendre au fond d'un puits et de compter les graviers un par un, en décrivant leur couleur. Comment peut-on ne pas comprendre que toute observation doit infirmer ou confirmer une théorie quelconque si l'on veut qu'elle ait la moindre utilité ? »

3.

C'est à l'automne de 1855 que, prenant un numéro qu'il venait de recevoir des *Annals and Magazine of Natural History,* revue à laquelle il était abonné, il se mit à lire un article d'Alfred Russel Wallace intitulé « *De la loi qui a présidé à l'introduction de nouvelles espèces.* » Le titre le fit sursauter. L'idée que quelqu'un d'autre puisse travailler dans les domaines peu conventionnels qu'il avait commencé à explorer quelque dix-huit ans plus tôt, en 1837, ne l'avait jamais effleuré. Il prit une pincée de tabac à priser dans le pot vert de l'entrée, et lorsqu'il se mit à lire, un nouveau choc l'attendait :

« *Distribution géographique dépendant des changements géologiques.*

Tout naturaliste qui a pris la peine d'observer la distribution géographique des animaux et des plantes ne peut qu'être fasciné par les singularités que ce phénomène présente...

Un pays ayant des espèces, des genera, et des familles entières qui lui sont particulières, le doit nécessairement au fait d'avoir été isolé pendant un temps suffisamment long pour que beaucoup d'espèces se soient créées sur les types préexistants, qui, tout comme de nombreuses espèces formées plus tôt, se sont éteintes, donnant ainsi l'impression de groupes isolés... »

Il se leva et fit les cent pas dans la pièce, profondément perturbé. En consultant le sommaire, il vit que l'article avait été écrit par un jeune homme qu'il se souvenait avoir brièvement rencontré au British Museum deux ans plus tôt. Il avait également lu un chapitre ou deux des *Voyages sur l'Amazone,* de Wallace, chez Lyell, et pensé que c'était un naturaliste fin et méthodique. Alfred Russel Wallace, qui venait d'avoir trente-deux ans, était sur le point de s'embarquer à l'époque pour une expédition à Singapour, Bali, les Célèbes, Malacca : la région de l'archipel Malais que les naturalistes n'avaient encore ni scientifiquement ni systématiquement explorée. Wallace avait dit à Charles :

« Ce sont mes études au département des Insectes et des Oiseaux de ce musée qui m'ont fait choisir Singapour comme point de départ de mes collections d'histoire naturelle. J'aimerais voyager pendant plusieurs années, comme vous l'avez fait sur le *Beagle* et Hooker sur l'*Erebus.* Je ne suis pas marié, si bien que j'ai tout mon temps. »

Il essaya de se remémorer Wallace ; d'allure quelconque, plutôt rondouillard, des yeux curieux mais non agressifs. Charles se souvenait que, comme Wallace n'avait pas d'argent, il avait dû présenter son projet à Roderick Murchinson, alors président de la Royal Geographical Society, et c'est celui-ci qui avait appuyé sa demande au gouvernement pour qu'on lui accorde le passage vers le Pacifique et l'Orient, sur un bateau en partance pour Singapour, faisant voile au début de 1854.

Charles reprit l'article. Il n'avait été publié que dix-huit mois après le départ de Wallace !

« Stupéfiant, qu'il ait pu en comprendre autant en si peu de temps », se dit-il, le cœur battant. Puis il alla tout droit au paragraphe de conclusion des dix-neuf pages d'observations et d'exemples donnés par Wallace :

« *Cette loi qui veut que « Toute espèce est venue à l'existence en coïncidant, à la fois dans le temps et dans l'espace, avec une espèce préexistante qui lui est étroitement apparentée » est la seule qui rende intelligibles un grand nombre de faits isolés jusqu'alors inexpliqués...* »

Il n'en croyait pas ses yeux. Alfred Wallace avait découvert cette théorie révolutionnaire et la formulait presque dans les termes mêmes qu'il aurait employés. C'était tout bonnement incroyable ! Au cours de sa lecture, il s'était senti tour à tour vexé, déçu, furieux et frustré. Il sortit de son bureau, prit son manteau, son chapeau et sa canne, et se dirigea vers le Sable. Il ne prit pas la peine de compter les silex mais fit deux tours avant de se sentir un peu calmé. Wallace avait observé les faits et les avait groupés en une théorie des espèces, mais il n'avait pas découvert le phénomène de *la sélection naturelle.*

Il découpa l'article et le mit dans un tiroir. Et, en le rangeant, il le chassa délibérément de son esprit.

Mais pas pour longtemps.

Il dînait avec Lyell à Londres, avant une réunion de la Société, lorsque celui-ci lui demanda :

« Avez-vous lu l'article d'Alfred Wallace dans *Les Annales ?*

— Je l'ai lu.

— Excellent, ne croyez-vous pas ?

— D'une importance capitale !

— Et il vient chasser dans vos eaux, non ?

— Sur mes talons. Mais il n'a aucune idée de qui cause le changement des espèces.

— Et vous ?

— Je répondrai à cela plus tard.

— J'ai commencé moi-même un travail sur les espèces après avoir lu l'article de Wallace.

— Vous... ! Depuis des années que je vous parle des espèces, il vous a fallu attendre l'article de Wallace pour vous y mettre ?

— Lorsque vous étiez seul dans ce domaine, je n'en voyais pas l'utilité. Mais maintenant que vous êtes deux... »

L'article n'avait pas échappé non plus à un autre naturaliste ami, Edward Blyth, conservateur du Musée de la Société Asiatique du Bengale, une autorité sur les oiseaux et les mammifères des Indes. Dans une lettre qui communiquait à Charles des informations sur la flore indienne, Blyth lui demandait :

« *Que pensez-vous du papier de Wallace dans* Les Annales ? *Bon ! Dans l'ensemble !... Wallace a, je crois, correctement formulé les choses ; et d'après sa théorie, les diverses races d'animaux domestiques se rangent de façon acceptable en espèces.* »

Cette lettre était encore plus dérangeante pour Charles que sa conversation avec Lyell.

Wallace découvrirait-il également le principe de la sélection naturelle ? A quoi auraient donc servi tant d'années de travail et de recherches personnelles ? Allait-il perdre la paternité de cet important concept ?

« Bien sûr que non ! s'écria-t-il en direction des rayonnages du bureau. C'est totalement idiot. Et totalement égocentrique aussi. Wallace est un jeune naturaliste consciencieux et brillant. Je dois l'aider autant que je le peux, tout comme Lyell m'a aidé. »

Janvier 1856 fut un mois désagréable pour la famille. Emma souffrait de maux de tête inhabituels. Les enfants avaient des grippes qui les forçaient à rester à la maison. Il se réfugia dans son bureau, devant le bon feu allumé par Parslow, annotant des livres récemment arrivés, écrivant sa correspondance et digérant ses lettres, accumulant des informations sur les particularités des œufs de par le monde, et les variations de couleur chez les canards et les moutons. Rares étaient ceux qui auraient pu travailler comme lui avec ces milliers de faits sans rapport sur la vie animale ou celle des plantes et étudier quelle fonction ils remplissaient.

Lui seul connaissait son grand projet. Parfois, il échouait, se décourageait parce qu'une de ses lignes de recherche n'aboutissait pas. Pourtant, il doutait rarement de la justesse de son concept de base : les espèces se développaient, changeaient et s'adaptaient depuis les commencements de la Terre, à partir de leur première forme de vie, des millions d'années plus tôt. Il était fermement persuadé que sa théorie était un vaisseau solide et tiendrait l'eau. Mais il voulait être prudent, ouvert et éviter le dogmatisme.

Quelques nouvelles peu réjouissantes provenaient de Londres : on avait trouvé un cadavre dans une ruelle, celui de John Sadleir, docteur en Physique, qui s'était suicidé après avoir été impliqué dans des fraudes bancaires s'élevant à un demi-million de livres. Cela choqua considérablement les Anglais et provoqua une série d'articles sur des personnages de la bonne société coupables de piocher dans le trésor public, causant un préjudice irréparable aux dépositaires, fermiers et commerçants. Certains allaient jusqu'à penser que la confiance des Anglais dans les classes dirigeantes en était ébranlée. Pour ajouter à l'insécurité générale, le très célèbre théâtre de Covent Garden brûla totalement au cours d'un bal masqué qui avait dégénéré en soûlographie et en orgie. Cette perte fut compensée en partie par l'ouverture triomphale d'un nouvel opéra, Piccolomini. Charles promit à Henrietta de l'y emmener. Il conduisait également souvent les enfants au Crystal Palace que la Brighton Railway Company avait acheté en 1854 pour soixante-dix mille livres, et qui avait été déplacé à Sydenham, à huit miles de Down.

Fin mars, un traité fut signé qui mettait fin à la guerre de Crimée ; mais il fut immédiatement suivi d'une déclaration de guerre à la Perse, puis du bombardement de Canton, qui marqua le début d'une guerre de conquête de la Chine par la Marine Royale.

« Ce vieux proverbe qui dit que rien n'est certain que les impôts et la mort, rumina Charles, doit être modifié en : “ les impôts, la mort et la guerre ”. Malthus pourrait-il soutenir que les guerres sont nécessaires pour éliminer les excès de population ? »

Il commentait les nouvelles quotidiennes, en tenant compte de l'âge des enfants qui l'écoutaient. A Emma, il ne cachait rien ; elle ne se laissait pas émouvoir aussi facilement que lui. On sentait chez elle la conviction que les journaux n'étaient qu'un joujou plein d'encre, fabriqué chaque jour pour la distraction d'hommes sans cervelle. Les jours passaient comme passaient les nouvelles. Ne durait et n'avait d'importance à ses yeux que le bien-être de son mari, de ses enfants, de sa maison.

C'est vers la fin d'avril 1856 qu'il se résolut à réunir tous les éléments dont il disposait et à faire subir à ses hypothèses une première épreuve du feu. Il invita à Down House Charles Lyell, Joseph Hooker, Thomas Huxley et Thomas Wollaston, avec leurs femmes. Il fallut un échange de lettres de plusieurs semaines pour obtenir que tous quatre puissent se retrouver ensemble à Down House. C'était moins l'accord de ses quatre amis qu'il recherchait que les critiques sérieuses qu'ils pourraient formuler contre sa thèse fondamentale.

En cette année 1856, Lyell n'avait publié encore qu'un article, mais ses *Principes de Géologie* en étaient à leur neuvième édition augmentée. Joseph Hooker poursuivait son travail sur la *Flore de Tasmanie.* Thomas Huxley était marié depuis moins d'un an. La santé de sa femme, que les médecins disaient perdue, avait été guérie par le mariage. Il était depuis deux ans conférencier à l'Ecole des Mines. Il avait refusé la chaire d'Histoire Naturelle à Edimbourg parce qu'il préférait travailler à Londres. Thomas Wollaston, à trente-quatre ans, s'était consacré à l'étude des scarabées de Madère, du Cap-Vert et de Sainte-Hélène, où il avait cru trouver des faits pour étayer sa croyance en un continent submergé, Atlantis, sa marotte.

En fin d'après-midi, un vendredi, les invités et leurs bagages se retrouvèrent devant le perron de Down House. Emma, mettant plusieurs enfants dans une même chambre, en avait libéré quatre pour les invités. Elle avait également engagé une villageoise pour l'aider à la cuisine. Lorsque les invités se furent rafraîchis et descendirent prendre un verre de sherry au salon, elle leur dit :

« J'imagine qu'en voyageant toute la journée, vous n'avez pas eu le temps de faire un vrai déjeuner. Si vous voulez traverser le couloir, je crois pouvoir réparer cela. »

La table était splendide, avec une demi-douzaine de chandeliers. Sally avait préparé du saumon grillé, du veau au curry avec des croquettes de pommes de terre, un pudding à la confiture de pommes auquel, comme au reste, les invités firent largement honneur. Tout le monde parlait et riait en même temps. Le saumon n'était pas fini qu'ils entamèrent une discussion sur l'époque glaciaire ; s'il était possible aux plantes du Nord de se déplacer jusqu'à l'Equateur, comme les groupes humains l'avaient fait ; si les seules créatures a avoir survécu après la fonte des glaces étaient celles qui avaient pu grimper, génération après génération, en haut des montagnes, comme à Ceylan, à Java, ou dans les *Organ Mountains* au Brésil. Les femmes parlaient moins fort que les hommes et poursuivaient en même temps des conversations de mères de famille.

Après le dîner, tout le monde retourna au salon ; Emma joua du piano pour les invités. Charles sortit deux jeux de jacquet. Ils se retirèrent tôt car Charles avait demandé à ses collègues de redescendre à sept heures pour le petit déjeuner. A huit heures, les cinq hommes avaient fermé sur eux les portes du bureau. Puisque Charles

Lyell était le doyen du groupe, à cinquante-huit ans, Charles insista pour qu'il prenne le fauteuil d'angle. Darwin, quarante-sept ans, prit place à la droite de Lyell ; Hooker, trente-neuf, à sa gauche, et Huxley, le plus jeune, trente ans, dut se contenter du tabouret rembourré que Charles avait utilisé pendant des années pour disséquer ses berniques.

Charles jeta un coup d'œil circulaire sur ces visages bien rasés, ces regards vifs qu'il savait refléter des esprits exigeants. Tous cinq avaient voyagé dans des terres exotiques et lointaines, avaient bravé le danger pour ramener des trésors pour la science.

« J'aimerais tout d'abord vous demander votre opinion en ce qui concerne la distribution géographique des plantes et des espèces animales à travers le monde. Je crois qu'il existe une explication pour les ressemblances qu'on constate entre des êtres qui vivent sur des terres ou des îles très distantes les unes des autres.

— Il y en a une, répondit Joseph Hooker, et ce n'est pas votre théorie des graines flottant sur les océans. A une certaine époque dans notre histoire géologique, il y avait de vastes continents qui reliaient des lieux aussi éloignés que la Nouvelle-Zélande et l'Amérique du Sud. Il y avait d'autres continents, perdus depuis, qui constituaient un cercle complet autour du monde ; des centaines de petites îles sont le sommet de continents submergés.

— Je suis d'accord, dit Wollaston avec force. Je suis convaincu que le continent que Platon appelait Atlantis était une masse continentale qui permit aux diverses espèces de scarabées de se déplacer indemnes et de se retrouver dans des régions très éloignées les unes des autres. »

Charles décida de répondre à Hooker.

« Mes expériences avec des graines m'ont prouvé que certaines peuvent rester vivantes dans l'eau salée jusqu'à quatre-vingts jours et germer lorsqu'on les met en terre. C'est également vrai pour les œufs de lézard et de serpent. J'ai noté que les excréments des oiseaux migrateurs contiennent parfois des graines qui peuvent fleurir lorsqu'elles sont déposées sur un sol fertile, parfois très loin de leur lieu d'origine. Il y a également de grands oiseaux qui volent avec des serres porteuses de boue. Dans cette boue, se trouvent des graines vivantes.

— Cela paraît plausible, grogna Huxley ; ou du moins plus plausible que d'inventer un continent à chaque fois qu'on ne comprend rien à l'apparition d'une plante, d'un oiseau ou d'un reptile à des milliers de miles du plus proche de leurs semblables.

— Poursuivons plutôt la discussion de votre théorie des espèces, suggéra Lyell. Darwin, où placez-vous les êtres humains ? »

Surpris, Charles répondit :

« Eh bien quoi, les êtres humains ?

— Ne constituent-ils pas une espèce ?

— Si, naturellement.

— Quelle est alors l'histoire de leur évolution ?

— Oh, non ! s'exclama-t-il avec véhémence. On ne peut pas toucher à l'homme.

— Et pourquoi ? demanda Lyell crûment. Ne pourrions-nous pas descendre d'un orang-outan ? Entre Borneo et Sumatra j'ai vu des mâles qui mesuraient plus de quatre pieds, à peine un peu moins grands que les charmants petits danseurs de Crète. Vous serez bien forcé un jour de vous attaquer au problème des origines de l'homme. Voilà pourquoi je ne peux admettre votre démarche, car elle n'explique pas l'homme. L'idée généralement admise est que toutes les branches principales de la famille humaine sont issues d'un couple unique, doctrine devant laquelle, selon moi, aucune objection sérieuse ne tient. »

Refusant de mordre à l'hameçon, Charles préféra demander :

« Y a-t-il quelqu'un dans cette pièce qui soit d'accord avec ma théorie que la lutte pour l'existence est le *modus operandi* de l'évolution de nos formes de vie modernes ? »

Ses quatre invités se consultèrent du regard. Puis Lyell et Hooker répondirent qu'il lui faudrait un ensemble de données vérifiables pour étayer son hypothèse de la disparition de variations plus anciennes et d'espèces. Thomas Huxley déclara qu'il voulait lui-même travailler un peu plus dans ce domaine. Thomas Wollaston fut le seul à être profondément choqué par les propos de Charles. Sa démarche insultait la sainteté de la Genèse. Il répondit sur un ton de léger reproche :

« Il est vrai que notre monde et ses créatures ont connu quelques changements. Nous admettons tous qu'il y a eu une ère glaciaire et d'autres ères avant elle. Tout cela peut s'expliquer logiquement. Quand Dieu prit la décision de modifier radicalement notre Terre, pour des raisons que Lui seul connaît, Il a simplement créé divers continents, mers, poissons, fleurs, oiseaux et arbres. S'Il a été capable de créer auparavant un monde en six jours, pourquoi ne pourrait-Il pas recréer ce monde sous autant de formes qu'Il Lui plaît ? »

Leurs discussions se poursuivirent jusqu'à midi puis Charles emmena ses amis faire cinq tours du Sable. Après le repas, chacun alla se reposer. A trois heures, ils revinrent au bureau où Charles leur parla de son travail sur quinze variétés de pigeon ordinaire.

« C'est ce qui rend précieux le travail de classification fait par des hommes comme Henslow, Brown et vous, Hooker, ou Asa Gray à Harvard. C'est un énorme travail parce que sur terre, dans les airs et les eaux, on trouve des centaines de milliers de variations chez tous les êtres vivants, causées, selon moi, par la nécessité souvent cruelle de changer, de s'adapter à l'environnement immédiat pour pouvoir survivre. C'est sur la base de cette classification que mon concept de la sélection naturelle doit révéler son bien-fondé. »

Le dimanche matin, pendant que les autres assistaient à l'office dit par le Rev. Innes à l'église du village, Charles demanda à Lyell de rester avec lui. Il voulait lui communiquer les preuves de plus en plus nombreuses qu'il avait accumulées.

« Lyell, ne peut-on pas définir la sélection naturelle comme la préservation des espèces favorisées dans leur lutte pour la survie ? Dans ce contexte, toute variation des espèces a les meilleures chances de survivre si elle représente des ajustements organiques aux changements dans les sources d'alimentation, les prédateurs, l'environnement, le manque d'espace. Les variétés de ces espèces qui n'opèrent pas ces modifications obligatoires meurent. Vous avez vu assez de fossiles dans votre vie. Pourquoi se sont-ils éteints alors que des variantes continuent à vivre ? »

Lyell chercha du regard une chaise sur laquelle s'asseoir, puis préféra marcher dans la pièce.

« J'ai percé mes dents de sagesse à la lecture des *Principes,* déclara Charles avec emphase. Un grand maître ne produit pas des élèves obtus. »

Lyell eut la modestie de rougir. Il pencha ses larges épaules en avant.

« Voilà ce que je vous conseille vivement de faire, Darwin. Ecrivez un livre sur vos théories, beaucoup plus détaillé que les essais que vous avez publiés il y a quelques années. »

Et comme Charles ne réagissait pas, il insista :

« Utilisez les matériaux qui montrent le plus clairement d'où vous êtes parti. Et faites-le très rapidement, avant que quelqu'un d'autre ne vienne revendiquer la découverte du concept.

— Je serais très certainement vexé de voir ma doctrine exposée par quelqu'un d'autre avant moi », fit Charles d'un air sombre.

Après le repas de midi, il avait encore le temps d'une dernière séance dans son bureau avant que les invités ne reprennent le chemin de la gare.

« J'ai besoin, dit-il aux hommes réunis, de vos réactions personnelles à mes théories. N'hésitez pas à me poser les questions les plus délicates. »

Ils firent ce qu'il leur demandait : à quel stade un animal terrestre et insectivore acquérait-il les ailes puissantes d'une chauve-souris ? Que dire du pingouin, qui ne se servait de ses ailes que comme de rames pour plonger ? Comment pouvait-on expliquer que d'anciens reptiles aient pu voler ? D'où venait qu'on retrouve fréquemment chez les animaux les moins évolués les mêmes tissus et liquides pour servir à la digestion, la nutrition et la respiration ? Comment six cents chenilles dans la même région de la vallée de l'Amazone pouvaient-elles évoluer en six cents espèces différentes de papillons ?

Avec calme, il répondit, insistant sur sa théorie de la sélection naturelle pour la survie, la mutabilité des espèces. Et avec calme, il écouta leurs objections.

En leur tendant la main, au moment du départ, il leur dit :

« Ce fut extrêmement stimulant. Je ne sais comment vous remercier. Surtout pour votre patience. »

Joseph Hooker installa sa femme dans le brougham qui se trouvait devant la maison, puis se retourna pour lui dire :

« Comme j'ai déjà eu l'occasion de vous le dire, je m'en vais toujours avec l'impression d'avoir tant appris !

— Vous êtes également d'avis que je publie mon travail sur les espèces ?

— Absolument, Darwin.

— Mais comment ? Je ne peux exposer un éditeur ou une institution à publier des matériaux hérétiques qui pourraient les faire attaquer.

— Les nouveaux concepts sont toujours violemment critiqués, répondit Hooker. Les éditeurs et les sociétés scientifiques le savent ; ils ont le droit de refuser. Ou ils peuvent publier en même temps une note disant que les vues exprimées dans l'ouvrage n'engagent que l'auteur et non la société ou l'éditeur. »

4.

Il rassembla ses matériaux, une tâche qui lui prit plus de deux semaines, et le 14 mai, s'installa dans son grand fauteuil et rabattit la planche à écrire sur les accoudoirs. Pour ses notes, il s'était servi de tous les bouts de papier qui lui étaient tombés sous la main. Cette fois, il lui fallait un manuscrit présentable. Il prit dans un placard un paquet de feuilles de 8 pouces sur 12, prépara plumes et encrier, et se mit à écrire :

« *Personne ne peut trop s'étonner de tout ce qui jusqu'à ce jour demeure inexpliqué de l'origine des espèces et de leurs variations, s'il considère la profonde ignorance dans laquelle nous sommes des relations mutuelles qu'entretiennent les nombreux êtres qui vivent autour de nous. Qui peut expliquer pourquoi une espèce se retrouve partout en grand nombre alors qu'une espèce voisine est rare et sur un territoire limité ? Pourtant ces relations sont de la plus haute importance car elles déterminent le présent bien-être et, à mon avis, le succès futur et les modifications de chaque habitant de ce monde. Et nous connaissons encore plus mal les relations mutuelles entre les innombrables habitants du globe au cours des nombreuses ères géologiques de son histoire...* »

La plume courait sur les pages. Il n'écrivait que sur un côté des feuilles mais revenait parfois en arrière pour écrire entre les lignes. Si une idée lui déplaisait, il la rayait d'un trait. Il se servait de signes pour les interpolations, ajoutait des phrases dans la marge, et retournait parfois la feuille pour ajouter un paragraphe. Il se gribouillait des petits pense-bêtes personnels du genre « *faire lire ça à Huxley* ». Il épinglait ou collait également des bouts de papier volants sur les pages.

Son écriture, comme il le reconnaissait lui-même était « épouvantable », mais il savait qu'il organisait ses idées de façon cohérente. Un copiste lui en ferait un exemplaire. Il réalisa également que son orthographe et sa ponctuation étaient mauvaises. Mais cela ne le troubla pas. Il s'appliquait à présenter un dossier fort et convaincant, tout en formulant ses réserves et les difficultés qu'il rencontrait, pour étayer son explication de ce que les philosophes appelaient « *le mystère des mystères* ».

Pendant les moments de détente, il travaillait au jardin, observant des plantes qui poussaient entre les racines des arbres. Il surprit ses enfants en leur montrant que vingt-neuf plantes avaient poussé à partir d'une cuillère à soupe de boue qu'il avait ramassée dans un petit étang. Il écrivit à Fox en lui disant le nombre de pages déjà écrites en un mois d'effort. Lorsque Fox lui répondit avec enthousiasme, soulignant la valeur de sa contribution, il lui répondit :

« ...*Ce que vous dites de mon essai, j'ose le dire, est très vrai. Cela a déclenché chez moi un vrai délire. J'espère que je parviendrai à lui conserver une taille modeste.* »

Ses lectures sérieuses lui procuraient plus de brûlures d'estomac que de connaissances. L'ouvrage de Wollaston *Sur la Variation des Espèces,* qui venait de paraître, s'appuyait plus sur la théologie que sur l'observation de la nature. Wollaston dénonçait également tout dépassement de ses théories comme « *totalement malsain* » « *absurde* », « *invérifiable* ».

« On dirait Calvin brûlant les hérétiques, lui dit Charles lorsqu'ils se rencontrèrent à Londres.

— Pour vous, toutes les vérités sont toujours bonnes à dire », répondit Wollaston.

Il reçut une lettre de Samuel Woodward, assistant au département de géologie et minéralogie du British Museum, qui lui aussi prétendait que toutes les îles du Pacifique et de l'Atlantique étaient les restes de continents engloutis à une époque où les espèces existaient déjà.

Charles se plaignit à Lyell :

« Si l'on réunissait tous les continents créés ces dernières années par Woodward, Hooker, Wollaston et vous-même... cela ferait un beau brin de pays ! »

Il y avait maintenant cinq ans et demi qu'Horace était né. Charles et Emma allaient donner raison au docteur Holland, qui disait que la fécondité suivait un rythme naturel, lorsque en juin 1856, à quarante-huit ans, elle découvrit qu'elle était enceinte à nouveau.

Ils étaient tous deux assis près de la baie vitrée de leur chambre à coucher. Il lui posa un bras sur l'épaule. Une douzaine de phrases d'excuse lui venaient aux lèvres. Finalement il murmura :

« Nous ferons tout ce que nous pourrons pour te rendre la vie plus facile et plus heureuse. »

Elle posa sa tête sur son épaule.

« On ne discute pas la volonté de Dieu. »

Les Français disent que l'appétit vient en mangeant. Les Anglais disent : « Les idées viennent en écrivant. » Avant la mi-juillet, au bout de deux mois d'écriture ininterrompue, il résolut un problème épineux. Il écrivit à Lyell :

« *Je viens de terminer une démonstration très détaillée du refroidissement des régions tropicales à l'époque glaciaire et de la migration des organismes qui s'ensuivit... cela s'accorde avec la modification des espèces.* »

A Hooker, il fit remarquer :

« *Quel livre le démon pourrait pousser un sacristain à écrire sur les maladresses, le gaspillage, et la cruauté des œuvres de la nature !* »

Les rapports qu'il entretenait avec Hooker étaient devenus singuliers. Ils s'aimaient et s'estimaient, essayaient d'être ensemble aussi souvent que possible, s'écrivaient de longues lettres tous les deux ou trois jours ; et pourtant continuaient à se faire une guerre d'idées acharnée. Blotti dans le confortable fauteuil de son bureau, Charles bombardait de questions Hooker, dont la patience était sans limite.

« *Vous parlez avec la plus grande conviction de créations multiples impliquant l'action directe de Dieu, pour vous opposer à mes notions. Si vous pouviez seulement m'en prouver une seule, je serais anéanti ; mais je tiens à répondre aux plus sérieuses objections qu'on me présente.*

Je voudrais vous demander maintenant sans doute le plus grand service qu'un homme puisse demander à un autre : de lire — mais une fois proprement recopiées — mes pages (environ 40) sur la flore et la faune alpine, arctique et antarctique. (...) Cela me serait véritablement d'une grande aide, car je suis certain autrement de laisser passer des bourdes en botanique. »

Ses quarante pages représentaient presque la moitié de ce qu'à l'origine il croyait être un volume « mince ». Au fil des semaines, il voyait son manuscrit épaissir.

Les lettres de Lyell indiquaient qu'il changeait d'avis, « *à une vitesse de chemin de fer, sur la mutabilité des espèces* ».

Vers la mi-juillet, il autorisa Charles à mentionner dans la préface du livre auquel il travaillait qu'il s'intéressait à sa démarche. Charles en débordait de joie. L'approbation de Sir Charles Lyell d'une recherche sur l'origine des espèces qui allait infiniment plus loin que les travaux préparatoires du docteur Erasmus Darwin, des naturalistes français Lamarck et Cuvier et que *Vestiges* de Robert Chambers, publié depuis douze ans déjà sans avoir encore gagné la respectabilité, quel choc cela serait pour ses collègues scientifiques ! Cela donnerait au livre une crédibilité. Quand le publierait-il ? Il en était déjà à la deux centième page !

Le peu de temps qu'il pouvait distraire de son travail, il le passait avec les enfants dans le jardin. Même le petit Horace, à cinq ans, lui servait d'assistant, essayant de greffer des fleurs. Il avait peu de succès avec les petits pois, les orchidées ou le houx. A Joseph Hooker, qui montrait aux Darwin le nouveau lac que l'on créait à Kew Gardens et qui devait être alimenté par la Tamise, il se plaignit :

« J'étais si ignorant que je ne savais même pas qu'on ne pouvait châtrer des petits pois sans leur causer une blessure fatale.

— Personne n'en savait rien non plus. Mais je ne vais pas vous laisser faire cela tout seul. Je vais expérimenter sur les greffes à Kew. Au total, après avoir lu vos pages, j'ai découvert que tous les individus d'une même espèce auxquels vous vous référez semblent avoir eu une répartition constante.

— En bref... qu'ils ont évolué ?

— On pourrait le croire. »

Charles eut un sourire satisfait.

« Je suis ravi de voir que vous vous rendez à mes raisons, si peu que ce soit. »

Encouragé par tout cela, il pensa qu'il serait peut-être utile de définir, en quelques phrases simples, la recherche à laquelle il avait consacré sa vie. A cette fin, il choisit de répondre à Asa Gray, à Harvard, qui devenait le botaniste le plus écouté d'Amérique. Il écrivit à son ami :

« *...ou bien les espèces ont été créées indépendamment les unes des autres, ou elles descendent d'autres espèces... Je pense qu'on peut démontrer avec quelque probabilité que l'homme acquiert ses changements les plus notoires en préservant ceux qui sont les plus utiles à conserver et en détruisant les autres... Pour être honnête, je dois vous dire que j'en suis arrivé à la conclusion hétérodoxe qu'il n'y a rien de tel que des espèces indépendamment créées, que les espèces ne sont que des variétés fortement définies...* » « *... Toutes mes notions sur le changement des espèces sont tirées de mon étude approfondie et ininterrompue des travaux et des conversations avec agriculteurs et horticulteurs ; et je crois que je discerne avec une clarté suffisante les moyens utilisés par la nature pour changer ses espèces et les adapter aux merveilleuses et extraordinairement belles contingences auxquelles tout être vivant est exposé...* »

En partie pour répondre à sa lettre, il reçut une invitation d'Asa

Gray à venir donner des conférences aux Etats-Unis sur ses découvertes, le voyage aller-retour sur un paquebot lui étant payé.

Il oublia son bureau un instant et se revit sur le *Beagle,* jeune homme, dans le hamac de sa cabine de poupe, mâchonnant les biscuits et les raisins secs prescrits par son père sur un océan démonté.

Emma passait un été difficile. Il lui faisait la lecture tous les soirs. *Calista* de John Henry Newman, *Aurora Leigh,* un roman en vers d'Elisabeth Barrett Browning, *The Shaving of the Shagpat* de George Meredith.

Il l'accompagnait au Sable lorsqu'elle avait besoin d'air frais, pour trois ou quatre tours de promenade. Ils avaient de bonnes nouvelles de leur second fils George, qui avait onze ans. Il travaillait particulièrement bien à l'école de Clapham. « Entomologiste enthousiaste », comme le baptisait son père, il avait déjà entrepris une collection d'insectes et de scarabées. Il rentrait à la maison un jour par mois.

Charles n'allait nulle part. En plus de son manuscrit qui grossissait, il faisait flotter des graines dans de l'eau salée, travaillait sur ses pigeons et ses lapins. Il trouvait étrange qu'aucun zoologiste n'ait jamais jugé bon de s'intéresser sérieusement aux différences de squelette chez les animaux domestiques. Il acquit la conviction que la botanique avait obéi à un esprit beaucoup plus philosophique que la zoologie. Il osait rarement avancer une remarque générale en zoologie si elle ne concordait pas avec la botanique.

Travaillant toute la journée, il n'avait pas souffert du moindre malaise depuis très longtemps ; son seul problème physique était un léger lumbago qui lui raidissait le dos. Il décida qu'au printemps, il essaierait un établissement hydropathique à Moor Park, non loin de Down, pour une quinzaine de jours.

Pendant les mois d'automne, il continua à noircir des centaines de pages soigneusement documentées ; sa correspondance avec les éleveurs et les explorateurs était si importante qu'à elle seule, elle en aurait découragé plus d'un en Angleterre.

Il avait commencé par le sujet qu'il connaissait le mieux, les variations chez les animaux domestiques. Il souligna comment, selon un principe de sélection, les éleveurs avaient modifié leurs races de bétail, moutons, chevaux de course, colombes et pigeons.

« *Actuellement, les meilleurs éleveurs pratiquent une sélection méthodi-*

que dans le but précis de créer de nouvelles races supérieures à toutes celles qu'on connaît. »

La situation était la même en botanique, où la beauté et la taille croissantes des roses et des dahlias étaient frappantes lorsqu'on les comparait aux plantes dont elles étaient issues. L'art des jardiniers avait considérablement amélioré la culture des légumes potagers, des poires, des pommes et des fraises. Dès qu'une variété meilleure apparaissait, ils la choisissaient et la cultivaient.

Le 13 octobre, il eut terminé son chapitre sur la « *Variation sous l'action de la Domestication* » et une partie de son développement sur la « *Distribution géographique* ». Ayant besoin d'être rassuré, il emporta cette partie du manuscrit chez les Hooker et passa une soirée charmante avant de courir à la gare pour attraper son train de justesse. Hooker lui envoya une lettre dans laquelle il le complimentait longuement :

« *Je viens de finir la lecture de votre manuscrit. Je l'ai lu avec plaisir et profit. Vos arguments sont particulièrement convaincants et me donnent une idée bien plus large du changement que celle que je m'en faisais jusqu'à présent... J'ai une page ou deux de notes sur des questions que je voulais discuter, pour la plupart résolues un peu plus loin dans le manuscrit...* »

Il travailla pendant un moment sur les aigles ; puis s'intéressa à nouveau à la dissémination des graines sur l'océan. De graines qu'un aigle avait conservées pendant dix-huit heures dans son estomac et que Charles planta, poussèrent deux brins d'orge, un trèfle et une betterave. En promenade, il examinait les excréments des petits oiseaux, y trouvant jusqu'à six différentes sortes de graines. Lorsqu'il pensait aux millions d'oiseaux migrateurs, il voyait mal comment une seule sorte de graine aurait pu ne pas être transportée par-delà les mers. Une autre de ses graines avait germé après deux heures et demie dans l'estomac d'une chouette. Ses amis ornithologues lui assuraient que la chouette pouvait transporter les graines « Dieu sait pendant combien de miles ; pendant une tempête, peut-être jusqu'à quatre ou cinq cents ».

En entendant cela, il ne pouvait que pousser des cris de joie.

Emma donna naissance à leur dixième enfant, le 6 décembre. Un autre garçon, qu'ils appelèrent Charles Waring. Leur docteur utilisa le chloroforme, dont l'usage était maintenant répandu en Angleterre parce que la reine Victoria avait accepté d'être endormie en donnant naissance à son quatrième fils et huitième enfant. Pour Emma, tout s'était passé avec une telle rapidité que le docteur s'était écrié :

« Heureusement que j'étais déjà là, autrement, votre fils serait né sans moi. »

Vers la mi-décembre, Charles avait terminé son troisième grand chapitre, qu'il intitula : « *Possibilité pour tous les Organismes de se mélanger : facteurs de changement dans la Reproduction.* » Il avançait vite car il utilisait les meilleures pages déjà écrites dans son cahier de 1837, puisant aussi largement dans son second cahier, de février à juillet 1838.

Lorsque Emma fut rétablie, il s'assit un soir sur le bord de leur lit et lui prit la main.

« Une demi-douzaine de garçons ! Grands Dieux ! Penser qu'il va falloir les envoyer tous à l'école et leur trouver ensuite une profession.

— Sans parler de la dot de nos deux filles ! le taquina-t-elle gentiment. Crois-tu que nous aurons les moyens de faire tout cela ? »

Il monta ses livres de comptes et alluma la mèche de leur lampe. Il tenait ses comptes depuis leur première année à Upper Gower street et continuait à enregistrer leurs dépenses sous vingt rubriques différentes : nourriture, huile, savon, thé pour les domestiques, livres, toilettes pour Emma et les filles, vêtements des garçons, salaires des employés, frais d'école... Ses revenus étaient également notés avec précision, de façon à ce que la famille ne retire jamais plus qu'elle ne gagnait des intérêts de diverses actions de chemin de fer, des Docks de Londres et de l'usine Wedgwood.

« Nous y parviendrons sans problème. En 1854, notre revenu était de 4 603 livres sur lesquelles nous avons économisé 2 127 livres pour les placer. Nous avons gagné un peu moins en 1855, 4 267 livres mais nous avons économisé et investi davantage, 2 270 livres. L'année dernière, nous avons eu un revenu de 4 048 livres et avons réussi à en investir 2 250 livres. Sauf erreur de ma part, notre revenu devrait continuer à s'accroître au fur et à mesure que les enfants grandissent et que notre surplus annuel produit ses propres intérêts.

— Merci de tout cœur de me rassurer, murmura Emma, se moquant gentiment. Pendant un instant, j'ai craint que nous ayons à élever des Darwin sans les envoyer à l'école.

— Rien ne serait plus désolant. »

Ils rirent ensemble.

Charles passa le mois de janvier 1857 à terminer son quatrième chapitre, « *Variations dans la Nature* ». L'intensité des efforts qu'il lui fallait déployer pour présenter ses matériaux selon une structure logique rigoureuse l'épuisait. Il confessa à Emma :

« Je me sens moins bien qu'avant.
— Tu travailles trop.
— Comment faire autrement ? Le livre va être très gros. Je veux remettre un manuscrit aussi parfait que possible. Je suis comme Crésus, alourdi par mes richesses. J'ai pris quelques acides minéraux sur lesquels j'ai lu quelque chose, cela m'a fait du bien, je crois. »

Emma suggéra qu'il prenne des vacances aux bains de Moor Park, à quarante miles seulement, sans attendre le printemps.

« Comment puis-je abandonner mon travail et mes expériences, je me le demande... »

Elle le dévisagea avec attention.

« Charles, mon bon ami, n'y aurait-il pas une pointe d'ego dans tout cela ? Qu'attends-tu de ton livre ? La célébrité ? »

Charles baissa les épaules d'un air de dire « qui sait » ?

« Je suis tout à fait passionné par mon sujet, voilà tout. Et, me connaissant, je crois que je travaillerais tout autant, mais avec moins de goût peut-être si je savais que mon livre devait être publié sans qu'on en connaisse l'auteur. »

Une des raisons qui l'avaient poussé à s'isoler à la campagne était d'échapper à la compétition, aux jalousies des scientifiques de Londres. Il avait observé le phénomène dès ses premières visites à la Société de Géologie et tout particulièrement en 1848 quand Richard Owen avait attaqué Gideon Mantell. En 1857, voilà qu'éclatait maintenant une violente querelle entre Richard Owen et Thomas Huxley.

Il n'avait pas fallu longtemps à Huxley pour comprendre la duplicité d'Owen. Il avait été poli avec le jeune homme tant qu'il ne l'avait pas cru capable de lui disputer le titre d'autorité suprême en matière de zoologie. Le premier incident se produisit lorsque Owen s'opposa à la publication, dans les *Transactions* de la Royal Society, de la monographie d'Huxley sur *la Morphologie des Mollusques Céphales.*

Charles avait vu l'antagonisme entre les deux hommes grandir et culminer au début de l'année lorsque Owen, se servant de sa position à l'Ecole des Mines, occupa indûment la chaire de professeur de Paléontologie, affaiblissant la position d'Huxley dans l'établissement. Huxley rompit toutes relations avec Owen en s'écriant :

« Owen est décidé à ne laisser personne s'élever s'il peut l'empêcher. Mais qu'il fasse attention, dans mon propre domaine, je suis son maître. Et bien qu'il ait la plume acérée, je me flatte de pouvoir à l'occasion l'égaler dans cette spécialité aussi. »

Charles sentait bien que ces deux antagonistes, la Vieille Garde batailleuse essayant de maintenir le *statu quo,* et le jeune homme se frayant un chemin vers une position éminente, engageraient un jour une bataille monumentale qui secouerait le monde scientifique tout entier et laisserait sa marque indélébile sur l'Histoire. Ce qu'il ne pouvait ni savoir ni même deviner, c'est qu'il ne serait pas seulement à l'épicentre de cette éruption mais que ce serait lui qui la provoquerait.

5.

Il avait souvent invité l'amiral FitzRoy, maintenant à la retraite, et sa femme à leur rendre visite à Down House. La première femme de FitzRoy, Mary O'Brien, était morte en lui laissant quatre enfants. Il avait ensuite épousé la fille d'un cousin. Les FitzRoy acceptèrent, et Charles se faisait une joie de revivre le bon compagnonnage des jours passés à bord du *Beagle.* FitzRoy lui fit rapidement comprendre qu'il venait pour une tout autre raison. Les deux hommes se retirèrent dans le bureau, Charles avança un fauteuil pour FitzRoy, qui avait considérablement vieilli. Ses cheveux étaient gris et son regard avait durci. Il était pourtant toujours élégant.

« Darwin, vous souvenez-vous de ce voyage que nous avons fait en remontant la rivière Santa Cruz dans nos baleinières en 1834 ? Lorsque nous avons traversé des plaines tapissées de pierres usées prises dans des restes diluviaux de près de cent pieds de profondeur, je vous ai dit : « Une inondation de quarante jours n'aurait jamais pu causer cela.

— Je m'en souviens. Vous relatez cet épisode dans le dernier chapitre de votre livre.

— C'est parce que ma connaissance de la Bible était très limitée. J'ignorais les Ecritures. On m'a parlé de certaines de vos théories. Vous réfutez la vérité littérale du livre de la Genèse, n'est-ce pas ?

— La nature la contredit. Je ne fais qu'enregistrer ce que j'observe. La Nature ne ment jamais.

— Mais la Bible, elle, le peut ! Comme c'est choquant d'entendre cela de votre bouche !

— Partout dans le monde il devient évident que notre planète est vieille de plusieurs millions d'années. Que toute vie sur elle a évolué, changé, s'est adaptée aux situations créées par la surpopulation, les conditions d'alimentation, les prédateurs et le climat. De nombreuses espèces, au cours des temps, ne purent s'adapter et s'éteignirent. Vous avez vu les os fossiles à Punta Alta. Certaines espèces, par nécessité, se sont adaptées si radicalement que leurs organes internes, pour ne rien dire de leur apparence extérieure, se sont altérés au cours des millénaires au point que l'on peut à peine les reconnaître. Les formes de vie que nous trouvons aujourd'hui sur la terre représentent la survie des mieux adaptés. »

Le visage de FitzRoy s'empourpra.

« Et vous en concluez que l'homme a pu être d'abord créé dans un stade primaire ou sauvage ? Cela me paraît impossible. Après quelques heures d'une vie végétative, il aurait péri. La seule idée que ma raison puisse admettre est que l'homme fut créé parfait de corps et parfait d'esprit, avec un instinct lui permettant de jouer le rôle qui était le sien. »

Et FitzRoy poursuivit en expliquant que les premières hordes qui quittèrent l'Asie Mineure dans un état civilisé ne tardèrent pas à manquer de matériel pour écrire, de vêtements, et ne purent enseigner à leurs enfants qu'à satisfaire leurs besoins quotidiens, dégénérant peu à peu et oubliant la perfection de leurs débuts pour devenir des sauvages !

Son visage se renfrogna.

« Avons-nous l'ombre d'une raison de penser que les animaux sauvages ou les plantes se sont améliorés depuis leur création ? Un homme raisonnable peut-il admettre que le commencement d'une race, d'une espèce ou d'un genre puisse être le plus inférieur ? Comment nos mauvais philosophes peuvent-ils imaginer un seul instant qu'il y ait des commencements distincts pour les races sauvages, à des époques et en des lieux différents ?... »

Il ne se contenait plus.

« Le récit mosaïque de la Création est intimement lié à celui du Déluge. La Connaissance de Moïse était plus qu'humaine. Son affirmation que la lumière fut créée avant le Soleil ou la Lune était d'inspiration divine. N'est-ce pas ce que dit le premier chapitre de la Genèse ? “ *Dieu sépara la lumière de l'obscurité. Et Dieu appela la lumière le jour et l'obscurité, la nuit. Et ce furent le premier soir et le premier matin.* ” Ce n'est pas avant le seizième vers que Dieu fit deux grandes lumières, la plus grande pour régner sur le jour et la plus petite pour régner sur la nuit ?... »

Charles n'avait aucun désir de se quereller avec son invité, de surcroît son ancien capitaine et ami. Il dit d'un ton conciliant :

« Mon ami, je n'ai pas la moindre intention de détourner quiconque de la merveilleuse poésie de l'Ancien Testament. C'est une poésie qu'en tant que telle j'apprécie autant qu'un autre... »

Rien n'y fit. FitzRoy se lança pendant une bonne heure, plein vent dans les voiles, citant les Ecritures, chapitres et versets, pour prouver que le livre de la Genèse était parfait dans les moindres détails. Les œuvres de Dieu étaient parfaites. Charles s'enfonça plus profondément dans son fauteuil. La première femme de FitzRoy avait été profondément religieuse. Voulait-il honorer sa mémoire en se battant pour ses croyances ?

FitzRoy interrompit brusquement son sermon. Charles se leva.

« Venez, faisons une promenade. La campagne du Kent est l'une des plus vertes et des plus vallonnées d'Angleterre. Et au retour, nous trouverons des toasts beurrés et du thé près du feu au salon. J'aimerais faire plus ample connaissance avec votre Maria. »

Son amabilité sauva la journée. Le lendemain matin, les FitzRoy rentrèrent à Londres, Charles les fit conduire en voiture à la nouvelle gare de Beckenham, plus proche. FitzRoy serra brièvement et sans sourire la main que lui tendait Charles devant la maison.

Lorsqu'ils furent partis, Charles se dit :

« J'ai le pressentiment que je ne verrai jamais plus Robert FitzRoy, mon ancien idéal du beau capitaine. »

Son travail avançait. Le 3 mars 1857, il finit son cinquième chapitre, « *La Lutte pour l'Existence* », et seulement quatre semaines plus tard, il termina sa sixième partie centrale, « *La Sélection Naturelle* ». Son incapacité à fournir chaque jour une somme de travail égale le désespérait. Il dit à Emma :

« Je ne sais jamais, quand je me réveille, combien de travail j'aurai accompli en fin de journée.

— Pourquoi n'utilises-tu pas ta technique du Sable ? suggéra Emma. Décide avant de commencer combien de pages tu veux terminer. Quand il ne te restera plus de cailloux, ta journée de travail sera terminée.

— Emma, tu es un génie. Si seulement il était aussi facile de faire le tour d'une idée que de tourner sur une piste sablonnée... »

Pourtant, symboliquement du moins, l'idée d'Emma lui fut utile.

Ni Charles ni Emma n'auraient pu dire à quel moment ils commencèrent à remarquer quelque chose d'anormal chez leur nouveau-né. Non qu'il fût malade ou souffrant car il pleurait rarement. Il mangeait et se développait à un rythme qui paraissait normal. Mais il était léthargique. Il n'agitait pas ses doigts devant ses yeux pour les étudier comme l'avaient fait les autres enfants. Et ses yeux ne brillaient pas lorsque Charles ou Emma le prenaient pour le cajoler.

« Son visage reste sans expression, fit remarquer Charles en se penchant sur son berceau. Je sais que les enfants se développent à un rythme différent, mais je me demande si son berceau n'est pas trop petit pour lui. S'il fait beau, nous devrions le sortir et le laisser s'ébattre un peu.

— Je vais agiter des jouets musicaux et des cartes de couleur devant ses yeux, suggéra Emma. Un enfant pourrait-il déjà s'ennuyer, à quatre mois ?

— Cela n'est arrivé à aucun des nôtres jusqu'à présent. »

Henrietta également leur donnait des soucis. Elle se complaisait à être malade. Elle manquait parfois d'appétit, d'énergie. Encore sous le coup de la perte d'Annie, ils avaient donné à Etty un amour et une attention constants. Lorsqu'un jour on lui permit de prendre son petit déjeuner au lit, cela lui plut tellement qu'elle ne voulut plus abandonner cette idée et dit à ses parents :

« Même lorsque je me marierai, je prendrai toujours mon petit déjeuner au lit. »

Dans la dernière semaine d'avril, Charles se rendit aux bains hydrothérapiques de Moor Park, dans le Surrey, près d'Aldershot. Il appréciait le docteur Edward Lane, sa femme et sa belle-mère qui en étaient propriétaires. Ils le mettaient à l'aise. Le traitement était léger : une petite douche quotidienne et un bain de siège.

La campagne avoisinante invitait à la promenade. A la fin de sa première semaine il fut surpris de sentir une grande amélioration et fut convaincu, une fois de plus, que la cure d'eau était la meilleure pour les cas chroniques. N'ayant pas emporté un seul livre avec lui, ni ajouté le plus petit point de broderie au tissu de sa théorie des espèces, il se sentait si bien que le 1er mai, au début de sa seconde semaine à Moor Park, il décida de répondre à une lettre qu'Alfred Russel Wallace lui avait écrite des Célèbes, en face du détroit de Macassar de Bornéo, le 10 octobre de l'année précédente et qui était arrivée à Down, après cinq mois et demi de transit, le jour même où Charles partait pour Moor Park.

« *Cher Monsieur,*

... Je vois clairement que nous pensons de façon fort voisine et que, jusqu'à un certain point, nous en sommes arrivés à des conclusions similaires. Pour ce qui est de votre article dans les Annales, *je reconnais la véracité de presque chaque mot de votre travail ; et vous conviendrez avec moi qu'il est plutôt rare de se trouver en accord étroit avec quelque papier théorique que ce soit ; car il est lamentable de voir comment chacun tire des conclusions différentes des mêmes faits. Cet été sera le 20e (!) depuis que j'ai ouvert mon premier cahier en me posant la question de savoir comment les espèces et les variétés diffèrent les unes des autres. J'ai déjà rédigé un grand nombre de chapitres, mais je ne crois pas pouvoir être prêt pour l'imprimerie avant deux ans. On ne m'a jamais dit combien de temps vous aviez l'intention de rester dans l'archipel malais ; j'espère pouvoir profiter de la publication de vos* Voyages *avant la parution de mon ouvrage, car vous allez sans nul doute récolter une riche moisson de faits...* »

Au cours de la deuxième semaine, il fit de longues randonnées dans la campagne du Surrey, observant les effets de la présence des animaux sur la végétation. Huit ou dix ans plus tôt, une partie de la région, avec des plaques de fougères d'Ecosse, avait été clôturée. A l'intérieur de la clôture, des arbustes poussaient, qu'on aurait pu croire plantés par l'homme tant on en trouvait du même âge. Et en dehors des terrains clôturés, il ne put trouver un jeune arbre pendant des miles. En marchant encore plus loin, et en examinant attentivement la bruyère, il trouva à nouveau des dizaines de milliers de pousses de pins écossais, trente par mètre carré, que le bétail qui venait brouter la bruyère décapitait.

A Joseph Hooker, il commenta :

« *Quel problème ardu, et combien de forces entrent en jeu pour déterminer quelle sorte de plante, et dans quelle proportion, va se développer sur un mètre carré de tourbe ! Et pourtant nous nous étonnons de voir un animal ou une plante s'éteindre.* »

A la fin de la deuxième semaine, se sentant en parfaite santé, il décida que sa cure avait assez duré.

La veille au soir, son propre équipage vint le chercher. Mais en arrivant à Down House, en fin de journée, il avait pris froid. En retrouvant son bureau le lendemain matin, il se sentait aussi mal qu'avant de partir pour Moor Park. Il fut pris de vomissements. Il dut confier à Emma :

« Notre cousin-ennemi le docteur Holland avait peut-être raison. Il est stupéfiant de voir comme je me porte bien lorsque je suis en vacances dans un agréable lieu de villégiature. Et au moment où je me remets au travail, ma santé vacille à nouveau.

— Que peux-tu faire ?

— Me plaindre. J'ai bien peur que ma tête soit incapable de produire la moindre pensée, mais je préfère être le détestable malade que je suis que de vivre une vie d'oisiveté. »

L'éventail de ses curiosités était inépuisable. Il voulut savoir si toutes les races de porcs, lorsqu'on les croisait avec des porcs chinois ou napolitains, continuaient à se reproduire. Puis il fit une étude des marques et des couleurs sur les ancêtres du cheval, ânes et zèbres. Dans sa prairie, sur seize sortes de graines qu'il avait plantées, quinze germèrent ; sur un carré de terre de trois pieds sur deux il nota chaque jour le progrès de chaque pousse pendant trois mois. Trois cent cinquante-sept avaient déjà été détruites, surtout par les limaces.

Qui mangeait les limaces, ces gastéropodes lents et gluants ? De petits animaux dans la terre, des reptiles, des oiseaux ?... C'était bien la lutte pour l'existence, comme le disait le titre d'un de ses chapitres. En revoyant les pages de son manuscrit sur ce sujet, il retrouva son sous-titre : « *Limitations mutuelles entre animaux et plantes.* » Il relut ses propres mots :

« *Nous n'avons étudié jusqu'à présent presque exclusivement que la manière dont les animaux limitent la croissance des autres animaux. Mais les plantes et les animaux sont encore plus étroitement reliés ; tout comme le sont les plantes entre elles... Tous les animaux se nourrissent de plantes, directement ou indirectement ; et ce qu'elles respirent constitue la nourriture principale des plantes ; si bien que la relation entre les deux règnes, à une grande échelle, est très évidente. On a tout d'abord tendance à croire que les herbivores dévorent toutes les plantes sans discrimination ; mais parmi les plantes suédoises, on a établi que les bœufs en mangent 276 sortes et en refusent 218 ; les chèvres en mangent 449 et en refusent 126. Les porcs en mangent 72 et en refusent 271, etc.*

Au sud de La Plata, j'ai été surpris, comme d'autres avant moi, par les changements que le bétail fait subir au paysage en broutant ; j'ai eu longtemps du mal à admettre qu'ils n'étaient pas dus à quelque changement de nature géologique. On sait rarement de quelles plantes se nourrissent les petits rongeurs, mais chacun a entendu parler de la destruction de plantations entières par les souris et les lapins. Je me suis souvent demandé si la plus grande dureté des arbustes des plaines désertiques n'était pas due au fait qu'ils doivent se protéger des animaux pour survivre... Il a été également démontré par Forskahl que les plantes qui ne sont pas attaquées par le bétail le sont dans une très grande mesure par les insectes ; de trente à cinquante espèces parfois s'acharnant sur une seule plante. Je présume qu'une plante convoitée à la fois par les insectes et les quadrupèdes disparaîtrait totalement... »

Juin 1857 apporta un événement agréable : le Rév. M. Innes et les Lubbock, père et fils vinrent à Down House lui demander s'il accepterait le poste de juge de paix laissé vacant.

« Moi ? juge ? s'exclama Charles. Je ne connais pas grand-chose à la loi ! »

Sir John Lubbock lui répondit en souriant :

« Les crimes dont vous aurez à juger ne sont pas très sérieux. Surtout des querelles entre voisins pour des terrains, des clôtures, du bétail égaré, des bagarres d'ivrognes et des insultes. Vous aurez rarement besoin de recourir aux textes de loi ; le bon sens vous suffira : écouter les deux parties et les aider à adopter un compromis acceptable. »

Charles était légèrement flatté.

« Où devrai-je siéger ?

— A Bromley, répondit le vicaire. C'est le plus proche. Peut-être quelquefois à Maidstone, au siège du Comté. Ils ont accepté de regrouper les litiges de la région et les audiences en une seule journée, le jour qui vous conviendra. »

Charles répondit sans hésitation, car il était attaché à sa région d'adoption et avait retiré des satisfactions de sa position de trésorier du Club Amical de Down. Il n'avait pas géré leurs fonds avec moins d'habileté que les siens, si bien qu'au bout de sept ans, ils se trouvaient à la tête d'une somme non négligeable.

« J'accepte, dit-il à Innes et aux Lubbock. Quand serai-je assermenté ?

— On a proposé la date du 3 juillet. »

Emma et les enfants insistèrent pour assister à la cérémonie en famille, dans leurs plus beaux habits du dimanche. Et par la suite, lorsque leur père disait aux Darwin ce qu'ils devaient faire, pour une raison ou une autre, il y en avait toujours un pour demander :

« Est-ce la décision finale de la magistrature, ou avons-nous un droit d'appel ? »

Charles appréciait cette fonction. Ses devoirs de magistrat n'étaient pas lourds, surtout honorifiques, mais ils le métamorphosaient en un personnage important dont personne ne savait très bien ce qu'il faisait, un membre de la communauté sur le passage duquel les hommes touchaient respectueusement leur chapeau et auquel toutes les femmes du voisinage, jeunes et vieilles, faisaient la révérence. Il ne se fit pas d'ennemis et resta magistrat jusqu'à la fin de sa vie.

Il emmena Henrietta passer l'été chez le docteur Lane à Moor Park et, en allant lui rendre visite, apprit à jouer au billard. Il fut si captivé par la précision de l'œil et de la main que ce jeu demandait qu'il décida d'installer un billard à Down House.

Ni les jouets ni les chansons d'Emma n'intéressaient le bébé. Il ne faisait aucun des gestes des enfants de son âge, n'en poussait pas les petits cris. Mais le docteur qui l'avait accouchée soutenait qu'il n'y avait pas de raison de s'inquiéter.

« Il marchera et parlera lorsqu'il sera prêt à le faire. »

Les semaines et les mois s'écoulaient et Charles lui-même allait avoir quarante-huit ans lorsqu'il postula la Royal Medal, un honneur qu'on octroyait aux jeunes scientifiques pour les encourager dans leurs recherches plutôt que pour récompenser des hommes d'un certain âge. La recherche était une escalade ardue, semée de cailloux et d'ornières boueuses. Il fit une étude sur l'inefficacité des insectes dans la pollinisation du houx femelle et d'autres plantes, un processus de vie plutôt que de destruction dans les schémas complexes de la nature. Lorsqu'on n'avait jamais dressé de liste dans un domaine de la vie animale ou végétale, il faisait les compilations lui-même, tâche longue et fastidieuse où les risques d'erreur étaient grands.

En classifiant la flore de Nouvelle-Zélande, il élabora ce qu'il croyait être un mode de division correct. Mais il se vit prouver par son astucieux voisin et élève officieux, le jeune fils de Sir John Lubbock, banquier-naturaliste de vingt-trois ans, qu'il avait confondu quelques genres. Il s'écria :

« De quel horrible embarras vous m'avez sauvé ! De quoi déchirer tout mon manuscrit et sombrer dans le désespoir ! Je vous remercie de tout mon cœur. »

Thomas Huxley, toujours sur le qui-vive, le surprit à développer une théorie qu'il affectionnait beaucoup mais qui était fausse. Il dit à Huxley :

« Hélas, un homme de science ne devrait jamais rien souhaiter. Il lui faudrait un cœur de pierre. »

Lorsque ce fut au tour de Charles de corriger chez Huxley, qui vérifiait minutieusement ses sources, une erreur d'interprétation, il s'exclama en riant :

« Quel épouvantail je dois être pour vous ! Quand vous venez d'écrire quelque phrase vigoureuse et bien tournée, cela doit vous être bien désagréable de voir mon visage s'élever devant vous, comme un vilain fantôme. »

Il apprit qu'il avait vexé son ami américain Asa Gray en suggérant que Gray pourrait lui en vouloir lorsqu'il connaîtrait la teneur de ses théories. Gray l'accusa de mettre en doute sa loyauté et son sens de l'amitié. Charles lui répondit :

« *Mon cher Gray,*

... je n'avais pas la moindre certitude que, lorsque vous sauriez où je voulais en venir, vous ne me considéreriez pas comme un fou et un écervelé dans mes conceptions (Dieu sait qu'il m'a fallu fort longtemps pour les formuler avec toute la conscience dont je suis capable), que vous ne me refuseriez pas votre aide et votre confiance...

Et puisque vous semblez intéressé par le sujet, et que votre opinion, si brève qu'elle soit, m'intéresse énormément, je vous joins par même courrier un court résumé des façons dont selon moi la Nature a créé ses espèces... »

Il poursuivit pendant dix bonnes pages en terminant par :

« *Ce bref survol ne traite que du pouvoir cumulatif de la sélection naturelle, qui constitue, selon moi, de très loin l'élément le plus important dans la production de nouvelles formes...* »

6.

1857 fut une année où ils purent abandonner les romans pour quelques grands morceaux de vraie littérature. Lorsque quelqu'un, famille ou voisin, demandait : « Que voulez-vous que je vous rapporte d'intéressant à lire ? » ils pouvaient commander *The Professor, Barchester Towers, Madame Bovay, The Romany Rye, Tom Brown's School Days, Missionary Travels.*

Le moment le plus détendu de la journée de Charles restait l'heure de calme après le repas de midi avec un exemplaire du quotidien le *London Times,* qui arrivait à la poste de Down en fin de matinée. Il était devenu totalement dépendant du journal, en consommant les bons comme les mauvais morceaux. Le *Times* lui coûtait une guinée pour un abonnement de quatre mois, ce qui était cher, mais lui permettait de suivre les guerres en terres lointaines tout comme les dangereuses initiatives du gouvernement. Pendant des années, il s'était trouvé dans la position inconfortable d'un nationaliste qui croyait aux bienfaits d'une politique de grandeur et d'expansion de l'Empire britannique, tout en désapprouvant son exploitation de l'Inde. Lorsqu'en juin 1857 la reine Victoria, devant une foule importante à Hyde Park, décora soixante et un survivants de la guerre de Crimée de l'ordre nouvellement fondé de « La croix de Victoria pour la Valeur », Charles jeta le journal en criant :

« Et qui va décorer les morts ? Tous ceux que cette guerre suicidaire a engloutis ? »

Mais il y avait quelques bonnes nouvelles ici et là. La salle de lecture du British Museum, avec sa rotonde-dôme, s'était ouverte et pouvait accueillir plus de trois cents lecteurs ; deux rangs étaient réservés aux femmes. La première Cour de divorce fut inaugurée, rendant le divorce possible dans les classes à faible revenu. De nouvelles écoles s'ouvraient pour les étudiants sans moyens. Le *Great Eastern* avait été inauguré sur la Tamise, un vaisseau cinq fois plus grand que tous les navires alors en service et qu'on disait capable de traverser l'Atlantique avec tant de douceur qu'il supprimait le mal de mer.

« Maintenant tu accepteras peut-être l'invitation d'Asa Gray à te rendre en Amérique ? » suggéra Emma.

Fin septembre, ayant fini son septième chapitre, « *Lois de la variation* », il étala leurs livres de comptes sur la table de la salle à manger pour voir s'ils avaient les moyens de faire faire de nouveaux travaux à Down House. Chaque année depuis 1851, leur revenu avait été de plus de 4 000 livres ; cette année encore, ils avaient eu plus de 2 000 livres d'excédent à investir. En plus de leurs économies, il y avait ce que Charles avait hérité de son père et les 2 000 livres d'héritage d'Emma également. Leur portefeuille de titres représentait à peu près 50 000 livres. Quand Charles leva le nez des chiffres, il dit :

« Je ne suis guère dépensier, mais grand Dieu, je crois bien que nous pouvons nous permettre quelques agrandissements. Qu'en penses-tu ? »

Emma était bien de cet avis, et depuis longtemps, mais elle avait préféré laisser Charles prendre cette décision lui-même. Elle répondit avec un petit sourire ironique au coin des lèvres :

« Si toutefois nous n'avons pas besoin de tout ce que nous possédons pour faire face aux procès qui nous attendent.

— Mais qui donc voudrait nous intenter des procès ?

— Tout le monde, depuis Notre Père Céleste jusqu'au plus petit diacre de l'Eglise d'Angleterre. »

Charles éclata de rire et prit sa femme dans ses bras.

« C'est vraiment merveilleux, Emma, de voir que tu ne perds pas le sens de l'humour même dans des domaines que tu désapprouves.

— C'est là où il est le plus nécessaire. »

Y avait-il une trace d'amertume dans cette réponse ?

Charles fit appel à un menuisier pour construire un salon plus grand, à l'autre bout du couloir par rapport à l'ancien. Il faisait dix-neuf pieds sur vingt-huit et trois fenêtres de bonne taille donnaient sur le jardin jusqu'au Sable. Il fit déplacer l'entrée, jusqu'alors directement sous l'escalier, la reculant de plusieurs mètres, ce qui leur donnait un vestibule avant d'arriver à l'entrée. Ils divisèrent l'espace au-dessus du salon en deux chambres à coucher de même taille et, à l'étage au-dessus, en chambres d'enfants supplémentaires. Lorsque la nouvelle aile fut raccordée à l'ancienne et que les derniers aménagements furent terminés, ils virent qu'ils avaient dépensé 500 livres.

« Cela en valait la peine ! » s'exclama Emma devant quatre fauteuils confortables de couleurs différentes, stratégiquement placés autour de la table au dessus de marbre ; son piano, gratté et reverni de main si experte qu'il paraissait neuf, installé comme toujours en angle près de la dernière fenêtre donnant sur le jardin. Un nouveau grand miroir au cadre doré au-dessus du chambranle de marbre, de nouvelles tablette et lampe près du sofa. Elle avait choisi des papiers gris clair à rayures roses.

Ils transportèrent les meubles de la salle à manger, de la pièce qui faisait face à la route, du côté le plus sombre de la maison, dans l'ancien salon, plus clair.

Ils reconnurent que Down et ses jardins était devenus une demeure aussi belle que Maer Hall ou le Mont. En créant leur vie, leur propre place dans le monde, ils avaient retrouvé le style de leurs précédesseurs ; mais en lui conférant un accent particulier. Et ils avaient réalisé ensemble les buts qu'ensemble ils s'étaient fixés.

Lorsque Charles Waring, à dix mois, n'eut toujours pas manifesté le moindre désir de parler ou de marcher, les Darwin demandèrent au docteur Henry Holland de venir à Down House dès qu'il le pourrait.

Il était toujours fort pris, en tant que médecin de la reine Victoria. Il posa de nombreuses questions à Charles entre la gare de Beckenham et la maison, sur les six miles de route bordée d'ormes, de chênes, de hêtres et de noisetiers. A Down, il demanda à passer seul une heure entière avec le bébé et retrouva Charles et Emma, pâles et inquiets, en bas de l'escalier.

« J'ai bien peur de devoir vous apprendre une mauvaise nouvelle, leur dit-il. L'enfant est sérieusement retardé. Mentalement, en tout cas.

— Mais comment ? Pourquoi ? cria Emma avec angoisse.

— Il peut y avoir des centaines de raisons que nous ignorons toutes. Il ne m'est pas possible de voir dans la tête du pauvre petit.

— Quel est le pronostic ? demanda Charles. Avec quoi devons-nous apprendre à vivre ?

— Il vous faudra prendre grand soin d'un enfant qui ne vous reconnaîtra peut-être jamais. Et accepter la volonté de Dieu.

— Cela, je peux le faire, dit Emma en pleurant. Mais n'y a-t-il aucun espoir qu'il guérisse jamais ?

— Il y a parfois des miracles. Mais vous devez vous faire à la réalité. Vous avez combien ? six, sept enfants, tous normaux et heureux. Pensez au nombre des bénédictions et ne vous attardez pas sur ce qui ne peut ni être changé ni rectifié.

— Nous essaierons, cousin Henry, répondit Charles d'un air sombre. Nous vous remercions infiniment, Emma et moi, d'avoir bien voulu faire ce voyage. »

Le docteur Holland embrassa Emma, serra la main de Charles et partit, laissant derrière lui un couple de parents désolés qui ne pouvaient s'empêcher de se demander, en silence :

« De quel crime sommes-nous coupables pour que notre plus petit soit si tragiquement éprouvé ? »

Grâce à l'amicale réponse que Charles avait faite à la lettre que Wallace lui avait envoyée des Célèbes, en octobre 1856, ce dernier lui envoya à plusieurs reprises des communications longues et détaillées. Vers la fin de 1857, alors que Charles travaillait à son livre depuis un an et demi, il comprit combien Lyell, Hooker et Huxley avaient eu raison en le pressant d'écrire ses découvertes. La dernière lettre de Wallace disait :

« *La simple exposition et illustration de cet article dans les* Annales et Magazine d'Histoire Naturelle, *ne sont naturellement que les préliminai-*

res d'une tentative d'apporter des preuves plus détaillées, selon un plan déjà tracé et, en fait, écrit... »

Wallace avait des preuves de sa théorie sur les Espèces ! Il l'avait déjà écrit ! Mais sûrement pas la sélection naturelle, ou la préservation des races favorisées dans leur lutte pour la vie ? Il aurait fallu une coïncidence impossible, depuis plusieurs milliers d'années que l'homme réfléchissait et écrivait sur les lois de la nature, pour que deux individus arrivent aux mêmes pénétrantes conclusions au même moment de l'Histoire. Se pourrait-il qu'un journal quelconque arrive dans quelques mois à Down House avec la solution de Wallace au « *mystère des mystères* » s'étalant en pleine page ?

« Il faut que je réponde immédiatement à Alfred Wallace, se dit-il. Et que je lui montre honnêtement l'admiration que j'ai pour lui. Garçon courageux, qui s'apprête à passer dans ce pays primitif encore trois ou quatre ans ! »

22 décembre 1857

« *Cher Monsieur,*

Je vous remercie pour votre lettre du 27 septembre. Je suis très heureux d'apprendre que vous vous intéressez à la répartition des animaux en accord avec vos théories. Je crois fermement que, sans spéculation, il ne peut y avoir d'observation fructueuse ou originale. Peu de voyageurs se sont attaqués aux points qui vous préoccupent actuellement ; et de fait, le sujet tout entier de la distribution des animaux est très en retard par rapport à celui de la répartition des plantes. Vous dites avoir été surpris du manque de réaction à la publication de votre article dans les Annales. *Je ne peux dire qu'elle me surprenne, car bien peu de naturalistes se soucient d'autre chose que de la simple description des espèces. Mais vous ne devez pas croire que votre article est passé inaperçu ; deux hommes de grande valeur, Sir C. Lyell et M. E. Blyth, de Calcutta, ont spécifiquement attiré mon attention sur lui. Bien qu'en accord avec vos conclusions, je crois pouvoir aller beaucoup plus loin que vous ; mais c'est un sujet trop long pour que j'entre dans le détail de mes propres spéculations...* »

Il avait passé trois mois à écrire son chapitre sur l'hybridation. Au début de 1858, il commença « *Pouvoirs mentaux et instincts chez les Animaux* ». Il avait des montagnes de matériaux à parcourir et à organiser. Non seulement des années d'observations personnelles mais des ouvrages publiés dans plus d'une douzaine de langues. Curieux domaine, les instincts. Mal défini également. Il dit à Emma :

« Mon premier chapitre sur les instincts me rend perplexe. Chaque auteur en donne une définition différente. Rien de surprenant d'ailleurs si l'on pense que presque toutes les émotions, y compris les dispositions les plus complexes comme le courage, la timidité, la méfiance, sont souvent qualifiées d'instinctives. »

Plus il avançait, plus sa santé se dégradait, surtout la nuit, où il ne pouvait dormir. Il dit à Hooker :

« Ma santé, ma santé, c'est mon épouvantail quotidien ! Elle me prive de toutes les joies de la vie. »

Puis, ne voulant pas avoir trop l'air de se plaindre, il ajouta :

« Pardonnez-moi, il est bien bête et bien faible de gémir ainsi. Chacun de nous a un lourd fardeau à porter en ce monde. »

Une façon d'oublier ses douleurs physiques consistait à lire les nouveaux livres à la mode et à éplucher le *London Times*. Chaque semaine, quand la malle de Down allait à Londres, les Darwin donnaient une liste de livres à acheter ou à emprunter à une bibliothèque. Et les membres de la famille continuaient à leur apporter les livres qu'ils avaient eux-mêmes aimés. Ainsi, en une année dont le cours ne fut pas moins régulier que celui de la Tamise, ils lurent à haute voix *Les Trois employés de bureau* et *Docteur Thorne* d'Anthony Trollope, les deux premiers volumes de *Frédéric le Grand* de leur prolifique ami Thomas Carlyle, *Scènes de la vie cléricale* de George Eliot. Ils reçurent aussi des partitions d'opéras, la *Lucia* de Donizetti, la *Cora* de Méhul, le *Rondo* de Weber et les *Sonates* de Haydn. Ces campagnards de Darwin ne se laissaient pas distancer par la vie culturelle londonienne.

En tant qu'interprète des nouvelles, Charles était capable de donner à sa famille une vue d'ensemble des activités du monde. Un certain revenu n'était plus nécessaire pour devenir membre du Parlement ; une loi était passée, visant à établir une meilleure forme de gouvernement en Inde, le contrôle de l'administration passant des mains de la Compagnie des Indes Orientales au cabinet de la Reine. La puanteur de la Tamise était maintenant si terrible qu'on devait faire tremper les rideaux du Parlement dans du Chlorate de chaux. M. Benjamin Disraeli, leader de la « *House of Commons* », résolut le désagréable problème en faisant voter trois millions de livres au Parlement pour faire purifier la rivière et assurer la rénovation totale du système d'égouts de la ville.

Lord Elgin, nommé ambassadeur au Japon, signa un traité avec ce pays, qui ouvrait cinq ports japonais au commerce britannique. L'Angleterre signa également le traité de paix de Tientsin avec l'empereur de Chine, qui garantissait la sécurité des sujets anglais en Chine et l'enseignement du christianisme. L'empereur accepta de rembourser une partie des dépenses de l'Angleterre dans sa guerre avec la Chine !

Henrietta, à presque quinze ans, était instruite, avec sa jeune sœur Elisabeth, par une nouvelle gouvernante, une certaine Miss Grant, dans la salle d'étude vaste et claire qu'ils avaient fait construire au-dessus de la cuisine en 1845. On arrivait à cette grande pièce aux nombreuses fenêtres donnant sur le jardin par un escalier sur la rampe duquel les enfants adoraient se laisser glisser. Emma et Charles essayèrent d'établir une discipline de travail pour les deux filles, qu'ils ne voulaient pas moins instruites que leurs frères qui allaient déjà tous à l'école.

Le chapitre de Charles sur les instincts était des plus passionnants à écrire et l'un des plus surprenants du livre. Il rapportait de nombreuses anecdotes à sa famille car elles étaient franchement étonnantes. L'incroyable savoir mathématique déployé dans la construction des cellules de cire d'une ruche. Les pouvoirs de communication des fourmis ; leur capacité, en cas de combat mortel avec des nids de la même espèce, à reconnaître les leurs. La sagesse des escargots dans leur recherche des meilleurs herbages, revenant aider les plus faibles et les guidant vers la nourriture en laissant de longues traînées de bave ; l'huître qui fermait sa coquille dès qu'on la sortait de l'eau, ce qui lui permettait de vivre plus longtemps ; le castor accumulant des rondins, même dans des endroits secs où aucune construction de barrage n'était possible ; l'instinct du furet qui lui commandait de mordre le rat derrière la tête, à la *medulla oblongata,* là où la mort était la plus rapide ; la façon dont les guêpes fouisseuses abandonnaient leur proie et exploraient leurs terriers avant d'apporter la nourriture à leurs petits ; dont les chiens de berger, sans qu'on ait à le leur apprendre, couraient naturellement autour du troupeau pour le maintenir rassemblé ; l'étonnante migration des jeunes oiseaux au-delà des mers immenses ; du jeune saumon d'eau fraîche en eau salée, retournant au lieu où il était né pour pondre ; les iguanes marins couleur de lave des Galapagos qui ne pénétraient dans la mer que pour se nourrir d'algues submergées et s'en retournaient bien vite sur les rochers de la plage, hors d'atteinte des requins.

Au début de mars, son chapitre sur l'instinct était terminé.

Il allait à Londres de temps à autre, dînait à l'Athenaeum avec Erasmus et ses amis. La coqueluche du cercle, à l'époque, était *l'Histoire de la Civilisation* de Buckle, que Charles trouvait merveilleusement « intelligente et originale ».

Vers la fin d'avril, avec un manuscrit énorme de près de deux mille pages, il se sentit assez déprimé.

Il était temps d'avoir recours à l'hydrothérapie.

7.

C'est le 18 juin que Charles reçut une enveloppe d'Alfred Wallace postée de Ternate, une petite île de Malaisie. Il prit son coupe-papier pour l'ouvrir. Elle contenait, en plus d'une lettre, un long article sur « *La tendance des Variétés à s'éloigner infiniment du type original* ».

L'estomac ou le cœur malade, il n'aurait su dire, il sombra dans le fauteuil le plus proche et essaya de déchiffrer les caractères d'imprimerie qui dansaient devant ses yeux.

« *La vie des animaux sauvages est une lutte pour l'existence... On trouve un principe général dans la Nature qui permet à de nombreuses variétés de survivre à l'espèce mère et de donner naissance à des variations successives s'éloignant de plus en plus du type original...*

Un calcul assez simple montre qu'en quinze ans chaque paire d'oiseaux pourrait s'être multipliée en près de dix millions ! Pourtant nous n'avons aucune raison de penser que le nombre d'oiseaux, en quelque pays que ce soit, augmente en quinze ou même en cent cinquante ans. Avec de tels pouvoirs d'accroissement, la population doit avoir atteint ses limites et être devenue stationnaire... C'est une lutte pour l'existence dans laquelle le plus faible et le moins bien organisé succombe inévitablement... »

Si Wallace avait eu entre les mains les manuscrits de Charles de 1844, il n'aurait pu les résumer de façon plus concise !

Ce que Charles redoutait tant s'était produit. Wallace espérait qu'il aimerait et approuverait son article, et si tel était le cas, qu'il le ferait parvenir à Lyell qui avait dit du bien de son premier article dans *Les Annales...*

Il sortit de son bureau, pâle et défait. Il choisit une canne solide et traversa le jardin en direction du Sable. Il ne ramassa pas de pierres pour décider combien de fois il ferait le tour de ce rectangle autour du bois et ne rentra à la maison que lorsqu'il se sentit totalement épuisé.

Emma vit tout de suite que quelque chose n'allait pas.

« Charles, que s'est-il passé ? »

Ils s'assirent sur un banc au soleil ; il lui parla de l'article de Wallace.

« Il emploie les mots mêmes qui me servent de tête de chapitre !

— Comment est-ce possible ? Lui avais-tu donné des détails sur ton travail ? Lyell ou Hooker auraient-ils pu involontairement divulguer tes matériaux ?

— On voit mal comment il pourrait me plagier et soumettre ensuite son manuscrit à mon approbation.

— Que vas-tu faire ?

— Envoyer l'article à Lyell, comme il me le demande. »

Au manuscrit, il joignit une note pour Lyell :

« Vos prédictions se sont vérifiées et c'est tant pis pour moi — quand vous disiez que je serais devancé. Lorsque je vous expliquais brièvement ici mes vues sur la « sélection naturelle » reposant sur la lutte pour l'existence... Ainsi toute mon originalité, si minime soit-elle, se trouve balayée...

J'espère que l'esquisse de Wallace vous convaincra, pour que je puisse lui transmettre vos commentaires. »

Mais il était perturbé, agité, incapable de travailler comme de s'arrêter, de manger ou de dormir.

Le dimanche suivant, vers le milieu de la matinée une voiture s'arrêta devant Down House. Charles Lyell et Joseph Hooker en descendirent. Lyell avait demandé à Hooker de l'accompagner, devinant que leur grand et excellent ami passait par une crise grave ; ils devaient trouver une solution pratique qui rende justice à la fois à Charles Darwin et à Alfred Wallace. Charles fut si stupéfait de les voir à sa porte que l'image des deux hommes resta gravée dans son esprit de façon aussi indélébile que si ç'avait été un daguerréotype accroché au-dessus de la cheminée. Hooker, à quarante ans, était devenu tout à fait chauve sur le sommet du crâne. Les cheveux qui lui restaient étaient toujours noirs, mais ses longues moustaches fournies, se poursuivant sous un menton rasé de près, étaient blanches. Son pince-nez semblait plus petit que jamais sous ses grands yeux et ses sourcils abondants.

Lyell, à soixante ans passés, était totalement blanc avec également de grands favoris lui descendant presque jusqu'au menton. Il avait des yeux étonnamment cernés pour un homme qui n'avait pas l'habitude de se laisser émouvoir par les orages passagers.

« Je ne vous demanderai pas ce qui vous amène. Je crois le savoir.

— Même un idiot s'en douterait, grommela Lyell. Mais tous les génies sont des idiots, dans un domaine ou dans un autre.

— Nous ne sommes pas venus ici pour philosopher, interrompit Hooker d'une voix plus rauque qu'à l'ordinaire. J'ai lu le travail de Wallace. Dans le train en venant de Londres, Lyell et moi avons conçu un plan acceptable. »

Charles eut du mal à articuler ses mots.

« Vous êtes tous deux bien bons de venir m'aider dans cette situation ridicule qui est la mienne. Je vais faire porter du café dans le bureau. »

La pièce tapissée de livres, avec ses innombrables rayonnages et tiroirs, son microscope, ses tables chargées de bocaux, de boîtes et de pots, de loupes et de feuilles écrites leur prodigua son atmosphère sécurisante.

« Il n'y a rien dans l'article de Wallace, commença Charles après avoir longuement pris son souffle, qui ne soit développé plus en détail dans mon esquisse de 1844, de près de deux cent trente pages et qu'Hooker a lue il y a presque douze ans. Il y a environ un an, j'ai envoyé un résumé de mes vues à Asa Gray, je peux donc prouver en toute bonne foi que je n'ai rien emprunté à Wallace. J'aimerais beaucoup maintenant pouvoir publier un exposé de mes principales idées en une douzaine de pages. Mais serait-il honorable de le faire ? Wallace aurait quelque raison de dire : « Vous n'aviez pas l'intention de publier vos idées avant d'avoir reçu un exposé succinct de ma doctrine. Est-il juste de profiter de ce que je vous ai librement, sans que vous me l'ayez demandé, communiqué mes idées, pour m'empêcher de vous devancer ? » Je préférerais brûler mon livre plutôt que de faire croire, à lui ou à quiconque, que j'ai agi avec mesquinerie. Ne croyez-vous pas que le fait qu'il m'ait envoyé son projet me lie les mains ?

— Certainement pas, répondit sèchement Hooker ; vous êtes son aîné et avez exploré ce domaine en pionnier pendant vingt ans de plus que lui. Avez-vous toujours cette esquisse de 1844 ?

— Naturellement. Elle est couverte de vos annotations au crayon. » Il alla vers l'un des larges meubles de rangement près de la porte.

« La voilà. »

Hooker prit les feuilles et se plongea dans la lecture. Lyell demanda :

« Puis-je voir la lettre que vous avez écrite à Asa Gray ? »

Charles prit la copie de la lettre dans le dossier d'Asa Gray et la tendit à Lyell qui se mit à la lire.

Charles marmonna :

« Je ne peux croire que...

— Silence, fit Lyell. Ou alors, votre père avait raison lorsqu'il vous prédisait que vous ne seriez jamais bon qu'à attraper des mulots. »

Charles éclata de rire pour la première fois depuis des jours. Puis il se mit à faire les cent pas pour finalement se rasseoir sur son tabouret. Lyell se regardèrent, puis hochèrent la tête.

« Cela ira, s'écria Hooker.

— Sans aucun doute, renchérit Lyell. Cet essai envoyé à Asa Gray, plus la présentation de 1844, cela fera un ensemble parfaitement cohérent.

— Pourquoi ? demanda Charles.

— Pour une conférence lors de la réunion de la Linnean Society du 1er juillet.

— Mais c'est impossible, s'écria Charles. Il me faudrait des mois... »

Lyell ignora ses protestations.

« Nous lirons également l'article de Wallace à cette réunion...

— Nous n'avons pas son autorisation, parvint à dire Charles, et mon travail arrivera trop tard.

— Pas du tout, répondit Hooker. Lyell et moi ferons un condensé cohérent et convaincant de votre traité de 1844 et de la lettre à Asa Gray. Et nous le ferons approximativement de la même longueur que la communication de Wallace. »

Charles resta assis, la bouche ouverte.

« Vous voulez vous donner tout ce mal... pour moi ?

— Cela ne nous tuera pas, dit Hooker. Il y a pas mal de temps que vous nous rebattez les oreilles avec les espèces. »

Charles resta silencieux un instant puis murmura :

« Vous êtes les deux hommes les meilleurs que je connaisse. Comment allons-nous expliquer à la Linnean Society cette étrange coïncidence ?

— Nous leur dirons la vérité, répondit Lyell. Hooker et moi avons rédigé notre explication dans le train. » Il sortit de la poche de son manteau un morceau de papier plié qu'il se mit à lire :

« *Les articles ci-joints, que nous avons l'honneur de communiquer à la Linnean Society, et qui traitent du même sujet, c'est-à-dire les Lois qui affectent la Production des Variétés, des Races et des Espèces, contiennent les résultats des investigations de deux naturalistes infatigables, M. Charles Darwin et M. Alfred Wallace.*

Ces Messieurs ayant, indépendamment et sans que l'un ou l'autre le sache, conçu la même ingénieuse théorie pour rendre compte de l'apparition et la perpétuation des variétés et des formes de vie spécifiques à notre planète, peuvent tous deux à juste titre revendiquer le mérite d'être des penseurs originaux dans cette direction de recherche importante. Ni l'un ni l'autre n'ayant publié ses vues, bien que nous exhortions M. Darwin depuis des années à le faire, et les deux auteurs nous ayant tous deux confié leur travail, nous pensons qu'il serait dans l'intérêt de la science que des extraits en soient présentés à la Linnean Society. »

Parslow frappa pour annoncer que le dîner était servi.

« Descends à la cave, Parslow, lui dit Charles, et trouve les deux meilleures bouteilles de champagne que nous ayons ! »

Le lundi matin, il se réveilla dans un monde plongé dans le chaos. La scarlatine s'était déclarée à Down. Plusieurs nourrissons du village l'avaient attrapée. En examinant leurs propres enfants, ils découvrirent que le bébé avait la fièvre, et que les maux de gorge d'Henrietta s'étaient changés en diphtérie. Ils appelèrent un médecin et la sœur d'Emma, Elisabeth, qui était venue leur rendre visite, suggéra d'emmener les autres enfants chez elle à Hartfield.

Le lendemain, ils apprirent qu'un enfant de Down était mort de la scarlatine. Leur inquiétude se changea en peur. Ils n'acceptèrent pourtant pas l'offre d'Elisabeth ; les six autres enfants, de William qui avait maintenant dix-huit ans à Horace qui en avait sept, étaient en parfaite santé. Mais pas la nurse d'Henrietta, malade, que Charles dut renvoyer chez elle et remplacer.

Ce fut un bien triste dimanche. « Je veux absolument aller à Down pour le service et prier pour la santé de mon petit.

— Surtout pas ! s'écria Charles. Il y a près d'une dizaine d'enfants à Down qui ont la scarlatine. »

Une semaine s'était écoulée depuis la visite de Hooker et Lyell.

Le docteur revint dans la soirée, épuisé. Toute la région était en proie à une épidémie de scarlatine. Il ressortit de la chambre du petit Charles, très inquiet.

« Je regrette d'avoir à vous dire que le petit a la scarlatine. Nous ne pouvons pas faire grand-chose. J'ai bien peur que votre nurse l'ait attrapée aussi. Je vous déconseille vivement d'entrer dans la chambre de l'enfant. La scarlatine est très contagieuse. »

Ce fut une nuit longue et agitée. Charles et Emma se relevèrent plusieurs fois dans la nuit pour écouter de l'autre côté de la porte condamnée, si l'enfant faisait le moindre bruit.

Le docteur revint tôt le lendemain matin. La nurse avait bel et bien attrapé la scarlatine et dut être transférée dans une autre pièce. Le docteur proposa de rester avec l'enfant, en disant :

« J'ai été si souvent exposé à la maladie que je dois être immunisé contre elle. »

Ce fut une journée maussade ; le bébé mourut cette nuit-là. Ils l'enterrèrent le lendemain dans le petit cimetière de l'église de Down où ils avaient enterré la petite Mary Eleanor à l'âge de trois semaines, seize ans plus tôt.

Ils rentrèrent chez eux, accablés de tristesse, comme de nombreuses familles de la région. Ils décidèrent d'envoyer les enfants chez leur tante Elisabeth où ils les rejoindraient plus tard.

Ce fut dans l'après-midi de la même journée que Charles reçut un message urgent de Hooker lui rappelant que la réunion de la Linnean Society était seulement dans deux jours et qu'il fallait qu'il lui envoie ses documents immédiatement s'il voulait que Lyell et lui préparent la double communication Darwin-Wallace. Après une heure d'indécision, Charles fit un paquet de l'article de Wallace, de son essai de 1844 et de sa lettre à Asa Gray. Il appela Parslow :

« Je voudrais que vous remettiez aussi vite que possible et en main propre ce paquet au docteur Hooker à Kew Gardens. »

Il s'assit à son bureau, et data son mot :

Mardi soir, 29 juin 1858.

« *Mon cher Hooker,*

Je n'hésite pas à dire qu'il est bien trop tard. D'ailleurs cela n'a presque plus d'importance pour moi. Mais vous êtes trop bon de me sacrifier tant de temps et de sollicitude... Je ne peux, à dire vrai, supporter la vue de mon esquisse. Perdez le moins de temps possible. Il est bien mesquin de ma part de me soucier si peu que ce soit de l'antériorité.

Dieu vous bénisse, mon très cher ami. Je ne peux rien écrire de plus. »

Les heures qui précédèrent la réunion de la Linnean Society lui parurent interminables. Il ne pouvait rester en place et courait autour du Sable comme un cheval qui a une épine sous la selle. Les courageux efforts d'Emma pour le distraire ne servaient à rien. Les questions s'entrechoquaient dans sa tête. Comment les auditeurs réagiraient-ils à son article et à celui de Wallace ? Crieraient-ils, unanimes, au sacrilège ?

Ou le traiteraient-ils d'idiot ? Accuseraient-ils Wallace et lui de s'être concertés ? Demanderaient-ils sa démission de la Société ? Il avait espéré garder ses conclusions secrètes pendant quelques années encore jusqu'à ce que ses preuves soient irréfutables. Mais le destin, sous la forme d'Alfred Russel Wallace, lui avait forcé la main.

Le 2 juillet, Joseph Hooker, un peu pâle, apparut en voiture au tournant de l'allée.

« Hooker ! mais pourquoi ne m'avez-vous pas prévenu de votre visite ? Je vous aurais envoyé chercher dans mon phaéton.

— Je voulais vous faire mon rapport aussi vite que possible. »

Charles frissonna.

« N'essayez pas de me ménager.

— Il ne s'est rien passé... voilà tout.

— Que voulez-vous dire ? Les papiers n'ont pas été lus ?

— Oh si, on les a lus. Le vôtre d'abord. Lyell et moi avons essayé d'attirer l'attention sur l'importance que ces communications pouvaient avoir pour l'Histoire Naturelle. Mais elles n'ont pas suscité le plus petit semblant de discussion.

— Pas de discussion ? s'écria Charles stupéfait. Cela n'intéressait donc personne ?

Peut-être que si. Mais le sujet était trop neuf et trop dangereux pour que la Vieille Ecole entre en lice sans armure. Il y eut bien quelques commentaires sporadiques au cours de la longue soirée, mais la caution de Lyell et, dans une moindre mesure, la mienne, ont sans doute impressionné ceux-là mêmes qui se seraient autrement déchaînés contre la doctrine. A la fin de la réunion, il y a eu quelques applaudissements clairsemés. Et tout le monde est rentré chez soi. »

Hooker hocha la tête d'un air désabusé.

« C'était comme si la sanglante Révolution Française avait eu lieu sans que les habitués, aux terrasses des cafés, prennent la peine de lever le nez de leur brioche et de leur café. »

Charles fut pris soudain d'un irrépressible fou rire.

« Tant d'angoisse et de drame intérieur pour rien ! »

Mais Hooker, lui, garda son sérieux.

« Lyell et moi pensons qu'il est désormais indispensable que vous publiiez quelque chose, en plus de ce bref rapport. Un exposé de vos matériaux, organisé et illustré des exemples les mieux capables de prouver ce que vous avancez. Vous devez établir vos droits dans ce domaine. »

Charles ne fut pas long à se reprendre.

« Je le ferai. »

LIVRE ONZE

1.

Le 9 juillet 1858, Emma et Charles allèrent retrouver leurs enfants chez Elisabeth, à Hartfield. Les Darwin passèrent une semaine en famille au soleil du Sussex, puis partirent pour l'île de Wight, face à la côte sud de l'Angleterre, dont le climat était doux et le paysage embelli par des falaises crayeuses. Charles se souvenait de l'île pour y avoir pendant les vacances, dans son enfance, marché le long des plages avec son cousin William Darwin Fox, et nagé dans des criques abritées. Il réserva des chambres au King's Head Hotel de Sandown, l'une des plus pittoresques villes d'eau. Les neuf Darwin, avec une gouvernante pour s'occuper des plus jeunes, Horace, sept ans, Leonard, huit, Francis, dix, et Elisabeth, onze, occupaient six pièces contiguës au bout d'un couloir au rez-de-chaussée, dont l'une était un salon pour le clan. Ils prenaient leur repas de midi sous la vaste véranda de bois, et faisaient un dîner léger à l'intérieur, le soir, lorsqu'il faisait frais. Les cinq garçons, sous la conduite de William, dix-huit ans, qui n'allait pas tarder à partir pour un mois de voyage en Europe avant d'entrer à Christ College, couraient sur les plages, pêchaient, faisaient du bateau, le visage brûlé par le soleil. Charles et Emma se remettaient des tensions de la maladie et de la mort dans cette atmosphère tranquille et vivifiante, se promenaient avec leurs deux filles ou s'asseyaient à l'ombre de la véranda, où Charles leur lisait des histoires pendant qu'Emma tricotait une écharpe pour William.

Charles profitait de ces jours de détente, se sentant aussi bien que lors de son séjour à Moor Park. Au bout de quelques jours, il allait ouvrir la petite valise dans laquelle il transportait la première partie de son manuscrit sur les espèces, dont Hooker lui demandait avec insistance d'extraire une trentaine de pages pour un article dans le *Linnean Journal,* lorsqu'un employé de l'hôtel lui remit un paquet expédié par Hooker et qui venait de Londres. Il l'ouvrit et trouva les épreuves de son article et de celui de Wallace tels qu'ils avaient été présentés à la Linnean Society par Lyell le 1er juin. Dix-neuf jours séparaient la lecture publique du jeu d'épreuves.

Il tomba dans un fauteuil du salon, prit l'introduction de Lyell et de Hooker dont il se souvenait comme d'un modèle de sollicitude parentale. Il y avait peu de changements par rapport à ce que les deux hommes lui avaient lu à Down. Ils soulignaient une fois de plus que ce qui les motivait n'était pas tant une question de priorité entre M. Darwin et son ami M. Wallace, que l'intérêt pour la science en général « *de vues basées pour la plupart sur un grand nombre de faits et mûries par des années de réflexion, qui pourront d'emblée servir à d'autres de point de départ.* »

Charles posa les épreuves sur la table au centre de la pièce, prépara encre et papier pour les corrections, puis découvrit que Hooker et Lyell avaient réalisé un travail si précis en présentant ses textes qu'il n'y avait rien à corriger, sinon, peut-être, son propre style. Il s'écria :

« Mon style est absolument dégoûtant. Je ne peux rien améliorer sans avoir à tout récrire, ce qui serait injuste et n'en vaut pas la peine.

— Tu te drapes dans cette attitude comme certains moines dans leur robe de bure », dit Emma.

Charles rougit et lui prit la taille.

« Je ferai mieux en écrivant les trente pages du condensé de mon manuscrit, qui a déjà près de deux mille pages. Mais je ne sais pas trop comment je vais y arriver.

— Le *Journal* ne peut pas t'accorder plus de place ?

— Peut-être. Et je pourrais payer pour ce qu'il en coûtera si mon texte est trop long. »

Il renvoya les épreuves à Hooker et lui demanda un autre jeu pour l'envoyer à Wallace.

Ce matin-là, les Darwin eurent la surprise d'apprendre un scandale qui impliquait le docteur Lane de Moor Park et l'une de ses malades, une femme mariée qui avait commis l'acte sans précédent de donner en public des détails sur leur adultère. Le docteur Lane niait froidement et l'on manquait de preuves concluantes.

« Il s'agit peut-être d'une femme dérangée, dit Charles, qui croit ce qu'elle affirme mais ne fait qu'halluciner. »

C'est cette opinion qui prévalut. Le mari refusa de porter plainte.

Charles travaillait deux heures par jour, résumant ses chapitres sur *La Variation chez les animaux domestiques.* Il trouvait la tentative intéressante mais frustrante dans la mesure où il n'avait pas la place de donner les sources qui l'amenaient à ses conclusions. Il se plaignit :

« J'ai utilisé cent soixante notes en bas de page, cité exactement cent auteurs, donné des références de titres, volumes et pages de soixante-cinq périodiques et soixante ouvrages. Maintenant, il faut les omettre. Aucun lecteur de formation scientifique ne pourra tolérer un tel procédé. »

Emma l'avait vu survivre à plus d'un problème qu'il avait cru fatal. Elle lui dit avec une lueur malicieuse dans les yeux :

« Ne pourrais-tu saupoudrer un nom ou deux ici et là, comme du sel fin sur un œuf à la coque ? »

Ils passèrent dix jours au King's Head Hotel de Sandown, profitant de la mer, puis se rendirent en voiture à Shanklin où une rangée de simples maisons faisait face à la mer. Charles dit aux enfants :

« Cet endroit s'est développé comme un champignon. Lorsque je suis venu ici avec mon cousin Fox, ce n'était qu'une plage de sable désertique. Et maintenant, trois hôtels, quantité de jolies villas... »

William était parti faire son tour d'Europe. George, à treize ans, était l'aîné des garçons présents et par conséquent celui qui devait répondre à son père.

« Mais c'était il y a des siècles, Papa. Le temps file.

— Le temps s'enfuit, George, corrigea Charles. Pourtant, tu as raison. Le monde ne peut pas rester immobile. Trop de forces vives viennent frapper à sa porte. »

Ils s'installèrent à Norfolk House. Charles continuait à résumer son manuscrit. Il avait bien, de temps à autre, quelque petit problème d'estomac mais rien de grave. Emma et lui marchaient le long des plages, en se tenant le bras, regardant les traînées orange et violettes du soleil couchant se dissoudre lentement. Il lui dit :

« Je suis infiniment reconnaissant à Hooker et Lyell de m'avoir attelé à cette tâche. Lorsque ce résumé sera terminé, il me sera plus facile de conclure mon grand ouvrage. » Puis il secoua la tête d'un air désespéré. « Mais j'ai déjà dépassé de cinq pages les trente que suggérait Hooker et j'ai encore huit ou neuf longs chapitres à rédiger !

— Suis le conseil de mon père, répondit-elle avec son bon sens coutumier. Fais ce que tu as à faire et remets-t'en pour le reste au Destin. »

Le 5 août, il reçut une note de Hooker qui allégea son fardeau. Hooker avait parlé à George Busk, sous-secrétaire en zoologie de la Linnean Society, qui annonçait que Charles pouvait faire plus long, si c'était absolument nécessaire.

« Cela me demandera bien moins de travail, de ne pas avoir à être si concis sur chacun des sujets abordés, s'exclama-t-il après le repas sous la véranda. Mais je vais essayer de ne pas m'étaler. Les autres membres ont également droit à un certain espace dans le *Journal.* »

Hooker avait de plus suggéré la possibilité de publier chaque chapitre séparément dans le *Journal,* sur une période d'un an ou deux.

Il écrivit à Hooker pour lui faire part de son soulagement :

« *Le condensé sera parfaitement compréhensible s'il est divisé en plusieurs parties. Ainsi je viens juste de terminer les* Variations sous l'action de la domestication *en quarante-quatre pages manuscrites et cela conviendrait pour une soirée à la Linnean. Mais je regretterais énormément que le tout ne puisse être publié ensemble par la suite.* »

Ils rentrèrent à Down le 13 août, reposés par la mer et le soleil et reprirent leur mode de vie normal, jardinant et s'asseyant dehors par les soirées chaudes. Charles allait courir deux fois par jour sur le Sable. Il reçut un exemplaire de la conférence inaugurale de Thomas Huxley à la Royal Society intitulé *la Théorie du Squelette des vertébrés* dans laquelle Huxley disqualifiait Owen et selon certains « *ébréchait sérieusement sa gloire* ». Personne ne pouvait nier les réussites d'Owen ; toutefois, il avait commis l'erreur de soutenir une théorie qui faisait du crâne une extension de la colonne vertébrale. Huxley, en s'appuyant sur les travaux d'autres embryologistes, prouva que les os du crâne dérivaient de structures qui précédaient les vertèbres dans leur développement, éliminant ainsi la théorie crânienne.

Charles apprit qu'Huxley, sans rémunération, donnait des conférences à des groupes d'ouvriers qui n'avaient pas les moyens de faire des études. Huxley expliqua :

« Je veux que les ouvriers comprennent que la science et ses méthodes sont des phénomènes importants pour eux. »

Quatre jours après leur retour, Charles s'attaqua à son chapitre-pivot : *La Sélection naturelle.* Tout en supprimant notes et citations, il ajoutait en même temps de nouveaux paragraphes, de nouveaux matériaux et de nouvelles déductions. Lorsqu'il eut terminé ses chapitres sur les *Possibilités de croisement chez tous les organismes* et *Variation dans la Nature*, l'idée d'un petit livre s'était emparée de lui.

Emma en était amusée.

« A quelle vitesse tout cela se développe ! Combien de temps faudra-t-il pour que le petit livre devienne gros ? »

Charles rit doucement.

« Pas longtemps, j'en ai peur. J'ai sans doute plus de talent pour écrire un gros résumé qu'un court. »

Lorsque la publication de l'article de Wallace et du sien dans le *Journal* de la Linnean Society fut elle aussi enfouie sous une chape de silence, il s'écria :

« Mais qui donc voudra lire ce nouvel exposé encore plus long ? Pourquoi prendre la peine de l'écrire ? »

Joseph Hooker trouvait stimulant de travailler dans la chambre à coucher au-dessus du bureau de Charles et se concentrait sur la dernière partie de son livre consacré à la botanique de son voyage dans l'Antarctique, terminant les chapitres ayant trait à la flore de Tasmanie et aux plantes de Ceylan. Avant le repas, ils allaient prendre de l'exercice sur le Sable.

Charles lui dit :

« Parce que vous ne voyez que des fragments isolés de mon manuscrit, vous croyez peut-être que mes spéculations sont bien embrouillées. »

Hooker rentra la tête dans ses épaules d'un air de désapprobation et retira ses lunettes pour les essuyer.

« Au début, j'avais du mal à accepter votre théorie de la sélection naturelle, mais vous m'y avez très largement converti. Une lecture de votre livre d'un bout à l'autre devrait me permettre d'y adhérer totalement. Combien de temps vous faudra-t-il pour finir ?

— Trois ou quatre mois. Pour être clair, je ne peux pas faire plus court. »

Ils finirent leur septième tour du rectangle boisé puis retournèrent vivement vers la maison. Charles écrivait plus rapidement maintenant, pressé de publier, d'être reconnu comme l'auteur de ses idées mais surtout de faire connaître sa conception de l'évolution de tous les êtres vivants. Tous les éléments se mettaient en place, rendant son avance facile. Toutes ses années de dur labeur et de recherche passionnée portaient soudain leurs fruits. Il se tenait au centre même de l'univers, les rayons de sa créativité éclairant tout ce qui l'entourait.

A la fin d'octobre, il eut terminé sa cinquième partie, *Lois de la Variation*, et s'attaqua maintenant à la sixième, *Ecueils de la Théorie.* L'effort de défricher la jungle, d'éliminer tout ce qui retardait son progrès mettait son estomac dans un état qu'il qualifiait de « plutôt mauvais ».

Bien que peu prolixe sur ses jeunes années avec les étrangers, en conteur né, il enchantait ses enfants avec des récits de Shrewsbury, d'expéditions au Pays de Galles, ou d'explorations sauvages entreprises seul lors du voyage du *Beagle.* Les plus jeunes, de leur côté, se servaient de son bureau comme de la réserve d'outils de la maison, venant y piller épingles, ciseaux, colle, ficelle ou règles lorsqu'ils en avaient besoin. Un jour qu'Horace, Leonard et Francis faisaient irruption pour chercher de quoi poursuivre leurs jeux, Charles dit patiemment :

« Ne croyez-vous pas que vous pourriez vous dispenser de revenir ? Il me semble que j'ai été dérangé assez souvent. »

Emma suggéra qu'il s'accorde une semaine à Moor Park.

Le docteur Lane fut ravi de le revoir. Il fit de longues promenades, paressa, suivit un léger traitement hydrothérapique, travailla un peu à son chapitre sur l'instinct. Il rentra à Down le 1er novembre.

Emma lui demanda : « Comment va le système digestif ?

— Remarquablement normal. »

Au début novembre, Charles Lyell fut décoré de la Médaille Copley par la Royal Society, le plus grand honneur que puisse conférer la science anglaise. Hooker proposa de prononcer son éloge. Charles passa la soirée à jeter des notes sur les mérites de son ami. Il termina le lendemain cet aperçu sommaire, rempli « *d'affreuses métaphores* » mais dégageant une impression sincère des mérites de Lyell et l'envoya à Hooker.

Leur fils Guillaume réussit au bout d'un certain temps à loger dans la chambre que Charles avait occupée à Christ's College ; il avait également hérité du vieux serviteur de son père au collège, Impey. Cela donnait à Charles un sens de la continuité, tout comme les collections de scarabées de son troisième fils, Francis. Il attendait aussi avec impatience une visite de John Henslow à la fin du mois. Avec Frances Henslow mariée à Joseph Hooker — elle avait passé la moitié de la nuit à copier l'article sur les espèces pour que Lyell puisse le lire — le lien n'en était que plus fort. Les conférences scientifiques d'Henslow dans le Suffolk avaient été un tel succès que par le prince consort l'avait invité à donner un bref cours de botanique à Buckingham Palace pour les plus jeunes membres de la famille royale. John Henslow était certainement au courant du livre qu'il préparait sur l'origine des espèces par la sélection naturelle. Henslow était un homme pieux, recteur de l'Eglise d'Angleterre. Voyait-il là une défection de ce jeune et brillant faiseur de pâté de grenouilles dont il avait lui-même inauguré la brillante carrière en le plaçant à bord du *Beagle ?*

A soixante-deux ans, John Henslow, avec ses longs cheveux tout blancs, des cernes sombres sous les yeux, vivait seul depuis la mort de sa femme. Et à la différence de FitzRoy, il ne venait pas pour la controverse mais pour profiter de la chaude affection de Charles et d'Emma. Ils passèrent plusieurs jours agréables avant qu'Henslow n'aborde le sujet, au café du matin, dans le bureau. Charles le dévisageait avec tant d'intensité qu'Henslow en sourit.

« Ne vous inquiétez pas. Rien ne peut mettre en cause notre amitié. Je vous défendrai autant que je le pourrai chaque fois que vous serez attaqué. »

Charles célébra la fin de son chapitre sur « *l'Hybridisme et la Succession géologique* » en abandonnant son travail pendant toute la journée de Noël et en la passant avec sa famille, ses deux fils aînés étant rentrés de l'école. Parslow, qui était marié maintenant, et qui avait des enfants lui aussi, installa un sapin dans le salon, décora le chambranle et les tableaux de houx, disposa les cadeaux au pied de l'arbre. Charles avait été trop occupé pour acheter des cadeaux et, à la dernière minute, il ne savait que faire.

« Ne t'inquiète de rien, le rassura Emma. J'ai donné des listes au courrier de Down et il a fait pour nous des achats à Londres. Il se pourrait même qu'il y ait un petit quelque chose pour toi. »

Au dîner de Noël, autour d'une volaille volumineuse et d'un plum-pudding, Charles leur fit part des progrès de son travail.

« Le *Linnean Journal* est sorti. Mon texte était beaucoup trop long.

— Cela veut-il dire que tu devras le publier à tes frais ?

— Ce n'est pas une bonne idée. Il faut une maison d'édition réputée pour que les exemplaires soient distribués. »

Vers le milieu de janvier 1859, il eut la surprise d'apprendre que la Société de Géologie lui avait décerné la médaille Wollaston, que l'on donnait à ceux qui avaient le plus fait pour les recherches concernant la structure minérale de la Terre. Parmi les précédents récipiendaires se trouvaient Louis Agassiz, Richard Owen et Adam Sedgwick. Lyell s'offrit à prononcer un discours, geste d'autant plus généreux que lui-même n'avait jamais reçu cette récompense !

Il avait désormais la « Royale » et la « Wollaston », la première et troisième médaille, en ordre d'importance, de la science anglaise.

Il s'était inquiété de la façon dont Alfred Wallace réagirait à la lecture simultanée de leurs deux papiers. Deux lettres lui parvinrent de Ternate, une pour lui et l'autre adressée à Hooker. Il ouvrit immédiatement la sienne. Wallace était plus que ravi de ce qu'ils avaient fait ! Mais le paragraphe le plus important se trouvait dans sa lettre à Hooker :

« *Permettez-moi tout d'abord de vous remercier sincèrement, ainsi que Sir Charles Lyell, pour tout ce que vous avez eu l'amabilité de faire en cette occasion. Je ne peux que me considérer comme privilégié en la matière parce qu'il n'est que trop courant, en pareil cas, d'attribuer tous les mérites au premier découvreur d'un fait nouveau ou d'une nouvelle théorie et peu ou rien à celui qui pourrait, tout à fait indépendamment, arriver aux mêmes résultats, quelques années ou même quelques heures plus tard...* »

Emma avait commencé à préparer la célébration de leur vingtième anniversaire de mariage le 29 janvier, dès les premiers jours du mois, voulant réunir la famille au grand complet. Cela tombait fort heureusement un samedi, si bien qu'elle put inviter tout le monde pour le week-end. Sa sœur Elisabeth et les Langton vinrent ensemble de Hartfield, la sœur de Charles du Mont, en passant prendre Erasmus à Londres. Hensleigh et Fanny Wedgwood amenèrent les aînés de leurs enfants ainsi que les frères Wedgwood.

Lorsque Charles vit l'étendue des préparatifs — elle avait même engagé des marionnettistes pour les enfants, qu'ils pourraient applaudir dans la salle d'étude — et les énormes quantités de nourriture et de boissons qui étaient livrées à Down House, il s'exclama :

« Cela va être un événement. Puisque j'aurai mon cinquantième anniversaire le 12 février, pourquoi ne fêterions-nous pas les deux événements à la fois ?

— Excellente idée. Je ferai faire deux gâteaux, un pour le samedi de notre vingtième anniversaire, le second pour dimanche et ton cinquantième. »

Il travaillait maintenant à un rythme acharné. Il n'avait jamais eu l'intention de publier. Pas de son vivant. Il avait laissé ses amis le persuader dans ce bureau même, trois ans plus tôt... Il dit à Hooker :

« Comme je serai heureux lorsque le résumé sera fini et que je pourrai me reposer. »

Sa santé se détériorait, il souffrait de vomissements et de sérieuses migraines. Il se demandait parfois s'il parviendrait jamais à finir son livre, alors même qu'il était si près de la fin. Il fut obligé d'arrêter tout travail et de retourner à Moor Park.

Il joua au billard, se mit à prendre de la pepsine pour venir en aide à ses sucs gastriques. La première semaine, il se sentit mieux, puis le charme des promenades et du billard s'émoussa. Il ne se souvint de son anniversaire qu'après s'être mis au lit et avoir lu pendant près de deux heures. Il reposa son livre, *Le supplice de Richard Fiévreux,* le laissant grand ouvert sur la couverture, et se demanda maussade :

« Qu'ai-je donc accompli en cinquante ans de vie sur la terre ? »

2.

Il décida de s'offrir à lui-même un billard comme cadeau d'anniversaire ; il pourrait le mettre dans l'ancienne salle à manger, près du bureau ; il trouva ce qu'il voulait chez Hopkins et Stephens, Mercer street, à Londres, avec un tapis de feutre vert canadien. Les queues étaient faites du bois le plus solide qu'on puisse trouver, et les pieds d'un bois de rose très bruni. Cela coûtait cinquante-trois livres dix-huit shillings, ce qui le stupéfia.

« Nous allons devoir vendre quelques objets pour réunir cette somme, dit-il à Emma.

— Mais pourquoi, Charles ? Notre revenu de l'année dernière était de presque 5 000 livres. Nous avions près de 1 200 livres d'excédent. Et rien qu'en actions, nous devons avoir près de 70 000 livres.

— Nous ne devons pas piocher dans notre capital pour quelque chose d'aussi superflu qu'un billard. Je vais vendre la montre en or de mon père. J'aimerais également vendre une ou deux de nos porcelaines de Wedgwood. »

Emma était peinée de sa pingrerie. Pourquoi fallait-il qu'elle se sépare des vases et médaillons exquis de son grand-père ? Mais elle chassa bien vite toute idée de rébellion. Les Wedgwood étaient précieux pour elle, d'autant plus précieux qu'elle ne se servirait jamais de ce billard, mais pas aussi précieux que la paix dans sa famille.

« Comme tu voudras, mon cher. »

Il termina son dernier chapitre. Dans sa conclusion, il écrivit avec audace :

« *Les différentes sortes de faits qui ont été étudiés dans ce chapitre me semblent proclamer si pleinement que les innombrables espèces, genres et familles qui peuplent ce monde descendent tous, chacun dans sa propre classe et son propre groupe, de parents communs et se sont tous modifiés en cours de descendance, que j'adopterais sans hésitation cette idée même si aucun autre fait ou argument ne venait la corroborer.* »

Il ne savait à quel éditeur s'adresser mais le destin quatre jours plus tard s'en chargea. D'une note de Lady Mary Lyell, il déduisit que Lyell avait parlé du livre à John Murray, qui avait acheté les droits de son *Journal* pour la Home and Colonial Library et qui le vendait bien. Il décida de se rendre à Londres le lendemain.

Il frappa plusieurs fois à la porte du 53, Harley street. Une servante l'introduisit dans le bureau de Lyell. Lorsque, en levant les yeux, Lyell le reconnut, son visage s'éclaira brusquement.

« Ah ! Darwin ! Vous ne pouviez mieux tomber. Donnez-moi dix minutes pour finir ce passage. Je vais vous faire apporter un verre de sherry. »

Charles se tint devant les rayonnages chargés de Lyell, faisant courir un doigt sur le dos des volumes. Lyell eut bientôt fini et lui indiqua une chaise confortable.

« J'ai cru comprendre d'après la note de Lady Lyell que vous avez parlé de moi à John Murray.

— En effet.

— Connaît-il le sujet du livre ?

— Je crois lui en avoir donné une idée assez juste.

— Est-il d'accord pour le publier ?

— Tout à fait. Il veut pourtant qu'on lui montre une partie du manuscrit.

— C'est bien normal. Je pourrai lui envoyer les trois premiers chapitres dans à peu près dix jours.

— Ce sera parfait. Murray est de loin le meilleur éditeur de livres scientifiques. Vous vous souvenez sans doute que c'est lui qui a publié le premier mes *Principes de Géologie* en 1830.

— Me conseilleriez-vous de lui dire que mon livre n'est pas plus hétérodoxe que le sujet ne le permet ? Que je n'introduis aucun débat sur la Genèse mais me contente de livrer les faits et la conclusion à laquelle ils me paraissent à juste titre conduire ? »

Lyell sourit avec indulgence devant le mélange d'espoir, d'excitation et d'anxiété de son ami.

« A votre place, je ne dirais rien et laisserais le manuscrit parler de lui-même. »

Charles était alléché par la perspective d'être publié, comme un chien par la vue d'un os.

« Dans ce cas, me conseillez-vous de lui suggérer les termes d'un contrat ou de le laisser me les proposer lui-même ?

— Voyons d'abord comment Murray réagit au manuscrit. Il semble avoir une seconde vue pour prédire à quel nombre d'exemplaires un ouvrage se vendra.

— Naturellement. Mais auriez-vous alors la gentillesse de regarder ma page de titre ? »

Lyell l'étudia. On y lisait « *Résumé d'un essai sur l'origine des espèces et des variétés* ». Il alla enfouir, presque plié en deux, son menton dans le dos rembourré d'une chaise. Après un moment qui parut à Charles une éternité, il se redressa :

« Vous ne devriez pas utiliser le mot « Résumé » dans votre titre. Cela va effrayer les lecteurs. Ils penseront qu'il ne s'agit que d'une table des matières.

— C'est ma seule excuse pour ne donner ni notes, ni références, ni les faits dans leur totalité.

— Ne vous excusez de rien. Laissez Murray décider. S'il veut véritablement le diffuser, je suis sûr que le mot « Résumé » réduira le nombre de vos lecteurs. »

Le lendemain, Charles écrivit à Murray en lui donnant le titre de ses chapitres. Murray répondit immédiatement, lui proposant des termes avantageux. Charles courut immédiatement montrer la lettre à Emma, qui était assise avec Henrietta dans le salon, se réchauffant au soleil frileux de printemps.

« Ecoute cela, Emma. Murray accepte de publier mon livre ! Sans même avoir vu mon manuscrit. Et il m'offre un pourcentage sur les ventes. »

Il s'empressa de répondre à Murray :

« *C'est peut-être vanité de ma part mais je crois que le sujet intéressera le public, et je sais que les idées en sont originales.* »

John Murray lut les trois premiers chapitres et ils lui plurent. Et puisque le livre lui était chaudement recommandé par Lyell et Hooker, il dit à Charles qu'il n'avait pas besoin de voir le reste mais que le manuscrit devrait être remis le plus vite possible à l'imprimeur.

Il ferait un tirage de 1 250 exemplaires pour la première édition. Il supprima bien le mot « résumé » de la page de titre. Le nouveau titre était désormais « *De l'origine des espèces au moyen de la sélection naturelle, ou la préservation des races privilégiées dans la lutte pour la survie* ».

« C'est un gros tirage pour un livre scientifique, exultait Charles. Henry Colburn n'avait broché que cinq cents exemplaires du *Journal*.

— C'était il y a vingt ans, mon amour, répondit Emma. Quand tu étais inconnu. Ne disais-tu pas que Joseph Hooker pensait que dans une certaine mesure ton livre pourrait intéresser les non spécialistes ? »

Il rougit.

« Je relirai les épreuves et les corrigerai pour l'imprimeur », offrit-elle.

Il regarda sa femme, stupéfait. Elle offrait de corriger les épreuves d'un livre qu'elle réprouvait, dont les conclusions allaient à l'encontre des convictions qu'elle avait eues toute sa vie ! Il la souleva de sa chaise et la prit dans ses bras, l'embrassa passionnément sur la bouche et la garda serrée contre lui.

« Ma chère mademoiselle Wedgwood, voilà vingt ans que je suis marié avec vous mais je ne vous ai jamais aimée ou admirée plus qu'aujourd'hui. »

Des piles de manuscrits encombraient son bureau. Ses instruments de recherche, bocaux, bouteilles, boîtes, bols, éprouvettes s'entassaient dans la pièce, donnant la mesure de son humilité, de ses crises de doute cycliques en même temps que de sa confiance dans son propre talent, sa capacité à voir et à comprendre plus qu'un homme ordinaire. La confiance suprême alternait chez lui avec les craintes de l'échec le plus abject, les moments d'exaltation étaient suivis de crises d'abattement. Il n'avait pas voulu qu'on publie son livre de son vivant et maintenant, il en attendait la parution avec la plus grande impatience. Il déclarait en public qu'il aurait du succès puis se persuadait que personne ne voudrait le lire ou l'acheter. Il s'éreintait sur ce qu'il appelait son « style épouvantable » mais continuait à laisser couler les mots de sa plume jusqu'à couvrir des pages par milliers, sûr que sa découverte de la loi universelle de la nature révolutionnerait la démarche scientifique.

Il n'y avait guère de lettre à ses amis dans laquelle il ne se plaigne du peu de forces qui lui restaient, d'être un handicapé, au moment même où il écrivait des heures durant, faisant des recherches, organisant son sujet parfois en moins d'un mois et rédigeant sans interruption tout un chapitre dans un domaine technique encore jamais exploré ; exploit herculéen tout aussi remarquable que d'avoir escaladé les plus hauts sommets des Andes. Tout ce qu'il écrivait avait été testé, dans son propre laboratoire. Ses livres s'étaient vendus moyennement, mais pas moins bien que ceux d'un autre auteur dans le domaine des sciences expérimentales. Ils étaient une source d'inspiration ; il ne pensait pas pouvoir faire mieux. Et pourtant, il jaugeait ses résultats d'un œil froid, sûr que ses idées, sa documentation, ses intuitions, n'avaient pas d'équivalent depuis qu'en 1543 Copernic avait publié son livre retentissant qui prouvait que le Soleil était au centre d'un système et que la Terre n'était qu'une des planètes qui tournaient autour de lui.

Il possédait à la fois un bon sens rigoureux et une certaine crédulité. Au fond de lui-même, il savait bien que le docteur Holland avait raison en déclarant que c'était le repos et le changement qui lui rendaient la santé plutôt que les cures hydropathiques auxquelles périodiquement il se soumettait ; et que Charles Lyell avait raison de dire qu'emmener Emma en vacances sur le Continent, en Italie, en Espagne ou en France, lui procurerait le même soulagement. Mais il ne pouvait l'admettre qu'à certains moments, pour retourner au travail de plus belle quelques jours ou quelques semaines plus tard, en parfaite santé.

Il dépensait sans compter pour les documents dont il avait besoin pour ses recherches, pour livres et échantillons, pour les frais de poste et de copistes. Il avait su consacrer huit ans de sa vie à des recherches sur les berniques et à un livre dont il n'attendait pas vraiment un profit matériel ; et en même temps il tenait jalousement son livre de comptes et se privait chichement des plus petits plaisirs personnels... sans arrêt partagé entre la fierté de valoir beaucoup d'argent et la crainte de la ruine imminente.

Il y avait aussi son besoin d'amitié et son refus de toutes mondanités ; son attachement farouche à l'isolement de Down et ses voyages à Londres sous le moindre prétexte. Sa nécessité à voir, dans toute période d'oisiveté, une période d'incubation. Il tremblait des réactions critiques que suscitaient ses ouvrages — soulignant encore l'importance qu'il leur accordait en écrivant de longues lettres d'explication et de réfutation, tout en sachant pertinemment que les critiques disparaissent et que l'œuvre demeure. Son amour des compliments était météorique, et le rejet le mettait au comble du désespoir. Il recherchait l'approbation de ses pairs et de ses contemporains ; pourtant dans sa recherche hors des sentiers battus de tout ce qui était radical, difficile à croire et à comprendre, il leur présentait ce qui avait le plus de chances d'être condamné. Il avait l'habitude de remercier les gens pour des récompenses qu'il méritait pleinement, et de déverser abondamment des appréciations élogieuses sur l'œuvre de ses contemporains. Tel était Charles Darwin, mélange d'humilité et d'arrogance, d'audace et de timidité.

Pourquoi, alors, son travail le rendait-il malade ? Presque tout le monde travaillait, parfois à des tâches plus difficiles que la sienne et rarement choisies. C'est qu'il était sérieusement inquiet. Il se réveillait au milieu de la nuit, proprement terrifié à l'idée de ce que ses théories, telles qu'il les avait pour la première fois formulées dans ses cahiers entre 1837 et 1839 et dans ses essais de 1842 et 1844, pourraient déchaîner dans une nation chrétienne comme l'Angleterre dont l'Histoire avait souvent été troublée par les guerres de religion. Durant toute son adolescence, il s'était toujours montré, à l'école comme au cours du voyage du *Beagle,* un jeune homme aimable et peu contrariant. Il était né sans goût pour les conflits. Il n'aimait même pas les sports de compétition, leur préférant les marches solitaires le long de la Severn. Bien qu'il soit convaincu, avec Agassiz, que la nature ne mentait jamais, elle avait commis une sérieuse erreur si elle avait voulu lui faire jouer le rôle de l'antéchrist ! Non qu'il se vît comme tel. Mais le monde le verrait peut-être ainsi, ce qui reviendrait au même.

Les vertiges, les palpitations, les maux d'estomac, les vomissements étaient le prix qu'il payait pour mettre le monde à l'envers. Il prévoyait toutes ses dépenses avec précision, et il ne trouvait pas cela trop cher. Aux yeux de la plupart des médecins d'Angleterre et de ses amis, cela le ferait peut-être passer pour un incurable hypocondriaque. Tant pis. Il savait qu'il poursuivrait sa recherche de l'origine jusqu'au dernier jour de sa vie. Sa tête voulait connaître les vérités ultimes de la nature ; son corps répugnait profondément aux tâches que lui imposait cette occupation ! Rien ne pourrait l'en guérir. Ses constants malaises physiques ne réduiraient jamais la somme énorme de recherches, de courrier, ou de pages de manuscrit, tout comme sa pingrerie n'avait pu l'empêcher d'investir huit années de vie et une partie de son capital dans ses quatre volumes sur les *Cirripedia.* Lorsque son courage faiblissait et qu'il se retrouvait en cale sèche, comme le *Beagle* en Patagonie, la marée de la réussite d'un ouvrage précédent venait le remettre à flot.

Quel sorte d'homme était-il donc dans tout cela ? Il préférait ne pas le savoir.

3.

Tout le monde mit la main à la pâte. Frances Hooker, qui n'était pas la fille de Henslow pour rien, fit « un exemplaire lisible » chaque fois que le manuscrit était en trop mauvais état pour que Joseph Hooker puisse le lire.

« Vous n'avez pour l'instant discuté que mes ouvrages publiés. J'aimerais maintenant que vous me disiez franchement là où vous n'êtes pas d'accord », avait demandé Charles.

Vers la fin mars, il commença à apercevoir le bout du tunnel. Une amie d'Emma et de la famille Wedgwood, Miss Georgina Tollet, qui avait vécu à Betley Hall, à moins de huit miles de Maer Hall, venait d'emménager, par coïncidence, 14 Queen Ann street, à deux pas de la maison d'Erasmus dont elle fréquentait le salon. Les auteurs étaient aux petits soins pour elle, car elle était toujours prête à relire leurs manuscrits pour l'orthographe et la grammaire, qu'elle avait étudiées. L'ayant rencontrée à deux reprises, à Maer Hall et chez son frère, Charles eut le courage de lui demander si elle accepterait de lire son manuscrit.

« J'en serais très honorée, M. Darwin. Mais je dois vous avouer que je ne connais pas grand-chose aux sciences. Le style est ma spécialité.

— La clarté est tout ce que je recherche, Miss Tollet. »

John Murray lui envoya les trois premiers chapitres. Pendant qu'elle s'attelait à la tâche d'améliorer son anglais, Charles envoya le chapitre IV « *Sélection naturelle* » à Murray en disant : « *C'est la clé de voûte de mon édifice.* »

Murray trouva la sélection naturelle fascinante. Il envoya le chapitre à Miss Tollet et celle-ci informa Charles qu'elle n'avait trouvé jusqu'à présent que trois phrases obscures à corriger. Mais Joseph Hooker, travaillant toujours sur le dernier chapitre de Charles, écrivit qu'il trouvait toujours le style de Charles très obscur et qu'il devrait récrire, jusqu'à ce qu'il parvienne à parfaitement exprimer ce qu'il voulait dire.

Charles savait que Hooker était un perfectionniste, aussi exigeant à l'égard de lui-même que de ses amis. Il ne s'en inquiéta pas trop ; mais lorsque Frances Hooker reconnut qu'elle aussi avait trouvé certains passages obscurs, il se mit à trembler. Il travailla si dur à clarifier les concepts mal dégagés que sa santé commença à en souffrir... mais surtout dès qu'il eut envoyé le reste du manuscrit à Murray.

Lors de sa parution, le *Journal of the Linnean Society* qui contenait son étude et celle de Wallace était passé inaperçu. Il reçut finalement une première critique, dont Charles aurait pu se passer. Emma était dans la salle d'étude, à enseigner la calligraphie aux deux benjamins.

« Voilà qui donne un avant-goût de ce qui va arriver, s'écria-t-il en faisant irruption. C'est le discours du Rév. Samuel Haughton devant la Geological Society de Dublin.

« *Ces spéculations de MM. Darwin et Wallace ne mériteraient pas la moindre attention si elles ne s'appuyaient sur l'autorité des noms de Charles Lyell et de Joseph Hooker, qui en ont assuré la présentation.* »

Et puis, très rapidement, les épreuves revinrent de chez l'imprimeur et il se mit à les relire dans son grand fauteuil. Il n'était pas seulement saisi, il était horrifié. La différence entre les pages manuscrites familières qu'il avait envoyées à Murray et les pages imprimées étalées devant lui était aussi grande qu'entre le soleil de midi et une tempête à minuit. Il dit à Murray, bien humblement :

« *J'avance très lentement avec les épreuves. Je me souviens vous avoir écrit qu'il n'y aurait pas beaucoup de corrections. Je me trompais lourdement. Je trouve le style incroyablement... mauvais. Les corrections sont importantes. Comment ai-je pu écrire aussi mal, j'ai du mal à le concevoir...* »

Il passa les semaines suivantes à écrire à l'encre et au crayon entre les lignes des pages d'épreuve de façon si serrée, ajoutant de nouveaux paragraphes dans les marges en haut et en bas, qu'il crut le texte indéchiffrable. Il offrit à John Murray de passer avec lui un accord qui déduirait de ses droits d'auteur tous les frais de correction dépassant une faible marge admise.

Il écrivit, désespéré, à Hooker en juin :

« *... Il me faut bien les noircir et y épingler des rajouts, tant j'ai trouvé le style misérable. Vous disiez que vous espériez que mon livre serait distrayant ; c'est un rêve que je n'ai plus. Je commence à craindre que le public ne le trouve insupportablement sec et confus...* »

Emma, qui avait passé une partie de la journée à la recherche des erreurs typographiques, détestait le voir se désoler ainsi.

« Est-ce que tu ne ferais pas un peu d'attendrissement sur toi-même ? » lui demanda-t-elle.

En juin, ses nausées le reprirent, qu'il attribua à « ces maudites épreuves ». Il tint encore jusqu'au 19 juillet, récrivant presque la moitié des pages, puis retourna à Moor Park pour une semaine. Cette fois, il emporta quelques feuilles de l'introduction de Hooker à *Flora Tasmaniae* pour les corriger, et sept de ses feuilles à lui. Comme lecture pour la soirée, il avait *Geoffrey Hamlyn* de Henry Kingsley et la traduction de Fitzgerald des *Rubayat* d'Omar Khayam, tous deux récemment parus. Au bout de quelques jours, il écrivit à Murray :

« *Je crois être parvenu à rendre le style bon et clair, au prix d'efforts infinis. Mais le livre obtiendra-t-il assez de succès pour vous donner satisfaction, je ne peux le prévoir. Je l'espère de tout cœur.* »

Murray lui répondit qu'il avait tant corrigé que c'était presque comme s'il avait récrit le livre. Il savait que c'était vrai mais il fallait le faire. Enfin le jour vint, le 10 septembre, où il eut corrigé la dernière épreuve. Il ne lui restait plus rien à faire qu'un petit index.

A Lyell, il fit une confession inattendue :

« ... *Je n'exprimerai jamais trop à quel point je suis convaincu de la vérité générale de mes doctrines, et Dieu sait que je n'ai jamais reculé devant une difficulté. Je suis follement anxieux de connaître votre verdict, non que je doive être déçu si vous n'êtes pas converti ; car je me souviens des nombreuses années qu'il m'a fallu pour arriver à cette conviction ; mais je serai profondément ravi si vous vous rangez à ces vues, surtout si j'ai une bonne part de responsabilité dans votre conversion. Je considérerai alors ma carrière comme terminée et ne me soucierai guère d'accomplir encore quoi que ce soit en cette vie...* »

Le 2 octobre, il se rendit seul à Ilkley, un village de cure et de source thermale au nord de Leeds. La famille le suivrait quelques semaines plus tard. Bien qu'il ait pris tout son temps, trois jours, pour y arriver et que la direction lui ait réservé un appartement confortable et vaste, il n'aima pas l'endroit. La nourriture était bonne, son appétit devint meilleur, il prit des bains, fit des promenades... puis se foula la cheville, ce qui le contraignit à rester dans sa chambre. Sa jambe enfla. Puis il eut de l'eczéma, des furoncles. Et le temps devint extrêmement froid.

Son seul réconfort était les lettres qu'on lui faisait suivre de Down House. Il reçut des lettres excellentes de Lyell, de Hooker et d'Huxley, auxquelles il répondit longuement. Il demanda à Huxley une liste d'hommes de science étrangers auxquels il pourrait envoyer des exemplaires de son livre, sans savoir combien d'exemplaires il pourrait acheter car Murray n'avait pas encore fixé de prix. Sa famille arriva et ils trouvèrent une maison disponible ; mais les malheurs de Charles se poursuivaient. Son visage enfla et ses yeux se fermèrent presque. Le docteur Edmund Smith, chirurgien attaché à l'établissement, lui dit qu'il était sujet à une attaque très rare.

« On se croirait en enfer », se plaignit-il.

Emma surprit une expression de perplexité sur le visage du docteur Smith, qui semblait dire : « Que peut-il donc y avoir qui n'aille pas chez cet homme ? » Tout en se plaignant du médecin et du lieu, Charles réalisa que l'attente était la cause de tous ces malaises ; l'angoisse à l'idée que le livre serait peut-être un échec total, interdisant toute possibilité de publier ensuite un ouvrage beaucoup plus détaillé sur les espèces ; la peur qu'il soit ignoré ou passe totalement inaperçu ; ou attaqué, battu, traîné dans la boue et lui-même englouti sous un flot d'insultes et de malédictions.

Le discours prononcé par Charles Lyell le 19 septembre devant la British Association d'Aberdeen lui fut d'un grand réconfort :

« *Un ouvrage va bientôt paraître, écrit par M. Charles Darwin, résultat de vingt années d'observations et d'expérimentation en zoologie, botanique et géologie, qui l'ont conduit à la conclusion que ces pouvoirs de la nature qui donnent naissance aux races et aux variétés permanentes d'animaux et de plantes sont identiques à ceux qui, sur de beaucoup plus longues périodes de temps, produisent les espèces, et au terme d'une succession encore plus longue d'ères, créent des différences de rang générique. Il me semble être parvenu, par ses recherches et ses déductions, à éclairer toute une série de phénomènes ayant trait aux affinités, à la distribution géographique et à la succession géologique des êtres organiques, dont aucune autre hypothèse n'a pu même tenter de donner une explication satisfaisante.* »

Le soutien que lui apportait publiquement Lyell le revigora. Il ne voulut pas s'attarder sur le fait qu'à la fin d'une longue lettre, Lyell lui disait :

« *Je vois toujours la nécessité d'une intervention constante du Pouvoir créateur.* »

Charles était déçu. Lyell n'était toujours pas converti. Il avait toujours besoin d'une sorte de Dieu personnel pour prendre les décisions !

Il répondit immédiatement :

« *Je ne vois pas cette nécessité. L'admettre, je pense, rendrait la théorie de la sélection naturelle inutile... Partez d'une créature archétypique simple, comme le poisson de vase ou un être doté à la fois de branchies et de poumons, avec cinq sens et quelque vestige d'esprit, et je crois que la sélection naturelle rendra compte de la production de tous les vertébrés !* »

Enfin le jour vint, vers la fin de la première semaine de novembre, où il reçut à Ilkley un avant-tirage de *L'Origine des Espèces* envoyé par Murray. Il passa amoureusement la main sur le volume relié en tissu vert, cinq cents pages pleines d'un caractère qui lui parut beau. Une note de Murray lui apprenait que de la première édition, après la distribution de 58 exemplaires pour Charles, pour les critiques et pour le copyright à *Stationer's Hall,* les 1192 exemplaires restants avaient tous été vendus aux libraires lors de la vente d'automne de Murray. Il ajoutait : « *Il nous faut faire immédiatement une nouvelle édition !* »

La nouvelle rendit Charles suprêmement heureux. Elle lui rendit également la santé. Ses yeux et son visage désenflèrent, sa cheville guérit. Le temps devint plus chaud, si bien qu'il put emmener les enfants faire de longues promenades. Il fut pris d'une activité fébrile : écrivit à Murray qu'il voulait partager le coût énorme des corrections, 72 livres et 8 pence ; commanda vingt livres de plus pour lui-même, et dressa une longue liste de gens à qui l'ouvrage devait être envoyé, puis se mit à écrire à chacun d'eux pour leur dire qu'il apprécierait leurs réactions.

Il reçut également une note de William Carpenter, le physiologiste qui l'avait conduit aux plans de son nouveau microscope. Carpenter demandait à Charles la permission d'écrire un article sur le livre dans le *National.* Charles répondit qu'il en serait ravi.

Lorsque le docteur Smith l'examina à nouveau, il remarqua la transformation de son malade.

Trois jours plus tard, il reçut la première critique, parue dans l'*Athenaeum* du 19 novembre. Le chroniqueur, anonyme, était hostile ; rejetant d'emblée tout argument favorable à la thèse de Charles, il parlait du « *contentement de soi évident de l'auteur* » et de « *la façon plus ou moins cavalière dont il se débarrassait de toutes les difficultés* ». Après avoir effleuré les implications théologiques du livre, il laissait l'auteur à la merci de *Divinity Hall,* du College, de la Censure et du Museum.

Peiné, Charles écrivit à Hooker pour lui demander s'il pouvait savoir qui en était l'auteur :

« *... la façon dont il se drape dans l'immortalité et lance les prêtres à mes trousses est basse. Il ne voudrait surtout pas me brûler, mais il veut préparer le fagot et dire aux monstres noirs comment m'attraper...* »

A peine quelques heures plus tard, il reçut une lettre de l'amiral en retraite Robert FitzRoy. Il était désormais statisticien pour le Département météorologique du Ministère du Commerce, qui conservait les rapports établis par les commandants de vaisseaux britanniques sur les vents, la pression atmosphérique, la température, l'humidité. Charles n'avait pas eu de ses nouvelles depuis sa désagréable visite à Down House. FitzRoy écrivait immédiatement pour exprimer son inquiétude devant les vues extrêmes de Charles :

« *Je présume que votre temps depuis quelques années a été si totalement pris par vos propres recherches, vos croisements de pigeons et de lapins et vos investigations microscopiques que vous vous êtes rarement servi d'un télescope pour une vue à grande échelle, une vue d'ensemble ; et que vous avez bien peu lu les œuvres des plus récentes autorités, si ce n'est pour leur emprunter ces petits fragments qui pourraient vous servir dans votre travail. Ce fut toujours votre habitude et vous en avez toujours tiré des résultats partiels et non justes.*

Je ne trouve pour ma part rien de très noble à l'idée de descendre même du plus ancien des Singes... »

Le papier trembla un instant dans la main de Charles. Son livre n'abordait nulle part l'origine de l'homme ! Il avait demandé : « *Pourquoi les singes n'ont-ils pas acquis les pouvoirs intellectuels de l'homme ?* » et écrit : « *Diverses causes pourraient être suggérées, mais comme ce sont de pures conjectures, il ne servirait à rien de les donner.* »

Il revint à la critique de l'*Athenaeum*, qui servait apparemment de source à FitzRoy et trouva les phrases incriminées :

« *... Lady Constance Rawleigh, dans le brillant conte de Disraeli, a tendance à penser que l'homme descend des singes. Cette idée cocasse, suggérée dans* Vestiges *devient presque un credo pour M. Darwin. L'homme, selon lui, est mort hier et mourra demain. Au lieu d'être immortels, nous ne sommes que temporaires, des incidents, pourrait-on dire.* »

« Ah ! se dit-il à mi-voix, voilà bien longtemps que cette idée est débattue. Parions qu'on ne tardera pas à m'en déclarer le seul auteur. »

Le 24 novembre, date de la parution, la famille se trouvait encore à

Ilkley : John Murray mettait sous presse une seconde édition de trois mille exemplaires ; il y eut des lettres de félicitation de Lyell et de Hooker, une lettre de soutien inconditionnel de Thomas Huxley. « Avec ces trois-là dans notre phalange, déclara Charles à Emma après lui avoir lu leurs lettres, nous continuerons. »

Il y avait une note fort décevante de Sir John Herschel, disant qu'il avait reçu le livre mais qu'il se rangeait à l'avis opposé.

Charles fut surpris.

« Herschel a contribué à créer la science de l'astronomie mais ne permet pas la création d'une science d'un type tout différent. Savez-vous ce que je pense ? Je crois que le cerveau des hommes est divisé en compartiments, comme des tiroirs ou des classeurs. Ouvrez-en un, ils sont réceptifs et intelligents. Ouvrez-en un autre, ils sont obtus et fermés. Je me demande si nous pourrons jamais comprendre le cerveau humain. »

Une communication de Hewett C. Watson, botaniste réputé, fut une surprise plus réconfortante.

« *Dès que j'ai commencé à lire* L'Origine, *je n'ai pu m'arrêter et j'ai dû galoper jusqu'à la fin... Votre idée maîtresse sera reconnue un jour comme une vérité indiscutable par la science, je veux dire, la sélection naturelle. Vous êtes le plus grand révolutionnaire de l'Histoire naturelle de ce siècle, sinon de tous les siècles...* »

4.

D'Ilkley, ils se rendirent à Shrewsbury. Il était agréable de se retrouver au Mont, de déambuler dans ce décor qui n'avait pas changé depuis l'enfance de Charles. L'énorme bibliothèque avec ses colonnes de marbre semblait appartenir à la demeure d'un baron, et faisait ressembler Down House à une petite résidence de campagne. Il avait envoyé à Susan et à Katty un exemplaire de *L'Origine des Espèces* et ses sœurs l'avaient placé près de ses autres ouvrages, sur une table de marqueterie, bien en évidence, serré entre deux presse-livres de marbre veiné de rose. Ni l'une ni l'autre ne l'avaient encore lu.

Il dormit bien, mangea oie et pommes de terre en croûte dans la salle à manger donnant sur la Severn, fit quelques corrections et quelques ajouts pour la prochaine édition de Murray, refit avec ses deux garçons les longues promenades de son enfance. Ce fut une semaine excellente, une parenthèse dans le temps. Il écrivit à Erasmus, lui annonçant que la famille arriverait à Londres le 6 décembre pour passer quelques jours avec lui. Erasmus répondit immédiatement, pour dire qu'il organiserait une soirée en l'honneur des amis les plus proches de Charles le 7 décembre.

Erasmus, bien que légèrement souffrant, les reçut avec une grande amabilité, et prit son jeune frère affectueusement dans ses bras.

« Eh bien, Gaz, tu y es arrivé ! Pas une phrase qui ne vienne de ce cours de chimie que je t'ai donné dans notre petite cabane à outils du Mont. Tu te souviens, quand nous empestions le voisinage à l'acide sulfurique ? »

Pendant que les domestiques installaient Emma et les enfants dans leur chambre, Charles et Erasmus s'installèrent dans deux fauteuils voisins.

« Tu as lu *L'Origine* en entier, Ras ? »

Erasmus reprit son souffle et dit en cherchant ses mots :

« Je crois que c'est le livre le plus intéressant que j'aie jamais lu, mais je n'ai comme élément de comparaison que mes débuts d'études en chimie... Pour moi la relation des îles avec les continents est la preuve la plus convaincante, tout comme les liens entre les formes les plus anciennes et les espèces existantes. »

Il y avait deux messages pour Charles. L'un du docteur Holland, l'autre de Richard Owen. Henry Holland le reçut dans son luxueux bureau de Harley street.

« Ah, Charles ! Vous semblez en bonne santé. Ilkley doit être une meilleure station de cure que je ne le pensais. Je n'ai guère lu plus de la moitié de votre livre, je ne peux donc vous donner d'opinion bien définitive...

— Vous semblez même dans une indécision bien rare, taquina Charles.

— Eh bien, oui, je suis tiraillé entre les deux positions, la vôtre et celle du clergé. J'ai lu votre chapitre sur l'évolution de l'œil. L'audace du concept m'a coupé le souffle. Mais cela ne pourra pas passer, vous savez, il est totalement impossible de retracer la structure et les fonctions à partir des premiers poissons... Et pourtant... c'est partiellement concevable... Quoi qu'il en soit, je voulais vous serrer la main, cousin, et vous féliciter pour votre livre, que son contenu soit juste ou pas. »

Charles quitta son bureau, moitié amusé, moitié furieux. Il prit une voiture pour se rendre au British Museum où il retrouva Richard Owen dans son bureau.

Ce dernier le reçut avec cette urbanité dont Charles avait toujours suspecté qu'elle recouvrait de l'aigreur et du mépris. Puis son visage s'empourpra. Il cria sauvagement :

« Je répugne au plus haut point à voir mon nom cité parmi celui des défenseurs de l'immutabilité.

— C'était honnêtement mon impression, et celle de plusieurs autres.

— Votre Huxley, j'imagine ? Ma position importante parmi les scientifiques et les naturalistes de Londres ne doit pas être mise en cause. Au fond, Darwin, je suis très largement d'accord avec vous.

— Il n'est personne dont l'approbation me soit plus précieuse », répondit Charles.

La colère disparut des yeux d'Owen comme par les trous d'une passoire.

« Votre explication est la meilleure qu'on ait jamais publiée sur la manière dont se sont formées les espèces. Mais n'allez pas en conclure que je suis d'accord avec vous sur tous les points. Votre livre d'ailleurs essaie de tout expliquer. Rien n'est moins plausible.

— Je vous l'accorde. On ne peut qu'essayer. Je ne suis que rarement en avance sur mes faits, d'un rien, et c'est précisément à cause de ce petit rien que j'ai pu avancer. Sans formuler une théorie, basée sur les faits dont on dispose, je suis convaincu qu'il n'y aurait plus d'observation. Et quand je spécule sans m'appuyer fermement sur les faits, je prends bien soin de me dire : « Pure hypothèse, attention ! »

Owen eut l'air de prendre cela pour une excuse. Il se calma, secoua la main de Charles avec une chaleur modérée, puis conclut l'entrevue par un : « Le charme du livre, c'est que c'est Darwin tout craché. »

En route vers chez Erasmus, Charles sentit une fois de plus tout ce que les flatteries d'Owen pouvaient avoir d'insultant.

Charles et Mary Lyell étaient chez Erasmus lorsque Charles et Emma rentrèrent de leur visite à Hensleigh et Fanny Wedgwood. Mary Lyell arborait un grand sourire ; Lyell prit Charles dans ses bras robustes en s'écriant : « Bien content d'avoir fait tout ce que j'ai pu, avec Hooker et Huxley, pour vous pousser à publier le livre, sans attendre ce moment favorable qui ne se serait sans doute jamais présenté, même si vous aviez dû vivre cent ans. »

Charles sentit le rouge lui monter aux joues.

« Je voulais que le manuscrit vous en soit légué, à vous et à Hooker, après ma mort, toujours imminente. »

Mary Lyell se mit à rire.

« Ce sont les hommes comme vous, les malades chroniques, qui prenez toujours grand soin de votre santé, qui vivez éternellement. »

Le majordome d'Erasmus leur servit du champagne. Lyell trinqua avec Charles et en prit une bonne gorgée.

Quand Thomas et Nettie Huxley arrivèrent, Huxley lui dit, exultant :

« Depuis l'essai de Von Baer sur l'embryologie, il y a neuf ans, je n'ai pas lu d'ouvrage de sciences naturelles qui m'ait autant impressionné que votre livre. Quant à votre doctrine, je suis prêt à me battre pour elle. J'espère bien que vous ne vous laisserez pas décourager ou même importuner par les attaques et les distorsions auxquelles, si je ne me trompe, vous n'allez pas tarder à être exposé. Soyez certain de vous être acquis pour longtemps la gratitude de tous les hommes qui réfléchissent. Et devant ceux qui vont aboyer, souvenez-vous que vous avez quelques amis, non dépourvus de combativité, qui seront à vos côtés. Je prépare déjà mon bec et mes griffes. »

Joseph et Frances Hooker arrivèrent les derniers. L'expression généralement sérieuse de Hooker avait disparu. Ses yeux brillaient de joie lorsqu'il dit à Charles en lui serrant le bras :

« Comme le livre est différent à lire du manuscrit ! Nous étions chez les Lyell quand nous avons tous deux lu *L'Origine*. Lyell se délectait littéralement. Quant à moi, je crois que c'est un ouvrage magnifique, écrit de main de maître. Il aura du succès. »

Pendant que Hooker disait bonjour aux autres, Charles prit Frances Hooker à part.

« Est-ce que votre père a lu le livre ?

— Oui, il l'a lu.

— Comment mon bon vieux maître l'a-t-il pris ? J'ai peur qu'il n'approuve pas son élève dans ce cas...

— Certaines parties ; si. D'autres...

— M'en veut-il ?

— Il vous aime comme un fils... et vous pardonne vos péchés contre Dieu. »

Charles regarda fixement le visage de Frances, qui ressemblait tant à une miniature du professeur Henslow.

Le dîner fut annoncé. Le majordome remplit leurs verres d'un vin blanc glacé. Erasmus se leva, et leva son verre pour un toast :

« A l'origine de Notre espèce ! »

Charles Lyell répondit :

« Comme a dit l'Américain Emerson : " *Prenez bien garde au jour où Dieu tout-puissant laissera sur cette planète un penseur en liberté.* " »

La famille rentra à Down House deux jours plus tard. Là, comme John Milton, un autre élève de Christ Collège, l'avait écrit deux siècles avant Charles dans *Le Paradis Perdu, L'enfer se déchaîna.*

Le plus grand choc vint d'Adam Sedgwick, son ami de toujours, et même à une certaine époque, le soupirant de sa sœur Susan. Sedgwick était maintenant titulaire de la chaire de théologie de Norwich, un homme aussi important dans l'Eglise d'Angleterre qu'à Cambridge. Sa lettre était apparemment le brouillon d'un article que Sedgwick publierait dans le journal anglais le plus important auquel il aurait accès.

Après le tribut obligatoire à l'amitié, Sedgwick écrivait :

« *Si je ne vous croyais pas un homme de caractère, amoureux de la vérité, je ne vous dirais pas ceci... J'ai lu votre livre avec plus de désagrément que de plaisir. J'en ai grandement admiré certaines parties, d'autres m'ont fait rire à en avoir mal aux côtes ; j'en lis d'autres encore avec une tristesse absolue parce que je les crois tout à fait fausses et extrêmement nocives. Vous nous embarquez dans une machine tout aussi monstrueuse, je crois, que cette locomotive de l'évêque Wilkins qui devait nous conduire jusqu'à la Lune.*

... J'appelle « causation » la volonté de Dieu ; et je peux le prouver, Il agit pour le bien de Ses créatures. Là, dans les termes, et plus encore dans le raisonnement, nous sommes d'avis diamétralement opposés. Il y a une partie morale et métaphysique dans la nature, tout comme une partie physique. L'homme qui nie cela est en proie aux graves illusions de la folie... Vous avez ignoré ce lien ; et vous avez fait de votre mieux, en deux occasions précises, pour le briser. »

Charles reposa la lettre, très affecté. La diatribe fut si pénible à Emma qu'elle ne voulut pas la montrer aux aînés. Le soir, au moment d'aller se coucher, Charles dit à sa femme :

« Ce qui me blesse le plus c'est lorsqu'il dit : " *J'en ai admiré certaines parties, d'autres m'ont fait rire à m'en faire mal aux côtes.* " Il sait avec quel sérieux j'ai étudié l'Histoire naturelle toute ma vie. Rien n'est plus insultant que d'être tourné en ridicule. »

Pendant deux jours pleins il rédigea d'innombrables réponses dans sa tête, sans en écrire un mot sur le papier, avant de pouvoir simplement répondre :

« *Vous ne souhaitez pas, j'imagine, que quiconque dissimule les résultats auxquels il est arrivé après avoir travaillé au mieux de ses capacités. Je ne pense pas que mon livre puisse être nuisible ; il y a tant de chercheurs que si je me trompe, je serai détruit ; et vous m'accorderez certainement que la vérité n'est établie que lorsqu'elle sort victorieuse de toutes les attaques.* »

La confrontation suivante vint de l'*Edinburgh Review*. C'était une fois de plus un article anonyme ; mais comme Charles, Lyell, Hooker et Huxley en convinrent, en discutant cet article extrêmement long à l'Athenaeum, aucun scientifique ne pouvait rester très longtemps anonyme en Grande-Bretagne. Tout semblait indiquer que l'attaque avait été montée par Richard Owen. Ils se demandèrent pourquoi il avait préféré demeurer anonyme.

« L'article est extrêmement pernicieux, intelligent, murmura Charles, et j'ai l'impression qu'il causera beaucoup de tort. Il est atrocement sévère à votre égard, Huxley, et très amer en ce qui vous concerne, Hooker. Lyell, il vous a maintenu à l'écart de ses foudres. Vous devriez être flatté.

— Pas du tout, répondit Lyell avec un bon sourire. Je suis déçu. La critique la plus sévère qu'on puisse faire à Richard Owen, c'est de n'avoir jamais eu le moindre élève ou suiveur, depuis des années qu'il écrit. »

Les quatre hommes prenaient un apéritif avant le repas de midi. Charles rouvrit l'*Edinburgh Review* et lut à voix haute à ses compagnons dans leurs fauteuils de cuir :

« ... *Le monde scientifique attendait avec impatience de connaître les faits que M. Darwin trouverait finalement dignes d'étayer sa théorie sur cette question primordiale pour la biologie, et le cours des recherches théoriques originales qui pourraient s'ouvrir lorsqu'on aurait jeté quelque lumière sur ce « mystère des mystères ». Mais ayant déjà cité l'essentiel, sinon la totalité des observations originales présentées par l'auteur dans le volume qui s'offre à nous, on peut imaginer notre déception...* »

Huxley s'écria :

« Jalousie, pure jalousie ! Tout son organisme est infecté par la jalousie, comme celui d'un tuberculeux par les bacilles. »

Les attaques se poursuivirent, brutales et passionnées, venant souvent de là où on ne les attendait pas. Un article cinglant dans le *Daily News*, l'accusait d'avoir pillé son maître, l'auteur de *Vestiges*. Un article hostile parut dans *Gardener's Chronicle*, ce qui surprit d'autant plus Charles qu'il publiait chez eux des articles depuis des années. Un compte rendu ni-oui-ni-non dans le *Canadian Naturalist ;* et dans la *North British Review,* une critique dont tout le monde reconnut qu'elle était « sauvage », écrite par un Révérend John Duns, un prêtre entiché d'histoire naturelle.

« Je suis stupéfait de l'impression que mon livre a faite sur plusieurs esprits, dit Charles à Emma. Leurs attaques tiennent plus de la théologie que de la science. Cela, on pouvait s'y attendre. Mais j'ai reçu quelques coups bas de bons amis. Asa Gray m'écrit que le point le plus faible du livre est la tentative d'expliquer la formation des organes, l'élaboration des yeux et des oreilles par la sélection naturelle. Même Hooker me dit que je fais un dada de la sélection naturelle et que je l'enfourche trop souvent. »

Toutefois, Joseph Hooker écrivit un article exposant les thèses du livre pour le *Gardener's Chronicle ;* Asa Gray écrivit un papier fortement favorable dans l'*American Journal of Science and Arts* et plus tard un article plus long et plus critique pour le *London Times,* suivi d'une étude signée pour *Macmillan's Magazine.* Thomas Wollaston publia un article hostile dans les *Annals and Magazine of Natural History,* un résumé intelligent qui interprétait faussement les conclusions de Charles. Samuel Haughton, qui avait refusé de publier la communication de Charles et de Wallace dans le journal de la Linnean Society, publia une violente attaque dans les *Proceedings of the Natural History Society of Dublin.* Curieusement, l'article dans *English Churchman* était élogieux, bien que l'auteur prenne de très haut la doctrine de la sélection naturelle. Pour faire bonne mesure, le vieux J. E. Gray, du British Museum, autorité en géologie, déclara :

« Vous n'avez fait que reproduire la doctrine de Lamarck, et rien d'autre, alors qu'ici Lyell et d'autres n'ont cessé de l'attaquer pendant vingt ans. Maintenant, parce que c'est vous qui dites la même chose, ils changent tous d'avis. C'est d'un manque de logique tout à fait ridicule ! »

Lui et son livre étaient conspués et maudits en chaire, de Glasgow, au nord à Plymouth, au sud. Il était devenu célèbre et honni, du jour au lendemain. On discutait avec passion de *L'Origine* dans toutes les salles à manger d'Angleterre, y compris quand (c'était le plus souvent le cas) on n'avait pas lu une seule ligne du livre. Pourtant, il reçut une lettre de Charles Kingsley, célèbre ecclésiastique et romancier qui venait d'être nommé chapelain de la reine Victoria, qui exprimait son admiration :

« *Cher Monsieur,*

Tout ce que j'ai vu de votre livre m'impressionne grandement. A la fois le volume des faits et le prestige de votre nom, et aussi l'intuition très nette que si vous avez raison, il me faudra abandonner beaucoup de ce que j'ai cru et écrit jusqu'à présent.

De cela, je ne me soucie guère. Que Dieu dise vrai, et que chaque homme soit un menteur ! Essayons de connaître ce qui est… et poursuivons les méandres tortueux d'un mauvais raisonnement, jusque dans les ornières et les impasses où il peut nous conduire, si nous devons en définitive tomber nez à nez avec la vérité… »

Le Rév. Brodie Innes, de Down, lui exprima également son soutien. Innes lui demeurait délibérément loyal, écartant tout membre de sa congrégation désireux d'entreprendre une polémique au sujet du livre. Ils burent ensemble un verre de porto léger à Down House, un soir après dîner.

Charles montra à Innes un pamphlet injurieux écrit par un ecclésiastique. Innes se mit à rire en lisant les critiques dirigées contre la personne de Charles. Mais il cessa lorsqu'il vit son expression.

« Ah ! M. Darwin, ce pamphlet vous affecte ?

— Oui. Je n'ai jamais attaqué de front la religion ni le clergé. Pourquoi me calomnient-ils ?

— Parce qu'ils ont peur. Ils ont peur que votre livre leur coûte leurs rectorats confortables. »

Et aux cris d'indignation de Charles, Huxley répondit :

« Mais vous ne semblez pas remarquer toute l'ampleur que prend la discussion de *L'Origine !* Tout cela stimule la discussion. Même les critiques négatives attirent des commentaires. »

C'était un avantage dont il se serait bien passé.

5.

Emma détestait les critiques hostiles tout autant que Charles. Elle était blessée par les attaques qu'on portait à ses qualités scientifiques ou à son caractère, car il se faisait traiter de tous les épithètes les plus malsonnants du vocabulaire anglais ; et se réjouissait comme lui des comptes rendus favorables. Pourtant, elle était intérieurement convaincue du bien-fondé des accusations des théologiens, certaine que les concepts de Charles viendraient miner la foi des gens en Dieu.

« Et s'ils perdent cela, se disait-elle, ils perdront tout espoir. Les gens ne peuvent pas vivre sans la foi. La vie serait trop difficile, impossible, véritablement, sans elle. Il serait totalement désespérant de voir le matérialisme l'emporter sur la spiritualité. »

Personne ne s'en doutait, naturellement. Elle n'avait pas de confident, car elle ne voulait révéler ses pensées intimes ni à ses sœurs, ni à ses frères, ni à ses enfants ni à ses amis. Elle allait régulièrement à l'église, communiait, lisait sa Bible chaque jour, assurait l'instruction religieuse de ses enfants. Charles n'était pas insensible à son dilemme, c'était même l'une de ses sources d'angoisse les plus profondes, en dépit du fait qu'elle lui proposait de corriger ses épreuves. Il ignorait à quel point elle avait souffert car elle s'efforçait de maintenir solidement l'harmonie dans la famille, appuyant son mari avec une totale loyauté. Elle en était d'autant plus reconnaissante à la phalange d'amis intimes qui soutenaient Charles. Mais elle avait souvent des doutes profonds. Elle avait besoin pour son propre bien-être de les formuler, tout en protégeant de son mieux la santé et l'équilibre de Charles.

Elle lui écrivit une lettre. La déchira. En écrivit une autre quelques jours plus tard. La jeta au panier. Ses tentatives, écrites à différents moments, ne parvenaient pas à exprimer son désir de le protéger tout en lui communiquant clairement qu'elle pensait qu'il devrait diriger ses pensées plus haut, vers Dieu. Finalement, elle plaça sa lettre dans le bureau pendant que Charles était au Sable. C'était la seconde lettre qu'elle lui écrivait. La première, juste après leur mariage, vingt et un ans plus tôt. Et le message, pour l'essentiel, était le même.

« *... Tu connais assez mon amour pour toi pour savoir que tes souffrances m'affectent presque autant que si c'étaient les miennes. Le seul remède que j'y ai trouvé est de les prendre comme venant de la main de Dieu. D'essayer de croire que toute souffrance et maladie ont pour fonction d'élever nos esprits et de nous faire attendre avec espoir un état futur. Quand je vois ta patience, ta profonde compassion pour les autres, ta maîtrise de toi et surtout ta gratitude pour les plus petites choses faites pour t'aider, je ne peux m'empêcher de désirer que ces précieux sentiments soient offerts au Ciel, pour assurer ton bonheur quotidien... Ce sont les sentiments, et non le raisonnement, qui conduisent à la prière...* »

Pour le plus grand plaisir de Charles, des traductions en français et en allemand avaient été entreprises. L'éditeur américain, D. Appleton, vendait bien sa première édition, de deux mille cinq cents exemplaires, le double de la première édition de John Murray. « Un peuple audacieux, les Américains », pensait-il. Cette opinion fut renforcée lorsqu'il reçut un chèque d'Appleton de vingt-deux livres, plus d'argent qu'il n'avait jamais rêvé en gagner dans un pays étranger. Murray confia à Lyell que cinquante exemplaires de *L'Origine des Espèces* s'étaient vendus dans les dernières quarante-huit heures. A un homme qui avait voulu l'acheter à la librairie de la gare de Waterloo Bridge, on avait répondu qu'il n'y en avait plus jusqu'à la prochaine édition. Le libraire ne l'avait pas lu, mais avait entendu dire que c'était un livre remarquable.

Dans le courrier de Charles pourtant, les insultes et l'indignation, le dénigrement de son livre et de sa personne l'emportaient sur les louanges à quatre-vingt-dix-neuf pour cent. Tout le monde semblait lire au moins une partie de livre et personne ne restait neutre. Les insultes étaient-elles une forme d'expression plus répandue chez les hommes que les louanges ?

Ce fut Lyell qui lui suggéra la meilleure façon d'essuyer la tempête. « N'essayez pas de convaincre vos contemporains, lui conseilla-t-il. La génération suivante vous croira. Les gens ont peur que vous attaquiez Dieu et l'Eglise. Vous auriez eu beaucoup moins d'ennuis si vous vous étiez attaqué à l'Empire britannique. »

Charles allait plus souvent à Londres, maintenant qu'il était un scandale national, pour prendre la température des nombreuses sociétés dont il était membre : la Royal, la Linnean, la Zoological, l'Entomological, la Royal Geographical et la Geological. A part l'Entomological Society, unanime dans la réprobation, la plupart de ses collègues semblaient le tenir pour responsable de ses propres opinions, et penser qu'elles devaient être étudiées et évaluées. Ceux qui mentionnaient son livre disaient seulement qu'ils étaient en train de le lire, le trouvaient intéressant et le félicitaient de toucher un très vaste public avec un livre très spécialisé. Ceux qui ne l'avaient pas lu se comportaient avec lui exactement comme avant sa publication. « Nous sommes dans l'ensemble des gens civilisés, fit remarquer Lyell. A Londres, on peut très bien ne pas partager votre point de vue, ce n'est pas pour cela qu'on vous ébouillantera avec le thé. »

Il se remit au travail et retrouva son bureau, pour la première fois depuis qu'il avait corrigé les dernières épreuves de *L'Origine,* un an plus tôt. Pendant les mois écoulés quantité de documents étaient arrivés à Down House, correspondance d'experts dans des domaines particuliers, articles de journaux scientifiques, livres récemment parus ayant directement trait aux onze chapitres du manuscrit de deux mille pages dont il avait extrait *L'Origine des Espèces*.

Il commença à intégrer ses nouveaux matériaux, se sentant parfaitement bien. Les nausées avaient disparu, tout comme les brûlures d'estomac qui l'avaient réveillé, à un moment donné, plusieurs fois par nuit.

« Pourquoi ma santé est-elle à ce point meilleure ? se demandait-il en chassant du pied la sixième pierre d'une course de huit tours sur le Sable, par un froid après-midi de janvier. Est-il préférable de voir se matérialiser ce concert d'injures que je redoutais tant ? Ou suis-je tellement pris par l'excitation de la bataille, et ces longues lettres à mes détracteurs comme à mes partisans, que j'en oublie d'être malade ? »

Pour le punir d'avoir nourri une telle pensée, son estomac se vengea. Charles se rendit à Londres, pour consulter un médecin qu'on lui avait recommandé, un certain docteur Headland dont un *Essai sur l'action médicale* venait d'être primé. Le docteur Headland lui prescrivit de ne boire qu'une certaine quantité de vin par jour, interdit toutes les sucreries, en particulier les chocolats qu'Emma et lui aimaient tant ; et prescrivit un traitement d'acide nitromuriatique. L'effet fut excellent.

Il fut en parfaite santé jusqu'à la réunion d'Oxford de la *British Association for the Advancement of Science,* prévue pour le 27 juin 1860. L'évêque Samuel Wilberforce (connu sous le nom de Sam Savonnette à cause de sa voix mielleuse et de sa capacité à glisser du ton de la haute église aux épithètes de basse-cour dans ses diatribes venimeuses), avait promis d'y assister et de « régler son compte à Darwin ».

Il se sentait si bien, l'esprit clair et désireux de se mettre au travail, qu'il prit une décision qui allait engager le cours de sa productivité pendant les vingt-deux ans qui allaient suivre. Jusqu'à la fin de janvier 1860, il essayait toujours de compléter son manuscrit de deux mille pages pour le faire publier. Réalisant finalement que c'était impossible, il décida de développer un volume particulier pour chacun des chapitres de son long travail annoté, avec une préface et un index pour chacun d'eux. Ainsi, il pourrait continuer ses recherches et développer tous les chapitres de son premier manuscrit.

Il y eut de nombreux invités à Down House vers la fin de l'hiver et dans les premiers mois du printemps. John Henslow se réjouit de retrouver son élève préféré, quoique égaré. Ils firent de longues promenades dans les bois et collectionnèrent mousses et fougères.

Les longs cheveux d'Henslow étaient maintenant d'un blanc neigeux. Il n'avait que soixante-quatre ans mais ses joues s'étaient un peu creusées. Aux yeux de Charles, pourtant, il restait le plus beau des hommes : aimable, donnant de lui, un vrai saint. Un « *rara avis* » oiseau rare dans un monde de troubles et de conflits.

Henslow aida Charles à conserver son équilibre dans la tempête. Lorsque le docteur William Wheewell, maintenant maître au Trinity College de Cambridge, refusa d'admettre un exemplaire de *L'Origine des Espèces* dans la bibliothèque, Charles fut atterré.

Henslow hocha la tête et dit :

« La censure ne peut pas durer toujours. Elle se détruit d'elle-même. Je ferai étudier le livre dans mes classes.

— Comment mes vieux amis de Christ College prennent-ils cette conduite infamante de la part d'un de leurs anciens condisciples ?

— Philosophiquement, répondit Henslow avec une lueur d'amusement dans les yeux. Avec une pointe de fierté. Pourquoi ne reviendriez-vous pas nous rendre visite ?

— Il y a vingt-trois ans qu'ils m'ont accordé ma maîtrise !

— Pourquoi ne viendriez-vous pas lorsque Adam Sedgwick donnera sa conférence contre *L'Origine ?* Vous êtes le mieux placé pour lui répondre. »

Charles était terrifié par cette perspective. « C'est donc moi qui devrai le faire », murmura Henslow.

La visite des Lyell était toujours un grand plaisir. Cette fois, Lyell, dont les yeux, à soixante-deux ans, brillaient comme ceux d'un jeune homme, débordait d'enthousiasme pour son nouveau projet.

« Darwin, j'ai bien réfléchi. Je vais écrire un livre sur l'origine de l'homme. Le titre auquel je pense est *Evidences géologiques de l'antiquité de l'homme. »*

Charles était à la fois ravi et réticent.

« Dieu soit loué ! Vous allez me soulager de ce pesant fardeau. Il faut beaucoup d'audace, je vous l'accorde. Votre débat sera sans nul doute d'un haut niveau ; mais cela va horrifier le monde. C'est dans cette pièce, il y a quatre ans, que vous m'avez conseillé de ne pas écrire sur l'homme. Je crains d'avoir à vous retourner cette mise en garde avec cent fois plus d'insistance.

— Je suis conscient des dangers. C'est la dernière étape avant l'enfer. Je me protégerai en vous demandant de lire chacune des pages de mon manuscrit. »

Charles se rembrunit.

« Je crois que l'homme est dans la même situation que les autres animaux. Il est, en fait, impossible d'en douter... Notre ancêtre était un animal qui respirait dans l'eau, avait une nageoire, un cerveau imparfait, était indiscutablement hermaphrodite. Plaisante généalogie pour l'humanité ! »

Ce fut également un plaisir de recevoir à Down House Joseph Hooker, Thomas Huxley et leurs femmes. Emma, Frances Hooker et Nettie Huxley partageaient les joies comme les peines de leurs maris. Les trois hommes constituaient le trio le plus créateur de la science anglaise, tous trois exploraient les secrets de la nature à la recherche des causes premières. Ils se surmenaient au travail, tombaient souvent malades et devaient donc être souvent soignés ; tous trois poursuivaient des théories iconoclastes qui créaient des tensions dans leur vie de famille ; tous trois avaient des personnalités très fortes qui s'étaient formées elles-mêmes. Lorsqu'ils se retrouvèrent autour d'une table au salon, par un soleil de printemps précoce qui avivait les couleurs des premières fleurs, Hooker déclara :

« Je m'attends à un grand raz de marée en votre faveur pour faire contrepoids au ramassis de non-sens qui se déverse actuellement. Et il y aura autant de " pour " qu'il y a maintenant de " contre ", sans plus de raisons valables. »

Mais Hooker se trompait, du moins pour l'instant. Son essai en préface à *la Flora Tasmaniae* avait tout d'abord été bien reçu. Mais maintenant, les adversaires de Charles s'étaient donné le mot pour ne jamais le citer car il fournissait quelques arguments au principe de « la sélection naturelle ».

« C'est d'une mesquinerie incroyable, s'écria Charles. Je vois dans leurs attaques la preuve que notre travail est tout à fait utile. Nous ne devons pas désespérer. Le temps viendra, je crois, même si je ne suis pas vivant pour le voir, où nous aurons un arbre généalogique suffisamment exact pour chaque grand règne de la nature. »

Les trois hommes choisirent des cannes près de la porte du jardin, et sortirent dans l'air frais d'avril en direction du Sable pour leurs sept tours rituels autour du bois. Lorsque tous trois eurent adopté le même pas, Huxley dit d'une voix pleine de détermination :

« Nous assistons en ce moment à une guerre intestine dans laquelle les sentiments personnels l'emportent sur les arguments logiques. Le plus ironique est que nos adversaires commencent à se quereller entre eux... en s'accusant d'utiliser contre nous la mauvaise arme.

— Il n'en reste pas moins, grommela Charles, qu'une haine comme celle qu'Owen me porte n'a rien d'agréable. Les Londoniens disent que le succès que mon livre remporte le rend fou de jalousie. Et, comme dit John Henslow, " je ne trouve pas plus séant à un naturaliste d'en discréditer un autre qu'aux suppôts d'une secte de brûler les autres ". »

Hooker retira ses lunettes et leur fit décrire un grand cercle. « La Botanique n'est pas un domaine ouvert aux controverses. Celle de Bentham et mon encyclopédie ne contiendront que des faits. Et on ne peut discuter les faits.

— Ha ! s'exclama Huxley, ce qui est fait pour l'un est fiction pour l'autre. »

Ils rentrèrent à la nuit tombante, traversant le potager jusqu'à la maison éclairée.

« Viendrez-vous avec nous à la réunion de la British Association à Oxford ? demanda Hooker. Lyell nous a promis d'y être.

— Non », répondit Charles d'un ton qui indiquait qu'il ne reviendrait pas sur sa décision.

6.

A chaque poison doit correspondre un antidote. Lorsque Louis Agassiz, naturaliste reconnu qui enseignait maintenant à Harvard, déclara que *L'Origine des Espèces* était un livre « *pauvre, extrêmement pauvre !* » et écrivit un article pour l'*American Journal of Science and Arts* pour expliquer en détail à quel point le livre l'avait ennuyé, Asa Gray, qui enseignait également à Harvard, écrivit une excellente réponse et de plus proposa à Charles de transmettre ses corrections à Appleton pour sa seconde édition.

Au moment même où son ami Thomas Wollaston l'attaquait très ouvertement dans les *Annals and Magazine of Natural History* et où le botaniste William H. Harvey maltraitait Charles dans *Gardener's Chronicle,* un long article pour sa défense parut dans le *Times* de New York. Au moment où le géologue Sir Roderick Murchinson disait à Charles que *L'Origine* l'avait déçu, une lettre lui parvenait de Leonard Jenyns, clergyman et naturaliste, disant que son accord avec Charles allait « *beaucoup plus loin qu'il ne s'y attendait* ».

Au moment où Richard Owen, se cachant dans l'anonymat, publiait une violente attaque dans l'*Edinburgh Review,* des comptes rendus extrêmement clairs et enthousiastes de William Carpenter, un physiologiste, parurent dans le *National,* et une analyse parfaitement exacte et juste dans la *Bibliothèque universelle* de Genève, par le professeur F. J. Pictet, un paléontologue, qui allait susciter un grand intérêt en France et en Allemagne.

Alfred Wallace envoya une lettre très élogieuse de Malaisie, où il avait terminé le livre. Charles dit à ses amis :

« La lettre de Wallace était trop modeste, et totalement dépourvue de jalousie. »

Pourtant, rien ne pouvait, semblait-il, guérir Adam Sedgwick de la rage qui s'était emparée de lui. Il avait publié, anonymement, un article ignoble dans le *Spectator :*

« *Je ne peux conclure sans exprimer tout mon dégoût pour cette théorie, à cause de son étroit matérialisme. Parce qu'elle abandonne la voie de l'induction, la seule qui conduise à la vérité en physique ; parce qu'elle rejette entièrement les causes finales, et traduit par là une compréhension dénuée de morale de la part de ses défenseurs.*

Non que je prenne Darwin pour un athée ; bien que je ne puisse voir son matérialisme que comme athée...

Chaque ensemble de faits s'organise autour d'une série d'affirmations et de répétitions d'un principe unique et faux. On ne peut pas tresser une corde solide en enfilant des bulles. »

Huxley demanda :

« Quelle impression cela fait-il, d'être porté aux nues un jour puis de se faire fustiger le lendemain ? »

Charles chercha une image :

« C'est comme les marins du *Beagle,* soûls d'alcool et de rire à chaque escale, qui devaient payer leur joie en coups de fouet lorsqu'ils rentraient à bord.

— Cela te surprendra peut-être, dit-il à Emma. C'est Sedgwick qui fut à l'origine de ma carrière en présentant mes lettres du *Beagle* à la Philosophical Society et en les faisant publier. Maintenant, c'est lui qui veut me discréditer en se servant de la même société. »

Le débat eut lieu devant un auditoire vaste et distingué. Henslow le décrivit dans une lettre à Joseph Hooker que celui-ci fit suivre à Charles. Il la lut à Emma à haute voix, par une journée de mai ensoleillée.

Le discours de Sedgwick avait « *jeté le discrédit sur ceux qui remplaçaient par des hypothèses le strict procédé d'induction, qualifiant certaines suggestions de Darwin de " révoltantes " selon ses propres conceptions du bien et du mal. Le docteur William Clark, professeur d'astronomie, qui prit la parole après lui, le fit en des termes si gratuitement injurieux pour les conceptions de Darwin que je me levai, puisque Sedgwick avait cité mon nom et me battis pour Darwin du mieux que je pus.* »

La pierre jetée par Sedgwick dans les mers académiques eut des répercussions fort lointaines. Le Rév. Baden Powell, professeur de géométrie à Oxford, adopta les conclusions de Charles pour appuyer ses propres théories scientifiques. Ulcéré, Sedgwick s'attaqua à lui. Richard Owen, essayant de limiter toute cette publicité faite au livre de Charles, déclarait à qui voulait l'entendre à Londres :

« *L'Origine* n'est rien d'autre que le livre du jour. La semaine prochaine, ou le mois prochain, on en aura trouvé un autre. »

En réponse à l'accusation d'athéisme qui lui était faite, Charles répondit dans une lettre à Asa Gray :

« *Le point de vue théologique sur ce sujet me désole. Je suis perplexe. Je n'avais aucunement l'intention de développer des vues athées. Je reconnais que je ne peux voir aussi clairement que d'autres ou que j'aimerais les voir, les preuves d'un dessein et d'une bienveillance tout autour de nous. Je vois pour cela trop de misère de par le monde. Je ne parviens pas à me persuader qu'un Dieu bénéfique et omnipotent a créé à dessein les Ichneumonidae, dans l'intention expresse de les faire se nourrir du corps vivant des chenilles, ou le chat pour qu'il joue avec la souris... J'ai tendance à regarder toute chose comme résultant de lois déterminées, dont les détails, bons ou mauvais, sont abandonnés à ce que nous pourrions appeler le hasard. Non que cette notion me satisfasse le moins du monde. Je sens très profondément que le sujet tout entier est trop profond pour l'intellect humain. Un chien pourrait tout aussi bien spéculer sur l'intellect de Newton...* »

Par Asa Gray, il apprit que la bataille aux Etats-Unis faisait rage. Mais le jeune John Lubbock vint à cheval de High Elms pour lui apprendre que son père avait trouvé un excellent article dans la publication française la *Revue des Deux Mondes.*

« Mon père a également appris, par l'éditeur de *l'Athenaeum,* que votre ancien capitaine, Robert FitzRoy, désire se joindre à l'évêque Wilberforce à la réunion de la British Association à Oxford pour...

— Me réduire en miettes ? »

Cette réunion promettait d'être prestigieuse. Charles Daubeny, professeur d'économie rurale, devait lire un papier intitulé « *Les causes finales de la sexualité des plantes, avec une référence particulière à l'ouvrage de M. Darwin sur l'Origine des Espèces.* » La seconde communication devait être de William Draper, un ancien professeur de chimie et de physiologie à l'époque président de l'école médicale de l'Université de New York, intitulée « *Le développement intellectuel de l'Europe avec des références aux vues de M. Darwin* ».

Richard Owen serait là également. Ainsi que l'évêque d'Oxford, Samuel Wilberforce, qui avait annoncé qu'il répondrait aux principales communications le samedi en donnant la position officielle de l'Eglise. Wilberforce avait obtenu un diplôme en mathématiques élémentaires, ce qui le poussait à croire qu'il pouvait comprendre tout ce qui était scientifique. C'était l'un des orateurs les plus célèbres d'Angleterre, doté d'un certain humour, et il attirait des foules énormes partout où il parlait. Il n'avait pas la moindre formation en histoire naturelle, ni le moindre intérêt pour elle ; son attaque serait un chef-d'œuvre de distorsions et de ridicule. La salle serait presque entièrement pleine de ses partisans.

Emma sonda son mari.

« Puisque tu n'iras pas à Oxford, pourquoi n'essaierais-tu pas quelques jours d'hydropathie ? Le nouvel établissement du docteur Lane à Richmond est si près, maintenant, tout juste à quinze ou vingt miles... »

On l'y reçut avec empressement. Il trouva une petite promenade, but un peu d'eau de cure... mais restait effondré. Lors de ses précédentes visites, à Malvern ou Moor Park, sa dépression l'avait très vite quitté. Cette fois, il mangeait peu, ne parvenait pas à dormir. Il essaya de se distraire en lisant le *London Times* du docteur Lane mais n'y trouva rien de très exaltant. Il était heureux d'apprendre que la Compagnie du Gaz, de la lumière et du charbon de Londres procurait l'éclairage au gaz à la ville, mais il n'y en aurait pas à Down avant encore des années. La Station de Charing Cross avait été ouverte, raccourcissant le voyage des Darwin jusque chez eux ; et Big Ben, la cloche de treize tonnes placée au sommet de la tour-horloge du Parlement, avait un grand succès lorsqu'elle sonnait au-dessus de Londres. Mais les Anglais avaient repris leur guerre avec la Chine, envoyant treize mille hommes bombarder Pékin. Les tribus maoris de Nouvelle-Zélande, dont certaines que Charles avait vues lors du passage du *Beagle,* se soulevèrent pour des raisons territoriales, attaquèrent les forts anglais et chassèrent les colons de quelques postes éloignés...

Il essaya sans plus de succès de se plonger dans deux romans qui venaient de paraître, *Le Moulin sur la Floss* de George Eliot, et *Les grandes espérances* de Charles Dickens. Il leur reconnaissait bien des qualités mais ne pouvait en lire plus de quelques phrases à la fois. Désespéré, il en conclut que sa maladie était chronique et qu'il l'avait léguée à ses enfants.

Car les enfants Darwin avaient eu leur part de maladies infantiles : varicelle, oreillons, angine, grippe tout l'hiver, diphtérie. Ou bien, pensée désolante, imitaient-ils leur père, qu'ils avaient toujours connu malade ? Auraient-ils trouvé indélicat d'être robustes auprès d'un père si fragile ?

Pourtant, il se souvenait de sa santé de fer dans l'adolescence, à Cambridge et lors du voyage du *Beagle,* de ses randonnées et de ses escalades dans les Andes ou les forêts brésiliennes. Et s'il était atteint d'une maladie congénitale, d'où pouvait-il la tenir ? Les Darwin avaient toujours été d'une robuste santé. Du côté de sa mère ? Il ruminait depuis cinq jours ces pensées maussades lorsqu'il reçut une lettre de Joseph Hooker, écrite à Oxford le matin même et envoyée par diligence à Sudbrooke Park. Lorsque Charles eut fini de la lire, son estomac s'était calmé, son mal de tête avait miraculeusement disparu. Il était également stupéfié par l'audace de Hooker. Lisant la lettre une seconde fois, il se sentit exulter :

« ... *Le public était si nombreux qu'il fallut envoyer tout le monde à la Bibliothèque, pleine à craquer de 700 à 1 000 personnes...*

Eh bien, Sam se leva, et bavota pendant une demi-heure avec l'esprit qui n'appartient qu'à lui, laideur, vide et parti-pris. J'ai vu qu'Owen lui avait fait la leçon et qu'il ne savait rien ; il n'a pas articulé une syllabe de plus que ce qui se trouvait dans les critiques ; et il vous a ridiculisé vous et Huxley, sauvagement. La bataille se fit chaude. Lady Brewster s'évanouit, l'excitation s'accrut lorsque d'autres prirent la parole ; mon sang bouillait... je me suis juré de lui faire mordre la poussière. J'ai fait passer mon nom à Henslow qui présidait et me suis retrouvé hissé sur l'estrade avec l'immonde Sam à ma droite. Sans attendre, je l'ai démoli sous un tonnerre d'applaudissements. J'ai entrepris de démontrer : 1. *Qu'il n'avait pas lu votre livre.* 2. *Qu'il était totalement ignorant des plus élémentaires rudiments de science botanique...*

Sam ne trouva pas un mot à répondre et la réunion fut dissoute, vous laissant maître du terrain après une bataille de quatre heures. Huxley, qui de sa vie ne m'avait fait un compliment, m'a dit que c'était splendide et que jusqu'à ce jour il ignorait de quel bois je me chauffais. »

Il dormit paisiblement cette nuit-là pour la première fois depuis des semaines. Prit un copieux petit déjeuner et fit une longue promenade dans la campagne. Il n'eut d'autres nouvelles de la réunion d'Oxford que quatre jours plus tard en rentrant chez lui, lorsque les Lubbock l'invitèrent à prendre le thé.

7.

Leur jardinier-cocher, Lettington, les conduisit pendant quelques miles jusqu'à High Elms, une propriété de 14 000 arpents, avec des pelouses en pente douce, des bassins et des fontaines, des statues, des terrasses auxquelles on accédait par des marches, et des sentiers traversant des jardins bien peignés, rutilant des couleurs de juillet. Le manoir était un bâtiment oblong de trois étages avec un premier plafond qui s'élevait à vingt pieds au-dessus de la bibliothèque et du salon. Les Lubbock étaient dans la banque depuis plusieurs générations.

John Lubbock, le fils, vint les accueillir. A vingt-six ans, il s'était déjà distingué. On l'avait sorti d'Eton à l'âge de quatorze ans parce que les associés de Sir John étant tombés malades, il devenait évident que son fils devrait un jour s'occuper de leurs affaires. Sir John, le père, avait été un naturaliste expérimenté. Le fils s'était éduqué lui-même en anthropologie et en archéologie, et travaillait à deux manuscrits : *L'époque préhistorique telle que nous la dépeignent les reliques anciennes* et *Les us et coutumes des sauvages modernes*. Il avait un front puissant, et de modestes débuts de barbe.

Le père comme le fils avaient assisté à la réunion d'Oxford. Ils avaient hâte d'entendre ce que Hooker lui avait rapporté et de lui donner leurs propres impressions.

Le fils consulta ses notes et dit en guise d'introduction :

« Le temps à Oxford, jeudi, était beau. Bien trop beau pour qu'on puisse prévoir qu'une guerre éclaterait. Pourtant, c'est ce qui se produisit. Oh ! pas immédiatement. D'abord, votre ami le professeur Henslow fut nommé président de la partie zoologie et botanique. Puis il nous fallut subir un interminable papier sur le progrès des sciences aux Etats-Unis et au Canada. Puis la communication de M. Daubeny.

Puis le prof. Henslow demanda à Thomas Huxley un commentaire sur les deux articles. Il refusa.

— Cela ne lui ressemble pas, fit remarquer Emma.

— C'était encore trop facile, dit Sir John.

— Puis, un certain M. Dowden, de Cork, raconta plusieurs anecdotes sur des singes, tendant à prouver que, si hautement organisés qu'ils soient, les quadrumanes sont très inférieurs en intelligence au chien, à l'éléphant et à d'autres animaux.

— C'était sans doute un signal, dit Sir John.

— Dowden ne s'était pas rassis que Richard Owen était sur l'estrade. Dabord, il fut tout miel, disant qu'il fallait dans un esprit philosophique rendre hommage à M. Darwin pour le courage avec lequel il avait exprimé sa théorie, mais qu'elle devait être prouvée par les faits, si l'on voulait décider de sa justesse.

Et cela dit, il passa à l'attaque ! Il suggéra que toute la validité de *L'Origine* pouvait être contestée en prouvant que l'homme ne pouvait descendre du singe comme vous le suggériez...

— Mais je n'ai jamais suggéré rien de pareil ! s'écria Charles furieux. J'ai évité tout à fait à dessein ce domaine de spéculation. Je me suis borné à dire que je voyais dans le futur la possibilité de recherches plus poussées dans ce domaine. Que la lumière pourrait être faite sur l'origine de l'homme et son histoire.

— Owen a la prétention d'être le plus grand anatomiste et zoologiste d'Angleterre, poursuivit le jeune Lubbock. Huxley, de vingt ans plus jeune, demanda à lui répondre. Il réfuta d'emblée l'idée que la différence entre le cerveau du gorille et celui de l'homme était aussi grande que le professeur Owen avait voulu la représenter et se référa aux dissections publiées de Tiedemann et d'autres. Huxley maintint que la différence entre l'homme et les singes les plus évolués n'était pas aussi grande qu'entre les plus grands singes et les autres, comme le soutenait Owen, que le trait qui distinguait l'homme du singe était la parole. »

Charles restait assis, contemplant les pâturages en contrebas et les pentes douces du Kent. Il refusa une troisième tasse de thé pour mieux entendre le reste du rapport.

« Mais ce n'était qu'un prologue, continua Sir John. Le véritable drame se produisit samedi, lorsque l'évêque Samuel Wilberforce fut annoncé comme orateur principal. Il devait bien y avoir mille personnes entassées là pour le voir " régler son compte à Darwin " comme il l'avait promis. Les femmes les plus jeunes en robes colorées s'éventaient de leurs mouchoirs blancs, il n'y avait pas de cours mais on trouvait quelques groupes d'étudiants. Et un nombre d'ecclésiastiques assez important, venus apporter leur concours à Wilberforce.

« Il vous attaqua méchamment, vous et Huxley. Puis, poussé par les applaudissements et le mouvement des mouchoirs blancs, il fit une grave erreur. Il se tourna vers Huxley, qui n'était qu'à quelques sièges de lui et lui demanda avec un sourire insolent :

" M. Huxley, j'aimerais savoir, est-ce par votre grand-père, ou par votre grand-mère, que vous prétendez descendre du singe ? " Huxley se tourna vers son voisin et s'exclama : " Le Seigneur me le livre, pieds et poings liés ! " Il se leva et déclara :

« Je prétends qu'il n'y a pas de honte pour un homme à avoir un singe pour grand-père. Si je devais avoir honte d'un ancêtre, ce serait plutôt d'un homme, un homme à l'intellect superficiel et versatile, qui, ne se contentant pas du succès dans sa propre sphère d'activité, plonge dans des questions scientifiques qui lui sont totalement étrangères, ne fait que les obscurcir par une rhétorique vaine et distraire l'attention de ses auditeurs du vrai point de discussion par des digressions éloquentes et d'habiles appels aux préjugés religieux. "

Huxley fut applaudit et Wilberforce hué par les étudiants. Par la suite, lorsque divers prêtres et amateurs se levèrent pour débiter quelques dogmes religieux, le président Henslow les rassit bien vite en disant :

" Seules les observations scientifiques sont permises à cette réunion ! " La lettre de Hooker vous a dit le reste, conclut Sir John. Le soir, au cours d'une réception donnée par le professeur Daubeny, on ne parlait que de la confrontation avec Wilberforce. Quelqu'un a demandé si Huxley ne s'était pas causé un tort irréparable mais le vice-chancelier d'Oxford a répondu que l'évêque n'avait eu que ce qu'il méritait. »

Le soleil terminait sa longue course dans le ciel d'été. Charles se sentait émotionnellement épuisé. Comment pourrait-il jamais remercier ses amis ? Il n'en avait nul besoin. La loyauté était implicite dans leur petite famille.

Thomas et Nettie Huxley vinrent à Down House pour y passer un long week-end. Nettie, déjà mère de trois enfants, était plus amoureuse de son mari que lors de leur mariage, cinq ans plus tôt.

Huxley laissait pousser ses cheveux noirs très longs par-dessus son col. En tournant sur le Sable, ils parlaient avec tant d'animation de la réunion d'Oxford qu'ils ne surent jamais combien de tours ils avaient faits.

Les yeux d'Huxley brillaient de satisfaction. Lorsqu'ils se retrouvèrent au soleil de juillet sur le terrain découvert, Charles lui dit :

« Vous vous êtes noblement battu.

— Je vous avais bien dit que j'avais des griffes pointues. »

Lorsqu'ils arrivèrent à la grille, Huxley demanda : « Est-ce que les Lubbock vous ont parlé des bizarreries du capitaine FitzRoy lors de cette réunion fatidique ?

— ... FitzRoy ?

— John Henslow a essayé de l'empêcher de s'adresser à l'auditoire mais sans succès. D'abord, il vous appela « mon pauvre ami et compagnon de cabine sur le *Beagle* pendant cinq ans », puis entreprit de raconter que vous vous disputiez sans cesse à propos de la structure de la Terre, des plantes et des créatures... »

Charles s'arrêta net. « Nous avons eu très exactement deux disputes en cinq ans : l'une au sujet de l'esclavage, et la seconde, de l'hospitalité à bord d'un navire...

— Il a l'esprit dérangé, dit Huxley en secouant la tête. Il s'est tenu sur l'estrade en brandissant une énorme Bible, suppliant l'auditoire d'accepter la parole de Dieu plutôt que celle de l'homme ; il nous supplia de rejeter avec horreur la tentative de substituer une conjecture humaine à la Révélation explicite, faite par le Tout-Puissant Lui-même lorsqu'Il lui plut de créer le monde et tout ce qu'il contient. »

Charles marcha en silence, se souvenant des grandes aventures et des périls que FitzRoy et lui avaient connus ensemble.

Ils traversèrent le potager. Huxley, voulant dérider Charles avant qu'ils ne rentrent dans la maison, s'exclama :

« Il faut maintenant que je vous raconte la chose la plus drôle dans tout ceci. Les Lubbock vous ont répété que j'avais répondu à Wilberforce qu'il n'y avait aucune honte à avoir un singe pour grand-père...

— Oui.

— Eh bien, il faut que je vous dise comment on raconte maintenant l'histoire en Angleterre : on rapporte que j'aurais dit : “ Je préfère avoir un singe pour grand-père qu'un évêque ! ”

De saisissement, Charles s'arrêta sous le petit porche devant le jardin. Puis tous deux éclatèrent bruyamment de rire.

« Mon cher Huxley, cette merveilleuse formule nous vaudra une place à tous deux dans l'Histoire. »

LIVRE DOUZE

1.

En 1860, Down House devint une citadelle en état de siège. Charles fit poser un miroir incliné sur la façade de son bureau entre les deux fenêtres au-dessus de la route, pour voir qui remontait l'allée. Il n'avait plus besoin d'aller chercher son courrier, tous les jours à la poste de Down mais lorsqu'il en avait trop, quelque bonne âme se chargeait de le déposer à sa porte. Chaque mois qui passait semblait amener de nouvelles lettres, beaucoup provenant de la famille car l'un des refrains favoris des Darwin était :

« *Ecrire, il faut écrire*
si l'on veut son esprit polir. »

Il s'était juré de ne lire que les lettres d'amis, mais cela lui ressemblait bien peu. Il lisait tout ce qui arrivait, même les tirades violemment hostiles. Emma et ses filles Henrietta et Elisabeth les parcouraient aussi. Ce n'est qu'à l'occasion qu'il permettait à la lave qui bouillait sous ses manières affables de déborder. A William H. Harvey, le botaniste anglais qui avait entrepris une croisade pour les discréditer, lui et son livre, il finit par écrire :

« ... *J'ai tendance à croire qu'il vous serait plus facile de prendre un lavement que de relire le moindre passage de mon livre.* »

« J'aimerais me retirer dans les champs Elysées où nulle voix ne s'élève jamais en colère », s'écria-t-il devant sa famille. Il était assis dans un rocking-chair, rapprochant ses genoux du feu. « Je sais comment y arriver. En écrivant sur des sujets d'Histoire naturelle qui ne prêtent pas à controverse. Tels que la variation des animaux et des plantes à l'état domestique. Ou une thèse sur la fertilisation des orchidées par les abeilles, les papillons de nuit et autres insectes...

— Mais n'est-ce pas également discutable ? » demanda Emma.

Il fit une demi-grimace.

« Je suis comme un joueur, j'aime expérimenter en tous sens. »

A sa vente d'automne, John Murray avait vendu sept cents exemplaires de *L'Origine,* mais n'en avait que la moitié de disponibles. Charles fit rapidement ses corrections pour la troisième édition et, en venant les apporter à Londres, passa voir Lyell. Lorsqu'il entra dans son bureau, Lyell était en train de dicter à un nouveau secrétaire, tendant ses chaussettes de laine vers le feu de charbon.

« Bon sang, Darwin, vous me créez bien du souci ! Voilà qu'un professeur de géologie d'Oxford vous attaque en citant des passages de mes *Principes* de géologie. Il va falloir que je modifie ce que j'ai écrit dans ma prochaine édition, pour prouver que vous aviez déjà trouvé alors que j'en étais encore à tâtonner. »

Charles lui sourit avec embarras.

« Hooker dit qu'à sa connaissance vous êtes le seul philosophe sexagénaire capable de changer de position si on lui donne de bonnes raisons. »

Lyell grommela devant ce compliment de la main gauche, alla à son bureau et montra à Charles les instruments de silex qu'il avait déterrés à Amiens, dans la vallée de la Somme.

« Ces outils indiquent que la race humaine remonte jusqu'à l'époque du rhinocéros sibérien et autres animaux éteints... Mais vous venez sans doute me voir pour autre chose... »

Charles avança une chaise près du feu et murmura :

« Je voudrais votre avis. Il m'est apparu qu'il serait bon, pour la troisième édition de *L'Origine,* d'ajouter un ensemble de notes entièrement consacrées à démonter les erreurs de ceux qui m'ont critiqué.

— Absolument pas ! Pourquoi immortaliser vos adversaires ? »

Charles secoua la tête, perplexe.

« Vous avez sans doute raison. Je pourrais peut-être répondre à leurs objections en ajoutant un nouveau paragraphe ici ou là. Une vingtaine de pages tout au plus. »

Un nouveau mot entra dans la langue anglaise : Darwinisme. Il se répandit en Grande-Bretagne, puis dans les cercles académiques en Europe et aux Etats-Unis. La traduction allemande de *L'Origine* en était à sa seconde édition. Un naturaliste allemand qui vint le voir à

Down House lui dit que les scientifiques allemands étaient fascinés et en même temps terrifiés à l'idée de perdre leur position s'ils prenaient trop ouvertement parti pour la théorie de la sélection naturelle. La traduction française était parue. Des rapports de Hollande indiquaient qu'on s'y intéressait aussi là-bas.

Comme Charles le lui avait suggéré, Asa Gray fit relier ses trois articles parus dans le prestigieux *Atlantic Monthly*, pour en faire une monographie. Il en envoya deux cents exemplaires à Charles, puisqu'il avait participé aux frais d'impression. Charles les distribua à des revues et des journaux scientifiques.

John Henslow, accusé dans le *Macmillan's Magazine* de décembre 1860 d'être un partisan de l'évolution, fit paraître dans le même journal des extraits d'une lettre qu'il avait reçue du Rév. Leonard Jenyns, disant que s'il n'était pas totalement d'accord avec Darwin, il trouvait « *néanmoins concevable que de nombreux groupes plus petits, aussi bien animaux que plantes, puissent à une époque lointaine avoir eu une parenté commune* ».

Charles en fut heureux.

« Cela montre au monde extérieur, dit-il à Emma, qu'il y a de plus en plus d'unité dans notre famille scientifique. »

Sa « famille scientifique » souffrait souvent de surmenage. Hooker était parfois déprimé. Un mélange de fatigue et d'influenza avait contraint Huxley à garder le lit pendant dix jours. Les Lyell partirent en Bavière pour raisons de santé. Lui-même butinait de sujet en sujet, comme les abeilles ces orchidées à la fertilisation desquelles il s'était mis à sérieusement s'intéresser. Il commença par les orchidées du Kent, puis celles que lui envoya Hooker de Kew Gardens. Des collègues ne tardèrent pas à lui en envoyer du Pérou, de l'Equateur, du Brésil, des Philippines et de Madagascar, de huit mille pieds d'altitude où elles ne gelaient pas, ou de forêts brésiliennes où l'on en trouvait jusqu'à quarante espèces différentes sur un même arbre.

De septembre à novembre, il emmena sa famille à Eastbourne, car Henrietta, avec laquelle il jouait d'ordinaire au jacquet une heure par jour, était malade. Quand il n'était pas avec Emma à son chevet, il étudiait un phénomène étrange concernant le genre *Drosera*, auquel les spécialistes ne semblaient pas avoir prêté attention. Il se demandait parfois si cette plante dévoreuse d'insectes n'était pas un animal déguisé en plante, à la façon dont ses feuilles s'en emparait. Il apprit que dans les régions marécageuses des Etats-Unis, existait une plante appelée « Piège à mouche de Vénus », dont les feuilles circulaires se refermaient comme un piège à ours sur toute proie qui effleurait ses poils tendus comme des gâchettes. L'utriculaire et autres plantes insectivores fonctionnaient comme des pièges à rats. Des crustacés et même de petites grenouilles butaient sur un vestibule en forme de sac dont les portes s'ouvraient et attiraient la proie pour la déguster. « Monde étrange, monde merveilleux ! »

Il étudia les pistils et le pollen de la primevère et du coucou et découvrit qu'ils avaient besoin des insectes pour mettre en marche le processus de fertilisation. Il expliqua aux enfants :

« Observer le fonctionnement complexe de la nature est un pur plaisir ; écrire, un pur supplice. Mais si nous n'écrivons pas sur le papier ce que nous avons observé, comment pourrons-nous prouver le miracle de l'évolution et le cycle de la vie des oiseaux, des bêtes, des fleurs, des plantes et de l'homme ?

De retour à Down House, il se passionna pour l'évolution du chien moderne, à partir de diverses variétés de loup et de chacal. C'était un autre domaine qui ne semblait pas avoir été abordé. Répondant au flot de lettres de ses amis qui lui demandaient à quoi il travaillait, il répondit :

« *J'en suis aux chiens.* »

Le temps passait plus vite, avec l'âge. Quelques années plus tôt, un mois lui servait de référence ; maintenant, il entreprenait une tâche en fonction d'une année entière, lui assignant un but philosophique. Son premier mouvement consista à écrire une esquisse historique de trente pages pour la troisième édition de *L'Origine* en citant les naturalistes qui avaient fait les premiers pas, fragmentaires, vers le concept : des hommes comme Lamarck, Geoffroy Saint-Hilaire, W. C. Wells, Von Buch, Herbert Spencer, et ceux qui exposaient leurs théories à l'époque contemporaine comme Richard Owen, l'auteur de *Vestiges* — qu'on croyait toujours être Robert Chambers —, Alfred Wallace. Il omit de mentionner le nom de son grand-père le docteur Erasmus Darwin pour ne pas être accusé de faire du népotisme à rebours.

Thomas Huxley également était à la recherche d'une nouvelle direction. Pour se distraire du chagrin causé par la mort de son premier enfant, un garçon de quatre ans, il se plongea dans un nouveau travail de rédacteur en chef de la *Revue d'Histoire naturelle.* Il en apporta le premier exemplaire à Down House pour le faire lire à Charles. Non content d'être secrétaire de la Geological Society, de fournir à Lyell des informations d'anatomie pour son livre *Antiquity of Man,* de faire des conférences aux ouvriers sur la « *Relation de l'homme avec le reste du monde animal* », il était pressenti pour deux postes importants d'enseignement.

Joseph Hooker était plongé dans un travail de longue haleine. En plus de la préparation du premier volume de son encyclopédie *Genera Plantarum,* sur les plantes donnant des graines, il passait la journée à suivre son père dans les jardins de Kew, essayant sans succès d'influencer le jugement de moins en moins lucide de Sir William Hooker sur la façon de les administrer.

« Essayez donc de ne rien faire, de temps en temps, suggéra Charles au cours d'une visite.

— Cela m'arrive, quand je dors, lui répondit Hooker.

— Je suis sans doute mal placé pour donner de tels conseils, admit Charles. Je ne suis content que lorsque je travaille. »

Leur aîné à tous, Sir Charles Lyell, âgé de soixante-trois ans, s'était plongé dans son livre le plus difficile et pour Charles, le plus passionnant, *Evidences géologiques de l'Antiquité de l'Homme,* puisant dans des matériaux accumulés tout au long de sa vie, avec des chapitres sur les coquillages danois, l'Egypte, l'âge de l'homme fossile de Natchez.

Charles fut surpris de voir que Lyell ne lui envoya ni une page ni un chapitre de son nouvel ouvrage. Il était pourtant certain que Lyell affirmerait sans ambages que l'homme se trouvait dans la même position que les autres êtres vivants en matière d'évolution, un aspect que Charles avait omis de souligner lui-même dans *L'Origine.* La position éminente de Lyell dans la science anglaise lui permettrait de le faire sans s'exposer aux brocards qu'on n'aurait pas manqué d'épingler au revers de Charles. Il dit à Lyell, en guise de compliment :

« La question que vous souleverez est des plus importantes. Mais elle horrifiera le monde au premier abord, plus encore que mon *Origine.*

— Je ne cherche pas à horrifier le monde, répondit Lyell avec dignité. J'essaye d'informer les gens. Les faits eux-mêmes sont irréfutables ; mais mes conclusions m'appartiennent. J'attendrai le dernier chapitre pour vous dire ce que je pense à ce sujet. »

Les cinq garçons étaient à la maison pour les vacances de nouvel an, ce qui fit joyeusement commencer l'année 1861. Après son tour du Sable et le repas de midi, Charles s'allongeait dans le salon pour lire *A Journey in the Back Country* d'Olmsted, un portrait vivant des hommes et de l'esclavage dans le sud des Etats-Unis. Son intérêt était accru par des dépêches du *London Times* qui annonçaient l'imminence d'une guerre entre le Nord et le Sud, à cause de l'esclavage.

« Je ne crois pas vraiment ces articles du *Times,* s'écria Charles. Une pareille guerre serait suicidaire, les deux camps doivent bien s'en rendre compte ! »

Il avançait dans son livre sur les variations des animaux et des plantes à l'état domestique, craignant une fois de plus qu'il ne soit trop long. Il avait terminé son étude sur les porcs, les bovins, les moutons et les chèvres dans le monde, leur origine et les résultats obtenus par leur croisement dans des conditions données. Mais le processus de fertilisation des orchidées de par le monde le passionnait tant qu'écrire sa thèse était un pur plaisir. Il pouvait écrire pendant des heures d'affilée, sans fatigue et voir son enthousiasme croître avec la pile de pages manuscrites. Il en conçut même l'audace d'avancer une hypothèse qu'il ne pouvait encore prouver. Une orchidée étoilée de Madagascar, qu'un ami lui avait envoyée, avait un nectaire d'un pied de long qui n'avait du nectar que sur un pouce et demi tout au fond. Personne n'avait vu d'insecte avec une trompe longue d'un pied, mais cela n'avait pas d'importance. Sans un insecte de ce genre, l'orchidée de Madagascar aurait depuis longtemps disparu !

Il estima qu'il pourrait terminer son livre en une centaine de pages que la Linnean Society avait accepté de publier. Il alla dîner à la Société avec Thomas Bell, qui avait rédigé le livre sur les reptiles pour la *Zoologie du Beagle* et attrapa le dernier train pour rentrer chez lui. Emma était toujours debout à l'attendre.

« Comment s'est passée la soirée ?

— J'ai si peu l'habitude de dîner dehors que cela m'a plu.

— Tant mieux. Peut-être as-tu construit trop de barrières autour de toi ? »

Joseph Hooker et Frances étaient au rectorat de Hitcham au chevet de John Henslow, mourant. Hooker était très éprouvé car il aimait énormément son botaniste-prêcheur de beau-père. Charles voulut lui faire ses adieux. Mais à la perspective de douze heures de voyage, trois heures après le repas, il fut pris de vomissements et ne put se résoudre à partir. Lorsque Henslow mourut, vers la mi-mai, Charles se sentit profondément coupable ; il trouva providentiellement un réconfort lorsque le Rév. Jenyns entreprit d'écrire une biographie d'Henslow et demanda à Charles s'il accepterait d'évoquer ses souvenirs de jeunesse à Cambridge. Il accepta immédiatement.

« *Rien n'était plus simple, plus cordial et moins prétentieux que les encouragements qu'il offrait à tous les jeunes naturalistes... Il avait une remarquable capacité à mettre les jeunes tout à fait à l'aise, même quand ils étaient pétrifiés devant l'étendue de son savoir...* »

2.

Une lettre arriva du botaniste Hewett C. Watson, un admirateur qui relisait de très près la troisième édition de *L'Origine des Espèces* pour en faire un compte rendu. En lisant la nouvelle introduction, Watson avait noté que Charles se servait des mots « je », « moi » et « mon » quarante-trois fois dans les quatre premiers paragraphes.

« Ah ! ce misérable pronom perpendiculaire « Je », s'écria Charles devant Emma et les enfants qui le taquinaient. Suis-je vraiment tellement égocentrique ?

— Non, très cher, tu es très modeste et très discret, répondit Emma sèchement, dans ta conviction d'être la seule personne sur la terre à savoir comment s'est faite l'évolution des espèces. »

Nettie Huxley, qui venait d'avoir un autre enfant, était toujours très affectée par la mort du premier. Emma la persuada de venir à Down House pour une quinzaine de jours avec ses trois autres enfants.

Hugh Falconer, qui avait dit à Charles un jour qu'il ferait « plus de mal à lui seul que dix autres naturalistes ne feraient de bien », écrivait d'Italie que partout où il allait, même lorsqu'on ne souscrivait pas à ses vues, son livre était admiré...

Etait-il possible que *L'Origine* dépasse un jour les polémiques pour atteindre à la respectabilité ?

Evidemment, il s'était trompé en imaginant que le nord et le sud des Etats-Unis parviendraient à surmonter leur désaccord. Le Sud avait pris feu à Fort Sumter en avril. La guerre entre les états se développait rapidement. Les articles du *London Times* ne suffisaient plus à Charles. Il demandait à Parslow de lui prendre le *Herald* et tous les autres journaux disponibles. Après le repas, il jetait les feuilles par terre autour de lui dans le salon au fur et à mesure qu'il les avaient lues.

« J'ignorais que la lecture des journaux puisse être aussi intéressante, dit-il. Je ne crois pas que l'Amérique du Nord nous rende tout à fait justice. Ils ont peur que nous soyions pour le Sud parce que nous avons besoin de son coton. Je prie pourtant pour que le Nord entreprenne bien vite une croisade contre l'esclavage. »

Il continuait à écrire sur la fertilisation des orchidées, toujours avec le même plaisir. Il était curieux de trouver une fleur incapable d'en fertiliser plus de deux autres de son espèce, malgré l'abondance de son pollen. Dans le plus grand nombre de genres possibles, il étudia la manière dont les orchidées étaient fertilisées, le pollen porté de fleur en fleur par les insectes. Il se servit d'une loupe et d'un canif pour examiner les grains de pollen posés au sommet du sac en forme de baquet de la fleur, dans lequel tombaient les gouttes d'un fluide aromatique et épais, dont l'odeur attirait les abeilles et d'autres insectes. Il observa les abeilles qui plongeaient à la recherche du breuvage grisant, en prenant tout leur soûl et reculant dans la corolle étroite, accumulaient les grains de pollen sur leur dos. Un peu plus tard, lorsqu'elles seraient rassasiées, elles s'approcheraient d'une autre fleur, dégrisées, et elles y déposeraient le pollen sans le savoir. Chaque sorte d'orchidée développait sa propre structure en forme de vase, grand ou petit, superficiel ou profond, si bien qu'une seule sorte d'insecte pouvait atteindre son pollen particulier.

« Et que se passe-t-il lorsque les orchidées n'arrivent pas à persuader les insectes de venir boire dans leur puits ? demanda William, pendant les vacances d'été.

— Elles disparaissent. »

En juillet, Henrietta fut à nouveau malade. Emma décida que six semaines au bord de la mer s'imposaient pour sa santé. Bien qu'heureux du changement, Charles était confronté à la tâche d'emmener seize âmes et trois quarts de tonne de bagages à Torquay, au sud-ouest de l'Angleterre, au bord de la Manche. Ils louèrent une maison avec une jolie vue sur la baie et la santé d'Henrietta s'améliora immédiatement.

« Etty est l'hypocondriaque de la famille, fit remarquer le docteur Holland lorsqu'il vint la voir. Je me demande bien chez qui elle a pris cela ? »

Charles se doutait depuis longtemps que son article sur Glen Roy, publié vingt-deux ans plus tôt, était une erreur monumentale. Lyell et Agassiz avaient tous deux admis qu'il se trompait en voyant dans les routes et plateaux d'anciennes plages surélevées. Un chercheur se proposait maintenant de faire un voyage en Ecosse pour trancher le débat. Il revint avec la preuve qu'ils résultaient du bloquage d'un lac par un glacier.

« Je suis réduit en miettes ! Cela devrait m'apprendre l'humilité ! dit Charles à Emma.

— Pendant un jour ou deux, peut-être. »

Dès qu'il se retrouva à Londres, il confessa son erreur à Lyell. Ils marchaient le long de la Tamise, dans le soleil de la fin août, allant de Waterloo Bridge à Charing Cross en passant par le Parlement et Westminster Abbey.

« Une bourde sérieuse en tant d'années ? Mon cher Darwin, vous me faites rire. Attendez d'avoir mon âge respectable pour voir combien d'erreurs vous aurez à reconnaître. Cela fait partie intégrante de la vie d'un chercheur.

— Vous êtes réconfortant. Comment avance votre *Antiquity of Man ?*

— Elle fait de moi une antiquité ! »

Charles passa à l'attaque :

« Je crois savoir que, comme Asa Gray, vous trouvez que je ne tiens pas suffisamment compte de la possibilité que les variations obéissent à un pouvoir supérieur. »

Lyell acquiesça.

« Sir John Herschel a déclaré, à propos de *L'Origine,* que la Loi plus haute de l'arrangement providentiel devrait toujours être réaffirmée.

— Et pourtant ni Herschel ni aucun astronome n'affirme que c'est Dieu qui dirige le cours de chaque planète et de la moindre étoile filante.

— C'est assez vrai », répondit sèchement Lyell.

Charles insista :

« Il est difficile, je pense, d'affirmer que la queue d'un pivert résulte de variations commandées par la providence. Pourriez-vous me dire en toute honnêteté que la forme de mon nez à été " guidée " par quelque cause intelligente ? »

Lyell se mit à rire, retrouvant sa bonne humeur.

« Non, Darwin. Dieu n'a pas interrompu son œuvre pour dessiner votre appendice. Ou le mien. Je garderai cela à l'esprit lorsque je rédigerai mon dernier chapitre traitant de vous. Fertilisez-vous toujours les orchidées avec un canif ?

— J'opère un croisement entre l'encre et mes feuilles de papier pour fertiliser un manuscrit. »

Il termina son travail sur les orchidées. Et bien qu'il ait omis quantité de détails et de références, une fois de plus il était de quarante pages trop long. Que faire ?

Fin octobre, tard dans la nuit, les premiers froids de l'hiver se glissaient sous les rideaux de leur chambre à coucher. Charles attisa le feu et se mit au lit à l'heure habituelle, dix heures et demie. Le sommeil ne venait pas. Il se retourna à plusieurs reprises, sans réaliser qu'il empêchait Emma de dormir. Finalement, elle lui dit :

« Charles, c'est d'un hamac que tu as besoin, pas d'un lit ! »

C'est le lendemain, après lui avoir proposé de faire cinq fois le tour du bois sur le Sable, que l'idée lui vint.

« Pourquoi ne pas faire un petit livre sur les orchidées ? J'ai déjà éliminé tant d'éléments indispensables à ma thèse. Si John Murray acceptait de le publier, je pourrais faire un livre de bonne taille qui ne serait pas seulement nouveau, mais complet. Se vendrait-il assez pour permettre à Murray de rentrer dans ses frais ? Généralement, je vois que ce qui m'intéresse intéresse les autres également. Le sujet de la propagation intéresse à peu près tout le monde, même chez les fleurs. Et au pire, cela ne peut occasionner de très lourdes pertes puisqu'une grosse édition est hors de question. »

John Murray se déclara intéressé, pensant que le livre intéresserait les naturalistes. Il acceptait les risques et se chargeait de l'illustration, promettant à Charles la moitié des profits, ce qui était très généreux. Charles lui dit qu'il pouvait terminer la version développée de son manuscrit en deux mois environ.

Tout captivé qu'il était par la beauté de la famille des orchidées, il découvrit que les investigations pour un travail plus approfondi n'étaient guère faciles. Il travailla une semaine pour rien en se trompant dans un diagramme sur le sens des canaux dans les pétales de l'orchidée-papillon. Il se lamenta :

« Je n'ai jamais rien vu de pareil. C'est de la folie d'avoir voulu toucher aux orchidées !

— Je t'ai entendu dire cela d'à peu près tous les livres que tu as écrits », lui dit Emma pour le consoler.

Il décida qu'il devait une communication à la Linnean Society sur ce sujet. Il l'écrivit et la lut lui-même au cours d'une réunion.

Lorsqu'il eut terminé, après avoir été modérément mais amicalement applaudi, Hooker fut le premier à venir le féliciter.

« Vous avez fait une très grande impression. »

Charles était si épuisé que c'est tout juste s'il put se traîner jusqu'à chez lui ce soir-là. Il écrivit à Hooker :

« *Je ne sais pas si j'ai fait une très grande impression mais la Linnean Society a fait une très grande impression sur moi ! Je crois qu'il va falloir que je cesse tout à fait de lire ou de parler en public. Je ne peux rien faire comme les autres.* »

En novembre 1861, le paquebot britannique *Trent,* avec deux gouverneurs sudistes à bord, fut arraisonné par le navire de guerre américain *San Jacinto,* dont le capitaine mit les deux sudistes aux arrêts. Le cabinet et le gouvernement anglais envoyèrent une note de protestation très sèche au gouvernement américain. D'après quotidiens et hebdomadaires, il semblait bien que non seulement la Grande-Bretagne pourrait reconnaître la Confédération comme une nation indépendante, mais qu'elle se mettrait peut-être en guerre contre les états qui n'étaient plus unis. Bien qu'il n'y ait jamais mis les pieds, Charles était lié aux Américains par sa longue amitié avec Asa Gray et appréciait la générosité de son éditeur de New York, Appleton, dont il n'avait jamais eu à se plaindre.

En décembre, il n'avait encore rencontré personne qui pense que le Nord puisse reconquérir le Sud, ou retenir les états rebelles au sein de l'Union. Il écrivit sa tristesse et sa déception à Asa Gray :

« ... *Quelle terrible chose si lorsque vous recevrez ceci, nous sommes en guerre, et qu'en bons patriotes, ce soit notre devoir de nous haïr, ce qui en ce qui vous concerne me serait bien difficile... Et quelle chose épouvantable que de nous battre du côté des esclavagistes !* »

Les nouvelles de la guerre furent chassées de la première page des journaux par la mort inattendue du prince Albert. Charles ne le connaissait pas mais Lyell et lui étaient amis depuis des années, et il était navré de cette perte, disant qu'elle le faisait lui-même se sentir plus vieux.

L'année 1862 s'ouvrit sur ce qui pouvait passer pour un triomphe. Thomas Huxley, invité à donner une conférence au Philosophical Institute d'Edimbourg, choisit comme sujet « *la Relation de l'homme avec les animaux inférieurs* ». Lyell, d'ordinaire réservé, dont la demeure ancestrale, Kinnordy, se trouvait en Ecosse, lui avait conseillé d'éviter ce sujet.

« Vous allez vous faire lapider et expulser de la ville. »

Charles essaya également de l'en dissuader, mais Huxley, aux griffes pointues, n'abandonnait pas si facilement. Il dit à son attentif auditoire d'Edimbourg :

« *Les hommes de réflexion, lorsqu'ils auront échappé à l'influence des préjugés traditionnels qui les aveuglent, découvriront dans les espèces inférieures d'où l'homme a jailli, la plus belle évidence de la splendeur de ses capacités; et discerneront, dans ce long processus qu'ils découvrent dans le passé, des raisons de croire en ses possibilités d'atteindre un futur plus noble.* »

Les deux Charles avaient eu tort. Son auditoire d'Edimbourg applaudit chaleureusement Huxley. Lorsqu'il vint à Down House, le dimanche suivant, pour demander à Charles s'il ne pourrait pas utiliser les conférences comme point de départ pour un livre, *La Place de l'Homme dans la Nature,* Charles dut d'abord lui serrer chaleureusement la main.

« Vous êtes allé débusquer les bigots jusque dans leur terrier.

— Je n'ai fait que leur donner du pur Darwinisme », répondit Huxley avec un large sourire.

Au bout d'une semaine, ce succès eut son revers. Le *Witness* du 11 juin se déchaînait devant le fait qu'on ait applaudi Huxley.

« *... contraire aux Ecritures, la théorie la plus ignoble... en contradiction blasphématoire avec la narration biblique et la doctrine, ... alors qu'il aurait fallu déserter collectivement la salle...* »

C'était devenu un phénomène banal. Toutefois, les invectives touchaient des gens qui n'auraient pu autrement entendre parler du livre et que la violence des attaques poussait à remonter à la source.

Charles et Huxley baptisèrent le processus « Comment gagner des adeptes à la science moderne en traînant dans la boue ses partisans ».

Peu de naturalistes à Londres apprécièrent le ton des critiques qu'on faisait dans le *Witness* à Huxley. En sa qualité de secrétaire de la Société Géologique, c'est à lui qu'incombait, en l'absence du président Leonard Horner, la tâche de prononcer le discours annuel. Charles n'assista pas à la réunion, Burlington House, mais Lyell lui fit un rapport.

« Je n'ai jamais vu un discours suivi avec plus d'attention, ou plus applaudi, bien qu'on entendît de nombreuses objections individuelles à certaines de ses opinions.

— Les siennes ou les miennes ? »

La question de Charles était d'autant plus pertinente qu'on commençait à surnommer Huxley « Le bouledogue de Darwin ».

« Le cœur de ses arguments est puisé dans *L'Origine,* répondit Lyell, mais enrichi par ses propres études et idées. Il a souligné que lorsque nous remontons jusqu'aux vertébrés et invertébrés des ères anciennes, et que nous constatons la persistance de nombreuses formes simples et compliquées à travers le temps, nous découvrons que nous savons bien peu de chose sur le commencement de la vie sur la Terre ; et que souvent des événements que l'on considère comme contemporains en géologie, ont pu se produire à dix millions d'années d'intervalle. »

Le cycle de la vie avait ses exigences ; il y avait les batailles qui menaient à la victoire et à d'autres moments, la mort était présente avec sa faux aiguisée comme un rasoir. A son tour Charlotte, la sœur d'Emma, qui avait épousé le Rév. Charles Langton trente ans plus tôt, tomba mystérieusement malade et mourut en janvier.

Alfred Russel Wallace était rentré en Angleterre le 1er avril, après huit ans de voyage et de collections en Malaisie, à Sumatra, à Java, à Bornéo, aux Célèbes, aux Molluques, à Timor et en Nouvelle-Guinée. Charles trouvait héroïque d'avoir pu passer huit ans dans des terres lointaines, primitives et souvent hostiles. Il invita Wallace à Down House. Wallace lui répondit pour le remercier mais ajouta :

« *Je suis un peu malade en ce moment, mais je viendrai vous voir dès que j'en serai capable.* »

John Murray publia deux mille exemplaires de « *Divers procédés par lesquels les orchidées anglaises et étrangères sont fertilisées par des insectes* » sous une agréable reliure prune avec une orchidée dorée gravée sur la couverture. Charles écrivit dans l'introduction :

« *L'ouvrage qui suit se propose de montrer que les nécessités de la fertilisation chez les orchidées sont aussi nombreuses et rivalisent en perfection avec les plus belles adaptations du royaume animal...* »

Il avait étudié les orchidées pendant plusieurs années, le travail d'écriture proprement dit lui avait pris neuf mois ; il ne s'était interrompu que pour corriger la deuxième édition de *L'Origine des Espèces* en allemand, et pour écrire un article sur les relations sexuelles singulières qu'entretenaient deux sortes de *Primula :* les pâquerettes et les primevères. Le livre sur les orchidées avait été d'autant plus agréable à écrire qu'Emma et les enfants lui demandaient souvent d'en lire des passages à haute voix.

Il fut publié le 15 mai. Le prix de neuf shillings établi par Murray était intéressant. Il se vendit bien pour un ouvrage de ce genre. Charles s'attendait à voir tourner en ridicule son hypothèse de l'existence d'un insecte avec une trompe longue d'un pied et bien évidemment, il le fut. Jusqu'à ce qu'un missionnaire, à Madagascar, observe une phalène avec une trompe précisément de cette taille qui pénétrait dans une orchidée étoilée et en sortait avec assez de pollen pour en fertiliser d'autres.

Même le *Literary Churchman* exprima son admiration pour le volume. Asa Gray lui envoya tous ses compliments d'Harvard, en disant que si le livre sur les Orchidées avait été publié avant *L'Origine,* les théologiens l'auraient canonisé au lieu de lui jeter l'anathème.

Charles lui-même était étonné du succès de son livre. Il écrivit à Asa Gray, en évitant toute allusion à la guerre :

« *J'avais tendance à croire que je me ridiculiserais, en publiant sous une forme semi-populaire. Je peux maintenant me permettre de faire enrager mes critiques avec une ineffable tranquillité d'esprit.* »

Après avoir rendu compte avec enthousiasme du livre dans l'*American Journal of Science and Arts,* Asa Gray répondit :

« *Je crois comprendre que le principal intérêt de votre livre sur les orchidées est de vous avoir permis de contourner l'ennemi.* »

C'était indiscutable, car on rapportait dans la presse anglaise que Charles aurait dit :

« *L'étude des orchidées m'a été d'une grande utilité pour montrer comment presque toutes les parties de la fleur sont coadaptées pour faciliter la fertilisation par les insectes, et par conséquent, le résultat de la sélection naturelle, y compris les plus fins détails de structure.* »

La Fertilisation des Orchidées rehaussa considérablement la réputation de Darwin en tant qu'observateur hardi et perspicace des processus jusqu'alors cachés ou négligés par la nature. Cela servit à neutraliser le poison de certaines critiques de *L'Origine.* Bien qu'il écrivît à Alfred Wallace, par pure habitude : « *Ma santé est toujours aussi mauvaise, elle fait de moi un malade chronique* », il se sentait pourtant assez bien pour entreprendre un tout nouveau projet, l'étude des mouvements et habitudes des plantes grimpantes, autre domaine pratiquement vierge, seulement effleuré par Asa Gray quelques années plus tôt.

Lyell pensa qu'il était temps que Charles soit nommé chevalier.

« Ce serait demander au Premier ministre de décorer *L'Origine* répondit Charles. Des gouvernements sont tombés pour moins que cela.

— Nous verrons, répondit Lyell avec patience. Hooker, aussi, devrait recevoir cet honneur. Lorsqu'il sera nommé directeur de Kew Gardens. Huxley ? Jamais. Il est très brillant mais bien trop caustique. Il ne sait pas adoucir les angles.

— C'est bien là son génie, dit Charles. Ce n'est pas lui qu'on prendrait à flatter les gens comme je le fais. »

3.

L'accueil favorable que reçut le livre sur les orchidées guérit Charles de ses angoisses. Vertiges et maux de tête disparurent peu à peu. Quand souffrit-il d'eczéma sur les mains ? Etait-ce le résultat des nouvelles attaques de Richard Owen ? Owen, écrivain et conférencier prolifique, réussissait ce tour de passe-passe de démolir le Darwinisme tout en souscrivant presque entièrement à la théorie de la sélection naturelle. Lyell, Darwin, Hooker et Huxley, devant une volaille et une bonne bouteille à l'Athenaeum, convinrent que cette performance avait quelque chose de maniaque.

Leur petit cercle pavoisa lorsque Thomas Huxley fut nommé au poste prestigieux du professorat Huntérien au Collège royal de Chirurgie. Là, il pourrait dispenser à ses étudiants, parfois par simple osmose, la théorie darwiniste de l'évolution : que l'homme avait évolué à partir du tout premier organisme venu à la vie dans une mer lointaine. Il serait mieux placé pour jouer les « bouledogues de Darwin ».

A Down House, l'humeur n'était guère à la joie. Leur avant-dernier fils, Leonard, qui devait entrer à l'école de Clapham où se trouvait déjà son frère George qui pourrait s'occuper de lui, attrapa la scarlatine. Emma et Charles le maintinrent en vie en lui donnant une cuillère de porto tous les trois quarts d'heure, jour et nuit. Un médecin venait le voir plusieurs fois par jour. Il parvint enfin un jour à avaler une cuillerée de porridge.

« Je crois que le pire est passé », murmura Emma en décorant sa chambre d'un bouquet de fleurs de juin.

Ce soir-là, Leonard, les yeux fermés, leur demanda, à leur plus grande surprise :

« Est-ce que j'ai reçu de nouveaux timbres ?

— Oui, répondit Charles, je te montrerai demain ceux que le professeur Gray t'a envoyés d'Amérique. Ils sont très beaux.

— J'aimerais bien les voir tout de suite », fit Leonard en ouvrant un œil. Et ce fut le signal de sa convalescence.

« Un homme de science ne devrait pas avoir d'enfants, grommela Charles ; peut-être même pas de femme. Car alors, il n'aurait plus aucun souci et pourrait travailler comme un Troyen. Enfin, j'espère, d'ici quelques jours, avoir à nouveau les idées en place... »

Emma jeta un coup d'œil sur les traits tirés de son mari et comprit sa fatigue.

Leonard allant de mieux en mieux, il put inviter à nouveau Alfred Wallace à venir à Down House. Il arriva dans la première semaine d'août. Charles était persuadé que le jeune homme jouerait un rôle crucial dans la science anglaise et ne déparerait pas leur quartet.

Dans son miroir incliné, Charles le vit descendre de la voiture qu'il avait envoyée à la gare pour le chercher. Il était grand, avec de larges épaules et de longues jambes, une barbe noire qu'il partageait au milieu. Ce n'est que lorsqu'il fut entré dans son bureau que Charles découvrit les verres minuscules, sans monture, derrière lesquels brillaient de profonds yeux bleus. Il vivait à Londres, chez une sœur mariée qui lui prêtait un atelier pour y trier ses collections.

Charles demanda à Parslow de leur apporter un pichet de citronnade et lorsque Wallace se fut désaltéré, lui dit :

« Vous avez eu trente-cinq articles publiés dans nos journaux d'Histoire naturelle avant même de rentrer en Angleterre, Wallace ! J'admire la clarté de votre style. Pour moi, c'est le diable lorsqu'il me faut mettre la phrase la plus simple sur le papier. »

Wallace, rouge de plaisir, répondit : « Je serais bien heureux de pouvoir produire en toute une vie deux livres de la qualité de votre *Journal du Beagle* et de *L'Origine des Espèces.*

« J'aimerais beaucoup savoir : comment en êtes-vous arrivé à cette théorie de la sélection naturelle que nous sommes les deux seuls à revendiquer ? »

Wallace prit une autre gorgée de citronnade, et essuya son pince-nez minuscule avec un mouchoir, pour mieux se rappeler :

« M. Darwin, c'est difficile à croire, mais à l'époque, j'étais dans les Moluques et souffrais d'une violente attaque de malaria. Un jour, dans mon lit, enveloppé dans des couvertures bien qu'il fît 88°, le problème me revint à l'esprit et je repensai aux « contrôles positifs » décrits par Malthus dans son *Essai sur le Principe de la Population,* un livre que j'avais lu quelques années plus tôt et qui m'avait vivement impressionné.

— Je lui dois également beaucoup. »

Wallace continua timidement : « J'avais les bases nécessaires. J'avais tout d'abord lu votre *Journal,* vers 1847. En tant que récit de voyage scientifique, il n'y a peut-être que le *Narrative* de Humboldt qu'on puisse lui préférer ; et il présente un intérêt général peut-être plus grand... »

Charles rougit, sincèrement touché.

« Ces contrôles, continua Wallace, qui parlait avec la même clarté qu'il écrivait — la guerre, les maladies, la famine, etc. — devaient me semblait-il agir sur l'homme comme sur les animaux. Ces causes et leurs équivalents agissent continuellement. Et puisque les animaux se reproduisent considérablement plus vite que l'homme, il m'apparut que la destruction chaque année devait être énorme pour maintenir le nombre de chaque espèce. Et que ce processus automatique devait nécessairement améliorer la race, car à chaque génération l'inférieur serait inévitablement tué alors que le supérieur demeurerait, autrement dit que le mieux adapté survivrait. »

Il était midi. Charles demanda à Wallace s'il aimerait faire un tour sur le Sable.

« Avec grand plaisir. Il est très célèbre à Londres, savez-vous ? On l'appelle le « chemin du futur ».

— Vraiment ? C'est en effet de là que me viennent mes meilleures idées. »

A table, Wallace s'entendit à merveille avec Emma et les plus jeunes qui appréciaient sa réserve ponctuée d'éclats de rires sonores.

« Il me faudra sans doute longtemps avant de pouvoir gagner ma vie avec mes articles et mes livres. Je suis parfois bien seul, confia-t-il. J'aimerais avoir une femme, des enfants, une maison. »

Lorsque Leonard fut capable de voyager, la famille partit à Portsmouth pour les vacances d'été ; mais cette fois, ils n'étaient pas plutôt arrivés à Southampton, où leur fils William travaillait comme banquier depuis la fin de ses études à Christ College, que ce fut au tour d'Emma d'attraper la scarlatine. Charles envoya les membres bien portants de la famille à Bornemouth, où il avait loué une maison, restant avec Emma, Leonard et une vieille domestique chez William. La maison était modeste mais suffisamment grande.

Charles engagea une infirmière mais passa la plupart de ses nuits au chevet d'Emma. Depuis des semaines, il ne pouvait rien faire d'autre que soigner les malades de sa famille. Heureusement, l'attaque d'Emma se révéla sans gravité et lorsqu'elle fut guérie, la famille se réunit pour goûter le soleil, le sable et la mer à Bornemouth. Ils rentrèrent à Down House fin septembre.

Avant Noël, lorsque Horwood, le jardinier de Sir Lubbock, lui apporta une pleine brouette de plantes et d'oignons de leur serre, Charles s'écria :

« J'aimerais tellement une petite serre ici même !

— N'aviez qu'à l' dire, M'sieur Darwin. Avec la permission de M'sieur Lubbock, je vous aiderai à en construire une. »

Horwood vint une heure chaque jour. Ils décidèrent de construire la verrière près d'un puits, non loin de la maison, près du potager, après le cadran solaire sur lequel Charles réglait sa montre en or et la pendule de son grand-père dans l'entrée. Elle serait en face de l'avenue des citronniers, comme ils appelaient un chemin bordé d'arbres qui traversait le jardin jusqu'au Sable, et aurait cinquante pieds de long, dix pieds de large, avec un toit de zinc incliné vers le chemin, des panneaux de verre dans le toit et la façade pour la chaleur et la lumière. Il y aurait deux rangées de rayonnages et des zones protégées des deux côtés de l'allée centrale à l'intérieur ; le chauffage serait assuré par des fourneaux.

Charles fut heureux comme un écolier tout le temps que dura la construction. Lorsque la verrière fut terminée, il se rendit chez les Lubbock.

« Ma petite serre est terminée, leur dit-il. Merci encore d'avoir permis à Horwood de m'aider. Sans lui, je n'y serais jamais arrivé. Et je vais pouvoir maintenant faire de nombreuses petites expériences impossibles jusqu'à présent. »

Lorsque Charles vit Hooker, il lui annonça avec enthousiasme :

« Ma nouvelle serre est prête et j'ai hâte de la garnir. Dites-moi quelles plantes vous pouvez me donner ; et je saurai ce qu'il me reste à acheter.

— Nous avons quantités de plantes vertes et de mousses.

— Croyez-vous qu'en envoyant ma carriole tôt le matin, un jour où il ne gèle pas, en tapissant la voiture de paille et en rentrant avant la nuit, un voyage de cinq heures pourrait être nuisible aux plantes vertes ?

— Nous couvrirons tout très soigneusement et elles vous arriveront en bon état », assura Hooker.

Lorsque la sœur de Charles, Susan, apprit qu'Hooker était devenu un collectionneur acharné de Wedgwood, achetant autant de pièces que son faible salaire le lui permettait, elle lui envoya plusieurs des plus anciens vases et médaillons du Mont. Joseph Hooker était ravi du cadeau, mais Charles lui écrivit :

« *Vous ne pouvez imaginer le plaisir que me donnent vos plantes. Bien plus grand que celui que vous donnent sans doute les Wedgwood de Susan. Je ne cesse de m'extasier sur la beauté de leurs moindres feuilles — peut-être parce que secrètement, je sais qu'elles m'appartiennent...* »

Le livre de Lyell, *Geological Evidences of the Antiquity of Man* fut publié au début de 1863. Il n'avait pas montré une seule page du manuscrit à Charles ou à quiconque. Lorsque Charles reçut son exemplaire, il se précipita vers le dernier chapitre et eut le choc de découvrir que ni lui ni son œuvre n'y étaient mentionnés. Il n'y avait qu'une brève citation d'un article sur *L'Origine* paru dans *Fraser's Magazine.* La conclusion était laissée à Asa Gray, qui soulignait qu'il n'y avait « *aucune tendance dans la doctrine de variation et de sélection naturelle à affaiblir les bases de la théologie naturelle* ». Lyell terminait son livre en affirmant :

« ... *ceux qui maintiennent que l'origine d'un individu, tout comme l'origine d'une espèce ou d'un genre, ne peut s'expliquer que par l'action directe d'une cause créatrice, peuvent être assurés de la compatibilité de leur théorie favorite avec la doctrine de la transmutation* ».

Charles n'osait croire qu'il avait bien lu. « Autrement dit, pensa-t-il, chacun peut continuer à penser ce qui lui plaît sans se soucier des faits qui lui crèvent les yeux. » Profondément troublé, il reposa le livre et eut besoin d'air frais. Il se livra à l'occupation la plus thérapeutique qu'il ait découverte au cours des ans : désherber. Retirer les mauvaises herbes et se dépoussiérer en même temps la cervelle. Une demi-heure plus tard, se sentant mieux, il retourna à son bureau et reprit le livre à la page un.

Indiscutablement, Lyell avait réussi à donner une assez juste vue d'ensemble de l'homme tel que son histoire le montrait à partir d'évidences géologiques. Il y avait d'honnêtes comptes rendus du travail et des théories de Hooker, d'Huxley et de Wallace. Le chapitre XVI était consacré à « *La théorie de M. Darwin sur l'Origine des Espèces par la sélection naturelle.* » Là encore, le point de départ de Charles était décrit avec exactitude.

« Ce n'est qu'à la fin du livre que Lyell tourne court, se dit Charles avec une pointe d'amertume. Il ne pouvait relever le défi. »

Puis une idée lui vint et il se mit à rire.

« Emma sera soulagée ! Elle qui redoutait tant que Lyell passe de mon côté ! »

Le succès du livre de Lyell fut immédiat. Charles était heureux du succès de son ami mais regrettait seulement qu'il n'ait pas eu l'audace de présenter sa théorie sur les commencements de l'homme et se soit limité aux faits géologiques.

Les Lyell vinrent leur rendre visite un jour de mars pluvieux, et prirent la chambre au-dessus du bureau de Charles. Mary Lyell parlait avec Emma au salon devant une tasse de thé, Charles et Lyell s'assirent devant les fenêtres de la salle à manger en regardant le jardin et les champs dans la grisaille. Lyell venait de refuser un siège au Parlement de représentant de l'Université de Londres.

« Je crois pouvoir être plus utile en poursuivant mes recherches géologiques », expliqua-t-il.

Charles savait qu'il attendait son opinion sur *The Antiquity of Man* mais hésitait à parler, de peur de vexer son ami.

« Votre livre m'a vivement intéressé, lui dit-il, et je ne vois vraiment pas grand-chose à y corriger.

— Allons donc, je suis bien persuadé du contraire. »

Charles avala péniblement sa salive.

« Eh bien, puisque vous m'y autorisez, permettez-moi tout d'abord de vous dire que j'ai été très déçu de voir que vous n'avez pas pris parti ni clairement exprimé ce que vous pensiez de l'origine de l'homme. »

Lyell se raidit.

« Je savais que vous seriez déçu que je n'abonde pas dans votre sens. Mais je n'ai fait qu'exprimer la totalité de mes convictions au moment présent. »

Le vent s'était calmé et, au travers des nuages sombres, le soleil commençait à filtrer.

« Aimeriez-vous vous dégourdir les jambes sur le Sable ? articula Charles, un peu d'air frais nous fera du bien.

— Je vais très bien, dit Lyell mais j'attendais le moment de faire une promenade. »

Ils marchèrent un moment et Charles disposa les silex à l'angle du bois avant de lui dire :

« Je suis de l'avis du critique du *Parthenon,* qui dit que vous laissez votre public dans le brouillard. »

Lyell n'apprécia guère l'allusion.

« Vraiment ? Huxley et vous, pourtant, avez été plus loin dans le domaine de l'invérifiable... »

Charles l'interrompit :

« Peut-être le lecteur croira-t-il, puisque vous nous accordez plus d'espace, à Wallace, Hooker et moi qu'à Lamarck, que vous nous tenez en plus haute estime. Mais j'avais toujours cru que votre opinion ferait date dans ce domaine. »

Lyell regarda Charles donner un coup de pied dans l'une des pierres.

« A vrai dire, fit-il, j'ai apporté plus d'arguments au processus de changement de tous les êtres vivants que je n'en avais l'impression. Peut-être pour cette raison conduirai-je plus de gens vers vous et Hooker que quelqu'un de plus jeune, comme le fils Lubbock, auquel il ne coûte guère d'abandonner des idées anciennes et longuement caressées. »

Charles était surpris de voir Lyell admettre son conservatisme. Mais il ne voulait pas être désagréable à son compagnon. Il suggéra qu'ils rentrent à la maison pour manger. Leurs femmes furent surprises de voir que les deux hommes ne parlaient pas de science pendant le repas. Ni l'un ni l'autre ne voulait laisser paraître que pour la première fois depuis si longtemps qu'ils se connaissaient, ils butaient sur un sérieux point de discorde. Après un cherry et un hors-d'œuvre de sardines, d'huîtres et de croûtons, Emma servit des quenelles de poisson, un rôti d'agneau, des pommes vapeur, des épinards, une tarte et de la crème au caramel.

« Essaierons-nous de cogner dans ces boules de billard ? » demanda Charles.

Mais ils jouaient sans enthousiasme, même le cliquetis des points marqués ne parvenait pas à les dérider.

« Je comprends bien, Lyell, dit Charles, s'excusant presque. Désormais je ne veux penser qu'à l'admirable talent avec lequel vous avez souligné les points importants et les avez expliqués. Aucune louange n'est trop forte pour votre inimitable chapitre sur le développement du langage en fonction du développement des espèces. »

Lyell était trop sensible pour se laisser bercer par des demi-compliments, surtout de la part du naturaliste qu'il admirait le plus. Il reposa la queue de billard et articula avec lenteur :

« Peu m'importe ce qu'on pourra dire du degré de soutien que j'apporte à votre théorie. Ce que je ne veux surtout pas, c'est me montrer incohérent. N'ayant moi-même changé d'avis que très lentement, je ne peux pas aller partout en demandant aux gens de le faire brutalement. Quand je relis certains chapitres des *Principes,* je m'expose toujours à perdre un peu de ma confiance dans la nouvelle théorie. Je vois trop d'écueils pour me mettre dans la position des nouveaux convertis qui font preuve de plus de foi que leur maître. Hooker dit qu'en science, les gens n'aiment pas trop qu'on leur dise ce qu'il faut croire, alors qu'en religion ils veulent que tout leur soit prescrit. »

Charles se dirigea vers Lyell, confus de lui avoir montré qu'il pensait que son livre ne faisait que la moitié du chemin.

« Vous me pardonnerez, je l'espère, de vous avoir parlé en toute liberté, car vous savez sans doute quel respect j'ai pour vous, mon guide de toujours. »

Lyell essaya de sauver la situation par une pointe d'humour.

« Avez-vous vu que la *Saturday Review* appelle mon livre “ *La trilogie de Lyell sur l'Antiquité de l'Homme, les glaciers et Darwin* ” ? »

Charles lui emboîta le pas.

« Et avez-vous vu la façon dont on traite votre livre et *La place de l'Homme dans la Nature* d'Huxley dans l'*Athenaeum ?* Je n'ai jamais rien lu de plus haineux. Votre but serait de rendre l'homme vieux, et celui de Huxley de le dégrader, sans que l'auteur s'embarrasse du plus petit soupçon de vérité scientifique. »

Lyell sourit.

« Seriez-vous prêt à admettre que les critiques sont les prédateurs naturels des auteurs de livres ? Que leur fonction est d'empêcher la prolifération de la gente écrivassière ? »

Ils se mirent à rire et retournèrent vers le bureau.

« J'ai peur que vous ne soyez encore un peu fâché contre moi », fit Charles en se penchant vers Lyell comme pour réduire l'espace qui les séparait.

Lyell lui sourit affectueusement.

« Je ne pourrai jamais vous en vouloir bien longtemps. Vous êtes pour moi ce fils et cet héritier que je n'ai jamais eu. Et je compte bien sur votre totale honnêteté en toutes circonstances. »

Charles prit une pincée de tabac à priser, dans le pot qu'il avait apporté de l'entrée. Puis demanda soudain, en manière de plaisanterie :

« Vous ne me permettriez pas de récrire votre dernier chapitre sur la descendance de l'homme, n'est-ce pas ?

— Certainement pas ! cria Lyell. Vous écrirez votre propre livre. Si vous avez su tenir tête à la tempête soulevée par *L'Origine,* vous saurez bien résister au vacarme que ne manquera pas de déchaîner l'affirmation que l'homme descend du singe ou de plus bas encore... »

Charles se leva et toucha d'un doigt les objets qui se trouvaient sur les tables ou les rayonnages de son bureau, microscope, pierres rares, spécimens en bocaux...

« C'est presque autant pour vous que pour moi que j'aurais aimé vous voir affirmer sans ambiguïté que les races humaines n'ont pas été créées séparément. Ni l'homme lui-même. Qu'il a évolué, comme toutes les autres créatures vivantes.

— C'est votre domaine, répondit Lyell. Il faudra bien un jour que vous vous atteliez à cette tâche. »

Et en revenant de la gare où il avait raccompagné Lyell, Charles pensait qu'un livre sur l'origine de l'homme, allant à l'encontre des idées reçues du monde occidental, attirerait les plus lourdes censures sur sa maison. Mais il savait aussi, très certainement, qu'il l'écrirait.

4.

Il conserva ses fonctions de magistrat, bien que fort rarement convoqué à Bromley pour l'audition d'un dossier. Il était toujours trésorier de l'amicale du Club de Down. Il continuait à inviter à Down House et à expérimenter dans la moiteur de la serre et le parfum des fleurs et des arbustes. Mais parce qu'il se trouva dans l'impossibilité totale d'écrire, l'année 1863 fut la pire qu'il eût jamais connue. Sa santé se détériora complètement. Il avait l'habitude d'être fatigué, nauséeux, insomniaque et sans appétit. Mais maintenant, il était même totalement incapable de rester dans son bureau ou d'écrire.

Au début de mai, dans l'espoir de voir sa santé s'améliorer, Emma et lui allèrent à Hartfield pour une quinzaine de jours, invités chez le Rév. Charles Langton, puis chez sa sœur Caroline et Joe Wedgwood. Le repos et le changement ne lui firent aucun bien. De retour à Down House, il dut garder le lit pendant une semaine. Il abandonna l'idée d'aller à Malvern lorsqu'il apprit que le docteur Gully était trop malade pour pouvoir le soigner.

Emma parlait parfois d' « angoisses ». Mais il n'en ressentait aucune. Tous les médecins, depuis son père, qui l'avaient examiné ne lui avaient trouvé aucun problème organique. Et il n'était pas hypocondriaque, du moins pas à son avis.

Il savait qu'il obéissait à des cycles, mais personne ne savait à quoi ils correspondaient. Il repensa à toutes les cures qu'il avait essayées, dont certaines l'avaient temporairement soulagé : hydropathie, craie, acide nitromuriatique, glace, régimes, eau à l'ozone Condy, anneaux de cuivre et de zinc humectés de vinaigre qu'il s'était noués à la taille et autour du cou...

Ah ! comme sa vie eût été plus tranquille pasteur dans une jolie paroisse de campagne à collectionner papillons ou scarabées... ou enseignant à Christ College, dans la chaleur de la camaraderie et des bonnes bouteilles au salon après le repas du soir. Aurait-il ainsi échappé à cette malédiction qui le laissait sans vie ?

Quelle diabolique prédétermination avait fait de lui l'homme le plus contesté de l'époque moderne ? *L'Origine des Espèces* était-elle la source de tous ses maux ? Pas vraiment. Ni la fin. Il conservait ce besoin de pénétrer les zones mystérieuses des connaissances humaines. C'était une croix qu'il ne voulait pas porter. Mais comment aurait-il pu y échapper ?

Il présentait un visage égal, restant aimable avec sa femme, ses enfants, les domestiques. Aux quelques rares moments où la maladie physique la plus sévère ou la dépression s'emparaient de lui, il reprenait son exemplaire du *Paradis Perdu* de Milton et méditait sur les vers :

> « *L'esprit est un lieu en soi et par lui-même*
> *peut changer l'enfer en paradis et le paradis en enfer.* »

De son côté Emma avait donné un certain nombre d'instructions précises à ses enfants et aux domestiques.

« La santé est comme le temps, quelque chose que nous ne pouvons ni prédire ni contrôler. Les attaques de Père ne doivent pas constituer un exemple pour vous. Je ne veux pas d'hypocondriaques en série à Down uniquement parce que vous voudriez flatter votre père en l'imitant. »

Charles n'obéissait pas aux injonctions de sa femme. Il décrivait ses malaises à ses amis dans les moindres détails. Il trouvait un soulagement à parler ouvertement de ses maux, donnant des détails sur ses vomissements, sa bile, sa diarrhée, son apathie. C'était pour lui comme une sorte de confession. Ridicule ! pensait-il. Comment un infirme pourrait-il découvrir un nouveau concept de tout ce qui vit sur la terre et dans les mers ? Et révolutionner toute la pensée humaine ? Seul le pouvait un homme plein de force et de courage. Et de plus en plus nombreux étaient ceux qui, dans le monde occidental, s'accordaient à voir en Charles Darwin le plus valide des vivants !

Tout en essayant de n'y pas penser, il savait bien qu'il lui faudrait écrire ce livre sur la généalogie de l'homme. Prouver irréfutablement que l'homme avait évolué, comme l'avaient fait le cheval et tous les êtres vivants, et n'avait pas été créé « entier à l'image de Dieu ». Même si cela devait attirer sur lui des cataclysmes plus dévastateurs que ceux dont il avait été témoin à Concepcion au Chili. Mais quand, et comment ?

En attendant, chacun faisait tout ce qu'il pouvait pour rendre la vie plus agréable. Emma et Henrietta lisaient à haute voix le dernier roman à la mode, *Sylvia's Lovers,* d'Elisabeth Gaskell. Emma taillait ses arbustes et buissons dans le jardin. Ils emmenèrent leurs plus jeunes enfants à Londres pour voir les décorations et les foules qui faisaient fête à la princesse Alexandra de Danemark, fiancée au prince de Galles.

Charles fut pressenti pour la médaille Copley, la plus haute récompense du monde scientifique anglais. Ses amis de la Royal Society étaient d'ardents supporters mais une nette opposition se manifestait de la part des membres les plus anciens. Sans qu'on sache trop comment, l'amiral en retraite FitzRoy avait fait courir le bruit qu'il avait dû forcer Charles à quitter le *Beagle* parce qu'il avait le mal de mer. Erasmus, en visite à Down House, rapporta ce dernier potin qui rendit Charles furieux.

Mais lorsque Erasmus vit Charles vomir moins de trois heures après le dîner, il lui dit avec une pointe d'ironie :

« Tu devrais peut-être revenir au remède de Père, biscuits et raisins secs. Je t'achèterai un hamac pour ton prochain anniversaire. » Quoi qu'il en soit, Charles fut battu. Et la médaille alla à quelqu'un d'autre.

Ce qui le ramena au travail fut une nouvelle découverte et un nouvel amour : les plantes grimpantes. Il avait une plante, *Echinocystis lobata,* dans son bureau et eut la surprise de voir que la partie supérieure de chaque branche décrivait un lent mouvement circulaire constant. Elle faisait parfois le tour deux ou trois fois, puis au même rythme, se réenroulait dans la direction opposée. Elle se reposait généralement une demi-heure entre ses voyages.

Tous les enfants, à l'exception de William, vinrent passer les vacances d'été à la maison. Ils furent fascinés par cette activité et demandèrent si quelqu'un d'autre avait déjà remarqué le phénomène. Charles leur apprit que deux Allemands l'avaient mentionné, ainsi qu'Asa Gray, mais qu'il restait très mal connu.

« Je vais écrire un petit livre là-dessus. Facile à lire mais surprenant.

— C'est joli, papa, comment est-ce que cela marche ? demanda le plus jeune.

— C'est très joli, Horace. Toutes les deux heures environ, la plante décrit un cercle d'un pied de diamètre environ et, dès que les vrilles touchent un objet, leur sensibilité leur fait le saisir et grimper dessus. Et elles ne manquent pas non plus de discernement puisqu'elles ne se grimpent pas les unes sur les autres. »

Dans un sursaut d'énergie, il écrivit même un chapitre entier de ses *Variations des animaux et des Plantes sous l'action de la domestication* en un peu plus d'un mois, du 16 juin au 20 juillet. Mais il confia à Hooker :

« Mes vrilles m'amusent beaucoup ; c'est exactement ce type de petit travail qui me détend lorsque j'écris. »

Emma, soulagée de le voir s'amuser dans la serre avec les plantes grimpantes, put se consacrer à une tâche à laquelle elle pensait depuis longtemps, faire remplacer par un système moins atroce les petits pièges en acier généralement utilisés. Les plus petits animaux souffraient de huit à dix heures avant de mourir. Elle écrivit un long article que le *Gardener's Chronicle* publia, puis intéressa la Société Protectrice des Animaux à fonder un prix pour le piège le plus « humain » qui serait inventé. Elle commença également à collecter des fonds pour ce prix.

La famille était fière d'elle.

La surprise de l'été fut que Katty et le Rév. Langton, veuf de Charlotte Wedgwood, se fiancèrent et annoncèrent qu'ils se marieraient en octobre. Cette nouvelle choqua profondément les Darwin, et tout particulièrement Henrietta.

« Je trouve véritablement indécent qu'une personne de plus de cinquante ans pense à se marier.

— Ce n'est pas tant ce qui m'inquiète, répondit Charles. Mais Katty est en mauvaise santé, tant physique que morale, elle et Langton sont tous deux très autoritaires, et je doute fort que cette union soit heureuse.

— Cela me semble bien hasardeux, en effet, dit Emma. Mais depuis des années qu'ils se rendent mutuellement visite, ils ont dû apprendre à se connaître et ils se tiendront compagnie.

— Et Susan se retrouvera seule au Mont, fit remarquer Charles.

— Nous l'inviterons à venir vivre avec nous à Down House », proposa Emma.

Son dada du moment était bien l'observation des plantes grimpantes. Il ne se lassait pas de voir les *Apocynacées,* avec des sarments de dix-huit pouces de long, cherchant systématiquement un support sur lequel grimper, auxquels il pouvait donner la forme qu'il voulait simplement en les touchant de son crayon. Il avait déjà examiné les fleurs de la passion, la vigne vierge, les pois, et demandait souvent à Hooker de lui donner, lui prêter ou de lui dire où acheter toute plante qui, à sa connaissance, aurait des vrilles d'une structure étrange ou particulière.

Lorsqu'il n'avait pas le courage d'écrire, il dictait aux femmes de la maison. Son seul moment de vraie détente était dans la soirée, quand, allongé près du piano, il écoutait Emma lui jouer ses arias favoris. Il ne se lassait pas de « L'Harmonieux forgeron », de Haendel. Sa lecture du *London Times,* après le repas, le rendait généralement furieux, surtout parce que le *Times* prenait le parti du Sud, dans la guerre civile aux Etats-Unis, défendant donc implicitement l'esclavage.

« Le *Times* devient de plus en plus détestable, dit-il à ses enfants, Maman voudrait l'abandonner mais je lui dis que c'est une forme d'héroïsme dont seule une femme est capable. Abandonner ce maudit vieux *Times,* ce serait comme abandonner la viande, la boisson et l'air. »

Il alla suivre une cure hydropathique à Malvern pendant tout septembre et la moitié d'octobre. Cela ne lui fit aucun bien. Il fut malade jusqu'à la fin de l'année et jusqu'à la mi-avril 1864. Il se demandait : « Ma vie est-elle finie à cinquante-cinq ans ? J'ai encore tant de travail à faire ! »

Il se réveilla, le 13 avril, après une bonne nuit de sommeil, se sentant bien, et se mit au travail immédiatement après le repas. Il écrivit sur les *Mouvements et habitudes des plantes grimpantes.* Et se sentit capable de se concentrer pendant quatre mois pleins pour terminer sa monographie.

Après les jours maussades qu'avait connus Down House lorsqu'il était totalement incapable de travailler, ce furent d'heureux moments pour la famille. Il dit à Emma :

« Ce fut un pur plaisir que d'écrire cet article de cent quatre-vingts pages. Si mon travail pouvait être toujours aussi amusant !

— Il pourrait l'être. Ne t'occupe que de ce qui te plaît. »

La Linnean Society publia son étude dans son journal et imprima un bon nombre de tirés à part qui furent mis en vente au prix de quatre shillings. Charles en commanda deux cents exemplaires pour les poster à ses correspondants dans le monde entier. La réception de *Plantes Grimpantes* fut aussi joyeuse que son travail d'écriture. Les naturalistes étaient séduits et intéressés.

Evidence as to Man's Place in Nature de Thomas Huxley était un succès, une deuxième édition avait suivi de près la première. Huxley se plaignit à Charles :

« J'ai beau travailler comme un cheval, ou plutôt comme un âne, je suis sans cesse horriblement en retard. Je me réveille le matin avec quelqu'un qui me chuchote à l'oreille : " A n'est pas fait, et B n'est pas fait, C n'est pas fait et D n'est pas fait non plus. " Je me sens comme un homme que tous ses créanciers guettent au coin de la rue. »

Charles était heureux de retrouver le jeune Huxley.

« Parlez-moi donc de ce que vous faites.

— J'écris des conférences sur le squelette des vertébrés et les fais paraître dans le *Medical Times.* Je récris des conférences sur la physiologie élémentaire ; je prépare mon cours de vingt-quatre leçons sur les mammifères au Collège Royal de Chirurgie pour le printemps prochain. Je travaille à un manuel d'anatomie comparée, le diable l'emporte, depuis bientôt sept ans. Et pour finir, on ne cesse de m'importuner en public et en privé, parce que je suis ce qu'ils appellent un " Darwiniste ".

— Cela vous apprendra à mieux choisir ceux à qui vous voulez apporter votre soutien », gloussa Charles.

Dans un livre d'Huxley qui venait d'être publié, *Six conférences à des ouvriers sur les causes des phénomènes de la nature organique,* on pouvait lire :

« *Je crois que même en dépouillant* L'Origine des Espèces *de ses parties théoriques, cela demeure l'une des plus grandes encyclopédies de doctrine biologique jamais produite par l'homme ; et je crois que si vous y voyez la concrétisation d'une hypothèse, elle est destinée à servir de guide à la spéculation biologique et psychologique pour trois ou quatre générations.* »

Joseph Hooker, son ami le plus proche, avait terminé son texte sur la botanique de Syrie et de Palestine pour le *Dictionnaire de la Bible* de Smith. Il faisait tous ses efforts pour empêcher les Jardins de Kew d'être saccagés par des jardiniers incompétents et des comptables malhonnêtes que son père vieillissant ne reconnaissait pas pour tels. Une tragédie avait frappé Joseph et Frances. Ils avaient perdu leur fille de six ans, Minnie. Profondément affecté, Joseph lui écrivit :

« *... j'essayais de ne pas la traiter différemment des autres enfants mais c'était ma petite à moi, ma petite compagne de promenade, la première de mes enfants à avoir montré de l'intérêt pour les fleurs et la musique, la plus douce, la petite chose la plus affectueuse que j'aie jamais connue ; je n'arrête pas d'entendre sa petite voix dans mon oreille, ou de sentir sa menotte se glisser dans ma main ; au coin du feu, dans le jardin, partout où je vais je la vois.* »

Charles lui répondit :

« *Je vous comprends. Annie était vraiment ma compagne, parmi les enfants. Pourquoi faut-il que nous perdions précisément ceux qui sont les plus proches de nous ?* »

Pendant ses mois d'inactivité, Charles avait décidé, puisqu'il n'avait rien de mieux à faire, de se laisser pousser une barbe. Si sa santé n'était pas florissante, sa barbe, elle, l'était. Elle était maintenant bien fournie, totalement grise. Il la taillait soigneusement en ovale sous son menton. Il laissa également pousser une moustache qui se révéla plus claire que ses cheveux sur les tempes et derrière la tête. Il taillait cette moustache de très près, tout en rasant l'arrondi des joues. Ses yeux sombres semblaient plus enfoncés sous les sourcils puissamment proéminents. Un jour, à table, il demanda à Emma et aux enfants :

« N'ai-je pas l'air respectable ?

— On va vous appeler l'archevêque de Cambridge, Père », dit Henrietta.

Il se mit à concevoir le temps comme des intervalles. Courts intervalles, longs intervalles. Intervalles où il se sentait bien et était productif. Intervalles d'inaction. Le temps était une banquise au pôle nord. C'était un iceberg qui se cassait, fondait, avançant parfois lentement, parfois de plus en plus vite. En réunissant et en lisant les matériaux sur les différentes races de l'humanité, présentes et anciennes, son esprit fit un saut quantique qui le stupéfia. Il en vint à soupçonner que la sélection sexuelle avait été l'un des facteurs les plus puissants de changement des races humaines. Il nota :

« *Je peux montrer que les diverses races ont des critères de beauté profondément différents. Chez les sauvages, les hommes les plus puissants choisiront les femmes qui leur plairont et seront en général ceux qui laisseront le plus de descendants.* »

« Voilà qui est bien malvenu, grogna-t-il à part lui. En suivant cette ligne de " sélection sexuelle ", je vais rendre furieuse la plus grande partie de notre société où le terrible mot n'est jamais prononcé, pas même dans les romans les plus scabreux. Mes méfaits seront multipliés par cent. »

Peu de temps après, il reçut par la poste un exemplaire de l'article d'Alfred Wallace sur « *Le développement des races humaines sous la loi de la sélection naturelle* » publié dans l'*Anthropological Review*. Au lieu de s'inquiéter d'être précédé, comme il l'avait été à la lecture du premier papier de Wallace sur la sélection naturelle, il fut au contraire aussi déçu par l'approche de Wallace qu'il l'avait été par celle de Lyell. Wallace écrivait :

« ... *L'homme est indiscutablement un être à part, puisqu'il n'est pas modifié par les grandes lois qui altèrent irrésistiblement tous les autres êtres organiques... L'homme n'a pas seulement échappé lui-même à la sélection naturelle, mais il est capable de dérober un peu de ce pouvoir à la nature, qu'elle exerçait seule avant son apparition.* »

Wallace ne pouvait réellement penser cela. Il était encore jeune et influençable. S'il lui faisait part de son concept de la sélection sexuelle, Wallace n'aurait-il pas une voie par laquelle remonter jusqu'aux commencements de l'homme ? Ne se convertirait-il pas ? Cela lui permettrait de se débarrasser du fardeau que Lyell faisait si lourdement peser sur lui. Il écrivit à Wallace :

« *J'ai accumulé quelques notes sur l'homme, mais je doute d'avoir jamais l'occasion de m'en servir. Aimeriez-vous dans le futur que je vous communique mes notes et références ? Je ne sais à vrai dire si elles pourraient vous être de la moindre utilité...* »

Vers l'automne, ayant repris son travail sur *Variation des animaux...*, il se sentit, après avoir terminé un nouveau long chapitre, épuisé. Cela n'allégeait en rien son malaise physique, mais l'idée du moins que sa famille, elle, se portait bien le réconfortait un peu. William, à vingt-quatre ans, était satisfait de sa profession de banquier. Cet été-là, il invita ses quatres frères, George, Francis, Leonard et Horace dans sa maison de Southampton pour les vacances. Il leur offrit des verres de vin clairet et pendant que Leonard nageait, mit des pierres dans les poches de son pantalon, un jeu auquel ils avaient tous joué étant enfants. Il emmena les plus jeunes à l'île de Wight par un beau dimanche et ils se promenèrent à Bonchurch et Ventnor. Ils rentrèrent à Down House bronzés et surexcités.

Charles en fut très heureux car il souhaitait par-dessus tout que ses enfants conservent de forts liens d'affection. George, son cadet, venait d'être admis au Trinity College de Cambridge.

Francis, à seize ans, avait décidé de devenir médecin et de suivre les traces de ses grand-père et arrière-grand-père. C'était le plus artiste des garçons. D'une nature agréable, avec un fort sens de l'humour, il était pourtant sujet à des crises de dépression. Des cinq garçons, c'était celui que le travail de son père intriguait le plus et il lui avait demandé de lui apprendre à se servir du microscope et à opérer des greffes sur les plantes. Il lisait les livres de son père et demandait des explications sur ce qu'il était trop jeune pour comprendre. Leonard, à quatorze ans, se passionnait pour la photographie, et prit de si bonnes photos de son père qu'il les envoya à ses amis. Horace, le plus jeune, treize ans, était pensionnaire et faisait de bonnes études.

Elisabeth, la plus jeune des filles, âgée maintenant de dix-sept ans, était plutôt ronde, moins intellectuelle qu'Henrietta mais pourtant plus raisonnable. Henrietta usait à son égard de ses prérogatives d'aînée mais la famille reconnaissait à Elisabeth une grande sensibilité dans de nombreux domaines.

Henrietta, vingt et un ans, marquait son indépendance en lisant les livres de Thomas Huxley et en formulant des critiques sur ce qu'elle lisait. Elle allait toute seule rendre visite à Erasmus et aux Hensleigh Wedgwood ou chez les Langton qui vivaient dans le Wiltshire.

William, qu'on avait appelé Willy dans l'enfance, exigea qu'on l'appelle par son nom. Mais Henrietta resta Etty ; Elisabeth devint Bessy ; Francis, Frank ; Leonard, Lenny. Ni George ni Horace n'autorisèrent les diminutifs.

Maintenant que les enfants pouvaient se passer d'elle, Emma trouva un peu plus de liberté. Au printemps et en été, elle prenait souvent seule la carriole et les poneys, rentrant dans la soirée par High Elms où elle pouvait voir les Lubbock jouer au cricket. Elle jardina de plus en plus, surprise de voir à quel point ce genre d'exercice pouvait être tonifiant. Elle aimait tailler les buissons mais quant à leur forme ne partageait pas le goût du reste de la famille. Forte de sa nouvelle indépendance, elle leur tint tête, ainsi qu'au jardinier.

« Vous les taillez de façon trop rigide. Je vais réserver une partie du jardin où je créerai des courbes. »

Elle se mit également à rendre seule quelques visites dans le voisinage. A cette intention, elle se fit faire une nouvelle robe qu'elle décrivit à ses filles comme « belle et respectable ». Elle allait voir la famille du médecin du village, ce docteur Spengle qui avait soigné Leonard. Il soignait toujours pour rien ses malades les plus pauvres et avait souvent des difficultés d'argent. Emma suggéra à Charles de lui avancer un peu d'argent, sur les soins qu'il leur prodiguerait. Elle aimait s'arrêter chez les Lubbock à High Elms ou chez le révérend Brodie Innes pour prendre le thé et l'invitait avec sa femme à déjeuner après le service du dimanche.

La Médaille Copley devait être à nouveau décernée. On demanda instamment à Charles de poser à nouveau sa candidature mais il refusa en disant : « Une fois suffit. » Hugh Falconer prit fait et cause pour lui et écrivit d'Europe où il se trouvait une longue lettre personnelle à la Royal Society dans laquelle il disait : « ... *Je suis persuadé que M. Darwin... sera un jour considéré comme l'un des plus grands naturalistes de tous les pays et de tous les temps...*

Et pour finir, son grand essai Sur l'Origine des Espèces par la sélection naturelle. *Ce sujet grave et mystérieux, traité jusqu'alors de façon si légère qu'on ne le rangeait même pas dans le champ légitime de l'investigation philosophique. Après vingt ans de recherches approfondies, M. Darwin fit connaître ses vues, et il n'est pas exagéré de dire qu'elles ont captivé l'attention de l'humanité dans tout le monde civilisé. Que les efforts d'un seul esprit soient couronnés de succès dans un domaine d'une telle envergure, hérissé de tant de difficultés, est plus qu'on ne pouvait raisonnablement en attendre...* »

Cette lettre et quelques autres valurent à Charles la médaille. Il décida de ne pas se rendre à la cérémonie de remise, pour éviter les émotions, puisque certains des membres les plus anciens de la Société s'étaient opposés à sa nomination. Lyell offrit de prononcer le discours après le repas, ce que Charles accepta avec joie. La présentation ne fut pas loin de créer un scandale. Joseph Hooker en fit le récit à Charles.

« Le président Edward Sabine dit dans son discours qu'en vous décernant la Copley, toute considération de votre *Origine* était délibérément exclue. Huxley s'est levé et a demandé comment une telle chose était possible. Il insista pour que les délibérations du conseil soient lues, et bien sûr elles ne faisaient pas mention d'une telle exclusion.

Lyell fit un beau discours pour contrebalancer les attaques de Sabine, faisant une véritable déclaration de foi en faveur du livre. Il déclara : " *L'Origine* m'a forcé à abandonner mes anciennes convictions sans en avoir encore très clairement trouvé de nouvelles. " Il vous envoie ce message : " Je crois que vous auriez été satisfait, j'ai été suffisamment loin. "

— Sabine a-t-il promis d'amender sa remarque dans la version imprimée de son discours ?

— Il a laissé entendre qu'il le ferait. »

Mais il ne le fit pas. Lorsque Charles en reçut la transcription, il lut :

« *D'un commun accord, nous avons omis* L'Origine des Espèces *des mobiles de notre récompense.* »

Cela retirait un peu de lustre à la médaille.

« Sabine essaie seulement d'apaiser les membres qui ont voté contre toi, voilà tout, fit remarquer Emma, conciliante.

— Même en falsifiant ce qui est écrit ? Mais c'est de la chicanerie », fit Charles avec colère. Pourtant, après avoir reçu plusieurs notes de félicitations de collègues qui lui réchauffèrent le cœur, il dit à Emma :

« Je me demande d'où vient qu'un vieux chien fatigué comme moi ne soit pas encore totalement oublié. »

Emma avait l'habitude de ces crises de manque de confiance en lui-même.

« Vieux, fatigué, avec assez de notes empilées sur ton bureau pour une demi-douzaine de nouveaux livres ? »

Il ne s'attendait pas à ce que la médaille Copley déclenche une nouvelle vague d'attaques de ses adversaires. Ils orchestrèrent une campagne d'articles, de sermons et même la publication de plusieurs livres. Charles le supportait très mal. Mais une fois de plus, la Copley, et ces nouveaux remous firent connaître *L'Origine des Espèces* dans des couches sociales qui ignoraient encore tout de l'ouvrage. L'explosion serait peut-être bénéfique, à la longue.

Henrietta se jetait immédiatement sur les manuscrits scientifiques apportés à Down House par Huxley, Hooker et Wallace, en critiquant leur façon d'utiliser les mots. Huxley, en particulier, s'en amusa. Lorsque Henrietta eut terminé ses *Conférences sur les Eléments d'anatomie comparée*, elle lui dit :

« J'aimerais tant que vous écriviez un livre !

— Je viens juste d'en terminer un excellent, sur le crâne, Miss Etty.

— Je n'appelle pas cela un livre. Je veux quelque chose que les gens puissent lire. Ne pourriez-vous pas, par exemple, écrire un traité de vulgarisation sur la zoologie ?

— Mais Miss Etty, mon dernier livre est un livre. Qu'est-ce donc, selon vous ?

— Une monographie, tout au plus. »

Charles, assis non loin d'eux, intervint :

« Cette sorte d'ouvrage est parfois plus importante pour le développement de la science qu'une œuvre originale.

— Je viens de terminer une série de conférences à des ouvriers sur les différentes races humaines, qui feraient sans doute un livre au sens où l'entend Miss Etty. »

L'année 1865 fut fatale pour bon nombre de collègues de Charles. Hugh Falconer mourut en janvier à son retour d'Europe, trois mois à peine après avoir obtenu la Copley pour Charles. Son bon voisin Sir John Lubbock fut emporté par une maladie cardiaque en juin. Sir William Hooker en août. Le vice-amiral Robert FitzRoy se suicida le 30 avril. Imaginer que son idéal de jeunesse du beau capitaine ait pu se trancher la gorge fut ce qui peina Charles le plus. Après les funérailles, on sut pourquoi. FitzRoy s'était ruiné. On avait ouvert une souscription pour payer ses dettes. Surmené, malade et mécontent de son travail au Meteorologic Office, il avait surtout été très profondément affecté par le manque d'intérêt pour ce qu'il considérait comme sa contribution la plus importante depuis le retour du *Beagle* en 1836. En étudiant toutes les courbes de température qu'il avait accumulées, il en était arrivé à la conclusion que l'on pouvait prédire le temps. Le *London Times* avait ridiculisé ce qu'on avait baptisé ses « prédictions fumeuses ». Puis il était retombé dans l'oubli. Il n'avait néanmoins jamais cessé d'attaquer Charles.

« Ce pauvre FitzRoy a dû subir un peu de ce fiel qu'il déversait sur moi, dit Charles. Et pourtant, je ne veux me souvenir de lui que comme du merveilleux ami qu'il sut être, du temps du *Beagle* et de nos explorations. »

Il ne savait jamais à quel moment un nouveau concept naîtrait, pourtant il pouvait précisément marquer leur commencement et leur croissance. Pendant plusieurs années, il avait étudié bourgeon et variation séminale, caractères hérités, régressions, et les particularités de la reproduction pour ses *Variations*. C'était devenu une passion que d'essayer de relier de tels faits par une sorte d'hypothèse. Il forgea le mot « *Pangenese* » pour expliquer le phénomène de l'hérédité : que chaque unité séparée ou cellule d'un organisme se reproduisait elle-même en contribuant pour une part au germe ou au bourgeon du nouvel organisme.

Lorsqu'il eut développé son idée de la *pangenese* en trente pages, il fit le voyage à Londres pour en parler avec Huxley et lui demander de lire ce qu'il avait écrit.

« C'est un cadeau empoisonné pour quelqu'un d'aussi occupé que vous. La *pangenese* n'est qu'une hypothèse encore mal dégrossie, mais elle m'est d'une aide considérable car elle me permet de grouper un grand nombre de faits. »

La réaction d'Huxley au manuscrit fut qu'il était « trop calqué sur Buffon et Bonnet, les naturalistes français ».

« J'essaierai donc de ne pas le publier, murmura Charles, déçu. Vous avez sans doute raison, tout cela est beaucoup trop spéculatif ; je crois pourtant qu'il faudra bien adopter une vue de ce genre. »

Huxley s'excusa.

« Mais pas du tout, je n'essaye pas le moins du monde de vous dissuader de publier votre théorie. Quelqu'un fouillant dans vos papiers dans un demi-siècle et trouvant la *pangenese* dira : " Voyez cette merveilleuse anticipation de nos théories modernes et cet âne d'Huxley qui l'a empêché de la publier. " Publiez, mais en spécifiant bien qu'il s'agit d'hypothèses basées sur nos connaissances actuelles plutôt que de conclusions définitives. Inutile de donner à vos adversaires plus d'armes qu'ils n'en ont déjà. »

Charles étudia les livres de Buffon et Bonnet et constata que leur approche était différente. Toutefois il les crédita de leurs recherches dans une longue note en fin de chapitre.

De l'avis d'Emma, comme de celui des enfants, la plus grande qualité de Charles était son horreur de la cruauté. L'esclavage était depuis longtemps honni chez les Darwin comme chez les Wedgwood. Ils s'étaient réjouis lorsqu'en 1863 « l'Acte d'Emancipation » proclamé par Abraham Lincoln avait été reproduit dans les journaux londoniens. Ils furent immensément soulagés lorsque la Guerre Civile prit fin le 14 avril 1865, après la reddition du général Lee au général Grant, à Appomatox le 9. Mais le *Times* était si plein de mauvaises nouvelles que Charles finit par se rendre aux exhortations d'Emma et par cesser de le lire.

La demeure historique de Savile House fut entièrement détruite par le feu en février. Une grève des constructeurs immobilisa les chantiers navals sur la Tamise, occasionnant une grande misère. Les « Fenians », une fraternité de républicains irlandais qui voulait libérer l'Irlande de la domination anglaise, organisèrent les deux premiers soulèvements contre les Anglais installés en Irlande. Le gouvernement de Londres eut vent du complot, occupa les locaux des Fenians et arrêta les meneurs, dont l'un fut condamné à la prison à vie.

Plus près de chez lui, Charles apprit qu'un voisin avait laissé quelques moutons mourir de faim, parcourut la paroisse à la recherche de témoignages, les présenta à un magistrat et fit condamner l'homme pour négligence.

Même sans lire le journal, il apprit que le bétail importé de Hollande avait amené avec lui une peste connue sous le nom de « *rinderpest* » qui se répandait à une vitesse alarmante. Les Darwin n'avait que deux vaches à Down House pour leur consommation de lait ; mais les riches pâturages du Kent étaient pleins d'animaux. Avant la fin de 1865, 73 559 têtes avaient été atteintes, dont 55 422 étaient mortes ou avaient été abattues. Une grande anxiété se répandit en Angleterre car la perte des troupeaux risquait d'être un coup fatal pour le pays. Les éleveurs, avec l'aide d'hommes de science, dont plusieurs que Charles connaissait, trouvèrent le moyen d'enrayer la terrible maladie. Lorsque la peur fut passée, Charles fit remarquer avec une pointe de fierté :

« Le Parlement a toujours négligé la science. Il a peut-être appris une leçon sur sa valeur pratique. Nous avons besoin de lois favorables et de bourses pour financer la recherche, tout particulièrement en médecine pour protéger des maladies hommes, bétail, plantes et tous les êtres vivants. »

La famille Darwin avait présenté un front uni à ces diverses crises. Mais vers la fin de l'année 1865, eut lieu en Jamaïque un soulèvement qui fut la cause d'une des rares querelles qui aient jamais eu lieu à Down House. Un groupe d'environ cent cinquante Noirs s'était soulevé pour libérer un prisonnier indigène. Vingt-huit des meneurs furent arrêtés, après quoi les Noirs se jetèrent sur les Blancs, en tuant et en blessant un certain nombre et en détruisant leurs propriétés. Le gouverneur anglais de la Jamaïque, Edward Eyre, fit appel à ses troupes pour pendre et fusiller les rebelles. Toute l'Angleterre s'émut lorsque ensuite le gouverneur Eyre arrêta le prétendu chef des rebelles, George W. Gordon, un Noir membre de l'Assemblée, lui fit subir un procès sommaire et le fit pendre en présence de deux jeunes sous-officiers. L'exécution de Gordon, qui n'avait apparemment rien à voir avec le soulèvement, ainsi que les représailles qu'exerça ensuite

Eyre sur tous les Noirs, divisèrent l'Angleterre en deux factions rivales. Lorsque William revint en visite à la maison, il fit remarquer à table :

« A Southampton, nous venons de tenir une réunion publique en faveur du gouverneur Eyre. Notre orateur a dénoncé le comité qui le poursuit et je dois bien admettre que je suis d'accord avec lui. »

La colère et l'indignation de Charles furent si fortes, qu'il s'écria :

« Dans ce cas, tu ferais aussi bien de retourner à Southampton ! »

Il s'excusa ensuite de son emportement, tout en marquant bien qu'il n'avait pas changé d'avis.

Charles passait chaque jour une bonne partie de l'après-midi à rattraper son retard dans la lecture des revues scientifiques, trouvant et annotant des études utiles à ses recherches pour « *Variations sous l'action de la domestication* ». Il passait également chaque jour une heure à cheval, à se promener dans des paysages qui changeaient au fil des saisons.

Le mariage de Katty avec le Révérend Langton se révéla heureux. Mais Katty était souvent gravement souffrante. Lorsqu'à son tour Susan tomba malade au Mont, Katty retourna à Shrewsbury pour s'occuper d'elle. Cela aida Susan, mais Katty un beau matin ne quitta plus son lit. Elle était morte paisiblement dans la nuit. Charles porta le deuil de cette sœur qui lui ressemblait tant.

« Je vais essayer, une fois de plus, de convaincre Susan de venir vivre avec nous, dit-il à Emma. Elle serait moins seule en notre compagnie. »

Son bureau, si souvent champ de bataille, devint un refuge. Son esprit d'expérimentation lui donnait un excellent moral. Après avoir réfléchi au principe de la sélection sexuelle, il observa les papillons. Le mâle, toujours plus brillamment coloré que la femelle, déployait généralement la beauté de l'intérieur de ses ailes pour attirer la femelle. Il revit en pensée les oiseaux frégates mâles des Galapagos qui à la saison des amours, s'assemblaient le long des plages et des marais par milliers, en gonflant leur gorge d'un orange brillant ou d'un rouge flamboyant pour attirer une partenaire.

C'était une découverte semblable à celle qu'il avait faite pour les fleurs : qu'elles se faisaient plus belles pour attirer l'attention des insectes. Il commença un échange de correspondance avec deux professeurs de botanique allemands, l'un à l'université de Fribourg, l'autre de Munich ; au sujet de la sauge, l'évolution des organes, et le dessein caché de la beauté élaborée des fleurs et des fruits.

Il était si absorbé par l'incorporation de ses observations les plus récentes aux principes généraux de sa théorie de la sélection naturelle qu'Emma lui demanda : « Veux-tu que je tienne les comptes de la maison ? Je le ferais très volontiers. »

Il avait toujours aimé tenir les comptes mais il accepta avec joie ce gain de temps. John Murray avait écrit qu'une quatrième édition de *L'Origine* était nécessaire. Charles se désespérait d'avoir encore à faire des changements et de nouvelles corrections. Pourtant, Murray voulait tirer mille deux cent cinquante exemplaires, ce qui lui rapporterait deux cent trente-huit livres.

« Voilà qui fera bien dans tes livres de comptes », dit-il à Emma.

Il corrigea, revit et ajouta de nouveaux éléments à son manuscrit sur *Variations.* Il avait déjà mille pages mais gardait son chapitre de conclusion pour le moment où l'essentiel du livre serait parti chez l'imprimeur. Il progressait si rapidement et se sentait si bien qu'il proposa à Emma d'aller passer quelques jours de vacances chez Erasmus, à Londres.

Emma fut ravie. Elle n'avait pas été au théâtre, ni entendu le Philharmonique depuis longtemps. Ils décidèrent d'emmener les filles.

Ils allèrent tous ensemble voir *Hamlet,* avec le célèbre acteur Fetcher qui jouait merveilleusement le rôle. Erasmus gronda Emma lorsqu'elle confessa :

« C'était une magnifique représentation, mais j'ai quelque honte à l'avouer, Shakespeare est loin d'être mon auteur préféré. »

Le lendemain, la sœur d'Emma, Elisabeth, vint les chercher pour les emmener au Philharmonique. Le programme était excellent, la *Symphonie Pastorale* de Beethoven, qu'ils connaissaient peut-être un peu trop, et un concerto de Hummel.

L'événement le plus important fut la réunion de la Royal Society en soirée, à laquelle Charles voulut assister. Il s'habilla avec recherche et prit le chemin de Burlington House, pour la première fois depuis des années. Il fut reçu avec une telle chaleur par ses collègues, heureux et surpris, que cela le rendit fort brillant. Il remarqua pourtant quelques hommes qui se tenaient à l'écart et le regardaient bizarrement. Lyell rit de bon cœur.

« Ils ne vous reconnaissent pas à cause de votre barbe. Venez, allons leur dire votre nom et cela sera comme des miettes de biscuit pour les moineaux. »

Lyell avait raison. Ils n'eurent pas plutôt entendu le nom de Charles qu'ils se pressèrent pour lui serrer la main, lui posant mille questions sur son travail. Edward Sabine, toujours président, montrait une légère gêne. Lorsque le prince de Galles arriva, Sabine eut la générosité de s'assurer que Charles serait le premier à lui être présenté. Trois membres seulement le furent.

« Sabine essaie de se réconcilier avec vous », murmura Hooker. Et Huxley ajouta : « Ce grand geste fait de vous le membre le plus éminent de notre Société.

— Le prince a l'air d'un jeune homme aimable et très bien élevé. Il m'a dit quelque chose que je n'ai pu entendre, je me suis donc contenté de lui tirer une profonde révérence et j'ai continué mon chemin.

— Et pourtant vous avez une ouïe parfaite », fit une voix derrière lui.

Charles se retourna et se trouva face à face avec le docteur Henry Bence Jones, son médecin du moment, qui l'avait mis à un régime de petites portions de viande et de toasts, ce qui lui avait permis de maigrir de quinze livres. Il lui avait également recommandé de monter chaque jour son cheval Tommy.

Un plein panier de chatons les attendait à leur retour à Down House. James Sulivan, maintenant amiral, vint leur rendre visite avec sa femme. Il avait pris de l'embonpoint et son visage des couleurs. Ils regrettèrent la mort inopportune de Robert FitzRoy puis Sulivan lança à Charles :

« Darwin, j'ai découvert une extraordinaire accumulation d'os fossiles non loin du détroit de Magellan. Ils devraient être ramassés et personne ne pourrait le faire mieux que vous. Je pourrais vous emmener comme naturaliste, la prochaine fois que je mets le cap vers le sud. »

Tout le monde rit. Charles appréciait de retrouver son vieux camarade, en compagnie duquel il avait passé tant d'heureux moments à bord du *Beagle*. C'était le dernier de ses amis d'alors avec lequel il reste en contact. Les autres, le docteur Benjamin Bynoe, John Wickham, Stokes, King, tous avaient été séparés par la vie.

Son travail avançait à grands pas, tout comme l'année 1866. Les garçons revinrent une fois de plus passer leurs vacances d'été à la maison ; Francis entrait au Trinity College en septembre. Ils étaient exubérants comme des poulains. Charles se joignit à leurs jeux. Henrietta était dans le midi de la France. Elle était enthousiasmée par Saint-Jean qu'elle décrivait comme « un petit port avec de ravissantes voiles jaunes et rouges ». Elisabeth, à dix-neuf ans, trouvait sa personnalité. Elle lisait à voix haute les romans du moment à son père, et Emma écoutait lorsqu'elle en avait le temps : *Hereward the Wake* de Charles Kingsley ; *Felix Holt le Radical* de George Eliot, un roman sur la politique anglaise à l'époque du premier Reform Bill ; *La Colombe dans le nid de l'aigle*, de Charlotte Yonge.

A l'automne, au moment où Charles arrivait à la fin de son manuscrit de *Variations,* il décida qu'il ajouterait un dernier chapitre sur la généalogie de l'homme. Cela constituerait une parfaite conclusion pour le livre. Il se sentait le devoir de terminer la tâche que Lyell n'avait pas réussi à mener à terme.

« De la sorte, je peux terminer mon travail sur l'homme sans avoir à écrire tout un volume sur le sujet. Et je serai libre. »

Sa sœur Susan ne voulut jamais quitter le Mont, même lorsqu'elle fut très malade, déclinant les invitations de Charles comme celles de tous les autres membres de la famille. Elle mourut en octobre à l'âge de soixante-trois ans et fut enterrée à Shrewsbury. Lorsqu'il vit Caroline et Erasmus, Charles leur dit :

« Je crois savoir pourquoi Susan a toujours refusé de quitter le Mont et préféré y mourir seule. Elle voulait continuer à sentir la présence de Père. Ce fut le seul amour de sa vie. Voilà pourquoi elle ne s'est jamais mariée. »

Il reçut le détail de la vente aux enchères des meubles et objets du Mont. Les livres et le piano. Le brougham bleu construit par Thorn de Londres « *avec un panier à bagage au-dessus* », le phaéton du docteur Darwin « *peint en vert et tapissé de toile* »... « *une élégante voiture à quatre roues, presque neuve* »... Il ferma les yeux, revoyant l'arrivée de son père au terme d'une longue journée.

L'argent de la vente fut distribué aux enfants de Marianne Parker comme l'avait voulu Susan. Lorsque la maison fut mise en vente, ce ne fut pas sans nostalgie que Charles lut : « *Très beau jardin fleuri ancien, promenade en terrasse et verrière, au total cinq arpents propices à la chasse et au golf.* »

Ce fut après la mort de Susan, en étant resté plusieurs jours sans travailler, qu'il réalisa qu'il ne pouvait ajouter un chapitre sur l'homme à son livre sur les *Variations.* Et cela pour deux raisons. D'abord, le chapitre sur l'homme était celui qui attirerait le plus l'attention, tout particulièrement celle des théologiens ; et les trente et quelques chapitres traitant des plantes et des croisements d'animaux seraient ignorés. De plus, il savait bien qu'il ne pourrait traiter de l'évolution de l'homme en un seul chapitre, au terme d'un manuscrit de mille pages. Il avait besoin d'espace pour développer ses théories et ses preuves, pour relier des évidences qui en feraient une plaidoirie irréfutable. Un livre entièrement consacré à ce sujet prendrait peut-être des années, mais il ne serait pas difficile à écrire ; il avait déjà accumulé de nombreux éléments tendant à prouver l'évolution de l'homme. Il lui faudrait inclure l'étude d'ethnies, de peuples et de races depuis le commencement des temps.

Le 21 décembre, il eut terminé toutes ses corrections sur *Variations.* Il en était moyennement satisfait, comme du mieux qu'il puisse faire pour l'instant. John Murray s'inquiéta de la longueur du livre, trop important à son avis pour tenir en un volume. Les caractères seraient trop petits, les marges trop étroites. Il conseilla d'en faire deux volumes distincts, sensiblement de la même taille. Cela rendrait l'ouvrage coûteux, une livre dix environ.

Il répondit à Murray :

« *Je ne saurais vous dire à quel point je suis navré d'apprendre quelle énorme taille aura mon livre. J'ai peur qu'il ne couvre jamais ses frais. Mais je ne peux plus le raccourcir maintenant ; et même si j'avais prévu sa longueur, je ne vois pas quelles parties j'aurais pu omettre. Si vous avez peur de le publier, dite-le-moi tout de suite, je vous en prie, et je considérerai votre note comme nulle. Si vous le croyez nécessaire, demandez à quelqu'un en qui vous avez confiance de parcourir les chapitres les plus lisibles... Je vous en prie, ne publiez pas sans réfléchir, car je me reprocherais toute ma vie de vous occasionner de lourdes pertes.* »

Il passa les jours suivants dans la morosité à attendre la réponse de Murray. Son impression de tomber en chute libre sans rien à quoi se raccrocher se dissipa lorsque Murray lui assura que, malgré les quarante-trois gravures sur bois qu'il faudrait pour illustrer le texte, il n'était pas effrayé par le coût. Il voulait le publier, malgré l'avis contraire d'un ami littérateur.

Il termina donc son dernier chapitre pour *De la variation des Animaux et des Plantes domestiques* qu'il intitula « *Remarques en guise de conclusion* ». Il était bref mais comprenait cet avertissement :

« *Si un Créateur omnipotent et omniscient ordonne et prévoit toutes choses, nous nous trouvons face à face avec une difficulté aussi insoluble que celle du libre arbitre et de la prédestination.* »

Il lui faudrait un an pour noircir les épreuves de l'imprimeur de corrections et de clarifications. Mais son sentiment de sécurité, maintenant que Murray acceptait de publier — car qui d'autre aurait pu le faire — le ramena à son bureau et à sa planche à écrire recouverte de feutre vert, pour rédiger le premier chapitre de *De la descendance de l'homme.* Une fois de plus, il hésita sur la longueur qu'il fallait donner à l'ouvrage et décida de n'en faire qu'un « très petit volume ».

5.

En février, pour fêter le cinquante-huitième anniversaire de Charles et leur vingt-huitième anniversaire de mariage, ils allèrent passer une semaine à Londres chez Erasmus. Charles avait écrit à l'avance, prenant rendez-vous avec Wallace, Huxley, Hooker et Lyell. Sa première visite fut pour Wallace qui vivait maintenant au 9 St Mark's Crescent, à Regent Park road, avec sa femme Annie Mitten, de vingt-cinq ans plus jeune que lui, qui devait avoir un enfant cet été. Si c'était un garçon, ils voulaient lui donner le nom d'Herbert Spencer, ce philosophe des sciences qui avait inventé la phrase « *la survie du mieux adapté* » dans ses *Premiers Principes,* une expression qu'on avait associée au darwinisme. Les deux hommes eurent une longue conversation, mutuellement satisfaisante tout d'abord, puis, à propos de « *la survie du mieux adapté* », Charles lui dit :

« Mon problème à ce sujet est le suivant : pourquoi les chenilles sont-elles parfois si brillamment et artistiquement colorées, alors que tant d'espèces sont colorées pour échapper au danger… ?

— Peut-être pourrais-je suggérer que les chenilles voyantes et d'autres insectes que les oiseaux ne trouvent pas comestibles sont ainsi aisément reconnus et évités ? »

Charles exulta :

« Wallace, je n'ai jamais rien entendu de plus judicieux ! » Puis il en vint à sa préoccupation du moment.

« Je m'intéresse d'autant plus à la sélection sexuelle que j'ai pratiquement décidé de publier un petit essai sur l'origine du genre humain. La sélection sexuelle a joué un rôle primordial dans la formation des races humaines. »

Wallace parut se raidir et ses yeux devinrent vagues. Après un moment de silence, il répondit :

« Je doute que nous ayons assez de données exactes et vérifiables pour prouver quoi que ce soit au sujet de l'homme. »

Wallace essayait-il de le décourager ? Pourquoi ? Préparait-il lui-même un livre sur ce sujet ? Mais il venait tout juste de reconnaître à Darwin, dans l'un de ses articles, la paternité du concept de l'origine des espèces par la sélection naturelle. Etait-ce dans son article sur « *Le développement des Races humaines selon la loi de sélection naturelle* », dans lequel il déclarait que l'homme n'était pas régi par les mêmes lois que tous les autres êtres organiques, qu'il fallait chercher la raison de ses restrictions ?

« Je voulais ajouter un chapitre sur l'homme dans *Variations,* d'autant que beaucoup voient en l'homme, à tort peut-être, un animal éminemment domestiqué. Mais le sujet est trop vaste. Et il est plus intéressant et plus susceptible d'être traité scientifiquement que vous ne semblez le croire. »

Le lendemain, il se rendit à Kew Gardens pour aller voir les Hooker. Dans les gelées et la neige abondante de janvier, de nombreux sapins et cyprès avaient été détruits. Il s'attendait à trouver Hooker très déprimé. Il trouva au contraire son ami en pleine forme.

« Il m'a fallu du courage pour accepter cette destruction, mais à quelque chose malheur est bon. Cela me donne en fait la possibilité de replanter en aménageant des espaces découverts et en me procurant une collection complète d'échantillons de toutes sortes. Les premiers Kew Gardens étaient ceux de mon père. Les nouveaux jardins seront les miens. J'avoue avoir une passion pour l'architecture des jardins », dit-il à Charles avec un sourire timide.

Hooker lui montra les sept avenues herbeuses qui partiraient de la Pagode ; l'allée qui serait parallèle à la rivière, l'un des plus beaux passages de la Tamise au-dessus de Londres ; et les nouveaux terrains pour les fleurs de saison et les arbustes.

« Ah ! Hooker, lorsque vous aurez réalisé tout cela, vos jardins seront parmi les plus beaux du monde.

— Je l'espère bien, dit Hooker en tirant sur ses longs sourcils. Je veux que vous soyez fier de moi », ajouta-t-il en riant.

Quelques jours plus tard, il assista avec Huxley à une conférence que donnait Hooker sur le terrible dénuement des chômeurs de l'East

End. C'était une émouvante diatribe contre les nantis qui laissaient les plus démunis pourrir dans la crasse et la faim. Lorsqu'ils quittèrent la salle de conférence, Charles lui dit :

« Nous sommes tous pour la justice sociale et contre une pauvreté aussi abjecte. Mais vous, du moins, vous faites quelque chose. Votre voix sera entendue. »

Ils se rendirent ensuite à une réunion d'instituteurs progressistes qu'Huxley poussait à introduire l'enseignement des sciences dans les écoles publiques. Lyell travaillait à la même chose à un niveau d'influence plus élevé. Emma et lui prirent le thé chez les Lyell, Harley street. Lyell demanda à Charles s'il pourrait lire les premières épreuves de *De la variation*. Charles le lui promit.

De retour à Down House, il se demanda pourquoi, alors que le travail d'écriture en avait été si agréable, la correction des épreuves du livre était si ennuyeuse. Les semaines se changeaient en mois, et ce n'était toujours pas fini.

En mai, Emma et les deux filles allèrent à Cambridge retrouver George et Francis pour assister aux Régates. Le dernier soir de leur visite, le temps était si beau qu'avec les deux garçons elles allèrent en voiture jusqu'à Ely pour visiter la grande cathédrale.

Puis Emma, voyant que Charles se portait bien et que la maison était heureuse, prit des vacances tout à fait exceptionnelles, seule, à Ravensbourne, à six miles au nord-ouest de Down, un lieu qu'elle trouvait reposant, surtout parce que les pluies avaient le bon goût de ne s'y déclencher que la nuit. Elle emportait avec elle un livre au titre amusant : *Les noces du Lancashire ou Darwin puni* qu'elle lut en route.

Elle écrivit à la famille :

« *La morale en est qu'il n'est pas sage d'abandonner une jolie fille pauvre et en bonne santé que vous aimez pour épouser une femme laide, riche et malade que vous n'aimez pas ; ce qu'il n'est pas besoin d'être extra-lucide pour comprendre... Abandonner la jolie fille malade que vous aimez pour une femme en bonne santé que vous n'aimez pas, voilà qui aurait fait une meilleure histoire. C'est trop bête, même pour la librairie du village.* »

Charles, barricadé dans son bureau, était heureux de voir que les femmes de sa maison s'amusaient bien. Kate Terry, l'une des actrices les plus célèbres d'Angleterre, donnait quelques représentations d'adieu avant son mariage. Emma et les deux filles allèrent à Londres en voir plusieurs en rentrant chaque soir. Elles avaient deux petits chevaux gris rapides et faisaient six miles jusqu'à Bromley, la gare la plus proche, en coupé. Par les chaudes nuits d'été, le retour sous le ciel étoilé était presque le meilleur moment de ce qu'Henrietta décrivit comme « *une débauche de liberté que ma mère n'appréciait pas moins que nous* ».

Lorsque les épreuves de *Variations...* lui parvinrent, il en envoya des exemplaires à Lyell et à Asa Gray à Boston. Le point le plus captivant pour Charles de son livre était son chapitre sur la « *pangenese* » et l'hérédité. Il écrivit à Asa Gray :

« *Est-ce un rêve délirant ou un rêve digne d'être publié ? Tout au fond de moi-même je crois qu'il contient une grande vérité.* »

Alfred Wallace, qui venait de publier un article sur la sélection sexuelle chez les oiseaux, continuait, d'une façon qui lui ressemblait bien peu, à essayer de dissuader Charles d'écrire sur la descendance de l'homme. Lorsqu'il comprit que rien n'y ferait, il dit à Charles :

« C'est un sujet magnifique mais qui demande à être traité avec les plus grandes précautions. »

Charles ne savait que faire de tels commentaires. Qui, mieux que lui, pouvait être conscient de la complexité du sujet ? Mais il n'y avait pas de subtilité qui tienne devant l'évidence de l'évolution de la nature. Ou bien on voyait les faits et on les décrivait précisément, tels qu'ils étaient, ou on prenait la fuite. Il savait pourtant que le ciel lui tomberait sur la tête.

S'il avait eu des inquiétudes sur la façon dont serait reçu *Variations chez les plantes et les animaux domestiques,* une note de Lyell les dissipa. En route vers Paris pour assister à une exposition de botanique pour laquelle Hooker était membre du jury, Lyell écrivait :

« *Je veux vous dire quel privilège c'est pour moi de pouvoir lire vos feuilles à l'avance. Elles dépassent de beaucoup ce à quoi je m'attendais, par la quantité d'observations originales, les matériaux rassemblés, provenant de tant de sources variées, et la signification que le lecteur de* L'Origine *saura leur donner, qui ne lui serait pas apparue si ce livre avait été publié en premier.* »

Ces quelques lignes de Lyell lui firent un plaisir peu commun. Puis, fin octobre, John Murray, au cours de sa vente d'automne, annonça qu'il mettrait sous presse mille cinq cents exemplaires. Les libraires en achetèrent 1 260 exemplaires d'avance, ce qui fut un soulagement pour l'éditeur comme pour l'auteur.

Une troisième édition de *L'Origine des Espèces* parut en allemand, une deuxième en français. Des honneurs lui étaient décernés, qu'il considérait comme sans importance dans la vie qu'il s'était faite mais qui indiquaient pourtant le sérieux avec lequel on prenait son œuvre à l'étranger. Il fut fait chevalier de l'ordre de Prusse pour le Mérite, privilège que partageaient bien peu d'Anglais ; et il fut élu membre honoraire de l'Académie des Sciences impériales de Saint-Petersbourg.

Le livre fut finalement distribué dans le grand public en janvier 1868. L'intérêt et le succès de vente furent grands dès le début. John Murray avait fait relier les deux volumes dans une belle toile verte. Au bout de quelques semaines, il informa Charles qu'il aurait besoin immédiatement d'une seconde édition. S'il le désirait, il pouvait envoyer tout de suite sa liste d'errata. Charles avait dû noter douze errata une fois les feuilles imprimées, mais cette fois, il n'avait plus qu'une correction à faire.

Il lut tous les articles, critiques et comptes rendus qu'il put se procurer. Ses amis lui envoyèrent le reste. La *Pall Mall Gazette* était favorable, l'*Atheneaum* détestable comme d'habitude. Le *Gardener's Chronicle* était excellent. Charles dit à Emma et aux enfants : « Cet article plus que tout autre aidera nos ventes. » L'un des journaux d'Edimbourg l'éreinta. Le duc d'Argyll publia un livre qui tournait le travail de Charles en dérision. Mais Asa Gray trouva l'ouvrage magnifique. Il fit très vite un compte rendu dans *The Nation* qui attira sur lui l'attention des naturalistes et scientifiques américains. Comme Charles s'y attendait, le livre ne suscita pas de controverse. Le développement des espèces y était traité du point de vue d'un naturaliste. La seule opposition violente vint de Richard Owen et de quelques autres qui refusaient de voir dans la sélection naturelle une façon de vivre, ou de mourir.

Le temps, peu à peu, l'enveloppait de son manteau protecteur. Les mois pendant lesquels il se sentait assez bien pour travailler trois ou quatre heures d'affilée en se concentrant, tout en écrivant jusqu'à dix lettres par jour à des spécialistes qui lui fournissaient des données sur la sélection sexuelle, lui donnaient un sens de la continuité. Plus que jamais, l'éventail de ses recherches manifestait sa cohérence. Dans son journal, il nota la difficulté qu'il avait à terminer les chapitres sur « *Le développement de l'homme à partir de formes inférieures* » et « *Comparaison des pouvoirs mentaux de l'homme avec ceux des animaux inférieurs* ».

Pour Emma également, les années s'écoulaient désormais sans orage. Il y avait les jours et les nuits, les dimanches où elle mettait une robe et un chapeau convenables pour aller à l'église. Dans ses jeunes années, le temps semblait une chaîne de montagnes à escalader. Maintenant la vie était une plaine, avec tout au plus une pente douce dans le lointain et tous deux en retiraient un certain calme, que renforçaient encore les succès de leurs enfants. George était second en mathématiques à Trinity, ce qui lui avait valu un prix et lui permettrait probablement d'obtenir une bourse.

Charles lui écrivit :

« *Je suis si content ! Je te félicite de tout mon cœur. J'ai toujours dit que ton énergie, ta persévérance et ton talent seraient sûrement récompensés ; mais je ne m'attendais pas à un succès aussi brillant. Que Dieu te bénisse, mon cher petit, et puisses-tu continuer ainsi toute ta vie.* »

Le lendemain, il eut la surprise de voir dans le miroir de son bureau les deux plus jeunes garçons qui remontaient en courant l'allée. Il alla sur le perron et cria :

« Que faites-vous à la maison ? »

Horace, rouge et excité, répondit :

« Quand ta note annonçant le succès de George est arrivée, on nous a mis en récréation et nous avons joué au football à l'intérieur, ce qui était très dangereux pour les peintures et les fenêtres. »

Leonard continua :

« Le surveillant général nous a rassemblés dans le hall et nous a dit que c'était un événement, qu'un ancien élève de Clapham obtienne un tel prix en mathématiques dans un collège aussi exigeant que Trinity et que, pour le fêter, il nous donnait à tous un jour de vacances.

— Nous avons pris la diligence jusqu'à Keston Mark, reprit Horace. Les autres ont été au Crystal Palace mais nous avons voulu fêter cela avec vous. »

En rédigeant les premières pages de son livre sur l'homme, le 4 février 1868, il réalisa qu'à l'âge de cinquante-neuf ans il atteignait l'apogée du travail de toute sa vie.

« Non que je ne veuille écrire encore une bonne demi-douzaine de livres sur des sujets qui m'intéressent depuis des années ; l'expression des émotions, les plantes insectivores, etc. »

Ce seraient des contributions modestes à la gloire grandissante de la science, qui arrondiraient à quelque deux mille pages son manuscrit de *L'Origine* qu'il n'avait même pas voulu publier en tout premier lieu. Ces livres à venir ne seraient qu'une extension logique des observations et des analyses du monde physique commencées à bord du *Beagle*, lorsqu'il avait jeté un filet dans l'eau et essayé d'expliquer comment tant de créatures pouvaient vivre si loin en mer.

Le lendemain, 11 janvier 1832, il avait écrit dans son journal : « *Je suis assez fatigué d'avoir travaillé toute la journée sur le produit de mon filet... beaucoup de ces créatures, si bas dans l'échelle de la nature, ont les formes et les couleurs les plus exquises. On s'émerveille de voir tant de beauté, créée apparemment pour si peu de chose.* »

Et il avait fait le premier pas pour devenir un naturaliste au plein sens du terme, comme l'avait prédit John Henslow. Il avait passé depuis toute sa vie à la recherche de réponses.

6.

Sa plus grande déception, dans les réactions suscitées par *Variations des animaux et plantes domestiques* fut que les chroniqueurs ignorèrent la théorie qu'il avait baptisée « *pangenese* », qu'il avait définie comme le phénomène de l'hérédité, chaque cellule se reproduisant elle-même. Cela lui semblait l'apport le plus important du livre, peut-être parce que c'était le concept le plus nouveau, qu'il n'avait encore soumis à personne, sauf à Huxley, que la théorie n'avait guère séduit mais qui lui avait conseillé de la publier quand même. Passant quelques jours à Londres, chez Erasmus, il alla au zoo étudier la queue des paons, les rayures des zèbres, les longs cous des girafes. Il passa ses soirées avec Lyell, Hooker et Wallace, et leur demanda leur réaction.

Charles Lyell, assis de l'autre côté de la table à l'Athenaeum, déclara avec un grand rire :

« Je dis à tout le monde : « Vous ne croyez peut-être pas à la *pangenese*, mais une fois que vous l'aurez comprise, vous aurez du mal à la chasser de votre esprit. »

A Kew Gardens, Hooker était un peu surpris par le dernier dada de Charles :

« Je crains que vous ne me trouviez bien obtus, mais je ne vois pas, avec la *pangenese*, que vous fassiez autre chose que formuler ce que j'ai toujours considéré comme fondamental dans toutes les théories du développement : le transfert à la progéniture de quelques-unes ou de la totalité des qualités que possède le parent... Cela dit, je n'en considère pas moins votre chapitre sur la *pangenese* comme le plus merveilleux du livre, extrêmement intéressant — si plein d'idées, d'inspiration ! et vous êtes bien de cet avis vous-même. Si j'étais vous, je n'accorderais pas la moindre importance à ce que les gens en diront. Pas un naturaliste sur cent ne peut le suivre, j'en suis sûr. Et je ne l'ai pas même encore tout à fait saisi moi-même. »

Ce fut Alfred Wallace, qui semblait toujours opposé à ce que Charles écrive sur la « Descendance » de l'homme, en prenant le thé chez Erasmus, qui lui fit le plus beau compliment :

« J'ai lu en tout premier votre chapitre sur la *pangenese,* tant j'étais impatient. Je ne saurais vous dire à quel point je l'admire. C'est une aide positive pour moi que de trouver une explication à une difficulté qui m'a toujours hanté. Je ne l'abandonnerai pas tant qu'elle ne sera pas remplacée par une meilleure hypothèse, ce dont je doute. »

Puis les coups se mirent à pleuvoir. Victor Carus, son tatillon traducteur allemand, émit un verdict défavorable : la théorie était trop compliquée. George Bentham, le collaborateur d'Hooker dans son encyclopédie des plantes, déclara qu'il ne pouvait assimiler sa théorie de la *pangenese.* Une critique anglaise déclarait la proposition incompréhensible.

L'article d'Asa Gray dans *The Nation* donna aux Américains une idée de ce que Charles essayait d'établir comme une loi de la nature. Il écrivit à Gray avec reconnaissance :

« *La pangenese est un nourrisson que bien peu chérissent, à l'exception de son tendre parent, mais qui vivra longtemps. Et l'enfant aura quelques chances de vous être attribué !* »

Cinq hommes, Charles Darwin, Sir Charles Lyell, Joseph Hooker, Thomas Huxley et, dans les six dernières années, Alfred Wallace, étaient devenus le groupe le plus créateur et le plus productif dans le vaste domaine de l'histoire naturelle en Grande-Bretagne. Sans les autres, Charles savait que sa vie eût été étroite et limitée, sans le fluide régénérateur de l'amitié, des critiques constructives, des encouragements et de l'approbation. Ils constituaient l'équivalent d'un conseil de professeurs de collège. Ils ne pensaient ou ne projetaient rien qui ne provienne en partie de leurs échanges d'idées. Ils étaient les auteurs d'une pluie de lettres, d'articles, de monographies et de livres qui circulaient dans le monde entier, et dispensaient des connaissances à une génération entière. Ensemble, ils avaient révolutionné le monde ; ils avaient changé les idées que l'homme se faisait de lui-même et du monde dans lequel il vivait ; réussi à proposer une alternative au dogme rigide de l'Eglise et une échappatoire à la toute-puissance du clergé, non seulement la hiérarchie qui contrôlait les écoles, la presse et le gouvernement, mais les masses populaires qui n'avaient pas le droit de décider de leur façon de vivre. Maintenant, il y avait de l'espoir pour l'indépendance intellectuelle. Le cerveau de l'homme désormais libéré des croyances mythiques, quelles merveilles ne saurait-il pas accomplir ? En devenant son propre maître, l'homme aurait la liberté qui crée la grandeur.

Sans l'avoir cherché, ils constituaient tous ensemble une organisation, une « société » considérée comme telle par les autres naturalistes du monde enier. Leur correspondance, une fois rassemblée, aurait pu constituer une demi-douzaine de livres de premier ordre si John Murray avait voulu les publier.

C'était une chance extraordinaire qu'ils soient apparus tous ensemble au même moment. Tout comme Sophocle, Euripide, Socrate et Platon avaient créé un monde moderne pour le théâtre, l'éducation et la philosophie ; tout comme Michel-Ange, Léonard de Vinci, Laurent de Médicis et Raphaël, dans les villes de Florence et de Rome avaient changé le XVIe siècle en une époque de renaissance pour les arts ; ces cinq hommes à eux seuls, à Londres, avaient suscité de l'intérêt pour la Terre et les êtres qui y vivent.

Charles était persuadé qu'aucun d'eux n'aurait pu jouer un tel rôle sans l'affection et le soutien constant des autres. L'intensité de ce qu'ils ressentaient méritait bien le nom d'amour. Ils s'étaient battus les uns pour les autres à des moments où c'était parfois non seulement difficile mais dangereux. Et pourtant ils ne s'étaient jamais querellés entre eux, ne succombant jamais à la jalousie, l'envie ou le dépit.

Les liens entre les familles Darwin et Wedgwood n'étaient pas moins étroits. La sœur d'Emma, Elisabeth, celle qui avait souffert toute sa vie d'une scoliose, s'était installée à Londres à la mort de leur sœur Charlotte et après la vente de leurs deux maisons à Hartfield dans le Sussex.

« Je crois qu'Elisabeth devrait venir s'installer définitivement à Down, dit Emma à Charles. Les mendiants de Londres ne cessent de l'importuner et le bruit de la ville est plus que n'en peuvent supporter ses soixante-quinze ans. Il y a des maisons à vendre non loin d'ici. Elle pourrait amener son petit chien et ses fidèles domestiques. Et je pourrais m'occuper d'elle. »

Ils trouvèrent Tromer Lodge, avec un joli salon à l'étage, de belles chambres à coucher et surtout, pour Elisabeth, jardinier de talent de Maer Hall, l'atout supplémentaire d'une serre. Elisabeth devint une image familière, remontant le chemin suivie de son chien Tony.

Emma libéra une chambre à coucher pour qu'Elisabeth puisse y dormir lorsqu'elle restait dîner. Elle ne tarda pas à s'épanouir devant tant de soins et d'attentions.

Tout cela satisfaisait Charles. C'était une façon pour lui de payer sa dette à l'égard d'Oncle Jos.

Il avançait méthodiquement « *Les Races de l'homme et les caractères sexuels secondaires dans les classes inférieures du règne animal* ». Il travaillait plusieurs heures par jour, en montant Tommy lorsqu'il avait besoin d'une détente et d'exercice.

Puis, inexplicablement, le 23 juin, sa santé se détériora et il dut s'arrêter de travailler. Il était plus furieux contre lui-même qu'abattu.

« Voilà plus de deux ans et demi que je n'avais pas eu d'attaque. Si je pouvais comprendre la raison de celle-là, je serais déjà moins ennuyé.

— Au lieu de rechercher les causes, répondit Emma, cherchons plutôt une bonne maison dans l'île de Wight où nous pourrions passer des vacances en famille. »

Vers la mi-juillet, ils trouvèrent une maison, Dumbola Lodge. Deux jours plus tard, Charles se sentait beaucoup mieux, même si son teint jaunâtre prit un certain temps à se dissiper. Quelques jours plus tard, en ouvrant le journal, ils apprirent que Leonard était second à l'examen d'entrée à l'Ecole d'Ingénieurs de Woolwich, et que par conséquent, il était admis.

« N'est-ce pas magnifique ? s'exclama Charles. Qui aurait jamais pensé que ce pauvre Leonard obtiendrait une telle place ?

— Moi, cela ne m'étonne pas », répondit Emma.

Erasmus vint les rejoindre à Freshwater, Fanny et Hensleigh Wedgwood vinrent leur rendre visite avec leur fille aînée. Joseph Hooker, qui venait d'être élu président de la British Association pour la réunion de Norwich de 1868, arriva, ayant écrit quelques jours plus tôt :

« *Je tremble à l'idée de vous montrer mon discours pour cette réunion. Et en même temps je ne peux être assez lâche pour ne pas le faire.* »

Hooker resta trois jours. Il était extrêmement nerveux, craignant que son discours ne soit qu'un amalgame de botanique et d'évolution. Charles fit un certain nombre de suggestions au cours de leurs promenades dans l'île de Wight. Après le départ de Hooker, ils eurent la visite du poète Alfred Tennyson, un jour de pluie torrentielle ; le poète apporta une bouteille de vin blanc pour « *corriger l'humidité* ».

Ils rentrèrent à Down House vers la fin d'août, reposés. Charles commanda le *Times,* le *Telegraph,* le *Spectator,* l'*Athenaeum* et toute une pile d'autres journaux pour lire les comptes rendus du discours de Hooker. Bien que Hooker ait presque perdu la voix, tant l'acoustique du Hall était mauvaise, il reçut un chœur de louanges. Le *Spectator* pourtant parla de sa théologie tiède, et Hooker rapporta qu'il avait rencontré beaucoup de froideur le dimanche matin suivant, dans son église de Kew. Charles était convaincu que Hooker avait grandement contribué à répandre la croyance en l'évolution des espèces. Il lui écrivit immédiatement :

« *Votre grand succès m'a réjoui le cœur. Je viens de relire le discours dans sa totalité dans l'*Athenaeum. *Je l'avais beaucoup aimé lorsque vous me l'aviez lu, mais comme j'y cherchais des défauts à corriger, l'effet d'ensemble m'avait un peu échappé ; il m'apparaît maintenant comme remarquable et excellent... Quant à moi, il me faut bien admettre que c'est la première fois que je reçois de tels éloges et j'en suis très fier. Je suis tout bonnement stupéfié par ce que vous dites de mon travail en botanique...* »

Au cours de la même réunion, le problème de la *pangenese* fut abordé de façon satisfaisante lorsque M. J. Berkeley, un ancien élève de Christ College, célèbre dans le monde entier pour avoir le premier traité de la pathologie des plantes, fit une communication devant la section D, cette même section D que John Henslow avait présidé à Oxford le jour où Huxley et Hooker avaient mis en déroute l'évêque Wilberforce à propos de *l'Origine des Espèces.*

Berkeley déclara :

« ... *Il serait impardonnable de conclure sur ces remarques légèrement critiques sans mentionner l'un des sujets les plus passionnants du moment, la théorie darwiniste de la pangenese. Comme tout ce qui vient de la plume d'un écrivain que je n'ai aucune difficulté à considérer comme de loin le plus grand observateur de notre temps, quoi qu'on pense de ses théories lorsqu'on les pousse dans leurs conséquences extrêmes, le sujet demande à être étudié avec soin et impartialité...* »

Le discours fut publié. La *pangenese* eut droit de cité, tout comme *L'Origine des Espèces,* après la réunion d'Oxford.

Ayant besoin de renseignements précis pour la *Descendance,* Charles invita Alfred Wallace à Down House. Il vint de Londres pour le week-end accompagné par J. Jenner Weir, un spécialiste des insectes, et d'Edward Blyth, qui avait été pendant vingt ans conservateur du Musée de la Société asiatique du Bengale, réputé pour sa connaissance des oiseaux et des mammifères indiens. Depuis des années, il avait fait parvenir à Charles quantité d'informations qu'il aurait eu beaucoup de mal à trouver autrement... Ce fut un week-end passionnant, les trois hommes échangeant sans réserves leurs connaissances et Charles conduisant la discussion sur les sujets théoriques qu'ils débattaient.

Un autre week-end, Joseph Hooker amena Asa Gray et sa femme en visite. Charles n'avait pas vu Asa Gray depuis sa première rencontre avec l'Américain, des années plus tôt à Kew Gardens.

« L'admiration et l'affection que ces trois hommes ont les uns pour les autres sont belles à voir », fit observer Emma.

Le lendemain de Noël, Charles interrompit son travail sur *La Descendance* pour réviser la cinquième édition de *L'Origine des Espèces* dont Murray allait tirer à nouveau deux mille exemplaires. Cela lui prit cinq semaines, car il y avait beaucoup à faire pour remettre le livre à jour.

« Je suis franchement découragé de voir tout ce que je dois modifier et ajouter. » Au même moment, il posait pour un sculpteur qui faisait de lui un portrait en buste, une tâche bien ennuyeuse puisqu'il ne pouvait ni lire ni écrire pendant que le sculpteur travaillait.

Il finit ses corrections à temps pour en être libéré lors de la fête qu'organisa Emma pour son soixantième anniversaire.

Au beau milieu des félicitations ce fut le docteur Holland qui déclara :

« Vous fêtez votre soixantième anniversaire ! Qui aurait pu s'y attendre, alors que vous vous préparez à une mort imminente depuis plusieurs décennies ! »

Et devant le large gâteau aux cerises recouvert d'un glaçage blanc sur lequel Parslow avait écrit *Happy Birthday,* surmonté de six bougies allumées, le docteur Holland chuchota à l'oreille d'Emma :

« Je parie tout ce que vous voulez que vous vous retrouverez autour du gâteau de Charles avec sept bougies dessus. »

Il travaillait méthodiquement sur la sélection sexuelle chez les mammifères et l'homme, avançant lentement « *à la vitesse omnibus* », ronchonnait-il, en s'efforçant de supporter de bonne grâce les arrêts occasionnels. Quelques événements heureux vinrent le réconforter :

Alfred Russel Wallace publia son livre de voyage, *L'Archipel malais* et le dédia à Charles qui le remercia en disant : « C'est quelque chose dont mes enfants et les enfants de mes enfants seront fiers. »

La traduction anglaise du livre sur Darwin d'un Allemand, Fritz Muller, parut sous le titre de *Faits et arguments pour Darwin.* Charles acheta plusieurs exemplaires du livre pour ses amis. En remerciant son disciple de cet honneur il fit remarquer :

« ... *Il n'y aura décidément plus que des fanatiques pour croire à des actes séparés de création après la lecture de votre essai.* »

En avril, la routine fut rompue lorsque son paisible cheval Tommy trébucha et tomba sur lui, lui faisant quelques mauvais bleus. Il ne put monter pendant un certain temps.

Dans un second accident, il récolta également quelques bosses. Dans le numéro d'avril de la *Quarterly Review,* Alfred Wallace chroniquait la dixième édition des *Principes de géologie* de Lyell et la sixième édition des *Eléments de géologie.* Après avoir félicité Lyell de s'être rallié à la théorie de l'évolution, il poursuivait en disant que lui, Wallace, était persuadé que le cerveau de l'homme, tout comme les organes de la parole et du toucher, ne pouvaient avoir évolué par sélection naturelle.

Charles griffonna sur son exemplaire un NON souligné trois fois et une pluie de notes et de points d'exclamations. Il se crut obligé de dire à Wallace : « Si vous ne me l'aviez confirmé vous-même, j'aurais juré que ces quelques lignes avaient été ajoutées par quelqu'un d'autre. Comme vous vous en doutez, je suis d'un avis totalement différent du vôtre et je le regrette énormément. »

Comme l'amiral Sullivan l'avait appris aux Darwin dans leur salle à manger, le navire de Sa Majesté *Nassau* traversa le détroit de Magellan et explora un dépôt de fossiles sur la rivière Gallegos. Les fossiles furent remis à Thomas Huxley. Huxley était particulièrement enthousiasmé par l'une des mâchoires fossiles à laquelle ne manquait presque aucune dent. Il s'avéra qu'elle appartenait à une nouvelle sorte de mammifères, avec des dents en série ininterrompue, de la taille d'un petit cheval. Il dit immédiatement à Darwin :

« Quel étonnant ensemble de monstres il semble y avoir eu en Amérique du Sud ! »

En juin, après quatre mois d'écriture sans interruption, il commença à se sentir, comme l'année précédente à la même époque, extrêmement fatigué. Emma et lui allèrent au nord du pays de Galles et s'installèrent à Barmouth, dont Charles gardait un agréable souvenir depuis ses jours de collège. Cinq enfants les y rejoignirent, moins William et Horace qui ne pouvaient quitter l'école.

La maison qu'ils louèrent à Barmouth, Caerdeon, était jolie, au nord de l'estuaire, surplombant les montagnes devant Cader Idris, sur un fond de collines boisées. Trois longues terrasses devant la maison, avec des fleurs et des roses tout du long. Charles, bien ralenti, marchait d'une terrasse à l'autre en tenant le bras d'Emma. La grande source d'intérêt pour la famille était un vélocipède venu de Paris, le premier qu'ils aient jamais vu, que Charles s'empressa d'acheter pour les garçons. Il y avait une route plate sur la colline voisine, si bien que les garçons purent s'exercer à la magie de se déplacer sur deux roues. Mais lorsque Leonard tomba et que la bicyclette lui tordit la cheville, Emma se mit à détester la machine.

Ils rentrèrent à Down House à la fin de juillet. Charles se remit au travail sur *La Descendance.* Le pays de Galles lui avait apparemment fait du bien. Au début d'août, il se mit à relire les chapitres terminés sur la sélection sexuelle. Huxley, qui avait pris la parole à la réunion de la British Association à Exeter, avait été nommé président de celle de 1870 qui aurait lieu à Liverpool. Il écrivit à Charles avec humour :

« *Comme toujours, vos épouvantables hérésies m'ont valu toutes sortes de dénégations enflammées. Trois pasteurs se sont jetés sur moi, et même si vous étiez le plus méchant des hommes, vous ne pourriez leur souhaiter de se ridiculiser plus complètement qu'ils ne l'ont fait...* »

A l'insu de Charles, John Murray publia un placard dans l'*Academy* annonçant la parution prochaine de *La Descendance de l'homme.* Cela lui valut un flot de courrier passionné d'amis et d'associés désireux de savoir quand ils pourraient s'en procurer un exemplaire.

Si dans toutes les vies il faut toujours un peu de pluie, la douche froide pour Charles venait toujours de l'*Athenaeum,* où John Robertson écrivait avec aigreur dans sa chronique sur la cinquième édition de *L'Origine des Espèces :*

« *L'attention ne signifie pas l'acceptation. Et de nombreuses rééditions n'indiquent pas nécessairement un réel succès.* »

Les bonnes nouvelles accompagnaient les mauvaises. Les journaux annoncèrent que Joseph Hooker avait été nommé compagnon de l'Ordre de Bath, en reconnaissance du renouveau de Kew Gardens. Charles alla à Londres pour féliciter Hooker dont les amis regrettaient qu'il n'ait été fait que compagnon et pas chevalier.

« Chevalier aurait sans doute été d'un meilleur effet sur les lettres mais compagnon n'est pas mal non plus.

— Cela n'a d'utilité que dans la correspondance coloniale avec les Indes, répondit Hooker. Parlez-moi plutôt de vos progrès avec *L'Homme.*

— Toujours à me battre avec des phrases mal tournées. Et comme il s'agit de sélection sexuelle, je n'en ai pas fini avec les coqs et les poules, les mâles et les femelles. »

En passant en revue l'année 1869, et la pile de manuscrits presque terminés devant lui, Charles décida que cela avait été une bonne année pour lui et pour « l'Association ». L'édition suédoise de *L'Origine* avait reçu un bon accueil. Charles, tout comme Huxley et Hooker, avait été nommé membre de l'American Philosophical Society de Philadelphie. Hooker travaillait sur sa *Flore des îles britanniques,* que plusieurs professeurs écossais lui réclamaient désespérément. L'ancien manuel écrit par son père était dépassé et son livre avait de bonnes chances d'être utilisé dans toutes les écoles d'Angleterre et d'Ecosse.

Wallace et Huxley publiaient régulièrement. Ce dernier envoya à Charles un exemplaire de son livre, *Sélection naturelle.* La préface en était essentiellement un éloge du darwinisme. Il répondit à Wallace, avec lequel il débattait toujours amicalement de l'origine de l'homme :

« *J'espère en être tout à fait digne. J'espère qu'il est satisfaisant pour vous — car peu de choses m'ont autant satisfait dans la vie — de réaliser que nous n'avons jamais été jaloux l'un de l'autre, bien qu'en un sens rivaux. Je crois pouvoir l'affirmer en ce qui me concerne et suis tout à fait certain que cela n'est pas moins vrai pour vous.* »

La famille regretta beaucoup le départ de Brodie Innes, le vicaire de Down. Il fut remplacé par le Rév. Henry Powell, qu'ils ne connaissaient pas du tout. Pour contrebalancer cette perte, Charles acheta un chien nommé Bob, un chien de chasse noir et blanc qui marchait à ses côtés lorsqu'il tournait sur le Sable. Lorsque Charles s'arrêtait pour souffler dans la serre, Bob s'asseyait dehors avec une expression malheureuse. Charles en fit une note dans son livre sur les émotions. Lorsque l'un des enfants ou des parents marquait son impatience ou sa tristesse, l'un ou l'autre ne manquait jamais de faire remarquer :

« Ah ah ! Tu fais la même tête que Bob devant la serre ! »

Henrietta avait lu les manuscrits de Charles, et fait quelques suggestions ici et là pour plus de clarté. Lorsqu'elle partit voir ses cousins à Cannes dans le midi de la France, Charles lui envoya les pages de son chapitre sur « *l'Esprit* ». Lorsqu'elle les lui renvoya, il suivit la plupart de ses suggestions et corrections et trouva plusieurs de ses transpositions tout à fait exactes. Henrietta avait une écriture très lisible, et avait mis au point une méthode pour placer ses corrections qui simplifiait beaucoup la tâche de Charles. Il lui écrivit :

« *Tu m'as rendu un grand service. Mais, by Jove, comme tu as dû travailler dur, et avec quelle précision tu as maîtrisé mon manuscrit. Je suis content de ce chapitre, maintenant qu'il m'arrive rénové.*

Ton père affectueux, admiratif et obéissant. »

Les gravures de ses livres avaient jusqu'à présent toujours été un problème. *La Descendance de l'Homme* demandait un grand nombre de gravures sur bois. Cette fois, il trouva un certain M. Ford, par l'intermédiaire du conservateur de zoologie au British Museum, qui fit un très beau travail, en particulier sur les plumes des oiseaux. Charles dut les toucher pour s'assurer qu'elles n'étaient pas en relief. Les gravures sur les reptiles étaient également excellentes. Charles avait d'abord pensé qu'il pourrait donner le tout à l'imprimerie vers mars mais comme toujours son sujet s'était divisé en sous-branches qui lui avaient demandé un temps infini. Il n'était jamais oisif mais dit à l'un de ses visiteurs :

« Dieu seul sait quand mon manuscrit sera entièrement terminé. »

Il écrivit des chapitres sur les pouvoirs mentaux, le sens moral, le développement des facultés intellectuelles, la descendance de formes précédentes.

« *... Nous apprenons ainsi que l'homme descend d'un quadrupède poilu, pourvu d'une queue et d'oreilles pointues, probablement arboricole dans son mode de vie, et habitant du Vieux Continent. Cette créature, si sa structure d'ensemble avait été examinée par un naturaliste, aurait été classée parmi les quadrumanes, aussi indiscutablement que le commun et encore plus lointain ancêtre des singes du Vieux Continent et du Nouveau Monde. Les quadrumanes et tous les mammifères évolués descendent probablement d'un ancien animal marsupial, et cela à travers une longue lignée de formes diversifiées, ou bien une créature semblable aux reptiles, ou amphibie, descendant elle-même d'un animal apparenté au poisson. Dans l'obscurité qui entoure le passé nous pouvons distinguer que le premier progéniteur de tous les vertébrés dut être un animal aquatique, doté de branchies, des deux sexes unis dans le même individu, et avec les organes les plus importants du corps (tels que le cerveau et le cœur) imparfaitement développés. Cet animal semble s'être apparenté plus aux présentes larves des Ascidiens marins qu'à toute autre forme connue.* »

Il commençait à pressentir que son livre serait imprimé à l'automne 1870. Il se concentrait sur son manuscrit avec tant d'intensité qu'il ne recevait qu'un scientifique en un mois. Pour se détendre, il faisait pousser des plantes, dans la serre ou sur la cheminée d'où il pouvait plus aisément les surveiller. Par des greffes, il obtint de curieuses anomalies et des résultats intéressants. Une fois de plus, il contempla l'une de ses découvertes et répéta :

« Quel monde étrange et merveilleux ! »

7.

En mai, ils décidèrent d'aller voir leurs garçons à Cambridge et réservèrent des chambres au Bull Hotel. Charles n'y était pas revenu depuis trente-trois ans. Les jardins derrière les collèges n'avaient rien perdu de leur charme ni l'arbre de Milton, de son éclat.

Un lundi matin, il rencontra Adam Sedgwick qui le salua avec beaucoup de cordialité. Sedgwick avait quatre-vingt-cinq ans et parut à Charles intellectuellement diminué. Pourtant, ce soir-là, il fut brillant. Il proposa à Charles de l'emmener au musée et décrivit avec tant de volubilité ce qui était exposé que son ami plus jeune en demeura prostré.

« Oh ! vous n'êtes toujours qu'un bébé pour moi », décréta triomphalement Sedgwick. Charles l'invita à dîner au Bull Hotel. Au moment du départ, Sedgwick dit :

« Quelle joie de vous voir ainsi au beau milieu d'une famille affectueuse, à tout moment réconforté par les attentions d'une femme et de filles aimantes ! Comme tout cela est différent de ma condition de vieillard vivant dans une solitude sans joie ! »

Lorsqu'ils se retrouvèrent seuls, Charles demanda à Emma, avec une expression peinée :

« Pourquoi n'a-t-il pas épousé Susan ? Il était très attiré par elle. Elle aurait su le suivre. Leurs vies auraient été alors bien différentes.

— Peut-être a-t-elle refusé. Peut-être, par amour pour ton père, comme tu le suggérais, n'a-t-elle jamais voulu quitter le Mont. »

De retour à son bureau, il s'attaqua au problème des émotions, essayant de déterminer si les oiseaux hérissaient leurs plumes quand ils avaient peur ou lorsqu'ils étaient en colère. Il avait déjà expérimenté avec les volailles, les cygnes, les oiseaux tropicaux, les chouettes et les coucous. Il écrivit à un ornithologue pour savoir si le tadorne de Belon tapote ou danse sur le sable des marées pour faire sortir les vers ; il savait déjà que lorsque ces oiseaux venaient chercher leur dîner, ils frappaient le sol avec ce que Charles appelait une expression de faim et d'impatience.

L'amiral Sulivan reçut le titre de chevalier commandeur de l'ordre du bain, un degré plus haut que Joseph Hooker. Peu après, Lord Salisbury assumant les fonctions de chancelier d'Oxford invita Charles à venir y recevoir un diplôme honoraire de docteur en Droit canon. Il refusa poliment, invoquant sa mauvaise santé, et la *Gazette de l'Université* d'Oxford, dans son numéro du 17 juin 1870, publia la nouvelle que Charles Darwin était un invalide. Cela n'était pas vrai. Charles se portait bien. Mais il dit à Emma :

« Je suis tout aussi incapable de supporter une cérémonie compliquée et officielle à Oxford qu'un bal à Buckingham Palace. »

Oxford ne maintint pas sa proposition. Emma fut déçue. Elle aurait aimé qu'il accepte cet honneur d'Oxford puisque Cambridge ne l'avait pas proposé. Elle ne protesta pas et ayant lu plusieurs notes sur l'expression des sentiments chez les animaux, ne laissa rien paraître des siens. Sa déception fut allégée par le succès de Francis à Trinity College ; il terminait premier en sciences naturelles et serait admis à l'Hôpital St-Georges à Londres, près de Hyde Park, où il commencerait ses études de médecine à l'automne.

Les Darwin montèrent à Londres dans la dernière semaine de juin, et comme ils n'avaient pas vu les récentes améliorations, firent un grand tour dans l'attelage d'Erasmus devant Grosvenor Place, où les maisons de Lord Westminster ressemblaient aux Tuileries ; ils allèrent voir le nouveau pont de Westminster et les quais, animés par les bateaux à vapeur, puis sur l'autre rive, l'Hôpital St-Thomas, six palais faisant face à la rivière en direction de Lambeth. Ils revinrent par le nouveau pont Blackfriars et le viaduc Holborn. L'esplanade découverte devant l'abbaye de Westminster et le Parlement était grandiose.

Charles rendit visite à Joseph Hooker, sa femme et leurs enfants pendant qu'Emma, Elisabeth et Henrietta faisaient les magasins. Hooker avait dîné peu auparavant avec le duc d'Argyll et le trouvait « raide comme un piquet ».

« Son principal reproche à *L'Origine* est que vous n'affirmiez pas clairement que l'ordre de l'évolution est préétabli. Je lui ai dit que je ne pensais pas que cela soit ce qui vous préoccupe, que vous ne prétendiez pas expliquer l'origine de la vie, seulement rendre compte des phénomènes. »

Charles laissa échapper un long soupir.

« Ma théologie est tout simplement informe. Je ne peux considérer l'univers comme le simple résultat du hasard, pourtant je ne vois aucune évidence d'un dessein bénéfique, ou de quelque dessein que ce soit d'ailleurs. Quant au fait que toutes les variations qui ont pu se produire aient été pré-ordonnées à une fin particulière, je n'y crois pas. Je ne crois pas non plus que l'endroit sur lequel tombe une goutte de pluie a été spécialement conçu à cet effet. »

Au cours du mois d'août, il termina enfin son manuscrit sur *La Descendance de l'homme et la sélection en fonction du sexe* et l'envoya à l'imprimeur. Dans son introduction, Charles crut bon d'indiquer au lecteur que la nature de l'ouvrage serait mieux comprise lorsqu'on saurait comment il en était venu à l'écrire : les nombreuses années passées à collectionner des notes sur l'origine ou la descendance de l'homme sans intention de rien publier sur ce sujet, ou au contraire la décision formelle de ne rien publier, en pensant que cela ne pourrait qu'accroître l'hostilité à l'égard de ses idées...

« *Il me semblait suffisant d'indiquer, dans la première édition de* L'Origine des Espèces *que cette œuvre jetterait de la lumière sur l'origine de l'homme et son histoire. Cela implique que l'homme doit être inclus parmi les autres êtres organiques dans toute explication générale de la manière dont il est apparu sur cette terre. Mais depuis peu, les choses se présentent tout autrement... Un grand nombre de naturalistes admet que les espèces sont les descendants modifiés d'autres espèces ; tout particulièrement parmi les plus jeunes naturalistes dont la plupart reconnaissent le rôle que joue la sélection naturelle...*

... J'ai été conduit à rassembler mes notes pour voir dans quelle mesure les conclusions générales auxquelles j'arrivais dans mes ouvrages précédents s'appliquaient à l'homme... »

Dans son dernier paragraphe, il disait :

« *L'homme est excusable de ressentir quelque fierté à s'être élevé, sans pourtant le devoir à ses propres efforts, au sommet même de l'échelle organique ; et le fait de s'être ainsi élevé, au lieu d'avoir été placé là comme un aborigène, doit lui donner l'espoir d'une destinée encore plus haute dans un lointain futur. Mais nous ne nous préoccupons pas ici des espoirs ou des peurs, seulement de la vérité telle que la raison nous permet de la découvrir. J'ai exposé les faits au mieux de mes capacités ; et nous devons admettre, me semble-t-il, que l'homme, avec toutes ses nobles qualités, avec la sympathie qu'il peut ressentir pour le plus démuni, avec une bienveillance qui peut s'étendre non seulement aux autres hommes mais à la plus humble des créatures vivantes, avec son intelligence semblable à*

Dieu qui a pénétré les mouvements et la constitution du système solaire — avec tous ces pouvoirs exaltants — l'Homme porte toujours dans sa charpente corporelle le sceau indélébile de sa basse origine. »

John Murray pensait que le livre pourrait être prêt pour Noël. Pour les fêtes, les Darwin allèrent à Southampton chez William, qui ne partait pas au bureau avant neuf heures et demie et rentrait à la maison avant six heures. Charles avait amené son cheval et montait chaque jour, les beaux paysages ne manquant pas. Le soir, ils parlaient surtout de la guerre franco-prussienne. Bismark avait apparemment eu besoin de cette guerre pour cimenter les Etats germaniques en une nation. Les Français étaient mal préparés à cette épreuve et risquaient d'être écrasés. Leonard déclara que presque tous les jeunes gens à Woolwich étaient du côté des Français, brûlant surtout de se plonger dans la guerre. Leonard lui-même était un partisan acharné des Prussiens. Plutôt que de se lancer dans une discussion avec l'un ou l'autre des partis, Emma lisait à haute voix les *Mémoires de Napoléon Ier* de Lanfrey. Ils trouvaient rafraîchissant de lire un auteur français qui se souciait comme d'une guigne de la « gloire » des conquêtes.

« C'est à avoir honte de Louis-Philippe, qui fut assez bas pour ramener le corps de Napoléon de Sainte-Hélène et faire de lui une sorte de saint, fit remarquer Emma. Je vais sauter la retraite de Russie, c'est trop horrible. »

A leur retour de Southampton, ils apprirent que Thomas Huxley, non content de présider pendant une semaine les réunions de la British Association à Liverpool, y prononcerait également un discours sur la dérivation universelle de toute vie d'une vie précédente ; et que Nettie ne pourrait pas accompagner son mari à cause de leurs sept enfants à la maison, dont l'aînée était une fille de douze ans. Emma insista pour que tous les sept viennent passer deux semaines à Down House. Les enfants emplirent la maison et les champs de leurs bavardages, rires et jeux, heureux d'échapper à l'exiguïté de leur maison de Londres. Henrietta et Elisabeth aidèrent à s'occuper d'eux. Emma adorait avoir des jeunes autour d'elle et Charles s'en amusait.

« C'est un vrai cirque, comme dans notre enfance à Maer Hall ou au Mont. J'ai l'impression que ces petits Huxley sont mes neveux et mes nièces. Mais qui d'autre que toi, ma chère Emma, aurait eu le courage de prendre sept enfants chez elle pour qu'une amie puisse accompagner son mari à Liverpool ? »

Il l'embrassa avec tendresse.

« Par moments, Emma, je me demande si tu n'es pas une sainte. »

Il ne reçut pas les épreuves de *La Descendance de l'Homme* avant fin novembre et ne put s'empêcher de grogner :

« Grand Dieu, quelle mauvaise tête j'ai sur ces vieilles épaules. »

Ce sentiment le quitta vite lorsqu'il apprit que John Murray avait commandé deux mille cinq cents exemplaires à l'imprimeur. Sa concentration ne fut interrompue qu'une fois. George, ayant reçu son diplôme à Trinity, fut choisi pour se joindre à un groupe de scientifiques qui partaient en Sicile pour observer l'éclipse totale du Soleil. Il était censé avoir quitté Naples pour Catane dans le bateau de l'amirauté *Psyché*. La *Psyché* fit naufrage au large d'Acireale. Lorsque la famille apprit le naufrage, leur appréhension devint panique. Puis la nouvelle leur parvint que George, ayant manqué le bateau, était sain et sauf, et avait suivi dans un vapeur ordinaire. Il s'apprêtait à faire l'escalade du mont Etna pour observer l'éclipse.

A Noël, il ne restait plus à Charles qu'un petit chapitre sur épreuves à corriger. Il pourrait le faire aisément avant la fin de l'année.

La Descendance de l'homme et la sélection en fonction du sexe fut publié le 24 février 1871, en deux volumes. Le prix en fut fixé à une livre et vingt shillings, mais cela ne nuisit en rien à la vente. Les exemplaires de la première édition furent vendus en quelques semaines et l'imprimeur fit une seconde édition de deux mille exemplaires.

Les comptes rendus et les critiques qui commencèrent à arriver à Down House étaient pour la plupart favorables. La *Saturday Review* disait :

« *Il affirme qu'il a trouvé dans l'homme lui-même, son origine et sa constitution, cette unité qu'il avait jusqu'alors cherchée à travers toutes les formes animales inférieures. L'évolution de l'opinion, due principalement à ses ouvrages publiés dans l'intervalle, a fait considérament avancer la discussion de ce problème en quinze ans...* »

Le *Spectator* y consacra deux chroniques, le 11 mars et le 18, disant que Charles arrivait bien plus près du noyau du problème psychologique qu'aucun de ses prédécesseurs, et concluait par cette idée que la *Descendance de l'homme* était une apologie du théisme plus merveilleuse encore que la *Théologie naturelle* de Paley.

« La *Théologie naturelle* de Paley ! s'exclama Charles. Mon livre favori à Cambridge avec le *Récit* de Humboldt. Qui aurait jamais pu deviner que je finirais en disciple de Paley, en défenseur du théisme ? »

Dans la *Pall Mall Gazette,* où l'on étudia son livre dans trois numéros consécutifs, on disait :

« *L'œuvre de M. Darwin est l'une de ces rares réussites de l'intelligence qui ont pour effet de modifier profondément les plus hautes sphères du royaume des idées...* »

L'*Athenaeum* resta fidèle à sa tradition de tirer sur lui à boulets rouges. Une lettre du pays de Galles le traitait de « *vieux singe au visage poilu et au crâne épais.* » Le *London Times* écrivit :

« *Même s'il avait été démontré comme hautement probable, ce dont nous doutons, que la création animale s'est élaborée dans ses nombreuses et différentes variétés par simple évolution, il faudrait encore une investigation indépendante d'une force et d'une exhaustivité confondantes pour justifier la présomption que l'homme n'est rien d'autre que le terme de cette suite d'évolutions autodéterminées.* »

L'article n'était pas signé. Charles fit remarquer : « Le journaliste n'a aucune connaissance scientifique et me semble une bulle pleine de métaphysique et de classiques... mais j'imagine que cela nuira quand même aux ventes ».

Il n'en fut rien. Les ventes se poursuivirent au même rythme galopant. Joseph Hooker raconta avec amusement : « J'entends dire que les dames pensent que c'est une lecture passionnante mais qu'il n'est pas élégant d'en parler, que la seule façon de se procurer le livre est de le commander en cachette ! Ce qui sans aucun doute est excellent pour les ventes. J'ai dîné trois soirs dehors, la semaine dernière, et partout j'ai entendu parler de l'évolution comme d'un fait admis et la descendance de l'homme acceptée avec calme. »

Sir Charles et Lady Mary Lyell étaient en visite à Down House lorsque l'article d'Alfred Wallace parut dans l'*Academy.* Lyell admit qu'il était d'accord avec la restriction de Wallace, qui ne pouvait admettre que l'homme descende, par sélection naturelle, d'un organisme primitif. Charles était perplexe. Les joues d'Emma étaient rouges de plaisir.

« Je suis infiniment heureuse de vous avoir de mon côté. Et Alfred Wallace également. Ainsi qu'Asa Gray à Harvard. Si vous trois, qui êtes des autorités, admettez que l'homme est une espèce très spéciale, alors, Dieu reste parmi nous ! »

Thomas Huxley, naturellement, pensait que *La Descendance de l'homme* était un chef-d'œuvre.

En avril, John Murray dut commander une nouvelle édition, amenant le total à sept mille exemplaires en deux mois, chiffre rarissime en matière de livres scientifiques. Il attirait des lecteurs de plus en plus nombreux, d'un grand public qu'il initiait du même coup à l'histoire naturelle.

Un compte rendu venimeux parut dans la *Quarterly Review,* sans signature. Cela fut semble-t-il la dernière attaque majeure contre *La Descendance de l'homme.* La presse religieuse, qui avait été si combative à l'encontre de *L'Origine des Espèces,* se contenta d'utiliser *La Descendance,* comme l'avait fait le *Spectator,* changeant le darwinisme en une profession de foi en la magie des pouvoirs créateurs de Dieu. Un certain nombre de naturalistes n'étaient pas d'accord sur ses hypothèses mais la plupart sans tapage et en privé, comme le fit le Rév. Brodie Innes, maintenant en Ecosse, dans une note. Il y avait sans doute des sermons prêchés contre lui, mais si c'était le cas, ils n'étaient pas imprimés comme l'avaient été tant de sermons contre *L'Origine des Espèces.*

Pendant des années, il avait craint que ces orages se reproduisent. Mais personne ne voyait en Darwin l'incarnation du démon ou l'antéchrist.

LIVRE TREIZE

1.

Il avait gagné une bataille importante. Mais il n'avait pas gagné la guerre. Contre ses ennemis ou contre lui-même. Il continuait à se décrire comme un infirme dans des lettres à des amis mais se servait du mot surtout comme d'un rempart pour échapper aux mondanités.

Quelques semaines après la publication de *La Descendance de l'homme,* St George Mivart, un biologiste connu, publia un livre intitulé *La Genèse des Espèces,* qui critiquait sévèrement la sélection naturelle et tentait de détruire ce concept. Le livre eut du succès et fut amplement discuté. Charles le lut, écrivit des notes en marge, compara chaque chapitre avec son propre livre. Mivart ne le convainquit de rien. Pourtant cette publication le désolait.

Malgré une série de lettres amicales que St George Mivart écrivit à Charles, il poursuivit ses attaques dans la presse et c'était apparemment lui l'auteur de cette critique parue dans la *Quarterly Review.* Charles ne pouvait comprendre les raisons d'une telle attitude.

Chauncey Wright, un naturaliste américain, démonta les arguments de Mivart si totalement que Charles lui demanda la permission de reproduire son article sous forme de pamphlet pour un shilling. Huxley également se précipita à sa défense, bien que Charles ait voulu l'apaiser en lui disant :

« Ce sera une longue bataille, mon ami, et elle continuera longtemps après nous. »

Huxley n'en écrivit pas moins un passage caustique pour la seconde édition de la *Descendance,* comparant le cerveau de l'homme à celui du singe.

Hooker également parla de ses ennemis avec Charles, en particulier Mivart et Owen, et ajouta :

« Chacun de nous devrait avoir une personne au monde à haïr. Cela assure un meilleur équilibre émotionnel. » Son expression devint maussade. « J'en ai un moi aussi, Acton Ayrton, le nouveau commissaire aux travaux publics du gouvernement de Gladstone. Ce monsieur est totalement antiscientifique et veut absolument régenter Kew Gardens. Il fait tout ce qui est en son pouvoir pour me forcer à donner ma démission. Puisqu'il est mon supérieur, j'essaie de travailler avec lui, mais il a l'épiderme d'un rhinocéros. »

Malgré tout, la décennie des années soixante-dix se révélait la plus douce, depuis les années trente où il avait voyagé sur le *Beagle,* s'était installé à Londres, avait épousé Emma et s'était mis sérieusement à écrire en tant que géologue et naturaliste. Il lui restait peu de raisons d'être susceptible. Il avait été nommé membre honoraire d'institutions scientifiques du monde entier ; *La Descendance de l'homme* était publié aux Etats-Unis et traduit en une demi-douzaine de langues. Il avait de temps en temps un accès de fatigue dû à un excès de travail au microscope, à étudier les sécrétions des plantes carnivores ; mais ce n'était que passager. Chaque jour, même lorsqu'il faisait froid, il faisait ses cinq à sept tours du Sable, suivi de son chien.

La preuve que les années passaient leur fut administrée en juin, lorsqu'ils passèrent une semaine chez Erasmus à Londres. Henrietta, âgée maintenant de presque vingt-huit ans, rencontra un homme du nom de Richard Litchfield et en août ils se marièrent. Les Darwin aimaient bien Litchfield. A trente-neuf ans, il était diplômé de Trinity à Cambridge, et devenu avocat, avait fondé le Collège des Travailleurs, dont il était trésorier et l'un des enseignants. Après la cérémonie, Charles donna ce conseil à sa fille :

« Ta mère est de l'or pur deux fois raffiné. Suis son exemple. »

Le visage d'Emma était sans rides, bien qu'elle eût des ombres sous les yeux. Elle avait quelques cheveux gris mais se coiffait toujours avec une raie et des bandeaux qui lui couvraient les oreilles. Lorsqu'elle allait en visite, elle portait des chapeaux de couleurs vives avec des rubans attachés sous le menton. Elle avait porté dix enfants et, toujours d'une santé robuste, ne restait jamais sans rien faire.

Elle était fière de son mari ; après tout, on le considérait dans de nombreux pays comme « le premier scientifique du monde » et elle avait sa part dans cette réussite, l'ayant couvé et protégé pendant plus de trente ans. Elle s'était depuis longtemps habituée à l'idée qu'ils ne tomberaient jamais d'accord sur la Divinité. Il la rassura avec cette confession :

« Je ne suis en aucun cas athée. Je ne nie pas l'existence de Dieu. Seulement je n'en suis pas sûr. »

Leurs enfants leur procuraient de grandes joies. Il n'y avait pas un seul fruit gâté dans la corbeille. William passait un temps considérable à réunir des fonds pour soulager les pauvres et leur fournir des médicaments, car Southampton était la ville la plus paupérisée d'Angleterre après Bristol. Ils lui rendaient souvent visite. Henrietta et Richard Litchfield s'installèrent à Londres mais visitaient souvent Down House. Ils faisaient des suggestions éditoriales pour les manuscrits de Charles, Litchfield étant particulièrement habile à repérer les répétitions. Ils corrigeaient également les épreuves des nouvelles éditions qui ne cessaient d'arriver de chez John Murray, libérant Charles et lui permettant de poursuivre ses travaux au microscope sur la drosera et ses mécanismes de mangeuse d'insecte.

Elisabeth s'épanouissait, seule fille non mariée de la maison. Pendant leurs vacances scolaires, George et Francis firent un voyage aux Etats-Unis.

« Ramenez-moi un reportage sur les Américains, dit Charles.

— Viens avec nous, Père, et vois le pays toi-même. »

Il frissonna. « Je ne mettrai plus les pieds sur un bateau, même pour traverser le Styx. »

En visite chez un ami d'Horace, ils apprécièrent la véranda où la famille et les amis se réunissaient pour le thé, pour lire les quotidiens ou les nouveaux livres. C'était la première véranda que les Darwin voyaient attachée à une maison particulière. Vers la fin de leur séjour, Emma demanda :

« Est-ce que nous ne pourrions pas en faire construire une ? En partant du salon ? »

Il convoqua deux menuisiers de Down et dessina une véranda de la même taille que le salon, de douze pieds de large. La construction était simple : une base de ciment, un toit incliné entre le rez-de-chaussée et le premier étage de la maison, en verre. Le devant était entièrement ouvert et les côtés partiellement protégés par des murs couvert de lattes de bois, avec des bancs incorporés. Ils y mirent des meubles d'osier bon marché avec des coussins rouges.

La véranda changea le mode de vie à Down House, le rendant plus détendu. Par beau temps, ils pouvaient prendre des bains de soleil que les jeunes gens appréciaient particulièrement ; ils y passaient des heures à bavarder, à lire, à jouer aux cartes ou au jacquet. Une rangée de citronniers parfumés la protégeait de la chaleur du soleil de l'après-midi et, de la véranda, ils pouvaient voir les fleurs et le cadran solaire. Charles et Emma regardaient leurs enfants et leurs amis jouer au croquet sur la pelouse.

Et lorsqu'il put échanger le morceau de Sable qui appartenait aux Lubbock contre un morceau de champ qui lui appartenait, exactement de la même taille, il se sentit désormais totalement en sécurité.

Il avait bien en tête plusieurs livres qu'il voulait écrire pour compléter son projet de *L'Origine des Espèces.* Pour la plupart, du domaine de la botanique : plantes insectivores, différentes formes de fleurs et de plantes d'une même espèce, effet des greffes et de la fertilisation naturelle chez les légumes, faculté de mouvement chez les plantes. Il avait maintenant plus de matériaux qu'il ne lui en fallait pour changer en un livre de bon format sa monographie sur *Les mouvements et habitudes des plantes grimpantes* qu'avait publié la Linnean Society en 1865.

John Murray ne cessait de lui redemander des rééditions de ses livres et Charles était trop consciencieux pour lui permettre de reproduire simplement les éditions précédentes. Il y avait toujours des recherches éclairantes et des ajouts à incorporer, beaucoup provenant d'ailleurs de ses propres travaux, qui élargissaient le domaine de l'histoire naturelle. Ses douzaines de casiers étroits étiquetés, qu'il avait fait construire en s'installant à Down House, débordaient du fruit d'observations quotidiennes recueillies sur tous les points du globe. Il travailla plus de deux mois à la sixième édition de *L'Origine des Espèces,* en développant le contenu, corrigeant des erreurs et, en 1872, termina la correction des épreuves pour une édition bon marché. Elle était imprimée sur un papier de qualité médiocre, en petits caractères mais élargirait le public du livre. Il s'accorda également la satisfaction, dans la nouvelle édition, de répondre à St George Mivart en termes appuyés et bien étayés de documents. Ses idées pénétraient des contrées lointaines, dans l'espace comme dans l'esprit des hommes. Toutefois son concept de la *pangenese,* en dehors de son petit cercle d'intimes, ne rencontrait guère de faveur chez ses collègues naturalistes.

Après la publication de *La Descendance de l'homme,* il se sentit assez fatigué et ne put travailler que la moitié de la journée. Quelques jours à Londres le remirent d'aplomb. Pendant toute l'année 1872 il n'eut qu'une phrase pour se plaindre ; et c'est à un jeune disciple allemand, Ernst Haeckel, qu'il l'adressa.

« *Je deviens vieux et faible, et aucun homme ne peut dire quand son pouvoir intellectuel commencera à faiblir*

De toute évidence, ses facultés à lui n'avaient pas faibli. Il produisait des pages et des pages de recherches et de correspondance, ainsi que des articles pour *Nature* et *Gardener's Chronicle.* Des parents, des amis et des visiteurs d'Allemagne, de Russie, de Hollande, des Etats-Unis, venaient à Down House. Au lieu de les fuir au bout de dix minutes comme il l'avait si souvent fait par le passé, il appréciait leur compagnie avec bonne humeur.

Malheureusement, ses amis les plus proches étaient en butte à toutes sortes de difficultés. Le commissaire aux Travaux Publics s'était ligué avec Richard Owen pour continuer à paralyser Joseph Hooker à Kew Gardens, allant jusqu'à présenter à la Chambre un rapport anonyme qui l'accusait de négligence dans l'accomplissement de ses fonctions. Charles se joignit à un groupe de naturalistes, parmi lesquels Lyell, Huxley et George Bentham, pour écrire un article sur Kew Gardens et le travail des Hooker père et fils, qu'ils présentèrent au Premier ministre. En même temps, Joseph Hooker fut nommé président de la Royal Society, le plus haut poste en Angleterre pour un scientifique.

Thomas Huxley tomba malade de surmenage, incapable de travailler comme de se reposer. Son médecin lui conseillait de voyager, mais Huxley n'avait pas un sou. Charles et Hooker firent appel à leurs amis et réunirent la somme imposante de deux mille cent livres.

« C'est maintenant le plus difficile, dit Hooker. Il refusera l'argent en disant que c'est de la charité.

— J'écrirai la lettre, proposa Charles, de telle manière qu'il pourra accepter en gardant toute sa fierté. »

Huxley accepta. Hooker lui proposa de l'accompagner en France et en Allemagne, et s'enquit avec une telle précision de ce qu'Huxley devait ou ne devait pas manger qu'il eut l'impression de lui servir d'infirmier. Huxley rentra plein d'énergie et d'enthousiasme, débordant de projets, de livres, d'articles et de conférences pour restructurer l'éducation publique en Angleterre.

Lorsque parut *L'expression des émotions chez l'homme et les animaux* en novembre 1872, l'intérêt et l'amusement du public, bien plus que les critiques, en firent celui de ses livres qui se vendit le plus vite, neuf mille exemplaires imprimés à la fin de l'année, mille exemplaires de plus que *La Descendance de l'homme.* Il s'était servi d'un certain nombre d'illustrations : un chat montrant les dents à son ennemi atavique, un chien ; un cygne chassant un intrus ; des enfants pleurant ou boudant. Le livre piquait la curiosité de lecteurs de toutes les classes, et eut tant de succès que Charles dut payer cinquante-deux livres d'impôts à l'Echiquier.

« C'est la plus grosse somme qu'ils nous aient jamais demandée, se plaignit-il à Emma. Crois-tu que nos impôts vont s'alourdir chaque année ?

— Ce n'est qu'un moindre mal ; plus tu vends de livres, plus tu gagnes d'argent, plus tu paies d'impôts. L'amiral Sulivan dit que la Royal Navy va conquérir le monde. Ses navires doivent coûter très cher. »

La discussion en resta là.

Lorsque l'*Athenaeum* lui concéda une critique « non défavorable », il déclara à Francis, qui travaillait une semaine dans le bureau de son père :

« Nous avons apparemment éliminé un de nos ennemis. »

L'*Edinburgh Review,* autre vieil ennemi, écrivit :

« *... M. Darwin a ajouté un volume de plus d'histoires amusantes et d'illustrations grotesques à la remarquable série d'ouvrages déjà consacrés à l'exposition et la défense de l'hypothèse évolutionniste.* »

« Voilà qu'ils me changent en humoriste, grogna Charles en travaillant au microscope. C'est bien la première fois qu'on me trouve drôle, depuis qu'Adam Sedgwick m'a déclaré que certaines parties de *L'Origine* l'avaient fait rire. »

Francis leva le nez de la feuille qu'il étudiait et dit :

« Soyez bon chrétien, Père, et ne les haïssez pas. Venez plutôt voir ce qui se passe avec la viande crue que vous avez donnée à manger aux plantes insectivores. »

Les plantes absorbaient la viande crue de la même manière qu'elles avaient assimilé la concoction de feuilles de chou et de pois qu'il leur avait donnée. L'œil toujours collé au microscope, Charles murmura :

« Par tout ce qu'il y a de saint, je crois qu'aucune découverte ne m'a donné plus de joie que de trouver la preuve d'un véritable acte de digestion chez la Drosera. »

Il était également content de sa plante télégraphe, dont les follicules nains bougeaient par séries de torsions. Un soir avant d'aller se coucher Charles dit à Emma :

« Regardons ce que fait la plante télégraphe la nuit. »

Ils pénétrèrent dans le bureau et trouvèrent la plante endormie, à l'exception des petites feuilles qui se livraient à ce que Charles appela « les jeux les plus vivants. Je n'ai jamais vu ça dans la journée », s'écria-t-il, ravi.

Il termina une première esquisse des *Plantes insectivores* en janvier 1873, et prit une semaine de repos pour aller à Londres. Au début de février, il s'attela à un livre qu'il se proposait d'écrire sur *La fertilisation et les greffes chez les légumes.* Il avait déjà beaucoup observé les greffes, mais la fertilisation individuelle était un phénomène très mal connu des botanistes. Il passait des heures dans la serre à observer les plantes, tout comme sur les tables de son bureau, pour apprendre que toutes les orchidées étaient mâles et femelles à la fois, et que lorsque les insectes fertilisaient les orchidées, il y avait deux fleurs sur la même hampe, A et B, que toutes les conditions étaient également requises pour que A pollinise B et que B pollinise A. Les fleurs avaient une surface stigmatique sur laquelle le follicule porteur de graine était posé. Lorsqu'il pleuvait, la pluie emplissait la corolle, faisant flotter le pollen... et fertilisant la fleur même d'où le pollen était issu ! En plus des orchidées, il découvrit que les boutons-d'or étaient parmi les fleurs qui se fertilisaient le plus souvent elles-mêmes.

Pour la première fois, ils allèrent chez des amis à la campagne, les Thomas Farrer, d'Abinger Hall dans le Surrey ; Farrer avait épousé l'une des filles de Hensleigh Wedgwood. Pourtant, Charles ne parvint pas à se sentir à l'aise.

« Nous avons promis de rester deux semaines, gronda Emma lorsqu'au bout d'une semaine, il se montra prêt à partir.

— Nous pourrons revenir. Mes notes sur l'auto-fertilisation s'accumulent. Je ne peux pas rester oisif. Le travail c'est la vie. »

Une grande partie de l'énorme courrier qui arrivait à Down House émanait de gens qui voulaient parler de religion. Il répondait à toutes les lettres sauf aux scabreuses. Il arrivait aussi régulièrement des questionnaires de journaux et de revues sur ses croyances religieuses. A toutes, il répondait poliment :

« *Je ne désire pas m'exprimer publiquement sur des sujets religieux.* »

Il manifesta toutefois son approbation quand les examens de théologie furent supprimés à Oxford et Cambridge, sauf pour les étudiants des religions.

Lorsqu'un certain docteur Conway, de l'école de théologie de Harvard, vint à Down House, Fanny et Hensleigh Wedgwood demandèrent à le rencontrer. Le docteur Conway avait prêché et publié un remarquable sermon sur le darwinisme. Les Wedgwood lurent le sermon à haute voix, ce qui parut faire plaisir au docteur Conway. Lorsqu'ils furent tous partis, Emma resta pensive et se dit :

« Je trouve parfois bien étrange que quelqu'un qui fait partie de moi puisse susciter tant de bruit dans le monde. »

Toute une série de morts vint les attrister.

Adam Sedgwick mourut à Cambridge à l'âge de quatre-vingt-sept ans. Mary Lyell partit ensuite, après une brève maladie. Lyell, maintenant âgé de soixante-quinze ans, semblait plus stupéfait qu'atteint. Il dit à ses amis : « Elle était plus jeune que moi de douze ans. J'avais toujours cru que je serais le premier à partir. »

Henry Holland, chevalier depuis 1853, mourut le jour de son quatre-vingt-cinquième anniversaire. Longtemps médecin de sa Majesté la reine Victoria, ses funérailles furent suivies par des membres de la famille royale.

Leur fille Elisabeth leur rappela : « Le docteur Holland s'accordait avec moi pour voir en Henrietta une hypocondriaque. Depuis qu'elle est mariée, elle est forte comme une pouliche. »

Emma attendit que Charles ait quitté la pièce puis chuchota :

« Bessy, il y a un vieux proverbe qui dit : “ ne parle pas de corde dans la maison d'un pendu ”. »

En août, une nouvelle sorte de maladie s'empara de lui. Il la décrivit à Emma comme « une sérieuse perte de la mémoire et un choc sévère passant sans cesse dans mon cerveau ». Inquiète, elle insista pour qu'ils aillent à Londres consulter le docteur Andrew Clark, qui avait su si bien soigner Thomas Huxley.

Le docteur Clark était un homme aimable aux yeux compréhensifs. Il s'intéressa au récit des symptômes que lui faisait son malade, et il examina très sérieusement Charles. Lorsqu'il eut terminé, il lui dit d'un ton réconfortant :

« Je crois pouvoir vous soulager, M. Darwin. Vous avez encore beaucoup de travail à accomplir. » Son ton devint légèrement autoritaire. « Avant tout, un régime, qu'il faudra suivre rigoureusement. »

Charles ne mangea rien que le docteur n'ait prescrit. Au bout d'une semaine, il se plaignit. « Ce régime est abominable.

— Tu as l'air d'aller mieux.

— Je vais mieux. Je continuerai à maltraiter mon estomac pour conserver une cervelle claire. »

Après plusieurs mois de l'abominable régime, il rattrapa le temps perdu en mangeant de grand appétit. Et avant d'aller au lit, il lui arrivait de prendre une demi-once de brandy dans cinq onces d'eau. Il n'eut plus d'ennuis, malgré sa lettre quelques mois plus tard, à son cousin Fox, sur l'épaule duquel il pleurait depuis des années : « *Je ne m'oublie que lorsque je travaille.* »

En répondant au questionnaire que lui envoyait un cousin, Francis Galton, qui préparait un livre qui s'intitulerait *Les hommes de science anglais,* Charles se rendit ce centimètre qu'il avait perdu dans le hamac de sa cabine sur le *Beagle* et écrivit qu'il mesurait six pieds.

2.

Il était si fasciné par ce qu'il découvrait sous son microscope et les résultats de ses greffes sur les plantes, qu'il ne consulta plus le docteur Clark pendant quatre ans ; et même alors, seulement pour des vertiges.

Finis depuis longtemps les maux d'estomac, les vomissements, les palpitations cardiaques. Emma insistait pour qu'ils prennent souvent des vacances. Ils retournèrent à Abinger Hall chez leurs amis et cousins Farrer, y restant même, une fois, tout un mois. Charles aimait explorer les ruines romaines avoisinantes et trouva des vignes qui semblaient particulièrement propices aux greffes.

A Southampton, ils habitaient chez William. Il était rare qu'un des enfants Darwin ou plus ne soient pas à Londres chez Erasmus. L'amour d'Erasmus pour ses neveux et ses nièces donnait une dimension nouvelle à leurs relations familiales. Il les avait tout simplement adoptés. Sa maison de Queen Ann street devint leur second foyer. Oncle Eras, comme ils l'appelaient, leur avait dit qu'ils pouvaient habiter chez lui aussi longtemps qu'ils le voulaient, se servir de la maison, de l'attelage et de tout ce qu'il possédait.

En y ajoutant les enfants de Fanny et Hensleigh Wedgwood, qu'il ne traitait pas différemment, il s'écria un jour : « Vous n'avez pas idée de la joie que c'est pour moi d'avoir douze enfants sans m'être jamais marié ! »

Emma appréciait sa liberté. Elle se fixa la tâche de créer une bibliothèque au village. Charles Mudie, un libraire londonien qui avait créé une série de bibliothèques de prêt autour de Londres, avait trouvé Down trop petit. Les gens du voisinage ne pouvaient se procurer des livres qu'en allant à Bromley ou à Londres, ou en se les faisant livrer par le courrier hebdomadaire. Mudie censurait également les ouvrages auxquels il permettait de circuler. L'église de Down n'avait que quelques livres de théologie démodés. Emma développa sa salle de lecture, choisit certains livres, en acheta ou emprunta les autres. L'abonnement pour emprunter fut fixé à trente shillings par an et par famille.

Francis, leur troisième garçon, faisait des études de médecine à l'hôpital Saint-George, mais n'avait jamais exercé. A vingt-cinq ans, il tomba amoureux d'Amy Ruck, une Galloise qui s'était attiré la reconnaissance de Charles en lui envoyant un paquet de feuilles du nord du pays de Galles contenant un certain nombre d'insectes captifs. Il alla dans le bureau de Charles, ferma la porte derrière lui et s'assit sur le coussin vert.

« Père, vous savez que je ne veux pas exercer la médecine.

— Je ne le voulais pas non plus. Que veux-tu faire ? »

Francis rapprocha le coussin de son père.

« J'y ai bien réfléchi. Je sais ce que je préférerais faire. Vous avez besoin d'un secrétaire pour vous aider dans votre énorme travail. Mes études de médecine m'ont suffisamment appris des sciences de la nature. Je suis qualifié. »

Charles n'eut pas longtemps à réfléchir.

« Tu pourrais me rendre la vie bien plus facile. Quel arrangement suggères-tu ?

— Je me mettrai simplement au travail. Quand Amy et moi serons mariés, j'aimerais que nous nous installions à Down House et que nous vivions ici comme une partie de la famille.

— As-tu discuté avec Amy de cette éventualité ?

— Oui. Elle aimerait cela autant que moi.

— En as-tu parlé à ta mère ?

— Pas encore. Je voulais être sûr d'abord que vous vouliez de moi.

— Eh bien allons la trouver. Elle doit être à s'affairer encore quelque part. »

Emma fut enchantée de cette idée, car il ne lui restait plus qu'Elisabeth de toute la couvée. William était à Southampton, Henrietta à Londres, Leonard était sorti second de son école d'ingénieurs l'année précédente et était tenu en telle estime par ses professeurs d'astronomie qu'on l'avait envoyé en Nouvelle-Zélande pour observer avec un groupe le transit de Vénus, qui permettrait de mesurer la distance entre le Soleil et la Terre. Horace, le plus jeune du clan, avait été admis à Cambridge. Il deviendrait l'ingénieur mécanicien qu'il avait toujours voulu être, allant là où son travail l'appellerait.

Parfois, le silence, à Down House, devenait obsédant.

Emma avait rencontré Amy Ruck et aimait bien cette jeune fille frêle, agréable et bien élevée. Elle embrassa Francis en se soulevant sur la pointe des pieds.

« Cela sera bien agréable d'avoir un fils et une autre fille à la maison. Dis à Amy que nous l'attendons à bras ouverts. »

Et Charles ajouta :

« Nous donnerons une couche de peinture fraîche à l'une des grandes pièces avec les bow-windows qui donnent sur le jardin. »

Francis et Amy se marièrent. Amy s'entendit à merveille avec Emma et Elisabeth. Elle était ravissante, bien qu'un peu délicate, avec des cheveux d'un noir brillant ramenés en chignon. Elle avait un visage ovale, des grands yeux sombres et intelligents. Francis et elle étaient très amoureux. Comme Amy insistait, Emma lui confia certaines responsabilités du ménage. Elisabeth ne s'en offusqua pas. Elle n'était pas douée pour les choses pratiques et évitait toute responsabilité. Le repas de midi à Down House devint beaucoup plus vivant, tout comme le thé qu'ils prenaient à loisir sous la véranda.

Francis ne fut pas long à montrer que, tout en étant un excellent secrétaire, il voulait être plutôt un assistant. Il aida à organiser le manuscrit sur les plantes insectivores. Avec l'approbation et les encouragements de Charles, il commença à établir des programmes originaux de recherche et d'observation et à enregistrer ses découvertes.

Un jour, Charles leva le nez du microscope, ayant découvert quelque chose sur le mucus qui bordait une feuille et s'exclama :

« Le travail est mon seul plaisir dans la vie !

— Il vaudrait mieux que Mère ne t'entende pas dire cela », lui répondit son fils.

Mais ils firent pourtant part à Emma des nouvelles que leur donnait Lyell de la réunion de la British Association à Belfast où le physicien John Tyndall avait prononcé le discours inaugural. Lyell écrivait, le 1er septembre :

« *J'avais depuis plusieurs jours l'intention de vous féliciter pour la réunion de Belfast, où l'on peut dire sans exagérer que vous et votre théorie avez reçu une ovation. Quelques critiques que l'on puisse faire à Tyndall, on ne peut nier qu'il eut du courage en exprimant haut et clair son opinion...* »

Le discours avait causé un scandale en Irlande, qui était hostile à ses travaux, et toute la presse anglaise en avait parlé.

En 1874, les efforts des naturalistes en faveur de Joseph Hooker portèrent enfin leurs fruits. M. Gladstone ne put plus longtemps éluder les rapports de la British Association, ainsi que les nombreux articles en faveur de Hooker dans le *Times,* le *Daily News* et la *Pall Mall Gazette.* Il transféra le commissaire aux travaux public au bureau de l'avocat général et permit à Hooker d'engager comme assistant William Thiselton-Dyer, un excellent botaniste qui avait aidé Charles dans ses travaux sur les plantes insectivores.

Au début de février 1875, Joseph Hooker vint les voir. Frances Hooker était morte subitement trois mois plus tôt, le laissant avec six enfants. Hooker était prostré de chagrin. Lorsque Emma essaya, avec tact, de lui demander comment il se débrouillait, il répondit :

« Personne ne peut imaginer ce que c'est qu'une maison avec six enfants sans une femme pour la diriger.

— Peut-être, au bout d'un certain temps, envisagerez-vous de vous remarier ? »

Hooker secoua la tête. « Non », fit-il, les lèvres serrées.

Dans son bureau, il demanda à Charles comment avançait son livre sur les plantes insectivores.

« Je le croyais pratiquement écrit mais je m'aperçois qu'il y a encore beaucoup à faire et qu'il ne sera pas prêt pour l'imprimeur avant encore deux mois.

— Qu'est-ce que deux mois, dans toute une vie créatrice ? murmura Hooker. D'ici là, vous aurez peut-être formulé encore un nouveau livre.

— J'ai lu hier qu'un homme en Amérique du nom de Remington fabrique quelque chose qu'il appelle une machine à écrire. Il semblerait que l'on n'ait plus besoin d'écrire avec une plume et de l'encre, qu'il suffise de frapper des touches qui portent les lettres de l'alphabet. Je n'apprendrai sans doute jamais à m'en servir mais Francis peut-être. Il est assez jeune pour se prêter à toutes sortes d'expériences dangereuses. »

Sir Charles Lyell n'eut pas deux mois de plus de vie créatrice. Il mourut le 22 février 1875, près de deux ans après la mort de sa femme, de vieillesse principalement. Hooker prit l'initiative de le faire enterrer à l'abbaye de Westminster, parmi les grands d'Angleterre. L'autorisation fut accordée. Le plus grand géologue d'Angleterre, pionnier dans son domaine, maître par ses livres de toute une génération de scientifiques. Charles et Joseph Hooker écrivirent l'hommage qui devait être gravé sur la dalle sous laquelle il reposerait.

Charles regretterait amèrement son vieil ami.

Il passa trois mois à ce qu'il appela un travail du diable, se concentrant sur la deuxième édition de *La Descendance de l'homme.* Même avec l'aide de George, de retour de Cambridge pour un temps, la tâche lui avait pris jusqu'à la fin de l'année. *Les Plantes insectivores* furent publiées par Murray en juillet, deux mille sept cents exemplaires en furent immédiatement vendus, sur un tirage de trois mille. Une fois encore, la curiosité du public anglais était éveillée par les trouvailles étranges et à peine croyables de l'esprit décidément bizarre de M. Charles Darwin. Il ne perdit pas une seconde à s'en réjouir, se plongeant immédiatement dans son développement sur les Plantes grimpantes, ajoutant à la monographie quatre-vingt-dix pages de ses trouvailles récentes. Alfred Wallace lui dit :

« Votre beau petit volume sur les *Plantes grimpantes* forme un compagnon bien intéressant pour vos *Orchidées* et vos *Plantes insectivores.* Ils forment un trio tout naturellement. »

Charles commença à faire un bilan de dix ans d'expériences sur la croissance et la fertilité des plantes élevées à partir de fleurs autofertilisées ou croisées. Il expliqua dans une lettre à Ernst Haeckel :

« Il est réellement merveilleux de voir l'effet que le pollen d'une plante distincte, qui a été exposée à des conditions de vie différentes, peut avoir sur sa progéniture. »

Il n'y avait plus eu de désaccord dans la famille depuis le jour où William avait parlé en faveur du gouverneur anglais de la Jamaïque, lors de la révolte de 1865. Cette fois, c'est Henrietta qui revint de Londres en apportant une pétition lancée par une certaine Miss Cobbe pour interdire la vivisection en Angleterre. Elle dit :

« Miss Cobbe a persuadé bon nombre de gens importants de signer. Cela crée toute une controverse à Londres.

— Je le sais, répondit Charles sèchement. Je lis les journaux.

— J'aimerais que tu la signes, Père.

— Non, ma fille chérie, je ne ferai rien de pareil.

— Pourquoi pas ?

— Parce que je considère depuis longtemps la physiologie comme l'une des plus grandes sciences. Tôt ou tard, elle sera bénéfique à l'humanité et ne peut progresser que par des expériences sur les animaux vivants. » Il frappa sur la pétition d'une main.

« Cette proposition de limiter les recherches seulement aux domaines dont nous pouvons dès maintenant entrevoir qu'ils se rapportent à la santé, me semble puérile. »

Il y eut un début de larmes dans les yeux d'Henrietta.

« Père, pense à toutes ces souffrances imposées à des animaux sans défense.

— Les animaux sont soigneusement anesthésiés. Notre but est de protéger les animaux et en même temps de ne pas faire de tort aux physiologistes. Leurs découvertes peuvent aider à empêcher des souffrances et des morts humaines. »

La dispute sur la vivisection se poursuivit longtemps. Le mari d'Henrietta apporta à Charles l'esquisse d'un projet de loi à soumettre au Parlement qui permettrait de former une commission royale pour étudier la question. Charles témoigna devant cette commission, dont Thomas Huxley faisait partie. Tant de compromis furent faits dans la rédaction de la loi finale qu'elle ne satisfit personne. Huxley fit remarquer :

« La loi permet à un garçon de jeter des lignes avec des grenouilles vivantes comme appât comme simple passe-temps, et expose en même temps le professeur de ce garçon à des poursuites et des amendes s'il utilise le même animal pour dévoiler l'un des spectacles physiologiques les plus instructifs — la circulation. Cela n'a pas de sens. »

Lorsque leur indispensable Parslow, qui avait fait partie de la famille pendant trente-six ans, prit sa retraite dans sa maison voisine, chez sa femme et ses enfants, Emma continua à lui donner du travail à l'occasion, s'assurant qu'il avait toujours de quoi vivre. Elle trouva rapidement un autre majordome, du nom de Jackson. C'était un petit homme aux joues rouges et à la moustache en croc qui avait l'air d'un clown. Ce qui lui manquait en intelligence, il le remplaçait par la bonne humeur. En servant à table, même lorsqu'il y avait des invités, il écoutait les conversations en passant les plats. Si quelqu'un disait quelque chose de drôle, il eclatait bruyamment de rire. Emma demanda à Charles :

« Crois-tu que je doive lui demander de se tenir ?

— Pas la peine. Il fait rire les invités. »

Quand vers la fin de 1875, l'Angleterre paya quatre millions de livres pour la moitié des intérêts dans le canal de Suez, Charles se plaignit :

« Je sais maintenant où va l'argent de mes impôts. Et quand je pense que je ne saurai jamais quelle moitié nous avons achetée ! »

Jackson trouva cela si drôle qu'il en lâcha presque son plat pour applaudir.

Smith Elder, son premier éditeur, demanda à Charles de préparer un manuscrit remis à jour de *Récifs coralliens, îles volcaniques et observations géologiques d'Amérique du Sud*, publié trente ans plus tôt. Les géologues et les étudiants en avaient toujours besoin. Charles répugnait à interrompre son travail du moment. Mais il ne perdit pas son sens de l'humour et écrivit à Asa Gray en Amérique :

« ... *Transmettez je vous prie mon meilleur souvenir à Mme Gray. Je sais qu'elle aime entendre les hommes se vanter, cela leur fait tant de bien. Le compte au jacquet avec ma femme s'établit comme suit : elle, pauvre créature, n'a gagné que 2 490 parties alors que moi, hurrah, hurrah, j'en ai gagné 2 795 !* »

Il y eut une bonne nouvelle pour Amy au début de l'année. Elle était enceinte. Emma et Charles pouvaient s'attendre à être grands-parents vers le milieu de septembre.

« Enfin, nous allons avoir un petit-fils ou une petite-fille, exulta Emma.

— Et nous devrions en avoir d'autres, lui assura Charles, avec quatre fils encore à marier et une autre fille. »

Il avait l'impression par moment d'opérer des greffes sur ses propres livres. En mai, il fit les corrections pour la seconde édition du livre sur les Orchidées. En juin il reprit pour la seconde fois son manuscrit sur la fertilisation.

En juillet, un éditeur allemand lui demanda « *d'écrire un récit du développement de votre esprit et de votre personnalité, avec quelques éléments d'autobiographie* ». C'était une idée intéressante. Personne ne lui avait encore demandé son histoire personnelle.

« C'est quelque chose que tu devrais laisser pour tes petits-enfants, suggéra Emma.

— Oui, j'aime cette idée. Surtout que cela me permettra d'abandonner la lentille de ce microscope pour un moment. Je suis à moitié mort.

— Pourquoi n'irions-nous pas dans le Surrey ? Hensleigh et Fanny nous ont souvent offert leur maison d'été.

— Bon. J'écrirai et je me gonflerai les plumes comme un pigeon. »

Il démarra avec aisance dans le Surrey, écrivant sans prétention le matin et se promenant l'après-midi. Il écrivit l'histoire de son enfance au Mont, il décrivit son père, le docteur Robert Darwin, ses sept ans à l'école de Shrewsbury, ses trois ans et demi à Cambridge, ces cinq ans à bord du *Beagle*...

« *J'ai des habitudes méticuleuses et cela ne m'a pas peu aidé dans le travail qui est le mien... J'ai eu de grands loisirs, n'ayant pas eu à gagner mon pain. Même la mauvaise santé, bien qu'elle m'ait fait perdre plusieurs années de ma vie, m'a sauvé des distractions de la société et des amusements...*

... Mon succès en tant qu'homme de science, quelle qu'en soit la teneur, a été déterminé, pour autant que je puisse en juger, par des qualités mentales et des circonstances complexes et diversifiées. Parmi celles-ci les plus importantes ont été l'amour de la science, une patience illimitée pour réfléchir longuement sur quelque sujet que ce soit — l'énergie pour observer et collectionner les faits — et une dose convenable d'imagination autant que de sens commun. Avec des capacités aussi modestes que les miennes, il est réellement surprenant que j'aie dû ainsi influencer considérablement les croyances des hommes de science sur quelques points importants. »

Ils rentrèrent à la maison où Charles finit son autobiographie au début d'août. Il donna le tout, moins de cent pages, à Emma. Elle les lut, assise sous la véranda. Lorsqu'elle eut fini, elle lui dit :

« Je trouve cela très intéressant. Est-ce que les Allemands ont l'intention de le publier ?

— Je ne crois pas que je le leur permettrais. Ils pourront en tirer des extraits. Mais surtout, c'est ce que tu me demandais : une petite histoire de ma vie pour mes petits-enfants. Mes enfants savent déjà tout de moi. »

Joseph Hooker fit sa cour et épousa Hyacinth Symonds, fille d'un géologue respecté et veuve d'un ornithologue. Elle était nettement plus jeune que Hooker et était respectée parmi les naturalistes. Les Darwin en étaient heureux pour lui : il aurait maintenant une compagne et ses enfants auraient un guide féminin !

Lorsque l'accouchement d'Amy devint imminent, elle demanda à Francis si elle pouvait rentrer au pays de Galles.

« Pourquoi ne restes-tu pas ici ? Je peux y aller seule et je serais tout à fait en sécurité chez mes parents et avec le médecin de famille. »

Francis refusa. Il voulait l'accompagner. Mais Amy insista, disant qu'elle pouvait très bien voyager seule. Il la laissa aller.

La nouvelle, lorsqu'elle parvint à Down House, laissa la famille sans voix : Amy était morte en mettant son enfant au monde. Aucune explication n'était donnée. L'enfant, un garçon, était en bonne santé. Désespéré et dévoré par le remords, Francis partit immédiatement au pays de Galles pour ramener le bébé. Le choc et la perte d'Amy affectèrent profondément Emma. Elle devint anxieuse. Francis se retranchait dans un silence douloureux. Mais l'enfant, Bernard, était un délice. Emma engagea une nounou et s'occupa de la nursery. Si cela interférait avec ses activités indépendantes, elle ne s'en plaignait pas.

Effets de la fécondation directe et croisée dans le monde végétal fut publié en novembre. William Thiselton-Dyer, l'assistant d'Hooker à Kew Gardens, écrivit une vibrante étude pour *Nature* qui donna au livre un bon départ, mille cinq cents exemplaires ayant déjà été vendus.

Charles fêta son soixante-huitième anniversaire le 12 février. Sa courte barbe grise était devenue longue et blanche. Il réussit à persuader Emma de ne pas célébrer cet anniversaire. Mais pas ses admirateurs de Hollande et d'Allemagne. Les savants de ces deux pays préparèrent un bel album contenant la photo de leurs hommes de science et sous chaque photo un hommage à Charles signé par celui qui l'avait donnée. Charles fut profondément touché ; les deux albums étaient de toute évidence en préparation depuis longtemps. Il leur écrivit :

« ... *Je suppose que tout ouvrier des sciences, à un moment ou à un autre, se sent déprimé et se demande si ce qu'il a publié vaut le travail que cela lui a coûté, mais pour les quelques années qu'il me reste à vivre, si j'ai besoin d'un réconfort, je contemplerai le portrait de mes éminents compagnons de travail et me souviendrai de leur généreuse sympathie. Lorsque je mourrai, mes enfants conserveront précieusement cet album.* »

Francis s'amusa un jour à compter tous les honneurs qui lui avaient été décernés : soixante-quinze titres de professeur honoraire dans des institutions étrangères, peut-être le plus grand nombre d'honneurs internationaux accordés à un seul chercheur-écrivain scientifique depuis Sir Isaac Newton, qui avait été professeur à Cambridge de 1669 à 1701. Sir Isaac, qui avait représenté Cambridge au Parlement, était surtout connu pour sa formulation de la loi de gravitation et de la loi du mouvement. A la différence de Galilée, cent ans plus tôt, qui avait été jugé et emprisonné par l'Inquisition à Rome pour avoir déclaré que la Terre tournait autour du Soleil, et à la différence de

Charles Darwin, cent ans plus tard, Isaac Newton avait été accepté et fait chevalier.

Une semaine après son anniversaire, il reçut une note du Club Amical de Down dont il avait été trésorier pendant les vingt-sept dernières années. Ses membres avaient décidé de le dissoudre et de se partager les mille cinquante livres qu'ils avaient en caisse. Charles leur tint un discours paternel sévère.

« Je puis vous assurer que les rumeurs qui courent de réunir les clubs pour constituer un fonds commun sont des mensonges. J'ai consulté un notaire qui n'a aucune raison de vous tromper ; il a calculé que vous pouviez vous partager environ cent cinquante livres. Environ mille livres doivent être conservées. Aucun homme raisonnable ne niera que c'est le minimum nécessaire pour payer des frais d'enterrement ou pour assurer des revenus en cas de maladie. J'espère donc que vous suivrez mon conseil et ne dissoudrez pas le club sans avoir mûrement réfléchi, non seulement dans l'intérêt de vos femmes et vos enfants mais dans votre propre intérêt... »

Les membres du club suivirent son conseil.

Joseph Hooker devint Sir Joseph Hooker. Il se sentit mal à l'aise, de huit ans le cadet de Charles et à ses propres yeux infiniment moins important dans sa contribution aux progrès de la science, d'être honoré avant son ami et mentor. Beaucoup des collègues de Charles s'indignaient de ce qu'on l'ait omis. Ils montèrent la meilleure campagne possible, mais furent moins contredits qu'ignorés. Personne apparemment au gouvernement ne voulait prendre le risque de soulever un tollé dans l'Eglise.

« Je m'en soucie comme d'une guigne, dit Charles à ses partisans, ce sont mes livres qui sont mes titres de noblesse. »

Cinq jours après le mariage de la fille d'Hooker, Harriet, avec William Thiselton-Dyer, ce qui l'introduisait dans la famille botanique des Hooker-Henslow, Sir Joseph partit pour les Etats-Unis sur l'invitation du professeur Hayden, chef du département américain de topographie et de géologie, pour y rejoindre un groupe d'exploration comprenant Asa Gray qui travaillerait dans le Colorado, l'Utah, le Nevada, la Californie et enfin à San Francisco. La tâche de Sir Joseph consistait à faire un rapport botanique tout particulièrement axé sur la nature et la distribution des arbres de forêt.

« Je l'envierais presque, dit Emma. On dirait que tout le monde, même nos garçons, a été aux Etats-Unis, sauf nous.

— Trouve-moi un pont de terre qui relie les deux continents et je t'emmènerai, répondit Charles. En attendant, nous avons l'une des merveilles du monde ici même en Angleterre. Pourquoi n'irions-nous pas visiter Stonehenge ? »

Ils emmenèrent George avec eux et passèrent de bons moments. George, le mathématicien, leur montra comment la disposition des pierres aurait pu être utilisée pour observer les corps célestes.

A son fils Horace, qui avait posé la question, il répondit :

« Je me suis demandé ce qui fait d'un homme le découvreur de phénomènes jamais encore analysés encore jamais découverts, et c'est un problème extrêmement déroutant. Beaucoup d'hommes qui sont très intelligents, beaucoup plus intelligents que les découvreurs, ne découvrent jamais rien. J'aurais tendance à penser que l'art consiste à chercher constamment les causes ou les significations de tout ce qui se présente. Cela implique un sens aigu de l'observation et demande autant de connaissances que possible sur le sujet qu'on se propose d'étudier. »

Lorsque Hooker rentra des Etats-Unis, il dit à Charles :

« Ce sont des foules qui m'ont posé des questions sur vous en Amérique, je vous prie donc d'accepter le salut de la nation par ma voix. »

3.

Le travail de Charles prit un tour plus rapide. Son projet initial était un livre technique sur les différentes sortes de fleurs et de plantes de la même espèce. Il avait déjà toutes les informations nécessaires dans ses notes et n'avait plus qu'à les rassembler. Francis et lui rédigèrent le manuscrit aussi vite que possible, si bien qu'il fut publié le 9 juillet 1877. Charles le dédia à Asa Gray, qui faisait paraître des articles sur le travail de Charles dans tous les journaux d'Amérique qui les acceptaient. John Murray ne fit imprimer que mille deux cent cinquante exemplaires, qui furent immédiatement accaparés par tous ceux qui avaient besoin de ses observations précises dans ce domaine particulier.

Il se sentait bien. En fait, il lui restait tant d'énergie qu'il trouva le moyen d'écrire encore un article sur le comportement des nourrissons en se basant sur les notes qu'il avait prises sur William, qui fut publié dans *Mind* et fut passablement remarqué.

Un projet qui l'intéressait, et qui pensait-il serait son dernier, l'amusait d'autant plus que tous ceux qui en avaient entendu parler s'en détournaient avec dégoût. Son sujet était les vers !

Il avait rêvassé sur ce sujet depuis son retour du *Beagle*. En allant voir son oncle Jos à Maer Hall, celui-ci lui avait fait remarquer la quantité de terre apportée sur les pelouses par les vers. Un an plus tard, il avait écrit et lu devant la Geological Society un article suggérant que les vers, si on leur en laissait le temps, pourraient enterrer tout ce qui se trouvait à la surface de la terre. Personne n'y prêta la moindre attention pendant vingt ans jusqu'à ce que quelqu'un attaque sa théorie dans le *Gardener's Chronicle*. Charles avait décidé que lorsque le temps serait venu, il se livrerait à une étude approfondie de l'anatomie, des habitudes et du travail des vers de terre.

Et ce moment était venu.

Pendant des mois, il avait conservé dans son bureau des vers dans des pots de terre. Il dit à Francis :

« Je veux savoir jusqu'à quel point ils agissent consciemment, et quel est leur pouvoir mental. Je suis d'autant plus désireux d'apprendre quelque chose sur ce sujet que pour autant que je sache, bien peu d'observations ont été faites sur des animaux aussi bas dans l'échelle d'organisation.

— La plupart des gens pensent que les vers de terre sont tout juste bons pour les hameçons, répondit Francis en haussant les épaules.

— C'est une erreur. Les vers ont joué un rôle dans la formation de la couche végétale qui recouvre toute la surface de la terre dans tous les pays même très modérément humides.

— Et cette couche est-elle utile à quelque chose ? Comment les vers la créent-ils ?

— Par leurs déjections que l'on peut voir en nombre extraordinaire sur les falaises de craie.

— Et que voulons-nous savoir d'autre à leur sujet ? »

Le ton de Francis semblait indiquer qu'il n'était pas tout à fait sûr qu'un tel sujet soit digne de Charles Darwin lui-même.

« Tout : leur structure, leur perception, leur nourriture et digestion, leurs glandes, leurs habitudes, leur intelligence, comment ils creusent leurs tunnels, comment ils minent de grosses pierres et les amènent à s'affaisser, le poids de la terre qu'ils rapportent... »

Francis siffla.

« Retour au microscope ! Je ne me doutais pas qu'un jour je disséquerais des vers à la façon dont tu disséquais les berniques !

— Les vers ont joué un rôle plus important que tu n'imagines dans l'histoire du monde. Les archéologues devraient leur être reconnaissants puisqu'ils protègent et préservent pour des périodes infiniment longues tout objet qui n'est pas susceptible de pourrir en l'enterrant sous leurs déjections, aussi efficacement que toi et moi pourrions le faire en nous servant d'un pic ou d'une pelle. »

Emma fut moins surprise que Francis.

« Partout où il y a vie, ton père voudra aller... en pensée du moins. » Elle écrivit à Henrietta :

« *Père a été très heureux de trouver deux vieilles pierres au bout du pré. Il a maintenant un homme qui creuse pour lui trouver des vers. Il veut observer les effets produits par les vers en enterrant les pierres. Il faut que j'aille lui porter une ombrelle.* »

En marchant dans un champ qu'il connaissait depuis près de trente ans, il découvrit que les vers avaient enterré tous les silex qui se trouvaient en surface, un quart de pouce chaque année. Il était plus difficile de déterminer combien de terre les vers pouvaient déplacer ; et il apprit que sur les falaises de craie près de Down ils apportaient dix-huit tonnes de terre par an !

Après toutes ces années où il s'était contenté de son bureau, même lorsqu'il avait dû se mettre un châle autour des épaules parce que son lieu de travail était proche de la fenêtre, il finissait par se sentir étouffé par ses livres, ses casiers, ses instruments, globes, cartes, spécimens, photographies et portraits sur le mur. Il décida de se faire construire un nouveau bureau plus vaste derrière leur salon. Il accepta le devis le moins cher et supervisa la construction, qui comprenait une nouvelle entrée, un porche et une porte d'entrée.

Il fit transporter toutes ses possessions dans son nouveau bureau en automne 1877. Il y avait maintenant assez de place pour un sofa sur lequel s'allonger, un profond fauteuil de cuir, une grande table longue sur laquelle tenaient manuscrits, papiers, lettres, encriers et classeurs. Sa chaise à écrire était comme toujours dans un coin près d'une fenêtre haute, avec un rebord assez large pour y poser livres et journaux. Il demanda au menuisier de Down d'y fixer quatre roulettes, ce qui lui permettait d'aller d'un bout de la pièce à l'autre sans se lever.

Le changement ne lui fut guère profitable ; en quelques mois, le nouveau bureau fut aussi encombré que l'ancien. Lorsqu'Emma vit les volumes qui s'entassaient le long d'un mur jusqu'au plafond, elle murmura : « La nature a horreur du vide. »

Quand Charles partait se promener tout seul, dans sa longue cape et son chapeau mou, il lui arrivait de rester immobile pendant si longtemps, perdu dans ses pensées, que les écureuils de Down House le prenaient pour un arbre, montant et descendant sur sa jambe. Cela rendait Polly, le fox-terrier qu'Henrietta avait laissé en partant pour Londres, à moitié folle. Elle savait bien que Charles n'était pas un arbre. Ce n'était qu'un énorme chiot. Elle lui sautait sur les genoux chaque fois qu'elle le pouvait.

Il était devenu une proie facile pour les caricaturistes. Le *London Sketch Book, Punch, Hornet* publiaient sa caricature, plus amusante que méchante. Son visage et sa longue barbe blanche étaient assez fidèlement décrites mais son corps était celui d'un singe poilu avec des serres en guise de pieds.

Leur aîné, William, se fiança avec une Américaine, Sarah Sedgwick.

« Cela me fait bien plaisir, s'écria Charles. A trente-huit ans, je croyais qu'il allait rester célibataire. »

Lorsque William fit une chute de cheval à Southampton, son frère Horace, à vingt-six ans, lui servit d'infirmier et de secrétaire, écrivant tout son courrier. Ensuite, ce fut Leonard, qui construisait des forts pour l'Empire britannique, qui tomba sur un court de tennis en se froissant le genou si douloureusement qu'il dut passer plusieurs jours allongé à se faire gâter par Elisabeth. Quand Litchfield tomba malade, Henrietta soigna son mari avec la science et la tendresse qu'elle avait vu sa mère déployer à l'égard de leur père. Et Emma l'approuva, disant à Henrietta :

« Rien ne marie plus profondément que la maladie. »

Ce fut Emma, en définitive, qui souffrit du plus mauvais coup. Elle et le Rév. M. Innes avaient travaillé ensemble pendant des années à tout ce qui concernait l'église, l'école locale, l'aide aux pauvres ; tout comme elle l'avait fait avec le Rév. Henry Powell qui l'avait remplacé. Mais voilà que maintenant, elle découvrait qu'il lui était tout simplement impossible de s'entendre avec le nouveau vicaire, le Rév. George ffinden. C'était un Tory, contre tout ce pourquoi les familles Wedgwood et Darwin s'étaient toujours battues. Elle était toujours si totalement en désaccord avec lui lorsqu'elle le rencontrait pour traiter des affaires de Down qu'elle cessa de s'en occuper. Alors, le Rév. M. ffinden commit la pire grossièreté. Il attaqua Charles Darwin et ses livres dans un sermon du dimanche, alors qu'Emma et Elisabeth étaient assises sur le banc réservé à la famille. Les deux femmes Darwin se levèrent immédiatement et quittèrent l'église. Emma ne décoléra pas pendant tout le retour à Down House. Elle se précipita dans le bureau de Charles en criant :

« Ce n'est qu'un insupportable imbécile ! Je ne retournerai jamais plus à l'église de Down tant qu'il y officiera. Dimanche prochain je ferai deux miles jusqu'à Keston et me joindrai à leur congrégation. »

Après avoir pris connaissance des détails, Charles lui dit :

« Je ferai une apparition officielle avec toi. Mais que feras-tu en hiver, quand il y a de la boue et de la pluie ? Tu n'aimes pas faire travailler notre cocher le jour du Seigneur. »

Emma s'indigna à nouveau.

« Si je ne peux pas marcher deux miles dans la boue un dimanche matin, je n'ai pas besoin de me dire chrétienne ! » Il la prit dans ses bras pour la calmer.

« Tu n'es pas seulement chrétienne, ma chérie, tu es une martyre. Je te verrais parfaitement au Colisée à Rome, écartant les lions pour traiter l'Empereur de païen ! »

Un peu radoucie, elle l'embrassa sur la joue et demanda :

« Pourquoi faut-il que, dans toute l'Angleterre, c'est à nous que soit imparti ce bigot ? »

Charles se mit à rire. Voilà qu'Emma, dont la théologie était sans doute bien proche de celle de ce M. ffinden, se battait pour son apostat de mari !

L'Université de Cambridge annonçait qu'un titre de professeur honoraire lui serait décerné au Sénat le 17 novembre, quarante ans jour pour jour après que Christ College lui ait accordé sa maîtrise. C'était le plus grand honneur que l'université puisse conférer. Charles eut la bonne grâce d'accepter.

La famille s'installa à l'hôtel Bull. Le lendemain, Emma, Elisabeth, Leonard et Horace se glissèrent au Sénat par une porte latérale. C'était le plus impressionnant des spectacles ; les galeries des deux aîles du Sénat étaient pleines à craquer d'élèves qui grimpaient sur les statues ou se tenaient sur le rebord des fenêtres.

Il y eut des applaudissements et des cris. Lorsque Charles entra dans sa cape rouge, le bruit devint assourdissant. Il sourit et attendit l'arrivée du vice-chancelier. Bientôt, un singe apparut dansant au bout de cordes qu'on avait tendues depuis des loges ; il fut salué d'un grand éclat de rire. Les élèves étaient heureux du tour qu'ils avaient joué à Charles Darwin.

Le vice-chancelier apparut enfin, en robe écarlate et fourrure blanche ; il y eut des courbettes et des poignées de main puis Charles fut conduit en bas de l'aile, derrière deux autorités aux masses d'armes en argent. L'orateur procéda ensuite à son épuisante harangue en latin, constamment interrompu par les cris et plaisanteries traditionnelles des élèves. Puis la procession marcha vers le vice-chancelier. Contrairement à la traditon, Charles ne s'agenouilla pas. Dès que ce fut fini, on se pressa autour de lui pour lui serrer la main.

De nombreuses soirées avaient été prévues en l'honneur des Darwin. Charles fit un pèlerinage à son ancienne chambre de Christ College et emmena ses enfants voir le jardin botanique que John Henslow avait commencé, se promenant en ville avec son Doctorat dans la poche de sa robe de soie. Ce soir-là, Thomas Huxley fit un discours de darwiniste à la Philosophical Society de Cambridge. Charles eut l'impression d'avoir décrit un cercle complet ; c'était la même société qui en 1835 avait publié des extraits de ses lettres à John Henslow, avec des observations d'Adam Sedgwick.

Sir Joseph Hooker surprit tout le monde en donnant un fils à sa jeune femme. Thomas Huxley ne surprit personne en produisant une avalanche de conférences passionnantes, de monographies et de livres pour terminer avec le même titre de docteur de Cambridge.

Charles passa un mois avec Francis dans son nouveau bureau à essayer de prouver que le sommeil des plantes a pour fonction de diminuer l'effet nocif des radiations sur les feuilles. Au printemps, il alla voir à Londres le docteur Andrew Clark en se plaignant de vertiges. Le docteur Clark le mit au régime sec. Le bon docteur ne voulait pas accepter de se faire payer, même lorsqu'il avait fait le voyage jusqu'à Down, maintenant officiellement orthographié Downe. Il devenait donc délicat de faire appel à lui. Lorsque Charles insista pour lui payer au moins un salaire symbolique, il s'indigna :

« Down House est La Mecque des scientifiques du monde entier. Est-ce qu'on se fait payer pour le privilège de venir à La Mecque ? »

Emma insistait toujours pour qu'ils prennent fréquemment des vacances. Ils visitèrent la belle région des lacs cambriens, escaladant des sommets escarpés. Charles admirait le paysage tout en se plaignant :

« Ma femme est un despote !

— Je te considère comme un trésor national », lui répondit-elle.

Il écrivit à Alfred Wallace :

« *Je me sens modérément bien, mais j'ai toujours l'impression d'être à demi-mort ; j'ai pourtant réussi à travailler sur la physiologie végétale, car je crois bien que je mourrai sur l'heure si je n'ai rien à faire...* »

Le seul problème d'Alfred Wallace était son constant besoin d'argent. N'ayant d'autre revenu pour élever sa famille que ses livres et ses articles dans les journaux, ses revenus étaient modestes. Il avait essayé d'obtenir la position de secrétaire assistant à la Royal Geographical Society. Mais un de ses amis l'avait obtenue à sa place. Il avait ensuite postulé la direction du musée de Bethnal Green, et une place de conservateur d'Epping Forest. Mais trois fois, il avait échoué et il craignait pour l'avenir de sa famille. A Londres, Charles réunit un groupe d'amis chez Erasmus.

« Il faut que nous obtenions une pension du gouvernement pour Wallace, dit-il à Hooker et Huxley. C'est un homme trop précieux, nous ne pouvons pas l'abandonner. »

Ils élaborèrent une stratégie. Les lettres de Charles devaient ouvrir la voie. Après douze mois de démarches incessantes, ils obtinrent du gouvernement pour Wallace une pension de deux cents livres par an, à vie.

Les saisons commençaient à connaître des dérèglements. En juin 1878 il y eut un tonnerre tropical et de la grêle si violente que la famille craignit qu'elle ne brise le toit de la véranda. En octobre, de lourdes neiges précoces s'abattirent avant que les arbres aient perdu leurs feuilles.

Une autre sorte d'ouragan se manifesta sous la forme d'une note d'un M. Anthony Rich de Heene, Worthing, disant que sa sœur et lui étaient les derniers descendants de leur famille et que dans ces circonstances, il voulait « *se souvenir de ceux qui avaient mis leurs capacités au service de l'humanité* ». Et que par conséquent il léguait à Charles pratiquement tous leurs biens, plusieurs maisons à Cornhill qui rapportaient un peu plus de mille livres par an.

Charles voulait refuser le testament. Mais il ne trouva personne de son avis, pas même Emma ni les enfants, ni Litchfield, ni Hooker, ni Wallace, ni Huxley. Tous lui disaient à peu près :

« Acceptez l'argent ! Et faites donner les mille livres par an, par l'intermédiaire de la Royal Society, à un jeune naturaliste qui a besoin d'aide. D'autres personnes laisseront peut-être une partie de leur fortune à des naturalistes ou à des sociétés scientifiques. Cela n'a encore jamais été fait. »

Il accepta. Lorsque la Société de Géologie de Turin lui décerna le prix Bressa, et cent livres, il écrivit à la section de Naples pour leur dire que s'il avait besoin d'équipement d'une valeur de cent livres il serait très heureux qu'on lui permette de l'offrir. »

Quelques semaines avant son soixante et onzième anniversaire, en entrant dans son bureau, il aperçut un beau manteau de fourrure posé sur sa table. Il était en train de le regarder, stupéfait, lorsque ses enfants firent irruption en criant : « Surprise, surprise ! Bon anniversaire. C'est un cadeau de nous tous. Essaye-le ! »

Le manteau de fourrure lui allait parfaitement. Il embrassa ses fils et sa fille Elisabeth. Henrietta avait participé de Londres.

« Mais je ne pourrai jamais le porter, s'écria-t-il.

— Pourquoi pas, Père ?

— Parce qu'il ne fera jamais assez froid. »

Mais il le porta si souvent, qu'il craignit bientôt qu'il ne s'use.

En novembre 1880, il reçut un récit d'une inondation au Brésil où son ami Fritz Müller avait bien failli perdre la vie. Il écrivit immédiatement à Hermann Müller, en lui demandant si son frère avait perdu des livres ou des instruments dans la catastrophe, le suppliant si c'était le cas « *pour le bien de la science, et pour que la science n'ait pas à en souffrir* » qu'on lui permette de remplacer ce qui avait été perdu.

C'est à peu près à la même époque que leur plus jeune fils, Horace, épousa la fille de leur ami et parent Thomas Farrer. Les Darwin aimaient l'idée que leurs enfants ne quittaient pas la famille. Seuls Francis et Elisabeth restaient à la maison, et le petit Bernard, dont l'éducation devint une expérience nostalgique qui les ramenait au 12, Upper Gower street lorsqu'ils avaient eu leurs premiers enfants.

4.

Au début d'août 1881, Charles et Emma se rendirent à Londres pour rendre visite à Erasmus. William s'y trouvait de passage pour affaires. Francis également, pour accompagner sa sœur au théâtre et à des expositions.

Ils n'y restèrent que trois jours. Erasmus semblait fragile ; il avait déjà soixante-dix-sept ans mais avait bon moral. Ils n'en furent que plus choqués lorsqu'un télégramme leur apprit, le 26 août, qu'Erasmus était mort après une brève maladie mais sans souffrir.

Pour Charles, ce fut comme si une partie de l'Angleterre était tombée à la mer.

« Je ne veux pas laisser enterrer Ras à Londres, dit-il à la famille. Je vais l'amener à Down et le faire enterrer dans le cimetière près de l'église. Ainsi nous passerons chaque jour devant sa tombe et il saura qu'il n'est pas oublié. »

Charles écrivit à Thomas Ferrer :

« *La perte de mon frère Erasmus est une lourde perte pour toute notre famille. Il était si généreux et affectueux. Je n'ai jamais connu personne de plus agréable. C'était toujours un plaisir que de parler avec lui sur quelque sujet que ce soit, et jamais plus je ne pourrai le faire. Ce n'était pas, je crois, un homme heureux, et pendant de nombreuses années il n'accorda aucune valeur à la vie, bien qu'il ne se plaignît jamais. Je suis si heureux qu'il n'ait pas souffert dans ses derniers jours. Je ne reverrai jamais plus un tel homme.* »

Erasmus légua une somme confortable à sa sœur Caroline. Le reste de ses biens, y compris sa maison de Queen Ann, fut légué à Charles et à Emma. C'était un héritage considérable. Charles dit à Emma :

« Je doute que nous touchions jamais à l'héritage de Ras. Il voulait qu'il parvienne à nos enfants. Nous le garderons pour eux. »

Charles n'avait pas supporté les ans aussi bien qu'Emma. Il paraissait plus vieux qu'elle, bien qu'ils aient à quelques mois près le même âge. Peut-être était-ce dû à ses longues maladies ; peut-être aux périodes de travail extrêmement concentré ; peut-être était-ce sa barbe blanche comme neige. Mais Charles Darwin ressemblait maintenant au patriarche du monde. Ses yeux étaient renfoncés ; il avait l'air d'un homme sur le point de faire ses adieux ; et ne s'en souciait pas du tout. Toute sa vie il avait vécu au bord même du volcan.

Il conservait un pot de vers de terre sur le piano d'Emma dans le salon. Emma préférait ne pas lui dire qu'il aurait été plus à sa place dans la serre. Charles se servait de sifflets et autres faiseurs de bruit pour voir comment les vers réagissaient. Il ne remarquait rien. Puis il commença à jouer des notes basses sur le piano. Les vers se tordirent dans leurs pots. Emma fit remarquer naïvement :

« Charles, tu es sans doute le seul homme au monde à charmer les vers de terre en leur donnant un récital de piano ! »

Il avait fait poser une grosse pierre sur la pelouse. Horace y avait attaché un instrument qui mesurait précisément combien de temps il fallait aux vers pour faire s'affaisser la pierre et de combien. Francis était fasciné par l'expérience. Les femmes de la famille étaient curieusement indifférentes.

Le manuscrit de *La formation du terreau, par l'action des vers, avec des observations sur leurs habitudes* fut remis à John Murray en avril 1881 et le livre fut publié le 10 octobre. Deux mille exemplaires en furent vendus immédiatement, cinq mille à la fin de l'année.

La vie des vers de terre devint le sujet du jour.

Charles s'exclama :

« Mon livre a été reçu avec un enthousiasme presque risible ! »

Joseph Hooker, l'un des botanistes les plus savants du monde, confessa à Charles :

« Je dois admettre que j'avais toujours considéré les vers comme les membres les plus inutiles et inintelligents de la création ; et je suis stupéfait de découvrir qu'ils ont une vie domestique et des devoirs publics ! Désormais, je les respecterai, même dans les pots de notre jardin ; et verrai en eux autre chose qu'une simple nourriture pour les poissons. »

Charles n'avait guère de goût pour une autre longue investigation. Il préféra se livrer à des travaux ponctuels, observant pendant un mois ou deux les effets du carbonate d'ammoniac sur la chlorophylle et sur les racines de certaines plantes. « *Mais le sujet est trop difficile pour moi et je n'arrive pas à comprendre le sens de quelques faits étranges que j'ai observés. Le seul fait de noter de nouveaux faits n'est qu'un travail fastidieux.* »

Il félicita chaudement Horace et Ida à la naissance de leur premier enfant. Sécha les larmes du petit Bernard quand sa nounou se maria et partit. Demanda à William, banquier expérimenté, de s'occuper de ses affaires d'argent. Et à combien son fils estimait leur propriété, combien chacun des enfants recevrait. William estima les actions de son père à 280 000 livres, plus l'argent d'Emma. Il mit ensuite au point une formule qui permettrait aux deux filles de recevoir 34 000 livres chacune, chacun des garçons 53 000. En faisant preuve d'un peu de prudence, chacun des Darwin serait indépendant pour la vie.

C'était ce que Charles avait toujours voulu.

Ce qu'il ne dit ni à Emma ni à William, c'est qu'il avait le pouls faible. Francis le conduisit à Londres voir le docteur Clark. Le docteur leur dit :

« Il y a un petit problème au cœur, mais rien de sérieux. » Charles était d'un autre avis mais le garda pour lui. Quelques jours plus tard, en allant à pied vers la maison d'un ami, il eut une attaque. Il arriva tout juste à la porte d'entrée. Son ami n'était pas là, mais le majordome, voyant son malaise lui demanda d'entrer. Charles refusa. Le valet lui demanda s'il devait lui appeler un taxi. Charles refusa encore en lui disant : « Je préférerais ne pas vous donner tout ce mal. »

Il refusa également de se laisser raccompagner. Il marcha avec difficulté en direction d'un fiacre mais après quelques centaines de mètres tituba et dut s'accrocher aux grilles du parc pour ne pas tomber.

C'était le commencement de la fin. Mais pas la fin elle-même. Une toux le fit souffrir. Emma insista pour lui faire prendre de la quinine, ce qui lui fit grand bien. Il eut encore le temps de contribuer pour 250 livres à l'*Index* de Hooker, qui se proposait de fournir une liste exhaustive des noms de plantes identifiées, avec référence à l'auteur qui l'avait employée et l'ouvrage où on la rencontrait. Il écrivit également une note à ses exécuteurs testamentaires et à d'autres enfants en leur demandant de verser à Hooker deux cent cinquante livres par an jusqu'à ce que l'*Index* soit terminé.

Lorsque George se présenta comme candidat au professorat en mathématiques et en philosophie naturelle à Cambridge avec un salaire de huit cents livres par an, Charles dit à sa famille :

« Je crois que George sera un jour un grand ponte de la science. » Puisque la British Association devait tenir sa réunion annuelle pour 1882 à Southampton, William pensa qu'il devait à son père de prendre sur lui l'organisation de cet événement, une tâche très lourde. Charles le mit en garde : « A être trop bon cheval, on finit écrasé de travail. »

Dans un dernier sursaut de son désir de vivre, il écrivit deux courtes études pour la Linnean Society, basées sur ses observations des racines et de la chlorophylle. Il eut également la satisfaction de voir Leonard épouser une jeune femme du nom d'Elisabeth Frazer. Maintenant quatre de ses cinq fils étaient mariés.

Dans la dernière semaine de février et au commencement de mars, il souffrit de douleurs dans la région du cœur, avec un pouls irrégulier dans l'après-midi. Par les journées chaudes, il s'asseyait au verger avec Emma car il aimait « écouter les oiseaux chanter et voir les crocus grand ouverts ».

Le 7 mars, il tenta une promenade sentimentale sur le Sable, mais souffrit d'une attaque. Sa maladie devint si sérieuse qu'Emma fit appeler le docteur Clark. Des spécialistes furent appelés également de l'hôpital Saint Bartholomée et de Saint Mary Cray. Ils ne purent pas grand-chose pour soulager son impression de fatigue et de faiblesse. Il comprit avec une profonde tristesse que ses jours de travail étaient terminés.

Le 15 avril, il fut pris de vertiges à table, se leva de sa chaise puis s'évanouit en essayant de gagner sa chaise longue au salon. Il demeura inconscient pendant deux nuits. Et c'est avec de grandes difficultés qu'on parvint à lui faire reprendre conscience.

Il était soigné par Emma, Francis et Elisabeth. On prévint Henrietta. Elle arriva dans la matinée du 19. Charles avait eu une attaque plus sérieuse encore la veille à midi. Avec Henrietta pour le veiller, Emma descendit se reposer un peu. Henrietta et Francis se tenaient chacun d'un côté du lit. Charles reprit conscience un moment, regarda son fils et sa fille et leur dit doucement : « Vous êtes les meilleurs infirmiers. » Mais il s'échappait. Henrietta alla chercher sa mère et sa sœur. Charles ouvrit pour la dernière fois les yeux. Il parvint à glisser sa main dans celle d'Emma en murmurant : « Je n'ai pas peur de mourir. »

Elle l'embrassa sur le front en chuchotant : « Tu n'as pas de raison d'avoir peur. »

Quelques instants plus tard, il rendit son dernier souffle. L'un des docteurs lui ferma les yeux.

Emma et les enfants descendirent pour rejoindre la famille qui les attendait au salon. Emma parut à Henrietta calme et naturelle. On apporta du thé. Emma se laissa amuser par quelque détail, et sourit un bref instant. Henrietta demanda :

« Quel est le secret de ton calme ? »

Emma n'hésita qu'un moment puis posa ses yeux bruns et chauds sur sa fille.

« Peut-être Père ne croyait-il pas en Dieu. Mais Dieu croyait en lui. Il reposera en paix là où il est parti. » La famille décida qu'il aurait des funérailles sans tapage, dans le cimetière près de la petite église, auprès de son frère Erasmus et de ses enfants Mary Eleanor et Charles Waring. Mais John Lubbock voyait les choses autrement. Il fit signer à vingt membres de la Chambre des Communes une pétition adressée au docteur Bradley, principal de Westminster. Elle disait :

« Votre Honneur, nous espérons que vous ne trouverez pas déplacée notre suggestion. Un très grand nombre de nos concitoyens de toutes classes

et opinions trouveraient sans doute convenable que notre illustre concitoyen le docteur Darwin soit enterré à l'Abbaye de Westminster. »

John Lubbock dit à la famille :

« Je comprends vos sentiments et personnellement j'aurais bien préféré que votre père repose à Down, parmi nous... Pourtant, d'un point de vue national, il est clair qu'il est plus juste qu'il soit enterré à l'Abbaye. »

Les funérailles eurent lieu le 26 avril 1882. Les porteurs du cercueil furent Joseph Hooker, qu'il avait appelé « le plus cher des amis ». Thomas Huxley, « le bouledogue de Darwin », Alfred Wallace, qui avait déclaré : *L'origine des espèces revient entièrement à M. Darwin ;* John Lubbock, qui avait déclaré : « Darwin est mon maître », James Russel Lowell, le prêtre américain à la cour de Saint James qui désirait que son pays soit représenté William Spottiswoode, président de la Royal Society ; Cannon Farrar, le duc de Devonshire, le baron de Derby, le duc d'Argyll.

L'abbaye était pleine de représentants venus de France, d'Allemagne, d'Italie, d'Espagne et de ses universités et sociétés savantes ainsi qu'un grand nombre d'amis et d'admirateurs. Il n'avait jamais été fait chevalier, n'avait jamais été Sir Charles Darwin mais l'Eglise d'Angleterre, la gentry de Grande-Bretagne lui rendaient hommage pour sa dernière apparition.

Par un geste inspiré, le doyen de Westminster avait choisi pour Charles un endroit au nord de la nef, près de l'angle des chœurs, à quelques pas de la tombe de Sir Isaac Newton.

Ce fut une cérémonie impressionnante. Personne n'avait été admis qui ne porte le deuil ; et pourtant on ne ressentait guère de tristesse. L'atmosphère dans l'Abbaye était plutôt marquée par la fierté qu'un tel homme ait vécu.

Emma Darwin fut satisfaite. Elle n'était jamais devenue Lady Darwin mais elle était heureuse pour l'homme qui avait été son mari pendant quarante-trois ans, et « qui avait fait tant de bruit dans le monde ».

En rentrant à Down House, William dit à Francis :

« J'espère ne pas manquer de respect, mais peux-tu imaginer quelles merveilleuses conversations Sir Isaac Newton et Père peuvent avoir chaque nuit, quand tout est tranquille après la fermeture de l'Abbaye ? »

Il ne restait plus qu'à trouver une phrase pour la graver sur sa pierre tombale. Hooker et Huxley s'y essayèrent sans succès.

« Le mieux serait encore cette étonnante phrase du poète américain Emerson, dit Hooker : « *Prenez-bien garde au jour où Dieu tout-puissant laissera un penseur en liberté sur cette planète.* »

Mais Charles avait laissé des instructions, demandant qu'on n'écrive rien sur sa tombe. Ses mots avaient déjà été écrits dans la pierre et ne pourraient plus s'effacer. La dalle sur sa tombe portait :

CHARLES ROBERT DARWIN
né le 12 février 1809,
mort le 19 avril 1882.

Le monde après lui, serait différent.

Pas tout à fait pourtant.

Le lendemain de ses funérailles à l'abbaye de Westminster, une lettre fut envoyée par une firme d'horlogers de Fleet street à la Martin's Bank de Londres.

« *Messieurs,*

Nous avons tiré ce jour un chèque de 280-0-0 £ qui clôt notre compte dans votre firme. Nos raisons pour fermer ainsi un compte ouvert il y a tant d'années sont d'une nature si exceptionnelle que nous sommes prêts à admettre qu'elles peuvent paraître bien futiles.

Nos raisons sont uniquement la présence de M. R. B. Martin à l'Abbaye de Westminster hier, sanctionnant ce spectacle non seulement en tant qu'individu mais apparemment comme représentant de votre Société qui devient ainsi partisane et soutient les théories de M. Darwin. Nous pensons que le jour est venu où doivent prendre clairement position ceux qui n'ont pas honte d'affirmer la Vérité du Dieu vivant dans Ses déclarations sur la Création dans la Genèse au Sinaï et Sa parole écrite de bout en bout.

Nous sommes soucieux de ce que Dieu au moins soit témoin de notre confiance en la véracité de chacune de Ses phrases, de Ses mots de la Genèse à la Révélation.

Nous savons bien que notre faible voix sera noyée dans le vacarme de l'anathème triomphant à la gloire de l'homme dont nous tenons les théories perverses et ridicules pour d'horribles blasphèmes.

Qu'il en soit ainsi. Le jour approche à grands pas qui brûlera comme les flammes. Nous verrons alors qui a dit la Vérité, Dieu ou M. Darwin.

Respectueusement vôtre

Barraud et Lunds. »

Achevé d'imprimer en juin 1982
sur presse CAMERON,
dans les ateliers de la S.E.P.C.
à Saint-Amand-Montrond (Cher)